MOZART · DIE DOKUMENTE SEINES LEBENS

WOLFGANG AMADEUS MOZART

Neue Ausgabe sämtlicher Werke

IN VERBINDUNG MIT DEN MOZARTSTÄDTEN
AUGSBURG, SALZBURG UND WIEN HERAUSGEGEBEN VON DER
INTERNATIONALEN STIFTUNG MOZARTEUM SALZBURG

Serie X: Supplement
WERKGRUPPE 34:
MOZART · DIE DOKUMENTE SEINES LEBENS

BÄRENREITER KASSEL · BASEL · LONDON · NEW YORK
1961

MOZART

Die Dokumente
seines Lebens

GESAMMELT UND ERLÄUTERT
VON OTTO ERICH DEUTSCH

BÄRENREITER KASSEL · BASEL · LONDON · NEW YORK

1961

En coopération avec le Conseil international de la Musique
Editionsleitung: Wolfgang Plath · Wolfgang Rehm

Zuständig für:

BRITISH COMMONWEALTH OF NATIONS
Bärenreiter Edition London

BUNDESREPUBLIK DEUTSCHLAND
Bärenreiter-Verlag Kassel

DEUTSCHE DEMOKRATISCHE REPUBLIK
Deutscher Verlag für Musik Leipzig

ÖSTERREICH
Österreichischer Bundesverlag Wien

SCHWEIZ
und alle übrigen hier nicht genannten Länder
Bärenreiter-Verlag Basel

UNITED STATES OF AMERICA
Bärenreiter Music New York

Schutzumschlag: Gertraud Weyrauch. Das unvollendete Ölbild von Joseph Lange (Winter 1782/83)
stellt Mozart am Klavier dar (Mozart-Museum, Salzburg).

INHALT

VORWORT

Diese Sammlung aller erreichbaren Dokumente aus Mozarts Leben wurde nach dem Muster der früher erschienenen Schubert- und Händel-Biographien[1] des Herausgebers angelegt, enthält jedoch nicht die Briefe Mozarts, da ihre Zahl zu groß ist und eine neue, vollständige Ausgabe der Briefe der Familie Mozart als Ergänzung zur *Neuen Mozart-Ausgabe* erscheinen wird[2]. Aus diesen Briefen sind jedoch die Ereignisse, die nicht anderweitig dokumentarisch belegt werden können, wie z. B. die Einzelheiten der Reisen Mozarts, im wesentlichen gesichert und zeitgerecht eingefügt worden. Mozarts Bildnisse und die Bilder zu seinem Leben wurden in einem anderen Supplement-Band der *Neuen Mozart-Ausgabe* (X/32) unter dem Titel *Mozart und seine Welt in zeitgenössischen Bildern* gesammelt, der dem Herausgeber erst später übertragen wurde und auf den aus diesem Grunde im Text nur fallweise verwiesen werden konnte. Eine Liste der in diesem Bildband reproduzierten Faksimiles von Dokumenten ist aber am Schluß des vorliegenden Buches abgedruckt. Die Erläuterungen zu den einzelnen Dokumenten und Ereignissen wurden, wie in jenen genannten früheren Dokumentar-Biographien des Herausgebers, nicht in Fußnoten, sondern in jeweils den Texten folgenden Anmerkungen gegeben. Die Hinweise von einem Dokument oder Ereignis auf andere konnten nur mit Kalender-Daten versehen werden, weil die besondere Art dieser Mosaik-Arbeit eine durchlaufende Numerierung aller Dokumente (noch bei Schubert, aber nicht mehr bei Händel zu finden) als untunlich erscheinen ließ: Der wiederholte, durch persönliche Umstände bedingte Verzug der Veröffentlichung, der das Buch allerdings nützlich bereichert hat, würde zu vielen Nebennnummern geführt haben (wie z. B. 333 A usw.), was nicht nur äußerlich wenig schön gewesen wäre, sondern auch leicht Irrtümer hätte mit sich bringen können.

Der Dokumenten-Band wurde schon im Jahre 1948 mit dem Londoner Verlag A. & C. Black Ltd. vereinbart, bei dem er auch englisch erscheinen wird, der Vertrag mit der Internationalen Stiftung Mozarteum in Salzburg als der Herausgeberin der *Neuen Mozart-Ausgabe* und dem Bärenreiter-Verlag in Kassel als ihrem Verleger jedoch erst Mitte 1956 geschlossen. Der Verdoppelung des Auftrags war die wertvolle Beratung des Anfang 1960 verstorbenen Editionsleiters der *Neuen Mozart-Ausgabe*, Dr. Ernst Fritz Schmid, zu danken, ebenso aber

---

[1] *Schubert. A Documentary Biography.* Translated by Eric Blom, London 1946; *Handel. A Documentary Biography*, London 1955.
[2] Herausgegeben von Wilhelm A. Bauer und Otto Erich Deutsch.

auch die des Direktors des Salzburger Landesarchivs und Mitglieds des Kuratoriums der Internationalen Stiftung Mozarteum, Hofrat Dr. Herbert Klein. Die Verzögerung des Erscheinens hatte den Vorteil, daß die zahlreichen, in mehreren Ländern erschienenen Publikationen zur Zweihundertjahr-Feier des Geburtstages Mozarts (1956) noch benutzt werden konnten. Die chronologische Anordnung der ganzen Sammlung ergab nicht nur eine gegenseitige Erklärung der Dokumente und Ereignisse, sondern führte auch oft zu neuen Quellen.

Die Quellen sind grundsätzlich zu Beginn der jeweiligen Erläuterung genannt. Wo es nötig erschien und möglich war, wurden diese direkt aufgesucht und benützt. In jedem Falle ist aber der Erstdruck genannt, manchmal sind auch spätere Publikationen zitiert, abgesehen von den Stellen aus dem Tagebuch des Grafen Karl Zinzendorf und aus der amtlichen *Wiener Zeitung*. Ist in den Erläuterungen keine Veröffentlichung genannt, darf angenommen werden, daß die Publikation des betreffenden Dokuments hier zum ersten Mal erfolgt. Der Herausgeber möchte aber sein Verdienst nicht in solchen Prioritäten, sondern in der Sammlung, Ordnung und Erklärung der Dokumente erkannt sehen.

Unter den Dokumenten finden sich Gesuche Mozarts und seines Vaters sowie Briefe Leopold Mozarts an Verleger, soweit solche Schriftstücke dem Herausgeber biographisch wichtig erschienen, obwohl diese natürlich in der neuen Briefausgabe nicht fehlen werden. Auch die erhaltenen Briefe an die Mozarts, außerhalb des Familienkreises geschrieben, und ebenso andere Briefe, die Mozart betreffen, sind aus biographischen Gründen aufgenommen worden.

Alle Dokumente wurden in der Originalsprache wiedergegeben, ausgenommen die holländischen, dänischen und ungarischen, die im Text übersetzt erscheinen, jedoch im Anhang III auch in ihrer ursprünglichen Fassung abgedruckt sind.

Die originale Schreibweise der Dokumente ist möglichst getreu beibehalten, Verschreibungen sind weder durch ein *sic* noch durch ein Ausrufungszeichen besonders hervorgehoben worden.

Die Dokumente reichen, soweit es dem Herausgeber nützlich erschien, über den Tod Mozarts hinaus und umfassen auch zum ersten Mal alle glaub- und denkwürdigen Erinnerungen, die in den folgenden hundert Jahren geschrieben oder gedruckt worden sind.

Anhang I und II enthalten kommentiert die Subskriptions-Liste zu den Wiener Mozart-Konzerten von 1784 und den Nachlaßakt mit besonderer Identifizierung der Bücher und Noten.

Selbst das langsame Fortschreiten der ganzen Arbeit ließ einen Nachtrag nicht vermeiden, auf den jedoch im Text jeweils unter dem entsprechenden Datum verwiesen ist.

Die Mozart-Biographie von Otto Jahn wurde, wenn nicht anders angegeben, in der von Hermann Deiters bearbeiteten 3. Auflage (1889—1891) zitiert, die Briefausgabe von Erich H. Müller von Asow in der ursprünglichen Zählung als Band II und III (vgl. das Literatur-Verzeichnis am Schluß des Bandes).

VIII

Es ist für den Herausgeber eine angenehme Pflicht, den Helfern am Werke zu danken, an erster Stelle der Internationalen Stiftung Mozarteum und dem Bärenreiter-Verlag für ihr Vertrauen und ihre Geduld. Die öffentlichen Institute, die diese Sammlung gütigst gefördert haben, sind jeweils im Text genannt. Den zahlreichen Persönlichkeiten, darunter Freunden und Kollegen, individuell zu danken, ist leider hier unmöglich; aber ihre Namen sollen wenigstens aufgezählt werden, wobei an etwaigen Unterlassungen ein Gedächtnis schuld wäre, das für das 20. Jahrhundert nicht mehr recht aufnahmefähig ist: Die Damen Emily Anderson (London), Erna Felmayer (Wien), Hilde Glück (Wien), Dr. Monika Holl (Wien), Ruth Larsen (Kopenhagen), Josefa Morbioli (Wien), Auguste Roth (Wien), Lidia F. Wendelin (Budapest), Gertrud Wernigg (Wien); die Herren Dr. Wilhelm A. Bauer (Wien), Dr. Eric Blom (London), Dr. Alexander Buchner (Prag), Dr. Rudolf Geyer (Wien), Prof. Dr. Walter Hummel (Salzburg), Charles Humphries (London), Hans Jörgen Hurum (Oslo), Dr. Hanns Jäger-Sunstenau (Wien), Ds. W. C. de Jong (Den Haag), A. Hyatt King, M. A. (London), François Lesure (Paris), A. W. Ligtvoet (Den Haag), Dr. C. B. Oldman, C. B. (London), Christopher Raeburn (London), Prof. Dr. Géza Rech (Salzburg), Dr. Wolfgang Rehm (Kassel), Alby Rosenthal (Oxford), Dr. Wolfgang Schmieder (Frankfurt am Main), Otto Schneider (Markt Piesting) und Dr. Luigi Ferdinando Tagliavini (Bologna).

Zum Namen Mr. Raeburns, der ein Buch über Mozarts Opern vorbereitet, muß noch gesagt werden, daß er seine Funde in Zeitschriften aus Mozarts Wiener Zeit der Dokumenten-Sammlung nicht vorenthalten und ihr damit beträchtlich geholfen hat. Frau Dr. Monika Holl stellte die Register zusammen.

Wien, im Frühjahr 1960   Otto Erich Deutsch

DIE VORFAHREN

TRAUUNG DER GROSSELTERN MÜTTERLICHERSEITS

Aus dem Trauungsbuch der Pfarre St. Gilgen, 22. November 1712

Copulati sunt Nobilis ac strenuus Domin[us] Nicola[us] Wolfgang[us] Pertl Juris utriusque Candidat[us] Secretari[us] Camerae Salisburgensis et Nobilis Domina Euph[r]osina Puxbaumin vidua. Assistente ut supra [Wolf: Philipp: Wendlinger vicarius loci] test[i]b[us]: Domino Joa[nne]: Andrea schnedizeni praefecto et Domino Martino Pertl.

Mitgeteilt von Dr. Wilfried Keplinger, Salzburg. — Johann Andrä Schnedizeni war Pfleger von Hüttenstein am Krottensee; das Amtshaus war das Neue Schloß dort. Es lag nordöstlich von St. Gilgen (am Aber- oder Wolfgang-See). Wolfgang Nikolaus Pertl war damals Hofkammer-Sekretär in Salzburg und wurde 1716 als Pflegekommissar Nachfolger Schnedizenis. Der Pfleger oder, wenn der Posten nur kommissarisch besetzt war, der Pflegekommissar war der oberste Verwaltungs- und Justizbeamte eines Pflegegerichts; in diesem Falle des Pflegegerichts Hüttenstein-St. Gilgen.

TRAUUNG DER GROSSELTERN VÄTERLICHERSEITS

Aus den Augsburger Hochzeitamts-Protokollen, 1. Mai 1718

Joh. Georg Mozer, ein Buchbinder, Wittiber, vnd Anna Maria Sulzerin, ledig, beede hießig, sein Beystand Johann Georg Mozer, Maurmeyster, ihr beystand Christian Sulzer, weber.

Bd. 21, fol. 233. — Mitgeteilt von Dr. Ernst Fritz Schmid. — Der Buchbinder Mozart war in erster Ehe mit Anna Maria Peter verheiratet gewesen, die erst am 18. März 1718 gestorben war. Die kirchliche Trauung fand am 16. Mai 1718 in der Stadtpfarre St. Georg statt (s. Nachtrag, S. 519). Sein Trauzeuge war ein Onkel, ihr Trauzeuge der Vater der Braut, der aus Baden-Baden nach Augsburg eingewandert war (s. 11. Dezember 1766).

GEBURT UND TAUFE DES VATERS

Aus dem Taufbuch der Pfarrei St. Georg in Augsburg, 14. November 1719

Die 14.ta huius Idem [P. Ignatius Seefelder] baptizavit infantem natum ex conjugibus Joanne Georgio Mozarth Bibliopega, et Anna Maria, circa primam matutinam. Patrini erant Admodum Reverendus et Clarissimus Dominus Joannes Georgius Grabher ad S. Petrum Augusta Canonicus, et Domina Maria Schwarzin. nomen infantis — *Joannes Georgius Leopoldus.*

Ernst Fritz Schmid, *Ein schwäbisches Mozart-Buch,* Lorch-Stuttgart 1948, Tafel IVb und S. 378, Anm. 56. — Über Grabherr siehe Schmid im *Mozart-Jahrbuch* 1950, Salzburg 1951, S. 108 f. — Leopold Mozart ging 1737 von Augsburg nach Salzburg, um an der dortigen Universität Philosophie und Jus zu studieren. Er wurde 1738 bei einer Prüfung öffentlich ausgezeichnet, aber 1739 wegen Mangels an Fleiß relegiert. 1740 trat er als Kammerdiener und Musiker in die Dienste des Grafen Johann Baptist Thurn-Valsassina und Taxis, Präsidenten des Salzburger Konsistoriums, dem er sein erstes Werk, sechs selbstgestochene Kirchensonaten für zwei Violinen und Baß, widmete. Im Jahre 1743 nahm der Fürsterzbischof Leopold Anton Eleutherius Freiherr v. Firmian Leopold Mozart als vierten Violinisten in die Hofkapelle auf, wo er vor 1758 ans zweite und bald darauf ans erste Pult vorrückte und 1763 Vizekapellmeister wurde, ohne je die erste Stelle zu erreichen. 1757 erhielt er aber auch den Titel eines Hofkomponisten.

Taufe der Mutter

Aus dem Taufbuch der Pfarre St. Gilgen, 25. Dezember 1720

Anna Maria Walburga filia legitima Strenui D[omini]: Wolfgangi Nicolai Pertls' huius loci seu Prefecturae Commißarii, et Evae Rosinae Altmanin vxoris eius. Matrina D[omina]: Gertrudis Seywalterin Capitl: und St: Peterische Verwalterin, und Gastgebin im Strobl. Minister qui supra [Franc: Anton: Kaltenbrunner vic(arius) loci]

Mitgeteilt von Dr. Keplinger. — Noch im 18. Jahrhundert schrieb ein Unbekannter zu dieser Eintragung: *„mater celeberr[imi] Mozart"*. Am 27. April 1720 war der Pfleger von Hüttenstein in das neue Amtsgebäude von St. Gilgen (jetzt Bezirksgericht) übersiedelt.

Trauung der Eltern

Aus dem «Liber Matrimonialis» der Dompfarre Salzburg

Annus 1747, November

21. Nobilis Dominus Leopoldus Mozarth Chelista Aulicus, Perhonesti Joannis Georgii Mozart Bibliopaegae Augustae vindelicorum et Mariae Annae Sulzerin Coniugum filius Legitimus cum Nobili et Pudica Virgine Maria Anna Nobilis Domini Nicolaj Pertl pflegsCommissarij in Hildenstein et Evae Rosinae Altmannin Coniugum nata legitima praesentibus testibus Plurimum Reverendo et Doctissimo Domino Sebastiano Seyser Chori vicario Metropolitano et Nobili Domino Francisco Spetzner Cubiculario Aulico et Tantz-Maister assistente me Leopoldo Joly Capellano Civico.

Alfred Orel in den *Mitteilungen der Internationalen Stiftung Mozarteum,* Salzburg, Juni 1956, S. 3. Die von Jahn (II, 695) zitierte ungenaue Übersetzung stammt wahrscheinlich, wie die der Taufeintragung Wolfgangs (28. I. 1756), vom Salzburger Dompfarrer Balthasar Schitter aus dem Jahre 1841. — Das Trauungsbuch, worin diese Eintragung auf S. 115 steht, war seit 1740 in Gebrauch. Die dort abgekürzten Worte sind hier ausgeschrieben. *„Chelista"* bedeutet Violinspieler. Statt Hildenstein sollte es Hüttenstein heißen, statt Spetzner richtig Speckner. — Die irrtümliche Annahme, daß Mozarts Eltern in Aigen bei Salzburg getraut worden seien, geht auf Leopold Mozarts scherzhafte Bemerkung in seinem Brief an Lorenz Hagenauer vom 27. November 1764 zurück: sie hätten dort ein Gelübde abgelegt.

Aus dem Augsburger Hochzeits-Amts-Protokoll, 10. Februar 1748

Actum d: 10. February.

Johann Georg Leopold Mozhard, allhiessiger Buchbinders-Sohn, und dermahlig hochfürstl. Salzburgischer Cammerdiener, hat, vermöge wollöbl. Raths Decreti de 6. Febr: praes: Anni, umb seine Copulation und Hochzeit in Salzburg vornehmen zu dörfen, 9. f Vergunstgelt bezahlt. C: Actum: 10. February.

Er wird in Salzburg wohnen.

J. E. C. Herwart

Stadtarchiv Augsburg, Bd. 25, S. 361; ausgestellt im Mozart-Haus, Augsburg. — Vgl. dazu Ernst Fritz Schmid, *Ein schwäbisches Mozart-Buch,* Lorch-Stuttgart 1948, S. 103: Leopold Mozart erhielt auf sein *„gehorsames Ansuchen und Bitten"*, vom Rat der Stadt Augsburg die urkundliche Bewilligung, *„mit Aufbehaltung des Burger-Rechts auswärtig wohnen und sich copulieren lassen zu dörfen"*. — Herwart war Deputierter zum Hochzeitsamt.

Geburt des ersten Kindes

Aus dem Taufbuch der Dompfarre Salzburg, 18. August 1748

18. hora 4 mane
natus et hora 5
vesperi renatus

Joannes Leopoldus	Leopoldus Mozard	Maria Cordula Perg-	Leopoldus Joly
Joachimus Filius	Chelista Aulicus et	mayrin Mercatrix	capellanus
Legitimus	Maria Anna Pertlin	loco Mariti Amadaei	civicus
	conjuges	Pergmayr	

Die Auszüge aus dem Tauf- und dem Sterbebuch der Dompfarre Salzburg (vgl. Jahn II, 695 f.)
wurden von Dr. Herbert Klein, Salzburg, mitgeteilt. — In der ersten Rubrik des Taufbuchs sind
Geburt und Taufe angegeben, in der zweiten der Name des Täuflings, in der dritten die Eltern, in
der vierten der Pate oder die Patin, und in der letzten der Priester. — Das Ehepaar wohnte in der
Getreidegasse im dritten Stock des Hauses des Spezereiwaren-Händlers Lorenz Hagenauer.

Tod des ersten Kindes

Aus dem Sterbebuch der Dompfarre Salzburg, 2. Februar 1749

Infans Leopoldus, Leopoldi Motshart Chelistae Aulici fil[ius] leg[itimus] aetatis 23 heb
[-domadarum] ad S. Petrum.

Beisetzung im Friedhof des Stiftes St. Peter.

Geburt des zweiten Kindes

Aus dem Taufbuch, 18. Juni 1749

18. hora 5 vesperi
nata et hora 6ta
renata

Maria Anna Cor-	Leopoldus Motsart	Amadaeus Pergmayr	P. R. D.
dula Filia	Chelista Aulicus et	mercator civicus	Sebastia[nus]
Legitima	Maria Anna Pertlin	loco uxoris Mariae	Seyser
	Conjuges	Cordulae	Chori Metropol.
			Vicarius

Tod des zweiten Kindes

Aus dem Sterbebuch, 24. Juni 1749

Infans Maria Anna Cordula, Leopoldi Mozart Chelistae Aulici fil[ia] leg[itima] aetatis
3 dierum ad S. Petrum.

Statt drei sollte es sechs Tage heißen.

Geburt des dritten Kindes
Aus dem Taufbuch, 13. Mai 1750

13. hora 9 mane
nata et hora 5
pomerid[iana]
renata

Mar[ia] Anna Nepomucena Walpurgis Filia Legitima	Leopoldus Mozart Musicus Aulicus et Maria Anna Pertlin Conjuges	Cordula Pergmayrin Mercatrix Civica	Leopoldus Josephus Joly Cap. Civicus

Tod des dritten Kindes
Aus dem Sterbebuch, 29. Juli 1750

Infans Joanna, Leopoldi Mozart Chelistae Aulici filia legitima aetatis 16 hebdom[adarum] ad S. Petrum.

Statt Joanna sollte es Maria Anna heißen, statt 16 Wochen nur acht.

Geburt des vierten Kindes
Aus dem Taufbuch, 30.—31. Juli 1751

30. med. 12 noctu nata
et 31. hora 4 pomeridiana renata

Maria Anna Walburga Ignatia Filia Legitima	Leopoldus Mozart Chelista Aulicus et Maria Anna Pertlin Conjuges	Mar[ia] Cordula Bergmayrin Mercatrix Civica	Ferdinandus Joly cap[ellaniae] Civicae Coadiutor

„Nannerl", das erste überlebende Kind.

Geburt des fünften Kindes
Aus dem Taufbuch, 4. November 1752

4. Horâ 8vâ mane
natus et horâ 4tâ
pom[eridiana]
renatus est

Joannes Carolus AmaDeus F[ilius] L[egitimus]	Leopoldus Mozhart Musicus Aulicus et Maria Bertlin Conjuges	Joannes AmaDeus BergMayr Mercator Civicus	Ferd[inandus] Joly Coad[iutor]

Hier kommt der Vorname Amadeus zum ersten Male vor.

Tod des fünften Kindes

Aus dem Sterbebuch, 2. Februar 1753

Joan[nes] Bapt[ista] Carolus Theophilus, fil[ius] leg[itimus] Leopoldi Mozart Musici Aulici. aet[atis] ¼ ann[i]. ad S. Petrum.

Hier ist der Vorname in der griechischen Form (Theophilos) gegeben.

Geburt des sechsten Kindes

Aus dem Taufbuch, 9. Mai 1754

9. med. 10 ante-
mer[idiana] Baptizata
est, natâ pridie
med[ia] 5. Vespert[ina]

| Maria Crescentia Francisca de Paula fil[ia] leg[itima] | D. Leopoldi Mozzard Aulae Musici hic, et Mariae Annae Pertlin Conjugum | D. Maria Cordula Pergmayrin mercatrix civica, loco eiusdem stetit Josepha Wagnerin soluta | Leopoldus Lamprecht Capellanus Civicus |

Tod des sechsten Kindes

Aus dem Sterbebuch, 27. Juni 1754

Maria Francisca, fil[ia] leg[itima] D[omini] Leopoldi Mozard Aulae musici. aet[atis] 7 Hebdomad[arum]. ad S. Petrum.
parv[a] tempore nocturno

Leopold Mozart an Johann Jakob Lotter in Augsburg

Salzb. den 15 10bris 1755

Ich hoffe dero Liebe Frau Gemahlin werde entzwischen ihrer Bürde glücklich entledigt seyn ... Dieß wünscht auch die meinige von Herzen, welche gegen den Ende des Jenner auch diese Arbeit vor sich hat.

Leopold Mozart an Lotter

Salzb: den 26 Januarii/1756

Die meinige wird bald ihre Reise antretten.

Zu Lotter vgl. 9. Februar 1756.

MOZARTS LEBEN

1756

GEBURT DES SIEBENTEN KINDES

Aus dem Taufbuch der Dompfarre Salzburg 28. Januar 1756

Annus 1756.

Januarius.
  28.
med[ia hora] 11.
merid[iana] baptizatus est:
  natus pridie h[ora] 8.
    vesp[ertina]

Joannes Chrysost[omus] Wolfgangus Theophilus fil[ius] leg[itimus]	Nob[ilis] D[ominus] Leopoldus Mozart Aulae Musicus, et Maria Anna Pertlin coniugeß	Nob[ilis] D[ominus] Joannes Theophilus Pergmayr Senator et Mercator Civicus p[ro] t[empore] sponsus	Idem [Leopoldus Lamprecht Capellanus Civicus]

Faksimile in L. Schiedermairs *Mozart-Ikonographie*, München 1914, S. 52. Orel, a. a. O., S. 2. — Die Eintragung steht auf Seite 2 des Januar 1756. Die Stunde der Taufe war 1/2 11, nicht 10 Uhr, wie allgemein angegeben, auch in der von Jahn (II, 696) zitierten Übersetzung, die der Salzburger Dompfarrer Balthasar Schitter am 16. Dezember 1841 ausgestellt hat. Der 27. Januar ist der Namenstag des heiligen Johannes Chrysostomus (das heißt Goldmund), Kirchenvaters und Patriarchen von Konstantinopel (gest. 407), eines glänzenden Predigers, des Schutzheiligen der Kanzelredner. — Wolfgang nannte sich in Italien von 1770 an Wolfgango Amadeo und von etwa 1777 an Wolfgang Amadè.

LEOPOLD MOZART AN JOHANN JAKOB LOTTER IN AUGSBURG

Salzburg, den 9. Februar 1756

... Übrigens benachrichte [ich Sie], daß den 27 Januarii abends um 8 uhr die meinige mit einem Buben zwar glücklich entbunden worden. die *Nachgeburt* aber hat man ihr wegnehmen müssen. Sie war folglich erstaunlich schwach. Itzt aber /: Gott sey dank :/ befinden sich kind und Mutter gut! Sie empfiehlt sich beyderseyts. der Bub heißt *Joannes Chrisostomos, Wolfgang, Gottlieb.*

Stadtarchiv Augsburg. — Arthur Schurig, *Mozart*, 2. Auflage, Leipzig 1923, I, 64. — Lotter war der Verleger der *Violinschule* Leopold Mozarts, die 1756 in Augsburg erschien. Der Verlag hat 1793 ein

Werk Wolfgangs posthum veröffentlicht: die *Missa brevis in D*, KV 194. Vater Mozart, der seinem Bruder Franz Alois, Buchbinder dort, besonders nahestand, war vorläufig Augsburger Bürger geblieben, so daß Nannerl und Wolfgang eigentlich als Augsburger Bürgerkinder in Salzburg geboren waren.

Leopold Mozart an Lotter

Salzb: d. 12 Feb. 1756.

... ich kan sie versichern, daß ich so viel zu thun habe, daß ich manchmal nicht weis wo mir der Kopf stehet. nicht zwar wegen vielem Componiren, sondern wegen vielen Scolaren und den opern bey Hofe. Und das wissen sie auch, daß wann die Frau Wöchnerin ist, daß immer iemand kömmt der einem die Zeit wegstihlt. Dergleichen Historien nehmen Geld und Zeit weg.

Original in der Österreichischen Nationalbibliothek, Wien. Faksimile in Schiedermairs *Mozart-Ikonographie*, S. 48a.

1757

Aus Friedrich Wilhelm Marpurgs «Historisch-Kritischen Beyträgen zur Aufnahme der Musik», Berlin 1757

Versuch einer gründlichen Violinschule, entworfen / und mit vier Kupfertafeln samt einer Tabelle versehen von / Leopold Mozart, Hochfürstl. Salzburgischen Kammermusikus. / In Verlag des Verfassers. Augspurg, gedruckt bey / Johann Jacob Lotter, / 1756.

Ein Werk von dieser Art hat man schon lange gewünschet, aber sich kaum getrauet, zu erwarten. Diejenigen, die den Bogen aufs geschickteste zu führen wissen, haben nicht allezeit die Feder in ihrer Gewalt, und den wenigen, die in beyden gleiche Fertigkeit haben, fehlet es öfters an gutem Willen, zu schreiben. Um wie viel mehrere Verbindlichkeit muß man dem Hrn. Verfasser des gegenwärtigen Werks haben? Der gründliche und geschickte Virtuose, der vernünftige und methodische Lehrmeister, der gelehrte Musicus, diese Eigenschaften, deren jede einzeln einen verdienten Mann macht, entwickeln sich allhier zusammen. Wir können nicht allein den Freunden dieses Instruments Glück wünschen, daß sie nunmehro Gelegenheit haben, mit wenigen Unkosten in kurzer Zeit weiter zu kommen, als sonst wohl mit vielem Aufwand in vielen Jahren nicht geschehe. Auch verschiedene, die von der Violine Profeßion machen, finden allhier ihre Lection, und werden wohl thun, sich die Lehren dieses grossen Meisters zu Nutze zu machen, damit sie ihre Lehrlinge nicht durch fernere schlechte Vorschriften verhudeln ... [folgt Inhaltsangabe.] Dieses sind die Materien, die der Hr. Mozart in der besten natürlichsten Ordnung, in einem reinen deutschen Vortrage, abhandelt. Er ermangelt nirgends, seine Sätze mit den bündigsten Gründen zu unterstützen, und alle Regeln werden mit gehörigen Exempeln erläutert. Ein berühmter Geminiam [Geminiani] konnte nur der englischen Nation, ein vortreflicher Mozart aber nur der deutschen, ein Werk von dieser Natur vor Augen legen, und sich eines allgemeinen Beyfalls würdig machen.

III. Band, 2. Stück, S. 160—163.

Aus Marpurgs «Historisch-Kritischen Beyträgen zur Aufnahme der Musik», Berlin 1757

Nachricht von dem gegenwärtigen Zustande der Musik / Sr. Hochfürstlichen Gnaden des Erzbischoffs zu Salzburg / im Jahr 1757. / Die Herren Hofcomponisten.

...4. Hr. Leopold Mozart *aus der Reichsstadt Augspurg*. Ist *Violinist* und *Anführer des Orchesters*. Er componirt für die Kirche und für die Kammer. Er ist den 14ten *Wintermonat* 1719 gebohren, und trat bald nach abgelegten Studien der *Weltweißheit* und *Rechtsgelahrtheit* im Jahre 1743. in die Hochfürstl. Dienste. Er hat sich in allen Arten der Composition bekannt gemacht, doch aber keine Musik in den Druck gegeben, und nur im Jahre 1740. 6 Sonaten à 3. selbst im Kupfer radiert; meistens nur um eine Uebung in der *Radierkunst* zu machen. Im *Heumonate* 1756. gab er seine *Violinschule* heraus.
Von den Hrn. Mozards in Handschriften bekannt gewordenen Compositionen sind hauptsächlich viele *contrapunctische* und andere *Kirchensachen* zu merken; ferner eine grosse Anzahl von *Synfonien* theils nur à 4. theils aber mit allen nur immer gewöhnlichen Instrumenten; ingleichen über dreißig grosse *Serenaten*, darinnen für verschiedne Instrumente Solos angebracht sind. Er hat ausserdem viele *Concerte*, sonderlich für die Flötraversiere, Oboe, das Fagott, Waldhorn, die Trompete etc. unzählige *Trios* und *Divertimenti* für unterschiedliche Instrumente; auch zwölf *Oratorien* und eine Menge von *theatralischen Sachen*, sogar *Pantomimen*, und besonders gewisse *Gelegenheits-Musiken* verfertiget, als: eine *Soldatenmusik* mit Trompeten, Paucken, Trommeln und Pfeiffen, nebst den gewöhnlichen Instrumenten; eine türkische Musik; eine Musik mit einem stählernen Clavier; und endlich eine Schlittenfahrtmusik mit fünf Schlittengeläuth; von Märschen, sogenannten Nachtstücken, und vielen hundert Menuetten, Opertänzen, und dergleichen kleinern Stükken nicht zu reden.

III. Band, 3. Stück, S. 184 f. — Diese „*Nachricht*" soll von Leopold Mozart selbst eingesandt worden sein.

1759

Aus Marpurgs «Kritischen Briefen über die Tonkunst», Berlin 1759

I. Brief an Herrn Leopold Mozart, Hochfürstl. Salzburgischen Hofcomponisten.

Berlin den 23. Junius 1759.

... eine gewisse musikalische Gesellschaft hieselbst, deren Geheimschreiber ich zu seyn das Vergnügen habe, will ein musikalisches Wochenblatt schreiben ... Die Gesellschaft ist Willens, ihre periodischen Aufsätze in Briefen herauszugeben, und sie wird sich die Freyheit nehmen, ihre Briefe an Personen von Verdienst, Einsicht und Geschmack zu richten. Konnte selbige bey diesem Vorsatze, mein Herr, einen glücklichern Anfang machen, als mit Ihnen? ...   Hypographus.

I. Teil, I. Brief, S. 1—8. — Der IV. Brief war an Carl Philipp Emanuel Bach gerichtet. Alle Briefe erschienen pseudonym. Der an Leopold Mozart dürfte von Marpurg selbst verfaßt worden sein, dessen Name auch auf dem Titelblatt der Zeitschrift nicht genannt ist.

Aus Marpurgs «Historisch-Kritischen Beyträgen zur Aufnahme der Musik», Berlin 1759

Augsburg. Hieselbst ist im Lotterschen Verlage unlängst herausgekommen: *Der Morgen und der Abend, den Einwohnern der Hochfürstl. Residenzstadt Salzburg, melodisch und harmonisch angekündigt. Oder: Zwölf Musikstücke für das Clavier, wovon täglich eines in der Vestung Hohensalzburg auf dem sogenannten Hornwerke Morgens und Abends gespielet wird; auf Verlangen vieler Liebhaber, samt einer kurzen Geschichte von dem Ursprunge der Vestung Hohensalzburg, herausgegeben von Leopold Mozart, Hochfürstl. Salzburgischen Kammermusicus. Augsburg, 1759* ... Von undenklicher Zeit her hat es nur ein einzigs Stück gespielt. Diesem hat die hochlöbl. *Landschaft* noch eilf andere Stücke zur Abwechslung beyfügen lassen... Da nun viele Liebhaber diese Stücke fürs Clavier zu haben gewünschet: so hat sich der Herr *Mozart* gefällig erzeigt, und selbige dem Drucke übergeben. Die Stücke für den Januar, April, August, November und December, sind von dem Hochfürstl. Salzburgischen Capellmeister, Herrn *Johann Ernst Eberlin,* und die für den Februar, May, Junius, Julius, September und October, nebst den Veränderungen des Stückes für den März vom Herrn Hofcomponisten *Mozart.* Diese Veränderungen sind aber nicht auf dem Hornwerk, sondern erst itzo von demselben, für die Liebhaber des Claviers, dazu verfertiget worden. Das Stück für den März ist das alte Stück, dessen Meister man nicht weiß. Die Namen der zween erstern berühmten Tonkünstler kann dieser Sammlung von kleinen Stücken nicht anders als vortheilhaft seyn. Wir wünschten, daß auch zu Augsburg die neueren Breitkopfschen Noten bald bekannt, und die alten abgeschaffet werden mögten.

IV. Band, 5. Stück, S. 403—405. — Der Notendruck in Typen war von Immanuel Breitkopf, Leipzig 1755, eingeführt worden, aber Lotter hatte dieses Verfahren auch benutzt.

1761

Leopold Mozarts Vermerk in Nannerls Notenbuch
unter einem Scherzo von Georg Christoph Wagenseil

Dieß Stück hat der Wolfgangerl den 24ten January 1761, 3 Täge vor seinem 5ten Jahr nachts um 9 uhr bis halbe 10 uhr gelernet.

Mozarteum, Salzburg. — *Nannerl-Notenbuch,* herausgegeben von Erich Valentin, München 1956, S. 40 f., No. 27. — Zu den No. 1 bis 8 (S. 13—16) dieses 1759 angelegten Übungsheftes bemerkte der Vater: *„Diese vorgehende 8 Menuet hat d. Wolfgangerl im 4. Jahr gelernet."* Zu No. 19 (S. 24): *„Diesen Menuet hat d. Wolfgangerl auch im Vierten jahr seines alters gelernet."* Und zu No. 37 (S. 68 f.): *„Dieß Allegro hat d. Wolfgangerl im 4ten Jahre gelernet."*

Leopold Mozarts Vermerk in Nannerls Notenbuch

Disen Menuet und Trio hat der Wolfgangerl den 26ten January 1761 einen Tag vor seinem 5ten Jahr um halbe 10 Uhr nachts in einer halben Stunde gelernet.

A. a. O., S. 18 f., No. 11.

LEOPOLD MOZARTS VERMERK IN NANNERLS NOTENBUCH

unter einem Marsch

Den 4ten feb: 1761 von Wolfgangerl gelernet.

A. a. O., S. 27, Nr. 21.

LEOPOLD MOZARTS VERMERK IN NANNERLS NOTENBUCH

unter einem Scherzo von Wagenseil

Den 6t feb: 1761 hat dies der Wolfgl. gelernt.

A. a. O., S. 42 f., Nr. 28. — Zu den zwei frühesten Kompositionen Mozarts, einem Andante und einem Allegro, zwischen Februar und April 1761 (vor KV 1) entstanden, notierte der Vater: „*Des Wolfgangerl Compositiones, in den ersten 3 Monaten nach seinem 5ten Jahre.*" *(Der früheste Mozart, mit Faksimiles, herausgegeben von Erich Valentin, München 1956, S. 25.)*

AUS DEM GEDRUCKTEN TEXTBUCH DES LATEINISCHEN SCHULDRAMAS «SIGISMUN-DUS HUNGARIAE REX», AUFGEFÜHRT AM 1. UND 3. SEPTEMBER 1761

AVCTOR OPERIS MVSICI.

Praenobilis ac Strenuus D. Joannes Ernestus Eberlin, Celsissimi ac Reverendissimi Archi-Episcopi, & S[acri] R[omani] I[mperii] Principis Salisburgensis &c. &c. Dapifer & Capellae Magister.

PERSONAE MUSICAE . . . . . . [5]

ACTORES . . . . [8]

SALII.

Illustriss[imus] ac Generosiss[imus] D. Antonius S. R. I. Comes de Seeau, Celsiss[imi] ac Reverendiss[imi] Archi-Episc[opi] & S. R. I. Principis Salisburgensis &c. &c. Ephebus, Philos[ophiae] Baccalaureus, & Physices Studiosus.

Illustr. ac Generosiss. D. Cajet. S. R. I. Comes de Sauer, Celsiss. . . . . Ephebus, AA. LL. [Artium Liberalium] et Phil[osophiae] Magister, ac Jurium Auditor.

Illustriss. ac Generosiss. D. Christoph. L. B. [Liber Baro] de Waidmanstorf, Celsiss. . . . . Ephebus, Rhetor.

Illustriss. ac Generosiss. D. Maximil. S. R. I. Comes de Lamberg, Celsiss. . . . . . Ephebus, AA. LL. & Phil. Magist. ac Jurium Auditor.

Illustriss. ac Generosiss. D. Josephus L. B. de Cless, Celsiss. . . . Ephebus, Syntaxista.

Illustriss. ac Generosiss. D. Casimirus S. R. I. Comes de Schenk, Celsiss. . . . . Ephebus, Grammatista.

Illustriss. ac Generosiss. D. Carolus L. B. de Freyberg, Celsiss. . . . Ephebus, Grammatista.

Illustriss. ac Generosiss. D. Mauritius S. R. I. Comes de Berchtold, Celsiss. . . . Ephebus, Rudimentista.

Illustriss. ac Generosiss. D. Ernestus S. R. I. Comes de Wildenstein, Celsiss. . . . Ephebus, Principista.

Perill[ustris] ac Generos[us] D. Joannes Baptista L. B. de Bositzio, Illustr[is] Coll[egii] Virgiliani Convictor, Rhetor.

Praen[obilis] D. Antonius de Moelk.

Nob[ilis] et Spectatiss[imus] D. Franciscus Spoeckner, artis Saltatoriae Magister.
Wolfgangus Mozhart.
     MINISTRI IN SALTV.
     Ex Syntaxi omnes
Adamer, Herndl, Kaserer, Neisser, Proetz, Rebmann, Schafleutner, Voelker.
IN INTERLVDIIS . . . . [8]
MILITES. . . . . [65]
IN CHORIS. . . . . [40]

Studienbibliothek Salzburg. — Mitgeteilt von Dr. Herbert Klein. — Aufgeführt als Schulkomödie (commoedia finalis) des Studienjahres 1760/61. Der zweifache Aufführungstermin erklärt sich daraus, daß damals zum erstenmal der Fürsterzbischof Schrattenbach aus Sittlichkeitsgründen getrennte Vorstellungen für Frauen und Männer anbefohlen hatte. — Der Verfasser des Textes war P. Marian Wimmer, Benediktiner des Klosters Seeon, Präfekt und Professor des Gymnasiums. — Das eigentliche Drama hatte die Brautwerbung des späteren Kaisers Sigismund um die Erbtochter Maria des Königs Ludwig von Ungarn zum Gegenstand und war ein Sprechstück. Darin war aber ein zweites Stück (Tobias wirbt um Sara) eingewoben, das allein in Musik gesetzt war. (Vgl. 13. Mai 1767.) Zu welcher der beiden Handlungen das Ballett, an dem die Salii (Tänzer) mitwirkten, gehörte oder ob es wie die Interludien von beiden Handlungen unabhängig war, geht aus dem Programm nicht hervor. — Die Tänzer waren überwiegend Edelknaben (Ephebi), die zugleich auf der Universität studierten (Juristen, Physiker) oder das Akademische Gymnasium besuchten (Rhetoren, Syntaxisten, Grammatisten, Rudimentisten, Principisten). Ferner wirkten mit: ein Mitglied des adeligen Kollegs Virgilianum, ein privat Studierender (Mölk), der Tanzmeister Franz Speckner (s. 1747) und der fünfjährige Mozart, dessen Namen hier zum erstenmal im Druck erschien. — Die Aufführungen fanden im großen akademischen Theater statt; das Textbuch war in der Buchdruckerei Mayr hergestellt worden. (Vgl. *Allgemeine musikalische Zeitung*, Leipzig, 4. März 1874, Spalte 139 f.)

1762

Leopold Mozart reist am 12. Januar 1762 mit den beiden Kindern auf drei Wochen nach München, wo sich Nannerl und Wolfgang vor dem bayrischen Kurfürsten Maximilian III. Joseph produzieren.

Einzelheiten über diese Reise sind nicht bekannt geworden. Leopold Mozart war auch Mitte Januar 1761 in München gewesen, als sein Freund Georg Joseph Robinig v. Rottenfeld dort begraben wurde.

Am 18. September 1762 reist Leopold Mozart mit Frau und Kindern nach Wien, bis zum 5. Januar 1763 unterwegs bleibend.

Am 20. September kommt die Familie (zu Wasser oder zu Lande) um 5 Uhr nachmittags nach Passau, wo sie im Gasthof „Zum roten Krebs" — jetzt „Zum grauen Hasen" — bis zum Morgen des 26. verbleibt.

Am 26. September fährt die Familie auf der Donau nach Linz, wo sie um 5 Uhr nachmittags ankommt und im Gasthof „Zur Dreifaltigkeit" (Hofgasse 14) absteigt, der von den Schwestern Kiener geführt wird.

Unterwegs Begegnung mit dem Passauer Domherrn Ernst Johann Grafen Herberstein, der auf dem selben Schiff nach Linz reiste. — In dem Linzer Gasthof soll Wolfgang zum ersten Mal öffentlich aufgetreten sein. Der landesfürstliche Kommissar in Oberösterreich, Graf Leopold Schlick, und dessen Frau nahmen sich der Familie an.

Am 4. Oktober, um $^1/_2$ 5 nachmittags, setzen die Mozarts ihre Donaufahrt fort und erreichen um $^1/_2$ 8 Uhr abends Mauthausen, wo sie übernachten.

Wolfgang litt auf dieser Fahrt an einem Katarrh.

Am 5. Oktober geht es nach Ybbs und dann bis Stein, wo die Familie abends eintrifft und die Nacht verbringt.

In Ybbs soll Wolfgang auf der Orgel gespielt haben.

Am 6. Oktober, um 3 Uhr nachmittags, kommt das Postschiff in Wien an.

Ob die Familie die erste Nacht oder die ersten Tage im Gasthof „Zum weißen Ochsen" am Fleischmarkt verbracht hat, ist ungewiß. Jedenfalls wohnten sie Mitte Oktober am Tiefen Graben (jetzt Nr. 16) im Hause des Johannes Heinrich Ditscher.

AUS KARL GRAF ZINZENDORFS TAGEBUCH, 1762

Le 9. Octobre

... Le soir a 8h j'allais prendre Lamberg et nous allions ensemble chez Colalto, ou la Bianchi chanta et un petit garzon qu'on dit n'avait que 5 ans et demi joua de Clavecin. ...

Die 60 Bände Tagebücher des Grafen Karl von Zinzendorf (1739—1813), eines später hohen Staatsbeamten, sind im Staatsarchiv Wien aufbewahrt und wurden wiederholt in der Musikliteratur zitiert (C. F. Pohl, Oskar Teuber, Arthur Schurig, Robert Haas u. a.), zuletzt die meisten „Mozartiana" von Gustav Gugitz in den *Wiener Geschichtsblättern* 1956, Nr. 1, S. 17—19. — Das Palais des Grafen Thomas Collato stand, und steht heute noch, neben der Jesuiten-Kirche Am Hof (Nr. 13). — Mit Lamberg dürfte der Staatsmann Anton Franz de Paula Graf Lamberg (1740 bis 1823) gemeint sein. — Marianna Bianchi hatte am 5. Oktober 1762 die Euridice in Glucks *Orfeo ed Euridice* im Burgtheater gesungen.

Am 10. Oktober besuchen die Mozarts den Grafen Johann Joseph Wilczek, wo sie von Eleonore Elisabeth Gräfin Sinzendorf, geb. Hardegg, eingeführt werden. Am Abend geht Leopold Mozart zu Glucks neuer Oper, vor der die Komödie *La surprise de l'amour Italienne* gegeben wurde.

Am 11. Oktober konzertieren die beiden Kinder beim Reichsvizekanzler Rudolf Joseph Fürst Colloredo-Melz und Wallsee, wieder von Gräfin Sinzendorf eingeführt.

Leopold Mozart nennt in seinem Bericht nach Salzburg vom 16. Oktober 1762 den Reichsvizekanzler einen Grafen; Rudolf Josephs ältester Sohn, Franz de Paula Gundaccar I. Graf Colloredo (ein Bruder des späteren Erzbischofs Hieronymus), wurde erst 1788 Fürst und Reichsvizekanzler, in Nachfolge seines Vaters.

Am 13. Oktober ist die Familie von 3 bis 6 Uhr nachmittags im Schloß Schönbrunn, wo sie von Maria Theresia und ihrem Gatten, Kaiser Franz I., empfangen werden, in Gegenwart der Erzherzogin Maria Antonia (Marie Antoinette) und des Komponisten Wagenseil.

Am Abend sind sie noch bei dem musikfreundlichen Prinzen Joseph Friedrich von Sachsen-Hildburghausen zu Gast, im früheren Palais Rofrano, dem späteren Palais Auersperg (jetzt Auerspergstraße 1), wo die Sängerin Vittoria Tesi wohnt.

Am 14. Oktober besucht die Familie die Gräfin Maria Theresia Kinsky, geb. Marchesa Rofrano, in ihrem Palais auf der Freyung, und dann den Obersthofmeister Corfiz Anton Reichsgrafen von Ulfeld auf dem Minoritenplatz, dessen junge Tochter Wilhelmine mit dem Grafen Franz Joseph von Thun verheiratet ist.

Aus Zinzendorfs Tagebuch 1762
Le 14. Octobre

... Chez la Princesse Trautson. J'y vis Me de Martiniz, amie de feu Me de Dünewald. Parlé au nome de l'opera. Il en critique beaucoup la poesie. Au sujet de ce petit garçon qui a joué hier a Schönbrunn et aujourdhui chez Ulfeld. ...

Marie Karoline Fürstin Trautson (1701—93), geb. Freiin Haager von Altensteig, war Hofdame Maria Theresias, später Obersthofmeisterin der älteren Erzherzoginnen, an Musik und Theater lebhaft interessiert. — Marianne Martinez, Schülerin Johann Adolph Hasses, Joseph Haydns und Nicolò Porporas, mit Pietro Metastasio befreundet, war eine hochbegabte Musikerin. — Die erwähnte Oper war offenbar Glucks *Orfeo*; ihr Libretto ist von Raniero de' Calzabigi. Zinzendorf hatte schon nach der Uraufführung am 5. Oktober den Text kritisch besprochen (s. Robert Haas, *Gluck und Durazzo im Burgtheater*, Wien 1925, S. 62).

Am 15. Oktober vormittags wird im Quartier der Familie vom kaiserlichen Zahlmeister Johann Adam Mayr je ein Galakleid für Nannerl und Wolfgang abgegeben, das letztere, in dem er gemalt wurde, ursprünglich für den gleichaltrigen Erzherzog Maximilian bestimmt. Von $^{1}/_{2}3$ bis $^{3}/_{4}4$ nachmittags machen die Mozarts einen unbestimmten Besuch, wo sie vom Grafen Johann Hardegg, einem jungen Kämmerer, abgeholt werden. Bis $^{1}/_{2}6$ sind sie bei einer ungenannten Dame und von 6 bis 9 Uhr abends beim Staatskanzler Wenzel Graf Kaunitz-Rietberg, der sie auch im Wagen abholen läßt.

Kaunitz wurde erst 1764 zum Fürsten erhoben.

Am 16. Oktober, von $^{1}/_{2}3$ bis 4 nachmittags, besuchen die Mozarts die jüngsten Erzherzoge, Ferdinand und Maximilian (in der Hofburg?), und sind dann beim Grafen Nikolaus Pálffy (jetzt Josefsplatz 6) zu Gast.

Graf Pálffy war der ungarische Hofkanzler in Wien.

Aus Zinzendorfs Tagebuch 1762
Le 17. Octobre

... Puis chez *Thurn*, ou le petit Enfant de Salzbourg et sa Soeur jouaient du clavecin. Le pauvre petit joue a merveille, c'est un Enfant Spirituel, vif, charmant, sa Soeur joue en maitre, et il lui applaudit. Mlle de Gudenus qui joue bien du clavecin, lui donna un baiser, il s'essuya le visage.

Wenn der Name Thurn richtig gelesen ist, dürfte der Staatsmann Franz Graf Thurn-Valsassina (1718—66) gemeint sein (vgl. 14. XI. 1719). Andere lesen Thun, das wäre Franz Joseph Graf Thun (s. 14. X. 1762). — Über das Fräulein von Gudenus ist nichts bekannt. Mozart erwähnt in seinem Brief vom 24. November 1781 einen „Baron Godenus" in Wien.

Um 7 Uhr abends des 21. Oktober werden die Mozarts zum zweiten Mal in Schönbrunn empfangen. Am selben Abend erkrankt Wolfgang an Knotenrose (Erythema nodosum) und muß bis zum 31. Oktober das Bett hüten.

Die Krankheit, vom Vater für eine Art Scharlach gehalten, wurde zuerst von Hans Holz (*Mozarts Krankheiten und sein Tod*, Dissertation, Jena 1939) festgestellt. Sie wurde in neuerer Zeit von Dr. Johannes Dalchow und Prof. Dr. Dr. Aloys Greither bestätigt. — Wolfgangs Arzt war, von Gräfin Sinzendorf empfohlen, Dr. Johann Anton v. Bernhard, wie Alfred Orel und Erich Schenk ziemlich gleichzeitig herausgefunden haben.

Die Einladung für den 25. Oktober zum General-Erbland-Postmeister, Grafen Wenzel Paar, muß abgesagt werden, ebenso einige andere für Ende Oktober.

Am 31. Oktober schenkt Leopold Mozart seinem genesenen Sohne zum Namenstag ein Noten-Übungsbuch, ähnlich dem, das Nannerl 1759 bekam (s. 24. I. 1761).

Am 4. November kann Wolfgang wieder ausgehen. Man besichtigt die Karlskirche auf dem Glacis und macht einen Spaziergang in die Josefstadt.

Am 5. November konzertieren die Kinder bei Dr. v. Bernhard, zum Dank für seine Behandlung Wolfgangs.

AUS ZINZENDORFS TAGEBUCH 1762

Le 9. Novembre

... Chez M. de Pacheco dans la maison de Windischgraetz pres du Schwarzen Thor. Le petit Salzbourgeois joua, Nicolini chanta a merveille. ...

Vincenzia Marchesa Pacheco, die Gattin des Kämmerers Melchior Telles Giron Marchese Pacheco, war eine Vertraute Maria Theresias. Sie ist auch in Leopold Mozarts Brief vom 10. November 1762 an Hagenauer genannt. — Das Haus des Reichsgrafen Joseph Windischgrätz stand in der Vorderen Schenkenstraße (heute Bankgasse 7), nahe dem Haus „Zum schwarzen Thor" (Ecke Bankgasse und Petrarcagasse). Jenes Haus, Ecke Bankgasse und Abraham a Santa Clara-Gasse gegenüber dem Palais Liechtenstein, wurde später mit dem großen Palais Starhemberg vereinigt; in das dort befindliche Ministerium für Unterricht wurde das kleine Haus dann eingebaut. — Der Sänger Carlo Niccolini war in der Oper und im Oratorium aufgetreten. — An jenem Abend wurde Leopold Mozart vom Grafen Collalto (s. 9. X. 1762) ein Gedicht in Handschrift überreicht, das erst am 25. Dezember (s. dort) im Druck verteilt worden ist. — Mozarts Name erscheint erst am 30. Juli 1782 wieder in Zinzendorfs Tagebuch.

Am Morgen des 19. November überbringt Zahlmeister Mayr vom Hofe ein Ehrengeschenk von 100 Dukaten, mit der Einladung, den Aufenthalt in Wien zu verlängern. Nachmittags konzertieren die Kinder beim französischen Gesandten, Florent-Louis-Marie Comte du Châtelet-Lomont, der die Mozarts nach Versailles einlädt. — Am Abend können sie als stehende Zuschauer einer Galatafel (in der Hofburg?) beiwohnen, zum Namenstag der Kaiserinmutter Elisabeth Christine; Maria Theresia befragt Leopold Mozart nach dem Befinden Wolfgangs, der wieder kränkelt.

Am Nachmittag des 20. November wird die Familie um 4 Uhr mit der Equipage in das nahegelegene Palais des Grafen Ferdinand Harrach auf der Freyung abgeholt. Nach zwei dort verbrachten Stunden geht es abends zu einer großen „Akademie" im Haus eines anderen reichen Adeligen, wo die Kinder für sechs Dukaten unter mehreren „Virtuosen" auftreten.

Am 22. November, dem Cäcilientag, der wie alljährlich durch Kirchenkonzerte gefeiert wird, ist die Familie zu Mittag beim Hofkapellmeister Georg Reutter.

Zu Mittag des 23. November speisen die Mozarts bei einem Herrn von Wahlan (oder Wallan) und besuchen abends, mit Dr. v. Bernhard, die Oper in einer Loge des Burgtheaters.

Am 8. Dezember, Mariae Empfängnis, wird zum Geburtstag des Kaisers Franz I. eine Hoftafel (in der Hofburg?) abgehalten, der die Mozarts wieder als Zuschauer beiwohnen.

Am 11. Dezember reist die Familie (auf der Donau?) nach Preßburg.
Über den Aufenthalt in Preßburg ist nichts Näheres bekannt geworden.

Am 24. Dezember fahren sie in einem Privatwagen von $^1/_2 9$ Uhr morgens bis $^1/_2 9$ Uhr abends zurück nach Wien.

ERSTES HULDIGUNGS-GEDICHT AUF MOZART

Auf den Kleinen / Sechsjährigen / Clavieristen / aus Salzburg.

Wien den 25ten Decembris 1762.

von / Tit. Herrn Grafen von Collalto / in seinem Concert ausgetheilt.

> Ingenium coeleste suis velocius annis
> Surgit, et ingratae fert mala damna morae.
> > Ovidius.

Bewundrungswerthes Kind! deß Fertigkeit man preißt,
Und *Dich* den kleinesten, den grösten Spieler heißt;
Die Tonkunst hat für *Dich* nicht weiter viel Beschwerden,
Du kannst in kurzer Zeit der gröste Meister werden.
Nur wünsch ich, daß *Dein* Leib der Seele Kraft aussteh,
Und nicht, wie Lübecks-Kind *, zu früh zu Grabe geh.

* Dieses Wunder von einem gelehrten Kinde aus Lübeck, welches ganz Teutschland von sich reden gemacht, und in seinem sechsten Jahre viele Sprachen und Wissenschaften in seiner Gewalt hatte, starb nach etlichen Jahren, und bewiese leyder mit seinem Beyspiel den Grundsatz: / Fructus esse idem diuturnus ac praecox nequit.

> *Puffendorff.*

Einzig bekanntes Exemplar des Drucks in der Deutschen Staatsbibliothek, Berlin. — Nissen, S. 27. — Richard Petzoldt und Eduard Crass, *W. A. Mozart. Sein Leben in Bildern*, Leipzig 1956, Abb. 13. — Das Motto steht auf S. 2 des Einblattdruckes, Titel und Gedicht auf S. 1 und 3. Da Leopold Mozart von Graf Collalto beim Marchese Pacheco schon am 9. November eine Abschrift des Gedichtes erhalten hatte, die er tags darauf nach Salzburg schickte, so dürfte der Anlaß das Konzert bei Collalto am 9. Oktober gewesen sein. Am 25. Dezember scheinen die Mozarts nicht bei Collalto gewesen zu sein, aber der Druck mag für den Weihnachtstag vorbereitet worden sein. — Konrad Friedrich von Pufendorf war Reichshofrat und später Groß-Aufseher der Großen Landesloge von Österreich; seine Frau Anna, geb. v. Posch, subskribierte 1784 auf Mozarts Akademien und sang am 13. März 1786 die Ilia in der privaten Aufführung des *Idomeneo*. Als Autor des Gedichts kommt aber auch der Schriftsteller Johann Andreas von Pufendorf in Betracht. Das Ovid-Zitat stammt aus der *Ars amandi*, I, 185 f. Der „*Grundsatz*" am Ende erinnert an Quintus Curtius Rufus, *Historiae Alexandri Magni regis Macedonum*, VIII. 5, 15. (Freundliche Auskunft von Prof. Dr. Franz Stoessl, Wien.)

Am 27. Dezember gibt Gräfin Kinsky ein Diner zu Ehren des Feldmarschalls Leopold Grafen Daun, auf dessen Wunsch auch die Familie Mozart eingeladen ist.

Vgl. 14. Oktober 1762.

1763

Am 31. Dezember 1762 fahren die Mozarts mit der Post heimwärts. In Linz kommen sie am 1. Januar 1763 abends an, in Salzburg erst am 5. abends. Wolfgang muß dann eine Woche zu Bett bleiben, wegen eines Gelenk-Rheumatismus.

Aus P. Placidus Scharls «Ephemerides Diurniae», 6. Januar 1763

Mensae adfuit D. Stark et caenae, D. Adlgasser, qui narravit de puero D. Mozartii, quod imperatricem, adsiliens amplexus fuerit, dicendo, quod illam ex corde amet.

Andechs, Klosterarchiv, Handschrift No. 70. — Romuald Bauerriß, *Mozart und die Benediktiner*, Studien und Mitteilungen zur Geschichte des Benediktiner-Ordens und seiner Zweige, Band 57, München 1939, S. 84. — Der Benediktiner Scharl lehrte 1759 bis 70 am Gymnasium in Salzburg. — Anton Kajetan Adlgasser war der Hoforganist.

Aus den Salzburger Hofdiarien

28. Februar (Geburtstag des Fürsterzbischofs Sigismund von Schrattenbach)
1763

[Hochamt,] nach folgender Andacht seint folgende Promotiones geschehen ... der H:Lolli, vice Capelmeister ist auch heüt zum würkl: Capelmeister und H: Mozart Musicus zum vice Capel-Meister ernennt worden ... Um 5 Uhr abends ist der ganzen Hofstadt ... in Galla zu erscheinen angesagt, wo dan S.hf.Gnd. in Audienzzimmer von allen die Unterthänigste Gratulationen empfangen haben, und darauf gegen 6 Uhr nach Ave Maria mit allen in das Rathzimmer herausgegangen und statt der Gesellschaft einer Musikalischen als vocal Musique von einigen Virtuosen, so sich hören lassen, beygewohnet hat, unter welchen sich auch zur besonderen Verwunderung des neüen H:vice Capelmeister sein Söhndl von 7 Jahr und Tochter 10 Jahr auf dem Instrument hören lassen, der Sohn gleichfalls auch auf der Violin, so vill man immer von ihme hat verhoffen können, und also ist der heütige Geburths Tag glücklich vollendet worden.

Salzburger Landesarchiv. — Franz Martin, *Vom Salzburger Fürstenhof um die Mitte des 18. Jahrhunderts*, Sonderabdruck aus den *Mitteilungen der Gesellschaft für Salzburger Landeskunde*, 1952, S. 122 f. — Giuseppe Lolli wurde der Nachfolger Johann Ernst Eberlins, und Leopold Mozart kam an Lollis Stelle.

AUS DEM «AUGSBURGISCHEN INTELLIGENZ-ZETTEL», 19. MAI 1763

Merkwürdigkeiten. Dass die Teutschen in diesem Jahrhundert in der Tonkunst sich sehr herfürgethan, und das Angenehme, das mit der Harmonie reizend ist, denen Italiänern nicht nur glücklich abgelernt, sondern auch, da jezo Deutschland so fürtrefliche Virtuosen aufzuweisen vermag, selbe noch in vielen Stüken übertroffen haben, wird wohl kein Musikverständiger mehr in Zweifel ziehen; zumal, da sich jezo Könige, Fürsten und Regenten bemühen, denen sonst in der Musik so berühmten Virtuosen der Italiäner den Rang abzulaufen. In der Instrumental-Musik könnten wir viele Virtuosen unter denen Deutschen hier anführen und damit beweisen, wann es dermal unsere Absicht wäre, dass sie als Virtuosen in zerschiedenen Instrumenten und zugleich als Componisten denen berühmtesten Italiänern noch vorzuziehen seynd. Wir begnügen uns aber für heute, was besonders Merkwürdiges von 2 Bewunderns-werthen Kindern, deren ihr Vater ein sehr berühmter Virtuos und besonders geschikter und glüklicher Componist ist, in diesen Blättern vorzüglich anzumerken: und zwar in der Form eines Schreibens, so von Wien an einen hiesigen guten Freund übersandt worden.

Mein Herr!

Ich bin vielleicht der erste, der Ihnen von einer Neuigkeit Nachricht zu geben die Ehre hat, die bald in ganz Deutschland und vielleicht auch in entfernten Ländern ein Gegenstand der grösten Bewunderung seyn wird? Es sind die 2 Kinder des berühmten Mozart, Vice-Capellmeister in Salzburg. Stellen Sie sich einmal ein Mädgen von 11 Jahren vor, das die schweresten Sonaten und Concert der grösten Meister auf dem Clavessin oder Flügel auf das Deutlichste, mit einer kaum glaublichen Leichtigkeit fertiget und nach dem besten Geschmack wegspielt. Das muß schon viele in eine Verwunderung sezen. — Nun wird man aber in ein gänzliches Erstaunen gebracht, wenn man einen Knaben von 6 Jahren bey einem Flügel sizen sieht und nicht nur selben Sonaten, Trio, Concerten nicht etwa tändlen, sondern mannhaft wegspielen höret, sondern wenn man ihn höret bald Cantabile, bald mit Accorden ganze Stunden aus seinem Kopfe phantasieren und die besten Gedanken nach dem heutigen Geschmake hervor bringen, ja Sinfonien, Arien und Recitativen bey grossen Accademien vom Blat weg accompagnieren. — Sagen Sie mir, übersteigt dies nicht alle Einbildungs-Kraft? — Und dennoch ist es die pure Wahrheit! Ich habe überdas gesehen, dass man ihm die Tastatur mit einem Schnupftuch zugedekt hat; und er hat auf dem Tuche eben so gut gespielt, als wenn er die Claves vor Augen gehabt hätte. Ich habe überdas gesehen und gehört, wie man ihm, da er in einem andern Zimmer zuhören muste, einzelne Töne nicht nur bald unten, bald oben auf dem Clavier, sondern auch auf allen nur erdenklichen Instrumenten angegeben, er aber in demselben Augenblike den Buchstaben oder Nahmen des angegebenen Tones benennet hat. Ja, wenn er eine Glocke läuten und eine Uhr, ja sogar eine Sakuhr schlagen hörte, war er im selben Augenblike im

Stande, den Ton der Gloke oder Uhr zu benennen. Ich war ferner selbst gegenwärtig, wie ihm ein Clavierist zu verschiedenmahlen einige Tacte einer Oberstimme vorspielte, die er nachspielte und den Bass selbst dazu spielen muste, welches er auch jedesmahl so schön, genau und gut machte, dass alles in Erstaunen gerieth. Diese zwey ausserordentlichen Kinder musten sich zwey mahl bey Sr. Majestät dem Kayser und bey Ihro Mayestät der Kayserin Königin, dann wieder besonders bey den Jungen Kayserl. Königl. Herrschaften hören lassen; sie wurden mit grossen Geschenken begnadiget und dann von der grösten Noblesse des Wienerischen Hofes zu den Accademien eingeladen und aller Orten ansehnlichst beschenket.

P. S. Man berichtet mich nun von einer glaubwürdigen Hand, dass der Knab auch jezt alles nicht nur im Violinschlüssel, sondern im Sopran- und Bassschlüssel auf einer kleinen, eigens für ihn verfertigten Violino Piccolo mitspielt und bereits mit einem Solo und Concert am Salzburgischen Hofe sich producirt habe. Muss er diss also seit dem Neuen Jahre gelernet haben?

E. F. Schmid im *Augsburger Mozartbuch*, 1943, S. 96.

Am 9. Juni 1763 begibt sich die Familie Mozart auf die große Reise durch Europa, die sie bis zum 29. November 1766, mehr als drei Jahre lang, unterwegs hält. Sie fahren im eigenen Reisewagen, mit wechselnden Postpferden, in Begleitung eines Dieners namens Sebastian Winter.

Knapp nach Mitternacht kommen sie am 10. Juni in Wasserburg an, wo sie beim „Goldenen Stern" absteigen und Wolfgang auf der Kirchenorgel spielt.

Am 12. Juni morgens geht es nach München, wo sie abends eintreffen und in Störzers Gasthof „Zum Hirschen", Theatinerstraße, Quartier nehmen.

Am 13. Juni Ausflug nach Nymphenburg, wo sie den Prinzen Karl August von Zweibrükken treffen. Er veranlaßt, daß die Mozarts um 8 Uhr abends im Schloß des Kurfürsten Maximilian erscheinen, wo Wolfgang sich auf dem Klavier und der Violine produziert. Das Konzert dauert bis gegen 11 Uhr.

Am 14. und 15. Juni besuchen sie den Herzog Clemens von Bayern, wo auch Nannerl vorspielt.

Am 18. Juni wohnt die Familie der Galatafel des Kurfürsten im Schloß als Zuschauer bei.

Am 19. Juni produziert sich auch Nannerl bei Hofe.

Ob die Mozarts noch einmal beim Herzog und beim Kurfürsten erschienen, ist ungewiß.

Am 22. Juni reisen sie von München ab und kommen abends in Augsburg, Leopolds Geburtsort, an, wo sie im Gasthof „Zu den drei Mohren" absteigen.

Am 28. und 30. Juni und am 4. Juli geben die Kinder öffentliche Konzerte in Augsburg.

Siehe 19. Juli 1763.

Aus dem «Augsburgischen Intelligenz-Zettel», 30. Juni 1763
(Angekommen am 22. Juni:)

Herr Mozard mit Frau kommen mit der Posta von München, logieren in Drei Mohren.

In Augsburg traf die Familie Pietro Nardini, und Vater Mozart kaufte bei Johann Andreas Stein ein Reiseklavier.

Am 6. Juli fahren die Mozarts nach Ulm, wo sie abends im Gasthof „Zum goldenen Rad" absteigen. Am 7. vormittags spielt Wolfgang auf der großen Orgel des Münsters, und am Nachmittag reist die Familie weiter.

Erst am 9. Juli abends trifft sie über Stuttgart in Ludwigsburg ein, wo man im Gasthof „Zum goldenen Waldhorn", gegenüber dem Schloß, Quartier nimmt. Leider ist Karl Eugen, der Herzog von Württemberg, abwesend.

Hier begegnete die Familie dem Opernkomponisten Niccolò Jommelli.

Am 12. Juli um 8 Uhr morgens geht es nach Bruchsal, wo die Mozarts abends eintreffen und im Gasthof „Zum Riesen" absteigen.

Am 14. Juli kommen sie nach Schwetzingen, dem Lustsitz Karl Theodors, des Kurfürsten von der Pfalz, und logieren im Gasthof „Zum roten Haus".

Der Kurfürst war der Begründer des berühmten Mannheimer Orchesters. Sein Musik-Intendant war Karl Freiherr v. Eberstein.

Am 18. Juli produzieren sich die Kinder bei Hofe im Schloß Schwetzingen.

Aus dem «Extract-Schreiben oder ... Europaeische Zeitung, Aus Verschiedenen Orten, und der Zeiten neuester Begebenheiten», Salzburg, Erchtag, den 19. Juli [1763]
Augsburg, den 9. Julii

Vorgestern Morgens ist der Hochfürstl. Saltzburgische Vice-Capellmeister, Herr Leopold Mozart, mit seinen 2. Bewundernswerthen Kindern von hier nach Stuttgard abgereiset, um seine Reise über die grösten Höfe Deutschlands nach Frankreich und England fortzusetzen. Er hat den Inwohnern seiner Vatterstadt das Vergnügen gemacht, die Würkung der ganz ausserordentlichen Gaben mit anzuhören, die der Grosse GOtt diesen zwey lieben Kleinen in so grosser Masse mitgetheilet, und deren Herr Capellmeister sich mit so unermüdetem Fleisse als ein wahrer Vatter bedienet hat, um ein Mägdlein von 11. und, was unglaublich ist, ein Knabe von 7. Jahren als ein Wunder unserer und voriger Zeiten auf dem Claveßin der Musikalischen Welt darzustellen. Alle Kenner haben dasjenige, was ein Freund von Wien ehedem von diesen berühmten Kindern geschrieben und in den allhiesigen Intelligenz-Zettel ist eingerücket worden, so unglaublich es schien, nicht nur wahr, sondern noch weit Bewundernswerther gefunden.

Nr. 57. — *Mozarteums-Mitteilungen*, Jg. 3, H. 1, November 1920, S. 29 (Rudolf v. Lewicki). — Der *Augsburgische Intelligenz-Zettel* ist unter dem 19. Mai 1763 zitiert.

Nach dem 18. Juli reisen die Mozarts weiter nach Heidelberg (Gasthof „Zu den drei Königen"), wo Wolfgang die Orgel in der Heiligen-Geist-Kirche spielt, Mannheim („Zum Prinzen Friedrich") und Worms („Zum Schwan").

Der Reisekalender für die Tage vom 19. Juli bis zum 2. August 1763 ist unbestimmt.

Am 3. August trifft die Familie in Mainz ein und logiert im Gasthof „Zum König von England" (Markt 37). Einige Tage später produzieren sich die Kinder im „Römischen König" (Grebenstraße), dessen Saal als Schauspielhaus dient. Der regierende Kurfürst, Emmerich Joseph Graf von Breidbach-Bürresheim, ist während dieser Zeit krank.

Vgl. Adam Gottron, *Mozart und Mainz*, Mainz 1951. — Ob die Ausflüge der Familie von Mainz nach Wiesbaden, Biebrich und Kostheim in den ersten Augusttagen oder erst nach ihrer Rückkehr aus Frankfurt Anfang September stattgefunden haben, ist ungewiß. In der Zwischenzeit ließen sie das große Gepäck in Mainz zurück.

Um den 10. August fahren die Mozarts mit dem Marktschiff nach Frankfurt am Main, wo sie im Gasthof „Zum goldenen Löwen" absteigen.

LEOPOLD MOZARTS EINRITZUNG IN EIN FENSTER SEINES FRANKFURTER QUARTIERS, BENDERGASSE 3

Mozart Maitre de la Musique de la Chapelle de Salzbourg avec Sa Famile le 12 Aout 1763.

Aufbewahrt im Historischen Museum der Stadt Frankfurt a. M.

AUS DEN «ORDENTLICHEN WOCHENTLICHEN FRANCKFURTER FRAG- UND ANZEIGUNGS-NACHRICHTEN», 16. AUGUST 1763

Avertissement.

Den Liebhabern der Music sowohl als allen denjenigen, die an ausserordentlichen Dingen einiges Vergnügen finden, wird hiemit bekannt gemacht, daß nächstkommenden Donnerstag den 18ten August in dem Scharfischen Saal auf dem Liebfrauenberg Abends um 6 Uhr ein Concert wird aufgeführet werden, wobey man 2. Kinder, nemlich ein Mädgen von 12. und einen Knaben von 7. Jahren Concerten Trio und Sonaten, dann den Knaben das nemliche auch auf der Violin mit unglaublicher Fertigkeit wegspielen hören wird. Wenn nun dieses von so jungen Kindern und in solcher Stärke, da der Knab von Clavier gänzlich Meister ist, etwas unerhörtes und unglaubliches ist; so daß dieser beyder Kinder Geschicklichkeit nicht nur dem Churfürstl. Sächsischen, Churbayrischen, und Churpfälzischen Hof in Verwunderung gesetzet, sondern auch den Kayserl. Königl. Allerhöchsten Majestät bey einem 4. Monatlichen Aufenthalt in Wien zu einem sonderheitlichen Unterhalt und der Gegenstand einer allgemeinen Verwunderung waren: Als hoffet man um so mehr auch dem allhiesigen Publico einiges Vergnügen zu verschaffen, da man denjenigen noch zu erwarten hat, der mit Wahrheit zu sagen im Stande ist, daß er dieses von Kindern solchen Alters gesehen oder gehöret hat. Weiters dient zur Nachricht, daß dieß nur das einzige Concert seyn wird, indem sie dann gleich ihre Reise nach Frankreich und Engelland fortsetzen, die Person zahlet einen kleinen Thaler.

Statt kurfürstlich sächsischer Hof sollte es wohl fürsterzbischöflich salzburgischer Hof heißen. Dem Konzert am 18. August folgten noch drei, am 22., am 25. oder 26., und am 30. August. (Vgl. Karl Woelcke, *Mozart in Frankfurt*, in *Alt-Frankfurt*, Frankfurt am Main 1917, S. 103—121.)

Aus dem Tagebuch des kaiserlichen Rats Johann Kaspar Goethe
Frankfurt am Main, 18. August 1763

4 gulden, 7 kreutzer pro concerto musicali duorum infantium.

Goethe, der damals 14 Jahre alt war, erinnerte sich noch 1830 an die Erscheinung des 7 jährigen Knaben, seiner *„Frisur"* und seines *„Degens"*; etwa so, wie der kleine Mozart gemalt worden war (s. 3. Februar 1830).

Aus den «Ordentlichen wochentlichen Franckfurter Frag- und Anzeigungs-Nachrichten», 30. August 1763
Avertissement.

Die allgemeine Bewunderung, welche die noch niemahls in solchem Grade weder gesehene noch gehörte Geschicklichkeit der 2. Kinder des Hochfürstl. Saltzburgischen Capellmeisters Herrn Leopold Mozart, in den Gemüthern aller Zuhörer erwecket, hat die bereits dreymahlige Wiederhohlung des nur für einmahl angesetzten Concertes nach sich gezogen. Ja, diese allgemeine Bewunderung und das Anverlangen verschiedener grossen Kenner und Liebhaber ist die Ursach, daß heute Dienstags den 30. Aug. in dem Scharfischen Saale auf dem Liebfrauenberg Abends um 6. Uhr, aber gantz gewiß das letzte Concert seyn wird; wobey das Mägdlein, welches im zwölften, und der Knab, der im 7ten Jahre ist, nicht nur Concerten auf dem Claveßin oder Flügel, und zwar ersteres die schwersten Stücke der grösten Meister spielen wird: sondern der Knab wird auch ein Concert auf der Violin spielen, bey Synfonien mit dem Clavier accompagniren, das Manual oder die Tastatur des Clavier mit einem Tuche gänzlich verdecken, und auf dem Tuche so gut spielen als ob er die Claviatur vor den Augen hätte; er wird ferner in der Entfernung alle Töne, die man oder einzeln oder in Accorden auf dem Clavier, oder auf allen nur erdencklichen Instrumenten, Glocken, Gläsern und Uhren etc. anzugeben im Stande ist, genauest benennen. Letzlich wird er nicht nur auf dem Flügel, sondern auch auf einer Orgel (so lange man zuhören will, und aus allen auch den schweresten Tönen, die man ihm benennen kan) vom Kopfe phantasiren, um zu zeigen, daß er auch die Art, die Orgel zu spielen verstehet, die von der Art, den Flügel zu spielen ganz unterschieden ist. Die Person zahlt einen kleinen Thaler. Man kann Billets im goldenen Löwen haben.
Stadt- und Universitäts-Bibliothek, Frankfurt a. M. — Jahn I, 33 f.

Am 31. August, nach dem vierten Frankfurter Konzert, fahren die Mozarts nach Mainz zurück, wo sie bis Mitte September verbleiben.

Zu Mittag des 17. September landen sie in Koblenz, wo sie im Gasthof „Zu den drei Reichskronen" absteigen.

Am 21. September geben die Kinder ein Konzert in Koblenz.

Nach zehn Tagen verlassen sie Koblenz am 27. September, 10 Uhr vormittags, und kommen abends in Bonn an; ihr Gasthof heißt „Zum goldenen Karpfen" (Rheinstraße).

Von Bonn geht es am 28. September über Brühl („Zum englischen Gruß") nach Köln („Zum heiligen Geist", Rheinstraße).

Am 30. September fahren sie von Köln nach Aachen („Zum goldenen Drachen").

Um 7 Uhr morgens des 2. Oktober geht die Fahrt von Aachen nach Lüttich, wo man um 9 Uhr abends ankommt und beim „Schwarzen Adler" absteigt.

Am 3. Oktober erreichen sie abends Tirlemont („Zum wilden Mann").

Am 4. Oktober nehmen sie ihr Mittagessen in Löwen und kommen bis nach Brüssel, wo sie mehr als einen Monat im Hotel de l'Angleterre verbringen.

Leider ist nicht viel über diesen langen Aufenthalt bekannt geworden. Die Kinder produzierten sich einmal bei dem Generalgouverneur der damals österreichischen Niederlande, Prinz Karl Alexander von Lothringen, Kaiser Franz des Ersten Bruder.

Am 15. November trifft die Familie abends in Mons ein, am 16. abends in Bonavis und am 17. abends in Gournay.

Endlich kommen sie am 18. November um ¹/₂4 nachmittags in Paris an, wo sie fünf Monate verbleiben. Sie steigen zuerst in dem Hause ab, wo der Basler Kupferstecher Christian von Mechel wohnte (rue St. Honoré, vis-à-vis rue d'Echelle, beim Notar le Noir). Auf besondere Einladung aber ziehen sie bald in das Haus des Grafen van Eyck, des bayrischen Gesandten, rue St. Antoine, à l'Hôtel Beauvais (heute no. 68 rue François-Miron). Seine Gattin ist eine geborene Komtesse Arco aus Salzburg.

Mechel sollte bald darauf das bekannte Gruppenbild von L. C. de Carmontelle stechen, das die beiden Kinder am Klavier und den Vater stehend mit der Violine darstellt. Der Kupferstich ist jedoch von J. B. Delafosse signiert, und es ist daher unentschieden, wie sich die beiden Stecher in die Arbeit teilten. — Die Gräfin van Eyck schenkte Wolfgang am Abend des 26. Januar 1764 einen in Lüttich gedruckten Taschenkalender (1892 im Besitz des Grafen Viktor Wimpffen, Wien).

Aus Friedrich Melchior v. Grimms «Correspondance littéraire»

1er décembre 1763.

Les vrais prodiges sont assez rares pour qu'on en parle quand on a occasion d'en voir un. Un maître de chapelle de Salzbourg, nommé Mozart, vient d'arriver ici avec deux enfants de la plus jolie figure du monde. Sa fille, âgée de onze ans, touche le clavecin de la manière la plus brillante; elle exécute les plus grandes pièces et les plus difficiles avec une précision à étonner. Son frère, qui aura sept ans au mois de février prochain, est un phénomène si extraordinaire qu'on a de la peine à croire ce qu'on voit de ses yeux et ce qu'on entend de ses oreilles. C'est peu pour cet enfant d'exécuter avec la plus grande précision les morceaux les plus difficiles avec des mains qui peuvent à peine atteindre la sixte; ce qui est incroyable, c'est de le voir jouer de tête pendant une heure de suite, et là s'abandonner à l'inspiration de son génie et à une foule d'idées ravissantes qu'il sait encore faire succéder les unes aux autres avec goût et sans confusion. Le maître de chapelle le plus consommé ne saurait être plus profond que lui dans la science de l'harmonie et des modulations qu'il sait conduire par les routes les moins connues, mais toujours exactes. Il a un si grand usage du clavier qu'on le lui dérobe par une serviette qu'on étend dessus, et il joue sur la serviette avec la même vitesse et la même précision. C'est peu pour lui de déchiffrer tout ce qu'on lui présente; il ecrit et compose avec une facilité merveilleuse, sans avoir besoin d'approcher du clavecin et de chercher ses accords. Je lui ai écrit de ma main un menuet, et l'ai prié de me mettre la basse dessous; l'enfant a pris la plume, et, sans approcher du clavecin, il a mis la basse à mon menuet. Vous jugez bien qu'il ne lui coûte rien de transporter et de jouer l'air qu'on lui présente dans le ton qu'on exige; mais voici ce que j'ai encore vu, et qui n'en est pas moins incompréhensible. Une femme lui demanda l'autre jour s'il accompagnerait bien d'oreille, et sans la voir, une cavatine italienne qu'elle savait par coeur; elle se mit à chanter. L'enfant essaya une basse qui ne fut pas absolument exacte, parce qu'il est impossible de préparer d'avance l'accompagnement d'un chant qu'on ne connaît pas; mais, l'air fini, il pria la dame de recommencer, et à cette reprise, il joua non-seulement de la main droite tout le chant de l'air, mais il mit, de l'autre, la basse sans embarras; après quoi il pria dix fois de suite de recommencer, et à chaque reprise il changea le caractère de son accompagnement; il aurait fait répéter vingt fois si on ne l'avait fait cesser. Je ne désespère pas que cet enfant ne me fasse tourner la tête, si je l'entends encore souvent; il me fait concevoir qu'il est difficile de se garantir de la folie en voyant des prodiges. Je ne suis plus étonné que saint Paul ait eu la tête perdue après son étrange vision. Les enfants de M. Mozart ont exité l'admiration de tous ceux qui les ont vus. L'empereur et l'imperatrice-reine les ont comblés de bontés; ils ont reçu le même accueil à la cour de Munich et à la cour de Manheim. C'est dommage qu'on se connaisse si peu en musique en ce pays-ci. Le père se propose de passer d'ici en Angleterre, et de ramener ensuite ses enfants par la partie inférieure de l'Allemagne. . . .

Die Pariser *Correspondance littéraire, philosophique et critique adressée à un souverain d'Allemagne* (1753—90) wurde bis 1768 von Grimm, dann von Diderot, Madame d'Epinay und Meister handschriftlich herausgegeben, 1813 zuerst gesammelt und von Maurice Tourneux 1877—82 vollständig aufgelegt. Der Brief von 1763 ist aus Band V, S. 410—412 dieser Ausgabe genommen (Jahn III, 367 f.). Eine deutsche Übersetzung dieses Briefes erschien am 10. Oktober 1821 in der Leipziger *Allgemeinen musikalischen Zeitung*, dann in Nissens Mozart-Biographie, S. 46—48. Grimm, ein aus Deutschland eingewanderter geistreicher Schriftsteller, war damals Sekretär des Herzogs von Orléans und wurde Wolfgangs Fürsprecher in Paris. — Mit „*la cour de Manheim*" ist der kurfürstliche Hof in Schwetzingen gemeint.

Aus P. Rupert v. Gutraths «Annales San-Petrenses seu variarum rerum notabilium. . . . . . annotatio»

Ende Dezember 1763

Quemadmodum Nobilis ac Spectatissimus D. Leopoldus Mozart, Aulae huiatis Salisburgensis Musicus, ipsômet Celsissimô expensas subministrante, in alienis modo Provinciis commoratur, quas peragrando majorem Artis Musicae perfectionem studet, ita quoque Nobilis, ac Spectatissimus D. Antonius Cajetanus Adlgasser, organoedus Aulicus eundem in finem proxime in Italiam sese conferet, sumptus pariter subministrante Celsissimô, qui summam certe laudem sibi acquireret, si pro bono litterarum, scientiarum, aliarumque artium parem quoque ostenderet liberalitatem; de D. Mozart interim notandum, quod in suo itinere praeter uxorem et filiam decennem artis Musicae peritissimam filiolum quoque secum habeat septennem, qui tanta praebet in pulsandis Organis artis Musicae specimina, quanta in Viris adultis, et in re musicae exercitatissimis hucusque nec visa sunt, nec audita; hinc parvus iste Apollo Viennae in Austria, Monachii, Augustae vindelicorum, Argentorati, Bruxellis, Parisiis, aliisque in locis pro naturae et artis prodigio habetur.

Archiv St. Peter, Salzburg. Handschrift A 152, Teil III. S. 239. — Herbert Klein im *Mozart-Jahrbuch 1957*, Salzburg 1958. — Gutraths Taufnamen waren Karl Joseph; Salzburg 1732—77, seit 1741 im Stift St. Peter, von 1761 an Professor an der Universität. — Nach Straßburg (Argentoratum) kamen die Mozarts auf dieser Reise nicht.

Am 24. Dezember gehen die Mozarts auf zwei Wochen nach Versailles (s. 19. XI. 1762), wo sie „au Cormier, rue des bons enfants" Unterkunft finden.

1764

Am Neujahrstag 1764 wohnen sie der Hoftafel bei. Ludwig XV. und seine Gemahlin, Königin Maria Lesczynska, der Dauphin Louis und seine Gattin Maria Josepha von Sachsen, Madame Adelaide, der Königin älteste Tochter, und Madame Adrienne-Catherine de Tessé, Hofdame der „Dauphine", erweisen sich gnädig, Marquise de Pompadour aber hochmütig.

Die Kinder bekamen Geschenke von Madame de Tessé und von Marie-Thérèse Louise de Savoie-Carignan. Wolfgang spielte auch in der Hofkapelle auf der Orgel vor.

Aus P. Placidus Scharls «Ephemerides Diurniae», 26. Januar 1764

D. Hagenauer varia mihi de Mozart D., qui et misit mihi 2 epistolas illius.

Siehe 6. Januar 1763.

Friedrich Karl v. Bose widmet Wolfgang ein Buch

Paris, (Januar?) 1764

Nimm kleiner, 7. jähriger Orpheus, dieß Buch aus der Hand Deines Bewunderers und Freundes! Lies es oft, — — und fühle seine göttlichen Gesänge, und leihe ihnen /: in diesen seeligen Stunden der Empfindung: / deine unwiderstehlichen Harmonien; damit sie der fühllose Religionsverächter lese, — — und aufmerke! — — damit er sie höre — — und niederfalle, und Gott anbethe.   Friederich Carl Baron v. Bose.

Diese Widmung ist in Leopold Mozarts Brief an Hagenauer, 1. April 1764, zitiert. Das Buch, worin sie eingeschrieben war, ist verschollen. Es soll Christian Fürchtegott Gellerts *Geistliche Oden und Lieder* (Leipzig 1757) gewesen sein, vielleicht schon in der 3. Auflage (Berlin 1764) mit Kompositionen von C. Ph. E. Bach. — Bose war einer von zwei sächsischen Baronen, deren Reise nach Paris von München aus mit der der Mozarts nebeneinander verlaufen war.

AUS DEN «COMPTES DES MENUS PLAISIRS DU ROI», MITTE FEBRUAR 1764

Sieur Mozart la somme 1.200 livres pour avoir fait exécuter de la musique par ses enfants en présence de la famille royale.

Archives nationales, Paris: Maison du roi. O^1 2888: Dépenses des Menus, fol. 47, v^e. — J. G. Prod'-homme, *Mozart raconté par ceux qui l'ont vu*, Paris 1928, S. 52. — Die 1200 livres entsprachen 50 Louisdors.

TITEL UND WIDMUNG DES OPUS I

[Paris, März 1764]

Sonates / Pour Le Clavecin / Qui peuvent se jouer avec l'Accompagnement de Violon / Dediées / A Madame Victoire / De France / Par J. G. Wolfgang Mozart de Salzbourg / Agé de Sept ans. / Œuvre Premiere / . . . / A Paris / aux adresses ordinaires / . . .

A Madame Victoire de France

Madame

Les essais que je mets à vos pieds, sont sans doute médiocres; mais lorsque Votre bonté me permet de les parer de votre Auguste nom, le succès n'en est plus douteux, et le Public ne peut manquer d'indulgence pour un Auteur de sept ans qui paroît sous Vos auspices.

Je voudrois, Madame, que la langue de la Musique fût celle de la reconnoissance; je serois moins embarrassé de parler de l'impression que vos bienfaits ont laissée dans mon coeur. J'en remporterai le souvenir dans mon pays; et tant que la Nature qui m'a fait Musicien comme elle fait les rossignols, m'inspirera, le nom de Victoire restera gravé dans ma mémoire avec les traits ineffaçables qu'il porte dans le coeur de tous les François.

Je suis avec le plus profond respect,

Madame,

Votre très humble, très obéissant et très petit Serviteur

J. G. Wolfgang Mozart.

KV 6 und 7. Die erste dieser beiden Sonaten ist 1762, 63 und 64 in Salzburg, Brüssel und Paris entstanden, die zweite im Winter von 1763 auf 64 in Paris. Sie wurden zugleich mit Opus II im Februar 1764 in Paris gestochen (Klavier- und Violinstimme), auf Vater Mozarts Kosten, und in London mit einem gemeinsamen Titelblatt verkauft. „Mme. Vendôme", die auf den Pariser Titelblättern genannt ist, dürfte die Mutter der Mlle. Marie Charlotte Vendôme, einer hervorragenden Notenstecherin, gewesen sein. — Die Prinzessin Victoire war die zweite Tochter des Königs. — Die Widmung stammt von Baron Grimm. — Mitte Februar krankte Wolfgang an einer schweren Angina. — Am 3. März verließ Sebastian Winter die Familie, um nach Donaueschingen zu gehen.

AUS DEM «AVANT-COUREUR», PARIS, 5. MÄRZ 1764

Il est du ressort de notre Journal de consacrer les phénomènes extraordinaires.

M. Mozart, directeur de la musique de S. A. le prince archevêque de Salzbourg, est en cette capitale depuis quelques mois avec deux enfants de la plus aimable figure. Sa fille, âgée de onze ans, joue du clavessin d'une manière distinguée; on ne sçauroit avoir une exécution plus exacte et plus brillante. Son fils qui a eu ce mois-ci sept ans accomplis, est un vrai prodige. Il a tous les talens et toute la science d'un maître de chapelle. Non seulement il exécute d'une manière surprenante les concerto des maîtres les plus célèbres de l'Europe; mais il compose lui-même. Il joue de tête pendant des heures entières, et se livrant à l'inspiration de son génie, il associe les idées les plus précieuses à la science de l'harmonie la plus profonde. Tous ceux qui sçavent ce que c'est que la musique, sont restées dans la dernière surprise, à voir faire par un enfant ce qu'ils auroient admiré dans le maître de chapelle le plus consommé. On peut mettre cet enfant étonnant à toutes les épreuves. Qu'on lui donne un morceau sans basse, et qu'on exige qu'il écrive la basse dessous, il le fera sans avoir besoin de clavessin ni de violon, dont peu de compositeurs se peuvent passer en écrivant. Qu'on lui donne une partie de violon, il la jouera sur le clavessin, et y mettra tout de suite la basse qu'il lui faudra; souvent il fera même entendre les parties intermédiaires. Il accompagnera d'oreille des airs qu'on chantera devant lui, et il les variera même sur le champ d'une infinité de manières. Il a une si grande habitude du clavier qu'on peut étendre une serviette dessus sans que cela l'empêche de jouer avec la même exactitude et la même vitesse.

Ces enfans ont eu l'honneur de jouer plusieurs jours de suite devant monseigneur le Dauphin, madame la Dauphine, et mesdames de France, ainsi que devant un grand nombre de personnes de distinction, de la cour et de la ville. Le jeune Mozart a aussi eu l'honneur de jouer des orgues dans la chapelle du Roi à Versailles pendant une heure et demie en présence de cette auguste assemblée ...

Bibliothèque nationale, Paris. — *Mozart en France*, Paris 1956, no. 29. — Wahrscheinlich von Grimm verfaßt. — Der Dauphin war Ludwig, seine Gattin Maria Josepha von Sachsen; die Prinzessinnen Mme. Adélaïde und Mme. Victoire.

Am 10. März 1764 geben die Kinder ihr erstes Pariser Konzert, im Theatersaal des Mr. Félix, rue et porte St. Honoré.

Die Eintrittskarte kostete *„einen Laub- oder Feder-Thaler, deren 4 ein Louis d'or sind"*, laut Leopold Mozarts Bericht nach Salzburg. Der Erlös war 112 Louis d'or.

EIN FRANZÖSISCHES GEDICHT AUF DIE MOZART-KINDER

[Paris (März?) 1764]

     Sous les enfants de Mr. Mozart.
Mortels chéries de Dieux et des Rois,
Que l'harmonie a de puissance!
Quand les sons modulés soupirent sous Vos doigts
Que de finesse et de science!
Pour Vous louer, on n'a que le silence.
Avec quel sentiment le bois vibre et frémit!
Un corps muet devient sonore et sensible.
A vous, mortels heureux, est il rien d'impossible!
Tous jusqu'au tact en Vous a de l'esprit.

Dieses anonyme Gedicht hat sich in einer Abschrift von Leopold Mozart erhalten, die aus der Wiener Sammlung Aloys Fuchs an die Gesellschaft der Musikfreunde gekommen ist. — Jahn II. 717.

Aus den «Hochfürstlich-Bambergischen Wochentlichen Frag- und Anzeige-Nachrichten», 30. März 1764

Neuigkeiten.

Paris, den 20ten Martii.

In Paris findet sich seit etlichen Monaten Herr Mozart, Music-Director Sr. Hochfürstl. Gnaden, des Erz-Bischofs zu Salzburg, mit zwey Kindern von der angenehmsten Bildung; Seine Tochter von 11. Jahren spielet das Clavier in Vollkommenheit. Sein Sohn, in dem Alter von 7. Jahren, ist ein wahres Wunder: Er hat alle Känntnuß, und Fertigkeit eines Capell-Meisters; Er führet nicht allein die Concerte der berühmtesten Meister von Europa mit solcher Kunst aus, daß man darüber erstaunet, sonderen er componiret auch selbsten. Ganze Stunden lang extemporiret er, und menget die ausgesuchtesten Gedancken mit der tiefsten Wissenschaft von der Harmonie. Alle, die nur wissen, was Music ist, seynd gleichsam bezaubert, bey einem Kind zu finden, was sie an denen vollkommensten Capell-Meisteren nicht ohne Verwunderung würden gesehen haben. Man mag dieses Wunder-Kind versuchen, auf was Art man will, man lege ihm vor Stücke ohne Baß, daß es denselben drunter schreibe, so thut er es ohne Clavier noch Violin zu brauchen, die doch wenige Compositeurs, wann sie schreiben, entbehren können. Giebt man ihm eine Violin-Parthie, so spielet er sie auf dem Clavier, und füget den Baß sogleich bey, wie er seyn muß, ja, giebt auch wohl zuweilen sehr wohl angebrachte Zwischen-Parthien zu hören. Arien, die man ihm vorsinget, accompagniret er nach dem Gehör, und verändert dabey auf gar mannigfältige Weise. Die Uebung auf dem Clavier ist so stark, daß man die Claves mit einer Serviette bedecken kan, ohne daß dieses ihn hindere, mit gleicher Richtigkeit, und Geschwindigkeit zu spielen.

Es hatten diese Kinder die Ehre, verschiedene Tage hintereinander vor dem Dauphin, der Dauphine, denen Prinzeßinnen von Franckreich, und von vielen anderen vornehmen Personen des Hofs, und der Stadt, zu spielen; Auch hatte der junge Mozart die Ehre, bey anderthalb Stunden lang die Orgel in der Königl. Capelle zu Versailles, in Gegenwart dieser Erlauchter Versammlung zu schlagen.

Die Prinzeßin Victoire, haben die unterthänigste Zueignung einiger Sonaten, welche ehestens im Druck erscheinen werden, von der Composition dieses Meisters, einem Kind, gnädigst aufzunehmen geruhet.

Voran stehet die Zuschrift:

Madame! Die Versuche, so ich zu Ewr. Königl. Hoheit lege, seynd zwar nicht die fürtreflichsten, weil ich aber die gnädigste Erlaubnuß habe, sie mit Dero durchlauchtigsten Nahmen zu schmücken, so ist ihr Glück nicht mehr zweifelhaft, und die Welt kan gegen einem siebenjährigen Autor, welcher unter Dero höchsten Schirm auftritt, nicht anders als ein geneigtes Urtheil hegen. Könte doch nur durch Music die Sprache der Erkänntlichkeit ausgedrucket werden; So wäre ich weniger verlegen, von dem Eindruck zu reden, welchen Dero Wohlthaten in mein Herz gemachet haben. Ich muß das Angedenken davon in mein Vaterland zurückbringen, und so lange als die Natur, die mich gleich denen Nachtigalen, zum Musicanten gemachet hat, mich beleben wird, so soll der Name Victoire, mit so unauslöschlichen Zügen, als er in den Herzen aller Franzosen lieget, in meinem Gedächtnuß eingegraben bleiben.

Ich bin mit tiefster Ehrfurcht
J. G. Wolfgang Mozart.

Aus der Staatlichen Bibliothek in Bamberg. — Die ersten zwei Absätze, übersetzt aus *L'Avant-Coureur*, erschienen am 4. April 1764 auch im *Wienerischen Diarium*, dem Vorläufer der amtlichen *Wiener Zeitung*, wo aber der Familienname als „*Muzart*" gedruckt worden ist. Der ganze Bericht wurde 1764 auch in den *Kurzgefaßten Historischen Nachrichten*, Regensburg, abgedruckt.

TITEL UND WIDMUNG DES OPUS II

[Paris, April 1764]

Sonates / pour le Clavecin / Qui peuvent Se jouer avec l'Accompag:mt de Violon / dediées / à M.me la Comtesse de Tessé, / Dame de Madame la Dauphine. / Par J: G: Wolfgang Mozart de Salzbourg / Agé de Sept ans. / Œuvre II... / ... A Paris ...

A Madame la Comtesse de Tessé, / Dame de Madame la Dauphine.

Madame, Votre gout pour la Musique et les bontés dont vous m'avez comblé, me donnent le droit de vous consacrer mes foibles talens. Mais lorsque vous en agréez l'hommage, est-il possible que vous défendiez à un Enfant l'expression des sentiments dont son coeur est plein?

Vous ne voulez pas, Madame, que je dise de vous ce que tout le Public en dit. Cette rigueur diminuera le regret que j'ai de quitter la France. Si je n'ai plus le bonheur de vous faire ma cour, j'irai dans des pays où je parlerai du moins tant que je voudrai, et de ce que vous êtes, et de ce que je vous dois.

Je suis avec un profond respect,
Madame,
Votre très-humble et très-obéissant petit Serviteur
J. G. Wolfgang Mozart.

KV 8 und 9. Die erste Sonate wurde im Winter von 1763 auf 64 geschrieben, die zweite Anfang 1764. — Über den Stich siehe Opus I (März 1764). — Auch diese Widmung war von Grimm verfaßt.

Am 9. April 1764 findet das zweite Pariser Konzert im Saale Félix statt. Der Geiger Pierre Gaviniés und die Sängerin Clementine Picinelli wirken mit.

Am 10. April 1764 verlassen die Mozarts Paris, lassen aber einen großen Teil ihres Gepäcks beim Bankier Hummel zurück, während sie in England weilen.

Erst am 23. April erreichen sie über Calais, wo sie auch ihre eigene Kutsche belassen, und Dover London. Dort steigen sie zuerst im Gasthof „The white Bear" in Piccadilly ab und finden am 24. bei dem Friseur John Cousins im Cecil Court (jetzt Nr. 19), bei St. Martin's Lane, Quartier.

Schon am 27. April, von 6 bis 9 Uhr abends, werden sie von König George III, und seiner Gemahlin, Königin Sophie Charlotte, geborenen Prinzessin von Mecklenburg-Strelitz, empfangen. Als Honorar für das Musizieren der Kinder erhält Vater Mozart 24 Guineen.

CLAUDE ADRIEN HELVETIUS AN (?) FRANCIS, 10TH EARL OF HUNTINGDON, LONDON, ENDE APRIL 1764

Souffrez que je vous demande votre protection pour un des êtres les plus singuliers qui existent. C'est un petit prodige allemand qui est arrivé ces jours cy à Londres. Il execute et compose sur le champ les pièces les plus difficiles et les plus agréables sur le clavesin. C'est en ce genre le compositeur le plus éloquent et le plus profond. Son père s'apelle *Mozart*; il est maître de chapelle de Salzbourg; il loge avec ce prodige de sept ans at *Mr. Couzin hare cutter in Cecil Court, St. Martins Lane.* Tout Paris et toute la cour de France on[t] été enchanté de ce petit garçon. Je ne doute pas que le Roy et la Reine ne fussent charmé de l'entendre. Londres est le pais de bon pasturages pour les talents. C'est à l'Apollone de l'Angleterre à qui je m'adresse pour le prier de protéger.

Report on the Manuscripts of the late Reginald Rawdon Hastings, herausgegeben von Francis Bickley, London 1934, III. 143 f.

AUS DEM «PUBLIC ADVERTISER», 9. MAI 1764

For the Benefit of Sig. GRAZIANI.

HICKFORD's Great Room, in Brewer-Street, Thursday, May 17, will be a Grand Concert of Vocal and Instrumental MUSIC.
The Vocal Parts by the Signoras Sartori, Cremonini, and Signor Maziotti. First Violin, and a Concerto, by Sig. Giardini. Concerto and Solo on the Violoncello, by Sig. Graziani. Concerto on the German Flute by Sig. Florio. Concerto on the Harpsichord by Master Mozart, who is a real Prodigy of Nature; he is but Seven Years of Age, plays any thing at first Sight, and composes amazingly well. He has had the Honour of exhibiting before their Majesties greatly to their Satisfaction. The Whole to conclude with a Full Piece. Tickets, Half a Guinea each, to be had of Sig. Graziani, at the Warwick-street Coffeehouse.

Die meisten der Anzeigen und Notizen, die in den Londoner Zeitungen über die Mozarts 1764/5 erschienen, wurden in C. F. Pohls Buch *Mozart und Haydn in London,* Wien 1867 (*Erste Abteilung: Mozart in London*) abgedruckt, meist nur in deutscher Übersetzung. Die originalen Texte sind für dieses Buch von Mr. Charles Humphries, British Museum, revidiert und ergänzt worden. Wiederholungen dieser Anzeigen werden nicht erwähnt. — Carlo Graziani war auch Komponist. Felice de Giardinis Oper *Enea e Lavinia* stand damals auf dem Repertoire des Kleinen Haymarket Theatre, dessen Direktor der berühmte Geiger war. Pietro Grassi Florio war ein angesehener Flötist. Die Sänger waren vom Opernhaus.

AUS DEM «PUBLIC ADVERTISER», 17. MAI 1764

By Permission of the LORD CHAMBERLAIN.

For the Benefit of Sig. GRAZIANI.

HICKFORD's Great Room, in Brewer-Street, Tuesday Morning, May 22, at Twelve o'Clock, will be a Concert of Vocal and Instrumental MUSIC. The Vocal Parts by the Signoras Sartori, Cremonini, and Signor Maziotti. First Violin, and a Concerto, by Sig. Giardini. Concerto and Solo on the Violoncello, by Sig. Graziani. Concerto on the Harpsichord by Master Mozart, a Boy, who is Seven Years old, and allowed by every body to be a Prodigy for his Age.

** Tickets, 10s 6d each, to be had of Signor Graziani, at Warwick-street Coffee-house.

N. B. Signor Graziani is obliged to postpone his Concert to next Tuesday Morning, on account of the Opera Band being engaged for that Night; when Tickets given out for the 13th will be taken on Tuesday next.

Giardinis Oper wurde am 17. Mai wieder aufgeführt. Das Datum des 13. Mai für den ursprünglich festgesetzten Tag des Konzerts ist offenbar irrtümlich angegeben.

Am 19. Mai produzieren sich die Kinder zum zweiten Male bei Hof, Wolfgang auch auf der Orgel. Das Honorar ist wieder 24 Guineen.

Aus dem «Public Advertiser», 21. Mai 1764

By Permission of the Lord Chamberlain.

For the Benefit of Sig. GRAZIANI.

HICKFORD's Great Room, in Brewer-Street, To-morrow Morning, May 22, at Twelve o'Clock, will be a Concert of Vocal and Instrumental MUSIC. The Vocal Parts by the Signoras Sartori, Cremonini, and Signor Maziotti. First Violin, and a Concerto, by Sig. Giardini. Concerto and a Solo on the Violoncello, by Sig. Graziani. Concerto on the German Flute by Sig. Florio. I had declared in the Public Advertiser, of May 17, Mr. Mozart, but as he is sick I cannot promise that he will play.

** Tickets, 10s 6d each, to be had of Signor Graziani, at Warwick-street Coffee-house.

Wolfgang konnte nicht auftreten; er dürfte am 20. Mai erkrankt sein, war aber nicht mehr als 10 Tage unpäßlich.

Aus dem «Public Advertiser», 31. Mai 1764

At the Great Room in Spring-Garden, near St. James's Park, Tuesday, June 5, will be performed a grand Concert of Vocal and Instrumental MUSIC. For the Benefit of Miss MOZART of eleven, and Master MOZART of seven Years of Age, Prodigies of Nature; taking the Opportunity of representing to the Public the greatest Prodigy that Europe or that Human Nature has to boast of. Every Body will be astonished to hear a Child of such tender Age playing the Harpsichord in such a Perfection—It surmounts all Fantastic and Imagination, and it is hard to express which is more astonishing, his Execution upon the Harpsichord playing at Sight, or his own Composition. His Father brought him to England, not doubting but that he will meet with Success in a Kingdom, where his Countryman, that late famous Vertuoso Handel, received during his Life-time such Particular Protection. Tickets, at Half a Guinea each; to be had of Mr. Mozart, at Mr. Couzin's, Hair-Cutter, in Cecil Court, St. Martin's Lane.

Diese Anzeigen waren offenbar von Leopold Mozart verfaßt oder entworfen worden. Das „Spring-Gardens"-Haus lag nahe Charing Cross; dort fanden damals die Ausstellungen der Society of Artists statt.

At the Great Room in Spring-Garden, near St. James's Park, Tuesday, June 5, at Twelve o'Clock, will be performed a grand Concert of Vocal and Instrumental MUSIC.
For the Benefit of Miss MOZART of Eleven, and Master MOZART of Seven Years of Age, Prodigies of Na[ture.] This Method is therefore taken to shew to the Public the greatest Prodigy that Europe or that even Human Nature has to boast of. Every Body will be struck with Admiration to hear them, and particularly to hear a young Boy of seven Years of Age play on the Harpsichord with such Dexterity and Perfection. It surpasses all Understanding or all Imagination; and it is hard to say whether his Execution upon the Harpsichord, and his playing at Sight, or his own Compositions, are most astonishing. His Father brought him to England, not doubting but that he must meet with Success in a Kingdom, where his Countryman Handel received during his Life-time such particular Protection.
* Tickets, at Half a Guinea each, to be had of Mr. Mozart, at Mr. Couzin's, Hair-Cutter, in Cecil-Court, St. Martin's Lane.

Das Wort „*Nature*" blieb in dieser Anzeige einmal unvollständig („*Na-*").

AT the Great Room in Spring Garden, near St. James's Park, To-morrow, June 5, at Twelve o'Clock, will be performed a grand Concert of Vocal and Instrumental MUSIC. For the Benefit of Miss MOZART of Eleven, and Master MOZART of Seven Years of Age, Prodigies of Nature. The Vocal Parts by Signora Cremonini and Sig. Quilici. The First Violin with a Solo by Sig. Barthelemon. Violoncello with a Concerto by Sig. Cyri. Harpsichord and Organ by Miss Mozart and Master Mozart.
* Tickets at Half a Guinea each, to be had of Mr. Mozart, at Mr. Couzin's, Hair-Cutter in Cecil Court, St. Martin's Lane.

An diesem Tage wurde der Geburtstag des Königs in London gefeiert. Das veranlaßte zahlreiche Mitglieder der Gesellschaft, nach Ablauf der Saison in die Residenz zurückzukehren, was Vater Mozart bei der Festsetzung des Datums für das Konzert am 5. Juni bedacht hatte. — François-Hippolite Barthelemon und Giovanni Battista Cirri waren auch Komponisten.

By Permission of the Lord Chamberlain.

AT the Great Room in Spring Garden, near St. James's Park, This Day, June 5, at Twelve o'Clock, will be performed a grand Concert of Vocal and Instrumental MUSIC.
For the Benefit of Miss MOZART of Eleven, and Master MOZART of Seven Years of Age, Prodigies of Nature. The Vocal Parts by Signora Cremonini and Sig. Quilici. The First Violin with a Solo by Sig. Barthelemon. Violoncello with a Concerto by Sig. Cyri. Harpsichord and Organ by Miss Mozart and Master Mozart.
* Tickets at Half a Guinea each, to be had of Mr. Mozart, at Mr. Couzin's, Hair-Cutter in Cecil Court, St. Martin's Lane.

Vater Mozarts Auslagen betrugen 20 Guineen, die Einnahme aber 100.

Aus dem «Wienerischen Diarium», 23. Juni 1764

Als der Hochfürstl. Salzburgische Vicekapellmeister, Hr. Leopold Mozart, mit seinen beyden Kindern nach einem 5-monatlichen Aufenthalt in Paris, von da nach England abreiste, erhielte ausser dem Present, das der Hof beyden Kindern gemacht hat, der kleine 7 jährige Compositeur, wegen der von ihm componirten und der Madame Victoire de France zugeeigneten Clavier-sonaten, noch eine goldene Tabatiere von 80. Louis d'or Werth. Wie entwickelt sich nicht öfters zum Erstaunen, in dem zartesten Alter der Geschmack, der eingebohrene Trieb zu einer und der anderen Gattung schöner Künste.

Unter den Pariser Geschenken, die Vater Mozart für seine Salzburger aufzählte, war wirklich eine goldene Tabatiere, die Wolfgang aber von Madame de Tessé bekommen hatte, vor der Widmung seines Opus II.

Aus dem «Public Advertiser», 26. Juni 1764

For the Benefit of a Public useful Charity.

AT RANELAGH HOUSE, on Friday next, will be performed (beside the usual Entertainments of Music and Singing).

At the End of the third Act, a very favourite Chorus in ACIS and GALATEA: Oh the Pleasures of the Plains, &c. End of Act Four, The Song and Chorus in ALEXANDER's FEAST: Happy Pair, &c. To conclude with the Coronation Anthem, God save the King, &c. In the course of the Evening's Entertainments, the celebrated and astonishing Master MOZART, lately arrived, a Child of 7 Years of Age, will perform several fine select Pieces of his own Composition on the Harpsichord and on the Organ, which has already given the highest Pleasure, Delight, and Surprize to the greatest Judges of Music in England or Italy and is justly esteemed the most extraordinary Prodigy, and most amazing Genius that has appeared in any Age.

☞ A Porter belonging to the above deserving Charity, being employed to distribute Tickets for this Purpose, having lost a large Packet of 800 of them, it becomes therefore necessary to give this Notice, the Benefit designed for Wednesday the 27th, is, on that Account, postponed to Friday the 29th instant, when Tickets for the Oratorio of SAMSON cannot be taken; but those Ladies and Gentlemen who have paid for them, are desired to send for fresh Tickets for Friday next. Tickets at 5s. to be had at Arthur's, the Smyrna, and at Ranelagh, each Night of Performance.

'And Christ said unto him, one Thing thou yet lackest, give Charity to the Poor, and thou shalt have Treasure in Heaven.'

It has been thought a Truth, beyond Contradiction, that if the Rich, Affluent, and Compassionate, were more thoroughly acquainted with the Wants and Distresses of the Poor; if their vast Variety of Miseries and Afflictions were more known to them, it would not be possible in the Nature of Things, for any Person, unless totally divested of every Sympathetic Feeling for their Fellow Creatures, to pass them by indifferently, or as altogether unconcerned for their painful agonizing Sufferings. The Almighty Superintendant of all Things has wisely and providentially imprinted a compassionate Sense of the Misfortunes of others deeply in our Nature; so that when we once stare them in the Face, we cannot avoid being melted to real Pity, and a Readiness to relieve and comfort. The Success of the above Benefit depends only upon this Heavenly and Godlike Virtue; which Christ himself says, covers a Multitude of Sins.

Der wohltätige Zweck dieses Konzertes galt dem Lying-in Hospital, dessen Grundstein 1765 gelegt wurde. Der Ranelagh-Garden lag bei Chelsea an der Themse. Freitag war der 29. Juni. Die drei genannten Oratorien und die Krönungs-Hymne waren von Händel.

Um den 6: August übersiedeln die Mozarts zur Familie Randal nach Five Fields Row, am Rande des Vororts Chelsea, und bleiben dort bis etwa 25. September, weil Vater Mozart lebensgefährlich erkrankt war.

Die Adresse entspricht jetzt 180, Ebury Street.

Am 25. Oktober werden die Mozarts zum dritten Male bei Hof empfangen.

GRIMM AN DEN ERBPRINZEN VON SACHSEN-GOTHA

[Paris, le] 13 décembre 1764.

... Votre Altesse a peut-être entendu parler de petits enfants que leurs talents pour la musique, et particulièrement pour le clavecin, ont fait admirer de tout Paris l'hiver dernier; leur portait sera joint au premier paquet. Ces enfants se trouvent à Londres depuis le mois d'avril. Quoique arrivés beaucoup trop tard, ils ont bien fait leurs affaires dans le commencement, ils ont été appelés chez la reine deux ou trois fois, le petit virtuose va lui dédier un livre de sonates composées par son ordre. Mais toute la belle saison est une saison absolument morte à Londres; le père a eu d'ailleurs une maladie considérable, il a pensé mourir, et il lui a fallu trois mois pour se rétablir. Il s'agit donc de réparer cet hiver les pertes de l'été, et le projet du père est de donner par souscription un concert à chaque assemblée chez Mme Cornelys, in Soho square. Or le duc d'York, père du roi, est un des principaux membres de cette assemblée, et si Son Altesse royale voulait protéger ces enfants qui s'appellent Mozart, leur concert serait sans doute agréé par toute l'assemblée et leur sort se trouverait fait. Actuellement j'ai la ferme confiance en vos bontés, monseigneur, que vous engagerez la plus heureuse et la meilleure des mères, la première fois qu'elle écrira à Mme la princesse de Galles, d'écrire un mot en faveur de ces enfants, et de prier Son Altesse royale de les recommander à son fils le duc d'York.

Correspondance littéraire, XVI. 420 f. — Der Adressat war Ernst Ludwig, später Herzog von Sachsen-Gotha und Altenburg, dessen Mutter, Louise Dorothea, Grimms Zeitschrift regelmäßig zugeschickt bekam. — Prod'homme, a. a. O., S. 56 f., der diesen Brief zitierte, bemerkt, daß der Herzog von York der Bruder, nicht der Vater des Königs war: statt père sollte er also frère genannt werden. (Der Herzog von York, den Leopold Mozart zugleich mit einem Prinzen von Sachsen-Gotha 1771 in Mailand traf, war der Bruder jenes inzwischen verstorbenen York.) Teresa Cornelys, eigentlich Imer-Pompeati, eine aus Venedig stammende Opernsängerin, hatte 1760 Carlisle House, Sutton Street, bei Soho Square, erworben, wo sie von 1764 an Subskriptions-Konzerte für „The Society" veranstaltete. Von 1765 an dirigierten Johann Christian Bach und Karl Friedrich Abel diese Konzerte.

1765

3. Jänner [1765].

Abends um 6 Uhr war Gesellschaft bey Hof, wehrend solcher Zeit eine kleine Cammer-Musique, welche der junge Sohn des Mozard alhiesiger Vice-Capellmeister, so sich der-mahlen mit dessen Sohn in London befindet, componieret hat, produciret wurde.

Friedrich Pirkmayer, *Über Musik und Theater am f. e. salzburgischen Hofe, 1762—1775*, Salzburger Zeitung 1886, Sonderabdruck, S. 11. — Martin, a. a. O., S. 125. — Was von Wolfgang damals auf-geführt worden ist, war wohl die eine oder die andere seiner Pariser Sonaten (KV 7 und 8?), ge-spielt von dem Tenoristen Franz Anton Spitzeder, der auch Cembalist war, und dem Violinisten Wenzel Hebelt (s. Mozarts Brief an Hagenauer, 27. November 1764).

Titel und Widmung des Opus III

[London, 18. Januar 1765]

Six / Sonates / pour le / Clavecin / qui peuvent se jouer avec / L'accom-pagnement de Violon ou Flaute / Traversiere / Très humblement dediées / A Sa Majesté / Charlotte / Reine de la Grande Bretagne / Composées par / I. G. Wolfgang Mozart / Agé de huit Ans / Oeuvre III. / London / Printed for the Author and Sold at his Lodgings / At M.ʳ Williamson in Thrift Street Soho.

A la Reine. Madame,

Plein d'orgueil & de joie d'oser vous offrir un hommage, j'achevois ces Sonates pour les porter aux pieds de Votre Majesté; j'étois, je l'avoue, ivre de vanité & ravi de moi-même, lorsque j'apperçus le Génie de la Musique à côté de moi.

« Tu es bien vain, me dit-il, de savoir écrire à un âge où les autres apprennent encore à épeller. » Moi, vain de ton Ouvrage? lui répondis-je. Non, j'ai d'autres motifs de vanité. Reconnois le favori de la Reine de ces Isles fortunées. Tu prétends, que née loin du rang Suprême qui la distingue, ses talens l'auroient illustrée: eh bien placée sur le trône, Elle les honore & les protege. Qu'Elle te permette de lui faire une offrande, tu es avide de gloire, tu feras si bien que toute la terre le saura; plus philosophe, je ne confie mon orgueil qu'à mon clavecin qui en devient un peu plus éloquent, voilà tout. « Et cette élo-quence produit des Sonates! . . . Est-il bien sûr que j'aie jamais inspiré un faiseur de So-nates? »

Ce propos me piqua. Fi, mon père, lui dis-je, tu parles ce matin comme un pédant... Lorsque la Reine daigne m'écouter, je m'abandonne à toi, & je deviens sublime; loin d'Elle le charme s'affoiblit, son Auguste image m'inspire encore quelques idées que l'art conduit ensuite et acheve... Mais que je vive, & un jour je lui offrirai un don digne d'Elle et de toi: car avec ton sécours, j'égalerai la gloire de tous les grands hommes de ma patrie, je deviendrai immortel comme Handel, et Hasse, & mon nom sera aussi célebre que celui de Bach.

Un grand éclat de rire déconcerta ma noble confiance. Que Votre Majesté juge de la patience qu'il me faut pour vivre avec un Être aussi fantasque! . . . Ne vouloit-il pas aussi que j'osasse reprocher à Votre Majesté cet excès de bonté qui fait le sujet de mon orgueil & de ma gloire? Moi, Madame, vous réprocher un défaut! Le beau défaut! Votre Majesté ne s'en corrigera de sa vie.

On dit qu'il faut tout passer aux Génies; je dois au mien le bonheur de vous plaire, & je lui pardonne ses caprices. Daignez, Madame, recevoir mes foibles dons. Vous futes de tout temps destinée à regner sur un peuple libre, les enfans du génie ne le sont pas moins que le Peuple Britannique; libres surtout dans leurs hommages, il se plaisent à entourer votre trône. Vos vertus, vos talens, vos bienfaits seront à jamais présens à ma mémoire; partout où je vivrai je me regarderai comme le sujet de Votre Majesté.

Je suis avec le plus profond respect
> Madame
> de Votre Majesté Le très-humble et très-obéissant pétit serviteur
> > J. G. W. Mozart.

à Londres, ce 18 Janvier 1765.

KV 10—15, 1764 fast ganz in London entstanden. — In Thrift Street (später Frith Street 20) lag das neue Londoner Quartier der Familie, nach ihrer Rückkehr aus Five Fields Row. — Thomas Williamson war ein Miedermacher. — Das Exemplar der Royal Music Library, im British Museum, enthält auch die seltene, gestochene, im originalen Titel nicht angeführte Violoncello-Stimme; im Titel ist nach „*Traversiere*" hinzugefügt: „*et d'un Violoncelle*". — Der mit Händel und Hasse genannte Bach ist Johann Christian, der „Londoner" Bach.

Vortrag der Wiener Hofkanzlei, 19. Januar 1765

(über die Reife von Kindern, um das früheste Alter zu bestimmen, in dem jüdische Kinder getauft werden dürften)

... Wie man denn erst in dem vergangenen Jahr gewisse in Salzburg geborene Kinder unter dem 7. Jahr ihres Alters in der Welt herumgeführt, welche in der Musik so erfahren gewesen, daß sie selbst componirt haben, wozu mehr als ein *iudicium discretivum* erfordert wird.

Gerson Wolf, *Judentaufen in Österreich*, Wien 1863, S. 53. — Eduard Hanslick, *Geschichte des Concertwesens in Wien*, Wien 1869, S. 121. — A. F. Přibram, *Urkunden und Akten zur Geschichte der Juden in Wien*, Wien 1918, S. 384 f. — Maria Theresia entschied am 15. Februar 1765, daß das vollendete 7. Lebensjahr für die etwaige Taufe jüdischer Kinder Voraussetzung sein solle.

Aus dem «Public Advertiser», 6. Februar 1765

For the Benefit of Miss MOZART of Twelve and Master MOZART of Eight Years of Age: Prodigies of Nature.

LITTLE Theatre in the Haymarket, Friday, Feb. 15, will be a Concert of Vocal and Instrumental MUSIC.

Tickets, at Half a Guinea each, to be had of Mr. Mozart, at Mr. Williamson's in Thrift street, Soho.

Die gleiche Anzeige erschien auch am 9. Februar in *The Gazetteer and New Daily Advertiser.*

Aus dem «Public Advertiser», 14. Februar 1765

HAYMARKET, Little Theatre,

ON Account of Dr. ARNE's Oratorio of JUDITH and the same Reason for want of some principal Assistants of Performers, Master and Miss MOZART are obliged to postpone the Concerts which should have been Tomorrow, the 15th instant, to Monday the 18th instant. They desire that the Nobility and Gentry will be so kind to excuse them for not performing according to the Time first proposed.

Tickets to be had of Mr. Mozart, at Mr. Williamson's in Thrift street, Soho, and at the said Theatre.

Tickets delivered for the 15th will be admitted.

A Box Ticket admits two into the Gallery.

To prevent Mistakes, the Ladies and Gentlemen are desired to send their Servants to take Places for the Boxes, and give in their Names to the Box-keepers on Monday the 18th, in the Afternoon.

Thomas Augustine Arne's Oratorium *Judith* war am 29. Februar 1764 in der Kapelle des Lock Hospital zuerst aufgeführt worden.

Aus dem «Public Advertiser», 15. Februar 1765

HAYMARKET, Little Theatre,

THE CONCERT for the Benefit of Miss and Master MOZART will be certainly performed on Thursday the 21st instant, which will begin exactly at six, which will not hindering the Nobility and Gentry from meeting in other Assemblies on the same Evening.

Tickets to be had of Mr. Mozart, at Mr. Williamson's in Thrift-street, Soho, and at the said Theatre.

Tickets delivered for the 15th will be admitted.

A Box Ticket admits two into the Gallery.

To prevent Mistakes, the Ladies and Gentlemen are desired to send their Servants to keep Places for the Boxes, and give in their Names to the Box-keepers on Thursday the 21st in the Afternoon.

Eine fast gleichlautende Anzeige erschien am 16. Februar im *Gazetteer*.

Aus dem «Oprechte Saturdagse Haerlemse Courant», 16. Februar 1765

(Übersetzung)

Groß-Britannien (London, 8. Februar)

Es ist hier auch ein Komponist und Musikmeister von etwa acht Jahren angekommen, der wirklich ein Wunder ist, wie es noch keines gegeben hat.

Dieser Junge ist ein Deutscher, namens Wolfgang Mozart:

Er spielt auf dem Cembalo mit unglaublicher Präzision nicht nur Konzerte und Sonaten verschiedener Meister, sondern auch in wunderbarer Art die allerschwersten Fantasien, würdig von dem größten Meister vorgetragen zu werden, und ganz auswendig. Man lasse ihm nur ein Stück vorlegen, so wird er es variieren und auch in einer anderen Tonart spielen. Man lasse ihm eine Arie vorlegen, so wird er sie singen und zugleich sich dabei begleiten, ohne daß er die Arie je zuvor gesehen hätte. Man lasse ihm ein Stück ohne Baß vorlegen, er wird es mühelos bis zum Ende spielen, aber den Baß und die Mittelstimme einfügen.

Andrerseits, wenn ihm eine reine Baßpartie gegeben wird, so wird er spielend die nötige Melodie ergänzen. Und wenn man ihn bittet, auf der Orgel zu spielen, so wird er eine schöne Fuge oder eines der schwierigsten Stücke darauf spielen. Kurz, auf welche Probe immer man ihn stellen will, er wird immer jedermann von seinem großartigen und unbegreiflichen Talente überzeugen. Übrigens schreibt er seine eigenen Kompositionen, ohne das Cembalo zu berühren.

Er hat bei drei Gelegenheiten die Ehre gehabt, vor Ihren Majestäten, dem König und der Königin, zu spielen, und er hat die Erlaubnis bekommen, sechs Sonaten für das Cembalo, mit Begleitung der Violine und des Violoncells, für Ihre Majestät die Königin zu schreiben, die sich nicht nur gefreut hat, sie anzunehmen, sondern auch ihren königlichen Beifall geäußert hat, nachdem der junge Komponist die Stücke Ihrer Majestät vorgespielt hatte. Dieses musikalische Wunder stellt sich beherzt dem Urteil aller Meister der Musik und erwartet von der Redlichkeit ihrer Herzen, daß sie ihm Gerechtigkeit zuteil werden lassen. Die ganze Welt muß darin übereinstimmen, daß er ein Beispiel ohne Präzedenz ist, daß man ihn sehen und hören muß, um völlig und gebührlich von seiner erstaunlichen Fähigkeit in der Musik überzeugt zu werden.

Exemplar im Museum Enschedé, Haarlem. — Das holländische Original ist im Anhang III, S. 512, abgedruckt.

AUS DEM «PUBLIC ADVERTISER», 21. FEBRUAR 1765

HAYMARKET, Little Theatre,

... All the Overtures will be from the Composition of these astonishing Composers, only eight Years old ...

Der Wortlaut der Anzeige entspricht im übrigen dem vom 15. Februar. Im Notabene des *Gazetteer* vom 21. Februar ist der Irrtum, der Nannerl auch unter den Komponisten einschließt, noch unterstrichen: "... *who are only Eight Years of Age*". Unter den Ouvertüren, die in diesem Konzert aufgeführt wurden, aus Stimmen von Leopold Mozarts Hand, dürfte die Sinfonia KE 19ª (früher Anhang 223) gewesen sein, die man nur aus 15 Takten der ersten Violinstimme kennt.

AUS DEM «MERCURE DE FRANCE», FEBRUAR 1765

L'on trouve chez le sieur *Bordet*, auteur et marchand de musique, rue Saint-Honoré, vis-à-vis le Palais Royal, entre la rue St. Thomas du Louvre et les Quinze-Vingts, à la Musique moderne, deux livres de sonates pour clavecin, de la composition de *J. G. W. Mazart* âgé de sept ans.

La première oeuvre de cet enfant, qui a fait l'admiration de tout Paris l'hiver dernier et qui depuis n'a pas moins réussi à Londres, contient les sonates dédiées à *Madame Victoire de France*. Le second contient les sonates dédiées à Madame la Comtesse de *Tessé*. Le prix de chaque oeuvre est de 4 liv. 4 sols, mais il n'en reste que très peu d'exemplaires, l'édition étant épuisée et les planches n'en étant plus en France.

Ceux qui voudront joindre à ces sonates le portrait du petit auteur le trouveront à la même adresse. Prix 24 sols. On y voit ce maître enfant jouant du clavecin, sa soeur à côté de lui regardant un papier de musique, et son père derrière lui l'accompagnant du violon; la ressemblance est parfaite. Cette estampe est gravée d'après le dessin de M. de *Carmontelle*.

G. de Saint-Foix, *Les éditions françaises de Mozart*, Festschrift für L. de La Laurencie, 1933, S. 249. Die Anzeige der neuen Firma Toussaint Bordet's bezieht sich auf KV 6—9 (als Klavier-Sonaten bezeichnet) und den Stich des Pariser Gruppenbildes.

Aus dem «Public Advertiser», 11. März 1765

BY DESIRE

For the Benefit of Master MOZART, of eight Years, and Miss MOZART, of Twelve Years of Age, prodigies of Nature, before their Departure from England, which will be in six Weeks Time.

THERE will be performed at the End of this Month, or the Beginning of April next, a Concert of Vocal and Instrumental MUSIC.

Tickets at Half a Guinea each.

To be had of Mr. Mozart, at Mr. Williamson's in Thrift-street, Soho; where those Ladies and Gentlemen, who will honour him with their Company from Twelve to Three in the Afternoon, any Day in the Week, except Tuesday and Friday, may, by taking each a Ticket, gratify their Curiosity, and not only hear this young Music Master and his Sister perform in private; but likewise try his surprising musical capacity, by giving him any Thing to play at Sight, or any Music without Bass, which he will write upon the Spot, without recurring to his Harpsichord.

The Day and Place of the Concert will be advertised in the Public Advertiser eight Days before.

Aus dem «Public Advertiser», 20. März 1765

NEW MUSIC Extraordinary.
This Day are published, Price 10s 6d.

Dedicated, by Permission, to HER MAJESTY,
SIX SONATAS for the HARPSICHORD, with Accompaniment for a Violin, or German Flute and a Violoncello. Composed by I. G. WOLFGANG MOZART, Eight Years of Age.

Printed for the Author, and sold at his Lodging at Mr. Williamson's in Thrift-street, Soho. Where may be had, his first Set of Sonatas for the Harpsichord, with Accompaniment for a Violin, &c. Price 6s and a Family Print, Price 2s 6d.

Ladies and Gentlemen, who will honour him with their Company from Twelve to Three o'Clock in the Afternoon, any Day in the Week, except Tuesday and Friday, may, by taking each a Book of Sonatas, or a Ticket for his Concert, gratify their Curiosity, and not only hear this young Composer and Music Master and his Sister perform in private, but likewise try his surprising Musical Capacity by giving him any thing to play at Sight, or any Music without Basse, which he will write upon the Spot, without recurring to his Harpsichord.

Vgl. 18. Januar 1765. — Exemplare der beiden Pariser Sonatenhefte, die in London ein neues, gemeinsames Titelblatt erhielten, und des Pariser Kupferstichs hatte Leopold Mozart mitgebracht oder sich nachschicken lassen. Eine ähnliche Anzeige, aber ohne den letzten Absatz, erschien am 9. April im *Gazetteer.*

Aus dem «Public Advertiser», 9. April 1765

MR. MOZART, the Father of the celebrated young Musical Family, who have so justly raised the Admiration of the greatest Musicians of Europe, intending soon to leave England, proposes, before his Departure, to give to the Public in general an Opportunity of hearing these young Prodigies perform both in public and private, by giving at the End of this Month a CONCERT.

Which will chiefly be conducted by his Son, a Boy of Eight Years of Age, with all the Overtures of his own Composition.

Tickets may be had, at 5s each, of Mr. Mozart, at Mr. Williamson's, in Thrift-street, Soho; where such Ladies and Gentlemen, who chuse to come themselves, and take either Tickets, or the Sonatas composed by this Boy, and dedicated to her Majesty, (Price 10s 6d) will find the Family at home every Day in the Week from Twelve to Two o'Clock, and have an Opportunity of putting his Talents to a more particular Proof, by giving him any thing to play at Sight, or any Music without a Bass, which he will write upon the Spot without recurring to his Harpsichord.

Notice of the Day, and Place of the Concert, will be given in due Time.

Die gleiche Anzeige erschien am 16. April im *Gazetteer*. — Das Eintrittsgeld betrug diesmal nur 5 Shilling.

AUS DEM «PUBLIC ADVERTISER», 10. MAI 1765

For the Benefit of Miss MOZART of Thirteen, and Master MOZART of Eight years of Age, Prodigies of Nature.

HICKFORD's Great Room in Brewer Street, Monday, May 13, will be A CONCERT of MUSIC.

With all the OVERTURES of this little Boy's own Composition . . .

AUS DEM «PUBLIC ADVERTISER», 13. MAI 1765

For the Benefit of Miss MOZART of Thirteen, and Master MOZART of Eight Years of Age, Prodigies of Nature.

HICKFORD's Great Room in Brewer Street, this Day, May 13, will be A CONCERT of VOCAL and INSTRUMENTAL MUSIC.

With all the OVERTURES of this little Boy's own Composition.

The Vocal Part by Sig. Cremonini; Concerto on the Violin Mr. Barthelemon; Solo on the Violoncello, Sig. Cirii; Concerto on the Harpsichord by the little Composer and his Sister, each single and both together, &c.

Tickets at 5s each, to be had of Mr. Mozart, at Mr. Williamson's, in Thrift-street, Soho.

Zu den Ouvertüren vgl. 21. Februar 1765. — Zu den Mitwirkenden s. 4. Juni 1764.

AUS DEM «PUBLIC ADVERTISER», 30. Mai 1765

MR. MOZART, the father of the celebrated young Musical Family, who have so justly raised the Admiration of the greatest Musicians of Europe, begs Leave to inform the Public, that his Departure from England is fixed for the Beginning of next Month. Such Ladies and Gentlemen who desire to hear these young Prodigies perform in private, will find the Family at Home at his Lodgings at Mr. Williamson's, in Thrift-street, Soho, every Day in the Week from One to Three o'Clock, and may have an opportunity of putting his Talents to a more particular Proof, by giving him any Thing to play at Sight.

The Terms are 5s each Person, or else to take the Sonatas composed by this Boy, and dedicated to Her Majesty (Price 10s 6d) which he had the honour of performing many Times before their Majesties.

Im Juni begegnen die Mozarts Daines Barrington (s. 28. November 1769).

Aus dem «Public Advertiser», 8. Juli 1765

MR. MOZART, the Father of the celebrated young Musical Family, who have so justly raised the Admiration of the greatest Musicians in Europe, has been obliged by the Desire of several Ladies and Gentlemen to postpone his Departure from England for a short Time, take this Opportunity to inform the Public, that he has taken the great Room in the Swan and Harp Tavern in Cornhill, where he will give an Opportunity to all the Curious to hear these two young Prodigies perform every Day from Twelve to Three. Admittance 2s 6d each Person. He begins To-morrow the 9th instant.

Pohl, a. a. O., S. 134, zitiert irrtümlich *"Swan and Hoop"* (Reifen).

Aus dem «Public Advertiser», 9. Juli 1765

To all Lovers of Sciences.

THE greatest Prodigy that Europe, or that even Human Nature has to boast of, is, without Contradiction, the little German Boy WOLFGANG MOZART; a boy, Eight Years old, who has, and indeed very justly, raised the Admiration not only of the greatest Men, but also of the greatest Musicians in Europe. It is hard to say, whether his Execution upon the Harpsichord and his playing and singing at Sight, or his own Caprice, Fancy, and Compositions for all Instruments, are most astonishing. The Father of this Miracle, being obliged by Desire of several Ladies and Gentlemen to postpone, for a very short Time, his Departure from England, will give an Opportunity to hear this little Composer and his Sister, whose musical Knowledge wants not Apology. Performs every Day in the Week, from Twelve to Three o'Clock in the Great Room, at the Swan and Harp, Cornhill. Admittance 2s. 6d. each Person.

The Two Children will play also together with four Hands upon the same Harpsichord, and put upon it a Handkerchief, without seeing the Keys.

Diese Anzeige wurde am 11. Juli wiederholt.

Der Sekretär des Britischen Museums an Leopold Mozart

Sir. I am ordered by the *Standing Committee* of the Trustees of the British Museum, to signify to You, that they have received the *present of the musical performances of your very ingenious Son* which You were pleased lately to make Them, and to return You their Thanks for the same.

British Museum   *M. Maty*
July 19. 1765   Secretary

Original im Mozarteum, Salzburg. — Die in Kursiv gesetzten Teile sind mit der Hand in das gestochene Formular eingesetzt. — Vater Mozart hatte kurz vorher mit Wolfgang und Nannerl im British Museum bei Rev. Andrew Joseph Planta, dem Assistant Keeper of Printed Books, vorgesprochen und die Handschrift der Motette *God is our Refuge* (KV 20) überreicht, die dort aufbewahrt ist. Zu Maty vgl. 28. November 1769.

AUS DEN «HISTORISCH-MORALISCHEN BELUSTIGUNGEN DES GEISTES ODER ER-
MUNTERNDEN BETRACHTUNGEN ÜBER DIE WUNDERBARE HAUSHALTUNG GOTTES
IN DEN NEUESTEN ZEITEN», HAMBURG 1765

. . . .

§. 2.

Ein Tonkünstler von 7 Jahren und seine Schwester von 11 Jahren.

So merkwürdig das vorige Beyspiel der Natur und Kunst war, um so merkwürdiger sind folgende beyde. Im März 1764 befand sich seit ettlichen Monaten Hr. Mozart, Musikdirector Sr. Hochfürstlichen Gnaden des Erzbischofs zu Salzburg zu Paris mit zween Kindern von der angenehmsten Bildung. Seine Tochter von 11 Jahren spielte das Clavier in Vollkommenheit. Sein Sohn in einem Alter von 7 Jahren, stellte ein wahres Wunder vor. Er hatte alle Kenntnisse und Fertigkeit eines Kapellmeisters. Er führte nicht allein die Concerte der berühmtesten Meister von Europa mit solcher Kunst aus, daß man darüber erstaunte, sondern er componirte auch selbst. Ganze Stunden lang extemporirte er, und vereinigte die ausgesuchtesten Gedanken mit der tiefsten Wissenschaft der Harmonie. Alle die nur wissen was Tonkunst ist, waren gleichsam bezaubert, bei einem Kinde zu finden, was sie an dem vollkommensten Kapellmeister nicht ohne Verwunderung würden gesehen haben. Man mochte dieses Wunderkind versuchen auf welche Art man wollte; man legte ihm Stücke vor, ohne Bass, dass es denselben darunter schreibe, so that er es ohne Clavier und Violin zu gebrauchen, die doch wenige Compositores, wenn sie schreiben, entbehren können. Gab man ihm eine Violinparthie, so spielte er sie auf dem Clavier und fügte den Bass sogleich bei, wie er sein musste; ja er gab auch zuweilen sehr wohl angebrachte Zwischenparthien zu hören. Arien, die man ihm vorsang, accompagnirte er nach dem Gehör, und veränderte solche dabei auf gar mannigfache Weise. Seine Uebung auf dem Clavier war so stark, dass man auch ihm, wie der vorigen Tonkünstlerin, die Claves mit einer Serviette bedecken konnte; ohne dass dieses ihm hinderte, mit gleicher Richtigkeit und Geschwindigkeit zu spielen. Diese Kinder haben die Ehre gehabt verschiedene Tage hintereinander vor dem Dauphin, der Dauphine, den Prinzessinnen von Frankreich und vielen andern vornehmen Personen des Hofes und der Stadt zu spielen. Auch hatte der junge Mozart die Ehre bei anderthalb Stunden lang die königl. Orgel zu Versailles, in Gegenwart dieser erlauchten Versammlung zu schlagen. Sollte man aber auch wohl denken, dass ein Kind von 7 Jahren sich durch eine geschickte Zuschrift in öffentlichen Druck dürfe sehen lassen? Der junge Künstler hatte einige Sonaten verfertigt und solche selbst in Druck erscheinen lassen, und zwar mit einer unterthänigsten Zueignung an die Prinzessin Victoire, welche solche gnädigst aufzunehmen geruhet.
[Folgt die Widmung in deutscher Uebersetzung.]
Diese Kinder blieben darauf mit ihrem Vater noch bis ans Ende des Jahres in Frankreich und gingen darauf ins Engelland. Im Jahre 1765 hatte sonderlich der junge Tonkünstler die Ehre gehabt, dreimal vor dem König und der Königin zu spielen. Der Königin hat er sechs von ihm componirte Sonaten für das Clavier, nebst dem Accompagnement einer Violine und eines Violoncells überreicht, die Ihro Majestät nicht allein sehr gnädig angenommen, sondern auch von dem jungen Componisten spielen gehört, und mit dero besondern königl. Wohlgefallen begnadiget.

7. Stück. — Das Original dieser Zeitschrift ist in den Hamburger Bibliotheken nicht mehr zu finden gewesen. — Jahn, erste Auflage, I. 163—165, nach einer Abschrift, die aus dem Besitz der Familie Mozart in die Wiener Sammlung Aloys Fuchs gekommen war. Vgl. Nottebohm, *Mozartiana,*

S. 113 f. — Das in § 1 besprochene Wunderkind war Marie Magdalena Gräf aus Mainz, 1754 geboren, die 1764 in einem Frankfurter Konzert Klavier und Harfe, auch beides zugleich, gespielt hatte. Auch sie scheint auf verdeckter Klaviatur gespielt zu haben, aber Wolfgang schon 1762 am Wiener Hofe.

Am 24. Juli 1765 verlassen die Mozarts London und übernachten in Canterbury.

Vom 25. bis 30. Juli verweilen sie in Bourn Place, dem nahe von Canterbury gelegenen Landsitz des Sir Horace Mann, Neffen des gleichnamigen Freundes Horace Walpole's.

Die Nacht vom 30. auf den 31. Juli verbringen sie wieder in Canterbury und wohnen dort einem Pferderennen bei.

Am 1. August, um 10 Uhr vormittags, schiffen sie sich in Dover ein und erreichen um $^1/_2$ 2 nachmittags Calais, wo sie im Hotel d'Angleterre absteigen.

Am 3. (?) August kommen sie, wieder im eigenen Reisewagen, nach Dünkirchen und logieren „à St. Catherine".

Am 5. (?) August erreichen sie Lille und steigen im Hotel de Bourbon, à la Grand' Place, ab. Während des einmonatigen Aufenthaltes dort erkrankt Wolfgang wieder (Angina) und nach ihm Leopold Mozart selbst.

AUS DER «EUROPAEISCHEN ZEITUNG», SALZBURG, 6. AUGUST 1765

London, 5. July 1765.

Der allhiesige sehr berühmte Claviermacher Burkard Thudy, ein geborener Schweizer, hatte die Ehre, für seine Königl. Preuß. Majestät einen Flügel mit zwei Manuals zu verfertigen, welches von allen, die es sahen, sehr bewundert worden. Man hat es als etwas Ausserordentliches bemerkt, dass Herr Thudy alle die Register in ein Pedal angebracht, so daß sie durch das Treten nacheinander können abgezogen und das Abnehmen und Zunehmen des Tones dadurch nach Belieben kann genommen werden, welches crescendo und decrescendo die Herren Clavieristen sich längst gewünscht. Herr Thudy hatte außerdem den guten Bedacht genommen, seinen außerordentlichen Flügel durch den außerordentlichsten Clavierspieler dieser Welt das erste Mal spielen zu lassen, nämlich durch den sehr berühmten . . . neunjährigen Musikmeister Wolfg. Mozart, bewunderungswürdigen Sohn des Salzb. Herrn Kapellmeisters Mozart. Es war ganz etwas Bezauberndes, die vierzehn Jahre alte Schwester dieses kleinen Virtuosen mit der erstaunlichsten Fertigkeit die schwersten Sonaten auf dem Flügel abspielen und ihren Bruder auf einem andern Flügel solche aus dem Stegreif accompagniren zu hören. Beide thun Wunder.

No. 63. — Das Original dieser Zeitung (vgl. 19. Juli 1763) war nicht erreichbar. — Pohl, a. a. O., S. 127, Jahn I, 45; Abert I, 62 (alle unvollständig). Das wohl falsch datierte Zitat in Köchel-Einstein, S. 13, bezieht sich auf die Pariser und Londoner Sonaten (KV 6—15). — Franz Josef Hirt, *Meisterwerke des Klavierbaus*, Olten 1955, S. XVI, zitiert den Bericht nach Georg Kinsky (*Acta Musicologica*, Kopenhagen 1940, Band XII, S. 1 f.) vollständig, und bildet auch das Instrument

Friedrichs II. auf S. 22 ab, das ins Kunstgewerbe-Museum in Breslau kam. Vgl. dazu W. Rehm, *Kritischer Bericht zur Neuen Mozart-Ausgabe* IX/24/Abt. 2, *Werke für Klavier zu 4 Händen*, S. 55 f. — Burkhard Tschudi baute den Flügel 1765. Es war das erste von ihm mit dem neuerfundenen Pedalregisterzug versehene Instrument (Hirt). — Die beiden Kinder sollen es in dem Konzert am 13. Mai 1765 gespielt haben. Kinsky vermutete, daß der Bericht von Leopold Mozart verfaßt und vielleicht zuerst in der *Augspurgischen Postzeitung* gedruckt worden sei.

Am 18. August stirbt Kaiser Franz I. in Innsbruck.

Am 4. September fahren die Mozarts von Lille nach Gent, wo sie abends ankommen und im Hotel „St. Sebastian" auf dem Exerzierplatz absteigen. Wolfgang spielt am 5. nachmittags auf der Orgel bei den „Bernardinern" (Zisterzienser Mönchen).

Am 6. September reisen sie von Gent ab und verweilen den 7. und 8. in Antwerpen, wo Wolfgang in der Kathedrale die Orgel spielt.

Um $^1/_2$7 Uhr morgens des 9. September verlassen sie Antwerpen, wo der Reisewagen zurückbleiben muß.

Über Moerdijk erreichen sie am 10. September abends 8 Uhr Rotterdam, und auf dem Wasserwege am 11. um 7 Uhr abends den Haag, wo sie im Hotel „La Ville des Paris" absteigen.

Das Haus, am Neuen Markt gelegen, ist 1890 abgebrochen worden.

Am 12. September erkrankt Nannerl an Bauchtyphus. Die ersten Konzerte bei Hof müssen am 12. und 18. ohne sie stattfinden.

Prinz Wilhelm V. von Oranien war erst 17 Jahre alt und stand noch unter Vormundschaft des Herzogs Ludwig Ernst von Braunschweig, seit 1759 Regent der Niederlande. Der Prinz war der Sohn der Prinzessin Anna, Tochter des Königs Georg II. von England, Schülerin Händels, Gattin Wilhelms IV. von Oranien. Die beiden Konzerte fanden bei seiner Schwester, Prinzessin Caroline von Nassau-Weilburg, statt, die unmittelbar vor einer Entbindung stand (vgl. 23. Januar 1778). An einem unbestimmten Tage spielte Wolfgang beim Prinzen.

AUS DEM «LEYDSE COURANT», 20. SEPTEMBER 1765

(Übersetzung)

Zur Zeit befindet sich der berühmte Musiker J. G. Wolfgang Mozart aus Salzburg hier, der nur acht Jahre alt ist und auf wunderbare Weise die schwierigsten Konzerte und Soli von den berühmtesten Meistern, sowie auch mehrere von seiner eigenen Hand aufführt. Dieser junge Musiker hat seine so ausgezeichneten Talente am Hof des Statthalters u. a. a. O. zu Gehör gebracht und die Bewunderung und den Beifall eines Jeden errungen.

D. F. Scheurleer, *Mozart's verblijf in Nederland*, 's-Gravenhage 1883, S. 62, zitiert den Leidener *Courant* holländisch. Wilhelm V. wurde erst 1766 Erbstatthalter der sieben niederländischen Provinzen. — Das holländische Original ist im Anhang III, S. 512, wiedergegeben.

Aus dem «'s-Gravenhaegse Vrijdagse Courant», 27. September 1765
(Übersetzung)

Mit Bewilligung wird Herr MOZART, Musikmeister des Fürsterzbischofs von Salzburg, die Ehre haben, am Montag, den 30. September 1765, im Saal der „Oude Doelen" im Haag ein GROSSES KONZERT zu geben, worin sein Sohn, erst 8 Jahre und 8 Monate alt, und seine Tochter, 14 Jahre alt, Konzerte auf dem Cembalo aufführen werden. Alle Ouvertüren sind von der Hand des jungen Komponisten, der nicht seinesgleichen hat und die Anerkennung der Höfe zu Wien, Versailles und London fand. Die Liebhaber können ihm nach Belieben jede Musik vorlegen, und er wird alles vom Blatt spielen. Eine Karte kostet 3 Gulden für eine Person, für einen Herrn und eine Dame 5.50 fl. Eintrittskarten werden ausgegeben bei Herrn Mozart, derzeit wohnhaft Ecke Burgwal, beim [Hotel] „Zur Stadt Paris", sowie bei den „Oude Doelen".

Scheurleer, a. a. O., S. 63. — Das holländische Original ist im Anhang III, S. 513, wiedergegeben.

Am 21. Oktober erhält Nannerl die letzte Ölung.

Eine Woche nach der Genesung Nannerls, am 15. November, erkrankt Wolfgang an Bauchtyphus und bleibt auch fast zwei Monate in Gefahr.

1766

Aus dem «'s-Gravenhaegse Vrijdagse Courant», 17. Januar 1766
(Übersetzung)

Mit Bewilligung wird Herr Mozart, Kapellmeister der Musik des Fürsterzbischofs von Salzburg, die Ehre haben, am Mittwoch, den 22. Januar 1766, ein Grosses Konzert bei den „Oude Doelen" im Haag zu geben, worin sein Söhnchen, 8 Jahre und 11 Monate alt, und seine Tochter, 14 Jahre alt, Konzerte auf dem Cembalo aufführen werden. Alle Ouvertüren werden von der Hand des jungen Komponisten sein, der nicht seinesgleichen hat und die Bewunderung der Höfe von Wien, Versailles und London fand. Der Eintrittspreis ist für eine Person 3 Gulden, für einen Herrn mit einer Dame ein Dukaten. Die Karten werden verausgabt bei Herrn Mozart, wohnhaft im Hause des Herrn Eskes, Uhrmachermeister auf dem Hof-Spuy im Haag, wo [das Hotel] „Zum Hof von Utrecht" ist.

Scheurleer, a. a. O., S. 80a. — Das holländische Original ist im Anhang III, S. 513, wiedergegeben.

Aus dem « 's-Gravenhaegse Maendagse Courant », 20. Januar 1766
(Übersetzung)

Mit Bewilligung werden die beiden Kinder des Herrn Mozart die Ehre haben, am Mittwoch, den 22. Januar 1766, ein Grosses Konzert bei den „Oude Doelen" im Haag zu geben ...

Scheurleer, a. a. O., S. 80b. — Der übrige Wortlaut ist wie am 17. Januar; aber Karten waren jetzt auch bei den „*Oude Doelen*" zu haben. — Das holländische Original ist im Anhang III, S. 513, wiedergegeben.

Aus dem «Amsterdamsche Dingsdagsche Courant», 21. Januar 1766

Le Sr. MOZART, Maître de Chapelle de Musique du Prince Archevêque de Saltzbourg, aura l'honneur de donner Mercredi le 29 Janvier 1766, un grand Concert, à la Salle du Manège à Amsterdam, dans lequel son Fils, âgé de 8 ans & 11 mois, & sa Fille, âgée de 14 ans exécuteront des Concerts sur la Clavecin. Toutes les Ouvertures seront de la Composition de ce petit compositeur, qui, n'ayant jamais trouvé son égal, a fait l'Admiration des Cours des Vienne, Versailles & Londres. Les Amateurs pourront à leur gré, présenter de la Musique; il exécutera tout à Livre ouvert. Le Prix pour Personne est f 2. On distribuera les Billets chez J. J. Hummel, Marchand de Musique sur le Vygendam. Les Mrs. auront la bonté de se pourvoir des billets, parce qu'on ne recevra point d'Argent à la Porte.

Scheurleer, a. a. O., S. 93. — Die Amsterdamer Zeitungen, deren Anzeigen französisch erschienen, sind im Ond-archief der gemeente Amsterdam aufbewahrt. — Vygenham, eigentlich Vijgendam geschrieben, bedeutet Feigendamm. — Eine gleiche Anzeige erschien im *Haerlemse Courant* am 22. Januar.

Um den 26. Januar 1766 übersiedeln die Mozarts von Den Haag nach Amsterdam, wo sie im Gasthof „Zum goldenen Löwen", Warmoesstraat, absteigen.

Aus dem «Amsterdamsche Dingsdagsche Courant», 28. Januar 1766

Le Sr. MOZART ... aura l'honneur de donner Mercredi le 29 Janvier 1766, un grand Concert ... dans lequel son Fils et sa Fille, l'un agé de 8 ans & 11 mois, l'autre âgée de 14 ans, executeront des Concerts sur deux Clavecins. Toutes les Ouvertures seront de la Composition de ce petit Compositeur, qui, n'ayant jamais trouvé son egal, a fait l'Admiration des Cours de Vienne, de Versailles et de Londres. Les Amateurs pourront à leur gré, lui presenter des Morceaux de Musique, qu'il executera tout à Livre ouvert.
Le Prix par Personne est de deux florins. On aura la bonté de se pourvoir les Billets chez le Sr. MOZART, qui loge au Lion d'Or dans le Warmoestraat et J. J. Hummel, sur le Vygendam. Il ne sera point reçu d'Argent à l'entrée de la Salle. N. B. Ils joueront sur un Clavecin à quatre mains.

Scheurleer, a. a. O., S. 80. — Eine ähnliche Anzeige erschien im *Haerlemse Courant* am selben Tage. — Bei dem Konzert am 29. Januar dürfte die Ende Dezember entstandene Sinfonie in B (KV 22) aufgeführt und von Wolfgang dirigiert worden sein.

Aus dem «Amsterdamsche Donderdagsche Courant», 20. Februar 1766

Le Contentement & la Satisfaction universelle, qu'ont donné les Enfants du Sr. MOZART, a engagé Messrs les Amateurs de la Musique à désirer un second Concert, qui se fera Mercredi 26 Février, à la Salle du Manège. Les Billets, à f 2 une Personne, se distribuent chez le dit Sr. Mozart, au Lion d'Or dans le Warmoestraat, & chez Hummel, sur le Vygendam.

Scheurleer, a. a. O., S. 98 f.

Aus dem «Amsterdamsche Dingsdagsche Courant», 25. Februar 1766

Par désir, les Enfans du Sr. MOZART, auront l'Honneur de donner Mercredi 26 Fevrier, à la Salle du Manège un Second Concert, ces deux Enfants Executeront non Seulement Ensemble des Concerts sur differents Clavecim, mais aussi sur le même à 4 mains, et le Fils Jouera à la Fin sur l'Orgue de ses propres Caprices, des Fugues et d'Autres Pièces de la Musique la plus profonde. Le Prix est 2 Florins une Personne. On peut avoir des Billets chez Sr. MOZART, au Lion d'Or dans le Warmoesstraat, et chez Hummel, sur le Vygendam, où se distribue l'Oeuvre 1, 2, & 3, de Sonates pour le Clavecim avec l'Accompagnement d'un Violon Composés de ce petit Compositeur. Il ne sera point reçu de l'Argent à l'Entrée de la Salle.

Scheurleer, a. a. O., S. 99. — Cembalo heißt auf holländisch Clavecimbel; statt „*Clavecim*" sollte es aber wohl „Clavecins" heißen. — Die „*Caprices*" dürften mit den von Konstanze Mozart um 1800 wiederholt erwähnten *Capricci* identisch gewesen sein, die in einem verlorengegangenen Notenbuch Wolfgangs standen (s. KV 32ᵃ).

Anfang März reisen die Mozarts nach Den Haag zurück, wo sie wieder beim Uhrmacher Eskes, Spui 44, absteigen.

Aus dem «'s-Gravenhaegse Vrijdagse Courant», 7. März 1766

(Übersetzung)

Bei den Musikalienhändlern J.J. Hummel, zu Amsterdam auf dem Vijgendam, und B. Hummel, im Haag in der Spuystraat, ist morgen zu haben: 1. Ein holländisches Lied auf die Installation Seiner Durchlauchtigen Hoheit Willem V., Prinzen von Oranien & & &. Von C. E. Graaf in Musik gesetzt und von dem berühmten jungen Komponisten J. G. W. Mozart, 9 Jahre alt, mit acht kunstvollen Variationen versehen, zu 12 Stüber. 2. Die Worte der Kantate von C. E. Graaf, die am 8. März anläßlich der genannten Installation Hochgeboren Seine Durchlauchtigen Hoheit italienisch gesungen wird, mit französischer und holländischer Uebersetzung, zu 6 Stüber. Und 3. das bekannte Liedlein Wilhelmus van Nassau & c., variiert fürs Klavier von dem genannten jungen Mozart, zu 6 Stüber.

Scheurleer, a. a. O., S. 126. — Eine ähnliche Anzeige erschien am 8. März im *Haerlemse Courant*. An diesem Tage fand die feierliche Installation des nun 18jährigen und mündig erklärten Prinzen statt. Es gab auch eine „*erstaunliche Illumination*", wie Vater Mozart nach Salzburg berichtet. Das Fest dauerte vom 7. bis 12. März. — Die Variationen über das Lied des Hofkapellmeisters Christian Ernst Graaf (eigentlich Graf) sind KV 24, die auf die holländische Nationalhymne KV 25. Dieses Lied hat Wolfgang auch zur Schlußfuge seines im März 1766 geschriebenen Quodlibet *Galimathias musicum*, KV 32, verwendet. — Das holländische Original ist im Anhang III, S. 513, wiedergegeben.

Am 11. März konzertieren die Kinder bei Hofe.

Bei dieser Gelegenheit ist vielleicht jenes Quodlibet aufgeführt worden, gewiß aber die beiden Variationen-Werke.

Ende März verläßt die Familie Den Haag. Anfang April verweilen sie in Haarlem, wo sie beim „Goldenen Vlies" absteigen, Joannes Enschedé dem Vater die schön gedruckte holländische Ausgabe der *Violinschule* überreicht und Wolfgang auf der großen Orgel spielt. Dann geht es wieder nach Amsterdam, wo die Mozarts abermals beim „Goldenen Löwen" einkehren.

Die *Violinschule* war dem Prinzen schon während des Festes im Haag überreicht worden, wurde aber im *Haerlemse Courant* erst am 13. Mai angezeigt *(Mozart in Haerlem,* 1956, S. 31). Darin hieß es: *„Der Name Mozarts und seiner zwei Kinder, besonders seines kleinen, neunjährigen Sohnes, dieses musikalischen Wunders, ist hinlänglich bekannt."* (Das holländische Original ist im Anhang III, S. 514, wiedergegeben.)

Aus dem «Amsterdamsche Dingsdagsche Courant», 15. April 1766

Les Enfans du Sr. Mozart, auront l'honneur de donner Mercredi le 16 Avril, à la Salle du Manège, Un Concert. Ces deux Enfans executeront non seulement ensemble des Concerts sur differens Clavecins, mais aussi sur le même a 4 mains. Le Prix pour une Personne est de deux Florins. On peut avoir des Billets chez Sr. Mozart, au Lion d'Or dans le Warmoesstraat, et chez Hummel, sur le Vygendam.

Scheurleer, a. a. O., S. 139 (unvollständig).

Aus dem «'s-Gravenhaegse Woensdagse Courant», 16. April 1766

(Übersetzung)

Bei B. Hummel, in der Spuystraat im Haag, und bei J. J. Hummel, auf dem Vijgendam zu Amsterdam, wird heute verlegt: Sechs neue Sonaten fürs Klavier, mit Begleitung einer Violine, das ist Opus 4, von dem berühmten jungen Komponisten J. G. Mozart, neun Jahre alt; der Preis ist 3 Gulden.

Scheurleer, a. a. O., S. 125 (irrtümlich 16. März datiert). — Diese Sonaten, KV 26—31, im Februar entstanden, wurden als Opus IV der Prinzessin Caroline von Nassau-Weilburg gewidmet. — Die Verleger Burchard und Johann Julius Hummel waren Brüder. — Das holländische Original ist im Anhang III, S. 514, wiedergegeben.

Aus dem Protokoll des Collegium Musicum Ultrajectinum (Utrecht)

18 April [1766]

(Übersetzung)

Herr Mozart, Virtuose, hat das Kollegium ersucht, das Orchester und die Instrumente benützen zu dürfen; das wurde ihm nach Beratung im Ausmaß der hergebrachten Bedingungen bewilligt.

Jahn II, 834 (revidiert). — Das holländische Original ist im Anhang III, S. 514, wiedergegeben.

Widmung von Klavier-Sonaten Georg Bendas an die Mozart-Kinder, Amsterdam, 18. April 1766

Monsieur Kuhlman en fit present aux Enfens de Monsieur Mozart en marque de Souvenir a leur départé Amsterdam ce 18 Avril 1766

Exemplar in der Nationalbibliothek, Wien. — Bendas *Sei Sonate per il Cembalo solo* waren 1757 in Berlin bei Georg Ludwig Winter erschienen. — Herr Kuhlmann, über den in Holland nichts Näheres zu erfahren war, ist in Leopold Mozarts Reisenotizen und in seinem Brief an Hagenauer, Paris, 16. Mai 1766, erwähnt: er hatte die Haager Mozart-Drucke nach Salzburg befördert. — Wolfgang lernte später Bendas Melodramen *Medea* und *Ariadne auf Naxos* schätzen und schrieb an den Vater (12. November 1778), daß Benda *„unter den lutherischen Kapellmeistern immer mein Liebling war".*

Am 18. April reisen die Mozarts von Amsterdam, wieder im eigenen Wagen, nach Utrecht, wo sie im Hotel „Plaets-Royael", Minnebroederstraat, absteigen.

AUS DEM «UTRECHTSCHE COURANT», 18. APRIL 1766

(Übersetzung)

Herr *Mozart*, Kapellmeister seiner Hoheit des Fürsterzbischofs von Salzburg, wird die Ehre haben, am nächsten Montag, den 21. April, nachmittags im Musiksaal auf der Vreeburg zu Utrecht ein großes *Konzert* zu geben, worin sein kleiner Sohn, 9 Jahre alt, und seine Tochter, 14 Jahre alt, Sonaten und Konzerte auf dem Cembalo aufführen werden. Alle Sinfonien werden von der Komposition jenes kleinen Komponisten sein, der die Bewunderung der Höfe von Wien, Frankreich, England und Holland errungen hat. Preis für einen Herrn mit einer Dame 3 und für eine einzelne Person 2 Gulden. Die Karten sind bei oben genanntem Herrn *Mozart* zu haben, der bei Herrn *Mos* in dem Plaets-Royal in Utrecht wohnt.

Exemplar im Gemeente archief, Utrecht. — P. T. A. Swillens, *Mozart in Utrecht*, Mens & Melodie, Utrecht, Dezember 1955, S. 386. — Das Konzert fand am 21. April statt. — Das holländische Original ist im Anhang III, S. 514, wiedergegeben.

AUS DEM «DIARIUM PATRIS BEDAE HÜBNER ORDINIS SANCTISSIMI PATRIS BENEDICTI IN ANTIQUISSIMO MONASTERIO AD SANCTUM PETRUM APOSTOLUM SALISBURGI PROFESSO AC SACERDOTE INDIGNISSIMO»

26. APRIL 1766

Ich kan nicht gar allerdings umgehen, vor eine Zeit-Vertreibung allhier anzumerken, das in der Stadt Salzburg sehr viele berühmte, und renomirte Leit seyen, welche man zwar hier nicht zu schäzen weiß, weillen kein Prophet in seinem Vaterland angenehm ist, doch anderer Orten kan man sich nicht genugsam darüber verwundern, und alle Ort wünscheten dergleichen Künstler zu haben, wie diese Salzburg besizet. Und zwar erstlich ist berühmt ein gewisser Mozart, welcher de facto hier vice Kapellmeister ist, mit seinen zweyen kleinen Kindern, einen Knaben und einen Mägdlein: Dieser Mozart ist fast schon ganz Europa mit seinen Kindern ausgereist und obwohlen der Vater selbsten ein vortrefflichet musicant ist, sonderbar auf der violine, doch producirt er sich selbsten selten, oder gar niemahlen, sondern nur seine Kinder, welche wahrhaftig Weltwunder zu nennen seynd, das Mägdlein ist mit 11 Jahren, und der Knab mit 7 Jahren solche virtuosen auf dem Clavier, das sich die Welt darob erstaunen mus: Der Knab ist ein ausgemachter compositeur, und hat wehrender Zeit, da er zu Paris gewesen, zu einer gewissen festivitet der Dauphinin aldorten eine solche schöne, künstliche, und kostbare musique selbsten componiret, das sich nicht allein der ganze Pariserische Hoff, sonder auch die ganze Welt darüber erstaunet hat, zumahlen diese ganze musique alsogleich zu Paris in offentlichen Druck herausgekommen: um Gottes willen wie auf das höchste nicht alle Wissenschaften kommen? ein Knab von sieben Jahren schon ein solcher Künstler in der musique zu seyn, das auch die vortrefflichste zu Paris freu eingestanden haben, sie getraueten sich nicht mit diesem Knaben in der musique in die Wette zu streitten: ist auch unsäglich, was ihme dieser Leopold Mozart mit seinem Sohn Wolfgang Mozart und seinem Töchterlein, welche noch künstlicher das Clavier schlägt, als ihr Brüderl, in der Welt vor Geld gewinnet: die kostbareste Verehrungen, und present hat Er aller Orten bey denen Höfen bekommen: man hat auch allaugenblick in denen offentlich gedruckten Zeitungen über diese Kinder vernommen, wo sich Herr Mozart mit seinen Kindern befinde, und wie sich die Welt nicht genug über diese Kinder verwundern können: sie seynd schon im dritten Jahr von hier abwesend, waren schon in Engelland, und Frankreich, und nunmehro befinden sie sich in Holland, weillen die Holländische Republique diese auf ihre eigenen Spesen naher Holand beruffen.

Stiftsbibliothek St. Peter, Salzburg, Handschrift b VIII, 36. S. 452. — Herbert Klein im *Mozart-Jahrbuch 1957*, Salzburg 1958, S. 174 f. — Hübner war Stiftsbibliothekar und Sekretär seines Onkels, des Abtes Beda Seeauer.

Ende April reisen die Mozarts von Utrecht über Moerdijk, Antwerpen und Mecheln nach Brüssel.

Am 8. Mai kommen sie in Brüssel an, wo sie am Himmelfahrtstage Rast machen.

Um 9 Uhr vormittags des 9. Mai geht es von Brüssel nach Valenciennes, wo sie um 8 Uhr abends eintreffen.

Am 10. Mai reisen sie über Cambrai wieder nach Paris, wo sie abends ankommen und beim Bademeister Brie, rue Traversière, gegenüber rue Clos Georgeot, absteigen.

Vom 28. Mai bis 1. Juni verweilen sie in Versailles, wo sie wieder „au Cormier" absteigen.

Am 9. Juli um etwa 5 Uhr nachmittags verlassen sie Paris.

Über diesen zweiten Pariser Aufenthalt der Familie ist nicht viel bekannt (vgl. Grimms Brief vom 15. Juli). Damals entstand Michel-Barthelmy Ollivier's Ölbild (Louvre, Paris), das Wolfgang am Cembalo im Salon des Louis-François de Bourbon, Prinzen de Conti, inmitten einer großen Teegesellschaft — und deshalb sehr klein — darstellt.

Am 12. (?) Juli erreichen die Mozarts Dijon, wo sie zwei Wochen verbleiben.

Aus Grimms «Correspondance littéraire».

15. Juli 1766

... Nous venons de revoir ici les deux aimables enfants de Mr. Mozart, maître de chapelle du prince archevêque de Salzbourg, qui ont eu un si grand succès pendant leur séjour à Paris 1764. Leur père après avoir passé près de dix-huit mois en Angleterre et six mois en Hollande, vient de les reconduire ici, pour s'en retourner par la Suisse à Salzbourg. Partout où ces enfants ont fait quelque séjour, ils ont réuni tous les suffrages et causé de l'étonnement aux connaisseurs. Ils ont été dangereusement malades à la Haye; mais enfin leure bonne étoile les a délivrés de la maladie et des medecins. Mlle. Mozart âgée maintenant de treize ans, d'ailleurs fort embellie, a la plus belle et la plus brillante exécution sur le clavecin. Il n'y a que son frère qui puisse lui enlever les suffrages. Cet enfant merveilleux a actuellement neuf ans. Il n'a presque pas grandi; mais il a fait des progrès

prodigieux dans la musique. Il était déjà compositeur et auteur de sonates il y a deux ans.
Il en a fait graver six depuis ce temps-là à Londres pour la reine de la Grande-Bretagne.
Il en a publié six autres en Hollande pour Mme. la princesse de Nassau-Weilbourg. Il a
composé des symphonies à grand orchestre, qui ont été exécutées et généralement applaudies
ici. Il a même écrit plusieurs airs italiens, et je ne désespère pas qu'avant qu'il
ait atteint l'âge de douze ans, il n'ait déjà fait jouer un opéra sur quelque théâtre d'Italie.
Ayant entendu Manzuoli à Londres pendant tout un hiver, il en a si bien profité que,
quoiqu'il ait la voix excessivement faible, il chante avec autant de goût que d'âme. Mais
ce qu'il y a de plus incompréhensible, c'est cette profonde science de l'harmonie et de
ses passages les plus cachés qu'il possède au suprême degré, et qui a fait dire au prince
héréditaire de Brunswick, juge très-compétent en cette matière comme en beaucoup
d'autres, que bien des maîtres de chapelle consommés dans leur art mouraient sans savoir ce
que cet enfant sait à neuf ans. Nous l'avons vu soutenir des assauts pendant une heure
et demie de suite avec des musiciens qui suaient à grosses gouttes et avaient toute la peine
du monde à se tirer d'affaire avec un enfant qui quittait le combat sans être fatigué. Je
l'ai vu sur l'orgue dérouter et faire taire des organistes qui se croyaient fort habiles.
A Londres, Bach le prenait entre ses genoux, et ils jouaient ainsi de tête alternativement
sur le même clavecin deux heures de suite en présence du roi et de la reine. Ici il a subi
la même épreuve avec Mr. Raupach, habile musicien qui a été longtemps à Pétersbourg,
et qui improvise avec une grande supériorité. On pourrait s'entretenir longtemps de ce
phénomène singulier. C'est d'ailleurs une des plus aimables créatures qu'on puisse voir,
mettant à tout ce qu'il dit et ce qu'il fait de l'esprit et de l'âme avec la grâce et la gen-
tillesse de son âge. Il rassure même par sa gaieté contre la crainte qu'on a qu'un fruit si
précoce ne tombe avant sa maturité. Si ces enfants vivent, ils ne resteront pas à Salzbourg.
Bientôt les souverains se disputeront entre eux à qui les aura. Le père est non-seulement
habile musicien, mais homme de sens et d'un bon esprit, et je n'ai jamais vu un homme
de sa profession réunir à son talent tant de mérite.

Correspondance littéraire, VII. 81 f. — Jahn II. 722 f. zitiert den Brief irrtümlich, nach Nannerls An-
gabe, aus einer Pariser *Cabinets-Zeitung*. — In deutscher Übersetzung bei Nissen, S. 112—114. —
Giovanni Manzuoli aus Florenz war ein berühmter Sopranist, der Wolfgang in London kostenlos im
Gesang unterrichtet hatte. — Karl Wilhelm Ferdinand, der Erbprinz des Herzogtums Braunschweig,
auf einer Inspektionsreise in Frankreich, war ein hervorragender Violinspieler. — Der „Londoner"
Bach, Johann Christian, hatte großen Einfluß auf Wolfgangs musikalische Entwicklung. — Hermann
Friedrich Raupach aus Stralsund komponierte Opern und Kammermusik und weilte nur vorüber-
gehend in Paris (vgl. KV 37, 39 und 41).

ANKÜNDIGUNG DES KONZERTS IN DIJON

PAR PERMISSION / *DE S. A. S. MONSEIGNEUR* / LE PRINCE
DE CONDÉ, / *QUI HONORERA DE SA PRÉSENCE LE CON-
CERT.*

Le Sr. Mozart, Maître de Musique de la Chapelle du Prince, Archevêque de Salzbourg,
aura l'honneur de donner demain 18 Juillet 1766.

UN GRAND CONCERT / *A LA SALLE DE L'HOTEL DE VILLE*,
Dans lequel son Fils, âgé de 9 ans, & sa Fille de 14, exécuteront des Concerts sur le
Clavecin de la composition des plus grands Maîtres. Il exécuteront aussi des Concerts à
deux Clavecins, & des Piéces sur le même ensemble à quatre mains.

Il chantera un air de sa composition, & toutes les Ouvertures seront de ce jeune Enfant, grand Compositeur, qui, n'ayant jamais trouvé son égal, a fait l'admiration des Cours de Versailles, de Vienne & de Londres. Les Amateurs pourront, à leur gré, lui présenter de la Musique, il exécute tout à livre ouvert.
On commencera à huit heures. / On prendra 3 livres.

Archives municipales, Dijon. — *Mozart en France*, Paris 1956, no. 61 (Faksimile auf Tafel VII). — Ludwig Joseph von Bourbon, Prinz von Condé, hatte die Mozarts nach Dijon eingeladen, wo eine Versammlung der Stände von Burgund stattfand.

Am 26. (?) Juli erreichen die Mozarts Lyon, wo sie vier Wochen bleiben.

Aus den «Petites Affiches», Lyon, 13. August 1766

On exécutera ce soir, au grand Concert, l'*Acte d'Hilas*, de M. de Bury, chanté par Mme. Charpentier & M. Lobreau.
M. J. G. *Wolfgang Mozart*, enfant de neuf ans, Compositeur & Maître de Musique, exécutera plusieur pieces de *Clavessin* seul.
Le Concert sera terminé, par l'*Acte de la Danse des Talents lyriques*, de M. Rameau.

Bibliothèque de la Ville, Lyon. — Prod'homme, a. a. O., S. 75. — *Mozart en France*, Paris 1956, no. 63. — Das Konzert war eines derjenigen, die jeden Mittwoch im Saal am Place des Cordeliers, gegenüber der Bonaventura-Kirche, stattfanden.

Johann Rudolf Forcart an Isaac Iselin in Basel

Lyon, le 15 Août 1766.

Monsieur et très cher Beaufrère
. . . Il y a icy Mr Mozart Maitre de Chapelle du Prince de Salzburg qui court l'Europe avec son fils et sa fille qui sont des prodiges pour le Clavecin, vous vous ressouviendrez peut être d'en avoir lu dans la Gazette de Basle il y a quelques années dans le temps qu'il étoit à Paris le fils a 9 ans et la fille 14. Ils ont donné un Concert ici ces jours passés, ou ils ont joué les choses les plus difficiles et toutes les Simphonies qu'on a jouées etoient de la Composition de ce petit virtuosus, et il a preludé pendant un quart d'heure avec le plus habile maitre d'icy, et ne luy a pas cedé, enfin il faut le voir pour le croire, ce sont les Termes de l'affiche, et reellement j'en ay été ainsy que tout le monde enchanté, il y avoit plus de 300 Personnes a ce Concert a 3 livres par Personne, car on dit qu'il a gagné ce jour près de L 1000. Si par hazard l'envie luy prenoit d'aller à Basle, il n'en gagneroit pas autant, quoyqu'aproportion il y ait plus de gens en etat de donner leur Ecu qu'il n'y en a icy.

Staatsarchiv, Basel. — Lucas A. Staehelin, *Neues zu Mozarts Aufenthalten in Lyon, Genf und Bern* in der *Schweizerischen Musikzeitung*, Zürich, Februar 1956, S. 46. — Der Schreiber war ein Bandfabrikant aus Basel, der Empfänger sein Schwager, der bekannte Philanthrop. — Die Nachricht über die Mozart-Kinder in einer Basler Zeitung ist bisher nicht gefunden worden. — Das Konzert in Lyon dürfte am 14. August gegeben worden sein.

Am 20. August treffen die Mozarts in Genf ein, wo sie bis zum 10. (?) September verweilen.

Sie wohnten wahrscheinlich im Hotel Balance. — Die Daten für den Schweizer Aufenthalt sind in Max Fehrs Broschüre *Die Familie Mozart in Zürich*, Zürich 1942, etwas anders angegeben als hier, wo L. Caflischs Studie von 1952 zugrunde gelegt worden ist (in Caflisch und Fehr, *Der junge Mozart in Zürich*).

GABRIEL CRAMER AN JOHANN RUDOLF SINNER

Genf, 5. September 1766

Nous avons ici un jeune Allemand qui m'est fort recommandé de Paris, il a 9 ans; il joue du clavecin comme on n'en a jamais joué; il déchiffre tout dans le moment; il compose sur tous les sujets possibles dans le moment; avec cela il est gai, enfant, plein d'esprit, enfin on n'ose pas en parler de peur de n'être pas cru.

Burgerbibliothek, Bern. — Staehelin, a. a. O., S. 46. — Cramer war Voltaires Verleger. Sinner, Herr zu Ballaigues, war Bibliothekar.

Am 11. September kommen die Mozarts nach Lausanne, wo sie fünf Tage bleiben.

In Lausanne begegneten sie u. a. dem musikliebenden Prinzen Ludwig Eugen von Württemberg, Bruder des Herzogs Karl Eugen, und dem berühmten Arzt Tissot (s. 11. X. 1766).

Am 18. September reist die Familie nach Bern, wo sie sich acht Tage aufhält.

FRANÇOIS MARIE AROUET VOLTAIRE AN MADAME LOUISE D'EPINAY

A Ferney, le 26 septembre 1766.

... Votre petit Mazar, madame, a pris, je crois, assez mal son temps pour apporter l'harmonie dans le temple de la Discorde. Vous savez que je demeure à deux lieues de Genève: je ne sors jamais; j'etais très malade quand ce phénomène a brillé sur le noir horizon de Genève. Enfin, il est parti, à mon très grand regret, sans que je l'aie vu. Je me suis dépiqué en me faissant jouer sur mon petit théâtre de Ferney des opéras-comiques pour ma convalescence; toute la troupe de Genève au nombre de cinquante a bien voulu me faire ce plaisir.

Voltaires *Oeuvres*, ed. Garnier, XLIV, 452 f. — Die Mozarts hatten beabsichtigt, von Genf aus Voltaire auf Schloß Ferney zu besuchen, empfohlen von Madame d'Epinay, Grimms Geliebter (vgl. 7. VII. 1770), und Damilaville, dem Enzyklopädisten (s. 7. XI. 1766), beides Bekannte aus Paris.

30. SEPTEMBER 1766, s. NACHTRAG, S. 519

Über Baden im Aargau erreichen sie am 28. (?) September abends Zürich, wo sie sich 14 Tage, bis zum 12. (?) Oktober aufhalten.

Sie wohnten wahrscheinlich im Gasthof „Zum Schwert" auf dem Weinplatz. Im Musiksaal an der Limmat haben die Kinder am 7. und 9. Oktober je ein Konzert gegeben. Vgl. November 1766.

SALOMON GESSNERS WIDMUNG SEINER « SCHRIFTEN » AN DIE FAMILIE MOZART

Nehmen sie, wertheste Freunde! diß Geschenk mit der Freundschaft auf, mit der ichs ihnen gebe; möcht es würdig seyn, mein Andenken beständig bey ihnen zu unterhalten! Genießen sie, verehrungswürdige Eltern, noch lange die besten Früchte der Erziehung, in dem Glüke ihrer Kinder: sie seyen so glüklich, so außerordentlich ihre Verdienste sind. In der zartesten Jugend sind sie, die Ehre der Nation und die Bewundrung der Welt. Glükliche Eltern! glükliche Kinder! Vergeßen sie alle nie den Freünd, deßen Hochachtung und Liebe für Euch, sein ganzes Leben durch so lebhaft seyn werden, wie heute.

Zürich d. 3te Weinm. 1766.   S. Geßner.

Mozarteum, Salzburg (vgl. Nachlaßakt, Bibliothek, Nr. 13). Faksimile bei Fehr, a. a. O., gegenüber S. 16, mit der Beglaubigung von Nannerls Sohn, Leopold von Berchtold zu Sonnenburg. Die Mozarts bekamen außer der neuen, vierbändigen Ausgabe von S. Geßners *Schriften*, mit 4 Titelvignetten und 24 Vignetten von seiner Hand, u. a. Christoph Martin Wielands *Poetische Schriften* mit ebensolchen Kupferstichen, alle verlegt von Orell, Geßner u. Comp. — In dem Sammelwerk *Zürichs musikalische Vergangenheit im Bild*, Zürich 1945, ist auf Tafel 28 eine Zeichnung Geßners reproduziert, die Wolfgang mit der Violine in einer Gesellschaft darstellen soll.

9. OKTOBER 1766, s. NACHTRAG, S. 520

AUS DER ZEITSCHRIFT «ARISTIDE OU LE CITOYEN», LAUSANNE
XVI. DISCOURS.
                               du 11. Octobre 1766.
                         Edera crescentem ornate poetam.

Jettès quelques fleurs sur ce jeune artiste.   *VIRG.*

JE ne doute pas, Messieurs, que vous n'ayés entendu le jeune MOZARD, & je suis persuadé qu'il aura fait sur vous la même impression, que sur toutes les personnes à qui la nature a donné des organes capables d'apprécier les productions des beaux arts. Vous aurés vû avec autant de surprise que de plaisir, un enfant de neuf ans, toucher du clavecin comme les grands maîtres; & ce qui vous aura encore plus étonné, c'est d'apprendre par des personnes dignes de foi, qu'il en touchoit déja supérieurement il y a trois ans; c'est de savoir que presque tout ce qu'il joue est de sa composition; c'est d'avoir trouvé dans toutes ses piéces, & mème dans ses fantaisies, ce caractère de force qui est le sceau du génie, cette varieté qui annonce le feu de l'imagination, & cet agrément qui prouve un goût sur; c'est enfin de l'avoir vû exécuter les morceaux les plus difficiles, avec une aisance & une facilité qui surprendroit mème chez un musicien de trente ans; & vous vous serés peut-être fait la mème question que j'ai oui faire à nombre de gens; *le comprenés-vous.*

Il me semble qu'il y a autant de sottise à ne s'étonner de rien, qu'a s'étonner de tout: Voir des phénomènes sans chercher à s'en rendre raison, est un caractère d'imbécillité. J'ai beaucoup vû nôtre jeune musicien, je l'ai observé attentivement, & je hazarde ici quelques idées qui ne sont peut-être pas aussi étrangeres à vôtre plan, tel que je l'imagine, qu'elles le paroissent d'abord. La solution du jeune Mozard, si vous voulés me permettre cette expression, tient à la question générale de la liaison entre l'homme moral & l'homme physique, & est d'autant plus intéressante, qu'elle sert à expliquer ce qu'offrent d'extraordinaire, tous les autres enfans chez lesquels on a admiré des talens précoces, pour quelque branche de science, ou pour quelqu'un des beaux arts; & rend en mème tems raison de ces hommes, chez lesquels une légére occasion a développé, quelquefois fort tard, un talent très supérieur caché jusques alors.

La mème cause, qui ne permettoit pas à Ovide, encore enfant, de parler en prose à son pére, en lui demandant pardon de ce qu'il faisoit trop de vèrs, & qui forçoit Moliere à faire des comédies au lieu de garnir des chaises, a formé le jeune Mozard; ils étoient nés Poetes, il est né Musicien. Mais qu'est-ce qui fait qu'on nait Poete, Musicien, ou Peintre? Ce seroit à la Métaphisique à nous l'apprendre. Mais si d'un côté elle nous laisse ignorer comment l'action des objets extérieurs sur nos sens, se communique à l'ame, & laisse dans le cerveau des impressions capables d'en reproduire les images, en échange elle nous démontre plusieurs vérités d'expérience, qui, admises comme principes, répandent un grand jour sur les questions les plus intéressantes de la science de l'homme.

Une de ces vérités; c'est que la différence des organes rend une personne plus sensible aux impressions qu'elle reçoit par un de ses sens, qu'à celles qu'elle reçoit par les autres. De deux hommes qui passeront d'un cabinet de tableaux dans une salle de concert, l'un aura été enchanté de quelque chef-d'oeuvre d'un grand maître, il continuera à s'en occuper, & n'entendra pas la musique; l'autre, qui avoit regardé les tableaux sans le voir, en est dédommagé en sentant vivement toutes les beautés du concert.

Tel qu'une image mise en musique transporte, n'en est souvent que peu afecté, si elle est en vers; & Iphigénie à l'autel peut arracher dans un tableau, des larmes à tel autre qui aura vû jouer celle de *RACINE* sans en être ému.

Une seconde verité qui n'est peut-ètre qu'une consequence de la premiere verité; c'est que le plus ou le moins de sensibilité dans un sens, & le plus ou le moins de disposition dans le cerveau à être afecté par les idées, dont ce sens est l'organe, font que le mème objet est vu bien diféremment par diférentes personnes; il y en a qui aiment les tableaux, sans y appercevoir autre chose qu'un mélange de couleur qui les flatte, tandis que l'oeil peintre en saisit sur le champ toutes les beautés; & pour sortir des beaux arts, l'enfant ordinaire, en regardant avec plaisir un oeuillet, voit seulement s'il est rouge ou blanc; l'enfant destiné, par la nature, à être fleuriste, aperçoit quelques uns de ses caractères; il lui en échape un plus grand nombre que [Joseph Pitton de] *TOURNEFORT* saisissoit à sept ans, d'un coup d'oeil.

Une autre observation importante, c'est que quoiqu'il ne soit pas ni certain, ni mème probable, que les diférentes classes d'idées ayent leur département particulier dans le cerveau, la nature a cependant voulu, qu'il y eut un enchainement étroit entre les idées du mème genre, entre celles que nous devons au mème sens, entre celles qui nous sont arrivées en mème tems, dans le mème lieu, dans les mèmes circonstances, de façon que l'une venant à être reveillée rappelle toutes les autres.

Il est encore prouvé, que, comme une partie du corps acquiert, par la réiteration fréquente de certains mouvemens, la facilité de les exécuter avec une vitesse, une force & une précision qui étonnent; l'organisation, mot par lequel je designe tout ce qui guide à la faculté de penser, l'organisation dis-je, qui n'est presque occupée que de sensations & d'idées d'un certain genre, peut en tirer un parti que les personnes moins occupées de cet objet, ou dont cette partie de l'organisation est moins parfaite, ne peuvent pas comprendre.

J'ajouterai, comme une cinquieme vérité, que les impressions très fortes, ont sur un cerveau sensible des effets coactifs, qui opérent des mouvemens involontaires, qu'on ne peut point reprimer. La vue d'une machine nouvelle, dont on lui cache le secret, agite le grand Méchanicien jusques à ce qu'il l'ait découvert; pourquoi l'idée d'un son, & à plus forte raison, un son quelconque, ne forceroient-ils pas un cerveau que les sons afectent vivement, à l'occuper de musique?

Enfin, je puis établir ici, fondé sur plusieurs exemples, que chez les hommes doués d'un talent très supérieur, il semble que ce qui dans le cerveau est la cause de ce talent, soit la clef de tous les autres qui ne se manifestent que quand il est dévelopé. *CORNEILLE* étoit un chétif Avocat, & passoit pour un homme fort au dessous du médiocre, quand il fit ses premiers vers; qu'elle tète ces vers dévelopérent! [Edmond] *STONE* à 28 ans étoit un garçon jardinier qui ne savoit pas lire, il vit calculer un masson, il étoit né pour calculer, aussi, trois ans après c'étoit un savant distingué qui éclairoit les plus grands Géometres, sur ce qu'il y a de plus difficile en mathématiques: à quinze ans le plus grand Méchanicien de nos jours étoit inepte à tout, sa mére le menoit avec elle chez son directeur, il l'attendoit dans une antichambre près de laquelle il y avoit un grand horloge; le bruit du balancier fixa son attention, il entrevit les rouages à travers les fentes de la caisse, il fit bientôt ces chefs d'œuvres qui étonnérent l'Europe, dont il est aujourd'hui l'un des premiers Académiciens. Le pére d'un des plus aimables Poetes d'allemagne, désespéré de ne pouvoir rien apprendre à ce fils, l'envoya pour derniere ressource à la campagne, chez un homme renommé pour les éducations de cette espece, il ne fut pas plus heureux que les premiers maîtres; mais un livre de Poesie tombe entre les mains du jeune homme; l'écorce qui couvroit le Poete s'éclate, il fait des vers, & acquiert rapidement toutes les connoissances nécessaires à cet art. Je ne citerai point d'autres exemples, ils m'éloigneroient trop de nôtre petit Orphée, auquel il est bien tems de revenir.

Il est né avec une oreille exquise & une organisation disposée à être fortement afectée par la musique; fils d'un pére grand Musicien, & frére cadet d'une sœur dont le jeu a partagé vôtre admiration, les premiers bruits qu'il a entendu ont été des sons harmoniques; la corde sensible a été touchée chez lui dès son enfance, sur le champ elle a rendu des sons, & il doit avoir fait de la musique au moment ou il en a entendu. Cet empire que l'ame exerce chez tout le monde, sur les organes de la voix, sans les connoitre, elle l'exerce, chez un musicien sur les doigts, & l'on peut dire sur tout le corps; l'instrument est si bien adapté à ses besoins, qu'il en connoit bientôt tous les usages. Il a reçu en naissant cette justesse & cette délicatesse d'organe que le moindre faux ton fait souffrir. C'est ainsi que l'oreille poetique est d'abord blessée par un mauvais vers, pendant que celui qui travaille des vers, & qui n'a d'autre Apollon que les regles, perd la plus grande partie de son tems à examiner s'il y a manqué. La sensibilité & la justesse de l'oreille sont si grandes chez le jeune Mozart, que des sons faux, aigres, ou trop forts font couler ses larmes. Son imagination est aussi musicale que son oreille, elle a toujours présens une multitude de tons à la fois; un seul ton donné, rappelle dans le mème instant tous ceux qui peuvent former une suite mélodieuse & une simphonie complette. Chez les personnes qui ont quelque talent très supérieur, toutes les idées se présentent sous les raports qu'elles peuvent avoir avec ce talent; c'est ce qui étoit bien sensible chez nôtre jeune homme; il étoit quelquefois porté involontairement, comme par une force secrette, à son clavecin, & en tiroit des sons qui étoient l'expression vive de l'idée dont il venoit d'être occupé. L'on pourroit dire que dans ces momens, il est un instrument entre les mains de la musique, & se le représenter comme composé de cordes montées harmoniquement, & avec un tel art qu'on ne peut en toucher une sans que toutes les autres se mettent en mouvement; il joue toutes les images, le Poète les vêrsifie, le Peintre les colore.

Ce jeune enfant a beaucoup de naturel, il est aimable, il a des connoissances étrangères à la musique; cependant, s'il n'étoit pas musicien, il ne seroit peut-être qu'un enfant très ordinaire. S'il n'étoit pas né fils de musicien, le talent n'auroit peut-être pas eu occasion de se développer que tard, & ses autres facultés seroient restées enfouies jusques à cette époque.

L'on peut prédire, avec confiance, qu'il sera un jour un des plus grands maîtres dans son art; mais n'a-t'on pas à craindre, que dévelopé si jeune, il ne vieillisse de très bonne heure? Il n'est que trop vrai que les enfans précoces ont souvent été usés à la fleur de l'âge; des fibres trop travaillées, deviennent calleuses & incapables de fonctionner davantage; mais l'expérience a aussi fait voir quelquefois, que les hommes nés avec un talent particulier pour quelqu'un des beaux arts, se sont soutenus très long-tems; l'organisation faite pour ce talent joue avec une si grande facilité, qu'elle ne s'use presque point par l'exercice. & l'on voit que le travail ne fatigue point le jeune Mozart. L'œil myope fixé sur les astres se perd, la longue vue attachée à l'observation des insectes se détruit; chaque espèce de vue fixée sur les objets qui sont à sa portée se conserve bien mieux. Ch. *MARATTI* fut grand peintre depuis onze ans jusques à 90. & à 70. ans, *CORELLI*, qui fut jouer du violon aussi-tôt qu'il fut parler, manioit encore à son gré l'ame de ses auditeurs.

Je vous ai entretenu bien long-tems, Messieurs, de l'enfant musicien; je manquerois à ce que l'on doit à vos vues si je ne vous rappellois pas un moment à l'enfant moral, qui a bien plus de droit de vous intéresser. Une tête bien organisée paroit faite pour une ame vertueuse & des mœurs douces; l'expérience l'a vérifié chez plusieurs grands artistes, & le jeune Mozart en fournit une nouvelle preuve; son cœur est aussi sensible que son oreille; il a une modestie rare à cet age, rare avec cette supériorité; on est véritablement édifié de l'entendre raporter ses talens à l'auteur de tout don, & en conclure, avec une aimable candeur & l'air de la plus intime persuasion, qu'il seroit impardonnable de s'en glorifier; l'on ne voit point, sans émotion, toutes les marques de sa tendresse pour un pére, qui en paroit bien digne, qui a donné plus de soins encore à la formation de son caractère qu'à la culture de ses talens, & qui parle de l'éducation avec autant de justesse que de la musique; qu'il en est bien recompensé par le succès; & qu'il est doux pour lui, de voir ses deux aimables enfans plus flattés d'un regard d'approbation, qu'ils cherchent avec une tendre inquiétude dans ses yeux, que des aplaudissemens de tout un public. Ce seul trait me paroit les caractériser bien avantageusement tous les trois, & ils fournissent deux réflexions, sur l'éducation, qui ne sont nouvelles, je l'avoue, que dans la pratique; l'une, c'est que beaucoup d'hommes qui pouvoient être excellens dans un genre, ne sont que très médiocres, parce que le genre auquel on les a voué n'est point le leur; cette consideration, la premiere qu'on devroit faire en se décidant sur le choix d'une vocation, est celle qu'on ne fait presque jamais; au lieu d'essayer un enfant aux diférens objets de vocation, comme on essaye le métal à la pierre de touche, pour en connoitre la nature, les parens supposent ordinairement que leur volonté sera assés efficace pour donner la capacité; le succes apprécie la justesse de ce principe. Une seconde réflexion, c'est qu'il seroit fort à souhaiter, que les péres dont les enfans ont des talens distingués, imitassent M. Mozart, qui loin de presser son fils, a toujours été attentif a modérer son feu, & à l'empecher de s'y livrer; une conduite opposée étoufe tous les jours les plus beaux génies, & peut faire avorter les talens les plus supérieurs.

J'ai l'honneur d'être E&c.

Ein Exemplar dieser seltenen Wochenschrift, die bei François Grasset et Comp. erschien, ist in der Paul-Hirsch-Bibliothek des British Museum, Musikabteilung. — Deutsche Übersetzung in Albert Leitzmanns Mozart-Buch, Leipzig 1926. Neudruck in der *Revue musicale*, Paris, Januar 1938 (Mathias Morhardt). Faksimile in *Notes*, Washington, Dezember 1950, mit Übersetzung (Richard S. Hill). Andere englische Übersetzung in A. Hyatt Kings *Mozart in Retrospect*, London 1955. —

Es gibt eine alte deutsche Übersetzung (Mozarteum, Salzburg), die ein anonymer Verehrer (B. B.) 1771 dem Salzburger Konzertmeister Mozart mit einem Geleitwort zugeschickt hat. Aus diesem Geleitwort (s. S. 125) ist zu ersehen, daß der Einsender der Übersetzung das anonym erschienene Original einer Durchlaucht zuschrieb, offenbar dem Prinzen Ludwig von Württemberg. Man darf vielleicht annehmen, daß der Prinz dem wahren Verfasser, Prof. Dr. Samuel (Simon) André (David) Tissot, behilflich war, der sich u. a. mit dem Nervensystem des Genies, besonders im Kinde, befaßte und sich als Schriftsteller Auguste Tissot nannte (1728—1797 oder 1798).

Am 13. Oktober fahren die Mozarts von Zürich nach Winterthur, wo sie beim Stadtschreiber Wolfgang Dietrich Sulzer übernachten, und am 14. nach Schaffhausen, wo sie vier Tage verbleiben.

18. OKTOBER 1766, s. NACHTRAG, S. 520

Am 19. Oktober reisen sie von Schaffhausen nach Donaueschingen und bleiben dort vom 20. bis 31.; dann geht es vom 1. bis 3. November nach Meßkirch, Ulm und Günzburg bis Dillingen, wo sie am 4. und 5. November verweilen und die Kinder vor Joseph, Landgrafen von Hessen und Fürstbischof von Augsburg, ein Konzert geben; weiter über die Fuggerische Wallfahrtskirche Biberbach am 6. auf einen Tag nach Augsburg (bei den „Drei Mohren") und endlich am 8. nach München, wo sie abends eintreffen und wieder im Gasthof Störzer absteigen.

Bei den fast täglichen Konzerten in Donaueschingen, am Hofe des Fürsten Joseph Wenzeslaus von Fürstenberg (wo Mozarts Diener Sebastian Winter seit April 1764 Friseur war und später Kammerdiener wurde), dürfte auch der *Galimathias musicum* aufgeführt worden sein. — In Biberbach wetteiferte Wolfgang mit dem 12jährigen Schwaben Sigismund (später Pater Sixtus) Bachmann auf der Orgel des Wallfahrtsortes (s. 24. XI. 1790).

VOLTAIRE AN ETIENNE-NOËL DAMILAVILLE

A Ferney, le 7 novembre 1766.

... Comment vouliez-vous que je visse votre jeune joueur de clavecin? Madame Denis était malade; il y a plus de six semaines que je suis au lit. Ah! nous sommes loin de donner des fêtes!

Voltaires *Oeuvres*, XLIV. 493. — Madame Denis war Voltaires Nichte und Wirtschafterin.

Am 9. November spielt Wolfgang vor dem Kurfürsten Maximilian III. Joseph von Bayern und improvisiert *„ein Stück"* (KV 33c?).

Vom 12. bis 21. November ist Wolfgang wieder krank.

Man nimmt an, daß er wieder an Gelenkrheumatismus litt.

AUS DEM «AUGSBURGISCHEN INTELLIGENZ-ZETTEL», 13. NOVEMBER 1766

Note der [am 6.] ankommenden Herrschaften und Passegiers ... Hr. Mozart, Capellmeister, kommt nebst Familie aus Frankreich, logirt zu den 3 Mohren.

Kaum genesen, spielt Wolfgang am 22. November wieder am Münchner Hofe; auch diesmal mit Nannerl.

Aus Johann Adam Hillers «Wöchentlichen Nachrichten und Anmerkungen die Musik betreffend», Leipzig, 25ten November 1766

Wien.

Es hat in den Wissenschaften frühzeitige Gelehrte gegeben, die man mit Recht als Wunder der Natur angesehen. Die Musik hat sich ebenfalls dergleichen frühzeitigen Gelehrten, oder *Virtuosen,* wie man sie in der musikalischen Sprache nennen muß, zu rühmen. Vor einiger Zeit machte der hochfürstliche Kammermusicus Herr *Mozart,* der sich außer seinen Compositionen durch seine *Violinschule* viel Ruhm erworben, mit einer Tochter von neun und einem Sohne von sieben Jahren, in England und Frankreich nicht wenig Aufsehen. Man hat sogar diese musikalische Familie in einem saubern Kupferstiche vorgestellt und verewigt. Herr *Mozart,* der Vater spielt die Violin, sein Sohn accompagnirt den Flügel, und die Tochter singt mit der Parthie in der Hand. Wir finden in der That dieses Beyspiel von jungen Musikern sehr ausserordentlich; zumal der Sohn, ein Kind von sieben Jahren, sich schon auf die Composition so verstanden, daß man in Paris ein halbes Dutzend Claviersonaten von ihm in Kupfer gestochen hat. Diese frühzeitigen Virtuosen machen ihrem Vater gewiß viel Ehre, da sie alles durch seinen Unterricht erlangt haben; und da er die bequemen Mittel zu finden gewußt hat, Kindern eine Sache begreiflich und leicht zu machen, die bisweilen ältern und erwachsenen Personen nicht recht in den Kopf will.

Das war die erste Erwähnung Wolfgangs in einer Musikzeitschrift, der ersten in deutscher Sprache erscheinenden. Die Zuschrift schließt mit einem Bericht über das Auftreten des *„12 jährigen"* Franz Lamotte (ca. 1757—1781), der am 15. Oktober am Wiener Hofe ein eigenes Violinkonzert gespielt hatte.

Am 29. November 1766 kehrt die Familie nach Salzburg, das sie am 9. Juni 1763 verlassen hatte, zurück.

Aus Hübners Diarium, Salzburg, 29. November 1766

Ich kan nicht umgehen, alda auch anzumerken, das anheut der weltberühmte Herr Leopold Mozart alhiesiger viceKapellmeister mit seiner Frauen, und zweyen Kindern einen Knaben von 10 Jahren, und einem Töchterlein von 13 Jahren zum Trost, und Freyde der ganzen Stadt angekommen seye: Es kann wohl seyn, das ich schon anderwertig eine Meldung gethan von dieser Mozartischen Familie; zumahlen die letztverflossene zwey, oder drey Jahre nichts oefters in denen Zeitungen geschrieben worden, als die wundervole Kunst der Mozartischen Kinder: Alle zwey Kinder, der Knab sowohl als das Mägdlein schlagen Beyde das Instrument, oder das Klavier, das Mägdlein zwar künstlicher, und passater als ihr Brüderlein, aber der Knab noch weit ravinirter, und mit ausgesuchteren Gedanken, und mit denen schönsten Einfällen der tonen, also das sich alle auch vortreflichste Organisten sich darob erstaunen, wie es nur menschen mäglich, das ein solcher Knab, welcher schon mit 6 Jahren ein solcher Künstler gewesen, eine solche Kunst zu Verwunderung der ganzen musicalischen Welt besitzen känne; Diese Mozartische Familie ist nunmehr von Salzburg fast vier ganzer Jahre aus, und den meisten Theil Europä ausgereiset; dann sie giengen erstlich nach Frankreich, allwo der Knab, dazumahlen ware Er sieben Jahr alt, zu einen großen Gallatag bey dem Königlichen Französischen Hoff eine ganze Tafelmusique in Gegenwart der höchsten Standspersonen selbst componiret, welche musique demnach zu diesem Gallatag ist offentlich produciret, und noch darzu in offentlichen Druck gegeben worden: ja man hat die ganze Familie in einem Kupfer gestochen, auf welchen der Knab das Klavier schlagend, die Tochter eine Aria singend, und der Vater mit der violine (dann Er ist zugleich ein berühmter violinist, hat auch ein Buch von dem Geigen heraus in Druck gegeben, welches Buch erst voriges Jahr in Holand in die Holländische Sprach ist übersezet worden, obwohlen Er auf seine Kunst in der violin nirgend sich eigenthumlich berühmt zu machen hingereiset, sondern nur wegen seinen Kindern, welche wahrhafte Weltwunder dürfen genennet werden) accompagnirend in denen portraits vorgestellet werden mit folgender unterschrift in Französischer Sprache: Leopold Mozart Pere de Marianne Mozart, virtuose âgée de onze ans, et de J. G. Wolfgang Mozart Compositeur, et Maitre de Musique âgé de sept ans. Das ist auf Deutsch: Leopold Mozart Vater der Marianne Mozartin Künstlerin und Virtuosin, alt von eylf Jahren, und Vater des Johan Georg Mozart compositeur, und Meister der Musik alt von sieben Jahr: Diesen Kupfer habe ich zwar, aber weilen ich mir eine Rahm habe darüber machen lassen, habe ich diesen nicht hieher beylegen wollen: Sie waren fast ein ganzes Jahr in Frankreich, und haben unsägliche Ehren empfangen, und die kostbareste Verehrungen bekommen, von welchen ich anderstwo, nämlich den 8ten December melden werde. Von Frankreich seynd sie in das Engelland, und ihnen alda sehr vieles Geld gemachet: sie kännen nicht genug erzehlen, wie erschröcklich alles theur ist in Engelland: und gabe unter anderen dieses Probstück: Er Mozart hörte in Engelland unter anderen einst bey Hoff eine schöne musique, etwan ein Ballet, oder eine opera; so wollte Er ihme diese darinnen abschreiben lassen, fragte aber, was man verlange vor den boogen abschreiben, wo man alhier 4 oder höchstens 6 Xr: begehret, hat man in Engelland vor den boogen 12 grosch, das ist 36 Xr: begehret, auf dieses hat Er das abschreiben beyseits lassen, dann es wäre ihme dieses beyläuffig auf 100 Thaler gekommen: ja er sezte noch hinzu: wann er die ganze musique von Engelland nach Salzburg geschicket hätte, zu Salzburg abschreiben lassen, und von Salzburg wiederum naher Engelland bringen lassen, so hätte es bey weitem nicht dieses gekostet, als was das abschreiben in Engelland allein gekostet hätte. Er hat sich in Engelland nicht anderst, wie auch in anderen Ländern, produciret mit seinen Kindern auf offentlichen Bühnen, und Theatris, gleichwie die fremde Komedianten sich produciren: nun dann wann man alhier einen 6er, 12er, oder 24erst[uck] gibt, wann man in die Komedie gehet, so zahlet man in Engelland lauter chinée, das ist ein stukgeld, wie hier ein Max d'or, oder Carolin, mithin ist leicht einzubilden, was sich dieser Herr Mozart in Engelland muß vor Geld gemachet haben, allwo auch alle presenter pur alleinig in paren geld gegeben werden. In Engelland waren sie auch ein ganzes Jahr, und der Herr Mozart sonderlich, welcher ohnehin ein sehr gelehriger Kopf ist, und eine grosse Wissenschaft besitzet, auch eines sehr erhabenen Geistes, und eines aufgeweckten Gemüts ist, hat die Englische Sprach vollkommentlich gelernet, welcher schon vorhero aus der Kunst wällisch und französisch kannte. Von Engelland seynd sie in Holand, und zwar auf Anverlangen der Republique, allwo sie wiederumen sehr viele present bekommen, und viel Geld gesamlet haben. Der Herr Mozart hat auch alda nach einmahl gekonnter Englischer Sprach ganz leicht Holländisch gelehrnet. Von Holland seynd sie in die Schweiz, hernach in das Augspurgische, Bayrische, und so ferner, bis sie endlichen wiederumen mit größten Verlangen der ganzen Stadt Salzburg, Trost, Freud, und Vergnügen aller Leuten hoch, und niedern Standes, und zu ihrer selbst eigenen Ehr, Ruhm und Lob gesund angekommen seynd; obwohlen fast alle aus der ganzen Familie hin und wieder, sonderbar die Frau in Engelland eine sehr gefährliche, und fast Tödtliche Krankheit ausgestanden haben; nunmehr ist der Knab etwas über 10 Jahr und das Töchterlein etwas über 13 Jahr: Der Knab Wolfgangl ist weiter gar nicht viel auf dieser Reise gewachsen, aber die Nannerl ist zimlich groß, und fast schon heuratmässig geworden. Man sagt sehr stark, diese Mozartische Familie werde wiederumen nicht lang alhier verbleiben, sondern in bälde gar das ganze Scandinavien, und das ganze Russland, und vielleicht gar in das China reisen, welches noch eine weit grössere Reise, und höheres Unternehmen wäre: de facto glaube ich gewiß, das niemand in ganz Europa so berühmt ist, als der Herr Mozart mit seinen zweyen Kindern, welcher wahrhaftig nach Gott seinen Kindern wegen seinen Ruhm, und grossen Reichtum zu danken hat. Diese nunmehro gemachte Reise solle ihnen gegen 20 000 f. gekostet haben: will es auch leicht glauben; aber was wird er wohl vor Geld gesamlet haben?

Klein, a. a. O., S. 175—177. — Siehe 26. April 1766. — Es gab 6, 12 und 24 Kreuzer-Stücke; „chinée" ist guinea. — Nicht die Mutter, sondern der Vater war in London erkrankt (s. 6. August und 13. Dezember 1764).

Aus der Jahresrechnung der Zürcher Musikgesellschaft, (November?) 1766

Einem Salzburger per Symphonien und notturni auf befehl bezahlet 28 [Pfund].

Fehr, a. a. O. (1942), S. 12. Geschrieben vom Säckelmeister der *Musikgesellschaft beim Kornhaus*, Hans Caspar Werdmüller. — Der Posten bezieht sich wohl auf Noten, die Leopold Mozart in Zürich verkauft hat.

Aus Hübners Diarium, 8. Dezember (Mariae Empfängnis) 1766

Eben diesem Tage kame ich ungefähr, und wieder mein Verhoffen zu der Mozartischen Familie, allwo ich zu meinen größten, und sonderheitlichen Vergnügen nicht allein den Knaben Wolfgangerl, von deme ich den neinundzwanzigsten vorigen Monaths Meldung gethan, das Instrument, oder Klavier habe schlagen gehöret, sondern ich habe auch zugleich alle présenters und Verehrungen, so sie auf der ganzen Reise bekommen mit Augen gesehen, und mit Händen berühret. Erstaunenswürdig ist, den Knaben anbelangend, wie dieser Knab das Instrument tractiret, dergleichen wird man nicht bald hören, weder sehen; und ich sage, daß dieser Knab, ohne zu melden von seiner Jugend, und annoch Kinderjahren, auch so gar in der Kunst, Geschwindigkeit, köstlichen Einfällen, verwunderlichen Grieffen, und dergleichen in ganz Deutschland, darf sagen, obwohlen viel geredet, in dem ganzen Welttheil Europa seines gleichen nicht antreffe; Er hat sich diese Zeit, da er auf der Reise ware diese vierthalb Jahre dermaßen in dem Klavier schlagen verbesseret, und vollkommen gemachet, das ihme, so wohl die Partitur, als Galanteriestück anbelangt, nicht känne zu schlagen aufgeleget werden, es wäre wie nur mäglich schwär zu gedenken, so Er nicht ohne Anstand, ohne Übersehen, und halb auswendig zu jedermänniglichen Erstaunung schlaget, ja durch seine selbsteigene Erfindung, und Grieffen noch weit vortreflicher, und künstlicher, als es aufgesezet ist. Niemand glaubt es, und ist auch nicht mäglich zu fassen, außer der jenige kann, und muß es auch glauben, der ihne selbst schlagen hört. Und was noch mehrers zu verwunderen, so kann dieser Knab vermäg seinen noch allzukleinen Handlein keine octav auf dem Klavier ausspannen, sondern er muß allzeit einen doppelten Grief davor nehmen, und eben darumen ist seine kunst desto ausnehmender, und fürtreflicher; Alle Organisten alhier, deren gewislich große Künstler bey unserer Hofmusique seynd, als in specie der Herr Adlgasser, und Herr Haydn, bekennen frey, und gestehen, das sie sich nicht getrauten mit diesem Knaben auf dem Klavier in die Wette zu streiten, welche doch gewislich auch Organisten därfen genannt werden, und ihres gleichen wenig gezählt werden. Von dem componiren, welches dieser Knab schon auß der Kunst kann, solte man wiederum eine neue Redensart, und Lobsprüch ausderdenken, welcher schon ungemein viel componiret, und in specie auch ist anheut bey dem Hochamt in Thom an einen so großen Festtag eine Symphonie gemachet worden, welche nicht allein bey allen Hofmusikanten großen Beyfall gefunden, sondern auch große Verwunderung erweckte: zu wünschen wäre nur, dieser Knab kännte mehrers componiren.

Demnach habe ich auch alle Verehrungen, und presenter, so gemelter Herr Mozart mit seinen Kindern aus seiner sehr kostbar gemachten Reise von denen großen Monarchen, und denen Landesfürsten bekommen: Güldene Sakuhren hat Er 9 mitgebracht: güldene Tabachieren hat Er 12 bekommen: güldene Ring mit denen schönsten edelgesteinen besezet hat Er so viele, das er selbsten nicht weist wie viele: Ohrgehäng vor das frauenzimmer, Halszierde, Messer mit güldenen Klingen, Flaschenkellerl, Schreibzeig, Zahnstürerbüchsel, güldene Einsatz vor das frauenzimmer, Schreibtäferl und dergleichen galanteriewaahren ohne Zahl, und ohne Aufhören; dann zu deme, das man dieses alles nur raptim und obiter sihet, hat man doch etwelche Stunden zuzubringen mit lauteren Anschauen, und es ist nicht anderst, als wann man einen Kirchenschaz anschauete, nicht zwar wegen der Kostbarkeit, sondern wegen denen seltsamkeiten, so man nicht bald sehen wird in einen einzigen Ort von unterschiedlichen Ländern versamlet, alß wie bey dem Herrn Mozart: das kostbareste aber, und schönste, so ich gesehen, ist die tabachiere vom König von Frankreich, so ihme der König selbsten mit 50 Louis d'or, das ist 500 f: gefüllet eigenhändig mit diesem ausdrücklichen Beysatz gegeben: so Er Mozart diese tabachiere sollte etwa aus Nothwendigkeit verkauffen, so sollte er diese Ihme König wiederumen zu kauffen geben, Er gebe ihme 100 Louis d'or, das ist 1000 f: davor; aber der Herr Mozart hat diese mit sich gebracht: ich glaube übrigens, das die galanterie waaren des Herr Mozart, so Er mitgebracht, so gut 12 000 f: als 10 Xr: kosten. Zu deme hatte er sehr viele Sachen von diesen fremden Ländern um einen billigen Preis eingekaufet, und mitgebracht, so Er erst alhier um das teure Geld verkauffen wird, und auf solche Art ihme allhier erst vieles Gelde machen! Dann dieser Herr Mozart ist ein so geschickter, fündiger, aufgeweckter und vernümpftiger Kopf, das ich diesen an viele andere anseze, sie wurden bey weitem dieses alles nicht so weislich ausdenken und durchtreiben können, als wie es Herr Mozart gethan.

Klein, a. a. O., S. 178 f. — Zur „*Symphonie*" vgl. Minos E. Dounias, Kritischer Bericht zur *Neuen Mozart-Ausgabe* VI/16, *Sonaten für Orgel und Orchester*, S. i/4. — „*Flaschenkellerl*" ist ein Flakon-Behälter, Einsatz im Necessaire. — „*So gut 12 000 Gulden als 10 Kreutzer*" bedeutet: nicht schätzbar.

Am 11. Dezember stirbt in Augsburg Leopolds Mutter, Anna Maria Mozart.
Siehe Seite 3.

Aus den Salzburger Hofdiarien

21. Dezember (Konsekrationstag des Erzbischofs) 1766 ... nach Ave Maria abends ... begaben sich HöchstSelbig ... zur welschen Comedie hinauf, welche die dermahlen anwesende Banda aufführte. Die Comedia ware betitlt Il cavaliere di Spirito, dan ein Intermezzo in der Musique von 4 Stimmen, betitlt Li tre gobbi rivali per amore di Madame Sazzesa [?], letzlichn ware die Licenza in einem Rezitatif und eine Aria, welche Musique darüber der junge Mozard Wolfgang, Sohn des hiesigen vice Capelmeisters und bewundrungswürdiger Knab von 10 Jahr in dem Instrument ein vollkommener Meister, auch erst von England hier ankommen, zu jedermans Bewunderung componirt hat; alles dauerte bis halber 9 Uhr.

Salzburger Landesarchiv. — Pirkmayer, a. a. O., S. 23 f. Martin, a. a. O., S. 132. — Pirkmayer las den italienischen Namen „Vezzosa“. — Dieser Sonntag war der Jahrestag der Konsekration (1753) des Fürsterzbischofs Sigismund Graf Schrattenbach. — Die hier beschriebene Unterhaltung folgte dem abendlichen „Ave Maria“ im Dom. — Wolfgangs Beitrag war KV 36: das Rezitativ „Or che il dover“ und die Arie „Tali e cotanti sono“. — In Hübners Diarium ist Mozart diesmal nicht genannt.

1767

Aus Hübners Diarium, 26. Februar 1767

XXVIta huius die Jovis erat denuo media septima pomeridiana, seu vespertina in refectorio nostro tabula oblonga, et musica.
Anheut ware auch um vier Uhr nachmittag bey Hoff die Hauptprob der wälschen Opera: Vologeso intituliret, welche am kümpftigen Sonntag aber erst recht solle produciret werden zu Ehren des freüdenreichen Geburts Tages des Erzbischoffens, welcher dem 28sten Hornung das 69ste Jahr vollkommen erfüllet: Diese Opera ist schon voriges Jahr etwelchmal produciret worden.

Klein, a. a. O., S. 181 f. — Die Oper Vologeso von Giuseppe Sarti war schon Ende 1765 und Anfang 1766 aufgeführt worden. Die „Lizenza“ für die neue Aufführung war offenbar Mozarts Rezitativ und Arie KV 70, die Einstein als vermutlich zum 28. Februar 1769 geschrieben datierte.

Aus Hübners Diarium, 1. März 1767

Ima Martii Dominica...

Reverendissimus Praesul noster erat in Aula invitatus; dann es ware anheut ein doppelter Gallatag bey Hoff, und man hat in dem Kaiser Saal gespeyset: erstlich wurde der Geburts Tag des Erzbischoffens begangen, andertens ware anheut eine Hochzeit, nämlich ein Graf Lodron hat eine Gräfin Firmian zur Ehe genommen, welche der Erzbischoff in dem Oratorio in Thom hat zusammengegeben: es wurde auch anheut um 6 Uhr abends eine unvergleichliche Wälsche Oper bey Hof gespielet, von welcher ich schon oben den 26ten Hornung Meldung gethan: diese Opera endigte sich erst um 10 Uhr bey der Nacht; ware aber ein magnifiques Meysterstück von einer music, und deren Singern, welche doch lauter eigene Leüth, und Hofmusici des Erzbischoffens waren.

Klein, a. a. O., S. 182. — Der k. k. Kämmerer und Oberstleutnant Kaspar Graf Lodron heiratete Maria Nothburga, die Tochter des Salzburger Obersthofmeisters Franz Laktanz Grafen Firmian.

Aus dem Protokoll des Universitätsgymnasiums, Salzburg

1767, 12. Martii, Jovis: Vacatio. (Post prandium.) Hora media 7 in Aula Oratorium fuit decantatum a. D. Wolfgango Mozart adulescentulo 10 annorum in modulos musicos egregie redactum.

Protokollum Praefecturae Gymnasii Universitatis Salisburgensis im Salzburger Landesarchiv: nach Feststellung Alfred Orels von Placidus Scharl geschrieben (vgl. 6. Januar 1763). — A. J. Hammerle, *Mozart und einige Zeitgenossen*, Salzburg 1877, S. 5. — Wie in Wien war auch in Salzburg der damals dort bestehenden Universität als Vorschule ein Gymnasium angegliedert. — Wolfgang komponierte den ersten Teil des geistlichen Singspiels oder Oratoriums *Die Schuldigkeit des Ersten Gebots* (KV 35), dessen Text von Ignaz Anton v. Weiser (vgl. Januar 1770) stammte. Die Verteilung der Komposition auf drei Musiker war nicht ungewöhnlich. Die wohl konzertmäßige Aufführung fand im Rittersaal der Residenz statt, in der Fastenzeit, von Künstlern der Hofkapelle geboten: erster Teil (Mozart) am 12. März, zweiter Teil (M. Haydn) am 19. März, dritter Teil (Adlgasser) wahrscheinlich am 26. März 1767. — *„Jovis: Vacatio"* heißt Donnerstag, schulfrei.

Aus Hübners Diarium, 12. März 1767

XIIma Martij Donnerstag ware anheüt nach dem abendlichen Gebethleiten bey Hoff in dem sogenannten Ritter Saal ein oratorium in der musique von fünf Personen, nämlich drey Singerinnen, und zweyen Mannesbildern Herr Meisner und Herr Spizeder. Den deutschen text hat componiret Herr Weiser ein Handels- und Ratsherr, die musique hat componiret der Wolfgang Mozart Knab alt von 10 Jahren.

A. a. O., S. 182.

Titelblatt des Textbuches der «Schuldigkeit des Ersten Gebots»

Die Schuldigkeit / Des ersten und fürnehmsten Ge- / bottes Marc. 12. V. 30. / Du sollst den HErrn, deinen GOtt lieben von ganzen / deinem Herzen, von deiner ganzen Seel, von dei- / nem ganzen Gemüth, und aus allen / deinen Kräften. / In dreyen Theilen / zur Erwegung vorgestellt / von J. A. W. / Erster Theil in Musik gebracht von Herrn Wolfgang / Motzard, alt 10. Jahr. / Zweyter Theil von Herrn Johann Michael Heiden, Hoch- / fürstl. Concertmeistern. / Dritter Theil von Herrn Anton Cajetan Adlgasser, Hoch- / fürstl. Kammer-Componist- und Organisten. / SALZBURG, / Gedruckt bey Johann Joseph Mayrs, Hof- und Akade- / mischen Buchdruckers, und Buchhandl. sel. Erbinn, 1767.

Exemplar in der Studienbibliothek, Salzburg. — Hammerle, a. a. O., S. 5 f. — Faksimile (auch des Personen-Verzeichnisses) in *Neue Mozart-Ausgabe* I/4/1, *Die Schuldigkeit des ersten Gebots*, S. XVII.

Personen-Verzeichnis daraus

Das Ort der Vorstellung ist eine anmüthige Gegend an einem Garten und kleinen Wald:

Singende:

Ein lauer und hinnach eifriger Christ: Herr Joseph Meisner.
Der Christen-Geist: Herr Anton Franz Spitzeder.
Der Welt-Geist: Jungfer Maria Anna Fesemayrin.
Die göttliche Barmherzigkeit: Jungfer Maria Magdalena Lippin.
Die göttliche Gerechtigkeit: Jungfer Maria Anna Braunhoferin.

Jahn I, 56 f. — Meißner war im ersten Teil nicht beschäftigt. Fräulein Fesemayer heiratete Adlgasser und Fräulein Lipp („*Lippin*") wurde die Frau Michael Haydns, des in Salzburg lebenden und als erster Kapellmeister der Hofkapelle wirkenden, jüngeren und als Komponist hochbegabten Bruders des großen Joseph.

Aus dem Verzeichnis der Salzburger «Schatullegelder», 18. März 1767

Den 18. dem klein Mozartl wegen Componirung der Musig zu einem Oratorio ein Medaglie von Gold à 12 Ducaten ...... 60.—fl.

Salzburger Landesarchiv. — Martin, a. a. O., S. 137. — Diese Medaille im Gewicht von zwölf Dukaten wurde aus der Privat-Schatulle des Fürsterzbischofs Grafen Schrattenbach bezahlt.

Aus Hübners Diarium, 19. März (Josephtag) 1767

Ware anheut auch bey Hoff ein großer Gallatag, weillen sehr viele Joseph heissen beyderley Geschlechts aus der ersteren noblesse. Es ware auch anheut wiederumen bey Hoff in dem so genannten Ritter Saall ein in deütschen versen verfertigtes oratorium, dessen musique componiret hat der sehr berühmte Mann Michael Haydn virtuos, und conzertmeister alhier bey Hoff.

Klein, a. a. O., S. 182.

Aus Hübners Diarium, 28. März 1767

(1767) XXVIIIva Martii Samstag, ware der Fürst Colloredo, welcher ein Bruder zu dem Bischoff von Gurk, und Kayserlicher Gsandter in das Spanien ist, alhier, und hat seine Einkehr bei seinem Bruder den Bischoff von Gurk genommen.

Klein, a. a. O., S. 183. — Der kaiserliche Botschafter in Madrid war Franz de Paula Gundaccar I. Fürst Colloredo. Sein Bruder war der spätere Erzbischof von Salzburg, Hieronymus Graf Colloredo.

Aus Hübners Diarium, 29. März 1767

XXIXna huius am Vierten Sonntag in der fasten, ware ein ungemein vornehme, und kostbare Tafel bey Hoff in dem Kayser-Saall, welche der Erzbischoff zu Ehren des Spanischen Gsandten des Fürsten von Colloredo angestellet worden; und eine solche musique, das sich alle virtuosen alhier, deren nicht wenig, und nicht schlechte hier anzutreffen, extra haben müssen hören lassen: mein Gnädiger Herr, welcher nicht allein anheut, sondern die ganze fasten hindurch dreymahl die Wochen, nämlich Sonntag, Dienstag und Donnerstag bei Hoff fleisch zu speysen eingeladen ware, sagte mir, das Er niemahlen noch gesehen, das der Erzbischoff jemahlen einem bey der Tafel den Vorsiz gegeben, als wie diesesmahl, und andertens, das je eine so kostbare Tafelmusic bey Hoff seye gehalten worden; doch hat man es dem Erzbischoff gar nicht allerdings gut aufgenommen, das er dem Spanischen Gsandten den Vorsiz gegeben habe, zumahlen er alhier die Stelle des Spanischen oder Kayserlichen Gsandten nicht vertretten hat.

Klein, a. a. O., S. 183. — Unter den Virtuosen dürfte Wolfgang gewesen sein, vielleicht auch Nannerl. — Hübners „*Herr*" war Abt Beda Seeauer.

Aus dem Salzburger Gymnasial-Protokoll

1767, 2. Aprilis, Jovis. Vacatio. Musica primi Oratorii in Aula repetita.

Hammerle, a. a. O., S. 6. — Es kam nur zu dieser einen Wiederholung des ersten Teils des Oratoriums (KV 35).

Der Pariser Verlag Le Menu & Boyer kündigt am 6. April 1767 im *Avant-Coureur* Wolfgangs holländische Klavier-Violin-Sonaten (KV 26–31) an.

Cari Johansson, *French Music Publishers' Catalogues of the Second Half of the Eighteenth Century*, Stockholm 1955, S. 111 f. — Dieser Pariser Nachdruck, der erste eines Mozart-Werkes, trägt den Vermerk: „*Ces pièces peuvent s'exécuter sur la Harpe*". S. 27. I. 1768.

Am Karfreitag, dem 17. April, wird die Grabmusik KV 42 im Dom aufgeführt (?).

Aus dem Salzburger Gymnasial-Protokoll

13. May 1767, Mercur. Mane Scholae ob Phlebotomiam breves. Post prandium Comoedia Syntaxistarum optime ab Ex[imio] D[omino] P[atre] Professore composita, et ex voto ab illius Discipulis producta, quod quidem summo mihi solatio fuit. Gratulor Ex. D. P. Prof. applausum publicum. Musica quoque a D. Wolfgango Mozart undecenni Adulescentulo composita omnibus placuit, qui quidem ad noctem nobis artis suae musicae in clavicembalo insignia specimina dedit.

Salzburger Landesarchiv. — Hammerle, a. a. O., S. 7 f. — Das musikalische Intermedium zur lateinischen Schulkomödie *Clementia Croesi* von dem im Protokoll erwähnten Prof. P. Rufinus Widl aus Kloster Seeon war *Apollo et Hyacinthus* (KV 38). — Es war im 17. und 18. Jahrhundert üblich, an der Salzburger Universität zu Ende des Studienjahres, vor der Prämienverteilung, aber auch wie hier, innerhalb des Schuljahres, szenische Aufführungen auf der 1661 errichteten Bühne neben der Aula academica durch Studenten, im vorliegenden Fall die Klasse der Syntaxisten, zu veranstalten.

Aus Hübners Diarium, 13. Mai 1767

Hodierna die etiam post prandium fuerat in alma Universitate comoedia, a R[everendo] P[atre] Ruffino Seeonensi Syntaxeos professore producta: musicam ad hanc comoediam composuit famosissimus ille Juvenis undecennis Wolfgangus Mozart: filius D: Leopoldi Mozart Magistri capellae hic Salisburgi.

Klein, a. a. O., S. 183.

Aus den Ephemeriden der Theologischen Fakultät, Salzburg, 13. Mai 1767

Eodem die exhibitus est Ludus Comicus ab Adm[odum] R[everendo] D[omino] P[atre] Ruffino Syntaxeos Professore in Aula majore, Actoribus illius personas suas praeclare agentibus.

Salzburger Landesarchiv. — Mitgeteilt von Dr. Herbert Klein.

Aus dem gedruckten Textbuch der lateinischen Komödie «Clementia Croesi» und des musikalischen Intermediums «Apollo et Hyacinthus», Salzburg 1767

... AUCTOR OPERIS MVSICI

Nobilis Dominus Wolfgangus Mozart, vndecennis Filius Nobilis ac Strenui Domini Leopoldi Mozart Capellae Magistri.

PERSONAE IN MUSCA.

Oebalvs, Lacedaemoniae Rex. Ornatiß. ac Doctiß. D. Mathias Stadler, Theolog. Moral. et Iurium Auditor.

Melia, Oebali Filia. Felix Fuchs ex Capella, in Grammatica.

Hyacinthvs, Oebali Filius. Christianus Enzinger ex Cap. in Rudiment.

Apollo, ab Oebalo hospitio exceptus. Ioannes Ernst ex Capella.

Zephyrvs, Hyacinthi intimus. Iosephus Vonterthon ex Syntax.

Sacrificvlvs Apollinis 1mus. Ioseph. Bruendl, ex Poesi.

2dus. Iacobus Moser ex Syntaxi.

Studienbibliothek Salzburg. — Abert I, 110. — Faksimile in *Neue Mozart-Ausgabe II/5/1, Apollo und Hyacinth*, S. XXVI. — Melia und Hyacinthus sind Sopran-, Apollo und Zephyrus Alt-Partien, Oebalus ein Tenor.

Aus Hübners Diarium, 2. Juni 1767

Hac ipsa die post decantatum officium tertium de Requiem circa horam nonam nostri nuper defunctus charissimus confrater P. Thaddaeus Haydn in capella S: Viti in cornu Evangelii altaris ibidem sepultus est: feretrum portabant convictores Universitatis. Erat denique etiam in refectorio hora undecima dispensatum circa lectionem mensalem, quia tota alma Universitatis, et omnes Professores, qui processionem defuncti comitabantur, apud nos erant invitati, et habebatur defuncti P. Thaddaei Todten solatium: diebus duobus subsquentibus erant septimus, et tricesimus, quae tria officia de Requiem more solito habuit Plur[ime] Rev[erendus] D: P: Prior: Eine der ersteren Hauptklägern ware der Herr Mozart, und dessen Frau, welche dem verstorbenen P. Thaddaeus in etwas befreint ware: Von diesem Herrn Mozart habe ich dem 8ten December vorigen Jahres, und noch anderstwo Meldung gethan.

Klein, a. a. O., S. 184. — Pater Thaddäus (Taufnamen: Johann Adam) Haiden, vom Stift St. Peter, war am 31. Mai gestorben. Vgl. P. Lindners Profeßbuch in den *Mitteilungen der Gesellschaft für Salzburger Landeskunde*, 1906, Band 46, S. 140.

Am 11. September 1767 begibt sich die Familie auf eine zweite Reise nach Wien und kommt bis Vöcklabruck.

Am 12. September erreichen sie mittags das Kloster Lambach und abends Linz, wo sie im vorstädtischen Gasthof „Zum grünen Baum" absteigen.

Sonntag, den 13. September, rasten sie auf dem Strengberg, kommen am 14. mittags nach Melk und abends nach St. Pölten.

Am 15. September fahren sie über Purkersdorf nach Wien, wo sie beim Goldarbeiter Schmalecker in der Weihburggasse (Neubau, Nr. 3), 2. Stock, Quartier finden.

Bald nach der Ankunft besuchten sie Johann Adolf Hasses neue Oper *Parthenope* im Burgtheater.

Am 23. Oktober nachmittags verlassen sie Wien und fahren nach Brünn.

Vater Mozarts Hoffnungen auf die Feierlichkeiten zu Ehren des Königs Ferdinand I. von Neapel und seiner Braut, der 16jährigen Erzherzogin Maria Josepha, waren zunichte geworden, nachdem sie am 15. Oktober gestorben war. Da in Wien die Blattern grassierten, verließ die Familie fluchtartig die Stadt.

Nach zwei Tagen in Brünn fahren sie am 26. Oktober nach Olmütz, wo sie beim „Schwarzen Adler" absteigen. Wolfgang erkrankt an den Blattern.

Am 28. Oktober übersiedelt d : Familie in die Dechantei des Domkapitels, zum Prälaten und Universitäts-Rektor Leop ld Anton Grafen Podstatzky.

Nachdem Wolfgang, der von Dr. Joseph Wolff behandelt wurde, am 10. November genesen ist, verbleiben die Mozarts bis zum 23. Dezember in Olmütz.

Am 24. Dezember sind sie wieder in Brünn, wo sie beim Grafen Franz Anton Schrattenbach, dem Bruder des Salzburger Fürsterzbischofs, Quartier finden (Krapfengasse 4).

Schrattenbach wurde später Landeshauptmann von Mähren.

Aus dem Tagebuche des Sternberger Propstes Aurelius Augustinus, Brünn, 30. Dezember 1767

Vesperi, persuasus ab Excelm̄o D. Capitaneo Provinciae in Domo civitatis, Taverna dicta, concertationi musicae interfui, in qua puer Salisburgensis 11. annorum, et soror sua 15. annorum in ala, aliis Brunansibus diverso instrumentorum genere illum et illam associantibus /:accompagner:/ ad omnium admirationem produxit; qui tamen tubas ex eo, quod tonum ex integro univocum dare nequeant, pati non potuit.

Staatsarchiv Brno (Brünn), MS. 701, fol. 64. Photographiert von Dr. Robert Smetana, Olomouc. — Sternberg, wo ein Augustiner-Chorherrenstift war, liegt bei Olomouc (Olmütz). — Das Konzert, von Schrattenbach veranlaßt, fand, unter Mitwirkung Brünner Musiker, in der „Taverne" statt, wo jetzt der Redoutensaal steht. — Der Turm-Kapellmeister Abraham Fischer berief sich 1768 in einem Gesuch an den Brünner Magistrat auf dieses Ereignis: *„Kapellmeister von Salzburg Herr Mozart war mit hiesigem Orchester vollkommen zufrieden und hätte nicht geglaubt, daß meine Gesellen bei der ersten Prob so gut accompagniren würden".* (Stadtarchiv Brünn; Bohumir Štědroň im Bericht der *Internationalen Konferenz über das Leben und Werk W. A. Mozarts, Prag 1956,* Prag 1958, S. 53).

1768

Am 9. Januar 1768 verlassen die Mozarts Brünn, übernachten in Poysdorf und kommen am 10. wieder in Wien an, wo sie im Haus „Zum roten Säbel" an der Hohen Brücke (jetzt Wipplingerstraße 19, Ecke Färbergasse) unterkommen (vgl. 23. Juli 1782).

Am 19. Januar von $1/_2 3$ bis $1/_2 5$ Uhr nachmittags werden die Mozarts endlich wieder am Wiener Hof empfangen, von Maria Theresia und ihrem Sohn Joseph II., dem neuen Kaiser.

AUS HILLERS «WÖCHENTLICHEN NACHRICHTEN», LEIPZIG, 27. JANUAR 1768

Fortsetzung der neuen practischen Werke, die im Jahre 1767 in Frankreich zum Vorschein gekommen.

... Six Sonates pour le Clavecin avec l'accompagnement d'un Violon, par J. G. Wolfgang *Mozart*, agé de neuf ans, Op. IV. kosten 7 liv. 4 S. Diese Sonaten können auch auf der Harfe gespielt werden.

Vgl. 6. April 1767.

DIE FÜRSTERZBISCHÖFLICHE HOFKAMMER AN DAS ZAHLAMT

Decretum

An das hochfürstliche Hofzahlamt alhie.

Sr. hochfürstl. Gnaden haben mindlich gnädigst anbefohlen, daß, wenn die mit gnädigster Bewilligung sich dermallen anderstwo befindende Hof-Musici benantlich Kapellmeister Motzhard, Meißner, und Küffl im konftigen Monath April nicht wieder alhie einfinden werden, denenselben keine Besoldung fernerhin abzureichen seye.

So dem Hofzahlamte zur gehorsamsten Befolgung anmit aneröfnet wird,

Decretum in Consilio Camerae 18va Martii 1768.

Salzburger Landesarchiv. — Friedrich Pirkmayer, *Zur Lebensgeschichte Mozart's*, Mitteilungen der Gesellschaft für Salzburger Landeskunde, 1876 (XVI. 130—151); S. 19 des Sonderabdrucks. — Das war der erste amtliche Verweis für die oft überschrittenen Urlaube Leopold Mozarts, noch unter der Herrschaft Schrattenbachs. — Joseph Niclaus Meißner war Bassist, Ignaz Küffel Cellist bei der Hofmusik. — Vater Mozarts Gehalt wurde vom März bis Dezember 1768 nicht ausgezahlt (vgl. Leopolds Brief an Hagenauer vom 11. Mai 1768 und sein Gesuch an den Erzbischof von Anfang März 1769).

Ende März konzertieren die Kinder beim russischen Botschafter in Wien, Dimitrij Fürsten Galitsin.

Schenk bemerkt in seinem Mozart-Buch (S. 201 f.), daß laut dem *Wiener Diarium* am 6. April, als dem Vorabende der Procura-Hochzeit der Erzherzogin Maria Carolina mit dem abwesenden König von Neapel, bei Hof eine *„vortreffliche Tafelmusik"* stattgefunden hat, und glaubt, daß die Mozart-Kinder dabei mitgewirkt hätten.

MARIE THÉRÈSE-GEOFFRIN AN FÜRST WENZEL KAUNITZ

Paris, 27 avril 1768.

J'ai appris qu'un nommé le petit Mozart, dit le petit prodige en musique, était à Vienne avec son père, qui est si touché du bon traitement de la cour impériale, qu'il est résolu de s'établir à Vienne sous la protection de mon prince. Le père étant, et toute sa famille, de fort honnêtes gens, ils ont été généralement considérés à Paris, et en particulier de plusieurs personnes de mes amis qui faisaient un très grand cas des vertus du père et des talents des enfants.

Daignez, mon Prince, mettre cette honnête famille sous l'ombre de vos ailes, ils seront heureux et ils le seront bien plus que moi, à qui il ne reste plus qu'un triste souvenir de mon bonheur passé.

Archiv der Familie Kaunitz, Jaromeritz, Mähren (um 1890). — Alfred v. Arneth und Jules Flammermont, *Correspondance Secrète du Comte de Mercy-Argenteau avec l'Empereur Joseph II et le Prince de Kaunitz*, Paris 1889—91, II. 334, Anmerkung 2. — Mitgeteilt von Dr. Wilhelm A. Bauer, Wien. — Madame Geoffrin (1699—1777) hieß „*La reine de salons*". Ihr Salon in der rue St. Honoré war durch 60 Jahre der Treffpunkt aller literarisch, künstlerisch und gesellschaftlich hervorragenden Persönlichkeiten, darunter Baron Grimm. Man traf sich dort an Montagen, manchmal auch an Mittwochen. Kaunitz nannte die Dame „*maman*". Auf ihrer Reise nach Warschau hielt sie sich im Juni 1766 eine Woche lang in Wien auf und wurde bei Hof empfangen. Pierre de Ségur sagt in seinem Buche *Le Royaume de la Rue Saint Honoré, Madame Geoffrin et sa fille*, Paris 1897, S. 60: „*Un peu plus tard quand Mozart, agé de huit ans, vint avec sa famille faire son premier séjour à Paris, le salon de la rue Saint-Honoré fut un de ceux où il se fit d'abord entendre; madame Geoffrin se prit d'admiration pour le prodigieux enfant, s'intéressa vivement à lui et aux siens; et lorsqu'ils quittèrent Paris pour s'installer à Vienne, elle écrivit en leur faveur au prince de Kaunitz, premier ministre d'Autriche, une lettre de recommandation chaleureuse.*"

Aus Hillers «Wöchentlichen Nachrichten», Leipzig, 1. August 1768
Vierte Fortsetzung des Entwurfs einer musikalischen Bibliothek.

. . . Herrn *Mozarts Violinschule*, und Herrn *Quanz Anweisung zur Flöte* müssen Liebhabern dieser Instrumente nicht unbekannt bleiben: abermals ein paar Bücher, die an Gründlichkeit und Deutlichkeit alles übertreffen, was wir über diese Materie von unsern Nachbarn in ihrer Sprache lesen können. Applicatur, und die verschiedenen Arten derselben, Gebrauch des Bogens, Ausdruck, kurz alles was einen guten Violinspieler macht, ist mit aller Treue und Genauigkeit in dem genannten Mozartischen Werke gelehrt. Es ist außerdem sauber und schön gedruckt; und vielleicht kann dieses, außer der eigenthümlichen Brauchbarkeit des Buches, einigermaßen zum Lesen ermuntern, wenn es die Sprache des Herrn Verfassers nicht immer thun sollte. Er ist ein gebohrner Augsburger, und stehet als Hofcomponist und Concertmeister in Hochfürstl. Salzburgischen Diensten.

Johann Joachim Quantz, der Flötenmeister Friedrichs des Großen, hatte seine Flötenschule schon 1752, also vor Leopold Mozarts *Violinschule*, veröffentlicht. Beide Werke sind nach 200 Jahren noch hochgeschätzt.

Am 12. September, Mariae Namensfest, besuchen die Mozarts Dr. Ignaz Parhamer, den geistlichen Direktor des Waisenhauses auf dem Rennweg, Vorstadt Landstraße.

Parhamer bekleidete diese Stellung seit 1759. Im Sommer 1768 war erst der Grundstein für die Kirche des Waisenhauses gelegt worden, im Beisein des Kaisers und der Mozarts.

Leopold Mozart an Kaiser Joseph II., Wien, 21. September 1768
SPECIES FACTI.

Nachdem viele des hiesigen Adels, so wohl durch auswärtige Nachrichten als durch eigene Untersuchung und angestellte Proben von dem ausserordentlichen Talente meines Sohnes überzeugt waren; so wurde es durchgehends als eine der bewunderungswürdigsten Begebenheiten dieser und der vorigen Zeiten angesehen, wenn ein Knab von 12 Jahren eine Opera schreiben, und selbst dirigiren sollte. Eine gelehrte Schrift aus Paris bestärkte diese Meinung, indem solche, nach einer ausführlichen Beschreibung der Genie meines Sohnes behauptet: *es wäre kein Zweifel, dieses Kind werde in einem Alter von 12 Jahren auf einem oder dem anderen Theater Italiens eine Opera schreiben*; und iedermann glaubte ein Deutscher müsste solch einen Ruhm nur seinem Vatterlande vorbehalten. Ich wurde hiezu einhellig aufgemuntert; Ich folgte der allgemeinen Stimme, und der Holländische Minister H. Graf von Degenfeld war der erste, welcher dem Theater-impressario Affligio den Vorschlag machte; weil ihm die Fehigkeit des Knaben schon in Holland sattsam bekannt ware. Der Sänger Carattoli war der zweyte, der es dem Affligio vortrug; und die Sache wurde bey dem Leibmedico Laugier in Gegenwart des jungen Baron van Swieten und der zween Sänger Carattoli und Caribali mit dem Impressario beschlossen, um so mehr, als alle, sonderbar aber die 2 Sänger mit größtem Ausdruck behaupteten, dass eine auch sehr mittelmäßige Musik von einem so jungen Knaben wegen dem außerordentlich wunderbaren, und schon um dieses Kind im Orchester beym Clavier sein Werk dirigiren zu sehen, die ganze Statt ins Theater ziehen müsse. Ich liess also meinen Sohn schreiben.

Sobald der erste Act fertig war, bath ich den Carattoli solchen zu hören und zu beurtheilen, um mich sicher zu stellen. Er kam, und seine Verwunderung war so gross, dass er gleich den folgenden Tag wieder bey mir erschien, und den Caribaldi mit sich brachte. Caribaldi, nicht weniger erstaunt, führte ein paar Tage darauf den Poggi zu mir. Alle zeigten einen so ungemeinen Beyfahl, dass sie alle, auf mein wiederhohltes fragen: *ob sie wohl glaubten dass es gut wäre? — ob sie dafür hielten, daß er fortfahren sollte?* — sich über mein Misstrauen ärgerten, und öfters mit vieler Bewegung ausrufften: cosa? — come? questo è un portento! questa opera andera alle Stelle! è una maraviglia! — non dubiti, che scrivi avanti! — &c.: sammt einer Menge anderer Ausdrücke. Das nämliche sagte mir nach der Hand Carattoli in seinem aigenen Zimmer.

Durch den Beyfall der Sänger eines erwünschten Erfolges versichert ließ ich meinen Sohn in der Arbeit fortfahren; bath aber auch den Leibmedicum Logier mit dem Impressario der Bezahlung halber in meinem Nahmen Richtigkeit zu machen. Es geschahe; *und Affligio versprach 100 Duccaten.* Um nun meinen theuern Aufenthalt in Wienn zu verkürzen, machte ich damals den Antrag, daß die Opera noch vor der Abreise Sr. Majestät nach Hungarn aufgeführt werden möchte; allein einige Abänderungen, die der Poet im Texte zu machen hatte, hemmten die Composition; und Affligio erklarte sich, daß er solche auf die Zurückkunft Sr. Majestät wolle aufführen lassen.

Nun lag die Opera schon einige Wochen fertig. Man fieng zu Copieren an; und der erste Act wurde den Sängern, gleich darauf auch der Zweyte ausgetheilt: da unterdessen mein Sohn ein und andere Arie, ja so gar das Finale des ersten Acts bey verschiedenen Gelegenheiten der Noblesse beym Clavier produciren musste, welches von allen bewundert ward, davon bey H: Fürsten von Kauniz Affligio selbst ein Augen und Ohrenzeug ware. Nun sollten die Proben ihren Anfang nehmen. Allein, — wie hätte ich dieses vermuthen sollen! hier nahmen auch die Verfolgungen gegen meinen Sohn ihren Anfang.

Es geschieht sehr selten, dass eine Opera gleich bey der ersten Probe vollkommen gut ausfallen, und nicht hin und wieder eine Abänderung leiden sollte. Eben desswegen pflegt man anfangs bey dem Flügl allein, und bis nicht die Sänger ihre Parthien, besonders die Finale wohl zusammenstudiert haben, niemals mit allen Instrumenten zu probiren. Doch hier geschahe gerade das Gegentheil. Die Rollen waren noch nicht genug studiert, es war keine Probe der Sänger beym Clavier gemacht, die Finale nicht zusammenstudiert, und dennoch nahm man die Probe des ersten Acts mit dem ganzen Orchester vor, um nur der Sache gleich anfangs ein geringes und verwirrtes Ansehen zu geben. Niemand, der zugegen war, wird es eine Probe nennen ohne darüber zu erröthen; und das lieblose betragen derjenigen, denen es ihr Gewissen sagen wird, will ich nicht anführen. Gott mag es ihnen verzeihen.

Nach der Probe sagte mir Affligio: es *wäre gut; doch, da ein und anderes zu hoch wäre, so müsste da und dort einige Veränderung gemacht werden: Ich möchte nur mit den Sangern sprechen; und da Se: Majestät schon in 12 Tägen hier wären, so wollte er die Opera in 4 oder längstens 6 Wochen aufführen, damit man Zeit hätte alles in gute Ord-nung zu bringen. Ich sollte mich darüber gar nicht aufhalten; er sey Mann von seinem Worte, und werde in allem sein Versprechen halten; es wäre nichts neues; auch bey andern Opern giengen Abanderungen vor &c.*

Es wurde demnach dasjenige, was die Sänger verlangten, abgeändert, und in den ersten Act zwo neue Arien gemacht: unterdessen aber im Theater *la Caschina* aufgeführt. Nun war die bestimmte Zeit verflossen, und ich hörte Affligio hätte abermahl eine andere Opera austheilen lassen. Es gieng so gar die Rede: Affligio werde die Opera gar nicht aufführen, er hätte sich verlauten lassen, *die Sänger könnten solche nicht singen:* die es doch selbst vorhero nicht nur gut geheißen, sondern bis in den Himmel erhoben hatten.

Um mich auch wider dieses Geschwätz sicher zu stellen musste mein Sohn bey dem jungen Baron van Swieten in Gegenwart des H. Grafen von Spork, des Duca de Braganza und anderer Musikverständigen die ganze Opera beym Clavier producieren. Alle verwun-derten sich höchstens über das Vorgehen des Affligio und der Sänger; alle waren sehr geriert und erklärten sich einhellig, daß ein so unchristliches unwahrhaftes und bosshaftes Vorgeben nicht zu begreifen wäre; dass sie diese Opera mancher italiänischen vorzögen, und dass, statt ein solches himmlisches Talente zu ermuntern ein Cabal dahinter stecke, welches sichtbarlich nur dahin abziehle dem unschuldigen Knaben den Weeg zu seiner verdienten Ehre und Glück abzuschneiden.

Ich begab mich zum Impressario die wahre der Sachen Beschaffenheit zu erfahren. Dieser sagte mir: *Er wäre niemals dagegen die Opera aufzuführen; ich werde es ihm aber nicht verdenken, wenn er auf sein interesse sehe; man hätte ihm einigen Zweifel beygebracht, dass solche vielleicht nicht gefallen möchte; er habe die Caschina, und wolle nun auch die Buona figliuola probiern lassen, dann aber gleich des Knaben Opera aufführen: sollte sie nun nicht, wie er wünschte, gefallen, so wäre er wenigst schon mit zwo andern Opern ver-sehen.* Ich schützte meinen bereits langen Aufenthalt vor, und dessen Verlängerung. Er erwiederte: *Ey was! 8 Täge mehr oder weniger, ich lasse es dann gleich vornehmen.* Bey diesem blieb es nun. Des Carattoli Arien waren geändert; mit Caribaldi alles richtig ge-macht; desgleichen mit Poggi und Laschi &c.: ieder versicherte mich öfter ins besondere: *er hätte nichts einzuwenden; alles käme lediglich auf den Affligio an.* Entzwischen verfloss mehr als ein Monat. Der Copist sagte mir er hätte noch keine Ordre die veränderten Arien abzuschreiben; und da ich bey der Hauptprobe der *buona figliuola* vernahm, Affli-gio wollte wieder eine andere Opera vornehmen, stellte ich ihm selbst zur Rede. Hierauf gab er in meiner und des Poeten Coltellini Gegenwart dem Copisten Befehl, dass alles in zween Tägen ausgetheilt, und die Opera längstens in 14 Tagen mit dem Orchester pro-biert werden solle.

Allein die Feinde des armen Kindes (wer sie immer sind) haben es abermahl hintertrieben. Den nämlichen Tag bekam der Copist Befehl mit dem Schreiben einzuhalten: und in einem paar Tage darauf erfuhr ich, — Affligio hätte nun beschlossen die Opera des Kna-ben gar nicht aufs Theater zu geben. Ich wollte Gewissheit der Sache haben; gieng zu ihm, und erhielt den Bescheid: *Er hätte die Sänger zusamberuffen, diese gestünden zwar ein, dass die Opera zwar unvergleichlich componirt, aber nicht Theatralisch wäre, und folglich von ihnen nicht könnte aufgeführt werden.* Diese Rede war mir ganz und gar unbegreiflich. Denn sollten wohl die Sänger es wirklich wagen dasjenige ohne schamroth zu werden zu verachten, was sie vorher bis an die Sterne erhoben, zu welchem sie den Knaben selbst aufgemuntert, und was sie dem Affligio selbst als gut angepriesen haben? — — Ich antwortete ihm: *er könne nicht verlangen, dass der Knab die grosse Mühe eine Opera zu schreiben umsonst unternohmen habe. Ich erinnerte ihn seines Accords; ich gab ihm zu verstehen, dass er uns vier Monate herumgezogen, und uns in mehr als 160 Duccaten Unkösten gebracht. Ich erinnerte ihn der von mir versaumten Zeit, und versicherte ihn, dass ich mich so wohl der 100 Duccatten, die er mit dem Leibmedico Laugier accordirt hatte, als übrigen Unkösten halber an ihn halten werde.* Auf diese meine billige Forderung ertheilte er mir eine unverständliche Antwort, die seine Verlegenheit verrieth, mit der er sich, weis nicht wie, von der ganzen Sache loszumachen suchte, bis er endlich mich in den schändlichst lieblosen Ausdrücken verliess: *wen ich den Knaben wollte* prostituirt *haben, so werde er die Opera belachen und auspfeiffen lassen.* Coltellini hörte dieses alles. Dieses wäre also der Lohn, der meinem Sohne für seine grosse Bemühung eine Opera zu schreiben *(davon sein Original 558 Seiten beträgt)* für die versäumte Zeit und die gemachten Unkösten angebothen wird? — — und wo bliebe endlich, was mir am meisten am Herzen lieget, die Ehre und der Ruhm meines Sohnes, da ich es nun nicht mehr wagen darf auf die Vorstellung der Opera zu dringen, nachdem man mir deutlich genug zu verstehen gegeben hat, dass man sich alle Mühe geben würde solche elend genug zu produciren; da man ferner bald vorgiebt, die Composition seye nicht zu singen, bald, sie seye nicht Theatralisch, bald, es seye nicht nach dem Texte, bald er wäre nicht fähig gewesen eine solche Musik zu schreiben und was derley alberns und sich selbst widersprechendes Geschwätz immer ist, welches doch alles bey einer genauen Untersuchung der musikalischen Kräften meines Kindes, um welches ich hauptsächlich zu seiner Ehre angelegentlichst und allerunterthänigst bitte, zur Schande der neidischen und ehrenrauberischen Verleumder wie ein Rauch verschwinden, und iederman überzeugen wird, dass es lediglich dahin abziehle, ein unschuldiges Geschöpf, dem Gott ein ausserordentliches Talent verliehen, und welches andere Nationen bewundert und aufgemuntert haben, in der Hauptstatt seines Deutschen Vatterlandes zu unterdrücken und unglücklich zu machen.

Original in der Universitäts-Bibliothek Glasgow (Zavertal Collection). — Nissen, S. 145 ff. Getreuer Abdruck in Henry George Farmer und Herbert Smith, *New Mozartiana*, Glasgow 1935, S. 113—119 (s. auch S. 16—23). — Das Konzept ist undatiert, aber aus Leopold Mozarts Brief an Hagenauer vom 24. September (Ludwig Schiedermairs Ausgabe der Mozart-Briefe, München und Leipzig 1914, IV. 287) ist zu ersehen, daß er dem Kaiser am 21. in einer Audienz die Reinschrift überreicht hat. Der Anlaß zu dieser erfolglosen Eingabe war der Wunsch des Kaisers Joseph II., daß Wolfgang eine italienische Oper für Wien schreibe. Marco Coltellini bearbeitete ein Libretto von Carlo Goldoni, *La finta semplice*, das Wolfgang zwischen April und Juni komponierte (KV 51). Der neue Pächter des Burg- und des Kärntnertor-Theaters, der skrupellose Giuseppe Affligio, vereitelte aber die Aufführung (vgl. Leopold Mozarts Brief an Lorenz Hagenauer vom 30. Dezember 1768). — Die „gelehrte Schrift aus Paris" war Grimms offener Brief vom 15. Juli 1766. — Degenfeld war Gesandter in Wien. — Der Buffobaß Francesco Coratoli, der Tenor Gioacchino Garibaldi, Domenico Poggi und Signor Laschi (der Vater der ersten Zerline) gehörten zu den Sängern, für die Wolfgang die Partien seiner Erstlingsoper geschrieben hatte (vgl. 1. V. 1769). — Alexander Ludwig Laugier war kaiserlicher Leibmedikus; Gottfried van Swieten, der später in Mozarts Leben eine große Rolle spielte, war der musikalisch interessierte Sohn des berühmten Leibarztes, damals beurlaubt vom diplomatischen Dienst. — Der Kaiser reiste Mitte April nach Ungarn, kam aber noch vor dem Sommer zurück. — Wenzel Fürst Kaunitz-Rietberg war der Staatskanzler. — *La Cecchina* war ein anderer Titel für Nicola Piccinnis erfolgreiche Oper *La buona figliuola*, damals (am Burgtheater) wieder aufgeführt, nicht aber die Fortsetzung, *La buona figliuola maritata*. — Graf Johann Wenzel Sporck war General-Spektakel-Direktor, konnte aber dem Unternehmer Affligio wenig anhaben.

Der Herzog Johann Carl von Braganza, der die königliche Familie von Portugal verlassen hatte, lebte damals im Exil zu Wien. — Mit diesem Dokument hängt offenbar Leopolds Liste der Jugendwerke Wolfgangs zusammen, die Mozarts Schwester am 4. August 1799 an den Leipziger Verlag Breitkopf & Härtel schickte und die später in die Bibliothek des Pariser Conservatoire gelangte (abgedruckt bei Nissen, Anhang, S. 3 ff., und in Köchel-Einstein, S. XXIV f.).

Im September oder Oktober 1768 wird Wolfgangs einaktiges deutsches Singspiel *Bastien und Bastienne* (KV 50), das im Spätsommer entstand, bei Dr. Anton Mesmer aufgeführt.

Alfred Orel hat in der *Schweizerischen Musikzeitung*, Zürich, April 1951, Zweifel darüber ausgesprochen, daß dieses Werk damals schon vollendet war; tatsächlich sind die Secco-Rezitative zu den ersten Szenen erst später, für eine geplante Aufführung in Salzburg geschrieben worden. Jedenfalls ist das Singspiel nicht auf dem Gartentheater des Magnetiseurs gegeben worden, das noch nicht bestand, sondern in seinem Hause, wahrscheinlich in einem Garten-Pavillon, in der Rauchfangkehrer- (heute Rasumofsky-) Gasse der Vorstadt Landstraße. — Der Text von Friedrich Wilhelm Weiskern (1764) war eine Übersetzung des Librettos von Jean-Jacques Rousseaus *Le Devin du Village* (1752).

Aus dem «Wienerischen Diarium», 10. Dezember 1768

Mittwochs den 7ten geruheten Ihre kais. königl. Majest., in das Waisenhaus auf dem Rennweg sich zu erheben, um allda in der neu erbauten Kirche der ersten feyerlichen Einsegnung, und Gottesdienste beyzuwohnen ... Die ganze Musik des Waisenchor bey dem Hochamte wurde von dem wegen seinen besonderen Talenten bekannten Wolfgang Mozart 12. jährigen Söhnlein des in fürstlich salzburgischen Diensten stehenden Kapellmeisters Hr. Leopold Mozart, zu dieser Feyerlichkeit ganz neu verfasset, mit allgemeinem Beyfalle und Bewunderung, von ihm selbst aufgeführt, mit der größten Richtigkeit dirigiret, und nebst deme auch die Motetten gesungen.

Vor dem Festtage der unbefleckten Empfängnis wurde die neue, aber noch unvollendete Kirche „Mariae Geburt" eingeweiht. Maria Theresia und der Wiener Erzbischof, Christoph Bartholomäus Anton Graf Migazzi, waren anwesend. Die Kaiserin begleiteten vier ihrer Kinder, darunter die Erzherzoge Ferdinand und Maximilian. Drei neue, aber wahrscheinlich verschollene Werke von Wolfgang wurden aufgeführt: eine Messe, ein Offertorium und ein Trompeten-Konzert (KV 47a—c). Weihbischof Franz Anton Marxer zelebrierte das Hochamt.

Aus den «Priorats-Ephemeriden», Melk, 28. Dezember 1768

Hora sexta advectus erat Dominus Mozart cum conjuge sua, cum filia, et celebratissimo duodenni filio iam insigni compositore, et organedo laudatissimo pro quibus foris prandium paratum erat serviente R. D. regente chori. Ad coenum Reverendissimus Dominus Dominus Abbas etiam accessit, qui et me P. Priorem ad eam adhibuit, invitavit. Interfuit quoque Admodum Reverendus Dominus Parochus ex Heinrichstein [?].

Archiv Stift Melk. — Von P. Edmund Kummer Dr. E. F. Schmid mitgeteilt. — Der Abt war Urbanus Hauer, der Prior Petrus Boratzky, der Regenschori Robert Kimmerling. — Das genaue Datum der Abreise von Wien, Ende Dezember, ist unbekannt.

Aus den « Priorats-Ephemeriden », Melk, 29. Dezember 1768

Hora 7.15 Dominus Mozart (Maestro di capella à Salzburg) cum suis hoc discessit, Lincium versus, equis 4 veredariis vectus.

Archiv Stift Melk.

Im Dezember erscheinen zwei deutsche Lieder von Wolfgang (KV 53 und 52) bei Rudolf Gräffer, Wien, in der *Neuen Sammlung zum Vergnügen und Unterricht: An die Freude* (Text von J. P. Uz) und *Daphne, deine Rosenwangen* (Nr. 11 aus *Bastien und Bastienne*, mit geändertem Text).

Diese von Christian Gottlob Stephanie d. Ä. herausgegebene Jugendzeitschrift erschien ohne Datum.

1769

Auf der Heimreise über Linz halten sich die Mozarts am 4. Januar 1769 wieder im Benediktiner-Stift Lambach bei Wels auf (?).

Der Besuch in Lambach wird angenommen, weil dort eine Abschrift der Anfang 1768 in Wien komponierten Sinfonie KV Anh. 221 (Köchel-Einstein 45ª) in Stimmen liegt, mit der Aufschrift: „Dono Authoris 4ᵗᵃ Jan. 769". — Vgl. 12. IX. 1767 und 27. (28.) X. 1783.

Am 5. Januar 1769 kommt die Familie, die am 11. September 1767 abgereist war, nach Salzburg zurück.

AUS DEM SCHREIBKALENDER DES P. DOMINIKUS HAGENAUER, SALZBURG, 5. JANUAR 1769

Hodie a Vienna venit D. Mozart cum uxore et liberis postquam per annum et 4tuor menses ibidem fuit.

Cajetan Hagenauer war der Sohn des Hausherrn der Mozarts. Dieser Jugendfreund Wolfgangs war 1746 geboren, 1764 als P. Dominikus in das Benediktiner-Kloster St. Peter in Salzburg eingetreten und wurde 1786 Abt des Stiftes. Dort ist sein Kalender von 1769 aufbewahrt (Stiftsarchiv, Ms. A 166, fol. 484—526), dessen Mozart betreffende Stellen von Sigismund Keller 1873 in den *Monatsheften für Musikgeschichte* (V, 122 ff.) veröffentlicht worden sind. Orthographisch verbessert von Romuald Bauerriß in den *Studien und Mitteilungen zur Geschichte des Benediktiner-Ordens und seiner Zweige*, Band 57, München 1939, S. 71 f. Das Original wurde erst 1943 von Franz Martin wiedergefunden und die Mozartstellen von Herbert Klein 1957 revidiert.

AUS HAGENAUERS SCHREIBKALENDER, 5. FEBRUAR 1769

Hora 9na in Colegio Reverendissimus solennem Myssam celebravit in praesentia Celsissimi. Musica in Myssa fuit composita a D. Wolfgango Mozart, iuvene 13im annorum.

Die *Missa brevis* (KV 65), komponiert am 14. Januar, wurde bei dem feierlichen Beginn des vierzigstündigen Gebets in der Universitäts-(Kollegien-)Kirche aufgeführt.

SINNGEDICHT ZUR EHRE DES HERRN WOLFGANG MOZART.

[2. März 1769]

Es hatte die Natur der alten Dichter Träume
mit Ekel lang genug geduldig angehört:
bald wenn ein Orpheus die Thiere, Felsen, Bäume
auf seiner Lauten Schall entzückt zu tanzen lehrt;

bald läßt sich ein Apoll dort auf die Erde nieder,
wenn von dem Göttersitz ihn seine Schuld verbannt,
und als verstellter Hirt macht er die ersten Lieder
bey seiner Lämmer Schaar den Sterblichen bekannt;
bald muß Mercurs Gesang den Argus schläfrig machen,
der für die schöne Kuh mit hundert Augen wacht.
Gedichte, Fabelwerk, ein Chaos seltner Sachen,
ein eitles Hirngespinst der schlafelosen Nacht,
gelehrte Mißgeburt, die oft bey freyen Stunden
des Dichters leichter Geist in seiner Hitz' gebar,
zum Trotze der Natur, zum Scherze nur erfunden,
womit das dumme Volk selbst gern geäffet war.
So überstieg der Mensch durch frevelndes Erfrechen
die Ordnung der Natur, die dieser Schimpf verdroß,
und um den kühnen Stolz mit gleicher Art zu rächen,
ein neues Wunderwerk zu schaffen sich entschloß.

Da, wo der Salzastrom aus finstern Klippen eilet,
wo er das flache Land mit reiner Fluth begrüßt
und dem beglückten Ort die schöne Stadt vertheilet,
die sich jetzt eine Burg von dessen Namen heißt,
ließ die Natur ein Kind des Tages Licht betreten,
ein Kunststück ihrer Hand, ein wundervolles Kind,
durch dessen Fähigkeit die Fabeln der Poeten,
die man mit Recht verlacht, Geschichten worden sind.
O Knab'! dein edler Geist hat dich so weit erhoben,
daß mein zu schwacher Kiel von dir nur niedrig spricht;
ja! soll man deinen Werth, wie du verdienest, loben,
so hält die Nachwelt doch den Ruhm für ein Gedicht.
Wer glaubte, daß ein Kind sogar mit sieben Jahren
schon in der Musik-Kunst den ersten Meistern gleicht?
daß, was kaum Wenige durch langen Fleiß erfahren,
statt eitlem Kinderspiel dein früher Trieb erreicht?
Doch nein! der schnelle Ruf, der Lohn so seltner Gaben,
hat deinen Namen schon der ganzen Welt geweiht,
die Proben deiner Kunst, so ferne Völker haben,
verkünden deinen Ruhm der späten Ewigkeit.
Mit dir hat die Natur die Gränzen überschritten,
die Häupter dieser Welt erkennen deinen Werth:
der Deutsche, der Franzos', der tiefe Sinn der Britten
sind stolz auf den Besuch, mit dem du sie beehrt;
sie preisen jenes Land, so dich der Welt geboren,
und deiner Vaterstadt beneiden sie das Glück;
sie klagen, daß sie dich bald wiederum verloren
und denken noch entzückt auf deine Kunst zurück.
Der Zufall gönnte mir die Ehre dich zu kennen,
Und dein belebter Geist nahm mich gleich Andern ein:

du würdigtest dich gar, mich deinen Freund zu nennen.
mein Wolfgang, könnt' ich doch bey dir noch länger seyn!
Ich wünsche dir (darf ich noch meinen Wunsch beyfügen)
nur die Unsterblichkeit, sie ist dein Eigenthum.
Ja! wärst du doch, mein Freund, den Eltern zum Vergnügen,
die deiner würdig sind, unsterblich wie dein Ruhm!
Ergebener Diener und Freund
Christoph von Zabuesnig, von Augsburg,
als Durchreisender.

Salzburg den 2. März [1769]

Nissen, S. 153 f. Jahn, II, 717 f. (ohne Quellenangabe) — Johann Christoph v. Zabuesnig (1747 bis 1827) war ein Kaufmann aus Augsburg, der damals in Salzburg zu Besuch war. Er hat sich mehrfach als Poet und Schriftsteller versucht. Vgl. 21. X. 1777.

LEOPOLD MOZARTS GESUCH AN DEN FÜRSTERZBISCHOF, ANFANG MÄRZ 1769

Ihro Hochfürstl. Gnaden / Hochwürdigst Hochgebohrner des Heil. Röm. / Reichs Fürst, / Gnädigster Lands Fürst und / Herr!

Euer Hochfürstl. Gnaden etc. hatten zwar letzthin die Höchste Gnade mir gnädigst zu erlauben mich mit den meinigen noch einige Monat länger in Wienn aufhalten zu dörffen; doch befahlen auch Höchstdieselben mir bis zu meiner Zurückkunft die Besoldung zurückzuhalten: Da nun aber dieser mein Aufenthalt in Wienn wieder meinen Willen, und zu meinem Schaden ausgefahlen, ich auch zu handhabung meiner und meines Kindes Ehre Wienn nicht eher verlassen konnte, und noch überdas so wohl ich als mein Sohn Verschiedenes, für die Kirche, sonderheitlich zum Gebrauch der Hochf: Domkirche, verfertiget haben. Als gelanget an Euer Hochfürstl. Gnaden mein gehorsammstes Bitten nicht nur wegen Ausbezahlung des verflossenen Monats, sondern auch aus besonderer Höchsten Gnade, auch den allergnädigsten Befehl ergehen zu lassen, damit mir auch das Zuruckbehaltene möchte ausgefolget werden. So größer nun diese Gnade ist; um so mehr werde mich bestreben solcher mich würdig zu machen, und Gott für das Wohl Euer Hochfürstl. Gnaden zu bitten: Da mich hiemit zu diesen als allen andern Hochf: Gnaden mit meinen Kindern demütigst empfehle
Euer Hochfürstl. Gnaden
meines gnadigsten Lands Fürsten
und Herrn

unterthanigst gehorsammster
Leopold Mozart m. p.
Vice Capellmeister.

Beilage.
Des H: Mozard Besoldung pr: 28fl. worvon aber wegen der Instruction in Capellhaus 3fl. schon einem andern ertheilet worden samt dem Weingeld pr: 4 fl. 30 kr. seynd in April ao. 1768 abgeschriben worden. dises zur gehorsamer nachricht. Actum den 8. Martii ao. 1769.

Joseph Ignati Schwarz m. p.
Hofzahlamts Adjunct alda.

[Außen:] (pro nota: de prioribus ware nicht erfündlich.)

An / S. Hochfürstl. Gnaden / Erzbischoffen zu Salzburg etc. / unterthänigst gehorsamstes Bitten / mein Leopold Mozart Hochfürstl. Vice Capellmeisters / Um die besondere Höchste / Gnade / die gnädigste Bewilligung / des Ersatz der einige Monate / zurückbehaltenen Besoldung / betreffend.

[Erledigung.] Ex Decreto Celsissimi Principis 8. Marty 1769.

Hof Camer. ist dem Supplicanten die Besoldung für die Monate Jenner und February Verabfolgen zu lassen.

　　　　　In consilio camerae, den 10ten Merzen 1769.
　　　　　Secretario v. Mayregg asogleich zu behändigen.
　　　　　In consilio Camerae den 8. Eiusdem. Bscheid in Decret.

Salzburger Landesarchiv. (Ein Konzept des Dekrets vom 8. März liegt dem Akt bei.) — Pirkmayer, a. a. O. (1876), S. 19 f. — Vgl. 18. März 1768 und Leopolds Briefe an Hagenauer vom 30. März und vom 11. Mai 1768. — Vater Mozart hatte schon seit 1762 seine Nebenbeschäftigung als Violinlehrer im Salzburger Kapellhaus Herrn Wenzel Hebelt überlassen und hatte sich in Wien damit abgefunden, daß sein Gehalt als Vizekapellmeister vorläufig eingestellt war, d. h. auf die Dauer der Überzeit seines Urlaubs.

PROGRAMM DER URAUFFÜHRUNG DER «FINTA SEMPLICE», SALZBURG,
1. MAI 1769 (?)

La Finta Semplice Dramma Giocoso per Musica
Da rappresentarsi in corte per ordine di S. A. Reverendissima
Monsignor
Sigismondo Arcivescovo
e Prencipe
di Salisburgo.
Prencipe del S. R. I.
Legato Nato della S. S. A.
Primate della Germania e dell antichissima famiglia
dei conti di SCHRATTENBACH. etc. etc.
Salisburgo Nella Stamperia di Corte 1769.
Personaggi.

Fracasso, Capitano Ungarese
　Il Sig. Giuseppe Meisner.
Rosina Baronessa Sorella di Fracasso, la quale si finge Semplice
　La Sig. Maria Madalena Haydn.
Giacinta, sorella di Don Cassandro
e Don Polidoro
　La Sig. Maria Anna Braunhofer.

Ninetta Cameriera
　La Sig. Maria Anna Fösomair.
Don Polidoro Gentiluomo sciocco
Fratello di Cassandro
　Il Sig. Francesco Antonio Spizeder.
Don Cassandro Gentiluomo sciocco
ed Avaro Fratello di Polidoro
　Il Sig. Giuseppe Hornung.
Simone Tenente del Capitano
　Il Sig. Felice Winter.

Tutti in attual servizio di S. A. Reverendissima etc.
La Musica è del Signor Wolfgango Mozart in Età di Anni dodici.

Jahn I, 108 f. — Zum Namenstag des Fürsterzbischofs wurde die für Wien geschriebene Oper (s. 21. Sept. 1768) nun in Salzburg bei Hof gegeben. Da der Erzbischof aber — laut dem Tagebuch des Abtes Beda Seeauer — damals in Hallein weilte, scheint das Datum der Aufführung fraglich zu sein. Die

Sänger waren — richtig geschrieben — Meißner, Frau Haydn (geb. Lipp), die Fräulein Braunhofer und Fesemayer (später Frau Adlgasser), die Herren Spitzeder, Hornung und Winter.

Aus dem Trauungsbuch der Dompfarre Salzburg, 19. Juni 1769

Junius 19, in
eccl[esia] SS: [Sanctissimi]
Corp[oris] X [Chris]ti

In Eadem SS. Corp: Xti ecclesia de l[i]c[en]tia Rdmi [Reverendissimi] D. Directoris Consistorialis oretenus mihi insinuata nuptias celebrarunt:

Sponsus: Nob[ilis] et artificiosissimus D. Caietanus Antonius Adlgasser Hof-Cembalist-Compositeur et Hof-Organist, viduus:

Sponsa: Nob[ilis] Pudica et Virtuosissima Virgo Maria Anna, Honesti Matthiae Fesemayr Hofstallers, et Mariae Theresiae Rauscherin conjugum amb[orum] viv[orum] fil[ia] leg[itima], HofSingerin.

Min[ister] ass[istens]: Leopoldus Lamprecht Capellanus civicus.

Testes: Nob[iles] DD. Nicolaus Strasser Hochf[ürstlicher] Secretarius und Hof-Raths-Registrator: Leopoldus Mozart Hochf. Vice-Capell-Maister cum filio suo Wolfgango Sponsae Paranympho: Josephus Nicolaus Meissner et Antonius Spizeder ambo Aulae Musici Virtuosi.

Mitgeteilt von Dr. Herbert Klein. — Die Corpus-Christi-Bruderschafts-Kirche in der Kaigasse besteht nicht mehr. Der Brautführer (paranymphus sponsae) wurde sonst nicht in den Trauungsbüchern genannt. Der kopulierende Geistliche ist derselbe, der Wolfgang getauft und der am 3. Januar 1769 ein Zeugnis über seine Geburt ausgefertigt hatte. — Daß Wolfgang, damals 13 Jahre alt, als Trauzeuge fungierte, ist schon in Schenks Mozart-Biographie, Wien 1955, S. 39 erwähnt. — Adlgasser war in erster Ehe mit Maria Eberlin, in zweiter mit Maria Barbara Schwab vermählt gewesen. Zu Maria Anna Fesemayer, seiner dritten Frau, siehe 12. März 1767.

Aus dem Salzburger Gymnasial-Protokoll, 6. August 1769

1769. 6. August Dom[inica] Menstrua. Ad noctem musica Ex. D. P. Prof. Logices ab adolescentulo lectissimo Wolfg. Mozart composita.

Salzburger Landesarchiv. — Hammerle, a. a. O., S. 8. — Die Musik war vermutlich die Serenade in D (KV 100), im Sommer 1769 entstanden. — Professor der Logik war damals P. Rufinus Widl. (s. 13. Mai 1767).

Aus Hagenauers Schreibkalender, 6. August 1769

Hodie fuit musica finalis DD. Logicorum composita a Wolfgango Mozart juvene.

Siehe die vorige Anmerkung.

Aus dem Salzburger Gymnasial-Protokoll, 8. August 1769

1769. 8. August. Martis. Vacatio. Musica DD. Physicorum ab eodem adolescente facta.

Hammerle, a. a. O., S. 8. — Die Musik war vermutlich das Divertimento in G (KV 63), im Frühjahr 1769 entstanden.

Aus Hagenauers Schreibkalender, 8. August 1769

Hodie fuit musica finalis DD. Physicorum etiam a Wolfgango Mozart composita.

Aus Leopold Mozarts «Vorbericht» zur zweiten Auflage seiner «Violinschule», 24. September 1769

... Allein, da die erste Auflage dieses Buches seit fünf Jahren sehr rar geworden, und schon fast vor drey Jahren völlig verkauft war; wird man nicht wegen der späten Herausgabe der zweyten Auflage etwa meine Entschuldigung erwarten? wird man nicht die Ursache dieser Verzögerung zu wissen verlangen? — — Ich war nämlich seit 1762. sehr wenig zu Hause. Das außerordentliche musikalische Talent, mit welchem der gütige Gott meine zwey Kinder in voller Maase gesegnet, war die Ursache meiner Reise durch einen großen Theil *Deutschlandes*, und meines sehr langen Aufenthalts in *Frankreich, Holland* und *Engelland* etc. etc. Ich könnte hier die Gelegenheit ergreifen das Publicum mit einer Geschichte zu unterhalten, die vielleicht nur alle Jahrhundert erscheinet, und die im Reiche der Musik *in solchem Grade des Wunderbaren* vielleicht gar noch niemal erschienen ist; ich könnte das wunderbare Genie meines Sohnes beschreiben; dessen unbegreiflich schnellen Fortgang in dem ganzen Umfang der musikalischen Wissenschaft von dem fünften bis in das dreyzehende Jahre seines Alters umständlich erzehlen; und ich könnte mich bey einer so unglaubigen Sache auf das unwidersprechliche Zeugniß vieler der größten Musikmeister, ja so gar auf das Zeugniß des Neides selbst beruffen. Da ich aber nur einen kleinen Vorbericht, und nicht eine umständliche Geschichte hier zu schreiben habe; so hoffe nach meiner Zurückkunft aus Italien, wohin ich nun unter dem Schutz Gottes zu reisen gedenke, das Publicum nicht nur mit dieser Geschichte zu unterhalten, sondern auch dasjenige in Erfüllung zu bringen, wovon ich schon in der ersten Auflage am Ende der Violinschule §.22. etwas gemeldet habe.

Auch diese Auflage erschien bei Lotter in Augsburg. Was Vater Mozart am Schlusse dieses Absatzes sagt, bezieht sich auf eine Bemerkung am Ende der ersten Auflage (S. 264), wo er davon sprach, daß er vielleicht später dieser Schule für „*Anfänger*" eine für „*Concertisten*" folgen lassen werde. Es kam weder dazu noch zu der geplanten Geschichte seines Wunderknaben. Aus der Sorgfalt, mit der Vater Mozart die Familienbriefe sammelte, auch von Sohn und Tochter aufbewahren ließ, kann man darauf schließen, daß er den Gedanken an eine Biographie Wolfgangs nie aufgegeben hat.

Johann Adolph Hasse an Giovanni Maria Ortes in Venedig

Vienna 30 Settbre 769.

Ho fatto qui conoscenza con un tal Mr: Mozard, Maestro di Capella del Vescovo di Salisburgo, Uomo di spirito, fino, e di mondo; e che credo sappia ben il fatto suo si nella Musica, come in altre cose. Questo ha una figlia, ed un figlio. La prima suona molto bene di Cimbalo, ed il secondo, che non deve aver che dodici, o 13 anni, fa in tal età il Compositore ed il Maestro di Musica. Ho veduto le composizioni che devon essere sue, che certamente non sono cattive e nelle quali non ho trovato un ragazzo di dodici anni; e non oso quasi dubitar che non siano sue, mentre avendolo in varie maniere provato sul Cimbalo, mi ha fatto sentire cose, che han del portentoso in quell'età, e che potrebbero essere ammirabili anche in uomo formato. Ora il Padre volendolo condur in Italia per farlo conoscere, ed avendomi ciò scritto, domandandomi nell'istesso tempo qualche lettera di raccomandazione, mi prenderò l'ardir di mandargliene una per Lei. Veda quant'oso fidarmi della di lei bontà. Questa lettera non deve però aver altra conseguenza, se non ch'Ella permetta che possa far la di lei conoscenza, e che si degni di dargli què soliti savj suoi consigli, che giudicherà per lui utili, e necessari in cotesto paese; che se altre di ciò vorrà farlo conoscere, e sentire a qualche sua Dama conoscente, questo sarà quel di più, ch'io ne pure gli avrò fatto sperare. Il Padre dice, che partirà da Salisburgo a'24 d'ottobre, onde potrà essere costi alla fine del mese.

Il detto Mr. Mozard è un uomo molto polito, e civile, ed i figli sono molto ben educati. Il ragazzo poi è anche bello, vivace, grazioso, e pieno di buone maniere, onde conoscendolo, difficilmente si può dispensarsi di non amarlo. Certo è, che se a misura dell'età crescerà ne'dovuti progressi, sarà un portento, purchè però il Padre non lo coccoli troppo, e no'l guasti a forza d'incensarlo con soverchj elogi, ch'è l'unica cosa che temo.

Der berühmte Opernkomponist Hasse (s. 15. IX. 1767) lebte um 1770 in Wien als Hofkomponist. Sein Freund Ortes, ein Laiengeistlicher mit dem Titel eines Abbate, war ein wohlhabender Opernfreund und politischer Schriftsteller in Venedig; des Sommers lebte er auf seinem Landgut bei Bologna. — Der Briefwechsel zwischen beiden liegt im Museo Correr in Venedig, das für dieses Buch Photographien der drei Briefe Hasses anfertigen ließ, bei deren Entzifferung Herr Dr. Luigi Ferdinando Tagliavini freundlichst geholfen hat. Die auf Mozart bezüglichen Teile wurden zuerst von Hermann Kretzschmar benützt; er hat aber nur die Briefe Hasses vom 30. September 1769 und vom 23. März 1771 italienisch und deutsch veröffentlicht, in der *Zeitschrift der Internationalen Musikgesellschaft*, Leipzig, April 1902. Jene Briefe, aber auch Hasses Schreiben vom 4. Oktober 1769 und Ortes' vom 2. März 1771 hat Carl Mennicke zuerst deutsch in der Berliner *Musik*, 1. Januar 1906, und dann im Original in seinem Buche *Hasse und die Brüder Graun als Symphoniker*, Leipzig 1906, abgedruckt, ohne Beziehung auf Kretzschmar. Das Sammelwerk *Mozart in Italia*, Mailand 1956, Seite 28, hat die von Kretzschmar veröffentlichten beiden Briefe Hasses aus deutschen Quellen ins Italienische zurück übersetzt. — Kretzschmar, a. a. O., S. 263, Mennicke S. 430.

HASSE AN ORTES
Vienna 4 Ottbre del 69.

Rimettendomi a quanto già nell'ultima mia diffusamente io le dissi sopra il Sig.re Mozard, la sua famiglia, ed il virtuoso suo figlio, non fo con questa che presentarglielo, mentr'egli stesso ne sarà il latore. Senza dunque tornar a dire quanto le spiegai circa la qualità del Padre, e del figlio, solo mi restringo a nuovamente pregarla di voler ben considerarli come miei amici, e di assisterli co'savj suoi consigli, e con que'lumi ed avvertimenti, che stimerà utili e necessari a chi giunge nuovo nel paese, e desidera di prodursi in qualche maniera, e farsi conoscere. Perdoni se tanto ardisco, e se oso sperar d'ottenerlo dalla solita bontà, con cui in ogni occasione Ella m'à sempre favorito. Io spero del resto, che non avrà dispiacer di conoscere un padre, che ha il merito di aver saputo formar, e dar una si bella educazione a un figlio, che per essere quasi ancor fanciullo, è certamente ammirabile in quello che sa, scrive, ed eseguisce sul Cimbalo.

Mennicke, a. a. O., S. 431.

AUS HAGENAUERS SCHREIBKALENDER, 15. OKTOBER 1769

Hodie fuit prymitia P. Dominici .... 3tio quadrante ad horam 9nam fuit 9na cantata. Dein fuit prymitia .... Musicam Missae composuit Dominus Wolfgangus Mozart iuvenis 14cim annorum, quae omnium sensu fuit elegantissima. Duravit missa supra duas horas, et hoc quidem necesse erat propter magnam offerentium multitudinem; efficiebant oblata 656 f. 55 X. ... Hora 12ma fuit mensa .... et dein Dominus Wolfgangus Mozart per mediam horam coram omnibus ad stupendum majus organum pulsavit.

Die sogenannte *Dominicus-Messe* (KV 66) hatte Wolfgang zur Primiz des Freundes geschrieben. Sie wurde in der Stiftskirche von St. Peter aufgeführt.

Aus dem Abtei-Diarium des Abtes Beda Seeauer von St. Peter, 15. Oktober 1769

Solemne officium sub musica splendidissima et artificiosissima.

Stiftsarchiv St. Peter, Salzburg.

Aus Hagenauers Schreibkalender, 16. Oktober 1769

Neomysta in Nunberg missam celebravit. Postea fuit a patre suo invitatus ad mensam quae erat in ipsius domo in Nunthal. Sederunt ad mensam 50 circiter personae, quas inter erant noster Reverendissimus Dominus, Reverendissimus Abbas Ettalensis, Magnificus P. Rector Constantinus Langheider, tres Reverendissimi Consistoriales nimirum D. Empl, D. Mayr, Celsissimi Confessarius, D. Mairle[r] Regens alumnorum Celsissimi. Incepit mensa ½ 1ma duravit usque ad unam quadrantem post horam 4tam. Hac finita Dominus Mozart chori musici aulici praefectus secundarius cum suis duobus liberis egregiam fecit academiam. Filia imprimis lusit in Clavier, dein filius Wolfgangus, iuvenis 13 annorum cantavit, pulsavit panduram et Clavier ad stupendum. His finitis ½ circiter 6ta abierunt Reverendissimi abbates.

Vater Hagenauer besaß das noch stehende Vorstadt-Haus im Nonntal, Hauptstraße 24. „Pandura" bedeutet hier Geige.

Aus dem Verzeichnis der Salzburger Schatullegelder, 1769

d 27 [November] dem Mozarth, und seinem sohn zur reyß in Italien geschenket 120 durg[aten] —   600 [fl.]

Salzburger Landesarchiv. — Martin, a. a. O., S. 138. — Der Fürsterzbischof hatte Vater Mozart nicht nur beurlaubt, sondern unterstützte ihn auch bei der ersten italienischen Reise.

Aus Hagenauers Schreibkalender, 27. November 1769

Hodie Dominus Wolfgangus Mozart iuvenis 14 annorum cum facultate abeundi Italiam literam decretoriam accepit, quod sit in posterum Concert-Maister cum promisso quod post reditum ex Italia iam sit competentem huic officio pensum percepturus.

Schrattenbach hatte den 13jährigen Wolfgang (laut Schenk, Mozart, S. 230, am 14. November) zum unbesoldeten dritten Konzertmeister der Hofkapelle ernannt; wohl nicht nur, um ihm einen eigenen Titel auf die Reise mitzugeben, sondern auch, um ihn an Salzburg zu binden. Von 1770 an erscheint Wolfgang in dieser Eigenschaft im Salzburger Hofkalender.

Daines Barringtons Bericht über Wolfgang

Received November 28, 1769.

Account of a very remarkable young Musician.

In a Letter from the Honourable Daines Barrington,
F. R. S. to Mathew Maty, M. D. Sec. R. S.
Read Feb. 15, 1770.

SIR,

If I was to send you a well attested account of a boy who measured seven feet in height, when he was not more than eight years of age, it might be considered as not undeserving the notice of the Royal Society.

The instance which I now desire you will communicate to that learned body, of as early an exertion of most extraordinary musical talents, seems perhaps equally to claim their attention.

Joannes Chrysostomus Wolfgangus Theophilus Mozart, was born at Saltzbourg in Bavaria, on the 17th of January, 1756[1].

I have been informed by a most able musician and composer, that he frequently saw him at Vienna, when he was little more than four years old.

By this time he not only was capable of executing lessons on his favourite instrument the harpsichord, but composed some in an easy stile and taste, which were much approved of.

His extraordinary musical talents soon reached the ears of the present empress dowager, who used to place him upon her knees whilst he played on the harpsichord.

This notice taken of him by so great a personage, together with a certain consciousness of his most singular abilities, had much emboldened the little musician. Being therefore the next year at one of the German courts, where the elector encouraged him, by saying, that he had nothing to fear from his august presence; Little Mozart immediately sat down with great confidence to his harpsichord, informing his highness, that he had played before the empress.

At seven years of age his father carried him to Paris, where he so distinguished himself by his compositions, that an engraving was made of him.

The father and sister who are introduced in this print, are excessively like their portraits, as is also little Mozart, who, is stiled "Compositeur et Maitre de Musique, agé de sept ans."

After the name of the engraver, follows the date, which is in 1764; Mozart was therefore at this time in the eigth year of his age.

Upon leaving Paris, he came over to England, where he continued more than a year. As during this time I was witness of this most extraordinary abilities as a musician, both at some publick concerts, and likewise by having been alone with him for a considerable time at his father's house; I send you the following account, amazing and incredible almost as it may appear.

I carried to him a manuscript duet, which was composed by an English gentleman to some favourite words in Metastasio's opera of Demofoonte.

The whole score was in five parts, viz. accompaniments for a first and second violin, the two vocal parts, and a base. I shall here likewise mention, that the parts for the first

---

[1] I here subjoin a copy of the translation from the register at Saltzbourg, as it was procured from his excellence Count Haslang, envoy extraordinary and minister plenipotentiary of the electors of Bavaria and Palatine:

"I, the under-written, certify, that in the year 1756, the 17th of January, at eight o'clock in the evening, was born Joannes Chrysostomus Wolfgangus Theophilus, son of Mr. Leopold Mozart, organist of his highness the prince of Saltzbourg, and of Maria Ann his lawful wife (whose maiden name was Pertlin), and christened the day following, at ten o'clock in the morning, at the prince's cathedral church here; his godfather being Gottlieb Pergmayr, merchant in this city. In truth whereof, I have taken this certificate from the parochial register of christenings, and under the usual seal, signed the same with my own hand.
Saltzbourg,
Jan. 3, 1769.

Leopald Comprecht,
Chaplain to his Highness in this city."

and second voice were written in what the Italians stile the *Contralto* cleff; the reason for taking notice of which particular will appear hereafter.

My intention in carrying with me this manuscript composition, was to have an irrefragable proof of his abilities, as a player at sight, it being absolutely impossible that he could have ever seen the music before.

The score was no sooner put upon his desk, than he began to play the symphony in a most masterly manner, as well as in the time and stile which corresponded with the intention of the composer.

I mention this circumstance, because the greatest masters often fail in these particulars on the first trial.

The symphony ended, he took the upper part, leaving the under one to his father.

His voice in the tone of it was thin and infantine, but nothing could exceed the masterly manner in which he sung.

His father, who took the under part in this duet, was once or twice out, though the passages were not more difficult than those in the upper one; on which occasions the son looked back with some anger pointing out to him his mistakes, and setting him right.

He not only however did complete justice to the duet, by singing his own part in the truest taste, and with the greatest precision: he also threw in the accompaniments of the two violins, wherever they were most necessary, and produced the best effects.

It is well known that none but the most capital musicians are capable of accompanying in this superior stile.

As many of those who may be present, when this letter may have the honour of being read before the society, may not possibly be acquainted with the difficulty of playing thus from a musical score, I will endeavour to explain it by the most similar comparison I can think of.

I must at the same time admit, that the illustration will fail in one particular, as the voice in reading cannot comprehend more than what is contained in a single line. I must suppose, however, that the reader's eye, by habit and quickness, may take in other lines, though the voice cannot articulate them, as the musician accompanies the words of an air by his harpsichord.

Let it be imagined, therefore, that a child of eight years old was directed to read five lines[2] at once, in four[3] of which the letters of the alphabet were to have different powers.

For example, in the first line A, to have its common powers.

In the second that of B. In the third of C. In the fourth of D.

Let it be conceived also, that the lines so composed of characters, with different powers, are not ranged so as to be read at all times one exactly under the other, but often in a desultory manner.

Suppose then, a capital speech in Shakespeare[4] never seen before, and yet read by a child of eight years old, with all the pathetic energy of a Garrick.

---

[2] By this I mean, The two parts for the violins. The upper part for the voice. The words set to music. And lastly, the base.

[3] By this I mean, The violin parts in the common treble cleff. The upper part for the voice in the contralto cleff as before-mentioned. The words in common characters. And the base in its common cleff.

[4] The words in Metastasio's duet, which Mozart sung, are very pathetic.

Let it be conceived likewise, that the same child is reading, with a glance of his eye, three different comments on this speech tending to its illustration; and that one comment is written in Greek, the second in Hebrew, and the third in Etruscan characters.

Let it be also supposed, that by different signs he should point out which comment is most material upon every word; and sometimes that perhaps all three are so, at others only two of them.

When all this is conceived, it will convey some idea what this boy was capable of, in singing such a duet at sight in a masterly manner from the score, throwing in at the same time all its proper accompaniments.

When he had finished the duet, he expressed himself highly in its approbation, asking with some eagerness whether I had brought any more such music.

Having been informed, however, that he was often visited with musical ideas, to which, even in the midst of the night, he would give utterance on his harpsichord; I told his father that I should be glad to hear some of his extemporary compositions.

The father shook his head at this, saying, that it depended entirely upon his being as it were musically inspired, but that I might ask him whether he was in humour for such a composition.

Happening to know that little Mozart was much taken notice of by Manzoli, the famous singer, who came over to England in 1764, I said to the boy, that I should be glad to hear an extemporary *Love Song*, such as his friend Manzoli might choose in an opera.

The boy on this (who continued to sit at his harpsichord) looked back with much archness, and immediately began five or six lines of a jargon recitative proper to introduce a love song.

He then played a symphony which might correspond with an air composed to the single word, *Affetto.*

It had a first and second part, which, together with the symphonies, was of the length that opera songs generally last: if this extemporary composition was not amazingly capital, yet it was really above mediocrity, and shewed most extraordinary readiness of invention.

Finding that he was in humour, and as it were inspired, I then desired him to compose a *Song of Rage*, such as might be proper for the opera stage.

The boy again looked back with much archness, and began five or six lines of a jargon recitative proper to precede a *Song of Anger.*

This lasted also about the same time with the *Song of Love*; and in the middle of it, he had worked himself up to such a pitch, that he beat his harpsichord like a person possessed, rising sometimes in his chair.

The word he pitched upon for this second extemporary composition was, *Perfido.*

After this he played a difficult lesson, which he had finished a day or two before[5]: his execution was amazing, considering that his little fingers could scarcely reach a fifth on the harpsichord.

---

[5] He published six sonatas for the harpsichord, with an accompaniment for the violin, or German flute, which are sold by R. Bremner, in the Strand, and are intituled, Oeuvre Trois[iè]me.
He is said in the title page to have been only eight years of age when he composed these sonatas.
The dedication is to the Queen, and is dated at London, January 8, 1765.
He subscribes himself, "tres humble, et tres obeissant *petit* serviteur."
These lessons are composed in a very original stile, and some of them are masterly.

His astonishing readiness, however, did not arise merely from great practice; he had a thorough knowledge of the fundamental principles of composition, as, upon producing a treble, he immediately wrote a base under it, which, when tried, had very good effect.

He was also a great master of modulation, and his transitions from one key to another were excessively natural and judicious; he practised in this manner for a considerable time with an handkerchief over the keys of the harpsichord.

The facts which I have been mentioning I was myself an eye witness of; to which I must add, that I have been informed by two or three able musicians, when Bach the celebrated composer had begun a fugue and left off abruptly, that little Mozart hath immediately taken it up, and worked it after a most masterly manner.

Witness as I was myself of most of these extraordinary facts, I must own that I could not help suspecting his father imposed with regard to the real age of the boy, though he had not only a most childish appearance, but likewise had all the actions of that stage of life.

For example, whilst he was playing to me, a favourite cat came in, upon which he immediately left his harpsichord, nor could we bring him back for a considerable time.

He would also sometimes run about the room with a stick between his legs by way of a horse.

I found likewise that most of the London musicians were of the same opinion with regard to his age, not believing it possible that a child of so tender years could surpass most of the master in that science.

I have therefore for a considerable time made the best inquiries I was able from some of the German musicians resident in London, but could never receive any further information than he was born near Saltzbourg, till I was so fortunate as to procure an extract from the register of that place, through his excellence count Haslang.

It appears from this extract, that Mozart's father did not impose with regard to his age when he was in England, for it was in June, 1765, that I was witness to what I have above related, when the boy was only eight years and five months old.

I have made frequent inquiries with regard to this very extraordinary genius since he left England, and was told last summer, that he was then at Saltzbourg, where he had composed several oratorios, which were much admired.

I am also informed, that the prince of Saltzbourg, not crediting that such masterly compositions were really those of a child, shut him up for a week, during which he was not permitted to see any one, and was left only with music paper, and the words of an oratorio.

During this short time he composed a very capital oratorio, which was most highly approved of upon being performed.

Having stated the above-mentioned proofs of Mozart's genius, when of almost infantine age, it may not be improper perhaps to compare them with what hath been well attested with regard to other instances of the same sort.

Amongst these, John Barratier hath been most particularly distinguished, who is said to have understood Latin when he was but four years old, Hebrew when six, and three other languages at the age of nine.

This same prodigy of philological learning also translated the travels of Rabbi Benjamin when eleven years old, accompanying his version with notes and dissertations. Before his death, which happened under the age of twenty, Barratier seems to have astonished Germany with his amazing extent of learning; and it need not be said, that its increase in such a soil, from year to year, is commonly amazing.

Mozart, however, is not now much more than thirteen years of age, and it is not therefore necessary to carry my comparison further.

The Rev. Mr. Manwaring (in his *Memoirs of Handel*) hath given us a still more apposite instance, and in the same science.

This great musician began to play on the clavichord when he was but seven years of age, and is said to have composed some church services when he was only nine years old, as also the opera of Almeria, when he did not exceed fourteen.

Mr. Manwaring likewise mentions that Handel, when very young, was struck sometimes whilst in bed with musical ideas, and that, like Mozart, he used to try their effect immediately on a spinnet, which was in his bedchamber.

I am the more glad to state this short comparison between these two early prodigies in music, as it may be hoped that little Mozart may possibly attain to the same advanced years as Handel, contrary to the common observation that such *ingenia praecocia* are generally short lived.

I think I may say without prejudice to the memory of this great composer, that the scale most clearly preponderates on the side of Mozart in this comparison, as I have already stated that he was a composer when he did not much exceed the age of four.

His extemporary compositions also, of which I was a witness, prove his genius and invention to have been most astonishing; least however I should insensibly become too strongly his panegyrist, permit me to subscribe myself, Sir,

> Your most faithful
> humble servant.
> *Daines Barrington.*

Dieser Bericht wurde am 28. XI. 1769 dem Sekretär der Londoner Royal Society, Dr. Mathew Maty (vgl. 19. VII. 1765), übergeben und am 15. II. 1770 vorgelesen, aber erst 1771 in den *Philosophical Transactions* dieser gelehrten Gesellschaft veröffentlicht (Band LX, S. 54—64). Er ist in Dr. Barringtons *Miscellanies of Various Subjects*, London 1781, S. 279 ff., revidiert wieder abgedruckt worden, ergänzt durch eine Mitteilung Charles Burney's (s. 21. I. 1780). (Burney berichtete in der gleichen Gesellschaft über William Crotch, das englische Wunderkind der Musik; s. 18. Februar 1779.) — Der Auszug, den sich Barrington aus dem Taufregister des Salzburger Doms verschaffte, stammte von Leopold Lamprecht, Stadtkaplan in Salzburg (s. 28. Januar 1756), durch Vermittlung des Grafen Joseph Haslang, kurbayrischen Gesandten in London. (Freundliche Auskunft des Bayerischen Hauptstaatsarchivs in München.) — Barrington befaßt sich mit der Zeit des Juni 1765 während des Aufenthaltes der Mozarts in London. Seinem Buch war ein Bildnis des 7jährigen Wolfgangs beigegeben, nach einem Ausschnitt aus dem Gruppenbild von Carmontelle-Delafosse (Paris 1764), gestochen von T. Cock. Unter diesem Stich sind drei Verszeilen aus dem sogenannten homerischen Hermes-Hymnus (440—442) zitiert.

> ἦ σοί γ᾽ἐκ γενετῆς τάδ᾽ ἅμ᾽ ἕσπετο θαυματὰ ἔργα,
> ἠέ τις ἀθανάτων ἠὲ θνητῶν ἀνθρώπων
> δῶρον ἀγανὸν ἔδωκε καὶ ἔφρασε θέσπιν ἀοιδήν;

(In der Übersetzung von Anton Weiher, München 1951, Heimeran-Verlag:)

> Ward dir schon bei der Geburt diese wunderbare Begabung
> Oder gab ein Unsterblicher oder ein sterblicher Mensch dir
> Dieses erlauchte Geschenk und lehrte dies göttliche Singen?

Salzburg gehörte eigentlich nicht zu Bayern, wohl aber, als selbständiges Reichsfürstentum, zum Bayerischen Kreis des Deutschen Reiches. — Der genannte Bach ist natürlich Johann Christian, der „Londoner Bach". — Das „Oratorium", das Wolfgang zu Salzburg in Klausur geschrieben haben soll, ist wahrscheinlich die *Grabmusik* oder Passionskantate (KV 42) aus der Karwoche 1767; nicht — wie Jahn annahm — die *Schuldigkeit* (KV 35). — Benjamin ben Jona gab 1543 in Konstantinopel sein Reisebuch *Massaoth schel Rabbi Binjamin* heraus. — John Mainwaring veröffentlichte 1760, ein Jahr nach Händels Tod, eine Biographie dieses Meisters (die erste eines Komponisten in Buchform). — Händels Oper *Almira* entstand erst 1704, als er schon 19 Jahre alt war.

Am 13. Dezember 1769 reist Leopold Mozart mit Wolfgang, diesmal ohne Frau und Tochter, von Salzburg ab, mit einem Diener. Sie kommen um 1 Uhr nachmittags bis Kaltern und um 7 Uhr abends nach Lofer.
Die erste italienische Reise währte bis zum 28. März 1771.

AUS HAGENAUERS SCHREIBKALENDER, 13. DEZEMBER 1769
Hodie Dominus Mozart cum solo filio suo abiit Italiam.

Am 14. Dezember erreichen die beiden Mozarts mittags St. Johann in Tirol und abends Wörgl.

Am 15. Dezember mittags Schwaz und um $^1/_2$6 Uhr nachmittags Innsbruck, wo sie im Gasthof „Zum weißen Kreuz" absteigen.

Sonntag, den 17. Dezember, von 5 Uhr nachmittags, spielt Wolfgang beim Grafen Leopold Künigl, dem Vizepräsidenten des tirolischen Guberniums.
Wolfgang spielte u. a. ein dem Grafen von anderer Seite gewidmetes Konzert.

AUS DER «INNSBRUCKER MONTÄGIGEN ORDINARI ZEITUNG», 18. DEZEMBER 1769
Freytags als den 14. dieses ist hier in dem Gasthaus beim weissen Kreuz angelangt Hr. Leopold Mozart Hochfürstl. Salzburgischer Capellmeister mit seinem Sohne Herrn Wolfgang Mozart dermalen wirkl. Hochfürstl. Salzburgischer Concertmeister, welcher wegen seiner ausserordentlichen musikalischen Wissenschaft sich schon seit seinem sechsten Jahre sowohl an dem Allerhöchsten kaiserl. Hofe, als in Engelland Frankreich Holland und durch das ganze römische Reich berühmt gemacht hat.
Gestern wurde derselbe zu einem Concerte, welches der hohe Adel veranstaltet hatte, eingeladen, in welchem er die schönsten Proben seiner ganz besonderen Geschicklichkeit ablegte. Dieser junge Tonkünstler, welcher dermalen 13 Jahr alt ist, hat also auch hier seinem Ruhm einen neuen Glanz beygeleget und durch seine ausserordentlichen Talente die Stimmen aller Musikverständigen zu seinem Lobe vereiniget. Morgen wird solcher seine Reise nach Italien fortsetzen.
Nissen, S. 157, nach einem Ausschnitt, den Vater Mozart nach Hause schickte. Jahn I, 119. — Die Zeitung ist in Innsbruck nicht vorhanden. — Freitag war der 15. Dezember.

Am 19. Dezember reisen die beiden von Innsbruck nach Steinach, am 20. über Sterzing nach Brixen, am 21. über Atzwang, wo sie Mittag machen, nach Bozen, wo sie abends im Gasthof „Zur Sonne" absteigen und zwei Nächte verbringen.

Am 23. Dezember kommen die Reisenden von Bozen bis Neumarkt (Egna), am 24. über Trient nach Rovereto, wo sie im Gasthof „Zur Rose" absteigen.

Am 25. Dezember spielt Wolfgang im Hause des Barons Giovanni Battista Todeschi; am 26. nachmittags versucht er die Orgel der Markus-Kirche in Rovereto.

Am 27. Dezember erreichen Vater und Sohn Verona, wo sie im Gasthof „Zu den zwei Türmen" („Delle due Torri") Quartier nehmen.

1770

AUS DEM «HOCHFÜRSTLICH-SALZBURGER KIRCHEN- UND HOF-KALENDER»
FÜR 1770

Die Hochfürstliche Hof-Musik.

. . .

Vicekapellmeister.

Herr Leopold Motzart, den 28. Feb. 1763.

Concertmeister.

Herr Ferdinand Seidl.
Herr Johann Michael Hayden.
Herr Wolfgang Motzart.

Wolfgangs Name erschien damals zum ersten Male im Salzburger Hofkalender. Die leitenden Personen der Hofmusik blieben in den nächsten Jahren die selben. Erst im Kalender für 1774 verschwindet Seidl aus der Liste. Das Datum beim Namen Vater Mozarts bezeichnet den Tag, wo er Vize-Kapellmeister geworden war. Kapellmeister war seit damals Giuseppe Maria Lolli. Dieser bekam 30 Gulden monatlich und 8 Gulden Tafel- und Quartiergeld, jener 25 Gulden und 4 1/2 Gulden Tafelgeld.

Am 5. Januar 1770 gibt Wolfgang sein erstes Konzert in Italien, in der Accademia filarmonica zu Verona.

INSCHRIFT AUF DEM RAHMEN DES MOZART-PORTRÄTS VON SAVERIO DALLA ROSA,
GEMALT IN VERONA, 6.—7. JANUAR 1770

Amedeo Volfango Mozarto Salisbvrgensi / pvero dvodenni / in arte mvsica lavdem omnem fidemq. praetergresso / eoq. nomine Gallorvm Anglorvmq. regibvs caro / Petrvs Lviatvs hospiti svavissimo / effigiem in domestico odeo p. c. / anno MDCCLXX.

Dieses Jugendbildnis Wolfgangs, das erste bedeutende Porträt von ihm, entstand am 6. und 7. Januar. Früher einem der Brüder Fra Felice und, mit größerer Wahrscheinlichkeit, Gian Bettino Cignaroli zugeschrieben, gilt es jetzt als Werk ihres Neffen, Saverio dalla Rosa. (Raffaelo Brenzoni in *Studi storici veronesi*, 1954.) Über die Tastatur des Cembalos steht: „*Ioannis Celestini veneti MDLXXXIII*". Das *Molto Allegro* auf dem Notenpult stammte wahrscheinlich von Wolfgang (KV 72ª). Die lateinische Inschrift auf dem Rahmen könnte von Giuseppe Torelli verfaßt sein (Erich

93

Schenks Mozart-Buch, S. 239). Das „*p. c.*" bedeutet: pingere curavit. Das Bildnis wurde im Auftrag des Veroneser Gastfreunds der Mozarts, Pietro Lugiati (irrtümlich ohne g benannt), gemalt und ist jetzt in der Sammlung Alfred Cortots, Lausanne. (Ein originalgetreuer Lichtdruck erschien 1957 im Bärenreiter-Verlag, Kassel, Basel, London.) — Vgl. 22. April 1770.

Am Sonntag, dem 7. Januar, spielt Wolfgang auf den beiden Orgeln der Kirche S. Tommaso.

Meschinis Gedicht auf Mozart, Verona, Januar 1770

Amadeo Mozart
Dulcissimo Puero
et elegantissimo Lyristae
Antonius Maria Meschini
Veronensis.

Si rapuit sylvas Orpheus, si tartara movit,
Nunc tu corda, Puer, surripis, astra moves.

――――――

Cosi come tu fai,
suonando il biondo Apollo
colla sua cetra al collo
spandea celesti rai
Ma no, che col suo canto
teco perdeva il vanto.

Nissen, a. a. O., S. 163. — In Verona entstanden zwei Gedichte auf Wolfgang. Eines der beiden Gedichte, wahrscheinlich das zweite, dürfte es gewesen sein, das der Akademie-Professor Daniele Barba in Verona ex tempore gesungen hat. Ignaz Anton v. Weiser, Halbbruder der Frau Maria Theresia Hagenauer, von 1772 bis 75 Bürgermeister von Salzburg, verfaßte eine deutsche, nicht näher datierte Paraphrase zu Meschinis Gedicht, die durch eine Abschrift von Aloys Fuchs erhalten geblieben ist (Jahn II, 719):

Kann Wald und Hölle dort ein Orpheus bewegen,
    so kannst du Wunderknab! Sinn, Herz, ja Sterne regen.
Bewegt Orpheus die Hölle, Wälder, Bäume,
    so zeigest du, o Knab! mehr Wahrheit jener Träume.
Des Orpheus alte Ley'r konnt' Holz und Steine regen:
    was wird dein neuester *goût*, o Knabe! nicht vermögen?
So hoch die Tönekunst des Orpheus ist gestiegen,
    so tief muß er sich nun vor dir, o Knabe! schmiegen.
Daß man in dir, o Knab! den Orpheus hört und sicht,
    erhellt durch Ohr und Aug, und nicht mehr durch Gedicht.
Dort weiß den Orpheus nur Griechenland zu loben,
    die ganze Kennerwelt hat dich, o Knab! erhoben.
Orphev! wenn dieser Knab auf Saiten spielt und singet,
    so glaub, daß deine Ley'r noch unvollkommen klinget.
Laß Orphev! nicht zu hoch dein Ruhmgetöne steigen.
    hör dieses Knaben Stimm und Klang, so wirst du schweigen.
Sieh vor die Wunder ein, die dieser Knabe thut,
    dann Orphev! sag, ob auch sey deine Zither gut.
Lern Orpheus! wer itzt der Töne Künstler seyen,
    dann lasse dich in Streit mit unserm Knaben ein.

Es flößet Orpheus den Steinen Leben ein,
  wenn er dich hört, o Knab! wird Orpheus zu Stein.
Sieht man den Zeitenlauf der beiden Künstler an,
  ist Orpheus ein Knab, und unser Knab ein Mann.

Zum Januar 1770, s. Nachtrag, S. 520/521

Bettis Gedicht auf Mozart, Verona, Januar 1770

Al Signore Amadeo Mozart,
  giovenetto ammirabile
Sonnetto estemporaneo.

Se nel puro del Ciel la Cetra al canto
  desta fra dolci carmi il divo Amore,
  onde quanto è quaggiù col vario errore
  al conosciuto suon risponde intanto;
Bene, o amabil Garzon, darti puoi vanto,
  che tu reformi l'armonia migliore;
  poi che natura in te scolpi nel core
  tutte le note di quel plettro santo.
Voi, che tant' anni in sù le dotte carte
  per isfogar l'armonico desio
  l'opra chiedete, ed il favor dell'Arte.
Voi sapete s'egli erra il pensier mio;
  che al dolce suon de le sue note sparte
  ite dicendo: se la fè sol Dio.
                In Argumento di Maraviglia e di Amore
                            Zaccaria Betti.

Nissen, a. a. O., S. 162 f. — Betti war ein Veroneser Gelegenheitsdichter.

Am 10. Januar reisen Vater und Sohn von Verona nach Mantua, wo sie um 5 Uhr nachmittags eintreffen und im Gasthof „Zum grünen Anker" („Ancora verde") absteigen; noch
am selben Abend hören sie Hasses Demetrio.

Hasses Oper stammte von 1732, und ihre zweite Fassung war 1734 als Cleonice zuerst in Wien
gegeben worden. In Mantua wurde der Demetrio nach langem wieder aufgeführt.

Aus der «Gazzetta di Mantova», 12. Januar 1770

VERONA 9. Gennajo.

Questa Città non può non annunziare il valor portentoso, che in età di non ancore 13.
anni, ha nella musica il giovanetto Tedesco Sig. Amadeo Wolfango Motzart, nativo di
Salisburgo, e figlio dell' attuale Maestro di Cappella di Sua Altezza R͞ma. Monsig. Arcivescovo Principe di Salisburgo suddetto. Esso giovane nello scorso Venerdì, 5. dell' andante, in una sala della Nobile Accademia Filarmonica, in faccia alla pubblica Rappresen-
tanza, ed a copiosissimo concorso di Nobiltà dell' uno, e l'altro sesso, ha date tali prove di
sua perizia nell' arte predetta, che ha fatto stordire. Egli, fra una scelta adunanza di valenti
Professori, ha saputo, prima d'ogn'altra cosa, esporre una bellissima sinfonia d'introduzione di composizion sua, che ha meritato tutto l'applauso. Indi ha egregiamente sonato

a prima vista un concerto di cembalo, e successivamente altre sonate a lui novissime. Poi sopra quattro versi esibitigli, ha composta sul fatto un' aria d'ottimo gusto nell' atto stesso di cantarla. Un Soggetto, ed un Finale progettatogli, egli mirabilmente concertò sulle migliori leggi dell'arte. Suonò all' improvviso assai bene un Trio del Bocherini. Compose benissimo in partitura un Sentimento datogli sul violino da un Professore. In somma sì in questa, che in altre occasioni, esposto a' più ardui cimenti, gli ha tutti superati con indicibil valore, e quindi con universale ammirazione specialmente de' Dillettanti; tra' quali i Signori Lugiati, che, dopo aver goduti, e fatti ad altri godere più saggi maravigliosi dell' abilità di tal giovine, hanno infino voluto farlo ritrarre in tela al naturale, per serbarne, eterna memoria. Nè è già nuovo questo pensiero; imperciocchè, da che egli va girando per entro l'*Europa* col Padre suo, per dar pruova di se, ha tanta meraviglia eccitata in ogni parte, fino dalla tenera età di 7. anni, che se ne serba tuttavia il ritratto in *Vienna*, in *Parigi*, dove sono anche i ritratti di tutta la sua Famiglia, in *Olanda*, ed in *Londra*, in cui si collocò esso ritratto suo nell'insigne Museo Britannico con una iscrizione, che celebrava la stupenda sua bravura nella musica nella verde età d'anni 8., che soli allora contava. Noi per tanto non dubitiamo, che nel proseguimento del suo viaggio, che ora fa per l'*Italia*, non sia per apportare eguale stupore dovunque si recherà, massimamente agli Esperti, ed Intelligenti.

Beilage zu Leopold Mozarts Brief an Hagenauer vom 11. Januar 1770. Der Bericht aus Verona vom 9. Januar ist erst unter dem Datum des 12. in Mantua erschienen (nicht am 19., wie gewöhnlich angegeben); die Gazzetta war ein Wochenblatt. Der gleiche Bericht erschien auch in der *Gazzetta di Pesaro*. — Faksimile in *Mozart in Italia*, Mailand 1956, Tafel VI, nach dem Exemplar in der Biblioteca Comunale, Mantua. — Nissen, a. a. O., S. 169 f.

PROGRAMM DES MOZART-KONZERTS IM TEATRO SCIENTIFICO, MANTUA, 16. JANUAR 1770

Serie delle composizioni musicali da eseguirsi nell' accademia / pubblica filarmonica di Mantova la sera del dì 16 del corrente / Gennajo 1770 / in occasione della venuta del espertissimo giovanetto / Sign. Amadeo Mozard.

1. Sinfonia di composizione del Sign. W. Amadeo Mozart, prima e seconda parte.
2. Concerto di Gravecembalo esibitogli e da lui eseguito all' improvviso.
3. Aria data fuori dal tenore dell'opera Sign. Uttini.
4. Sonata di Cembalo all'improvviso eseguita dal giovane, con variazioni analoghe d'invenzione sua e replicata poi in tuono diverso da quello in cui è scritta.
5. Concerto di Violino obbligato d'un Professore.
6. Aria composta e cantata nell' atto stesso dal Sign. Amadeo all'improvviso, co' debiti accompagnamenti eseguiti sul cembalo, sopra parole fatte espressamente, ma da lui non vedute prima.
7. Altra sonata di Cembalo, composta insieme ed eseguita dal medesimo sopra un motivo musicale, propostogli improvvisamente dal primo violino.
8. Aria data fuori e cantata dalla Sig.na Galliani.
9. Concerto d'Oboe obbligato d'un professore.
10. Fuga musicale, composta ed eseguita dal. Sign. Amadeo sul cembalo e condotta a compiuto termine secondo le leggi del contrappunto, sopra un semplice tema per la medesima presentatogli all' improvviso.

11. Sinfonia dal medesimo, concertata con tutte le parti sul Cembalo sopra una sola parte di violino postagli dinnanzi improvvisamente.

12. Duetto di Professori.

13. Trio in cui il Sign. Amadeo ne suonerà col violino una parte all'improvviso.

14. Sinfonia Finale dello stesso Sign. Mozzard.

Original-Manuskript in der Accademia Virgiliana, Mantua. Das gedruckte Programm (s. den Band *Mozart und seine Welt in zeitgenössischen Bildern* der Neuen Mozart-Ausgabe X/32, Nr. 194) weicht davon etwas ab. — Nissen, a. a. O., S. 173 f. — Erich Schenk, *Mozart in Mantua*, „Studien zur Musikwissenschaft", Wien 1955, XXII. 23. — Das Konzert fand in dem Theatersaal der Reale Accademia di scienze, lettere e arti (auch Accademia filarmonica genannt, jetzt Accademia Virgiliana) statt, der erst sechs Wochen zuvor eröffnet worden war. Von den Stücken, die Wolfgang vortrug, sind die Nummern 1, 11 und 14 dieses Programms mit Wahrscheinlichkeit als die Ende 1769 in Salzburg geschriebenen Sinfonien KE 66c, 66e und 66d (früher KV Anhang 215, 218 und 217) identifiziert worden. Die Arie No. 3 sang der Tenor Uttini, die Arie No. 5 spielte Angelo Orsi, die Arie No. 8 trug Angiola Galliani vor, im Oboekonzert No. 9 spielte Luigi Livraghi, und das Duett No. 12 wurde von Signora Ambreville und Signore Uttini gesungen. — Schenk zitiert auch eine handschriftliche Einladung zu diesem Konzert (s. *Mozart und seine Welt in zeitgenössischen Bildern*, Nr. 195) aus dem Besitze des Grafen Giovanni Battista Arco, und aus Stefano Giontas *Fioretto delle Cronache di Mantova* (1844, S. 272) die folgende Notiz: „*Nel 1770, essendo di passagio per Mantova Amedeo Wolfango Mozart, giovinetto di 13 anni, diede, la sera del 16 gennaio, nel teatro scientifico, un'accademia di piano-forte, con maraviglia di quanti lo udirono, avendo improvvisato varj pezzi, da cui bene appariva a qual apice di gloria sarebbe questi pervenuto nella scienza musicale.*"

AUS DER «GAZZETTA DI MANTOVA», 19. JANUAR 1770

MANTOVA 19. *Gennajo*.

La sera di Martedì scorso, 16. del corrente, nel Teatro della Reale Accademia, si fece anzi tempo l'Accademia pubblica Filarmonica del mese, per cogliere opportunamente l'occasione del passaggio, che di qui ha fatto l'incomparabile giovanetto Sig. Wolfango Amadeo Mozart, a motivo espresso di dar luogo a questa Città di ammirare il portentoso talento, e la maestria straordinaria, ch'egli in età di 13. anni possiede nella Musica. Lo scrivere a tavolino, come i migliori Maestri fanno, a quante parti concertate, o obbligate di canto, e di suono si vuole, è per lui così leggier cosa, che sa ciò fare egualmente sul gravecembalo anche all'improvviso. Nella sera predetta, oltre alle sinfonie d'aprimento, e finale, ch'erano di composizion sua, egli, alla presenza degl'illustri Personaggi, che qui presiedono in ogni ordine di Governo Politico, Militare, ed Ecclesiastico, di tutta la Nobiltà, e Cittadinanza, e del Corpo dell'Accademia stessa, e fra una scelta unione di Dilettanti Accademici, e de' Professori dell'Accademia, eseguì concerti, e sonate di gravecembalo all'improvviso con variazioni giustissime, e con ripetizione d'una sonata in diverso tuono. Cantò improvvisamente un'aria intera, sopra nuove da lui mai non vedute parole, dandole i debiti accompagnamenti. Improvvisò due sonate sopra due motivi successivamente indicatigli sul violino dal Direttore d'orchestra, accoppiandoli leggiadramente nella seconda amendue. Concertò una sinfonia con tutte le parti sopra una sola parte di violino propostagli all'improvviso. E quel che è più da stimare, compose, e ad un tempo eseguì pure all'improvviso una fuga sopra un semplice tema, che gli si presentò, e la condusse ad un sì magistrale collegamento armonico di tutte le parti, e la sciolse sì francamente, che ne rimasero gl'Intendenti storditi; e queste operazioni tutte egli eseguì sul gravecembalo. Finalmente suonò anche a meraviglia bene una parte di violino di un Trio di un famoso Autore. In varie pruove private, che poi gli hanno dato i nostri Maestri, e Professori di musica, in que'pochi giorni, che si è qui trattenuto, essi non han temuto di troppo dire, affermando, che lor parea nato questo Giovine a confondere i più esperti nell'arte; il qual sentimento conformasi ottimamente con quello di un rispettabile Letterato Veronese, scritto al Segretario di questa nostra Accademia Filarmonica, nell'atto di raccomandargli esso Sig. Wolfango; cioè, ch'egli è *il miracolo della musica, ed uno di quegli scherzi, onde la Natura fa nascere i Ferracina ad umiliare i Matematici, e le Corille ad avvilire i Poeti.* Egli intanto fa ora il giro dell'*Italia* col Sig. Leopoldo, suo Padre, che è anch'egli un uom di talento, ed un riputato Maestro di Cappella; ed hanno amendue di che far maravigliare l'Italico suolo, che pure è la vera sede del buon gusto specialmente in questa materia. L'Accademia dunque è riuscita brillantissima, e di tutta soddisfazione, essendo in oltre stata intrecciata di due arie, ed un duetto, e di due concerti, uno di violino, l'altro d'oboè, eseguiti da questi Professori: cose tutte della maggiore squisitezza, e perfezione.

Faksimile in *Mozart in Italia*, Tafel IX, nach dem Exemplar in Mantua. — Schenk, *Mozart in Mantua*, a. a. O., S. 26 f. — Eine freie deutsche Übersetzung dieses Berichts ist in der zu Salzburg gedruckten (dort nicht mehr vorhandenen) *Europäischen Zeitung* erschienen, wahrscheinlich auf Veranlassung Leopold Mozarts. Siehe Nissen, a. a. O., S. 170—172; Nottebohm, a. a. O., S. 114 und 117. Versehentlich wurde auch der Bericht über ein Nordlicht mit übersetzt. — Bartolomeo Ferracina (1692—1777) war ein erfindungsreicher Ingenieur; „le Corille" ist „Corilla Olimpica", das Pseudonym der Dichterin Maria Maddalena Morelli Fernandez (Ernst Fritz Schmid, *Auf Mozarts Spuren in Italien* im *Mozart-Jahrbuch 1955*, Salzburg 1956, S. 25 (s. 4. April 1770).

Signora Sartoretti: Gedicht auf Mozart, Mantua, Januar 1770
Al Signor Amadeo Wolfgango Mozart
Anacreontica

Genietti lepidi,
genietti gai,
quà presto rapidi,
ch' io v'invitai,
fate corteggio
al dolce arpeggio.

No, non ingannomi,
Voi siete quelli
vezzosi, amabili,
cortesi e belli,
che à danze liete
sempre siedete.

E Grazie e Venere
Vengon con Voi,
piacer vi deggiono
i preggi suoi:
genietti ei v'ama,
suona e vi chiama.

A sei bell' indole
ai capei d'oro,
quasi uno sembrami
del vostro coro:
come furbetti
son quelli occhietti!

Non v'innamorano
le vermigliozze
guancie mollissime
e ritonduzze?
Stiansi librate
l'ali dorate.

Non v'innamorano
que' vivi accenti,
che in note or languide,
ora vementi
gorgheggia spesso
con Febo istesso?

Ve' come tremola
le dita, e vibra,
al docil cembalo
tenta ogni fibra;
e a Voi fà parte
dell' agil arte.

Europa videlo
in fresca etade
di se riempiere
le sue contrade;
guai, se l'udiva
la Cipria diva.

Dunque a chè noiavi
tardare un puoco?
Elli può accendervi
del suo bel fuoco:
genietti ei v'ama,
suona e vi chiama.

E se la nobile
santa Armonia,
che i pensier torbidi
de l'alma obblia,
che desta in petto
l'estro e l'affetto,

Tanto dilettavi,
rallegra e piace,
frenato il celere
Volo fugace;
mà nò, se udite,
più non partite.

Picciol fascielo
di scelti fiori
le tempie tenere
intanto onori,
voi giel recate,
genii, e n' andate.

Di me taceteli
qual io mi sia,
assai più nobile
e grata sia
questa corona
che il genio dona.

Nissen, a. a. O., S. 174 f.; Jahn II, 720. — Die Verfasserin, die Wolfgangs erfrorene Hände mit Pomade behandelt hatte, schickte mit diesem Gedicht ein Geldgeschenk.

Am 19. Januar reisen die Mozarts von Mantua ab, erreichen um 6 Uhr abends Bozzolo, wo sie im „Albergo della Posta" absteigen (vgl. 26. Januar). Am 20. geht es weiter nach Cremona, wo sie Hasses Oper *La clemenza di Tito* hören; sie kommen am 23. mittags nach Mailand und finden Unterkunft im Augustiner-Kloster S. Marco.

Leopold Mozart dürfte eine Empfehlung des Augustinerklosters Mülln in Salzburg mitbekommen haben (E. F. Schmid, a. a. O., S. 27).

Aus der «Gazzetta di Mantova», 26. Januar 1770

Scrivono da *Bozolo*, che, verso un'ora di notte del dì 19. dell'andante mese, vi pervenne da qui il rinomato Giovane Sig. Wolfango Amadeo Mozart, il quale non sì tosto smontato all'Albergo della Posta di quella Città, vi fu gentilmente ricevuto dal Sig. Arciprete D. Carlo Saragozzi, Professore di Musica, e quindi dal medesimo servito in carrozza alla casa di sua abitazione: che il detto celebre Giovanetto, pel corso di quasi 2. ore, vi abbia dato saggio del suo portentoso talento, suonando all'improvviso sul gravecembalo varie sonate di valenti Autori, ed in ispecie un Trio, composto dal Sig. Giuseppe Saragozzi, Maestro, e Professore pur egli di Musica, con indicibile piacere, e contento di quelli, che ivi presiedono al governo sì Politico, che Militare, e di molti altri Signori, che vi si trovaron presenti; e che poi avess'egli di colà, la mattina del giorno seguente, appieno soddisfatto, fatta partenza alla volta di *Cremona*.

E. F. Schmid, a. a. O., S. 26 f.; *Mozart in Italia*, S. 288. — Ein Uhr nachts bedeutete dort im Januar sechs Uhr abends (vgl. Goethes *Italienische Reise*, 17. September 1786).

Am 2. Februar begegnet Wolfgang in Mailand Nicola Piccinni bei der Generalprobe von dessen Oper *Cesaro in Egitto*. An einem anderen Tag hört er in der Scala Niccolò Jommellis *Didone abbandonata* (1741).

Am 7. Februar speisen Vater und Sohn beim Grafen Karl Joseph Firmian, dem General-gouverneur der Lombardei, der Wolfgang die Turiner Ausgabe der Werke Pietro Metasta-sios schenkt. Unter den Gästen, die Wolfgangs Spiel hören, ist Giovanni Battista Sammartini.

Graf Firmian war einer der drei Neffen des früheren Erzbischofs von Salzburg, Leopold Mozarts erstem Fürsten. Seine Brüder waren Vigil, Suffragan-Bischof von Lavant, und Franz Lactantius, Obersthofmeister und Inspektor der Hofmusik in Salzburg.

Am 15. Februar 1770 liest Daines Barrington seinen Bericht über Wolfgang in der Royal Society, London (vgl. 28. November 1769).

Am 18. Februar spielt Wolfgang wieder beim Grafen Firmian, in Gegenwart des Herzogs Ercole IV. Rainoldo d'Este von Modena und seiner Tochter Beatrice Ricciarda; nachher besuchen Vater und Sohn die Oper und einen Ball.

Am 23. Februar gibt Wolfgang ein öffentliches Konzert.

Am 12. März spielt Wolfgang bei einer Soirée des Grafen Firmian, zu der 150 Gäste aus dem Hochadel geladen sind. Es werden vier neue Sopranarien Mozarts nach Texten Metastasios (KV 78, 88, 79, 77) vorgetragen.

Leider ist darüber nichts Näheres bekannt geworden.

GRAF KARL JOSEPH FIRMIAN AN GRAF GIAN LUCA PALLAVICINI IN BOLOGNA

Eccellenza

Portandosi in codesta Città il Sig.^e Leopoldo Mozart Maestro di Cappella al Servizio del Sig.^e Principe Arcivescovo di Salisborgo, col di lui Figlio, mi prendo la libertà di rac-comandarli caldamente a V.ra Ecc.za, mosso dalla fiducia, che he nella sperimentata di Lei bontà, ed gentilezza, e dal riflesso, che forse non Le dispiacerà di conoscere nel giovane Mozart uno di que'talenti nella Musica, che la natura non produce che di raro, giacchè eguagliando non solo nella tenera sua età i Maestri dell'arte, li supera anzi a mio credere nella prontezza della invenzione. Spero dunque che V. E. vorrà compiacersi di onorarli della di Lei Protezione nel di loro soggiorno costì, e procurare a' medesimi i mezzi di prodursi, come vivamente La prego anche in vista della di loro savia, ed ottima condotta. Ella mi comandi in contraccambio ovunque possa io servirla, pieno di un costante desiderio di corrispondere alle mie obbligazioni, e di sempreppiù convincerla del distinto rispetto, col quale passo a confermarmi

Di V.ra Ecc:za

> Milano 14. Marzo 1770.
> *Dev.ᵐᵒ Obblig.ᵐᵒ Sve v.o*
> *Carlo C[onte] di Firmian*

A S. E. il Sig.ᵉ Maresciallo Conte Pallavicini/Bologna

Original im Archivio di Stato, Bologna, Fondo Pallavicini. — (E. F. Schmid, a. a. O., S. 29.) Andrea Ostoja, *Mozart e l'Italia*, Bologna 1955, S. 24. Faksimile in der Monatsschrift *Città di Milano*, Dezember 1955, S. 690. — Der Feldmarschall Pallavicini-Centurioni war ein besonderer Gönner der Künste. — Firmian schrieb am selben Tage einen fast gleichlautenden Brief an Guglielmo du Tillot, marchese di Felino, einen Mäzen in Parma. (Archivio di Stato, Parma; *Mozart in Italia*, S. 74 und 227 f.) Ein dritter Brief dieser Art, an den toskanischen Staatsminister Franz Xaver Wolf Graf Orsini-Rosenberg in Florenz gerichtet, ist bisher nicht gefunden worden.

Am 15. März verlassen die Reisenden Mailand und fahren über Lodi und Piacenza nach **Parma und Modena.**

Diese Reise dauerte vom 15. bis 24. März. In Parma waren sie bei der Sängerin Lucrezia Agujari, genannt Bastardella, zu Gast.

GUGLIELMO DU TILLOT AN GRAF KARL JOSEPH FIRMIAN

Parma 20 Marzo 1770.

Si sono a me presentati col pregiatissimo foglio di V. E. il Sig.r Leopoldo Mozart, ed il giovane di lui figlio dalla di cui conversazione ho ravvisato l'apertura di mente ed il talento singolare di cui è dotato nella difficile arte della Musica. Mentre ho cercato di far loro comprendere il distinto mio impegno di riuscir utile ad ambedue e di mettere in vista il loro merito, spezialmente per la protezione, che godone dell'E. V., ne attendo le occasioni, intanto che prevalendosi essi anche dell'assistenza parziale di questo Sig.r Baron de Knebel, mi diano campo di meglio comprovare a V. E. l'alto conto in cui tengo la sua raccomandazione, ed il costante ossequio, con cui intanto ho l'onore di ripetermi.

Archivio di Stato, Parma. — Erwähnt in *Mozart in Italia*, S. 75. — Antwort auf Firmians Brief vom 14. März. — Franz Philipp Freiherr v. Knebel war 1769/70 österreichischer Gesandter in Parma.

Am 24. März treffen Vater und Sohn in Bologna ein und steigen im Gasthof „Pellegrino di San Marco" ab.

Das Haus ist heute noch ein angesehenes Hotel.

Am 26. März findet ein Konzert beim Feldmarschall Grafen Pallavicini statt, das von $1/28$ bis $1/212$ Uhr abends dauert.

Dieser Abend war zu Ehren des Grafen Joseph Kaunitz, Sohn des Staatskanzlers Wenzel Fürst Kaunitz, veranstaltet worden. Außer Wolfgang wirkten bei dem Konzert zwei Kastraten mit,

Giuseppe Aprile und Giuseppe Cicognani. Es gab 150 adelige Gäste, aber auch Padre Giambattista Martini wohnte dem Konzert bei.

Aus dem Kopialbuch des Hauses Pallavicini, Bologna, 26. März 1770

Essendo stati raccomandati con lettera di S. E. il Sige. Conte Carlo di Firmian nel loro passaggio per Bologna il Sige. Leopoldo Mozart Maestro di Musica al servizio del Sige. Principe Arcivescovo di Salisburgo, e il di lui figlio Gio. Giorgio Wolfango Mozart Maestro di Musica, e Compositore in età ora di 13. anni si è tenuta quest'oggi giorno 26. un'Accademia di Musica...

Archivio di Stato, Bologna. — (E. F. Schmid, a. a. O., S. 31 f.) Ostoja, a. a. O., S. 24 ff., wo auch die Liste der eingeladenen Gäste abgedruckt ist. — Johann Georg waren die Vornamen von Wolfgangs Großvater in Augsburg gewesen.

Aus den Hausrechnungen der Pallavicini, Bologna, 26. März 1770

Spese occorse per un'Accademia per musica con rinfresco fatta in casa la sera de' 26. corrente in occasione di aver alloggiato il Sig. Conte Giuseppe figlio del Sig. Principe di Kaunitz Rittberg.
...Al celebre Leopoldo Mozart M.ro di Musica in età di 13 anni che ha diretto l'Accademia L. 205 ...
Al Maestro di Cappella Tedesco Sig. Leopoldo Muzard zecc. 20.

Archivio di Stato, Bologna. — Ostoja, S. 29. — Beim ersten Posten sollte es natürlich statt Leopoldo heißen Wolfango. — Die Gesamtkosten des Konzertes betrugen, mit Sängern und Orchester,, L. 763˙15.

Graf Gian Luca Pallavicini an Graf Karl Joseph Firmian

Bologna 28. Marzo 1770.

Eccellenza

Appena resomi dalli Sig:ri Padre e Figlio Mozart l'umanissimo foglio di VE., siccome intesi da loro, che poco tempo erano per trattenersi in Bologna, volendo passar presto a Firenze per trovarsi poi la settimana santa a Roma, non hò tardato a secondare le giustissime di Lei premure per far conoscere ed ammirare in questa città il raro talento del giovine Mozart. Si tenne a questo fine Lunedi sera in mia casa una conversazione di 70. dame, alla quale intervennero il Sig:re Cardinale Legato, i Sig:ri Principi di Holstein, e quasi tutta la nobiltà, e il giovane professore vi diede prove cosi ammirabili del suo sapere, che nella tenera sua età sembrerebbero incredibili a chi non le vede; ne rimasero tutti sorpresi, e conobbero con infinito piacere un giovane di un merito così singolare. Egli stà per partire assieme col padre, e gli dò lettere per Roma dirette al Sig:e Cardinale Pallavicini segretario di stato, e al Sig:re Principe Doria; e non sono lontano da credere, che il Sig:re Cardinale lo farà sentire a sua Santità. Tanto hò creduto di dover dare non meno per il merito de raccomandati, che per adempire i comandamenti pregiatissimi dell'E:a V:a, dalla quale sperandone la continuazione, sono con un costante, e cordiale ossequio di V:a E:a: Dev:mo obbl:mo ser. e, vero ...

Konzept im Archivio di Stato, Bologna. — E. F. Schmid, a. a. O., S. 34 f. — Das war die Antwort auf Firmians Empfehlungsschreiben vom 14. März. — Unter den Gästen des Feldmarschalls war der Kardinal-Legat in Bologna, Antonio Colonna-Branciforte und der Kardinal-Erzbischof Vincenzo

Malvezzi gewesen; ferner die jungen Prinzen Wilhelm August und Peter Friedrich Ludwig von Holstein-Gottorp, zwei Vollwaisen, die in Bologna studierten. Die Hausfrau, Gräfin Maria Caterina Pallavicini, geborene Fava di Ferro, hatte 66 Damen eingeladen.

GRAF GIAN LUCA PALLAVICINI AN KARDINAL GRAF LAZZARO OPIZIO PALLAVICINI IN ROM

Bologna 28. marzo 1770

Dal Sig:re conte di Firmian mi sono stati vivamente raccomandati il Sig:re Leopoldo Mozart maestro di cappella al servizio del Sig:re Principe Arcivescovo di Salisburgo, e il di lui figlio, giovane di un merito così singolare nella musica, che nella tenera sua età, non solo eguaglia i maestri dell'arte, ma forse li supera nella prontezza dell'invenzione. Per far conoscere il singolare di lui merito a questo Sig:re Cardinale Legato, e à questa nobiltà tenni Lunedi sera una conversazione in mia casa, dove con infinita ammirazione fù riguardato come un prodigio, e per tale fù giudicato dal celebre padre maestro Martini, che v'intervenne. Partono ora i suddetti professori per Toscana, dove non si trattengono che pochi giorni per trovarsi in Roma la Settimana Santa, e li raccomando instantemente all'Em:a V:a supplicandola di onorarli della sua protezione nel loro soggiorno costì.
Siccome riconosco nel giovane Mozart un merito affatto straordinario, ardisco proporre à V:a Em:za di farlo sentire à N:o Sig:re, tanto più che senza strepito d'instrumenti con la presenza di un solo maestro di capella, che lo esamini al cembalo, potrà dar prove tali del suo valore, che mi lusingo sia per incontrare la piena soddisfazione di sua Santità. Sarò ben tenuto all'Em:a V:a, se compartendo ai Sig:ri Mozart quei favori, di cui li troverà ben degni, vorrà altresi riguardarli come miei raccomandati; e con un costante e cordiale ossequio inviolabilmente mi confermo

Di V:a Em:za Dev:mo e obbl:mo ser:re
e cugino C. P.

Konzept im Archivio di Stato, Bologna. — E. F. Schmid, a. a. O., S. 36 f. — Die beiden Grafen waren nur entfernte Verwandte, nicht eigentliche Vettern. Der römische Pallavicini war seit kurzem Staatssekretär des Kirchenstaates; die Mozarts begegneten ihm am 11. April. — Ähnliche Briefe schickte der Feldmarschall gleichzeitig an Fürst Andrea Doria Pamphili-Landi und an Matthäus Dominicus Baron de Saint-Odile, den toskanischen Gesandten beim Heiligen Stuhl. Alle drei Briefe nahm Vater Mozart mit sich nach Rom.

Am 29. März verlassen die Reisenden Bologna und erreichen am 30. Florenz, wo sie im Gasthof „zum Adler" (Albergo „dell' Aquila") absteigen.

Schon am 31. März sollte Wolfgang bei George Earl of Cowper spielen, aber er hatte sich auf der Reise eine Erkältung zugezogen und mußte absagen (s. 7. April).

Am 1. April werden die Mozarts beim Großherzog Leopold von Toskana, einem Sohne Maria Theresias, im Palazzo Pitti empfangen.

Schon vorher hatten sie beim Obersthofmeister, Grafen Orsini-Rosenberg, dem späteren „General-Spektakel-Direktor" in Wien, und beim Oberstkämmerer Averardo Duca di Salviati vorgesprochen.

Am Abend des 2. April spielt Wolfgang bei einem Konzert im Schloß Poggio Imperiale, der Sommerresidenz des Großherzogs.

Vgl. 4. April.

Am 3. April gibt es ein Wiedersehen mit dem Sopranisten Giovanni Manzuoli, dem die Mozarts schon in London begegnet waren.

Am 4. April besuchen sie Signora Morelli, genannt Corilla Olimpica (vgl. 19. I. 1770), und treffen dort den jungen englischen Violinspieler Thomas Linley (1756—78), der bei Pietro Nardini studiert und am 31. März — ohne den erschöpften Wolfgang — bei Lord Cowper aufgetreten ist.

Zahlungsorder des Grafen Rosenberg vom 4. April 1770

No. 17

Il computista della R. Casa stenda l'ordine per il pagamento di Lire trecentotrentatre e 6. 8. a Mozard per suo onorario in aver suonato in un Accademia stata fatta al Poggio Imperiale nel quartiere delle LL. AA. RR..

Fatto li 4. Aprile 1770   f. Orsini Rosenberg
L 333. 6. 8.

Archivio di Stato, Firenze. — *Mozart in Italia*, Tafel XVI (Faksimile). Vgl. 2. April.

Honoraranweisung des Maggior Domo für ein Konzert Leopold Mozarts mit dessen eigenhändiger Zahlungsbestätigung

Maggior Domo Maggiore   *No. 43*
della Real Corte.
Adi 4. Aprile 1770.

Il sig. Domenico Martin Cassiere della R. Corte pagherà a *Mozard Suonatore* la somma di lire *trecentotrentatre per 6.8 per suo onorario in aver suonato in un Accademia stata fatta al Poggio Imple nel Quartiere delle LL.AA.RR.* come dall'Ordine in Filza III segnato di N. 17. Della qual somma n'esigerà l'opportuna ricevuta in piè del presente Ordine, e la porrà in Uscita a *spese per il Dipartimento del Maggior Domo Magg.e della R. Corte*
L 333. 6. 8   *Rosenberg*
Io Infra[scri]tto ho ricevuto dal Sig.e Giud. La Guerre V.e Cassiere della R. Corte Zecchini venticinque fior.ni facienti Lire trecento trentatre e 6.8. per Gratificaz.e accordatami benignam[en]te da S. A. R. per aver suonato nell'ultima Accademia tenuta a corte.
Li 5 Aprile 1770 Dico   L 333. 6. 8.
                                                          Leopoldo Mozart

Archivio di Stato, Firenze. — *Mozart in Italia*, Tafel XVI (Faksimile) und S. 93. — Die im ersten Absatz kursiv wiedergegebenen Worte sind handschriftlich in den vorgedruckten Text eingefügt.

Am 5. April nachmittags spielen Wolfgang und Linley im Gasthof „Zum Adler" Duette auf ihren Violinen.

Am 6. April spielen Wolfgang und Linley bei Herrn Gavard, dem Administrator der großherzoglichen Finanzen.

PER LA PARTENZA DEL SGR. W. A. MOZART DA FIRENZE.

Da poi che il fato t'ha da me diviso,
    io non fò che seguirti col pensiero,
    ed in pianto cangiai la gioja e il riso,
    ma in mezzo al pianto rivederti io spero.
Quella dolce armonia di paradiso
    che ha un estasi d'amor mi aprì il sentiero
    mi risuona nel cuor, e d'improvviso
    mi porta in cielo a contemplare il vero.
Oh lieto giorno! O fortunato istante
    in cui ti vidi e attonito ascoltai
    e della tua virtù divenni amante!
Voglian li Dei che dal tuo cuor giammai
    non mi diparta! Io ti amerò costante,
    emul di tua virtude ognor mi avrai.

In segno di sincera stima ed affetto
Tommaso Linley.

Nissen, a. a. O., S. 195 f. — Dieses Sonett, das Linley am 7. April morgens Wolfgang überbrachte, wurde von Corilla Olimpica im Namen des kleinen Engländers am 6. geschrieben. Leopold schickte es am 21. April nach Salzburg.

AUS DER «GAZZETTA TOSCANA», FLORENZ, 7. APRIL 1770

Trovandosi in Firenze il Sig. Volfang Motzhart eccellente Suonatore di cimbalo all' attual servizio di Sua Altezza il Vescovo di Salisburgo, nello scorso lunedì ebbe l'onore di farsi sentire a Corte, ove riscosse gli applausi dovuti alla sua abilità. Quello non oltrepassa l'età di tredici anni, ed è così fondato nella musica, che già due anni sono compose un Dramma, che fu rappresentato in Vienna. Egli dopo una gita a Roma si porterà a Milano, espressamente chiamatovi per mettere in musica l'Opera, che deve andare in scena nel futuro Carnevale. I più intendenti Professori non fanno que ammirare questo giovanetto, riconoscendo in esso la più rara capacità per profittare quanto si puole in tal' arte.

Mylord Covvper la sera del dì 30. del caduto coll'invito della primaria Nobiltà diede colla sua solita splendidezza un'Accademia di canto e suono, a cui intervenne pure Mylady Heshet con il suo consorte, che da qualche tempo si trova in questa Città. Tra i vari Professori cantarono un duo i Sigg. Guarducci, e Niccolini, e fece un concerto sul violino il Sig. Linley giovane di gran merito, e che più volte s'è fatto conoscere degno allievo del Sig. Pietro Nardini.

Mozart in Italia, Tafel XV, S. 90 und 92. — Lady Harriet Hasketh war die Gattin des Baronets Thomas Hasketh. — Tommaso Guarducci und Carlo Niccolini waren Sopranisten; dem letzteren war Wolfgang am 9. November 1762 bei Pacheco in Wien begegnet.

GRAF KARL JOSEPH FIRMIAN AN GRAF GIAN LUCA PALLAVICINI

Eccellenza

Si è degnata Vostra Eccellenza di accogliere con tanta benignità i miei raccomandati Padre, e Figlio Mozart, e di usar loro favori sì singolari, ch'io mi riconosco nel più preciso

dovere di rendere all'E. V. que'ringraziamenti, che posso maggiori per la bontà somma, colla quale si è compiaciuto di accogliere le mie premure anche in questa occasione.
Disponga V. E. in contraccambio liberamente di me ovunque possa io servirla, e si assicuri pure che terrò sempre in singolar pregio l'onore de'di Lei comandi, mentre mi procureranno essi egualmente il piacere di scontare in qualche parte le mie molte obbligazioni, e di vieppiù contestarle il distinto ossequio, con cui sono costantemente.

Di vostra Eccellenza   Milano 7 Aprile 1770
                                                Dev.mo Obbl.mo Servitor Vostro
                                                Carlo Conte di *Firmian.*

Archivio di Stato, Bologna. — Ostoja, S. 37. — Das war die Antwort auf den Brief des Feldmarschalls vom 28. März.

Am 7. April verlassen die Reisenden Florenz und kommen über Siena und Orvieto am 10. nach Viterbo.

Am 11. April, dem Mittwoch der Karwoche, erreichen sie mittags Rom.

Vier Tage wohnten sie in einer Stube mit einem Doppelbett; dann aber wurden sie bei der Frau eines abwesenden päpstlichen Kuriers, Steffano Uslenghi, einquartiert, im Palazzo Scatizzi, einem Seitenflügel des Collegium Clementinum an der Piazza Nicosia.

Am 11. und 12. April gehen die beiden zur Messe in St. Peter; am 16. geben sie Empfehlungsschreiben des Feldmarschalls Pallavicini ab, und am 19. sind sie bei dem neapolitanischen Prinzen San Angelo geladen.

Am 20. April spielt Wolfgang bei einem Gesellschaftsabend, den Fürst Chigi veranstaltet.

Dieser Abend fand wahrscheinlich in dem erhaltenen „Goldenen Saal" des Palazzo Chigi statt. Unter den Anwesenden waren Kardinal Pallavicini, Baron Saint-Odîle und Charles Edward Stuart, der englische Thronanwärter, der unter dem Namen eines Grafen von Albany in Rom lebte.

KARDINAL PALLAVICINI AN FELDMARSCHALL PALLAVICINI IN BOLOGNA

Eccellenza

Ascrivo a mia particolare sorte ogn'incontro, che V. E. mi porge de Suoi pregiati comandi, mentre all'ossequio che Le devo corrisponde sempre il piacere che ricavo dall'ubbidirla. Può Ella dunque da questo comprendere la soddisfazione che avrò nel secondare le di Lei rispettabili premure a pro'del Signor Leopoldo Mozart Maestro di Capella al Servizio del Signor Principe Arcivescovo di Salisburgo, e del di lui Figlio. La testimonianza, che dal di Lei finissimo discernimento mi viene del talento straordinario di quest'ultimo per la Musica renderà vieppiù plausibile quell'interesse, che prenderò in ogni occasione per tutti i di Lui vantaggi, e che spero, mi farà meritar l'onore d'altri suoi comandi, in attenzione de quali con la solita rispettosa ed invariabile stima Le bacio di vero cuore le mani.
Di V. E.   Roma 21 aprile 1770

Non è frequente per certo il caso in cui i Pontifici sentano nelle stanze loro virtuosi di Musica, mi rivolgo pertanto ai Signori dillettanti ed ieri sera a mia intimazione il Principe Chigi ha fatto sonare il di Lei raccomandato.

Io vi intervenni e non meno di tutti gli altri concorrenti ammirai l'incomparabile singolarità del sommo progresso in così tenera età fatto dal noto giovane nella difficile scienza ed esecuzione della musica.

Veramente il detto giovane è portentoso.

Vostra Eccellenza continui ad amarmi ed a credermi quale veramente mi riprotesto

Servitore vero e cugino affezionatissimo
Lazzaro Cardinale *Pallavicini.*

Archivio di Stato, Bologna. — (E. F. Schmid, a. a. O., S. 39.) Ostoja, a. a. O., S. 37 f. — Das war die Antwort auf das Schreiben des Feldmarschalls vom 28. März. — Die Zeilen nach dem Datum sind eine eigenhändige Nachschrift des Kardinals.

FÜRST ANDREA DORIA PAMPHILI AN FELDMARSCHALL PALLAVICINI

Eccellenza

I comandi di Vostra Ecc.za godo, che Ella stessa sia ben persuasa, di essere a mè preciosissimi in ogni incontro, che si compiace onorarmene, non avendo altra maggiore ambizione che di vieppiù accreditare nell'ubbidirla il mio professatole rispetto, e le obbligazioni, di cui Le sono debitore. Con questi sensi del più vivo dell'animo hò ricevuto pertanto il pregiatissimo Foglio di V. E. presentatomi dal Signor Leopoldo Mozart attuale Maestro di Cappella del Signor Principe Arcivescovo di Salisburgo, che in compagnia del di Lui Figlio si è portato a questa Dominante, e coi Medesimi hò fatto all'Uno, ed all'altro, dà V. E. con tanta distinzione raccomandatimi, tutte quelle maggiore esibizioni, che corrispondessero al suo desiderio, e che gli potessero altresi render palese il valore presso di Mè de' Suoi Uffici, Sento i prodigiosi Talenti del Figlio, e la singolare abilità del Padre nella Professione della Musica, e non lascierò di ammirarli ancor io, tanto chè resterà solo che mi somministrino le occasioni di compiacerli oltre quello, che far potrò io per Loro dal canto mio —, per meritare la continuazione de'comandi di V. E., e far maggiormente apparire nell'esercizio di essi quel sommo ossequio, con cui rendendole poi immense grazie della gran bontà, che V. E. si degna aver per mè, mi pregio ancora di vieppiù accertarla, che mi glorio d'immutabilmente essere

Di Vostra Ecc.za

Roma 21 Aprile 1770
Dev.mo Obbl.mo Servitore
Andrea Doria Pamphili.

Archivio di Stato, Bologna. — Ostoja, a. a. O., S. 38 f. — Auch das war eine Antwort. — „Dominante" bedeutet Hauptstadt.

BARON SAINT-ODÎLE AN FELDMARSCHALL PALLAVICINI

Eccellenza

Al Sig. Leopoldo Mozart e Suo Figlio, che mi hanno presentato il pregiatissimo foglio, con cui l'Ecc.za Vostra me li ha raccomandati, ho fatto le maggiori esibizioni, e non lascierò certamente nella dimora, che faranno in questa Dominante, di assisterli in tutto quello che potrà da me dipendere.

107

Ieri sera ho sentito in Casa del Signor Principe Chigi il Giovane Mozart, che è un vero portento della natura, essendo stata da tutti della Conversazione, ammirata sommamente la sua eccellenza nella Musica. In qualunque altra occasione io prego l'Ecc.za Vostra di voler dare a me la preferenza nell'adempimento de'suoi stimatissimi Comandi, affinchè io possa avere il vantaggio di contestarle sempre più colle opere il perfettissimo ossequio, col quale ho l'onore di essere
Di Vostra Ecc.za   Roma 21 Aprile 1770
                                               Dev.mo Obbl.mo Servitore
                                                   Saint-Odîle.
Archivio di Stato, Bologna. — Ostoja, a. a. O., S. 39. — Wieder eine Antwort. Vgl. 7. Mai.

Am 21. April vormittags machen die Reisenden einen Spaziergang im Park der Villa Medici, mit Peter Beckford, den sie aus London kennen, und anderen Engländern.

Am gleichen Tage erwähnte das *Diario dell'Archivio Capitolinum* den „*giovanetto tedesco . . . di anni 12*", dessen staunenswerte Begabung die bedeutendsten Musiker der päpstlichen Kapelle restlos anerkannten (Elisabeth I. Luin in *Studien zur Musikwissenschaft*, Wien 1955, S. 38).

Pietro Lugiati an Frau Mozart in Salzburg

Madame

Sino dai primi del presente anno ammirò questa nostra Città nella pregiatisma. Persona del Sr. Amadeo Volfango Mozart di Lei Figlio un portento, si può dire, di natura nella Musica, giacchè l'Arte ancora non potea esercitare il suo Uffizio, se pure non auesse con questo prevenuto la tenera età sua.

Tra gli ammiratori io lo fui al certo, mentre qualche diletto avendomi sempre recato la musica, e per quanto abbia ne miei viaggj di questa inteso, ne posso far quel giudizio che spero non sia fallace; ma di sì raro e portentoso Giovane è certamente giustissimo, tanta auendone consepita stima, che lo feci al naturale ritrarre coll'iscrizione ricoppiata sull fine della Cantata —, che gli sarà gradevole di leggere.

La dolce sua effiggie mi è di conforto, ed altresi di eccitamento a riprendere qualche fiata la Musica per quanto le pub.e e private occupazioni me lo permettano, non auendo però mai perdute le traccie del Sr. Amadeo e Sr. Leopoldo amabilsmo suo Padre, auendone da Mantova, Milano, ed ultimamente da Firenze avute con piacere notizie del loro stato, ed universale riportato applauso, come fra poco da Roma sarò per auere, dove alle più illustri persone li ho già diretti.

Jo non faccio che rivagliare a Lei (o Madama) quel piacere provò quanto ancor più tenero nelle prime Città d'Europe lo condusse seco colla portentosa Figlia, che fù il Soggetto delle virtuose universali ammirazioni, come lo è Egli presentamente.

Quanto io stimi l'uno, e l'altra lo può da questa mia ritenere, ed in consequento quanto abbia in pregio i suoi Genitori, che con si attenta educazione coltivati abbiano si rari talenti, che loro poi recata avendo, si esuberante compiacenza, ancora universale ne apportarono al Mondo l'ammirazione.

Degni aggradire tai sentimenti, che nascono da buon animo, e da vera stima, giacchè a ciò fare mi somministra l'occasione l'adempire all'impegno contratto col Figlio di fargli tenere due pezzi di Musica, da lui veduti presso di me in què momenti, che soggiorno meco i quali ho io fatti ricopiare acciò li gradisca, e se ne serva pienamente. Questi li riceuerà col mezzo di questo Mercante S.r. Soldini, che mi assicura di farglieli costà sicuramente pervenire, e che mi sarò grato averne, a suo comodo, riscontro.

Finisco augurandole ogni mag.re felicità e così alla sua pregis.ma Famiglia, nel mentre con sincera divota stima mi dichiaro Di Madame

Verona 22 Aprile 1770

Diuot.mo Obbligat.mo Servidore
Pietro Lugiati

Mozarteum, Salzburg. — Erich H. Müller v. Asow, Mozart-Briefe, Berlin 1942, Band II (1. Textband), S. 11 f. — Vgl. 6./7. Januar 1770.

Nach einem Besuche im Palazzo Barberini (ca. 25. April) werden die Mozarts am 28. April beim Gesandten von Malta empfangen, am 29. im Palazzo des Giuseppe Maria Altemps, Duca di Gallese, und am 30. im Augustinerkolster.

Bei der Fürstin Barberini-Colonna trafen sie den englischen Kronprätendenten wieder und den Prinzen Xaver von Sachsen, der damals unter dem Namen eines Comte de la Lusace in Italien lebte. Der Gesandte des Malteser-Ordens war wahrscheinlich Cavaliere Santarelli, Kapellmeister des Papstes. Der Empfang beim Herzog Altemps war von Baldassare Odescalchi Duca di Bracciano e di Geri veranlaßt worden. Der Prior des Klosters, Padre Vasquez, war Ordensgeneral der Augustiner.

Aus dem «Diario dell'Archivio Capitolinum», Rom, 26. April 1770

Molto applauso riscuote in queste primarie conversazioni il giovanetto tedesco figlio del maestro di cappella della cattedrale e metropolitana di Salisburgo, che nella sola età di anni 12 si nella musica che nel suono del cembalo mostra una consumata scienza e tanto di sapere nell'una e nell'altra classe quante ne hanno potuto acquistare in età matura tutti i più rinomati professori.

Elisabeth I. Luin im *Neuen Mozart-Jahrbuch*, 3. Jg., Regensburg 1943, S. 47.

Graf Kraft Ernst zu Oettingen-Wallerstein an seine Mutter, Gräfin Charlotte Juliane, geborene Komtesse zu Oettingen-Baldern, Rom, 28. April 1770

J'ai vû aujourd'hui, mais pas entendu jouer du Clavecin le jeune Mozart de Salzbourg, il connait Beeke, il composera cette année à 13 ans à un opera à Milan.

Fürstlich Oettingen-Wallerstein'sches Archiv, Wallerstein. — Mitgeteilt von Dr. Volker v. Volckamer, Leiter der Bibliothek, der Kunstsammlung und des Archivs des fürstlichen Hauses, Schloß Harburg bei Donauwörth. — Der Graf (1748—1802) wurde 1774 Reichsfürst. Siehe 26. Oktober 1777. Sein Vater war Philipp Karl Dominicus Graf zu Oettingen-Wallerstein.

Am 2. Mai spielt Wolfgang im Collegium Germanicum, gegenüber dem Palazzo Altemps, wo sich auch der Bassist Joseph Meißner (aus Salzburg) produziert.

GRAF ZU OETTINGEN-WALLERSTEIN AN SEINE MUTTER, ROM, 5. MAI 1770

Jeudi 3. je fus le soir chez la Princesse Doria, et le Comte Gunsco [?] me mena chez une certaine Me. Doria, Bourgeoise, où j'entendi le jeune Mozart, il fait de Choses étonnentes. Siehe 28. April.

SAINT-ODÎLE AN GIUSEPPE BONECHI IN NEAPEL

Ill[ustrissi]mo Sig[no]re, Sig[no]re P[adro]ne Col[endissi]mo

Il Sig[no]r. Leopoldo Mozart Maestro di Cappella di S. A. il Principe di Salisburgo, conduce seco costì un suo figlio, che nella sua tenera età ha fatto un si grande progresso nella Musica, che sorprende tutti quelli, che lo sentono, si per per l'eccellenza, che per la somma facilità nel comporre all'improvviso. Essi mi sono stati particolarmente racco-mindati dal Sig[no]r. Conte di Rosenberg, e dal Sig[no]r. Maresciallo Pallavicini. Io ho creduto di dirigerli a V. S. Ill[ustrissi]ma, giacchè so la stima che Ella fa delle Persone virtuose; onde non dubito che nel soggiorno che faranno costì; Ella non lascierà di favorirli colla sua solita gentilezza. E nell' assicurarla che io le ne resterò sommamente tenuto, mi protesto colla più perfetta stima di V. S. Ill[ustrissi]ma

Roma 7. Mag[gi]o 1770

Sig[no]r. Giuseppe Bonechi Napoli

P. S. che riceverà di ddi Sig[no]ri Mozart due esemplari del Giornale Enciclopedico de[l]' 15. Marzo, uno per Lei, e l'altro unitamente ad un Mercurio del Mese di Feb[rai]o per il Sig[no]r. Principe della Roccella, a cui la prego di farli tenere.

Je vous prie Monsieur de faire quelque effort extraordinaire en faveur de mon petit Mozart, qui est rempli des plus belles qualités. il meritte bien d'etre connu dans la maison Tanucci, aumoins des 2. jeunes Epoux, auprez des quels je vous prie de m'acquitter, en leur faisans aggréer mes vœux sincères pour leurs particulières Satisfactions.

Dev[otissi]mo obb[ligatissi]mo Serv[ito]re
Saint Odile

Archivio di Stato, Firenze. — Gefunden von Bernhard Paumgartner, veröffentlicht von Erich Schenk im *Neuen Mozart-Jahrbuch*, Regensburg 1943, III. Jahrgang, S. 36 f. — Faksimile in *Mozart in Italia*, Tafel XX. — Bonechi war Sekretär des kaiserlichen Gesandten in Neapel, Graf Ernst Kaunitz-Rietberg. Marchese Bernardo Tanucci war der bekannte neapolitanische Staatsmann.

Am 8. Mai, um 10 Uhr vormittags, verlassen die Reisenden Rom und sind zum Mittagmahl im Augustiner-Kloster Marino am Albaner See. Über Terracina kommen sie am 11. nach Sessa und am 12. nach Capua, an beiden Orten im Augustiner-Hospiz beherbergt. In Capua wohnten sie am 13. der Einkleidung einer Dame bei.

GRAF ZU OETTINGEN-WALLERSTEIN AN SEINE MUTTER, ROM, 9. MAI 1770

le soir je fus chez le Gouverneur pour parler à Cause de la Monica, de la chez l'Ambassa-drice de Venice, où j'entendis le jeune Mozart.

Siehe 28. April. — Der Brief bezieht sich offenbar auf einen früheren Abend, etwa auf den 7. Mai.

Am 14. Mai erreichen die Mozarts Neapel.

Am 18. Mai werden sie von Minister Tanucci in Portici empfangen und am gleichen Tag von Mr. William Hamilton, dem britischen Gesandten.

Hamiltons erste Frau Catherine, geborene Barlow, war eine hervorragende Klavierspielerin. Er wurde 1772 geadelt.

Am 20. Mai besuchen sie wieder Tanucci und am 22. ein Theater.

Am 28. Mai musiziert Wolfgang in einer Akademie beim Gesandten Kaunitz, die Mrs. Hamilton arrangiert hat.

GRAF ZU OETTINGEN-WALLERSTEIN AN SEINE MUTTER, NEAPEL, 29. MAI 1770

le soir nous fumes à un Concert, que donnait le jeune Mozart, c'est un vrai Prodige pour la Musique.

Siehe 28. April. — Bezieht sich auf den 28. Mai.

Am 30. Mai hören sie im Teatro di San Carlo Jommellis *Armida* mit Aprile als Rinaldo.

Am 10. Juni sind sie zu Mittag im Augustiner-Kloster S. Giovanni a Carbonaro, am 13. besuchen sie Pozzuoli und Bajae, am 16. mittags speisen sie bei den Kartäusern von S. Martino, am 18. und 19. besuchen sie den Vesuv, Pompeji, Herculanum, Caserta und Capodimonte.

Am 25. Juni verlassen sie Neapel und erreichen in 27 Stunden mit Eilpost Rom am 26. um 8 Uhr abends.

VERFÜGUNG DES PÄPSTLICHEN STAATSSEKRETARIATS
AN KARDINAL ANDREA NEGRONI

Dalla Segretaria di Stato
26:Guigno 1770

Essendosi degnata la Santità di Nostro Signore di conferire la Croce dello Speron d'oro a Giovanni Amadeo Wolfango Mozart Strasburghese, se ne avanza il riscontro al Signore Cardinale Negroni, affinchè possa fargliene spedire l'opportuno Breve
Signore Cardinale Negroni.

Vatikanisches Archiv, Rom. — Elisabeth I. Luin in *Studien zur Musikwissenschaft*, Wien 1955, S. 46 f. — Kardinal Pallavicini war der Vorstand des Staatssekretariats, Kardinal Negroni der der Segretaria dei Brevi. — Daß Wolfgang als Straßburger statt als Salzburger bezeichnet wurde, war ein Irrtum, der auch im Konzept des Breve zu finden ist, nicht aber in dessen endgültiger Fassung (s. 4. Juli).

Am 29. Juni, dem Namenstage Peter und Paul, wohnen die Mozarts einem Volksfeste und einer Illumination bei.

DAS BREVE PAPST CLEMENS XIV., ROM, 4. JULI 1770

Dilecto Filio Joanni Aamadeo Wolfgango Mozart Salisburgensis Civitatis, Seu Dioecesis.

Clemens P[astor] P[astorum] XIV.

Dilecte Fili Salutem et Apost[oli]cam Benedictionem. Ex Romani Pontificis, et Apostolicae Sedis Beneficentia provenire dignum est, ut qui erga illos non exigua fidei, ac Devotionis Signa demonstrant, quique probitatis et virtutum meritis sunt ornati, iidem ab ipso Romano Pontifice, ac Sede praedicta honoribus et gratiis decorentur. Proinde nos te ob sinceram tuam erga nos, et Sedem eamdem Fidem ac Devotionem, aliaque tua merita condignis gratiae et beneficentiae nostrae favoribus prosequi volentes, et à quibusvis excommunicationis, suspensionis et interdicti, alliisque Ecclesiae Sententiis, censuris et poenis à Jure vel ab homine quavis occasione vel causa latis, si quibus quomodolibet innodatus existis, ad effectum praesentium tantum consequendum harum Serie absolventes, et absolutum fore censentes, supplicationibus tuo Nomine nobis super hoc humiliter porrectis inclinati, te quem in suavissimo Cymbali Sonitu à prima adolescentia tua excellentem esse intelleximus, Auratae Militiae Equitem auctoritate Apostolica tenore presentium facimus et creamus, aliorumque Equitum Militae huiusmodi numero favorabiliter aggregamus, nec non ut omnibus et singulis privilegiis, gratiis et indultis ac praerogativis, quibus alii Equites huiusmodi de Jure, usu, et consuetudine, aut alias quomodolibet utuntur, fruuntur et gaudent, ac uti, frui et gaudere possunt et poterunt in futurum, pari modo (citra tamen facultates à concilio Tridentino sublatas) uti, frui et gaudere libere ac licite valeas, auctoritate et tenore praedictis concedimus et indulgemus, non obstantibus constitutionibus et ordinationibus apostolicis caeterisque contrariis quibuscunque. Volumus autem, ut crucem auream juxta modum et formam per felicis recordationis Benedictu[m] P[astorem] P[astorum] XIV Praedecessorem nostrum descriptam, cuius Exemplar tibi tradi mandamus, gestare omnino debeas, alioquin praesens gratia nulla sit eo ipso. Datum Romae apud S[an]ctam Mariam Majorem sub annulo Piscatoris die IV Julii MDCCLXX Pont[ifica]tus N[ost]ri Anno Secondo.

A. Card:Nigornus.

Original verschollen. Eine der beiden Abschriften, die Leopold Mozart für den Erzbischof Schrattenbach in Salzburg und Padre Martini in Bologna anfertigte, hat sich in der Bibliothek des Konservatoriums von Bologna gefunden. E. F. Schmid, a. a. O., S. 44 f. — Das Konzept im Vatikanischen Archiv, von Frau Luin (a. a. O., S. 44 ff.) früher veröffentlicht, weicht von der endgültigen Fassung mehrfach ab; es ist vom Papst mit „*Placet L.*" unterzeichnet, wobei L. für Laurentius steht, seinen ehemaligen Klosternamen. Das Original des Breve, wahrscheinlich 1778 von Wolfgang mit dem Orden verloren, war natürlich mit dem Fischerring-Siegel des Papstes versehen. — Die erste Zeile hier steht auf der Rückseite des Dokuments. Die Unterschrift des Kardinals Negroni (Nigronus) ist wohl von Leopold Mozart ungenau kopiert worden. — Gluck, der sich seit damals Ritter nannte, und Ditters (später von Dittersdorf) hatten diesen päpstlichen Orden vor Wolfgang bekommen, aber nicht in diesem hohen Rang des „*vergoldeten Ritters*", mit dem nur ein Musiker, nämlich Orlando di Lasso, ausgezeichnet worden war. — Am 3. Juli war das Breve ausgefertigt worden, am 4. unterschrieb es der Papst. Die übliche Taxe wurde Wolfgang erlassen.

Am 5. Juli übergibt Kardinal Pallavicini im Palazzo Quirinale, seinem Wohnsitz, Wolfgang die Insignien des päpstlichen Ordens: das goldene Kreuz am roten Band, den Degen und die Sporen.

Die Ordenstracht mußte Vater Mozart für Wolfgang selbst beschaffen. — Am gleichen Tage speisten sie bei Baron Odîle.

ABBÉ FERDINAND GALIANI AN MADAME D'EPINAY

Naples, 7 juillet 1770.

Je crois vous avoir écrit que le petit Mosar est ici, et qu'il est moins miracle, quoiqu'il soit toujours le même miracle; mais il ne sera jamais qu'un miracle, et puis voilà tout.

Galiani, *Correspondance avec Madame d'Epinay*, Paris 1881, S. 191 f. — Er war Nationalökonom und Staatsmann, hatte in Paris mit den Enzyklopädisten verkehrt und lebte nun in Neapel. Vgl. 26. September 1766.

Am 8. Juli wird Wolfgang, geschmückt mit den ihm verliehenen Insignien, vom Papst im Palazzo Santa Maria Maggiore, dessen zeitweiliger Residenz, in Audienz empfangen.

Wolfgangs obligater Zeuge bei der Ernennung war vermutlich sein späterer Landesherr, Hieronymus Graf Colloredo, damals Bischof von Gurk. Es ist möglich, daß er bei der Audienz zugegen war.

Am 10. Juli verlassen die Reisenden Rom, erreichen am 11. Città Castellana, wo Wolfgang die Orgel versucht, setzen ihre Reise am 12. über Terni, Spoleto und Foligno fort, kommen am 16. nach Loreto und fahren am 17. über Ancona, Senigallia, Pesaro, Rimini, Forlì bis Imola, wo sie am 19. ankommen, bis sie endlich am 20. wieder in Bologna eintreffen.

Vom 10. August bis 1. Oktober verweilen sie auf dem Landgut des Feldmarschalls Pallavicini, genannt „Alla croce del Biacco", nahe von Bologna.

Der Landsitz besteht noch. Vater Mozart litt noch immer an den Folgen eines Wagenunfalls auf der hastigen Reise von Neapel nach Rom, einer Rißwunde am rechten Schienbein.

AUS CHARLES BURNEYS REISENOTIZEN, BOLOGNA, 30. AUGUST 1770

Thurs. Aug. 30 ... After seing a Church or two on my way, I went to S. Giovanni in Monte to hear the Philharmonic performances. There was a great deal of Company ... and among the rest who should I meet but the celebrated little German, Mozart, who in 1766 astonished all hearers in London by his premature musical talent. I had a long conversation with his father. I find they are inmates of the Palace of Prince Palaviccini. The little man is grown considerably but is still a little man. He has been at Rome and Naples, where he was much admired. At Rome the Pope has conferred on him the Order of the *Speron d'Oro*, or gold Spur, the only civil or military order in the gift of his Holiness. He astonished the Italian Musicians wherever he stopt. He is now at the age of 12, ingaged to compose an Opera for Milan, on occasion of the marriage of the Principessina of Modena, with one of the Arch-Dukes of Austria. There are to be 3 new operas composed on this occasion. I know not yet who are his concurrents; but shall be curious to know how this extraordinary boy acquits himself in setting words in a language not his own. But there is no musical excellence I do not expect from the extraordinary quickness and talents, under the guidance of so able a musician and intellegent a man as his father, who, I was informed, had been ill five or six weeks at Bologna.

Percy A. Scholes, *The Great Doctor Burney*, London 1948, I, 170, und seine Ausgabe von Burneys *Musical Tours in Europe*, London 1959, I, 161 f. — Burney bereiste 1770 Frankreich und Italien, 1772 Deutschland und die Niederlande, um Material für seine Musikgeschichte (1776—89) zu sammeln; er veröffentlichte aber Berichte über jene Reisen schon 1771 und 1773 (hier zitiert zu Ende dieser Jahre). — Die feierliche Aufführung einer Messe und der Vespern, die die Accademia filarmonica von Bologna in S. Giovanni in Monte veranstaltete, bestand aus Werken von zehn ihrer Mitglieder. Über Wolfgangs für Mailand geschriebene Oper siehe 26. Dezember 1770. Er war schon 14 Jahre alt.

Am 4. Oktober wird in S. Petronio der Namenspatron der Kathedrale gefeiert, und Wolfgang wirkt dabei neben den Bologneser Musikern mit.

Am 6. Oktober spielt er auf der Orgel von S. Domenico.

Protokoll über die Aufnahmeprüfung Mozarts in die Accademia filarmonica von Bologna

Adi: 9: Ottobre 1770

Congregati per Polize li Sgri Accademici sotto il Principato del Sig. Petronio Lanzi sotto intervenuti li seguenti cioè.

Sig: Co: Baldassare Carrati Ereditario	Sig: Antonio Mazzoni
Sig: Petronio Lanzi Principe	Sig: Bernardino Ottani
Sig: Be Luigi Ferri Segreto.	Sig: Angelo Galasi
Sig: Angelo Anto. Caroli	Sig: Barone Nesselrode
Sig: Lorenzo Gibelli	Sig: Giovanni Piantanida
Sig: B: Giuse. Corsini	Sig: Girolamo Bernia
Sig: Antonio Montroni	Sig: Gaetano Poggi
Sig: Melchiore Prosperi	Sig: Petronio Vecchi
Sig: Pietro Gionima	

Primieramente si è letto memoriali presentato dall'Francesco Piantanida Professore di Violoncello petente di essere ammesso all'Accademia in qualità di Sonatore: e per partito segreto, che publicatori si è trovato ottenuto favorevole a tutti voti bianchi è egli stato admesso:

Succesivamente si è letto altro Memoriale presentato per parte del Sr. Wolfgango Amadeo Mozart di Salisburgo in età d'anni quattordici petente di essere admesso all' Accademia in qualità di Compositore sottometendosi alle prove, alla forma delli Statuti; indi appertosi dal Sige: Principe L'Antifonario, e presentasi L'Antifona del primo Tono = *Querite primum Regnum Dei* etc., questa gli è stata data sù cui fare egli il suo esperimento: che però ritiratosi egli solo nella Camera consueta si è accinto all'impegno:

Nel termine di meno d'un ora esso Sr: Mozart prestato il suo esperimento, il quale riguardo alle circostanze di esso lui e stato giudicato sufficiente, che però si è posto partito p[er] la di lui aggregazione all' Accademia in qualità di Maestro, e pubblicatosi, si è trovato ottenuto favorevole; gli Sgri Congregati hanno ordinato che gli si spedisca la consueta Patente:

Accademia filarmonica, Bologna. — C. Rizzi in der *Gazetta Musicale di Milano*, 9. August 1891. Jahn II, 724 f. Faksimile in Robert Bory, *W. A. Mozart. Sein Leben und sein Werk in Bildern*, Genf 1948, S. 81. — Die Antiphone, die Wolfgang in Klausur schrieb, ist KV 86.

Diplom der Accademia filarmonica in Bologna

Princeps Caeterique Academici Phylharmonici.
Omnibus, et singulis praesentes Literas lecturis, felicitatem.

Quamvis ipsa Virtus sibi, suisque Sectatoribus gloriosum comparet Nomen, attamen pro majori ejusdem majestate publicam in notitiam decuit propagari. Hinc est, quod hujusce nostrae Phylharmonicae Academiae existimationi, & incremento consulere, singulorumque Academicorum Scientiam, & profectum patefacere intendentes, Testamur *Domin. Wolfgangum Amadeum Mozart e Salisburgo* sub die *9* Mensis *Octobris* Anni *1770* inter Academiae nostrae *Magistros Compositores* adscriptum fuisse. Tanti igitur Coacademici virtutem, & merita perenni benevolentiae monumento prosequentes, hasce Patentes, Literas subscriptas, nostrique Consessus Sigillo impresso obsignatas dedimus.
Bononiae ex nostra Residentia die *10* Mensis *Octobris* Anni *1770.*

Princeps. *Petronius Lanzi*
P. Aloysius Xav. Ferri
a Secretis.
Camplonerius
Cajetanus Croci.

Registr. in Libro Camplon[eri]o G pag. 147.

Mozart-Museum, Salzburg. — Nissen, a. a. O., S. 226 f. Jahn II, 725. Faksimile bei Schiedermair, Bd. 5, Tafel 58. — Das Original ist ein gedrucktes Formular, worin die hier in Kursiv gesetzten Worte mit Tinte eingesetzt worden sind.

Zeugnis des Padre Martini
Bologna li 12. Oct. 1770.

Attesto io infrascritto, come avendo avuto sotto gli occhi alcune Composizioni Musicali di vario stile, e avendo più volte ascoltato il Cembalo, il Violino, e cantare il Sig. Cav. Giov. Amadeo Wolfgango Mozart di Salisburgo, M.ro di Musica della Camera di Sua Altezza l'eccelso Principe Arcivescovo Salisburgense in età d'anni 14, con mia singolar ammirazione l'ho ritrovato versatissimo in ognuno delle accennate qualità di musica, avendo fatta qualunque prova sopra tutto nel suono del Cembalo con darli varî soggetti all'improviso, quali con tutta maestria ha condotti con qualunque condizione che richiede l'Arte. In fede di che ho scritta e sottoscritta la presente di mia mano.

F. Giambatista Martini
Minor Conventuale.

Conservatorio di Musica „G. B. Martini", Bologna. — Jahn II, 727.

Am 13. Oktober verlassen die Reisenden Bologna, kommen am 14. nach Parma, am 16. nach Piacenza und erreichen Mailand am 18. um 5 Uhr nachmittags.

Die ersten drei dieser vier Daten sind nicht ganz sicher.

Quittung des Don Domenico Zanardi, Rats der Accademia filarmonica in Bologna, 4. November 1770

Ricevo per mano del Padre Maestro Martini lire quaranta, sono per l'ingresso in Accademia e Suffragio alla forestiera del sig. Wolfgango Mozart Cavaliere Aurato di Salisburgo nell'Ordine de'Compositori, dico L. 40.

Nestore Morini, *La R. Accademia Filarmonica di Bologna*, Bologna 1930, S. 56. — Es scheint, daß Padre Martini diese Gebühr aus eigener Tasche gezahlt hat.

Vom 17. bis 19. November, ein Wochenende, verweilen die Mozarts auf dem Landgut Leopold Trogers, Sekretär des Grafen Karl Joseph Firmian, in der Nähe Mailands.

Leopold Mozart benützte Trogers Adresse für seine Post aus Salzburg, das Troger 1771 besuchte.

Am 26. November findet beim Grafen Firmian, dem Gouverneur der Lombardei, eine Akademie mit Orchester statt.

Für die Aufführung der Oper *Mitridate*, die Wolfgang indessen für die Mailänder Saison auf Bestellung geschrieben hat, findet die zweite Rezitativ-Probe am 8. Dezember statt, die erste Probe mit kleinem Orchester am 12., eine Probe mit vollem Orchester im Redoutensaal am 17., eine andere solche im Theater am 19., die dritte vollständige Probe am 22. und die Generalprobe am 24.

Am 26. Dezember wird *Mitridate* im großherzoglichen Schlosse (Teatro Regio Ducal) zum ersten Male aufgeführt.

Das Textbuch von V. A. Cigna-Santi basierte auf G. Parinis italienischer Übersetzung von Jean Racines Tragödie und war schon 1767 von Qu. Gasparini komponiert worden. Wolfgangs erste für Italien geschriebene Oper 22 Mal hintereinander gegeben. Wolfgang dirigierte die drei ersten Aufführungen vom Cembalo aus, während Giovanni Battista Lampugnani das zweite Cembalo spielte. Die Aufführung dauerte 6 Stunden.

TITEL DES LIBRETTOS VON «MITRIDATE»

MITRIDATE / Re di Ponto. / Dramma per Musica / da rappresentarsi / Nel Regio-Ducal Teatro / di Milano / Nel Carnovale dell'Anno 1771. / dedicato / A Sua Altezza Serenissima / il / Duca di Modena, / Reggio, Mirandola ec. ec. / Amministratore, / e Capitano Generale / della Lombardia Austriaca / ec. ec. / in Milano, MDCCLXX / Nella Stamperia di Giovanni Montani / Con Licenza De' Superiori.

Exemplare des Textbuches sind in der Biblioteca musicale Santa Cecilia, Rom, im Conservatorio Giuseppe Verdi, Mailand, und in der Deutschen Staatsbibliothek, Berlin. — Faksimile des Titelblattes bei Bory, a. a. O., S. 82.

PERSONENVERZEICHNIS DES «MITRIDATE»

Personaggi.

Mitridate, Re di Ponto, e d'altri / Regni, amante d'Aspasia. / *Sig. Cavaliere Guglielmo D'Ettore Virtuoso / di Camera di S. A. S. Elettorale di Baviera.*

Aspasia, promessa sposa di Mitridate. / e già dichiarata Regina, / *Signora Antonia Bernasconi.*

Sifare, figliuolo di Mitridate, e di / Stratonica, amante d'Aspasia, / *Sig. Pietro Benedetti, detto Sartorino.*

Farnace, primo figliuolo di Mitri- / date, amante della medesima, / *Sig. Giuseppe Cicognani.*

Ismene, figlia del Re de' Parti, amante / di Farnace, / *Signora Anna Francesca Varese.*

Marzio, Tribuno Romano, amico di / Farnace, / *Sig. Gaspare Bassano.*

Arbate, Governatore di Ninfea, / *Sig. Pietro Muschietti.*

Compositore della Musica.

Il Sig. Cavaliere Amadeo Wolfgango Mo- / zart, Accademico Filarmonico di Bolo- / gna, e Maestro della Musica di Camera / di S. A. Rm̄a il Principe, ed Arcivescovo / di Salisburgo.

Faksimiliert bei Bory, a. a. O., S. 82.

Aus dem handschriftlichen Verzeichnis des Teatro Regio Ducal, Mailand 1770

26 Xbre / do. / Mitridate Re di Ponto / Cav. Amadeo Mozart / Pietro Benedettn do. Sartorino / Antonia Bernasconi / Cav. Guglielmo d'Ettore virtuoso di Camera di S. A. Elettorale di Bavaria / Gius. Cicognani Anna Francesca Varese Gasparo Bassano Pietro Muschietti / Francesco Caselli / Sud. (Ant. Galli-Bibiena) Galleari / Sud. interessati nella locazione.

Archivio di Stato, Milano. — Faksimile in *Mozart in Italia*, 1956, Tafel XXVI. — In den elf Kolonnen dieser Tabelle stehen nach dem Komponisten die Namen des Primo Uomo, der Prima Donna, der anderen Sänger, des Ballettmeisters, des Bühnenmalers und sonstiger Mitwirkenden. (Freundliche Beratung von Dr. L. F. Tagliavini.) — Giuseppe Galliari und sein Bruder waren Bühnen-Dekorateure.

1771

Aus der «Gazzetta di Milano», 2. Januar 1771

Mercoledì scorso si è riaperto questo Regio Ducal Teatro colla rappresentazione del Dramma intitolato il Mitridate, Re di Ponto, che ha incontrata la pubblica soddisfazione sì per il buon gusto delle Decorazioni, quanto per l'eccellenza della Musica, ed abilità degli Attori. Alcune Arie cantate dalla Signora Antonia Bernasconi esprimono vivamente le passioni, e toccano il cuore. Il giovine Maestro di Cappella, che non oltrepassa l'età d'anni quindici, studia il bello della natura, e ce lo rappresenta adorno delle più rare grazie Musicali.

Müller v. Asow, a. a. O., II, S. 101. — *Mozart in Italia*, S. 133: verfaßt von Giuseppe Parini.

Am 3. Januar 1771 speisen die Mozarts bei Frau Marianne d'Asti von Asteburg, Trogers Tochter; am 4. spielt Wolfgang ein Konzert bei einer kleinen Akademie im Hause des Grafen Firmian, wo sie auch am 5. speisen.

Frau d'Asti, die aus Salzburg kam, setzte Wolfgang sein Leibgericht vor: Sauerkraut und Knödel.

Ernennung zum Ehrenkapellmeister der Philharmonischen Akademie von Verona, 5. Januar 1771

Il Giorno delli 5 del Mese di Genaro 1771 Convocata la Magca Accademia Filarmonica di Verona nel Loco solito con l'assistenza de Padri Gravissimi.

Espose il Nob: Sigr. Co: Murari Brà Governator esser antico Istituto di questa Accademia il procaciarsi l'onore delle Persone Virtuose, accioche dalle Loro distinte Virtù ridondi sempre più Lustro e decoro alla stessa Accademia; cosi essendo bastantemente note le prerogative distinte di cui va adorno il Portentoso Giovane Sigr. Amadeo Wolfgango Mozart di Salisburgo maestro de Concerti di S. A. Revma. l'Arcivescovo e Principe di Salisburgo; Cavalliere dello Speron d'Oro condecorato dal Regnante Sommo Pontefice, che si degnò udirlo, et applaudire al merito d'esso Giovane. e veramente può decantarsi un prodigio de piu amirevoli nella profession della Musica. e lo può accertare questa nostra Città di Verona, mentre in quelli pochi giorni, che vi si trattene diede prove tali del suo valore nel suonare di Gravicimbalo in piu incontri all' improviso le cose piu difficoltose con tale prontezza, e legiadria; riducendo sul Fatto in ottima Musica concertata a piu stromenti alcuni tratti poetici, che gli furono esibiti con istupore de piu intendenti in tale Arte. Oltre di che questa nostra Accademia ne puo fare le piu veridiche sincere attestazioni del merito imparegiabile di questo Giovane, il quale nella Sala dell' Accademia nel Genaro dell' anno scorso alla presenza di Dame Cavallieri, e de Pubbci: Rapresentanti sostenne mirabilmente con somma maestria e sorpresa di tutta quella Nobile Adunanza i maggiori Musicali Cimenti. E ciò oltre le moltiplici notizie avute da piu parti dell' Italia, dove s'è fatto sentire da Principi Professori e Diletanti di Musica questo esperto soggieto, riportandone da tutti encomi, et applausi: In somma il suo bel Talento promette sempre piu avanzamenti singolari da far arrestare tutti quelli che l'averano ad udire in progresso; poiche in età cosi fresca il di Lui perspicace Ingegno è pervenuto, e pervenirà in sceguito a tale grado di sapere, che ora mai avanza, e superior li piu prestanti nella Musica.

Perciò sarebbe di gran vantaggio a questa nostra Accademia, la quale nella Musica, Poesia, e Belle Lettere ha avuto sempre nome da pertutto della piu segnalata e distinta, che questo insigne Giovane fosse ascritto Maestro di Capela della sud.ta Accademia Filarmonica; sperando che da Lui sarà aggradita questa dimostrazione di stima.

Proposta in Accademia si decorosa proposizione e discorsa con erudita facondia, restò universalmente dalli Accademici acclamata e per consequenze descrito il virtuoso Giovane Sigr. Amadeo Wolfgango Mozart Maestro di Capela della mag.ca Accademia Filarmonica di Verona.

Gl'Accademici Filarmonici
Dr. Antonio Tommasi Seg.io

Mozart-Museum, Salzburg. — Jahn II. 726 (textlich abweichend). Faksimile bei Bory, a. a. O., S. 83. — Leopold Mozart hatte Padre Martini schon am 2. Januar von dieser Ehrung verständigt.

Am 14. Januar fahren die Reisenden nach Turin, wo sie in der Dogana nuova zwei Wochen lang sich aufhalten.

Am 31. Januar kehren sie nach Mailand zurück, wo Graf Firmian am 2. Februar zu ihrem Abschied ein Mittagessen gibt.

Am 4. Februar verlassen sie Mailand und reisen über Canonica, Brescia, Verona, Vicenza und Padua nach Venedig, wo sie am Faschingsmontag, dem 11., eintreffen und in der **Casa Cavaletti**, Rio S. Fantino al Ponte di Barcaroli, Quartier finden.

Am 12. Februar hören sie im Teatro di S. Moisé von 2 bis etwa 7 Uhr nachmittags Antonio Boronis Oper *Le contadine furlane*.

Sonntag, den 17. Februar speisen sie mittags bei Giovanni Bragadino, dem Patriarchen (Erzbischof) von Venedig, und am 18. bei Giovanni Antonio Dolfin.

Am 21. Februar sind sie zu Mittag bei der Signora Caterina Corner, am 24. und 25. wieder bei Bragadino und Dolfin.

ORTES AN HASSE, VENEDIG, 2. MÄRZ 1771

Non credo però ch'essi (i Mozart) si trovino molto contenti di questa Città, nella quale si sarebbero creduti che altri cercasse di loro, più ch'essi di altri, come sarà loro avvenuto altrove. E qui per verità non usano molto di andar in cerca di stimar altri per meritevoli e stimabili ch'essi sieno, e non è poco che stimino chi và in cerca d'esser stimato. È cosa curiosa la disinvoltura colla quale il regazzo gode di questa differenza, quando il padre ne pare un poco piccato.

Mennicke, a. a. O., S. 431. Vgl. 30. September und 4. Oktober 1769 und 23. März 1771.

Am 3. März sind die Mozarts zu Gast beim Grafen Jacopo Durazzo, dem früheren Hof-theater-Intendanten in Wien, jetzt kaiserlichen Gesandten in Venedig; am 4. bei der Familie Maffei.

DER NEUE OPERNKONTRAKT FÜR MAILAND

Resta accordato il Sign. Amadeo Mozart per mettere in musica il primo dramma che si rappresenterà in questo Regio Ducal Teatro di Milano nel Carnovale dell' anno 1773 e le si assegnano per onorario delle sue virtuose fatiche Gigliati cento trenta, dico 130 g. ed alloggio mobigliato.
Patto che il suddo. Sign. Maestro debba transmettere tutti li recitativi posti in musica entro il Mese di 8bre dell'anno 1772 e ritrovarsi in Milano al principio del susseguente mese di 9bre per comporre le arie ed assistere a tutte le prove necessarie per l'opera sud-detta. Risservati li soliti infortunij di teatro e fatto di Principe (che Dio non voglia).
Milano 4 Marzo 1771.

Gl'Associati nel Regio Appalto del Teatro
Federico Castiglione

Jahn II. 727. — Die neue Oper für Mailand war *Lucio Silla*.

Am 5. März gibt Wolfgang eine Akademie in Venedig.

Über diese „*große*" und „*schöne*" Akademie ist nichts Näheres bekannt.

Am 12. März verlassen die Reisenden Venedig und fahren auf der Brenta nach Padua, wo sie am 13. eintreffen und im Palazzo Pesaro übernachten.

In Padua spielte Wolfgang auf dem Cembalo des Maestro Ferrandini al Santo und auf der Orgel von S. Giustina. Er erhielt dort am 13. März den Auftrag, ein Oratorium zu schreiben: *Betulia liberata*, Text von Metastasio, das aber in Padua, soweit bisher bekannt, nicht aufgeführt worden ist. Vgl. 23. Mai 1775.

Am 14. März geht es weiter nach Vicenza, wo sie beim Bischof Marco Giuseppe Cornaro aufgenommen werden.

Johannes Wider an Frau Mozart in Salzburg

Madame

Wie nun die Ehre gehabt, Dero Herrn Liebsten und allerliebsten Herrn Sohn Amadeus seit einem Monath mit meiner Unvermögenheit allhier zu bedienen, als kan nicht weniger Thun, mir hiemit die Freyheit zu nehmen, Ihnen zu berichten, wie auch dz vergnügen gehabt, dieße meine Liebe Bekandte und gute Freunde, bis nacher Padova mit einem guten Theil von meiner Familie, zu begleithen, wo wir uns dann gestern Frühe haben verlaßen müßen, Gott Lob, alles gesund und wohlauf, morgen auf den abend solle die Ankunft in Verona erfolgen, allwo mann Sich nicht lange aufhalten, sondern die Reiße gegen dem Lieben Vatterlande fortsetzen wird, der liebe Gott wolle also überall der Geleits-Mann seyn, und dieße gute und liebe Freunde glücklich und gesund nacher Hauße bringen, welches Seiner Zeit mit einem ungemeinen großen Verlangen zu vernehmen gewärtige, einstweilen bitte mir gütigst zu excusiren dz so frey geweßen, dießes schlechte Concept an dießelbe ergehen zu laßen, hingegen aber will mir dero Gewogenheit noch weiter ausgebetten haben, wie dann in solcher Zuversicht auch Ihnen meine schwache dienste, bey allen Vorfallenheiten, mit allem Nachdruk anerbothen haben will, damit Sie mich in der That erkennen mögen wie nach gehorsamsten Respect nebst meiner Liebste auch die allerwertheste Mademoiselle Tochter, mit aller Ergebenheit verharre,

Madamen

dero ganz Ergebenster wahrer Diener

Johannes Wider

V. S. V. P.

Venedig den 15 Merz / 1771

P. S. Noch eben tat empfange durch Herrn Hagenauer, welchem ohnschwer mein Compliment zu vermelden, ein Schreiben vor dero werthesten Herrn Liebsten, welches Ihme morgen Abend nacher Verona adreßiren werde./.

Mozarteum, Salzburg. — Müller v. Asow, a. a. O., II. 110. — Wider war ein Kaufmann in Venedig, an den Lorenz Hagenauer, der Salzburger Hausherr, Vater Mozart empfohlen hatte. Er betreute ihn während des Aufenthaltes in Venedig.

Am 16. März kommen die Reisenden nach Verona, wo sie bei Pietro Lugiati absteigen; am 17. spielt Wolfgang dort geladenen Gästen vor.

Am 20. März erreichen sie Rovereto und setzen dann ihre Reise über Brixen fort.

Hasse an Ortes

Vienna 23. Marzo del 71.

Il giovine Mozard è certamente portentoso per la sua età, ed io pure lo amo infinitamente. Il Padre, a quel che vedo, è egualmente malcontento da per tutto, mentre anche qui si fecero le medesime lamentazioni. Egli idolatra il suo figlio un poco troppo, e fa per ciò quanto può per guastarlo; ma io ho tanta buona opinione del naturale buon senso del ragazzo, che spero, che a dispetto degl'incensi del Padre non si guasterà, ma diventerà un brav'uomo.

Vgl. 30. September und 4. Oktober 1769, und 2. März 1771. — Kretzschmar, a. a. O., S. 265, Mennicke, a. a. O., S. 431 f.

Am 25. März abends kommen die Mozarts nach Innsbruck, wo sie einen Tag verbleiben.

Am Gründonnerstag, den 28. März 1771, kehren Vater und Sohn nach etwa 15¹/₂ Monaten heim.

Am 19. Juli schreibt Leopold Mozart an Feldmarschall Pallavicini in Bologna über die bevorstehende zweite Reise nach Italien.

Ostoja, a. a. O., S. 42; Faksimile S. 30—32.

Am Dienstag, dem 13. August 1771, treten Vater und Sohn ihre zweite italienische Reise an, die diesmal nur vier Monate dauern soll. Über Kaltern und Waidring kommen sie abends nach St. Johann, am 14. kehren sie mittags bei der „Post" in Kundl ein und erreichen abends Innsbruck. Am 15. sind sie zu Mittag in Steinach und zur Nacht in Brixen; am 16. mittags in Bozen und abends in Trient; am 17. um 9 Uhr vormittags in Rovereto, wo sie nur 1¹/₂ Stunden verweilen, und um 1 Uhr nachmittags in Ala.

DER OPERNKONTRAKT FÜR VENEDIG

A dì 17 del mese di Agosto 1771.
Venezia.

Con la presente privata scrittura, quale voglion le parti che abbia forza e vigore, come se fatta fosse per mano di Pubblico Notaro di questa ed altra Città, il Sign. Michele dall' Agata conduttore dell'opera eroica, che si dovrà rappresentare nel venturo Carnevale dell' anno 1773 principiando le recite il giorno di S. Steffano nel magnifico teatro nobile di S. Benedetto, ferma e stabilisce il Sign. Wolfgang Amadeo Mozart maestro di cappella per scrivere la seconda opera, che sarà data in detto Carnevale con obbligo di non dover scrivere in alcun altro teatro della capitale, se non ha prima eseguito la presente scrittura. Con obbligo di ritrovarsi in Venezia per li 30 Novembre 1772 per esser pronto a tutte le prove e rappresentazioni, che si doveranno fare nel detto tempo. Ed in ricompensa delle sue virtuose fatiche li viene accordato dal Sign. dall'Agata Zecchini num. settanta o sua giusta valuta, onde promette il suddetto di pontualmente adempire senza riverso di nessun' altra respettiva parte, salvo soli li patti soliti riservarsi in materia de' teatri, ed in fede vale Zecchini num. 70.

Michele dall' Agata.

Jahn II. 727 f. — Diese Oper kam nicht zustande.

Am Sonntag, dem 18. August, verlassen die Reisenden, nach der Morgenmesse, um 7 Uhr früh Ala und kommen um 12 Uhr mittags in Verona an, wo sie wieder bei Pietro Lugiati aufgenommen werden. Am 20. geht es weiter nach Brescia, wo sie um 3 Uhr nachmittags eintreffen und übernachten. Am 21. sind sie mittags in Canonica und um 7 Uhr abends in Mailand.

Am 23. August sind sie abends zu Gast beim Kammerfurier Johann Georg Zinner; am 31. besuchen sie Hasse, der Tags zuvor angekommen war.

Am 30. bekam Wolfgang das Libretto der Oper *Ascanio in Alba*, die er für Mailand zu schreiben hatte. — Burney erwähnt in seinen Notizen vom August 1771, daß Venanzio Rauzzini, damals noch in München, in Mozarts Mailänder Oper singen werde, wozu es aber erst Ende 1772 im *Lucio Silla* gekommen ist (siehe Ende 1773).

Am 27. September werden die Chöre der neuen Oper geprobt, am 28. ist die erste vollständige Probe der Musik, am 4., 8., 11. und 14. Oktober finden im Theater die restlichen vier Proben statt.

Decretum an das Hochfürstliche Hofzahlamt

Zumahlen S. Hochfürstl. gnaden mündlich gnädigist anzubefehlen geruhet, daß dem Hochfürstl. vice Kapellmeistern Leopold Mozart, solange solcher von hier abwesend, keine Besoldung abgereichet ... als wird ein so andre höchste willens-Meynung dem Hochfürstl. Hofzahlamt der dießfällig genauen Nachachtungs willen hiemit kund gethan.

Decretum in Consilio Camerae
16. Oct: 1771.

Konzept im Salzburger Landesarchiv. — Pirkmayer, a. a. O., 1876, S. 20 f. — Siehe 28. Dezember 1771.

Am 17. Oktober wird *Ascanio in Alba* im Teatro Regio Ducal in Mailand aufgeführt, zur Feier der Hochzeit des Erzherzogs Ferdinand von Österreich und der Prinzessin Maria Beatrice Ricciarda von Modena aus dem Hause Este.

Der Erzherzog war Gouverneur und Generalkapitän der Lombardei, Bruder Leopolds, des Großherzogs von Toskana und späteren Kaisers, der dritte Sohn Maria Theresias (vgl. 12. XII. 1771). Die Hauptoper zu diesem Anlaß war am 16. Oktober Hasses *Ruggiero*, seine letzte Oper, nach einem Text von Metastasio. Wolfgangs *Festa teatrale* war in zwei Akten, sein Libretto von Abbate Giuseppe Parini, das Ballett von Jean Georges Noverre, der aus Wien kam. Die Titelrolle sang Giovanni Manzuoli, die Venere Signora Geltrude Falchini, die Nymphe Silvia Signora Antonie Maria Girelli-Auguilar, den Priester Aceste Giuseppe Tibaldi und den Hirten Fauno der Sopranist Adamo Solzi. Parini sagte in seiner Beschreibung der Hochzeitsfestlichkeiten (Mailand 1825, S. 21): „*La musica del detto dramma fu composta dal signor Amadeo Volfgango Mozart, giovinetto già conosciuto per la sua abilità in varie parti dell'Europa.*" Die Hasse zugeschriebenen Worte, „*Questo ragazzo ci farà dimenticar tutti*", sind apokryph. Mozarts *Serenata* wurde am 19. und 24. Oktober wiederholt, wahrscheinlich auch am 27. und 28.

Titel des Textbuches zu « Ascanio in Alba »

ASCANIO / IN ALBA / FESTA TEATRALE / da rappresentarsi in musica / PER LE FELICISSIME NOZZE / DELLE LL. AA. RR. / IL SERENISSIMO / FERDINANDO / ARCIDUCA D'AUSTRIA / e / LA SERENISSIMA ARCIDUCHESSA / MARIA

BEATRICE / D'ESTE / PRINCIPESSA DI MODENA / Semper ad Aeneadas placido pulcherrima vultu / Respice, totque tuas Diva tuere nurus. / Ovid. Fast. lib. 4. / IN MILANO MDCCLXXI. / Appreso Gio. Batista Bianchi Regio Stampatore

Exemplare in Biblioteca Musicale Santa Cecilia, Rom, und in Raccolta delle Stampe del Castello, Mailand. Faksimile in *Mozart in Italia*, Tafel XXX, und in *Neue Mozart-Ausgabe* II/5/5, Ascanio in Alba, S. XX.

Aus dem handschriftlichen Verzeichnis des Teatro Regio Ducal, Mailand 1771

16 do. (8bre) / Come sopra (Per le nozze delle LL. AA. RR. l'Arcid. Ferdinando figlio dell' Impe. Maria Teresa con la Sereniss. Arcid. M. Beatrice Principessa di Modena) / Ascanio in Alba / Amadeo Mozart / detto (Giov. Manzoli) / detta (M. Girelli Aguilar virt. di Cam. S. A. R. Duca Parma e Piacenza) / detto (Giuseppe Tibaldi) / — / d. Favier con balli e con cori / suddetti / come sopra (a spese della R. Camera?)

Vgl. 26. Dezember 1770. — Statt 16. sollte es 17. Oktober heißen. — Giovanni Favier war Ballettmeister.

Am 22. Oktober beglückwünscht Feldmarschall Pallavicini aus Bologna Vater Mozart zu Wolfgangs Erfolg, und Leopold erwidert diesen Brief am 30.

Ostoja, a. a. O., S. 43 f.; Faksimile des Briefes Leopold Mozarts dort auf S. 40 f.

Am 8. November sind die Mozarts und Hasse zu Mittag beim Grafen Firmian.

Am 22. (23.?) November gibt Wolfgang eine Akademie in Mailand.

Obwohl nichts Näheres über dieses Konzert bekannt ist, wird angenommen, daß das im November entstandene Divertimento in Es (KV 113) damals gespielt worden ist.

Am 30. November werden die Mozarts von Erzherzog Ferdinand empfangen.

Am 5. Dezember verlassen sie Mailand, kommen am 6. abends nach Brescia, am 7. abends nach Verona, am 8. um 4 Uhr nachmittags nach Ala, wo sie bis zum 9. mittags verbleiben, um abends Trient zu erreichen; am 11. abends kommen sie in Brixen an, von wo sie (frühestens) am 13. weiterreisen.

In Verona wohnten sie wahrscheinlich wieder bei Lugiati, in Ala bei den Brüdern Pizzini und in Brixen bei Graf Spaur (s. das folgende Dokument).

Aus dem Brixener Hofprotokoll, 11. und 12. Dezember 1771

Den 11:di Merc. die mess umb 7 Uhr u. die khur vort gesetzt umb 6 Uhr Confess:der Can: Gr. Ignati hatt mit den 2 Mozard musig gemacht so mit disen auf die nacht gespaist. Den 12:Xber, die Jov: die Mess nach 7 Uhr u. die Chur fortgesetzt, die Mozard haben mit dem Can. Graf Ignati gespaist und nachmittag Musig gemacht, auch mit den Canon. auf die nacht gespaist.

Hofarchiv Brixen. — Gefunden von Walter Senn, veröffentlicht von Erich Schenk in den *Sitzungsberichten* der Österreichischen Akademie der Wissenschaften, Philosophisch-historische Klasse, 225. Band, 1. Abhandlung, Wien 1947, S. 8. — Bischof von Brixen war 1747—76 Leopold Maria Joseph Graf Spaur; der Domherr Ignaz Joseph Graf Spaur war sein Neffe und wurde sein Nachfolger. — Die „khur", oder „Chur", bedeutete Baden in Milch und kaltem Wasser.

Maria Theresia an Erzherzog Ferdinand in Mailand, Wien, 12. Dezember 1771

... vous me demandez de prendre a votre service le jeune salzburgois [.] je ne sais comme quoi ne croiant pas que vous ayez besoing d'un compositeur ou des gens inutils [.] si cela pourtant vous ferois plaisir je ne veux vous l'empecher [.] ce que je dis est pour ne vous charger des gens inutils et jamais de titres a ces sortes des gens [.] comme a votre service cela avilit le service quand ces gens courent le monde comme de gueux [.] il a(t) outre cela une grand famille.

Alfred Arneth, *Briefe der Kaiserin Maria Theresia an ihre Kinder und Freunde*, Wien 1881, I. 92. — Faksimile in *Mozart in Italia*, Tafel XXXI. — Das war die Nachschrift eines Briefes. Leopold Mozarts Familie bestand nur aus vier Köpfen. Der Erzherzog engagierte Wolfgang nicht.

Am 14. Dezember abends treffen Vater und Sohn in Innsbruck ein, und am 15. kehren sie nach Salzburg zurück.

Am Tage nach der Ankunft der Mozarts starb Fürsterzbischof Sigismund Graf Schrattenbach.

Leopold Mozarts Gesuch an das Salzburger Domkapitel

Hochwürdig Hochgebohrne Herrn Herrn; Herr Domprobst, Domdechant, Senior und gesammt Regierendes DomCapitl des hohen Erzstifts Salzburg, Hochgnädig und Hochgebietende Herrn Herrn!

Euer Hochwürden und Hochgräfl: Excellenzien etc: wird unverborgen seyn, daß Se: Kaysl: Königl: Mayestät die allerhöchste Gnade hatten meinen Sohn zu Verfertigung der bey Gelegenheit der Maylandischen HochzeitsFeyerlichkeiten aufzuführenden Theatral Serenata nach Mayland zu beruffen, zufolge dessen Se: Hochgräfl. Excellenz H: Graf Carl v. Firmian durch ein Schreiben an tl. dess: H: Bruder Obersthofmeister Exc: Se: hochfürstlichen Gnaden Höchstseel: angedenkens um die ggste Erlaubniß mich mit meinem Sohne nach Mayland begeben zu därffen geziemend angesucht. Höchst-Gedacht Se: Hochf: Gnaden ertheilten uns zwar die Erlaubniß zur Reise doch mit Zurückhaltung meiner ohnehin nur in 28 fl. 30 xr. bestehenden Besoldung, die jedoch aus übersehung noch anderthalb Monat ausgefolgt wurde.

nachdem aber ein Schreiben von Sr: Hochgräfl: Excellenz H: Grafen von Sauerau an Titl: H: HofCanzler erfolgte, durch welches erstgedacht Se: Excellenz Sr: Hochf: Gnaden die vergnügte Nachricht von dem allgemeinen Beyfall und der Ehre, die sich mein Sohn gemacht, zu geben glaubte; so gaben S: Hochf: Gnaden also gleich Befehle die Besoldung einzuhalten.

Es gelanget demnach an Euer Hochwürden Hochgräfliche Excellenzien meine gnädige Herrn das unterthänigste Anlangen und Bitten mir diesen nur aus 2 Monaten bestehenden Abzug pr: 59 fl:, nämlich pro Octobre und Novembre gnädigst ausfolgen zu lassen; dahin als zu all anderen Hohen Gnaden mich und die meinigen demütigst empfehle.

Euer Hochwürd: und Hochgräfl:
Excellenzien
meiner gnädigen Herrn Herrn
unterthänigst gehorsamster
Leopold Mozart
ViceCapellmeister.

An / Ein Sede Vacante Regierend Hochwürdiges DomCapitel des hohen Erzstifts Salzburg.
unterthänigst gehorsammstes Bitten
mein Leopold Mozart hochf:
Vice Capellmeisters um inngebettne höchste *Gnade.*
Ex Decro Illmi et Revdmi Capit: Regtis dedo. / 28. Xbris 1771.
Hof-Kammer: Ist bewilliget, iedoch ohne Consequenz vor das Künftige, und andere
abreisende Hof-Musicos.

Ferd. Truchses Gf. v. Zeyll. D. D.
Carl Hannibal Graff v. Dietrichstain.

In Consl Crae d 7ten Jenner 1772.
Bschaid in Decret

Salzburger Landesarchiv. — Pirkmayer, a. a. O., 1876, S. 5 f. — Vgl. 16. Oktober 1771. — Franz
Lactantius Graf Firmian war Obersthofmeister, Joseph Gottfried Graf Saurau (wenn er gemeint
ist) Domherr, Franz Felix v. Mölk Hofkanzler und Geheimer Kanzleidirektor, Ferdinand Truchseß
Graf Zeil Domdechant, und Karl Hannibal Graf Dietrichstein Domherr. — Nur die Erledigung
des Gesuches ist datiert.

BEGLEITBRIEF EINER ÜBERSETZUNG DES AUFSATZES VON TISSOT, 1771

Der übersetzer / an den Herrn Wolfgang Mozart / Hochfürstlich-Salzbur-
gischen / Concert-meister.

Verwundern Sie sich nicht mein Herr, daß ich eine Schrift auß dem Französischen übersezet
habe, welche Ihnen zu Ehren auf Ihrer Reise durch Schweizerland von einer durchlauchtigen
Feder /: wie mann muthmaßet :/ ist aufgesezet worden.
Ich suche nicht damit dero Ruhm zu vergrößern, den Sie von gekrönten Häuptern schon
einige Zeit her sich erworben haben: ach nein, dieses wäre eine Thorheit von mir, und
ebenso viel, als wenn ich dem in vollen Flammen stehenden Vesuvio ein kleines nacht-licht
wolte anhängen, um denselben sichtbahrer zu machen. Es hat mich nur darzu bewognen,
daß der durchlauchtige Redner in Ihnen nicht nur den Natürlichen sondern auch den sittlichen Menschen beobachtet und gefunden hat: fürwahr ein schöner gegenwurf, der einer
Betrachtung würdig ist, und den man bey großen Künstlern wenig oder gar nicht zu sehen
bekomet.
Betrachte man nur durchgehends die großen Künstlers, der eine ist so hönisch und pralerisch
wie ein spanischer Marktschreyer, der andere so faul und unfreundlich wie ein grönlän-
discher Bär, der dritte so schmierig und unverschämt wie ein nordischer Lappländer, der
vierte glaubet gar, die Kunst müsse mit ihm absterben, und dergleichen Narren gibt es ins
allgemein unter allen Künstlern.
Sie aber mein Herr! werden in dieser Schrift vorgestellet als ein Muster der Kunst, und
Tugend: was Trost, Freud und Ehre vor ihre liebe Eltern, welche in Ihnen den sittlich und
natürlichen Menschen so rühmlich haben wissen zu vereinigen und Empor zu bringen.
Gott beschütze und bewahre Sie noch viele iahre vor allem Unglück und aller Widerwärtig-
keit, auf daß die vernünftige Welt in Ihnen die Hand des Allmächtigen /: aus welchen,
und durch welchem Sie Kunst und Tugendt besitzen :/ ewig bewundern köne.
Leben Sie wohl und vergnügt!

Mozarteum, Salzburg. — Gustav Nottebohm, *Mozartiana*, Leipzig 1880, S. 112. — Tenschert,
Mozart, Amsterdam 1931, S. 24 f. — In der Übersetzung des Herrn „B. B." ist der „*Discours*"
Tissots (s. 11. X. 1766) „*Sinn-Rede*" genannt.

AUS CHARLES BURNEYS «THE PRESENT STATE OF MUSIC IN FRANCE AND ITALY, ETC.», LONDON 1771

... I must acquaint my musical reader, that at the performance just mentioned, I met with M. Mozart and his son, the little German, whose premature and almost supernatural talents astonished us in London a few years ago, when he had scarce quitted his infant state. Since his arrival in Italy he has been much admired at Rome and Naples; has been honoured with the order of the *Speron d'Oro*, or Golden Spur, by his Holiness; and was engaged to compose an opera at Milan for the next Carnival.

Burney spricht hier von der Kirchenmusik in Bologna am 30. August 1770 (s. dort). — Deutsche Übersetzung des Buches von C. D. Ebeling, Hamburg 1772, I. 170..

1772

LEOPOLD MOZART AN BREITKOPF & SOHN IN LEIPZIG

[Salzburg,] 7. Febr. 1772

... Wir sind am 15t Decemb. aus Mayland angelanget und da mein Sohn sich abermahl durch Verfertigung der Theatralischen Serenata vielen Ruhm erworben, also ist er abermahl beruffen, die erste Carnevals Opera des künftigen Jahres in Mayland und gleich darauf in dem nämlichen Carneval die 2t Opera auf dem Theater St: Benedetto in Venedig zu schreiben. Wir werden demnach bis Ende kommenden Septembers in Salzburg verbleiben, dann wieder und zwar zum dritten mahl nach Italien abgehen.
Wollten sie etwas von meinem Sohne zum Druck befördern, so wäre bis dahin die beste Zeit: sie dorffen nur benamen, was ihnen am Anständigsten wäre. Es mögen *Claviersachen*, oder *Trio* mit 2 Violinen und einem Violoncello, oder *Quartetten*, das ist mit 2 Violinen, einer Viola und Violoncello; oder *Sinfonien* mit 2 Violinen, Viola, 2 Corni, 2 Hautbois oder Zwerchflauten und Basso seyn. Kurz, es mag seyn von einer Gattung Composition als es immer ihnen verträglich scheinet, alles wird er machen, wenn sie es nur bald melden.

Original versteigert am 5./6. Oktober 1951 bei Karl & Faber (mit J. A. Stargardt) in München. Abschrift in der Deutschen Staatsbibliothek, Berlin (derzeit in der Universitäts-Bibliothek Tübingen). — Emily Anderson, *Letters of Mozart and his Family*, London 1936, S. 306. — „Zwerchflauten" sind Querflöten. — „verträglich" bedeutet hier einträglich, vorteilhaft. — Breitkopf verlegte von Wolfgang nichts zu dessen Lebzeiten. Vgl. 12. Februar 1781.

Am 14. März 1772 wird Hieronymus Graf Colloredo zum Fürsterzbischof von Salzburg erwählt.

Aus Grimms «Correspondance littéraire», 1. April 1772

... On a donné aujourd'hui, sur le même théâtre de la Comédie-Italienne, la première représentation du *Bal masque*, opéra comique en un acte. La musique de cette pièce est d'un petit polisson de douze ans, appelé Darcis, qui a pris sur l'affiche le titre d'élève de M. Grétry ... Cet enfant est né, je crois, à Vienne, d'un père français et d'une mère allemande ... Ses parents le menèrent à Paris, il y a deux ou trois ans, pour faire le second tome du jeune Mozart, de cet enfant aimable et merveilleux de Salzbourg, qui a laissé une réputation si grande et si méritée à Paris, à Londres et à Vienne, et qui se trouve, aujourd'hui qu'il n'a pas encore quinze ans accomplis, en Italie où, à ce que j'ai ouï dire, il a composé l'opéra de Milan avec le plus grand succès. Les connaisseurs ne se méprirent pas du talent du jeune Darcis et ne firent pas l'injure au jeune et charmant Mozart de lui comparer ce petit avorton ...

Band 9, S. 481 f. — *Mozart en France*, Paris 1956, no. 65. — François-Joseph Darcis, ein anderes Wunderkind, enttäuschte später. — Sein Erstlingswerk war am Tag vorher, dem 31. März, in Versailles gegeben worden.

Am 29. April erfolgt der feierliche Einzug des neuen Fürsterzbischofs in Salzburg und die Huldigung für ihn.

Anfang Mai wird zu Ehren Colloredos Wolfgangs Serenata dramatica *Il sogno di Scipione* in der Residenz aufgeführt.

Das Datum ist ungewiß. Das Stück war zu diesem Anlaß komponiert worden, auf einen Text von Metastasio, der ursprünglich zum Geburtstag Karls VI. geschrieben (komponiert von Angelo Predieri, 1735) und zum Namenstag Franz I. (komponiert von Giovanni Porta, 1743) wieder verwendet worden war.

Decretum an das Hochfürstliche Hofzahlamt.

Demnach Ihro Hochfürstliche gnaden lauth gnädigster Decretierung von 9ten hujus dem vnterthänigst supplicierenden hochfürstl. Concertmeister Wolfgang Amade Mozart dermahlen Jährlich hundert und funfzig gulden zur besoldung ausgeworffen haben, als wird dem hochfürstl. Hofzahlamt hieran monathlich das ratum erfolgen zulassen, und in Rechnung einzulegen hiemit bedeutet.

Decretum in Consilio Camerae
den 21ten Augusti 1772.

Salzburger Landesarchiv. — Pirkmayer, a. a. O., 1876, S. 21. — Wolfgang war bis dahin nur mit dem Titel eines Konzertmeisters, also ohne Sold, bedacht gewesen.

Am Samstag, den 24. Oktober 1772, begeben sich Vater und Sohn auf ihre dritte italienische Reise, die sie fast fünf Monate unterwegs hält. Am Abend des 24. erreichen sie St. Johann, das sie am 25. um 7 Uhr früh verlassen, um abends 10 Uhr in Innsbruck beim „Goldnen Adler" abzusteigen. Am 26. kommen sie nachmittags nach Hall im Inntal, wo Wolfgang auf der Orgel der Kirche des Damenstifts spielt.

Am 27. reisen sie von Hall nach Brixen und erreichen am 28. mittags Bozen. Am 29. fahren sie um 5 Uhr früh ab und kommen mittags nach Trient, abends nach Rovereto; am 30. nach Ala zu den Brüdern Pizzini, wo Wolfgang am 31. seinen Namenstag feiert; am 1. November abends nach Verona, wo sie wieder bei Lugiati wohnen; am 3. nach Brescia und am 4. endlich nach Mailand, wo sie bei dem Ehepaar d'Asti Quartier finden.

Es scheint, daß der Baron Pizzini (von Thürberg) in Rovereto und die Brüder „Piccini" in Ala, beide in Leopold Mozarts Briefen erwähnt, der gleichen Familie angehörten. — Zu Frau d'Asti vgl. 3. Januar 1771.

Am 21. November gedenken Vater und Mutter Mozart ihres „silbernen" Hochzeitstages.

Nach der Ankunft der Primadonna, Anna Lucia de Amicis, am 4. Dezember finden am 12. die erste Rezitativ- und die erste Instrumentalprobe zu Wolfgangs neuer Oper *Lucio Silla* statt. Nach weiterem Studium folgen am 19. die erste Probe mit vollem Orchester, am 20. die zweite, am 22. die dritte Orchesterprobe und am 23. die Generalprobe.

Am 18. Dezember wohnen die Mozarts der Gratulation bei, die Graf Firmian für seinen Bruder Leopold Ernst, den Fürstbischof von Passau, der Kardinal geworden ist, veranstaltet hat. Am 19. speisen sie beim Hofzahlmeister Johann Adam Mayr; am 21., 22. und 23. wirkt Wolfgang bei den Konzerten im Hause Firmian mit, die von 5 bis 11 Uhr abends dauern; am 24. verbringen sie den Weihnachtsabend beim Haushofmeister Don Fernando und Therese Germani und am 26. speisen sie mittags bei Frau d'Asti.

Zu Mayr, der inzwischen geadelt worden war, vgl. 15. X. und 19. XI. 1762.

Am 26. Dezember findet im Teatro Regio Ducal die Premiere von Wolfgangs dreiaktiger Oper *Lucio Silla* statt. Das Textbuch stammt von Giovanni de Gamerra, mit Änderungen von Metastasio.

Die Besetzung war: Lucio Silla — Bassano Morgnoni, Giunia — Anna de Amicis, Cecilio — Venanzio Rauzzini, Lucio Cinna — Felicità Suardi, Celia — Daniella Mienci, und Aufidio — Giuseppe Onofrio. Das war die dritte und letzte Oper, die Wolfgang für Italien schrieb. Sie wurde im „Karneval" 1772/3 26mal gegeben. Die erste Vorstellung begann statt um 6 erst um 8 Uhr abends, weil der Erzherzog so lange beruflich aufgehalten war, und dauerte bis 2 Uhr morgens. — Gamerra hat nach Mozarts Tod die *Zauberflöte* ins Italienische übersetzt.

TITEL DES TEXTBUCHES ZU «LUCIO SILLA»

LUCIO SILLA / Dramma per Musica / da rappresentarsi / Nel Regio-Ducal Teatro / di Milano / Nel Carnovale dell'anno 1773 / dedicato / Alle LL. AA. RR. / Il Serenissimo Arciduca / *FERDINANDO* / Principe Reale d'Ungheria, e Boemia, Arciduca d'Austria / Duca di Borgogna, e di Lorena ec., Cesareo Reale / Luogo-Tenente, Governatore, e Capitano / Generale nella Lombardia Austriaca, / e la / Serenissima Arciduchessa / *MARIA RICCIARDA / BEATRICE D'ESTE* / Principessa di Modena. / In Milano, / Presso Gio. Batista Bianchi Regio Stampatore / Con licenza de'Superiori.

Exemplar im Liceo Musicale, Bologna. — Faksimile in *Mozart in Italia*, Tafel XXXII.

AUS DEM TEXTBUCH ZU « LUCIO SILLA »

La Poesia è del Sig. De Gamera Poeta / del Regio-Ducal Teatro.

Compositore della Musica.

Il Sig. Cavaliere Amadeo Wolfango Mo-/zart Accademico Filarmonico di Bolo-/gna, e di Verona, e Maestro della / Musica di Camera di S. A. Reverendissima / l'Arcivescovo, e Principe di Salisburgo.

Inventori, e Pittori delle Scene.

Li Signori Fratelli Galliari.

Inventori degli Abiti.

Li SS. Francesco Motta, e Gio. Mazza.

Faksimile in *Mozart in Italia*, Tafel XXXII.

AUS DEM HANDSCHRIFTLICHEN VERZEICHNIS DES TEATRO REGIO DUCAL, MAILAND 1772

26 Xbre / Sudd.ti (L'Arciduca Ferdinando e Arciduchessa) / Lucio Silla / Amadeo Mozart / Venanzio Rauzzini / Anna de Amicis / Bassano Morgnoni / — / Carlo de Picq / Sud. / Suddetti

Vgl. 26. Dezember 1770. — Auf Carlo de Picq, der im Ballett dieser Oper (*Le gelosie del Seraglio*, KV Anh. 109) tanzte, findet sich in der ursprünglich für *Così fan tutte* bestimmten Baß-Arie *Rivolgete a lui lo sguardo*, KV 584, eine Anspielung.

1773

AUS JOHANN GOTTLIEB NAUMANNS TAGEBUCH, 2. JANUAR 1773

Ich ging zum Colloredo, hörte die Nachrichten von der Opera aus Mailand.

Jahn I, 159. — Der sächsische Kammerkomponist war selbst wiederholt in Italien gewesen und hatte zuletzt für Venedig vier Opern und für Parma eine komponiert. — Es scheint, daß er den Erzbischof, der um Neujahr in Wien erkrankte, dort getroffen hat.

Am 17. Januar 1773 wird in der Theatiner-Kirche zu Mailand Wolfgangs neue Motette *Exsultate, jubilate* (KV 165) von Venanzio Rauzzini gesungen.

Am 30. Januar wohnt Wolfgang in der Loge Germanis der Premiere der zweiten Mailänder Karnevals-Oper bei: Giovanni Paisiellos *Sismano nel Mogole.*

Vater Mozart war erkrankt.

Um den 4. März reisen die beiden von Mailand über Brescia nach Verona und dann nach Ala.

Um den 6. waren sie wieder bei Lugiatis und um den 8. bei Pizzinis.

Am 10. März geht es von Ala nach Trient, am 11. nach Brixen und am 12. nach Innsbruck. Am 13. sind Vater und Sohn wieder zuhause.

Bald nach der Heimkehr dürfte die Familie die neue, große Wohnung auf dem Hannibal-Platz (jetzt Makart-Platz) gegenüber dem Theater bezogen haben. In dem nach 1945 erhalten gebliebenen „Tanzmeister-Saal" dieser Wohnung ist eine Erinnerungsstätte eingerichtet worden.

Am 14. März wird der erste Jahrestag der Inthronisierung des Erzbischofs gefeiert.

Es wird vermutet, daß dabei von Wolfgang das nach Stücken von Starzer und Gluck bearbeitete Divertimento in C, KV 187, aufgeführt worden ist.

TOBIAS PHILIPP FRH. V. GEBLER AN CHRISTOPH FRIEDRICH NICOLAI IN BERLIN

Wien, 31. Mai 1773.

... Sollte man meinem Thamos die Ehre erweisen daselbst aufzuführen, so kann ich mit der gar nicht übel gesetzten, und von HE. Ritter Gluck durchaus übersehenen Musick der Chöre aufwarten.

Richard Maria Werner, *Aus dem Josephinischen Wien*, Berlin 1888, S. 51. — Geblers Drama *König Thamos* ist 1773 in Prag und Dresden erschienen, und wurde zuerst (mit einer nicht bestimmten Musik) am 11. Dezember 1773 von der Truppe Karl Wahr in Preßburg, dann am 4. April 1774 im Wiener Theater nächst dem Kärntnertor aufgeführt. Die beiden ersten Chöre waren von Johann Tobias Sattler komponiert worden, der am 19. Dezember 1774 in Wien gestorben ist. Seine Musik war von Gluck revidiert worden. Indessen hatte Mozart in Wien diese beiden ersten Chöre neu gesetzt, und in seiner Fassung scheinen sie auch in Wien gesungen worden zu sein. Erst bei der Salzburger Aufführung durch die Truppe Karl Wahr am 3. Januar 1776 kam der von Johann Andreas Schachtner verfaßte Schlußchor zur Aufführung. Mozarts ganze Musik: drei Chöre (die beiden ersten in neuer Fassung) und fünf Zwischenakte, wurde wohl erst in der Salzburger Saison 1779/80 durch die Truppe Johann Böhm verwendet. — Vgl. 13. Dezember 1773, 24. März, 13. April und 19. Mai 1774, 3. und 17. Januar 1776. — Siehe Alfred Orel in *Acta Mozartiana*, Augsburg 1957, Jahrgang IV, Nr. 3 und 4; H. Heckmann im Vorwort und Kritischen Bericht zur *Neuen Mozart-Ausgabe* II/6/1, *Chöre und Zwischenaktmusiken zu Thamos, König in Ägypten*; und Ervin Major in *Mozart in Ungarn*, Budapest 1958, S. 38 und 41.

Am 14. Juli reisen Vater und Sohn nach Wien, wo sie am 16. abends ankommen und mehr als zwei Monate verbleiben; ihr Quartier ist im Haus des Herrn Gottlieb Friedrich Fischer, Innere Stadt Nr. 322, Tiefer Graben.

Am 17. Juli sind die Mozarts zu Mittag beim Magnetiseur Dr. Anton Mesmer in der Vorstadt Landstraße; am 18. bei seinem Vetter, dem Schuldirektor Joseph Mesmer; am 19. den ganzen Tag bei Dr. Mesmer; am 20. mittags bei Joseph Baron von Porta und am 21. nachmittags bei einem Herrn von Mayr.

Nach der Rückkehr der Kaiserin aus Eisenstadt am 24. Juli verbringen die Mozarts am 26. den Annentag wieder bei Dr. Mesmer.

Nachdem am 31. Juli der Salzburger Erzbischof angekommen und am 2. August nach Laxenburg übersiedelt war, werden die Mozarts (am 4. August?) von Dr. Leopold Auenbrugger zu Mittag geladen.

In Salzburg wurde um den 1. August Wolfgangs neue Serenade in D (KV 185) aufgeführt, wahrscheinlich als *Finalmusik* der Logik-Studenten, bestellt von Judas Thaddäus v. Antrettern (nach Dr. Herbert Klein). — Der berühmte Arzt Dr. Auenbrugger war, wie Dr. Mesmer, ein Musikfreund und schrieb später das Libretto *Der Rauchfangkehrer* für Antonio Salieris deutsches Singspiel.

Am 5. August werden die Mozarts von der Kaiserin in Audienz empfangen.

Da der eigentliche Zweck dieser Reise nach Wien unbekannt geblieben ist, kann auch nicht gesagt werden, ob Vater Mozart ein besonderes Anliegen bei Hofe hatte.

Am 7. August, dem Tage des hl. Kajetan, besuchen die beiden das ihrem Logis nahegelegene Kajetaner-Kloster, wo Wolfgang ein Violinkonzert auf dem Kirchenchor spielt.

Am 8. August dirigiert Leopold Mozart in der Jesuitenkirche auf dem Platz „Am Hof" Wolfgangs *Dominicus-Messe* (KV 66).

Siehe 15. X. 1769. — Der Jesuitenorden wurde am 10. September auch in Österreich aufgehoben.

Nachdem der Erzbischof am 11. August aus Laxenburg zurückgekommen ist, werden die Mozarts von ihm am 12. in Audienz empfangen und ihr Urlaub verlängert.

Der Erzbischof reiste am 17. nach Salzburg zurück.

Am 18. August gibt es mittags eine „*große Musik*" im Garten Dr. Mesmers.

Alfred Orel (*Mozart Jahrbuch 1951*, Salzburg 1953, S. 43) vermutet, daß damals Wolfgangs Divertimento in D, KV 205, aufgeführt worden sei.

Das Wochenende vom 21. bis 23. August verbringen die Mozarts, mit dem Ehepaar Fischer und der Familie Teyber, in Baden bei Wien.

Die Fischers waren die Gastfreunde der Mozarts. Die Tochter Therese der Teybers war Sängerin.

Am 25. August besuchen die Mozarts den in Wien weilenden Salzburger Hofkanzler von Mölk und speisen zu Mittag beim Schuldirektor Mesmer. Am 27. mittags sind sie bei dem pensionierten Hofrat Aeodat Joseph Philipp du Beyne de Malechamp, einem Musikfreund, und am 29. ebenso beim Ballettmeister Jean Georges Noverre.

Die Mozarts besuchten auch, an unbestimmten Tagen, den Hofkapellmeister Giuseppe Bonno und die Pianistin Marianne Martinez (s. 14. X. 1762).

Am 5. September begrüßen die Mozarts den Salzburger Stadtapotheker Dr. Niderl von Niederburg, der zu einer Operation nach Wien kommt und am 9. dabei stirbt; am 11. abends um 8 Uhr wird er begraben.

Am 22. fahren die Mozarts und die Frau des Schuldirektors Mesmer nach Rothmühl, dem bei Schwechat gelegenen Sommersitz des Dr. Mesmer, und speisen abends bei Joseph Mesmer.

Am 24. September reisen die beiden über St. Pölten, Linz und Lambach nach Salzburg zurück, wo sie am 26. eintreffen.

Ursprünglich war die Rückreise über Mariazell, St. Wolfgang und St. Gilgen geplant. Das Datum der Abreise ist nicht genau bestimmt.

GEBLER AN NICOLAI

Wien, 13. Dezember 1773.

... Ich ... schließe auf allen Fall die Musick des Thamos bey, so wie selbige unlängst von einem gewissen Sigr. Mozzart gesetzt worden. Es ist sein Originalconcept und das erste Chor sehr schön.

Vgl. 31. Mai 1773.

Aus Charles Burneys «The Present State of Music in Germany, etc.»,
London 1773

... The first singer in the serious opera here [in Munich], is Signor Rauzzini, a young
Roman performer, of singular merit, who has been six years in the service of this court;
but is engaged to sing in an opera composed by young Mozart, at the next carnival at
Milan.

I, 126; in der deutschen Übersetzung, Hamburg 1773, II. 93. — Die Stelle bezieht sich auf München
im Sommer 1771. Vgl. 23. (30.) August 1771.

Aus Charles Burneys «The Present State of Music in Germany, etc.,»
London 1773

... The archbishop and sovereign of *SALTZBURG* is very magnificent in his support of
music, having usually near a hundred performers, vocal and instrumental, in his service.
This prince is himself a *dilettante*, and good performer on the violin; he has lately been
at great pains to reform his band, which has been accused of being more remarkable for
coarseness and noise, than delicacy and high-finishing. Signor Fischetti, author of several
comic operas, is at present the director of this band.
The Mozart family were all at Saltzburg last summer; the father has long been in the
service of that court, and the son is now one of the band; he composed an opera at Milan,
for the marriage of the arch-duke, with the princess of Modena, and was to compose
another at the same place for the carnival of this year, though he is now but sixteen years
of age. By a letter from Saltzburg, dated last November, I am informed, that this young
man, who has so much astonished all Europe by his premature knowledge and performance,
during infancy, is still a great master of his instrument; my correspondent went to his
father's house to hear him and his sister play duets on the same harpsichord; but she is
now at her summit, which is not marvellous; "and", says the writer of the letter, "if I may
judge of the music which I heard of his composition, in the orchestra, he is one further
instance of early fruit being more extraordinary than excellent."

II, 322 f. (2. Auflage); in der deutschen Übersetzung III, 260—262. — Die Stelle bezieht sich auf
Salzburg im Sommer 1772. — Domenico Fischietti war am 5. September 1772 von Colloredo als
zweiter Kapellmeister der Salzburger Hofmusik berufen worden, weil Giuseppe Maria Lolli nicht
mehr zu genügen schien.

1774

Aus dem «Hochfürstlich-Salzburger Kirchen- und Hof-Kalender» für
1774

Die Hochfürstliche Hof-Musik.

. . .

Vicekapellmeister.
Herr Leopold Motzart, den 28. Febr. 1773.
        Concertmeister.
Herr Johann Michael Hayden.
Herr Wolfgang Motzart.

Vgl. Anfang 1770 und 21. August 1772. — Seidl, der erste Konzertmeister, war ausgeschieden. 1773 ist ein Druckfehler für 1763. Michael Haydn und — jetzt bezahlt — Wolfgang waren vorgerückt. Die Liste blieb dann bis einschließlich 1777 für diese drei Musiker unverändert. 1778 gehörte Wolfgang der Hofmusik nicht an, und 1779 wurde er Salzburger Hoforganist, aber auch nur auf kurze Zeit.

AUS DER «HISTORISCH-KRITISCHEN THEATERCHRONIK VON WIEN», 24. MÄRZ 1774

Am Ostermontag wird die teutsche Schaubühne mit dem neuen Trauerspiel des Verfassers des Ministers (Freyherrn von Gebler) genannt: Thamos, König in Egypten, mit Chören, von Herrn Starzer dazu gesetzt, eröffnet werden. Ich erwarte mit Vergnügen den Augenblick, mich länger bey diesem schönen Stück aufhalten zu können.

Der Herausgeber dieser kurzlebigen Zeitschrift war Christian Hieronymus Moll, ein Theaterdichter. — Vgl. 31. Mai 1773. Ursprünglich scheint das Blatt Johann Sattler mit Joseph Starzer verwechselt zu haben, wäre aber auch damit im Irrtum gewesen. (Alfred Orel im *Mozart-Jahrbuch 1951*, Salzburg 1953, S. 48.)

AUS DER «HISTORISCH-KRITISCHEN THEATERCHRONIK VON WIEN», 13. APRIL 1774

Den 4. April wurde das teutsche Schauspielhaus mit Thamos König von Egypten nebst einem ... Ballet von Hrn. Angiolini ... eröffnet ... Thamos, ein heroisches Drama in fünf Aufzügen ist von dem bekannten und beliebten Dichter des Ministers und der Klementine. So wie in allen übrigen Stücken des Verfassers spricht in Thamos sein tugendhaftes Herz. Das ganze Trauerspiel ist voll Wärme, voll Würde der heroischen Dichtung, hat nicht die unmäßige Länge anderer hier verfaßten Trauerspiele, und ist eben aus der Ursache besonders hiesigen Dichtern, und wegen des nicht minder schönen kernichten und gedankenreichen Dialogs anzurühmen.
Es hat nur fünf und einen halben Bogen.
Gleich in der Vorrede begegnet der Herr Verfasser mit einer ihm ganz eigenen Bescheidenheit allen Einwürfen, die ihm etwan einige Klügler machen könnten, wenn sie alles im falschen Licht beurteilen wollten. —
Die Entschuldigung wegen der Chöre des ersten und fünften Aktes ist nicht minder lobenswerth, ob sie gleich nach meiner Meinung nicht nötig war. Sie haben ihre Wirkung gethan — denn die Musik von Hrn. Karl Mozzart ist künstlich und schön gesetzt — und mehr glaube ich, wollte der Herr Verfasser nicht. — Nur schade, daß sie nicht besser abgesungen wurde...

Gasparo Angiolini war nach Noverres Abgang wieder Ballettmeister des Wiener Hoftheaters geworden. — *Der Minister* und *Clementine oder das Testament* waren ältere Dramen von Gebler, die nach 1775 im Burgtheater je zweimal aufgeführt wurden.

AUS DER «HISTORISCH-KRITISCHEN THEATERCHRONIK VON WIEN», 13. APRIL 1774

Die Theaterchronik hat in Num. 1 dadurch eine große Sünde begangen, daß sie unter den vermischten Neuigkeiten gesagt hat, Herr Starzer habe die Chöre zu Thamos gesetzt. Nicht Herr Starzer sondern Herr Mozart hat die Musik gemacht.

Diese Berichtigung erschien in der gleichen Nummer wie die Kritik des Stücks.

Aus der «Historisch-Kritischen Theaterchronik von Wien», 9. Mai 1774

Vor dem allerhöchsten Hofe werden heuer die Ehre haben zu spielen unsere deutschen Schauspieler, u. z. wöchentlich viermal. Mit Thamos ist vergangenen Mittwoch [den 4.] angefangen worden. Die Unternehmung bekommt gewöhnlichermassen für jede Vorstellung 50 Dukaten.

Alfred Orel in *Acta Mozartiana*, Augsburg 1957, Jg. IV, H. 4, S. 76. — Diese Vorstellungen dürften im Schloss Laxenburg, einer Sommerresidenz südlich von Wien, stattgefunden haben.

Christoph Martin Wieland an Gebler
Belvedere bey Weimar, den 19. May 1774.

Empfangen Sie ... theuerster Freund, meinen lebhaftesten Dank ... für die überschickte schöne Musik zum Thamos.

Unser, wie ich glaube, in seiner Art unvergleichliche Schweizer hat in dieser Musik viel Schönes, und überhaupt in dem Verfasser derselben eine grosse *Anlage* gefunden, wiewohl er gleich *errieth*, dass er noch ein Anfänger seyn müsste.

Wieland, *Auswahl denkwürdiger Briefe*, herausgegeben von seinem Sohne Ludwig, Wien 1815, Band II, Seite 30. — Anton Schweitzer, Theater-Kapellmeister in Weimar, hatte Wielands *Alceste* und *Rosamunde* komponiert. — Gebler hatte Wieland Mozarts Musik geschickt, obwohl die Chöre auf dem Weimarer Theater nicht hätten aufgeführt werden können.

Vater und Sohn fahren am 6. Dezember über Frabertsham nach Wasserburg, wo sie um 9 Uhr abends ankommen, und am 7. von 8 Uhr morgens bis 4 Uhr nachmittags nach München, wo sie bei Johann Nepomuk von Pernat, Kanonikus an der Frauenkirche, im Bellvallischen Hause Quartier nehmen und drei Monate verbleiben.

Aus Joachim Ferdinand v. Schiedenhofens Tagebuch, 6. Dezember 1774

Eben heut reiste Mr Mozart mit seinen Sohn nach München, um die von den Letztern componirte Opera Buffa in Schena zu bringen.

Dieses Tagebuch (1774–78), das Jahn nur in Auszügen kannte und aus dem er die Mozart-Stellen nur zu einem kleinen Teil zitiert hat, ist jetzt im Besitz der Frau Michaela Grimburg, Schloß Töllerberg, Post Völkermarkt, Kärnten. (Derzeit Leihgabe im Salzburger Landesarchiv.) Dr. Herbert Klein, der Direktor des Salzburger Landesarchivs, hat das Tagebuch 1956 wieder gefunden und dem Herausgeber zur Verfügung gestellt. J. F. v. Schiedenhofen auf Stumm und Triebenbach war, wie vordem sein Vater, salzburgischer Hofrat. Er und seine Schwester Aloisia, aber auch die verwitwete Mutter der beiden, wohnten in der Getreidegasse (Nr. 1) und gehörten zum engeren Freundeskreis der Familie Mozart. Vgl. O. E. Deutsch im *Mozart-Jahrbuch 1957*, Salzburg 1958, S. 15 ff. — Die Oper war *La finta giardiniera*.

Die für den 29. Dezember geplante Erstaufführung der neuen Oper wird auf den 5. Januar 1775 verschoben.

1775

Leopold Mozarts *Litaniae de venerabili altaris sacramento* und Wolfgangs Komposition des gleichen Textes, KV 125, werden am Neujahrstag 1775 zum Stundengebet in München aufgeführt.

Das geschah wahrscheinlich in der Frauenkirche.

AUS SCHIEDENHOFENS TAGEBUCH, 3. JANUAR 1775

Heut reisten die Robiniggischen und die Mselle Mozart nach München.

Zu Robinig s. 12. Januar 1762 und 7. Januar 1781.

Am 4. Januar kommt Nannerl nach München und wird bei der Witwe von Durst, „im Spatzenreiter-Haus auf dem Platz" einquartiert. Nachdem Vater und Sohn mit dem Salzburger Wenzel Andreas Gilowsky im Gasthof Starzer gespeist haben, verbringen sie den Abend mit Nannerl bei Frau v. Durst. Am 5., wo die Premiere nochmals verschoben werden muß, kommt Nannerl zum Kaffee bei Kanonikus Johann Nepomuk v. Pernat. Am 10. gehen alle drei zu einer „maskierten Akademie".

Am 13. Januar wird *La finta giardiniera*, Opera buffa in drei Akten, im Redoutenhaus in der Prannergasse aufgeführt. Das Textbuch von Raniero de'Calzabigi, im Jahr vorher von Pasquale Anfossi für den Karneval in Rom komponiert, ist von Marco Coltellini bearbeitet worden.

Ein Textbuch dieser Fassung ist nicht bekannt geworden. Von der Besetzung sind nur zwei Partien gesichert: Sandrina — Rosa Manservisi, Ramiro — Tommaso Consoli. Fraglich sind Teresina Manservisi als Serpetta und Signor Rossi als Podestà Anchise. Bei der zweiten Aufführung, der der Kurfürst Karl Theodor von der Pfalz Ende Februar beiwohnte, wurde die Oper gekürzt. Am 3. März fand die dritte und letzte Aufführung in München statt. In der deutschen Übersetzung von Stierle d. ä. wurde das Werk vielleicht schon in der Saison 1779/80 durch die Truppe Johann Böhm in Salzburg gegeben, die sie jedenfalls am 1. Mai 1780 in Augsburg als *Die verstellte Gärtnerin* aufgeführt hat. Siehe auch 2. IV. 1782 und 30. IV. 1789.

AUS DEM TAGEBUCH DES SÄCHSISCHEN LEGATIONS-SEKRETÄRS J. F. UNGER, MÜNCHEN, 15. JANUAR 1775

Vendredi L. A. R. E. assistèrent a la premiere representation de l'opera buffa „la finta giardinera": la musique fut applaudie generalement; elle est du jeune Mozart de Saltzbourg, qui se trouve actuellement ici. C'est le même qui à l'age de 8 ans a été en Angleterre et ailleurs pour se faire entendre sur le clavecin, qu'il touche superieurement bien.

Hauptstaatsarchiv, Dresden. — Jahn I. 165. — Der regierende Kurfürst war Maximilian III. Joseph von Bayern.

Am 22. Januar findet in München zu Ehren des anwesenden Erzbischofs Hieronymus eine musikalische Akademie statt.

Der Erzbischof weilte vom 13. bis zum 26. Januar in München, hatte also keine Gelegenheit, Wolfgangs Oper zu hören. Ob dieser bei der Akademie mitgewirkt hat, ist ungewiß.

Am Sonntag, dem 12. Februar, dirigiert Leopold Mozart in der Münchner Hofkapelle eine kleine Messe seines Sohnes.

Es wird angenommen, daß es die Missa brevis, KV 192, war.

GEBLER AN NICOLAI

Wien, 14. Februar 1775.

... Der gute Magister Sattler, der die erste Musick dazu verfertiget (ich glaube jedoch, Euer Hochedelgebohr. die bessere Mozzartische überschickt zu haben) ist inzwischen an der Auszehrung gestorben.

Werner, a. a. O., S. 65. — Vgl. 31. Mai 1773.

Am 14. Februar besuchen die drei Mozarts einen Maskenball in der Redoute.

Am 19. Februar dirigiert Leopold Mozart wieder eine Messe seines Sohnes in der Hofkapelle.

Das war wahrscheinlich die Missa brevis, KV 194.

Am Sonntag, dem 5. März, wird in München Wolfgangs dort komponiertes Offertorium de tempore *Misericordias Domini,* KV 222, aufgeführt.

Das dürfte auch in der Hofkapelle gewesen sein. — Wolfgang schickte diese Motette am 4. September 1776 an Padre Martini nach Bologna, dem er den Anlaß zu dieser Komposition erklärte und der sich sehr lobend darüber aussprach. Siehe 18. Dezember 1776.

Am 6. März reisen die drei Mozarts von München ab und kommen am 7. nach Hause.

AUS SCHIEDENHOFENS TAGEBUCH, 19. APRIL 1775

Abends kamme Cons: Mölck zu mir, mit deme ich zu denen Mozartischen gienge, wo ich den Castraten Consoli und Flautraversisten Becke beyde aus München antraffe.

Konsistorialrat Albert v. Mölk war ein Sohn des Hofkanzlers (s. 28. Dezember 1771); zu Consoli s. 13. Januar 1775. Er wie der Flötist Johann Baptist Becke waren, durch Vermittlung Leopold Mozarts, aus München für die beiden Konzerte verschrieben worden, die am 22. und 23. April zu Ehren des Erzherzogs Maximilian in der erzbischöflichen Residenz gegeben wurden.

AUS SCHIEDENHOFENS TAGEBUCH, 20. APRIL 1775

... Nachhin gienge ich in die ½10 Mes und von da nach Hof, wo die Serenada des Mozarts probirt wurde. Von da bediente ich die Robinigischen nach Haus.

Siehe 23. April.

Aus Schiedenhofens Tagebuch, 22. April 1775

Abends gienge ich mit Hrn. Stadtsindico zur Serenada nach Hof, welche vom Sigr. Fischietti war, zu welcher der Castrat Consoli, und Flautraversiste Becke von München beschrieben worden.

Siehe 23. April. — Der Stadtsyndikus war Joseph Benedikt (später von) Loes.

Aus Schiedenhofens Tagebuch, 23. April 1775

Abends zur Serenada nach Hof, die von dem jungen Mozart verfertigt wurde.

Das öfters komponierte Libretto *Il Rè Pastore* von Metastasio war für diesen Anlaß stark verändert worden. Die Partie des Aminta sang Consoli, die anderen Sänger gehörten zur Hofkapelle.

Aus dem Reise-Journal des Erzherzogs Maximilian, Salzburg, 23. April 1775

Sonntag den 23t... Uebrigens wurde der Abend wie vorigen Tages wiederum mit einem Musique-Concert und Nachtmahl im Palast beschlossen, und in Ansehung des Concertes in deme der Unterschied zur Abwechslung gemacht, daß, wie für den vorhergehenden Tag der bekannte Kapellmeister Fischietti — also für diesen Abend der nicht minder berühmte Mozart zu der abgesungenen Cantate die Musique verfasset hatte.

Österreichisches Staatsarchiv, Wien, Familien-Akten, Karton 87, No. 15, Folio 4 verso. — Erzherzog Maximilian, der nachmalige Kurfürst von Köln, war der jüngste Sohn Maria Theresias (s. 15. X. 1762). Das Journal, das die Reise des Erzherzogs von Wien nach Italien beschreibt, ist vielleicht von Graf Franz Xaver Rosenberg verfaßt, der damals Obersthofmeister des Erzherzogs war und 1776 General-Spektakel-Direktor in Wien wurde. Maximilian war vom Pariser Karneval am 21. April nach Salzburg gekommen und in der erzbischöflichen Residenz abgestiegen. Am 22. abends war der ganze Adel der Stadt beim Souper und dem Konzert, das Fischietti leitete. Daß das Journal Mozarts Dramma per musica eine Kantate nennt, ist sonderbar.

Aus dem selben Reise-Journal, 24. April 1775

Montag den 24t.... Abends wurde..., wie die vorhergehende Täge die Unterhaltung der Musique vorgewählet, dergestalten jedoch daß diesen Abend die Gräfin Lüzau, eine Nichte des Erzbischofens, nebst einer andern Dame sich auf den Flügel hören liessen, und nebst dem Erzherzogen, von dem Erzbischofen, denen Gr. Ugarte, Czernin, und Hardegg accompagniret wurden. Zu gleich liesse sich am Ende der Musique der berühmte junge Mozart auf dem Flügel hören, und spielte verschiedenes aus dem Kopf mit so vieler Kunst, alß Annehmlichkeit. Mit dem gienge der Tag zu Ende, und wegen der bevorstehenden Abreise des Erzherzogens jedermann zeitlich zur Ruhe.

Ebenso, Folio 5 recto. — Jahn I, 169. — Colloredos Nichte war Antonie Gräfin Lützow, geborene Comtesse Czernin-Chudenitz, wahrscheinlich eine Schülerin Leopold Mozarts. Johann Wenzel Graf Ugarte wurde später Hofmusikgraf und 1791 Oberster Direktor der Hoftheater; er war damals wie Graf Johann Hardegg (s. 15. X. 1762) im Gefolge des Erzherzogs. Johann Rudolf Graf Czernin von Chudenitz, der Neffe des Erzbischofs und Bruder der Gräfin Lützow, studierte die Rechte an der Salzburger Universität und betrieb Musik und Poesie.

Aus dem Diarium des Abtes Beda Seeauer, Salzburg, 24. April 1775

Abents bei der gesellschaft hat sich der Prinz selbst gewürdiget bei violino 2do zu geigen, und eine Menge von dem hohen Adel utriusque Sexus, in capite aber der gnädigste H. selbsten, so fast täglich geschihet, hat seine Kunst in der Music bezeiget.

Archiv St. Peter, Salzburg. — Mitgeteilt von Dr. Herbert Klein. — Der „Prinz" war der Erzherzog, der „gnädigste Herr" der Erzbischof.

Aus Christian Friedrich Daniel Schubarts «Deutscher Chronik», Augsburg, 27. April 1775

Auszug eines Schreibens aus München

... Auch eine Opera buffa hab ich gehört von dem wunderbaren Genie Mozart; sie heißt: la finta Giardiniera. Genieflammen zückten da und dort; aber 's ist noch nicht das stille ruhige Altarfeuer, das in Weyhrauchswolken gen Himmel steigt — den Göttern ein lieblicher Geruch. Wenn Mozart nicht eine im Gewächshaus getriebene Pflanze ist; so muß er eines der grösten musikalischen Komponisten werden, die jemals gelebt haben.
Denk nur, Bruder, was das für'ne Lust war! Hab dir letztern Winter in München zwey der grösten Klavierspieler, Herrn Mozart und Herrn Hauptmann von Beecke gehört; mein Wirth, Herr Albert, der fürs Große und Schöne enthusiastisch eingenommen ist, hat ein trefliches Fortepiano im Hause. Da hört' ich diese zwey Giganten auf dem Klavier ringen. Mozart spielt sehr schwer, und alles, was man ihm vorlegt, vom Blatt weg. Aber's braucht weiter nichts; Beecke übertrifft ihn weit. Geflügelte Geschwindigkeit, Anmuth, schmelzende Süßigkeit und ein ganz eigenthümlicher, selbstgebildeter Geschmack sind die Keulen, die diesem Herkul wohl niemand aus den Händen winden wird.   Y.

Jahrgang 2, 34. Stück, S. 267. — Exemplar in der Mozart-Gemeinde, Augsburg. — Ernst Holzer (Schubartstudien, Ulm 1902, S. 9, und Schubart als Musiker, Stuttgart 1905, S. 20) hat nachgewiesen, daß Schubart hier nicht in eigener Person schrieb, sondern einen Gewährsmann zitierte. — Ignaz von Beecke war Musikintendant des Fürsten Kraft Ernst von Oettingen-Wallerstein. Die Mozarts hatten diesen Komponisten und Pianisten schon 1766 in Paris getroffen. Das Wettspiel muß im Winter 1774/5 bei dem „gelehrten" Wirt Franz Albert in der Kaufinger-Straße stattgefunden haben, mit dem sich die Mozarts später anfreundeten.

Aus der Rechnung des erzbischöflichen General-Einnehmeramtes

Salzburg, 15. Mai 1775

Dem Leop. Mozart hochf. Kapellmeister für die zwey von München anhero verschriebenen Virtuosen von dem Sternbräu abgegebenen Speisen, Trank und anderes. 98 fl. 47 kr.

Salzburger Landesarchiv. — Pirkmayer, a. a. O., 1876, S. 138. — Aus dieser Eintragung scheint sich zu ergeben, daß Vater Mozart die Einladung des Kastraten Consoli und des Flötisten Becke für den 23. April 1775 besorgt habe.

Am 23. Mai wird ein Oratorium Betulia liberata in München aufgeführt.

In Ungers Tagebuch (s. 15. Januar 1775) ist das Werk, ohne den Namen des Komponisten, als „oratoire ou operette" bezeichnet. (Abert I, 365.) Siehe 12./13. März 1771. Das wäre wohl die erste Aufführung des Werkes gewesen; es kann aber eine der zahlreichen anderen Kompositionen dieses Textes gewesen sein (Abert I, 286).

Am 30. Juli feiert Nannerl ihren 25. Geburtstag.

Es wird angenommen, daß Wolfgang für diesen Tag das Divertimento in D, KV 251, geschrieben hat. Schiedenhofen erwähnt keine Serenade für diesen Tag.

Aus Schiedenhofens Tagebuch, 9. August 1775

Nach dem Tisch zur Final Musick, die Mr Mozart componirt hat. Ich gienge mit H v Luidl und der Schwester anfangs ins Mirabell, dann zur Universität. Die Bekannten, die ich antraffe, waren die Barisannischen, Loesischen, und Robinigischen.

Vielleicht die Serenade in D, KV 204, die am 5. August (1775?) vollendet worden ist. Jahn und Abert (I, 479) glaubten, daß es sich hier um die im Sommer 1773 in Wien entstandene Serenade in D, KV 185, gehandelt habe. — Die Final-Musiken (gewöhnlich am Mittwoch gehalten, vor dem schulfreien Donnerstag) waren Serenaden, die von den Studenten der beiden Kurse der Philosophischen Fakultät, den Logikern und den Physikern, gegen Ende des Studienjahres dem Landesfürsten in seiner Sommer-Residenz Mirabell und ihren Professoren vor der Universität dargebracht wurden. (Siehe 6. und 8. August 1769, 1. August 1774 und die nächste Eintragung.) Die Probe zu dieser Finalmusik der Logiker hatte am 8. August stattgefunden. (Siehe *Nannerl Mozarts Tagebuchblätter*, herausgegeben von Walter Hummel, Salzburg 1958, S. 15.)

Aus Schiedenhofens Tagebuch, 23. August 1775

Nach dem Tisch zur Final Musick, die von Mozart war. Ich sahe dabey die Robinigisch, Barisannisch, Dauwrawaisch, und Mozartische.

Das war die erste Aufführung von KV 204, oder eine Wiederholung. — Sylvester Barisani war der Leibarzt des Erzbischofs. Johann Baptist Daubrawa v. Daubrawaik war der Syndikus des Domkapitels, sein älterer Bruder Virgil Christoph war Hofkammerrat und Münzmeister; Schiedenhofen heiratete 1778 Virgils Tochter Anna (Nanette).

1776

Aus Schiedenhofens Tagebuch, 3. Januar 1776

Abends ... in die Comedie ins Barterre. Es wurde ein Vorspill, und nach demselben Tamos König in Egipten vom B: Gebler gespilt.

Die Musik war, nach Alfred Orel, die vollständige von Mozart, mit dem neuen Schlußchor.

Aus dem «Theaterwochenblatt für Salzburg», 17. Januar 1776

Den 3ten Januar. *Thamos*, ein Trauerspiel in fünf Akten von Freyherrn von *Gebler* ... Er hat, nach Klopstock, einen Versuch gemacht, die Chöre der Alten ins heroische Trauerspiel zu bringen, und dieselben so damit zu verbinden, daß das Interesse der Handlung nicht dadurch geschwächt wird. Der Compositeur der Chören hat den fünften Akt durch

139

die Wiederhohlungen zu sehr verlängert. Die Chöre sollten geradedurch gesungen werden und besser abwechseln. Sie können auch ganz wegbleiben, ohne daß dem Stück etwas entgeht, wie's in Wien geschehen ist.

Konstantin Schneider, *Geschichte der Musik in Salzburg*, Salzburg 1935, S. 120 f. — Siehe 31. Mai 1773 und (4.) 13. April 1774.

15. FEBRUAR 1776, S. NACHTRAG, S. 521

AUS SCHIEDENHOFENS TAGEBUCH, 18. FEBRUAR 1776

Abends um 7 uhr zu Hrn. HofMarschall wo ich soupirte. Dann mit einer Compagnie auf die Redute, die in Obriststallmeister als Damme, HofMarschal als Cavalier, B: Lilien als Cicisbeo, Graf Micha als Lauffer, Mr Schmid Compagnon des B: Lilien als Friseur, Mozart Vatter als Portir, und Sohn als Friseurbub, Graf Überacker als Mohr, und mir als Bedienten bestande . . .; sonst ware an Massquen merckwirdig eine Compagnie der Götter . . . sie machten einen Einzug, und dann einen Contredanse. In allen waren heunt beylich 420 Persohnen. Ich bliebe bis 4 uhr Morgens.

Obersthofmarschall war Nikolaus Sebastian Graf Lodron, seine Frau war Maria Anna, geb. Komtesse Harrach. Oberststallmeister war Leopold Joseph Graf Kuenburg. Polycarp Freiherr von Lilien studierte damals an der Salzburger Universität. Wolf Joseph Graf Uiberacker war Hofkammerrat.

AUS SCHIEDENHOFENS TAGEBUCH, 19. FEBRUAR 1776

Abends gienge ich wieder auf die Redute, wo 310 Masquen waren. Ich gienge anfangs als Tyrollerin. Merckwirdig waar eine Operette von Mozart, und eine Bauernhochzeit. Ich bliebe bis halbe 5 uhr, und bis halbe 6 uhr wurde getanzt.

Die Bauernhochzeit war der Titel einer scherzhaften Programm-Musik von Leopold Mozart (für Streicher und Bläser, Dudelsack und Radleier). Die „*Operette*", wohl ein komisches Zwischenspiel, dürfte jedenfalls von ihm gewesen sein.

AUS SCHIEDENHOFENS TAGEBUCH, PALMSONNTAG, 31. MÄRZ 1776

Nachmittag um 5 uhr mit den Dicasterien im Domb zur Predig des Cap: Feiertags-Prediger. Blibe auch bey der folgenden Predig des P: Simpert: Schwarzhueber, und bey der neuen Litaney vom Mozart.

Die *Litaniae de venerabili altaris sacramento* (KV 243). An den beiden folgenden Tagen wurden neue Litaneien von Adlgasser und M. Haydn aufgeführt (vgl. 23. Mai 1776, 14. April 1778, 30. März 1779 und 13. April 1783). — Während der drei Tage wurde das Vierzig-Stunden-Gebet gehalten, mit Predigten und Schluß-Litaneien.

AUS SCHIEDENHOFENS TAGEBUCH, OSTERSONNTAG, 7. APRIL 1776

. . . Nachhin im Domb, wo S : H : G : pontificirten. Das Amt ware neu vom jungen Mozart.

Seine hochfürstliche Gnaden waren natürlich der Erzbischof. — Die Messe in C, KV 262, ist also nicht erst im Mai 1776 geschrieben und nicht bei St. Peter aufgeführt worden, wie man angenommen hat (s. Köchel-Einstein, S. 314 und 316).

Am 23. Mai wird Mozarts Litanei (KV 243) im Schloß Mirabell wiederholt.

Nannerl Mozarts Tagebuchblätter, S. 27. — Vgl. 31. März 1776.

Aus Schiedenhofens Tagebuch, 18. Juni 1776

Nach dem Essen zur Musick, die der Mozart der Gräfin Ernst Lodron machte.

Gräfin Antonia, eine geborene Komtesse Arco, war die Frau des Salzburger Erbmarschalls Ernst Grafen Lodron. Ihr Haus war führend in der Musikpflege der Stadt. Wie das Divertimento in F (KV 247) 1776, wurde ein anderes 1777 für sie geschrieben (s. 13. Juni 1777). Diese *Lodronischen Nachtmusiken* wurden jeweils nach dem Namenstag der Gräfin, dem 13. Juni, aufgeführt.

Aus Schiedenhofens Tagebuch, 7. Juli 1776

[Abends.] Nachhin giengen wir mit sammen zur Musick, die bei der Fr v Antretter gehalten wurde. Von dort gienge ich mit denen Mozartischen nach Hause.

Johann Ernst v. Antrettern, dessen Frau öfters in den Briefen der Familie Mozart erwähnt wird, war Landschaftskanzler und Hofkriegsrat. Vgl. 31. Juli (1. August) 1773.

Aus Schiedenhofens Tagebuch, 21. Juli 1776

Nach dem essen gienge ich zur Braut Musick, die der junge Hr Hafner seiner Schwester Liserl machen liesse. Sie war von Mozart, und wurde im GartenHaus bey Loreto gemacht.

Elisabeth, die Tochter des verstorbenen Großhändlers und Bürgermeisters von Salzburg, Sigmund Haffner, heiratete den Spediteur Franz Xaver Spaeth. Ihr Bruder, gleichen Namens, hatte die *Haffner-Serenade* (KV 250) bestellt, die im Garten seines Sommerhauses in der Paris-Lodrongasse gespielt worden ist. Vgl. 29. Juli 1782. Frau Spaeth starb schon 1784.

Aus Schiedenhofens Tagebuch, 22. August 1776

Nachts bis 12 uhr gienge ich ... mit Agliardi Carl und andern spazieren, wo auch eine Musick beym Mozart ware.

Karl v. Agliardis war einer der Hofräte in der Salzburger Regierung.

Karl Freiherr v. Petermann an Graf Prokop Adalbert Czernin in Prag
[Salzburg, 13. Dezember 1776.]

... Je me croirai tousjours trop heureux quand je pourrai m'acquitter des commissions, dont vous voulez bien me charger, a votre satisfaction. En consequence de quoi, j'ai parlé au petit Motzard pour les termes du payement de 20. Ducats par année. C'est qu'il remmet absolument a votre volonté. Ainsi j'attends la dessus vos ordres. Il m'a dit aussi qu'il vous enverra au premier jour la Symphonie et les autres pieces ...

Gefunden von Ernst Fritz Schmid im ehemals Czerninschen Archiv zu Neuhaus, C. S. R. — Petermann war ein in Salzburg lebender k. k. Oberstleutnant, Vertrauter des Erzbischofs und als Junggeselle in der Residenz wohnend. Er hat die Erziehung des jungen, sehr musikalischen Grafen Johann Rudolf Czernin überwacht, eines Sohnes des Adressaten, Bruders der Gräfin Antonia Lützow und Neffen des Erzbischofs, mit Mozart befreundet. Die vom alten Grafen Czernin für Mozart ausgesetzte Rente von zwanzig Dukaten (90 Gulden) jährlich sollte ihn verpflichten, Kompositionen zu liefern, darunter zunächst eine Sinfonie. Obzwar diese Rente wenigstens einmal ausbezahlt worden sein dürfte, bevor der Graf Anfang 1777 starb (s. 1. II. 1777), scheint Mozart nichts für ihn geschrieben zu haben, jedenfalls keine neue Sinfonie. Vgl. seinen Brief an den Vater aus München vom 19. Dezember 1780, der im Zusammenhang mit dem alten Grafen erst durch dieses Schreiben verständlich geworden ist.

PADRE MARTINI AN MOZART

Se lei si degna a scrivermi; favorisca à mettere / *per Trento* / a / *Salisburgo*

Bologna li 18. Xbre / 1776

Unito alla Sua gentiliss:ª pervenutami da Trento ho ricevuto il Mo[te]tto ... Con piacere l'ho considerato dal p[rinci]pio Sino al fine, e Le dico con tutta Sincerità che mi piace Singolarmente ritrovando in esso tutto q[ue]llo che richiede La Musica Moderna buona Armonia, matura modulazione moderato movimento de Violini, modulazione delle parti naturale e buona condotta. Io me ne rallegro, e godo che dacche ebbi il piacere di Sentirla in Bologna nel Cembalo ora siasi di molto avanzata nel Comporre, ella proseguisca Sempre più ad esercitarsi, perche La Musica è di tal natura, che richiede esercizio e Studio grande sino che si vive

Nationalbibliothek, Wien. — Müller v. Asow, a. a. O., Bd. III (2. Textband), S. 315. — Faksimile in *Città di Milano*, 12. Dezember 1955, S. 706. — Dieser Entwurf steht unter Mozarts Brief vom 4. September. Vgl. 5. März 1775. — Es scheint, daß Martini in der Reinschrift dieses Briefes den Wunsch ausgesprochen hat, Bildnisse von Wolfgang und Leopold zu bekommen. Erst am 22. Dezember 1777 hat Vater Mozart diesen Wunsch so weit erfüllt, daß er Wolfgangs Porträt mit dem päpstlichen Orden, von einem in Salzburg weilenden Maler angefertigt, durch Haffner nach Bologna schickte. Das Original ist jetzt im Conservatorio G. B. Martini, Bologna; im Mozart-Museum, Salzburg, hängt eine moderne Kopie danach.

1777

AUS SCHIEDENHOFENS TAGEBUCH, 1. FEBRUAR 1777

Nachmittags zuhause. Dann nach Loreto, nachhin zu Barisani, wo ich niemand antraffe, weil alles bey Lizzau bey der Contredanse Probe ware. Dann zu den Mozartischen, wo ich niemand als Mutter und Tochter antraffe, die mir sagte, das am Fasching Montag ein Ballet: *Apollo et Les Muses* aufgefihret werden solle, wobey Graf Czernin, dann die Grafin Aursperg, H. v. Miller, 4 Barisani, Robing, Mölck, et Mozart seyn sollen.

Faschingsmontag war am 10. Februar. Da der Vater der Gräfin Antonia Lützow, Graf Prokop Adalbert Czernin, am 31. Januar in Prag gestorben war, wurde dieser Plan aufgegeben.

AUS SCHIEDENHOFENS TAGEBUCH, 22. FEBRUAR 1777

Abends besuchte mich Wolfgang Mozart, Mölck HofRath, und Weirotter.

Schiedenhofen war erkrankt und längere Zeit ans Bett gefesselt. — Hofrat Franz v. Mölk war ein Bruder des Konsistorialrates (s. 19. April 1775); Gottlieb v. Weyrother war Oberbereiter.

AUS SCHIEDENHOFENS TAGEBUCH, 26. FEBRUAR 1777

Vormittags besuchte mich Capellmeister Mozart.

Am 14. März 1777 richtet Leopold Mozart an den Erzbischof eine Bittschrift.

Dieses nicht beantwortete Dokument ist nur aus Wolfgangs Gesuch vom August 1777 bekannt, also wohl verlorengegangen. Es handelte sich offenbar wieder um einen Reiseurlaub für Vater und Sohn.

Aus Schiedenhofens Tagebuch, 20. April 1777

Vormittags besuchten mich ... Nachmittags der junge Mozart unnd Helbnreich.

„Helbnreich" ist Joseph Ernst von Helmreichen zu Brunnfeld.

Am 23. April führt die Schauspieltruppe Franz Joseph Moser in Augsburg das Singspiel *Bastien und Bastienne* auf.

Hermann Endrös (*Augsburger Mozartbuch*, 1943, S. 283) nahm an, daß es Wolfgangs Singspiel vom Herbst 1768 gewesen sei. Da aber eine Aufführung dieses Jugendwerkes sonst erst 122 Jahre später gesichert ist (Berlin, 2. Oktober 1890), dürfte es sich wohl auch in Augsburg um Charles Simon und Marie Justine Benoite Favarts und Harny de Guervilles *Les Amours de Bastien et Bastienne* gehandelt haben, jener Parodie von J. J. Rousseaus *Le Devin du Village*, die seit 1763 auf vielen deutschen Bühnen gegeben wurde.

Aus Schiedenhofens Tagebuch, 8. Mai (Christi Himmelfahrt) 1777

Nachhin [vormittags] zu den Robbinigischen, wo ich den Mozart und Abbè Pollinger dann Kolb [antraf, die] mitsam Musick machten. Frl. Louise spielte ein Clavier Concert.

Abbé Joseph Bullinger, der Amateur-Violinspieler Franz Xaver Kolb und Aloisia Robinig.

Aus Schiedenhofens Tagebuch, 4. Juni 1777

Abends nach 7 Uhr mit H. v. Loes und den Mozartischen spazieren.

Benedikt v. Loës war der Stadtsyndikus.

Aus Schiedenhofens Tagebuch, 13. Juni 1777

... Nachmittags war ich ... mit Moll bey den Mozartischen, wo er die Nachtmusick, die er bey der Gräfin Lodron machen will, probirte.

Ludwig Gottfried Moll war Wirklicher Geheimrat am Salzburger Hofe. — Die zweite *Lodronische Nachtmusik* war wahrscheinlich das Divertimento in B, KV 287 (vgl. 18. Juni 1776). — Wyzewa und St. Foix (*Mozart*, II, 367, 429) nahmen an, daß das Divertimento das unvollständig erhaltene Werk KV 288 gewesen sei, das allerdings im Juni und nicht wie jenes Divertimento schon Anfang 1777 entstanden ist. — Der Namenstag der Gräfin war dieser 13. Juni.

Aus Schiedenhofens Tagebuch, 16. Juni 1777

Um 6 Uhr wurde heunt schon soupirt. Dann gienge H v Luidl, die zwey Hausfreulen und ich zu den Barisannischen um die Musik zu hören, die der junge Mozart der Fr Gräfin Ernst v Lodron in der octav machte; sie war recht schön. Bey Barisani waren eine Menge Leute, unter andern auch Frl Nannette Dauwrawaick, die ich auch nachhin nachhaus fiehrte.

Rochus Sebastian v. Luidl war Hofkammer-Direktor. Die zwei „*Hausfreulein*" waren Schiedenhofens Schwester Louise und ihre Base, Nanette von Kranach. Die Familie Barisani wohnte im Gartentrakt des Lodron-Palais. — „*Octav*" ist die Woche nach einem Festtag.

JOHANN ANDREAS STEIN AN LEOPOLD MOZART

[Wien, Sommer 1777.]

An Mozart

Meine Hochachtung, die ich vor Sie und Ihre musikalische Famillie habe, wachst täglich und besonders, da ich mich hie in Wien befinde, so starck, daß sie wirklich auf dem Point steht, eine enthusiastische That zu begehen.

Konzept in Steins Notizbuch bei der Familie Streicher in Krumpendorf, Kärnten. — E. F. Schmid im *Augsburger Mozartbuch*, S. 89. — Der angesehene Orgel- und Klavierbauer aus Augsburg hatte mit seiner Tochter Nanette, später verehelicht mit dem Wiener Klavierbauer Johann Andreas Streicher, eine Kunstreise nach Wien unternommen. Stein kannte die Mozarts seit 1763.

AUS SCHIEDENHOFENS TAGEBUCH, 25. JULI 1777

[Vormittags] ... zu Gusseti, wo die Musick des jungen Mozartn, die er abends seiner Schwester machen wolte, probirt wurde. Sie bestunde in einer Sinfonia, einen Violin Concert, das der junge Mozart spilte, einen Flaute traverse Concert, das der Violongeyger Castel bliese, und alles ware von des jungen Mozarts Composition. H v Moll, beyde v Molck, Edlenbach, Agliardi Carl, B. v Pappius und ich waren dort, und speisten dann mitsammen nachhin bey Sauerwein. Dann giengen Consist: v Mölk und ich zur Frln. v. Dauwrawaick und Frau in die Münz, dann zur Fr. v Mayern, Mozartischen, Barisani Nannerl, und Felix Agliardi im Hof gratuliren.

Die Probe fand bei dem Materialien-Händler Johann Baptist Gusetti statt (jetzt Sigmund Haffnergasse 7/9), die Aufführung vermutlich im Gartenhof hinter dem „Tanzmeisterhaus". Die Sinfonie läßt sich nicht bestimmen. Das Violinkonzert war wohl, wenn es echt ist, das in D, KV 271ª, vom 16. Juli 1777, das nur in einer fragwürdigen Fassung bekannt geworden ist. Das Flötenkonzert war vielleicht KV 314 (bisher Mannheim, Januar oder Februar 1778 datiert). Johann Thomas Cassel, Kontrabassist der Hofkapelle, spielte auch Flöte. — Es gab, wie in Wien, in Salzburg viele Annen; bei Mozarts gleich zwei. — Gusetti scheint Waldhorn gespielt zu haben.

AUS SCHIEDENHOFENS TAGEBUCH, 11. AUGUST 1777

Nachmittags ... mit Gilowski im Robinighof, wo auch der Mozart Concertmeister mitgegangen. Wir schwäzten bis ½8 uhr im Garten, dann gaben uns die Robinigsche eine gute Strecke das Geleith.

Der Robinighof liegt bei Gnigl nächst Salzburg.

AUS SCHIEDENHOFENS TAGEBUCH, 15. AUGUST 1777

Nachmittags ... gienge ich mit selber Dauwrawaik und ihrem Herrn Vatter zu Mozart in die Accademia, wo sich Mme Toucheck, petite fille des Kaufmann Weiser und mit Mr Toucheck berümten Claviermeister in Prag verheuratet, als sängerin hören liesse. Die Stimme war ungemein hell und angenem, sie hatte gusto und sange recht artig. H Colb geigte ein Violin Concert hat einen guten Thon, vielle Stärcke, und Geschwindigkeit, nur etwas falsch gienge es zuweilen. Mr et Mselle Mozart spielten mitsam auf einen Clavecin.

Das Konzert fand offenbar im „Tanzmeister-Saal" der Familie Mozart statt. Josepha Duschek war die Enkelin des früheren Bürgermeisters von Salzburg, Ignaz Anton Weiser (s. 12. März 1767 und Januar 1770), zu dessen Besuch das Ehepaar in Salzburg weilte (vgl. 12. April 1786). — Ob Kolb schon damals das Violin-Konzert in B, KV 207, gespielt hat, ist ungewiß. — Das Vierhändig-Spielen war etwas Ungewöhnliches.

Mozarts Gesuch an den Erzbischof, Hieronymus Grafen Colloredo, samt Erledigung [August 1777]

Ihro Hochfürstl: Gnaden / Hochwürdigster des Heil: Röm: Reichs / *Fürst*, / Gnädigster Landes Fürst / und / Herr Herr!

Euer Hochfürstl: Gnaden etc: darf ich mit der umständlichen Beschreibung unserer traurigen Umstände nicht beschwerlich fallen: mein Vater hat solche in der den 14 Merz dieses Jahres eingereichten unterthänigsten Bittschrift Euer Hochfürstl: Gnaden etc: bey seiner Ehre und Gewissen mit allem Grund der Wahrheit demütigst zu erkennen gegeben. Da nun aber hierauf der gehofte gnädigst günstige Hochfürstl: Entschluß nicht erfolget; so würde mein Vatter schon im Brachmonat Euer Hochf: Gnaden etc: unterthänigst gebethen haben, uns gnädigst eine Reise von etlichen Monaten zu erlauben, um dadurch uns wieder in etwas aufzuhelfen, wen Höchstdieselben nicht gnädigst befohlen hätten, daß die Musik für die bevorstehende Durchreise Sr: Mayst: des Kaisers sich mit ein und anderm bereit halten solle. Mein Vatter bath hinnach demütigst um diese Erlaubniß: allein Euer Hochfürstl: Gnaden schlugen ihm solche ab, und äuserten sich gnädigst, daß allenfahls ich |: der ich ohnehin nur halb in Diensten wäre :| alleine reisen könnte. Unsere Umstände sind dringend: mein Vatter entschloß sich mich allein fortzuschicken. Aber auch hiebey machten Euer Hochfürstl: Gnaden etc: einige gnädigste Einwendungen. Gnädigster Lands-Fürst, und Herr Herr! Die Eltern bemühen sich, ihre Kinder in den Stand zu setzen, ihr Brod für sich selbst gewinnen zu können: und das sind sie ihrem eigenen, und dem Nutzen des Staats schuldig. Je mehr die Kinder von Gott Talente erhalten haben; ie mehr sind sie verbunden Gebrauch davon zu machen, um ihre eigene und ihrer Eltern Umstände zu verbessern, ihren Eltern beyzustehen, und für ihr eigenes Fortkommen und für die Zukunft zu sorgen. Diesen Talentenwucher lehrt uns das Evangelium. Ich bin demnach vor Gott in meinem Gewissen schuldig meinem Vatter, der alle seine Stunden ohnermüdet auf meine Erziehung verwendet, nach meinen Kräften dankbar zu seyn, ihm die Bürde zu erleichtern, und nun für mich, und dann auch für meine Schwester zu sorgen, für die es mir leid wäre, daß sie so viele Stunden beym Flügl sollte zugebracht haben, ohne nützlichen Gebrauch davon machen zu können.

Euer Hochfürstl: Gnaden etc: erlauben mir demnach gnädigst, daß ich Höchstdieselben unterthänigst um meine Dienstentlassung bitte, da ich noch von dem eingehenden Herbstmonat Gebrauch zu machen gezwungen bin, um nicht durch die bald nachfolgenden kalten Monate der üblen Witterung ausgesetzt zu sein. Euer Hochfl: Gnaden etc: werden mir diese unterthänigste Bitte nicht ungnädig nehmen, da Höchstdieselben schon vor drey Jahren, da ich um die Erlaubniß nach Wienn zu reisen bath, sich gnädigst gegen mich erklärten, daß ich nichts zu hoffen hätte und besser thun würde mein Glück andern Orts zu suchen. Ich danke Euer Hochfürstl: Gnaden in tiefester Unterthänigkeit für alle empfangene

Höchste Gnaden, und mit der schmeichelhaftesten Hofnung Euer Hochf: Gnaden in meinen mannbarn Jahren mit mehrerm Beyfahl dienen zu können empfehle ich mich zu führwehrenden Höchsten Hulden und Gnaden

Euer Hochfürstl: Gnaden
meines gnädigsten LandsFürsten
und
Herrn Herrn
unterthänigster und gehorsammster
Wolfgang Amade Mozart

[Außen:]

An / Se: Hochfürstl: Gnaden / Erzbischoffen zu Salzburg p: p: / unterthänigstes und gehorsammstes / Bitten / Wolfgang Amade Mozarts

Ex Decro. Celsmi Pnpis 28. Augusti 1777.

Auf die Hofkammer mit deme, daß Vater und Sohn nach dem Evangelio die Erlaubniß haben ihr Glück weiter zu suchen.

In Conso Crae [Consilio Camerae] den 1. 7brs a. c. / Bescheid in Decretm.

Salzburger Landesarchiv. — Pirkmayer, a. a. O., 1876, S. 11—13. Müller v. Asow, a. a. O., III, 325 f. — Vgl. 14. März 1777. — Der Brachmonat ist der Juni, der Herbstmonat der September. Kaiser Joseph II. hielt sich am 31. Juli ganz kurz in Salzburg auf (nach Dr. H. Klein). Leopold Mozarts zweites Ansuchen dürfte in einer Audienz beim Erzbischof vorgebracht worden sein. Ob Wolfgang wirklich nach der letzten Wiener Reise (14. Juli bis 26. September 1773) „vor drey Jahren" also 1774 wieder um einen Urlaub nach Wien gebeten hatte, ist zweifelhaft; vgl. 12. August 1773. — Das Gesuch ist wohl vom Vater aufgesetzt worden. Den Hinweis auf das Evangelium erwiderte Colloredo sarkastisch. Unter der Erledigung ist noch die eigenhändige Bleistift-Notiz des Erzbischofs zu lesen: „Vatter und sohn haben hiemit nach den Evangelium die Erlaubnis ihr Glück weiter zu suchen." (Dr. Herbert Klein.) — Das Gesuch ist nicht datiert, und Ludwig Schiedermairs Datum, 1. August, ist willkürlich angenommen (Mozart-Briefe, I. 54).

DECRETUM

an den Hochfürstl. Salzburg. Conzertmeistern Wolfgang Amade Mozart

Demnach Ihro Hochfürstl. Gnaden das von dem uti à latere um gnädigste Dienst Entlassung unterthänigst eingereichte Bittblat mit der Gnädigisten Decretierung anhero gelangen lassen, daß Vatter, und Sohn ihr Glück weiter zusuchen die Erlaubnüß haben; alß wird solch höchster Entschluß — ⊕ Eingangs ermelten Mozart zu behöriger Wissenschaft hiemit kund gethann.

Decretum in Consilio Camerae Salzburgensi
Die 1ma Septembris 1777.

DECRETUM

an das hochfürstl. Hofzahlamt alhie.

⊕ dem Hochfürstl. Hofzahlamt um bey beschechender weiter begebung der Besoldunng halber sich hiernach regulieren zu können, hiemit vernachrichtet.

Decretum ut supra

Salzburger Landesarchiv. — Pirkmayer, a. a. O., S. 21. Müller v. Asow, III, 326 f. — Leopold Mozart blieb im Dienste des Erzbischofs, aber Wolfgang war zunächst entlassen.

AUS SCHIEDENHOFENS TAGEBUCH, 6. SEPTEMBER 1777

Nachmittags ... besuchte ich die Mozartische, wo ich den Vatter krancker antraffe, weil er und sein Sohn, wegen den von Letztern höchsten Orts um Reise Erlaubnus eingereichten Memorial, des Dienstes entsezet worden.

AUS SCHIEDENHOFENS TAGEBUCH, 19. SEPTEMBER 1777

Nachmittags . . . Endlich zu den Mozartischen zur Abschieds Visite, weil der junge Mozart und die Mutter nächsten Montag abreisen werden, weil ersterer fremde Dienste suchet. Ich treffe den alten Mozart an einen schwähren Cartar kranck an.

Die Abreise erfolgte nicht Montag, den 22., sondern erst am 23. September.

Am 23. September 1777 um 6 Uhr morgens reist Wolfgang mit seiner Mutter nach Paris, von wo er allein erst Mitte Januar 1779 heimkehren sollte. Ihr Weg führt zunächst über Waging, Stein, Frabertsham und Wasserburg, wo sie im „Stern" übernachten, nach München, wo sie am 24. um $^1/_2$5 nachmittags ankommen und beim „Schwarzen Adler" absteigen.

Über Albert, den Besitzer des Gasthofs in der Kaufingerstraße, siehe 27. April 1775.

AUS SCHIEDENHOFENS TAGEBUCH, 24. SEPTEMBER 1777

Abends gienge ich anfangs auf den Markt, dann zu dem Mozart, weil Tags ehevor Mutter und Sohn verreisten.

Am 25. September morgens macht Wolfgang beim Grafen Joseph Anton Seeau, dem Spektakel-Intendanten des bayrischen Hofes, seine Aufwartung; dann beim Grafen Ferdinand Christoph Zeil, dem Fürstbischof von Chiemsee. Am 28. besucht er Seeau wieder und am 29. den Hofkapell-Cellisten Franz Xaver Woschitka. Am 30. wird er vom Kurfürsten Maximilian III. Joseph empfangen.

Um den 1. Oktober spielt Wolfgang dreimal beim Grafen Joseph Salern, dem Intendanten der Hofoper.

Man nimmt an, daß die Divertimenti KV 247, 251 und 287 aufgeführt worden sind.

Am 3. Oktober, als der Hof München verläßt, spielt Wolfgang bei Frau von Tosson, der Schwiegermutter des Kaufmanns v. Hepp.

Am 4. Oktober gibt Wolfgang ein Hauskonzert beim Wirt Franz Albert, das von $^1/_2$4 bis 8 Uhr nachmittags dauert.

Dort wurden die Klavierkonzerte KV 238, 246 und 271 gespielt (das letztere im Januar 1777 für Mlle. Jeunehomme geschrieben), wahrscheinlich auch die Divertimenti KV 287 und KV 254 (Klaviertrio), worin Mozart die Violine spielte.

Nach einem wiederholten Besuch bei dem kranken Joseph Mysliwecek, am 10. Oktober, reist Wolfgang am 11. mit seiner Mutter von München ab. Um 9 Uhr abends kommen sie in Augsburg an, wo sie beim „Weißen Lamm" absteigen.

Dem tschechischen Opernkomponisten war Wolfgang zuerst 1770 in Bologna begegnet.

Am 12. Oktober morgens wird Wolfgang durch seinen Onkel, den Augsburger Buchbinder Franz Alois Mozart, beim Stadtpfleger Jakob Wilhelm Benedikt Langenmantel von Wertheim und Ottmarshausen eingeführt, den er noch zweimal hintereinander besucht. Am 12. Oktober geht er auch zum Klavierbauer Stein. Am 13. Oktober besucht er mit dem Onkel den Prälaten Bartholomäus Christa im Chorherrenstift Heilig Kreuz, am 14. abends das Theater, und am 15. den Musikdirektor Friedrich Hartmann Graf, wo er den kunstliebenden Fabrikanten Anton Christian Gignoux trifft.

Im Theater sah Wolfgang mit seiner Mutter Karl Ludwig Reulings Singspiel *Der Teufel ist los*, eine Übersetzung aus dem Französischen, und das Ballett *Der betrunkne Bauer (Augsburger Mozartbuch*, Abbildung 28). — Graf war der Bruder des Christian Ernst Graaf, dem Wolfgang im Haag begegnet war (s. 7. III. 1766).

MARIA ANNA THEKLA MOZART AN LEOPOLD MOZART IN SALZBURG

Insonders Liebwertister / Herr Vetter:

Es ist mir onmöglich, Ausszutricken wie viele Freud, wir ob Der Glicklichen Ankunft der Frau baß, alz eines so allerliebsten Herr Vetters, empfunden, nur ist zu betauren, so Edle Freunde, so geschwinde wider zu verliehren, die so viele Freundschaft gegen uns zeigen, nur betauren wir, nicht daß glick zu haben, auch sie samt der Frau Baß zu sehen; Meine Eltern die sich gehorsambst Empfehlen, Herren Vetter und Freul: Baß, und hoffen daß sie sich Woll befinden, und es stets winschen, bitte mich der Freuln: Baß zu Empfehlen, mich stets in dero Freundschaft zu Erhalten, wie ich mir auch von Ihnen schmeichle ihre gewogenheit zu Erhalten, ich habe die Ehre mich zu Empfehlen, und Ersterbe mit Aller hochachtung: Ergebene Dienirin
                                                           und Baß M A

Augspurg den 16 oct. 1777   Mozartin
N:
Der Vatter weiss sich nicht mehr zu Ereneren ob er es gemelt, daß er h: Lotter den 31 Mej 1777 4 Vion:schulen geben, und den 13 Aug: 1777 wider zwey geben,

Mozarteum, Salzburg. — Schiedermair, Mozart-Briefe, IV, 387. — Der Brief war Wolfgangs Schreiben an den Vater vom 17. Oktober beigelegt. — Das „Bäsle" in Augsburg, Tochter des Franz Alois Mozart, wurde Wolfgangs Freundin. Ihr Vater hatte Leopolds *Violinschule*, die bei Lotter erschienen war, in rohen Bogen aufbewahrt und lieferte sie so oder gebunden aus.

Am Abend des gleichen Tages, des 16. Oktober, spielt Wolfgang am Schlusse einer Akademie der Augsburger Patrizier nach einem Klavierkonzert die Klaviersonate in G, KV 283.

Das Konzert fand in der Geschlechterstube gegenüber dem Rathaus statt. Wolfgang erschien mit dem Ordenskreuz des päpstlichen Ritters vom Goldenen Sporn.

Am 17. Oktober speist Wolfgang beim Kaufmann Valentin Alois Gasser und geht dann wieder zu Herrn Stein; am 18. besucht er abermals das Stift Heilig Kreuz, speist bei Stein und besichtigt die Orgel im Ulrichsmünster; am 19., nach dem sonntäglichen Besuch der Messe, gibt es um 10 Uhr vormittags bei Stein eine Orchesterprobe für Wolfgangs eigenes

Konzert, abends aber spielt er im Stift Heilig Kreuz das Violinkonzert in G (KV 216), dann eine Klaviersonate, die Klaviervariationen über ein Menuett von Johann Christian Fischer (KV 179) und endlich eine Improvisation.

Gasser besorgte kostenlos die Versendung der *Violinschule* Vater Mozarts zur Frankfurter Messe.

AUS DEM «AUGSBURGISCHEN INTELLIGENZ-BLATT», 20. OKTOBER 1777

(Fremdenzettel, 11. Oktober 1777)

Madam Mozart nebst Herrn Sohn, kommen mit der Post von Salzburg, log. zum Weißen Lamm.

Ernst Fritz Schmid im *Augsburger Mozartbuch*, S. 138.

AUS DER «AUGSBURGISCHEN STAATS- UND GELEHRTEN ZEITUNG», 21. OKTOBER 1777

Etwas für Kunst- und Musikliebende!

Ehre für uns, lieber Patriot! Einen Tonkünstler, einen Landsmann hier zu haben, um den uns ganz England, Frankreich und Italien beneidet.

Wer ein wenig mit politischen Blättern bekannt, wird wissen, dass es niemand als Herr Chevalier Wolfgang Amadee Mozart seyn kann, der in seiner zarten Jugend bey obigen Nationen so große Wunder gethan.

Lasst sehen, ob ers auch bey uns thut?

Morgenden Mittwoch, den 22. Oct. wird Chevalier Mozart eine Academie in dem Hochgräfl. Fuggerschen Concertsaal geben, wo zu Bestreitung der Unkosten gleich beym Eingang für den ersten Platz 1 fl. und für den zweyten 30 kr. bezahlt wird. Die Composition ist durchaus von diesem Author, und soll in folgender Ordnung erscheinen: 1) Sinfonie mit gehörigen Instrumenten, 2) Clavier-Concert mit 3 Piano Forte. Ein Umstand, der sehr selten, hier aber durch einen günstigen Zufall aufgeführt wird. 3) Clavier Sonata ohne Begleitung. 4) Ein einfaches Clavier-Concert con stromenti. 5) Wann es die Zeit erlaubt, eine frey-fugirte Fantasie im Kirchenstyl. 6) Schluss-Sinfonie. Herr Mozart wird sich alle Mühe geben, seine Herren Landsleute etliche Stunden recht herrlich zu unterhalten.

Ebenso, S. 145. — Die Anzeige war von Herrn v. Zabuesnig verfaßt (s. 2. III. 1769). — Das Konzert für drei Klaviere war das Lodronsche, KV 242, die Klaviersonate KV 284, das Klavierkonzert KV 238, die Fantasie war in c-moll, und dann folgte noch eine Sonate in C-dur. — Das Konzert für drei Klaviere wurde vom Domorganisten Johann Michael Demmler, Mozart und Stein gespielt.

AUS DER «AUGSBURGISCHEN STAATS- UND GELEHRTEN ZEITUNG», 22. OKTOBER 1777

In der gestrigen Anzeige, von Herrn Chevalier Mozart, ist noch beyzusetzen, dass der Anfang heute Abends um 6. Uhr gemacht wird.

Ebenso, S. 145. — Baron Grimm, auf der Durchreise nach Paris, wohnte dem Konzerte bei (s. 21. II. 1778). — Wolfgang nahm am 16. und 22. Oktober zusammen 83 ½ Gulden ein; der Aufenthalt in Augsburg kostete um 27 fl. mehr.

MOZARTS EINTRAGUNG IN DAS STAMMBUCH SEINER BASE

Si vous aimés ce que j'aime
vous vous aimés donc vous même
votre
Tres affectioné Neveu
Wolfgang Amadée Mozart
Augspourg le 25 oct. 1777

Original bei Dr. Curt Sluzewski, London. — Paul Nettl in *Acta Mozartiana*, Augsburg 1956, III/2, S. 9 (unvollständig und mit irrtümlicher Zuschreibung); E. F. Schmid im *Neuen Augsburger Mozartbuch* (1960?). — Darunter schrieb das Bäsle für einen Unbekannten: *„Ihre Freundin Mozart 1793"*.

Am gleichen Tage, dem 25. Oktober, macht Wolfgang einen Abschiedsbesuch beim Prälaten von Heilig Kreuz, Bartholomäus Christa, wo er auch am Tage vorher gewesen war. Am 26. um ½ 8 Uhr morgens verläßt er mit der Mutter Augsburg und fährt zunächst nach Hohen-Altheim, dem Lustschloß des Fürsten Kraft Ernst von Oettingen-Wallerstein (siehe 28. April 1770). Am 27. Oktober spielt Wolfgang bei dessen Musik-Intendanten Ignaz von Beecke die Klaviersonaten KV 281 und 284 vor.

AUS DER «AUGSBURGISCHEN STAATS- UND GELEHRTEN ZEITUNG»,
28. OKTOBER 1777

Augsburg vom 24 Oct. Der Abend des vergangenen Mittwochs war für die hiesigen Musikliebhaber einer der angenehmsten. Herr Ritter Mozart, ein Sohn des Salzburgischen berühmten Tonkünstlers, der ein gebohrner Augsburger ist, gab in dem Graf Fuggerschen Saale Academie auf dem Forte-Piano. Da Herr Stein eben drey Instrumente dieser Art fertig hatte, so gab dieses Gelegenheit, ein starkes Concert für drey Claviere aufzulegen, wo Herr Demler. Organist in der Domkirche, und Herr Stein selbsten die beyden andern Clavier-Partien auf sich hatten. Außer diesem spielte der Herr Ritter eine Sonate und eine fugirte Fantasie ohne Accompagnement, und ein Concert mit demselben, so wie auch die Anfangs- und Schluß-Symphonie von seiner Composition war. Alles war außerordentlich, geschmackvoll und bewundernswerth. Die Composition gründlich, feurig, mannigfaltig und einfach: die Harmonie so voll, so kräftig, so unerwartet, so erhebend; die Melodie so angenehm, so tändelnd, und alles so neu; der Vortrag auf dem Forte-Piano so nett, so rein, so voll Ausdruck, und doch zugleich so außerordentlich geschwinde, daß man kaum wußte, worauf man zuerst merken sollte, und alle Zuhörer zum Entzücken hingerissen wurden. Man sah hier Meisterstücke in den Gedanken, Meisterstücke in dem Vortrag, Meisterstücke in den Instrumenten, alles zusammen vereinigt. Eins erhob immer das andere so sehr, daß die zahlreiche Versammlung über nichts mißvergnügt war, als daß nicht ihr Vergnügen noch länger dauerte. Patriotisch Denkende hatten das besondere Vergnügen, aus der Stille und dem allgemeinen Beyfall der Zuhörer zu sehen, daß man bey uns wahre Schönheiten zu schätzen wisse — einen Virtuosen zu hören, der sich an die Seite der großen Meister unsrer Nation stellen darf, und doch wenigstens halb unser ist — und Instrumenten zu hören, die nach dem Urtheile der Fremden, alle andre dieser Art, bey weitem übertreffen. Und Stein ist auch unser: aber er selbst spielt, und hat Gefühl für die feinere Musik.

Müller v. Asow, a. a. O., II, 271 f. Auch diese Notiz mag von der Hand Zabuesnigs sein. — Wolfgang hat Johann Michael Demmler 1778 für die Stelle des Domorganisten in Salzburg empfohlen, die er dann selbst bekam.

Am Morgen des 28. Oktober geht die Reise von Hohen-Altheim weiter, über Nördlingen und Ellwangen nach Mannheim, wo Mutter und Sohn am 30. ankommen und im „Pfälzischen Hof" (Paradeplatz Lit. D 1) absteigen.

Am 31. Oktober besucht Wolfgang den Hofviolinisten Johann Georg Danner, den Sänger Anton Raaff und den Kapellmeister Christian Cannabich; dann wohnt er der Probe des Konzerts bei, das am 4. November, dem Namenstag des Kurfürsten Karl Theodor von der Pfalz, bei Hofe stattfindet. Am gleichen Tage wird Wolfgang vom Grafen Louis Aurel Savioli, dem Hofmusik-Intendanten, empfangen und spielt bei Cannabich u. a. die sechs Klavier-Sonaten KV 279—284. Am 5. besucht er die Oper. Am 6. spielt er in Gegenwart Christoph Martin Wielands in einer Akademie bei Hofe ein Konzert, eine Sonate und Improvisationen. Auch am 7., wo er eine französische Komödie hört, und am 8. ist er bei Hofe. Am Sonntag, dem 10., spielt er auf der Orgel der Hofkapelle, und am 18. versucht er mit Abbé Georg Joseph Vogler die neue Orgel in der evangelischen Kirche. Während der fünf Galatage, vom 20. bis 24. November, hört Wolfgang am 20. den Konzertmeister Ignaz Fränzl und spielt am 22. eine eigene Klaviersonate (KV 309?). Am 28. und an den beiden folgenden Tagen besucht Wolfgang im Palais Heydeck die beiden natürlichen Kinder des Kurfürsten, dem er am 1. Dezember dort die Fischer-Variationen (KV 179) und am 3. ein (verlorenes?) Rondeau auf dem Klavier vorspielt. Am 4. hört er von Rosa Cannabich, der begabten Tochter des Kapellmeisters, die für sie geschriebene Klaviersonate in C, KV 309. Am 8. ist wieder eine Akademie bei Hofe, der Wolfgang beiwohnt. Am 12. übersiedelt er mit der kränklichen Mutter aus dem unwirtlichen Gasthof zum Hofkammerrat Serrarius (Lit. F 3, 5).

Am 21. Dezember 1777 wird in der Stiftskirche von St. Peter zu Salzburg Wolfgangs Missa brevis in B, KV 275, aufgeführt.

Das Datum der Aufführung wird als 21. oder 22. angegeben, aber der 21. war ein Sonntag. — Wolfgang schrieb die Messe kurz vor der Reise nach Paris. Der Kastrat Francesco Ceccarelli, der von 1778 bis 88 zur Hofkapelle gehörte, sang darin den Sopranpart.

Am 22. Dezember stirbt Kajetan Adlgasser, der Domorganist in Salzburg.

Er wurde an seiner Orgel vom Schlag getroffen.

Am 30. Dezember stirbt Maximilian III. Joseph, Kurfürst von Bayern.

AUS ERNST CHRISTOPH DRESSLERS «THEATER-SCHULE FÜR DIE DEUTSCHEN, DAS ERNSTHAFTE SING-SCHAUSPIEL BETREFFEND», HANNOVER UND CASSEL 1777

. . . Unmöglich kan ich hier die Hrn. *Mozart*, und *Schröder*, zwey außerordentliche Genies, Musici, Clavierspieler und Compositeurs der Deutschen ungenennt lassen; nicht nur wir, auch die Ausländer, kennen ihre Verdienste.

Mit „*Schröder*" ist Johann Samuel Schröter (1750—88) gemeint, der in Warschau geboren war und als Kammer-Pianist des Prinzen von Wales starb. Er war der Bruder der Sängerin Corona und des Violinisten Johann Heinrich Schröter (s. KE 626ª, Anhang D, F, G und H). Seine Witwe wurde Haydns Freundin in London.

1778

Am 1. Januar 1778, um 10 Uhr nachts, verläßt Karl Theodor, der Kurfürst von der Pfalz, seine Residenz in Mannheim, um in München die Nachfolge des bayrischen Kurfürsten anzutreten.

Karl Theodor war nun Kurfürst von der Pfalz und von Bayern.

Am 14. Januar findet bei Serrarius, dem Gastgeber der Mozarts, ein Hauskonzert statt, wobei Abbé Vogler Wolfgang Klavier spielen hört.

Um den 20. Januar spielt Nannerl in Salzburg mit den Wallersteiner Musikern Anton Janitsch und Joseph Reicha das Divertimento in B, ein Trio für Klavier, Violine und Violoncello, KV 254.

Vgl. 4. Oktober 1777.

FRANZ VON HEUFELD AN LEOPOLD MOZART

Schätzbarester Freund!

Dero wertheste Zuschrift vom 16ᵗ dieses ist mir richtig zugekommen. Ich erstatte Ihnen für dero werthestes Andenken den verbindlichsten Dank, und freue mich über Ihr allerseitiges Wohlseyn. Daß Ihr Sohn sich von einem Orte entfernet, welches für sein Genie zu enge war, ist wohl sehr gut geschehen. Ich bin versichert, er werde überall anständiger aufgenommen werden, auch wird es ihm zur vollendlichen Bildung und Erlangung der nöthigen Weltkenntniß dienen, wenn er sich ein wenig in der Welt umsieht. Ich traue den ihm von seinen rechtschaffenen Eltern von Jugend an eingepflanzten guten Grundsätzen zu, daß er sich nicht leicht in üble Gesellschaften verfangen wird.

Itzt bester Freund! muß ich Ihnen über den Antrag Ihren Sohn hier auf die mir bekannt gemachte Art anzubringen, meine Gedanken mit der Aufrichtigkeit entdecken, mit welcher ich gegen meine Freunde zu handeln gewohnt bin. Es ist an dem, daß S:r M: der Kaiser, welchem seine Mutter das Theater gänzlich überlaßen hat, eine deutsche komische Opera zu errichten willens sind. Alle Befehle kommen vom allerhöchsten durch den Oberstkämmerer Grafen v Rosenberg an die Truppe, bey welcher eine Art von Rath aus den ersten Acteurs und Actricen wegen Ein- und Austheilung der Stücke und Rollen établirt ist. Zur Oper, welche mit der national Truppe vereiniget wird, sind außer dem als Sängerinnen dermalen engagirt die Dlle Cavalier und die Schindlerische Tochter verehligte Langin, und ein Baßist, dessen Namen mir nicht einfällt. Es war dieser Tagen die erste Probe der ersten Oper, wozu Hr Weidmann den Text geliefert und der Bratschist vom Theater Orchester Hr Umlauf die Musick componirt hat; die Vorstellung soll ehestens geschehen. Alles distes ist dermalen nur ein Versuch, ob mit den Deutschen in diesem Fache etwas anzufangen? Gewiß ist indessen, daß dermalein kein eigener Musickcompositor aufgenommen wird, zumalen da Gluck und Salieri in des Kaisers Diensten sind. Dem Herren jemanden recomendiren, wäre gerade das Mittel den Recomendirten gewiß

152

nicht anzubringen. Auch ist kein Mittelsmann vorhanden, durch welchen man an denselben kommen könnte, weil derselbe als selbst Kenner alles nach seiner Idée, nach seinem
Gefallen anordnet und wählet. Jederman weis dises, und Niemand waget es mit Vor-
schlägen und Recomendationen aufzutretten. Auf dise Art haben S:r M: den Gluck,
Salieri und schon eine geraume Zeit her die meisten in dero Diensten stehende Leute
selbst ausgesucht. Ich könnte Ihnen auch einige Beyspiele anführen, wo Leute, welche sich
unmittelbar an die Herrn gewendet haben, nicht reuißirten. Den Weeg, welchen Sie ver-
vermeinen, an denselben zu gehen, kann ich nicht gut heißen, und das ist die Ursache, warum
ich durch eine Bittschrift keinen Schritt gemacht, weil ich zum voraus evidenter versichert
bin, daß es unnütz und vielmehr nachtheilig wäre. Hingegen bleibet guten Talenten ein
anderer rühmlicherer und sicherer Weeg offen, wodurch sie ihr Glück bey dem Herrn machen
können, nämlich ihre producirung, wozu jeder gerne gelassen wird. Will dero Sohn sich
die Mühe nehmen zu irgend einer guten Deutschen komischen Oper die Musick zu setzen,
solche einschicken, sein Werk dem allerhöchsten Wohlgefallen anheimstellen und dann
die Entschließung abwarten, so kann es ihm gerathen, wenn das Werk Beyfall findet,
anzukommen. In disem Falle aber wäre es wohl nöthig selbst gegenwärtig zu seyn. Wegen
des Benda und Schweizers darf der Sohn ganz außer allen Sorgen seyn. Ich wollte dafür
stehen, daß keiner ankomen wird. Sie haben hier dem Ruhm nicht, wie draußen. Vielleicht
hat selbst Wieland etwas von der großen Meinung, welche er von disen Leuten hatte, seit
seinem Aufenthalt in Manheim fahren lassen. Ich habe ein Schreiben vom 5ten dises
von ihm gelesen, worinn er bekennet in Manheim ein ganz anderes Licht, als er jemals
gehabt, in der Musick erlanget zu haben. Er meldet daß die Oper dort eingestellt sey,
und daß er im Begriffe stehe nach Weimar zurück zu kehren.
Meinem lieben Wolfgang mein Empfehlungsschreiben an die Königinn von Frankreich
zuwegen zu bringen, Freund! finde ich kaum Möglichkeit. Die Freunde, welche es hätten
thun können, sind nicht mehr. Ich will es Ihnen lieber gerade heraus sagen, als Ihnen
eine leere Hoffnung machen. Wäre er gegenwärtig, so ließ sich in ein und anderm
Falle eher was thun, aber so bin ich nichts im Stande. Vom Theater habe ich mich völlig
entfernet, zu den Großen komme ich gar nicht mehr, indem ich es satt bin mich zu bücken.
Jedoch stehe ich mit einem Manne gut, welcher bey der Kaiserinn Majestät dermalen viel
vermag, und welcher /: zum Glücke in disem Falle :/ ein paßionirter Liebhaber der Musick
ist, selbst schlägt und singt, welcher durch nichts mehr obligirt werden kann, als durch
eine kleine gute Composition der Musick; allein ich kann ihm nicht zumuthen, für ihren
Sohn, den er nicht kennet, etwas zu thun, und für den er, wenn er ihn kennte, gewißlich
anspannen würde.
Nun ein Wort von mir. Ich bin seit anderthalb Jahren verheiratet, habe schon einen
Jungen, und etwas frisches auf dem Weege. Meine Frau ist eine Zach von Garberstein, mit
der ich recht vergnügt lebe. Ich geniße die Zufriedenheit meiner Obern und die Gnade
meiner Souverainin von welcher Gnade Sie einen Beweis in meiner Unterschrift finden
werden. Empfehlen Sie mich Ihrer lieben Familie, und erhalten Sie mir dero Freundschaft,
so wie ich Ihnen die meinige aufs bündigste bestättige. Ich bin mit unveränderter Hoch-
schätzung   dero ergebenster
                                                              Franz Edler v Heufeld
Wien den 23:tn Jäner 778
Mit dem Director Messmer werde ich abkanzeln / so bald ich ihn antreffen werde. / Ich
wohne itzt Nr 416 in der / Wildwerkerstraße.

Mozarteum, Salzburg. — Müller v. Asow, a. a. O., II, 377 f. — Heufeld, ein Theaterdichter, war Rechnungsrat bei der Hofbuchhaltung und 1769 sowie 1773—75 Direktor des deutschen Schauspiels in Wien, mit beiden Mesmers befreundet, den Mozarts seit 1773 bekannt. — Joseph II. veranlaßte, daß das Burgtheater, als Deutsches Nationaltheater, 1776 wieder in die eigene Regie des Hofes übernommen und die Italiener — Sänger, Tänzer und Musiker — entlassen wurden. Graf Rosenberg (s. 23. IV. 1775) übernahm die Oberdirektion der Hoftheater (April 1776 bis Januar 1791), der vom Herbst 1785 an auch das bis dahin verpachtete Kärntnertor-Theater unterstand. Am 17. Dezember 1777 hatte der Kaiser den Auftrag gegeben, im Burgtheater auch eine deutsche Oper einzurichten, die im Februar 1778 als Deutsches National-Singspiel unter dem Musikdirektor Ignaz Umlauf begann, aber nur bis zum März 1783 bestehen blieb. Während dieser 5 Jahre durfte das Kärntner-tor-Theater keine Opern geben. Im April 1783 kehrte die italienische Oper ins Burgtheater zurück. — Caterina Cavalieri, die erste Constanze in der *Entführung aus dem Serail* (1782), Anna Maria Elisabeth Lange, Tochter des Miniaturmalers Philipp Ernst Schindler und erste Frau des Hofschau-spielers Lange, sowie der Bassist Fux (oder Fuchs) gehörten dem ersten deutschen Opern-Ensemble an. — Die erste deutsche Oper war Umlaufs *Die Bergknappen*, Text von Paul Weidmann. — Gluck war k. k. Kammerkompositeur, Salieri erster Kapellmeister der Hofoper. — Georg Bendas Melo-dram *Medea* wurde Ende 1778 im Burgtheater gegeben, andere seiner Werke bald darauf; im März 1779 gab er eine Akademie im Kärntnertor-Theater. Von Anton Schweitzer wurde damals nichts in Wien aufgeführt. — Dr. Mesmer mußte Wien Anfang 1778 verlassen: sein Vetter Joseph war Marie Antoinettes Schreiblehrer gewesen. — Heufeld war geadelt worden. Die Wildwerkerstraße war ein Teil der späteren Wipplingerstraße. — Vater Mozart schickte diesen Brief am 29. Januar an Wolf-gang und fügte den folgenden Brief Joseph Mesmers, der dem Heufelds beilag, in Abschrift bei.

JOSEPH MESMER AN LEOPOLD MOZART, WIEN, CA. 23. JANUAR 1778

. . . H: Vetter Dr Messmer, der dieser Täg von hier nach Paris abreiset, und meinen Sohn ihnen auf geratewohl mit bringen wollte, sollte eben diesen Vorwurf [des Nicht-Antwortens] ihnen machen. Nun unterbleibt wieder alles, da der H: Sohn nicht mehr in Salzburg ist... warum haben sie ihren H:Sohn nicht gleich nach Wienn geschickt? oder warum schicken sie ihn nicht noch? — — ich gebe ihnen hiermit die getreueste Versicherung, daß er bey mir Wohnung, Kost und alles p: so lange er will, haben wird, und daß ich und alle andern Freunde trachten würden ihm bald andere gute Verdienste zu verschaffen: ohne seine persönliche Gegenwart wird hier nichts zu machen seyn. Hier ist doch immer ein guter Platz für ein grosses Talent: nur geht es manchmal nicht gleich; aber durch unterstützung guter Freunde kommt man richtig zu seinem zweck — und am Ende ist es in Wienn noch immer am besten zu leben. Sie kennen ihre schwäbischen freunde, und den Ort selbst. wählen sie — und lassen mir es wissen.

Mozarteum, Salzburg (Abschrift in Leopold Mozarts Brief vom 29. Januar). — Schiedermair, a. a. O., III, 334. — Direktor Mesmer wollte seinen musikalisch begabten Sohn bei Vater Mozart ausbilden lassen. Die Mesmers, Heufeld und andere Bekannte der Mozarts aus diesem Kreise, stammten aus Schwaben, den Ländern am Bodensee.

Am 23. Januar 1778 morgens fährt Wolfgang mit Fridolin Weber und seiner Tochter Aloisia nach Kirchheim-Bolanden, wo sie mehrere Tage am Hof der Prinzessin Caroline von Nassau-Weilburg (s. 12. IX. 1765) verbringen.

Der Musikus Weber lebte damals mit seiner Frau Maria Cäcilia, geborenen Stamm, und vier Töchtern in Mannheim. Aloisia, die begabteste, in die sich Wolfgang verliebte, sang in diesen Tagen vor der Prinzessin zwei Arien aus seinem *Lucio Silla*, No. 4 und 11.

Etwa vom 29. Januar bis 1. Februar weilt Wolfgang mit den Webers in Worms und kehrt am 2. nach Mannheim und zu seiner Mutter zurück.

Der Stifts-Dechant in Worms, P. Dagobert Stamm, war Webers Schwager.

Aloisia Weber singt am 13. Februar in einer Akademie bei Cannabich zwei Arien, No. 11 und 16 aus *Lucio Silla*, Rose Cannabich spielt das Klavierkonzert in B, KV 238, Wolfgang das in D, KV 175, Friedrich Ramm das Konzert in D für Flöte (Oboe?), KV 314, und schließlich führt Wolfgang die Ouvertüre zu *Il Rè Pastore* auf.

Padre Martini an Leopold Mozart, Bologna, 14. Februar 1778

Le vicende della Baviera, e della partenza di S: A: Elett: Palatina da Manheim forse impediranno che non poßino avere tutto il buon Effetto apresso la sua Alt: Elettorale, tutta via se tardaranno, non mancaranno.

Mozarteum, Salzburg (Abschrift in Leopold Mozarts Brief vom 29. April). — Schiedermair, a. a. O., IV, 21. — Vgl. 1. Januar 1778. — In dem nicht kopierten Teil des verlorenen Briefes hatte sich Martini für Wolfgangs Porträt bedankt (s. 18. XII. 1776). — Vgl. 6. September 1778.

Am 20. Februar erkrankt Wolfgang vorübergehend.

Grimm an Leopold Mozart

Ich hab ihren Brief vom 25 Decemb. erst vor ein paar Täge erhalten, und da ich eben antworten wollte, erhielt ich ihren 2ten Brief vom 9ten dieses Jenners. Es ist gantz richtig wahr, daß ich in augsbg: war als H:Amadeo sein Concert gab, ich wurde gleich wieder abgereiset seyn — ich war aber so gar im Concert, und stellte mich so ins Gesicht, daß er und Madme:Mozart mich sehen konnten, allein weder er noch die Madme:sa mere erkannten mich:und da ich sehr Eyle hatte fortzureisen, und alles mir sagte, sie wären auf dem Weege nach Paris zu reisen, so entschloß ich mich unerkannt zu bleiben, da wir uns in Paris sehen werden. Es wird mich sehr vergnügen ihn wieder zu sehen:aber es ist mir sehr Leid, dass er ohne seinen Vatter kommt. vermög ihrem Schreiben wird er itzt auf dem Weeg seyn, und ich hoffe ihn also von Tag zu Tage, zu sehen, und dann werde von ihm erfahren und sehen was ich alles für ihn werde thun können. Er ist zwar in guten Händen, da er mit Mr:Wendling ist, der ihm nützliche Dienste thun kann, allein niemand kan die wahre Stelle eines vatters ersetzen :/ mais personne ne peut remplacer un pere /. Es sind 3 Monate, daß ich von meinen Reisen zurück bin, und weis doch noch nicht ob diese meine letzte Reise aus Russland auch meine letzte seyn wird. il seroit tems de songer au repos. je vous envoie ci joint mon adreße, pourque vos Lettres ne risquent plus de s'egarer. je suis accablé d'affaires et d'écritures et par consequent bien mauvais corréspondant; mais lorsque M:Votre Fils sera ici, il sera mon secretaire, et nous vous tiendront au Courant. en attendant n'ayez point d'inquiétude. Je crois Votre Fils d'une Conduite assez sage pour ne pas reduter pour lui les dangers de Paris. S'il était enclin au Libertinage, il pourrait sans doute courir quelques risques; mais s'il a de la raison, il se garantira de tout inconvenient sans mener pour cela la vie d'un heremite p:p:je suis bien fachè que vous soyez cloué a Salzbourg, a dieu, Monsieur, vous connaissez les sentiments, que je vous ai voués, et je vous prie de les regarder comme invariables. Paris le 21 febr 1778.

Mozarteum, Salzburg (Abschrift in Leopolds Brief an Frau und Sohn vom 28. Februar bis 2. März). — Schiedermair, a. a. O., III, 382 f. — Das Konzert in Augsburg war am 22. Oktober 1777. — Wie Ramm gehörte der Flötist Johann Baptist Wendling dem Mannheimer Orchester an, beide hervorragende Holzbläser, die mit Wolfgang nach Paris reisen wollten.

Am 23. Februar spielt Frl. Therese Pierron, Wolfgangs Schülerin, in der französischen Montags-Akademie das Konzert KV 246 (Lützow-Konzert).

Am 12. März singt Aloisia Weber in einer Abschieds-Akademie für Wolfgang bei Cannabich die Arie No. 3 „Aer tranquillo", aus Il Rè Pastore und Rezitativ und Arie „Alcandro lo confesso — Non so d'onde viene", KV 294, kurz vorher für sie komponiert; Frl. Rose Cannabich, Frl. Aloisia Weber und Frl. Therese Pierron, die Haushälterin bei Serrarius, spielen das Lodron-Konzert für drei Klaviere, KV 242.

In Wien hat Aloisia, damals schon Langes zweite Frau, die Arie KV 294 am 11. März 1783 wieder gesungen.

LEOPOLD MOZART AN JOHANN GOTTLOB IMMANUEL BREITKOPF IN LEIPZIG

Salzburg den 13 Merz 1778

. . . Mein Sohn hat die Salzb: Dienste verlassen, und wird nun, da sie dieses lesen, in Paris seyn. Es sieht bey uns sehr traurig aus; doch, wo sieht es itzt nicht kritisch aus? — Unsern gemeinschaftlicher Freund Hr: von Grimm, nun aber, Baron von Grimm Ministre plenipotentiaire de Saxe-Gotha, schrieb mir die vorige Woche aus Paris, wo er aus Russland zurück angelangt ist. Ich empfahl ihm meinen Sohn . . .

Hessische Landesbibliothek, Darmstadt. — Faksimile im Jahrbuch Der Bär, Leipzig 1924, nach Seite 46. — Vgl. 7. II. 1772 und 12. II. 1781.

Am 13. März abends verabschiedet sich Wolfgang von der Familie Weber.

Fridolin Weber schenkte ihm damals die Lustspiele Molières, übersetzt von Friedrich Samuel Bierling, Hamburg 1752. In Mozarts Nachlaß (Bibliothek Nr. 12) fand sich nur mehr der dritte der vier Bände.

Am 14. März verläßt Wolfgang mit seiner Mutter nach 4½ Monaten Mannheim und trifft am 23. um 4 Uhr nachmittags in Paris ein, wo sie bei Herrn Mayer, Rue Bourg l'Abbé, absteigen.

Am 19. waren sie in Clermont; sonst ist nichts über die Reise bekannt. Mayer war Agent des Augsburger Kaufmanns Joseph Felix Arbauer.

Am 25. März besucht Wolfgang den Baron Grimm, den er am 24. nicht angetroffen hatte, und am gleichen 25. den Reichsgrafen Karl Heinrich Joseph von Sickingen, den Gesandten der Kurpfalz. Am 9. April besucht Grimm Frau Mozart.

Am 12. April wird zu Salzburg in einer Akademie bei Grafen Czernin (s. 24. IV. 1775 und 13. XII. 1776) das Divertimento in B, KV 287, gespielt, eine der beiden für die Gräfin Lodron geschriebenen Kassationen.

Aus Schiedenhofens Tagebuch, Salzburg, 14. April 1778

Um 4 uhr in die Dicasterialstund. Bis zur Litaney, die vom jungen Mozart ware.

KV 243, s. 31. März 1776. Adlgassers und M. Haydns Litaneien waren an den beiden vorhergehenden Tagen (Palmsonntag und Montag) aufgeführt worden.

Mitte April beziehen Mutter und Sohn ein neues Quartier, in der rue du Gros Chenêt.

Madame d'Epinay (s. 26. IX. 1766 und 7. VII. 1770) hatte ihnen dieses Logis verschafft.

In der Karwoche werden im Concert spiruel Teile des von Mozart bearbeiteten *Miserere* von Holzbauer aufgeführt (KV Anhang 1).

Am 17. Mai führt Leopold Mozart in Salzburg die *Missa brevis* mit dem Orgelsolo, KV 259, auf, anläßlich der stattfindenden Konsekration des Erzbischofs von Olmütz, des Grafen Anton Theodor Colloredo.

Der Vetter des Salzburger Erzbischofs war am 6. Oktober 1777 gewählt worden.

Am 31. Mai reist Wendling, der vor Mozart in Paris eingetroffen war, nach Mannheim zurück.

Aus Grimms «Correspondance littéraire», 3. Juni 1778

... La représentation des Finte Gemelle (du sieur Piccini) a été suivie d'un nouveau ballet pantomime de la composition du sieur Noverre, *les Petits Riens* ...

Edition Troupenas, XII. 117. — Nicola Piccinnis Oper *Le finte gemelle*, dirigiert vom Komponisten, wurde am selben Abend wie Noverres Ballett aufgeführt; Grimm erwähnte in dieser Voranzeige Mozarts Musik (KV Anhang 10) nicht. Vgl. 11. und 12. Juni.

Am 9. Juni wird Mozarts Mutter zur Ader gelassen und geht am 10. zum letzten Male aus.

Am 11. Juni wird in der Grand Opéra nach Piccinnis Oper Noverres Ballett *Les petits riens* mit Mozarts Musik gegeben.

Der Abend wurde am 20. und 25. Juni, am 2., 5. und 7. Juli wiederholt, das Ballett aber auch am 13. August, diesmal mit Pasquale Anfossis Oper *Il curioso indiscreto*. — Noverres Ballett war schon am 5. Januar 1768 im Wiener Burgtheater aufgeführt worden, wahrscheinlich mit Musik von Franz Asplmayr.

AUS DEM «JOURNAL DE PARIS», 12. JUNI 1778

(Über Noverres Ballett-Pantomime *Les Petit Riens.)*

Il est composé de trois scènes épisodiques et presque détachées l'une de l'autre. La première est purement anacréontique: c'est l'Amour pris au filet et mis en cage; la composition en est très agréable. La demoiselle Guimard et le sieur Vestris le jeune y deploient toutes les grâces dont le sujet est susceptible. La seconde est le jeu de Colin-Maillard; le sieur d'Auberval, dont le talent est si agréable au public, y joue le rôle principal. La troisième est une espièglerie de l'Amour, qui présente à deux bergères une autre bergère déguisée en berger. La demoiselle Asselin fait le rôle du berger et les demoiselles Guimard et Allard ceux des bergères. Les deux bergères deviennent amoureuses du berger supposé, qui, pour les détromper, finit par leur découvrir son sein. Cette scène est très piquante par l'intelligence et les grâces de ces trois célèbres danseuses. Nous devons remarquer qu'au moment où la demoiselle Asselin désabuse les deux bergères, plusieurs voix crièrent b i s. Les figures variées par lesquelles ce ballet est terminé furent très applaudies.

V. Wilder, Mozart, Paris 1889, S. 105. — Auch hier wurde die Musik nicht erwähnt. *„Nach Grimm hat die bedenkliche Art der Lösung bei einem Teil des Publikums Tadel erfahren"* (Jahn). — Auguste Vestris war der Sohn des Ballettmeisters Gaetano Vestris.

Am selben Tage, den 12. Juni, spielt Mozart seine neue Sinfonie in D (KV 297) beim Grafen Sickingen vor.

Die Sinfonie wurde später die „Pariser" benannt. — Der Mannheimer Tenor Anton Raaff, der noch in Paris weilte, war an diesem Abend dabei.

Am Fronleichnamstag, dem 18. Juni, wird mit dieser Sinfonie das Concert spirituel eröffnet.

AUS DEM «COURRIER DE L'EUROPE», LONDON, 26. JUNI 1778

Le Concert Spirituel du jour de la Fête-Dieu commença par une symphonie de M. Mozart. Cet artiste qui, dès l'âge le plus tendre, s'était fait un nom parmi les Clavecinistes, peut être placé aujourd'hui parmi les plus habiles Compositeurs.

Exemplar in der Bibliothèque nationale, Paris.

Am 3. Juli, nach 10 Uhr abends, stirbt Mozarts Mutter, 57 Jahre alt. Tags darauf wird sie auf dem Friedhof von Saint-Eustache beigesetzt.

Der Friedhof ist seither aufgelassen worden.

AUS DEM KIRCHENBUCH VON SAINT-EUSTACHE, PARIS

Samedi. — 4 juillet 1778.

Le dit jour, Marie-Anne Pertl, âgée de 57 ans, femme de Leopold Mozart maître de chapelle de Salzbourg, en Bavièrre décédé D'hier rue du Groschenet a été inhumée au cimetierre, en présence de Wolfgang Amédée Mozart, son fils, et de François Heina trompette des chevaux-légers de la garde du Roi, ami. [Sign.] Mozart. F. Heina. Irisson vicaire. Co.[convoi]

Original 1870 vernichtet. — *Revue française*, Paris 1856, Band II, Nr. 7, S. 37. Jahn II, 697. *Mozart en France*, Nr. 91. — Heina war der Gatte der Musikverlegerin Gertrude, geb. Brockmüller. — Mozart meldete das traurige Ereignis noch am 3. Juli dem mit der Familie befreundeten Abbé Joseph Bullinger in Salzburg, und dann erst dem Vater. Bald nach dem Hingang der Mutter übersiedelte Mozart in die Rue de la Chausée d'Antin zu Grimm und Mme. d'Epinay.

Am 4. Juli abends führt Franz Xaver Kolb in Salzburg vor dem Hause der Familie Antrettern eine Cassation (KV 287?) auf, am 9. Juli abends vor dem Hause der Familie Mayr eine Finalmusik (KV 251?) und eines der Violinkonzerte von Mozart.

Dieses und vier andere Violin-Konzerte (KV 207, 211, 216, 218 und 219) hatte Wolfgang **1775** wohl zunächst für seinen eigenen Gebrauch, vielleicht aber auch für Kolb und den Salzburger Konzertmeister Antonio Brunetti geschrieben. — Mozarts Vater und Schwester hörten das Konzert unvorbereitet über die Salzach. — Zu Kolb s. 15. August 1777.

Am 10. Juli reist Raaff von Paris nach Mannheim zurück.

BARON GRIMM AN LEOPOLD MOZART
Paris, le 27 juillet 1778.

... il est zu treuherzig, peu actif, trop aisé à attraper, trop peu occupé des moyens, qui peuvent conduire à la fortune. ici, pour percer, il faut être retors, entreprenant, audacieux. je lui voudrais pour sa fortune la moitié moins de talent et le double plus d'entregent, et je n'en serais pas embarassé. au reste, il ne peut tenter ici que deux chemins pour se faire un sort. Le premier c'est de donner des Leçon de Clavecin; mais sans compter qu'on n'a des écoliers qu'avec beaucoup d'activité et même de charlatanerie, je ne sais s'il aurait assez de Santé pour Soutenir ce métier, car c'est une chose trés fatigante de courir les quatre coins de Paris et de s'épuiser à parler pour montrer. Et puis ce métier ne lui plaira pas, parcequ'il l'empêchera d'ecrire, ce qu'il aime par dessus tout. Il pourrait donc s'y livrer tout à fait; mais en ce pays ci le gros du public ne se connait pas en musique. On donne par conséquent tout aux noms, et le mérite de l'ouvrage ne peut être jugé que par un très petit nombre. Le public est dans ce moment ci ridiculement partagé entre Piccini et Gluck, et touts les raisonnemens, qu'on entend sur la musique font pitié. il est donc trés difficile pour votre Fils de réussir entre ces deux partis... Vous voyez, mon cher maitre, que dans un pays où tant de musiciens médiocres et détestables même ont fait des fortunes immenses, je crains fort que Mr: Votre Fils ne se tire pas seulement d'affaire.

... Je vous ai fait cet exposé fidele non pour vous affliger, mais pour prendre ensemble le mellieur parti possible. Il est malheureux que la mort de l'Electeur de Bavarie ait empêché M: Votre Fils d'être placé à Manheim...

Jahn I, 556. Müller v. Asow II, 510. — Dieses Schreiben ist in Leopold Mozarts Brief an Wolfgang vom 13. August kopiert und dadurch bekannt geworden (Mozarteum, Salzburg). — Der Streit zwischen den Anhängern Glucks und denen Piccinnis war damals in Paris entbrannt.

Am 11. August stirbt in Salzburg der erzbischöfliche Hofkapellmeister Giuseppe Maria Lolli.

Vater Mozart, seit 1763 Vizekapellmeister, bewarb sich ohne Erfolg um Lollis Posten. Er bekam aber für seine durch die Vakanz vermehrte Arbeit eine jährliche Zulage von 100 Gulden.

Am 15. August, dem Tage Mariae Himmelfahrt, wird Mozarts Pariser Sinfonie (KV 297) im Concert spirituel wieder aufgeführt, aber mit einem neuen Andante.

Der ursprüngliche zweite der drei Sätze, ein Andantino, hatte nicht gefallen. Das nachkomponierte Andante ist in der um 1788 erschienen Erstausgabe des Pariser Verlags Jean Georges Sieber abgedruckt. (Vgl. Hermann Beck im *Mozart-Jahrbuch 1955*, Salzburg 1956, und in *Neue Mozart-Ausgabe* IV/11, *Sinfonien · Band 5*, S. 128 ff., ferner im Vorwort und Kritischen Bericht.)

Vom 19. bis etwa 28. August verweilt Mozart mit dem Sopranisten Ferdinando Tenducci in Saint-Germain bei Louis Duc de Noailles.

Der Herzog, Marschall von Frankreich, unterhielt ein eigenes Orchester. — Tenducci war mit Johann Christian Bach aus London, wo ihm die Mozarts 1764 begegnet waren, zu Besuch nach Paris gekommen.

Padre Martini an Leopold Mozart, 6. September 1778

— — Ho piacer grande p: p: — Ritornato a Manheim il Sgr. Raff le ho scritto raccomandandole con tutta l'efficacia il di lei figlio, avendo ancora io grande premura che sia collocato decorosamente e vantagiosamente; ma perche il Sgr. Raff non rispose a una mia di somma premura, repplico in quest'ordinario, e le racommando l'affare quanto mai so e poßo. sento poi con ramarico la perdita di sua degna Consorte p: p: — s'assicuri che ho tutta la premura poßibile perche ella venga consolata, e spero in Dio che obtena il di lui contento p: Bologna 6 settembre.

Müller v. Asow III, 319. — Antwort auf Vater Mozarts Brief vom 21. August, worin er Martini um eine Empfehlung für Wolfgang in Mannheim oder München gebeten hatte. Vgl. 14. Februar 1778. — Auch dieses Schreiben ist in einem Briefe Leopold Mozarts an Wolfgang (17. IX. 1778) kopiert und dadurch erhalten geblieben (Mozarteum Salzburg).

Aus dem «Journal de Paris», Anfang September 1778

Le concert commencera par une nouvelle symphonie del signor Amadeo Mozart.

Wilder, Mozart, S. 115. Jahn I, 350. — Ankündigung des Konzerts am 8. September.

Am 8. September, dem Tage Mariae Geburt, wird im Concert spirituel eine Sinfonie von Mozart aufgeführt.

Wahrscheinlich die verlorengegangene zweite Pariser Sinfonie (s. Mozarts Brief vom 11. IX. 1778). Die frühere Annahme, daß es die *Ouvertüre* in B (KV Anh. 8) gewesen sei, hat sich als unrichtig erwiesen: dieses Werk stammt nicht von Mozart. (Vgl. Ernst Hess in der *Schweizerischen Musikzeitung*, Zürich, Februar 1956.)

Am 11. September kommt es zum Bruch zwischen Mozart und Baron Grimm.

Am 26. September verläßt Mozart, nach sechs Monaten Aufenthalt, Paris. Um den 4. Oktober kommt er nach Nancy, um den 14. nach Straßburg.

Am Samstag, dem 17. Oktober, gibt er ein Solo-Konzert auf Subskription, am 24. und 31. zwei Konzerte mit Orchester im Straßburger Theater.

Diese Konzerte waren spärlich besucht. Dem ersten wohnte Prinz Max von Zweibrücken bei.

Anfang November, s. Nachtrag, S. 521.

Am 3. November verläßt Mozart Straßburg und kommt am 6. nach Mannheim, wo er bei Christian Cannabich, dem Konzertmeister des dortigen Orchesters, absteigt.

MOZARTS EINTRAGUNG IM BESUCHERBUCH DER MANNHEIMER STERNWARTE

Mozart maitre de chapelle den 16ten novbre [1778]

Die Sternwarte gehörte zum Jesuitenkolleg. Ihr Fremdenbuch ist jetzt in der Sternwarte von Heidelberg aufbewahrt. — Friedrich Walter in den *Mannheimer Geschichtsblättern*, Jg. XVI, No. 11—12, S. 137 f. Faksimile bei Robert Haas, *Mozart*, Potsdam 1933 (1950), S. 22.

Am 21. November wird bei der Hofmusik in Salzburg Mozarts Divertimento in D, KV 251, aufgeführt.

Am 9. Dezember, um $^1/_2$9 Uhr vormittags, verläßt Mozart Mannheim, reist über Heidelberg, Schwäbisch-Hall, Crailsheim, Dinkelsbühl, Wallerstein und Nördlingen, trifft am 13. als Gast des Reichsprälaten Coelestin Angelsprugger im Kloster Kaisheim bei Donauwörth ein und reist am 24. über Neuburg und Ingolstadt nach München, wo er am 25. ankommt und bei der Familie Weber absteigt.

Fridolin Weber war im September mit dem Mannheimer Orchester nach München übersiedelt, wo auch Aloisia an der Oper Engagement fand.

JOHANN BAPTIST BECKE AN LEOPOLD MOZART, MÜNCHEN, 29. DEZEMBER 1778

Monsieur mon tres cher Ami!

Dem heutigen zähle ich unter einen meiner vergnügtesten Täge. Ich habe das Glück Ihren allerliebsten Herr Sohn fast den ganzen Tag bey mir zu sehen. Er kam den 25 glückl hier an u seit dem 26 sind wir fast immer beysamm: Er brennt vor Verlangen, seinen Liebsten theuersten Vater zu umarmen: welches so bald als es seine hiesige Umstände erlauben folgen wird: nur machte er mich selbst fast kleinmüthig: in den ich Ihme seit einer Stund kaum aus den Thränen bringen kunte: Er hat das aller beste Herz. Nie habe ich ein Kind gesehen das mehr Empfindung u Liebe vor seinen Vater in seinem Busen trägt, als ihr Herr Sohn.

Es wandelt Ihn eine kleine furcht an, als würde Ihr Empfang gegen Ihm nicht so zärtl seyn als er es wünschet. Ich hoffe aber ein ganz anderes von Ihren väterlichen Herzn. Er verdient gewiß alle Liebe, alles Ergäzen an seines Vaters Seite zu haben: Sein Herz ist so rein so kindlich, so aufrichtig gegen mich, wie viel mehr, wird u muß es nicht gegen seinem Vater seyn.

Nur mündl muß man ihn hören, und wer würde ihn nicht Gerechtigkeit wiederfahren lassen: als dem besten *Character*, als den redligst u aufrigsten Menschen. Aber wie viel gib'st solche in der Welt? bester Vater sie u ihre 2 Kinder sind es so diesem Preiß; dieses Lob u Ruhm verdienen.

würden es Zeit u Umstände erlauben, würde ich Ihren Sohn selbst nach Salzburg begleiten: ... Ich bitte Ihnen schreiben Sie uns bald versichern Sie uns ihrer wahren Vaterliebe: dann das Herz ihres H Sohn ist vor lauter Empfindung vor seinen Vater nicht ganz in

Ordnung: machen Sie ihm den Aufenthalt in Salzburg nur recht angenehm u freundschäftl: Er setzt sein ganzes Ergötzen, sein ganzes Vergnügen in seinem Vater und Schwester außer diesen kennt er nichts mehr auf der Weld: solches schreibe ich Ihnen alleine . . .

Mozarteum, Salzburg. Beilage des Briefes von Wolfgang, 31. Dezember. Datiert von fremder Hand. — Jahn I, 582 f. Müller v. Asow II, 572 f. — Zu Becke vgl. 19., 22. April und 15. Mai 1775.

1779

Aus Heinrich August Ottokar Reichards «Theater-Kalender», Gotha 1779

Mozard . . . Kapellmeister zu Salzburg; setzt an Semiramis, einem musikalischen Drama des Frh. von Gemmingen.

S. 137. — Jahn I, 581. — Mozart hatte im November 1778 in Mannheim begonnen, das Melodram des Freiherrn Otto von Gemmingen zu komponieren. Das Fragment (KV Anhang 11) ist verlorengegangen; in den folgenden Jahrgängen des *Theater-Kalenders* wurde das Melodram aber unter den vollendeten Kompositionen Mozarts angeführt. Mit Gemmingen, der 1782 nach Wien übersiedelte, kam Mozart dort als Freimaurer in nähere Fühlung.

Aus C. G. Rössigs «Versuchen im musikalischen Drama», Bayreuth 1779

Die Semiramis ein musikalisches Drama des Freyherrn von Gemmingen beschäftiget jetzt den Hrn. Mozard Kapellmeistern zu Salzburg.

S. 17. — Jahn I, 848.

Am 7. Januar 1779 überreicht Mozart in München der Kurfürstin Maria Elisabeth, Karl Theodors Gemahlin, die ihr gewidmeten, in Paris gestochenen Klavier-Violin-Sonaten (KV 301—306).

Die Sonaten waren Anfang November 1778 als Opus I bei Sieber in Paris erschienen.

Maria Anna Thekla Mozart an Leopold Mozart, 8. Januar 1779

Monsieur mon Trés chér / oncle

Ich hoffe sie werden sich nebst der Mademoselle cousine woll befinden, ich hatte die Ehre den herr Sohn, recht gesund in München anzutreffen, seyn will ist ich solte mit nach Salzburg, noch weis ich aber nicht ob ich die Ehr haben werde sie zu sehen: aber mein Vetter ist ein Rechter Narr daß sehen sie: ich winsche ihnen Mon cher oncle Recht woll zu Leben, der Mademoiselle Cousine 1000 Compliment je suis de tout mon cœvr

Minchen den 8 1e moi 1779: Mozartin

Mozarteum, Salzburg. Nachschrift zu Wolfgangs Brief vom gleichen Tage, mit scherzhaften (hier nicht abgedruckten) Einfügungen von seiner Hand. — Jahn II, 755. Schiedermair IV, 387 f. Müller v. Asow II, 576. Faksimile im *Augsburger Mozart-Buch*, Abbildung 43.

Am 12. Januar hört Mozart Glucks *Alceste*.

Am 13. Januar verläßt er München und fährt mit dem „Bäsle" nach Salzburg, wo sie am 15. eintreffen.

Mozart wohnte nun fast zwei Jahre lang wieder bei seinem Vater.

MOZARTS GESUCH AN DEN ERZBISCHOF, HIERONYMUS GRAFEN COLLOREDO, SAMT ERLEDIGUNG

Ihro Hochfürstlich Gnaden! / Hochwürdigster des Heil: Röm: Reichs / Fürst! / Gnädigster LandesFürst und / Herr Herr! /

Euer Hochfürstlich Gnaden etc: hatten die Höchste Gnade nach dem Absterben des Cajetan Adlgassers in Höchstdero Dienste mich gnädigst anzunehmen: Bitte demnach unterthänigst als Höchstdero Hoforganisten mich gnädigst zu decretiern. dahin, als zu all andern Höchsten Hulden und Gnaden mich in tiefester unterthänigkeit empfehle

Euer Hochfürstlich Gnaden
meines gnädigsten LandesFürsten
und Herrn Herrn
unterthanigster und
gehorsammster Wolfgang
Amade Mozart.

[Außen:]

An / S:e Hochfürstlich Gnaden / Erzbischoffen zu Salzburg etc: etc: / unterthänigstes und gehorsammstes / Bitten / Wolfgang Amade Mozarts / um gnädigste Decretierung.

Ex Decreto Nostro 17ma Januarii 1779.

Demenach Wir den Supplikanten zu Unserem Hof-Organisten mit deme gnädigst an- und aufgenommen haben, daß derselbe gleich den Adelgasser seine aufhabende Verrichtungen sowohl in dem Dom, als bey Hof, und in dem Kapelhauß mit embsigen Fleis ohnklagbar versehe, auch den Hof, und die Kirche nach Möglichkeit mit neüen von Ihme verfertigten Kompositionen bedienne; Als bestimmen dem selben hiefür, gleich dessen Vorfahrern, einen jährlichen Gehalt pr VierHundert, und Fünfzig Gulden, und befehlen unserem Hofzahlamt dieselbe in monatlichen Ratis abzuführen, und gebührenden Orts in Rechnung per Ausgab einzulegen.

Hieronymus m. p.
praes: ad Cameram den 25:ten Hornung ao 1779
In Conso Crae: 26 Eiusdem
Bscheid in Decret.

Salzburger Landesarchiv. — Pirkmayer, a. a. O., 1876, S. 18. — Müller v. Asow III, 328 f. — Adlgasser war Ende 1777 gestorben. Vater Mozart muß das Gesuch schon vor Wolfgangs Heimkehr aufgesetzt haben, so daß es sofort geschrieben und eingereicht werden konnte. Wolfgang bezog jetzt dreimal so viel, als das Gehalt des zweiten Konzertmeisters 1772—77 ausgemacht hatte.

AUS CHARLES BURNEYS ABHANDLUNG ÜBER WILLIAM CROTCH, LONDON, 18. FEBRUAR 1779

... his extemporary performance on keyed instruments, like Mozart's, was so masterly in point of invention, modulation, and accuracy of execution, as to surpass in many particulars, the attainments of most professors at any period of their lives. Indeed Mozart, when little more than 4 years age, is said to have been "not only capable of executing lessons on his favourite instrument, the harpsichord, but to have composed some in an easy style and taste which were much approved": ... Here the difference of education appears: little Crotch, left to nature, has not only been without instructions, but good models of imitation; while Mozart and Samuel Wesley, on the contrary, may be said to have been nursed in good music: ... the German infant, living in the house of his father, an eminent professor, and an elder sister, a neat player on the harpsichord, and constantly practising compositions of the first class for that instrument, had every advantage of situation and culture joined to the profusion of natural endowments. Of Mozart's infant attempts at music Dr. B. was unable to discover the traces from the conversation of his father; who, though an intelligent man, whose education and knowledge of the world did not seem confined to music, confessed himself unable to describe the progressive improvements of his son during the first stages of infancy. However, at 8 years of age, Dr. B. was frequently convinced of his great knowledge in compositions by his writings; and that his invention, taste, modulation, and execution in extemporary playing, were such as few professors are possessed of at 40 years of age ...

Michael Raeburn in *The Musical Times*, London, Oktober 1956, S. 519 f. — Eingereicht am 9., gelesen am 18. Februar 1779 in der Royal Society, gedruckt in deren *Philosophical Transactions* für 1779, Band 69, S. 519 f., London, Frühjahr 1780. Vgl. 28. XI. 1769 und 21. I. 1780. — Crotch war am 5. Juli 1775 in Norwich geboren und spielte schon vierjährig Orgel in London. Er wurde 1790 Organist und 1797 Professor der Musik in Oxford. — Wesley war am 24. Februar 1766 in Bristol geboren, lernte sechsjährig das Orgelspiel und komponierte achtjährig sein erstes Oratorium. Beide erreichten ein hohes Alter. — „Dr. B." ist Dr. Barrington.

Am 20. Februar eröffnet der Pariser Verleger Sieber in den *Annonces, Affiches et Avis divers* eine Subskription auf verschiedene Sinfonien, darunter zwei von Mozart.

Mozart en France, Paris 1956, S. 70. — Von diesen zwei Sinfonien erschien die in D, KV 297, die „Pariser", unter der Überschrift „*Du Répertoire du Concert Spirituel*", zwischen 1782 und 1788.

DIE HOFKAMMER AN DAS HOFZAHLAMT

Decretum / an das Hochfürstl. Hofzahl Amt / alhier.

Demnach Ihro Hochfürstl. Gnaden Vermög gnädigster Decretierung vom 17. Jänner abhin dem unterthänigst bittlichen eingekommenen Wolfgang Amade Mozart zu Höchstdero Hof Organisten an- und aufgenommen, und demselben hiefür, gleich dessen Vorfahrern, einen jährlichen Gehalt pr Vier Hundert, und fünfzig Gulden gnädigst bestimmet haben; alß sind dieselbe in Monatlichen Ratis dem Supplikanten abzuführen, und behörigen Orts in Rechnung pr. Außgab einzulegen.   Decretum in Consilio Camerae Salzb.

Die 26. Febr. 1779.

Salzburger Landesarchiv. — Pirkmayer, a. a. O., S. 22. — Müller v. Asow III, 329 f.

Im Pariser Concert spirituel werden Sinfonien von Mozart am 18. und 28. März, am 23. Mai und 3. Juni aufgeführt.

Georges de Saint-Foix, *Les symphonies de Mozart*, Paris 1932, S. 102. Außer der Pariser Sinfonie (KV 297) und der verlorengegangenen dürfte dabei die *Sinfonia concertante* in Es (KV Anhang 9) aufgeführt worden sein.

Am 30. März 1779 wird die Litanei KV 243 wieder im Dom aufgeführt.

Nannerls Tagebuchblatt von 1779 *(Wiener allgemeine Musik-Zeitung, 20. Juni 1846)*. Die Litaneien von Adlgasser und Michael Haydn waren an den beiden vorher gehenden Tagen wiederholt worden. Vgl. 31. März 1776.

AUS DEM «MERCURE DE FRANCE», PARIS, 5. JUNI 1779

...l'autre [symphonie] d'Amédeo Mosartz. Peut-être est-il aussi savant & aussi majestueux que le premier [Sterkel]; mais il n'a pas excité le même intérêt.

Mitgeteilt von H. C. Robbins Landon. — Johann Franz Xaver Sterkel, Hoforganist in Mainz, schrieb mehrere Sinfonien. — Die aufgeführte Sinfonie war offenbar wieder die verlorengegangene zweite Pariser (s. 8. September 1778).

AUS DEM «MERCURE DE FRANCE», 15. Juni 1779

Ce Concert a commencé par une symphonie à grand orchestre de la composition d'Amadeo Mozards. On a remarqué dans les deux premiers morceaux un grand caractère, une grande richesse d'idées, & des motifs bien suivis. A l'égard du troisième, où brille toute la science du contrepoint, l'Auteur a obtenu les suffrages des Amateurs d'un genre de musique qui peut intéresser l'esprit, sans jamais aller au cœur.

Ebenso. — Fronleichnamstag war 1779 am 3. Juni. Die Sinfonie war wohl die Pariser (vgl. 18. VI. und 15. VIII. 1778), das Datum des Konzertes der 23. Mai.

Am 24. September abends werden auf dem Kollegien- (jetzt Universitäts-) Platz in Salzburg die Haffner-Serenade (KV 250) und einer der beiden Märsche (KV 335) zu der letzten Finalmusik (KV 320) aufgeführt.

Walter Hummel, *Nannerl Mozarts Tagebuchblätter*, S. 61.

Am 14. Dezember sieht Mozart Carlo Goldonis Lustspiel *Der Lügner (Il bugiardo)*, dargestellt von der Truppe Johann Böhms im Salzburger Theater.

Die Truppe spielte dort in der Saison 1779/80. Ein Blatt aus einem Theater-Tagebuch dieses Dezembers bezeugt Nannerls und Wolfgangs Interesse an den Vorstellungen Böhms, der auch Dirigent war. Mozart überließ ihm die Sinfonie in Es (KV 184) von 1773 als Ouvertüre zu Karl Martin Plümikes Schauspiel *Lanassa* und vollendete für ihn seine Musik zu Geblers *König Thamos* (s. 31. V. 1773). Böhm hat später für den letzten Akt der *Lanassa* auch Musik aus dem *Thamos* verwendet. — Der Text zu Mozarts Oper *La finta semplice* (KV 51, von 1768) war von Coltellini nach Goldoni bearbeitet worden, und 1783 plante Mozart, Goldonis *Il servitore di due padroni* in einer für ihn begonnenen Übersetzung von Johann Nepomuk Friedrich Freiherr Binder v. Kriegelstein zu komponieren. Die Arien KV 433 und 435 hängen vielleicht mit diesem Plan zusammen.

AUS PAUL V. STETTENS «KUNST-, GEWERB- UND HANDWERKS-GESCHICHTE DER REICHS-STADT AUGSBURG», 1779

Die Tonkunst.

...Doch haben auch verschiedene vorzüglich gute Genies ihr Glück auswärts gesucht, davon ich ein Paar anzuführen nicht unterlassen kann.

Ein solches ist Herr Leopold Mozart, Fürstlich Erzbischöflicher Kapellmeister zu Salzburg, ein hiesiger Bürgerssohn. Nicht nur schöne Compositionen, sondern auch seine Violin-Schule, oder Anweisung zur Violin, welche hier gedruckt worden ist, haben seinen Namen berühmt gemacht. Insonderheit aber wurde er in Deutschland, Frankreich und England bekannt, als er in den Jahren 1769. und 1770. mit seinen zwey ausnehmend geschickten Kindern, einer Tochter von eilf, und einem Sohne von neun Jahren diese Länder besuchte, und ihnen derselben Bewunderung erwarb*. In Paris erhielten sie so viel Beyfall, daß Vater und Kinder in einer historischen Vorstellung eines Concertes, in Kupfer gestochen, abgebildet worden.

Dieser Sohn, Herr Chevalier Wolfgang Amadeus Mozart, ist bey mehrern Jahren durch ausnehmende Stärke auf dem Klavier berühmt worden, und hat die Stelle eines Concertmeisters an gedachtem Salzburgischem Hofe erhalten, die er aber jetzt wiederum verlassen, und sein Glück anderer Orten zu suchen beschlossen hat. Bey seiner Durchreise durch Augsburg, im Jahr 1777. hat er in einem öffentlichen Concerte seine ganze Stärke gezeiget.

* Burney. I. 170. III. 262.

Band I., S. 553 f. — Abert I, 544. — Der Hinweis auf Burney bezieht sich auf die deutsche Übersetzung seiner Reisebücher (s. Ende 1771 und Ende 1773). — Stetten war der Textdichter der Kantate *Deucalion und Pyrrha*, die Demmler (s. 28. X. 1777) komponiert hatte. Der zweite Band von Stettens Buch ist Ende 1788 zitiert.

1780

Anfang 1780, s. Nachtrag, S. 521.

NACHSCHRIFT ZU DAINES BARRINGTON'S «MISCELLANIES OF VARIOUS SUBJECTS», LONDON 1781

Jan. 21. 1780

On this republication of what appeared in the LXth volume of the Philosophical Transactions, it may be right to add, that Mozart (though a German) hath been honoured by the pope with an order of merit called the Golden Spur, and hath composed operas in several parts of Italy. I have also been favoured by D. Burney with the following account of one of his latest compositions.

"Mozart being at Paris, in 1778, composed for Tenducci a scene in 14 parts, chiefly obligati; viz. two violins, two tenors, one chromatic horn, one oboe, two clarinets, a Piano forte, a Soprano voice part, with two horns, and a base di rinforza.

It is a very elaborate and masterly composition, discovering a great practice and facility of writing in many Parts. The modulation is likewise learned and recherchée; however, though it is a composition which none but a great master of harmony, and possessed of a consumate knowledge of the genius of different instruments, could produce; yet neither the melody of the voice part, nor of any one of the instruments, discovers much invention, though the effects of the whole, if well executed, would, doubtless, be masterly and pleasing."

S. 288. — C. F. Pohl, *Mozart in London*, Wien 1867, S. 122. — Vgl. 28. November 1769. — Mozart schrieb die verlorengegangene *Scena* für Tenduci (KV Anhang 3) Ende August 1778 in St. Germain (s. 19. VIII. 1778), wahrscheinlich angeregt durch ein ähnliches, von Johann Christian Bach für den selben Kastraten komponiertes Stück.

Am 18. März 1780 findet, während des Gastspiels der Truppe Böhm, im Salzburger Theater eine Akademie statt, die mit der Haffner-Serenade (KV 250) eingeleitet wird.

W. Hummel, *Nannerl Mozarts Tagebuchblätter*, S. 69, O. E. Deutsch, *Ein scherzhaftes Konzertprogramm von Mozart* in „Mitteilungen der Internationalen Stiftung Mozarteum", Salzburg, Juni 1958, S. 2 f., und W. Hummel, ebendort, Dezember 1958, S. 8. — Laut Mozarts Eintragung in das Tagebuch seiner Schwester war auch Nr. 6 des Programms, eine Arie, von ihm; kaum aber Nr. 8, ein Rondo, das Ceccarelli sang. Mozart scheint selbst dirigiert zu haben.

Am 1. Mai wird in Augsburg *La finta giardiniera*, übersetzt von Franz Xaver Stierle, als *Die verstellte Gärtnerin* von der Truppe Johann Böhms aufgeführt.

Wenn Böhm diese Oper nicht schon in der Saison 1779/80 zu Salzburg gegeben hat, so war diese Aufführung die erste einer Mozart-Oper auf einer Bühne, für die sie nicht geschrieben worden ist. — Stierle war ein Schauspieler in Böhms Truppe.

Aus dem «Almanach musical pour 1781», Paris

1780, 14 Mai, Jour de la Pentecôte, Concert spirituel, commencé par une *symphonie del Signor Amadeo Mozartz*, suivie du *Veni Sancte Spiritus* de Jomelly.

S. 102. — Der Almanach wurde von Pierre Joseph François Luneau de Boisjermain herausgegeben. (Nachweis von Mme Nanie Bridgman, Paris.) — J. B. Weckerlin, *Dernier Musiciana*, Paris 1899, S. 29. — An diesem Pfingstsonntag ist wahrscheinlich die Pariser Sinfonie wiederholt worden. — Die Hymne von Niccolò Jommelli war sehr beliebt.

Am 2. und 4. September spielt Mozart am erzbischöflichen Hofe; am 3. ebendort mit Nannerl ein Konzert für zwei Klaviere (das Arrangement von KV 242, ursprünglich für drei Klaviere geschrieben, oder KV 365) und eine vierhändige Sonate (KV 381). — Am 6. und 7. September fährt Vater Mozart mit seinen beiden Kindern nach dem Augustiner-Chorherrnstift St. Zeno und nach Reichenhall.

W. Hummel, *Nannerl Mozarts Tagebuchblätter*, S. 96 f., irrtümlich 1783 eingereiht.

Aus der «Litteratur- und Theater-Zeitung», Berlin 1780

Auszug eines Schreibens an Herrn André.

Gestern erhielt ich das neue nur herausgekommene Singspiel des Herrn Großmann: Adelheit von Veltheim, und fand zu meiner Verwunderung, daß wir beyde ohne das geringste von einander zu wissen, von ohngefehr beynahe einerley Weg gegangen sind. So sehr auch Plan und Ausführung meines Singspiels: *Belmonte und Constanze*, oder: die Entführung aus dem Serail (das ich Ihnen im Monat Juli zur Composition übersandte) von dem Singspiel des Herrn Großmann abweichen; so sind sich die Stücke doch darinnen ähnlich, daß beyde eine Serail-Geschichte enthalten, und in beyden eine Entführung vorkommt. Da ich mein Stück nicht gern vor der Aufführung drucken lassen möchte, doch aber dem Vorwurfe der Nachahmung entgehen will: so bitte ich Sie, diese Nachricht in der Litteratur- und Theater-Zeitung bekannt machen zu lassen. Ihrem Versprechen zufolge erwarte ich die Partitur dieses Stücks mit nächstem. Leipzig am 4. October 1780.   *C. F. Bretzner.*

3. Teil, No. 43, S. 672. — Diese von Christian August v. Bertram seit 1775 herausgegebene Zeitschrift wurde später als *Ephemeriden der Litteratur und des Theaters* (1785—87) und als *Annalen des Theaters* (1788—97) fortgesetzt. — Christoph Friedrich Bretzners Singspiel wurde von Johann André komponiert und am 25. Mai 1781 in Berlin aufgeführt. Das von Christian Gottlieb Neefe komponierte Singspiel *Adelheit von Veltheim*, Text von Gustav Friedrich Wilhelm Großmann, am

23. September 1780 in Frankfurt gegeben, war eine der frühesten deutschen Opern mit einem türkischen Sujet. Vgl. Bretzners *Proteste gegen Mozart* (. . . . . 1782) und Gottlieb Stephanie (21. VI. 1783), den Wiener Bearbeiter des Bretznerschen Librettos.

Am 31. Oktober heiratet Aloisia Weber in Wien den Hofschauspieler Joseph Lange.

Die Familie Weber war im September 1779 von München nach Wien übersiedelt, aber Vater Fridolin starb schon im nächsten Monat dort. Aloisia war bei der Deutschen Oper engagiert. Lange (s. 23. I. 1778), seit März 1779 verwitwet, erlebte mit Mutter Weber Ähnliches wie Mozart 1782, als er Aloisias Schwester Konstanze heiratete. (Vgl. *Langes Eingabe an den Obersthofmarschall Eugen Graf Wrbna-Freudenthal*, veröffentlicht von Emil Karl Blümml, *Aus Mozarts Freundes- und Familien-Kreis*, Wien 1923, S. 23.)

Am 5. November reist Mozart nach München, wo er am 6. um 1 Uhr nachmittags eintrifft und bei Herrn Fiat im Haus „Sonneck", Burggasse 6, Quartier nimmt.

Mozarts Urlaub für die Aufführung seines *Idomeneo* galt bis zum 16. Dezember 1780; er blieb aber bis zum 12. März 1781 in Bayern, als er vom Erzbischof nach Wien gerufen wurde.

Am 7. November vormittags spricht Mozart in Begleitung Beckes beim Grafen Seeau vor. Erzherzog Maximilian kommt an diesem Tag in München an. Abends besucht Mozart die Festvorstellung im Hoftheater, wo das Trauerspiel *Graf Essex (The Unhappy Favourite)* von John Banks, übersetzt von Christian Heinrich Schmidt, und ein Ballett mit einer Ouvertüre von Cannabich aufgeführt werden. Am 8. Novemberr geht Mozart in eine Akademie der Sängerin Gertrud Elisabeth Mara-Schmehling.

Sonntag, den 12. November, wird Mozart vom Grafen Seeau dem Kurfürsten Karl Theodor vorgeführt. Am 13. findet bei dem Grafen eine Besprechung über die Oper Mozarts statt.

Am 29. November stirbt Maria Theresia.

Ihr ältester Sohn, der deutsche Kaiser Joseph II., wurde ihr Nachfolger als Herrscher in Österreich, Böhmen und Ungarn.

Am 1. Dezember findet die erste Orchesterprobe zum *Idomeneo* statt. Am gleichen Tage wird im Salzburger Theater eine seither verlorengegangene Arie Mozarts (KV Anhang 11a) als Einlage in Carlo Gozzis *Zwei schlaflose Nächte* von Fräulein Adelheid gesungen.

Mozart hatte diese Arie für Emanuel Schikaneders Truppe geschrieben, die in der Saison 1780/81 dort gastierte. Die Übersetzung des Stückes stammte von Fr. A. Cl. Werthes.

Am 16. Dezember findet die zweite Probe und am 23., in Gegenwart des Kurfürsten, die dritte Probe zum *Idomeneo* statt.

AUS DEN WEIHNACHT-SALZLISTEN DER SALZBURGER HOFKAMMER, 1780

Hofmusici

Leopold Motzard Kapellmeister
Joh: Michael Haiden Konzertmeister
Wolfg: Amade Motzard Hoforganist

Salzburger Landesarchiv. — Die handschriftlichen Weihnachts-Salzlisten, eingeheftet in die „Catenicheln" (Akten-Sammelbände) der Hofkammer, enthielten die Namen der erzbischöflichen Beamten, die jährlich ein Quantum Salz aus den erzbischöflichen Salinen geschenkt bekamen.

1781

Am 7. Januar 1781 kommt Frau Maria Viktoria Robinig als erster Besuch aus Salzburg in München an.

Der mit Vater Mozart befreundete Eisenhändler Georg Joseph Robinig v. Rottenfeld war 1760 in München gestorben (s. 12. I. 1762). Sein Sohn Georg Sigismund traf bald nach der Witwe dort ein.

Am 13. Januar wird der dritte Akt des *Idomeneo* zum ersten Male geprobt, am 18. beginnen die Rezitativ-Proben.

Am 20. Januar kommt Dr. Silvester Barisani, der fürsterzbischöfliche Leibarzt, mit seiner Frau Maria Anna Theresia nach München; am 25. Leopold Mozart mit Nannerl.

Auch der komponierende Oboist Joseph Fiala von der Hofkapelle war unter den Gästen aus Salzburg.

Am 27. Januar, Mozarts Geburtstag, findet die Generalprobe des *Idomeneo* statt.

Die erste Aufführung, die für den 22. und dann für den 27. geplant war, mußte noch um zwei Tage verschoben werden.

Aus dem Textbuch des «Idomeneo», 29. Januar 1781

IDOMENEO. / Dramma / per / musica / da rappresentarsi / nel Teatro nuovo di / Corte / Per Comando / di S. A. S. E. / CARLO TEODORO / Conte Palatino del Rheno, Duca dell' / alta, e baßa Baviera. e del Palatino / Superiore, etc. etc. Archidapifero, / et Elettore, etc. etc. / Nel Carnovale / 1781.

La Poesia è del Signor Abate Gianbattista Varesco Capellano di Corte di S. A. R. l'Arcivescovo, e Principe di Salisburgo.

La Musica è del Signor Maestro Wolfgango Amadeo Mozart Academico di Bologna, e di Verona, in in attual servizio di S. A. R. l'Arcivescovo, e Principe di Salisburgo. [Im deutschen Text: Die Musik vom Herrn Wolfgang Gottlieb Mozart, akademischen Mitgliede von Bologna und Verona, in wirklichen Diensten Sr. hochfürstl. Gnaden zu Salzburg.]

La Traduzione / è del Signor Andreas Schachtner, pure in actual servizio di S. A. R. l'Arcivescovo, e Principe di Salisburgo.

MONACO. / Apresso Francesco Giuseppe Thuille.

PERSONAGGI.

Idomeneo, Rè di Creta. Il Signor Raaff Virtuoso di Camera di S. A. S. E. Palatina Duca di Baviera etc. etc.

Idamante, suo Figlio. Il Signor Dal Prato.

Ilia, Prencipessa Trojana Figlia di Priamo. La Signora Dorothea Wendling Virtuosa di Camera di S. A. S. E. etc. etc.

Elettra, Prencipessa Figlia d'Agamemnone Re d'Argo La Signora Elizabetha Wendling, Virtuosa di Camera di S. A. S. E. etc. etc.
Arbace, Confidente del Rè. Il Signor Domenico de Panzachi Virtuoso di Camera di S. A. S. E. etc. etc.
Gran Sacerdote di Nettuno. Il Signor Giovanni Valesi Virtuoso di Camera di S. A. S. E. etc. etc.

Comparse, e Cori / Di Sacerdoti, / Di Trojani Prigionieri, / D' Uomini, e Donne Cretensi, / Di Marinari Argivi.
Li Balli sono d'Inventione del Signor le Grand, Direttore di balli di S. A. S. E. Palatina Duca di Baviera . . .
Le Decorazioni Sono d'Invenzione del Signor Lorenzo Quaglio, Consigliere della Camera delle Finanze, Professore dell'Accademia delle belle Arti a Düsseldorf, e Architetto de' Teatri di S. A. S. E.

Die Bayerische Staatsbibliothek, München, besitzt ein Exemplar der Ausgabe mit italienischem Text und eines der zweisprachigen Ausgabe. Faksimile des Titelblattes bei Bory, a. a. O., S. 111. — Die Sänger waren: Anton Raaff, Vincenzo del Prato, Dorothea und Elisabeth Wendling, Domenico de' Panzacchi und Giovanni Valesi. (Die Wendlings waren Schwägerinnen: Dorothea die Frau des Flötisten Johann Baptist, Elisabeth die des Violinisten Franz Wendling.) — Das *„neue kurfürstliche Opernhaus"* war das später sogenannte Residenztheater. — Cannabich dürfte dirigiert haben. — Die Oper wurde am 3. Februar und 3. März wiederholt; nach den *Münchner Stats-, Gelehrten, und Vermischten Nachrichten* vom 9. Januar waren ursprünglich Wiederholungen am 5., 12., 19. und 26. Februar (vier weiteren Montagen) geplant.

AUS DEN «MÜNCHNER STATS-, GELEHRTEN, UND VERMISCHTEN NACHRICHTEN», 1. FEBRUAR 1781

Am 29ten des abgewichenen Monats ist in dem hiesigen neuen Opernhause die Oper Idomeneo zum erstenmal aufgeführt worden. Verfassung, Musik und Uebersetzung — sind Geburten von Salzburg. Die Verzierungen, worunter sich die Aussicht in den Seehafen und Neptuns Tempel vorzüglich ausnehmen, waren Meisterstücke unseres hiesigen berühmten Theaterarchitekts Hrn. Hofkammerraths Lorenz Quaglio, welche jedermanns Bewunderung auf sich gezogen haben.

Jahn, I. 654. — Diese Notiz wurde in der *Augsburgischen Ordinari-Postzeitung* am 5. Februar nachgedruckt.

AUS DEN «ANNALEN DER BAIERISCHEN LITTERATUR VOM JAHR 1781», NÜRNBERG 1782

Kurze Beschreibung des Theaterpersonals in München

Der Intendant sowohl über Musik, als Theater ist Se. Excellenz Herr Joseph Anton Graf Seeau. Herr Marchand ist Direktor . . .
In der sogenannten grossen Oper singen dal Prato, Hartig, Zonga, Raff, Wallesi, Madame Wendling die ältere, Madame Wendling die jüngere, Mamselle Schierlingerinn. Die Musik der heurigen ist von Herrn Mozzard dem jüngeren aus Salzburg. Die Dekorationen werden von Herrn Hofkammerrath, und Theaterarchitekt Quaglio besorgt.

S. 340—46. — Exemplar in der Stadtbibliothek, München.

LEOPOLD MOZART AN JOHANN GOTTLOB IMMANUEL BREITKOPF IN LEIPZIG
MÜNCHEN, 12. FEBRUAR 1781

Längst schon wünschte ich, daß Sie etwas von meinem Sohn in Druck geben möchten. Sie werden ihn ja doch nicht nach seinen Clavier-Sonaten, die er als ein Kind geschrieben, beurtheilen? Freilich werden Sie nicht eine Note von dem, was er seit einigen Jahren geschrieben, gesehen haben, es müßten denn die 6 Sonaten für Clavier und eine Violin seyn, die er in Paris gravieren ließ, denn wir lassen wenig auskommen. Sie könnten es mit einem Paar Sinfonien oder Claviersonaten versuchen, oder mit Quartetten, Trios u. s. w. Sie sollen uns dafür nur einige Exemplarien geben, nur damit Sie etwas von der Setzart meines Sohnes sehen. Doch gedenke ich Sie keineswegs zu etwas zu überreden; ich verfiel öfters auf diesen Gedanken, weil ich viele Sachen im Stich und Druck sehe, die mich zum Mitleid rühren.

Jahn I, 687. — Vgl. 7. Februar 1772. — Obzwar Christoph Gottlob Breitkopf im Herbst 1786 nach Wien kam und dort mit Joseph Haydn verhandelte, scheint er Mozart nicht aufgesucht zu haben.

Vom 7. bis 10. März besuchen die Mozarts, Vater, Tochter und Sohn, die Stadt Augsburg.
Der Aufenthalt hat mindestens diese vier Tage gedauert.

DAVID BARTHOLOMÄUS STROBL, AUGSBURG, AN HYACINTH LECH, MÜNCHEN

Hochedlgebohrner Hochgelehrter Insonders Hochgeehrtester Herr Vötter!

Euer Hochedlgebohrn belieben des mehrere aus beyliegenden zu ersehen, und das nothwendige zu verfügen. Dieser Tagen haben wir die Ehre und das Vergnügen gehabt den H. Kapellmeister Mozart [aus] Salzburg, dessen Sohn und Tochter vom Mittwoch bis heute zu veneriren, welche beide Kind uns mit einer beynahe mehr als himmlischen Musick auf 2 forte piano unaufhörlich unterhielten. Euer Hochedlgebohrn hätten müssen gesund werden und das Gehör bekommen, wenn dieselbe nur ¼ Stund zugehört hätten, denn es war unbeschreiblich entzückend. Ich hoffe dero Gesundheit wird sich auf bestem Weg finden. Der ich indessen unter höfl. meiner Empfehlung geharre.
Kloster Heil. Kreuz in Augsburg den 10. März 1781   Euer Hochedlgebohrn
                                                            Ergebenster
                                                            D. Strobl

Bayerisches Hauptstaatsarchiv, München. — Richard Schaal in *Acta Mozartiana*, I/1, S. 8, Augsburg 1954. — Strobl war Kämmerer, Lech aber Anwalt des Augsburger Klosters Heilig Kreuz beim Hofrat in München. — Der 10. März war ein Samstag, die Mozarts dürften also vier Tage im Kloster, jedenfalls aber in Augsburg, zu Gast gewesen sein.

Am 12. März verläßt Mozart München und fährt, einer Weisung des Erzbischofs folgend, nach Wien.

Es ist anzunehmen, daß die Mozarts am 10. oder 11. März von Augsburg nach München zurückkamen und daß Vater und Tochter nach Salzburg heimreisten, während Wolfgang über Alt-Ötting, Braunau und Linz nach Wien gefahren ist. — Der Erzbischof weilte mit seinem Stabe in Wien bei seinem erkrankten Vater, dem Reichsvizekanzler Rudolf Joseph Fürst Colloredo (s. 11. X. 1762). Nachdem Mozart seinen Urlaub weit überschritten hatte, befahl ihm der Erzbischof, sogleich nach Wien zu kommen, wo der Hoforganist als Pianist fehlte.

Am 16. März um 9 Uhr vormittags trifft Mozart in Wien ein, wo er im Haus des Deutschen Ritter-Ordens (jetzt Singerstraße 7) einquartiert wird und schon um 4 Uhr nachmittags an einem Konzert teilnimmt.

Während der Konzertmeister Brunetti und der Kastrat Ceccarelli auswärts wohnen durften, mußte Mozart in dem Hause, wo der Erzbischof abgestiegen war, verbleiben, wie sein Stab und das Gesinde. Der Onkel des Erzbischofs, Karl Graf Colloredo, war Landkomtur der Ballei Österreich des Deutschen Ordens.

Am 17. März um 7 Uhr abends konzertieren die Musiker des Erzbischofs beim Fürsten Galitsin (s. Ende März 1768) und am 24. beim Hofrat Johann Gottlieb v. Braun am Judenplatz.

Der Hofrat war der Vater des späteren Theater-Unternehmers Peter v. Braun.

Aus dem «Deutschen Museum», Leipzig 1781

Wien, den 31sten Lenzm. 1781

... Von der Operette muß ich Ihnen doch so viel sagen, daß nichts Steiferes, Hölzerneres, Marionettenmässigeres gedacht werden könne, als die Akzion dieser Leute. Ich begreife nicht, warum man die Operetten nicht in Konzerte verwandelt. Herr *Adamberger*, der erste Tenorist, hat in London und mehreren Städten Italiens mit großem Beifal gesungen. Ich glaube, das heißt genug zu seinem Lobe gesagt; aber er scheint mir doch auch im Singen wie im Agiren ohne Seele zu sein. Herr *Fischer*, der sonst in Mannheim war, ist bekanntlich der erste Bassist Deutschlands, hat auch noch, nach Günthern, das meiste Spiel. Dieser *Günther* ist eben der, der in Hannover so oft den Jobsen Teckel vorstelle, und kein übler Possenreisser. *Madam Lange*, ehemalige *Mademoiselle Weber*, die prima Donna, hat eine sehr angenehme Stimme, die aber fürs Theater zu schwach ist. *Mademoiselle Cavalieri* ihre ist ungleich stärker, aber ganz besonderer Art; sonst ist sie fürchterlich häßlich, hat nur ein Auge, und beide spielen zum Erbarmen. — *Mademoiselle Teyber*, die dritte Stimme, spielt am besten von den Weibern. *Madam Weiß* singt nichts nuz, hat etwas Spiel, aber ohne Verstand, wird jedoch, weil sie ein schönes Weib ist, von den Wienern in der Rolle der schönen Schusterin angebetet. Ausser diesen sind noch eine Menge beiderlei Geschlechts da. Sie sehen also, daß es in der Operette, so wenig wie in der Komödie, an Personen fehlet. Nach Ostern sol *Glücks* Iphigenie en Aulidé im Deutschen gegeben werden.

Band 1, Stück 12, S. 528 f. — Die Zeitschrift wurde seit 1776 von Heinrich Christian Boie herausgegeben. — Der anonyme Bericht, dem dieser Abschnitt entnommen ist, trägt den Titel *Bemerkungen über das Pariser und Wiener Theater* (Stück 10, S. 316—330), sein zweiter Teil aber *Schluß des Beitrages zur Geschichte der deutschen Schaubühne* (Stück 12, S. 512—529). Er wird hier unter dem Datum des Korrespondenten eingereiht, um anzudeuten, welche Verhältnisse Mozart bei der Deutschen Oper im Wiener Burgtheater angetroffen hat. — Valentin Joseph Adamberger, Tenor, seit 1780 engagiert; Ludwig Karl Fischer, Baß, ebenso; Friedrich Günther, Baß, ebenso; Aloisia Lange, Sopran, seit 1779; Caterina Cavalieri, Sopran, seit 1778; Therese Teyber, Sopran, ebenso (vermählt mit dem 1778/9 engagierten Tenor Ferdinand Arnold); und Anna Maria Weiss, Sopran, 1779 bis 1781 engagiert. — Umlaufs Singspiel *Die pucefarbenen Schuhe oder Die schöne Schusterin* war 1779 zuerst im Schloß Laxenburg und dann im Burgtheater aufgeführt worden; ein Bildnis des Fräulein Weiss in der Titelrolle besitzt die Gesellschaft der Musikfreunde, Wien. — Glucks *Iphigénie en Aulide* wurde in Wien erst 1808 aufgeführt, seine *Iphigénie en Tauride* aber am 23. Oktober 1781 im Burgtheater.

Aus dem Programm eines Konzerts im Kärntnertor-Theater

Nachricht.

Morgen Dienstag den 3ten April 1781, wird / in dem k. k. priv. Schauspielhause nächst dem Kärnterthore / *Zum Vortheile* / der errichteten Tonkünstlergesellschaft / gehalten werden / *Eine große musikalische Akademie,* / in welcher den Anfang machet
Eine Sinphonie von der Komposition des Herrn Ritters Wolfgang Amadi Mozart, in wirklichen Diensten Sr. Hochfürstlichen Gnaden des Erzbischofs von Salzburg.
Dann wird sich Herr Ritter Mozart ganz allein auf einem Piano Forte hören lassen. Es war selber bereits als ein Knabe von sieben Jahren hier, und hat sich schon damals theils in Absicht auf die Komposition, als auch in Ansehung der Kunst überhaupt, und der besonderen Fertigkeit, und Delikatesse im Schlagen den allgemeinen Beyfall des Publikums erworben ...
Der Anfang ist um halb 7 Uhr.

Musiksammlung der Nationalbibliothek und Museum der Stadt Wien. — Jahn I. 693. Faksimile in R. Haas, *Mozart*, S. 26. — Die „Tonkünstler-Societät" für Musiker-Witwen und -Waisen war 1771 nach einem Londoner Muster gegründet worden. (Mozart konnte 1785 nicht als Mitglied aufgenommen werden, angeblich weil er keinen Taufschein vorgelegt hatte; vgl. 11. II. 1785.) Seit 1772 fanden im Kärntnertor-Theater zur Advent-Zeit Akademien, meist mit Oratorien, zugunsten der Gesellschaft statt. Schon am 1. April 1781 war dort Joh. Gg. Albrechtsbergers musikalisches Drama *Die Pilgrime auf Golgatha* mit den Damen Cavalieri und Teyber, den Herren Adamberger und Fischer konzertmäßig aufgeführt worden. Vor der Wiederholung am 3. trat Mozart zum ersten Mal öffentlich in Wien auf, was der Erzbischof nur zögernd bewilligt hatte. Der Kaiser dürfte dieser Akademie beigewohnt haben. Die unter Giuseppe Bonnos Leitung von einem großen Orchester gespielte Sinfonie dürfte die in C, KV 338, gewesen sein; das Klavierstück die Variationen über Antoine-Laurent Baudrons *Je suis Lindor* aus Beaumarchais' *Barbier de Seville*, KV 354. Es ist möglich, daß Mozart auch ein Klavierkonzert gespielt hat, was etwas ganz Neues in Wien gewesen wäre (Pohl, *Haydn*, II. 145). Den Steinschen Flügel hatte ihm die Gräfin Wilhelmine Thun geliehen.

Am Sonntag, dem 8. April, werden beim Fürsten Rudolf Joseph Colloredo das Rondo für Violine mit Orchesterbegleitung in C (KV 373), die Sonate für Klavier und Violine in G (KV 379) und Rezitativ und Arie für Sopran „*A questo seno deh vieni — Or, che il cielo a me ti rende*" (KV 374) aufgeführt.

Brunetti, Mozart und Ceccarelli wirkten mit. (Daß an diesem Abend das Konzert-Rondo für Horn in Es, KV 371, aufgeführt worden sei, ist unwahrscheinlich.) Mozart versäumte durch dieses Konzert beim Vater des Erzbischofs ein anderes bei der Gräfin Thun, dem der Kaiser beiwohnte.

Am 11. April geht Mozart mit Ceccarelli zur Beichte bei den Kajetanern; am folgenden Gründonnerstag spendet der Erzbischof seinem Hofstaat die Kommunion.

Das Kloster der Kajetaner am Tiefen Graben war Mozart wohlvertraut (s. 7. VIII. 1773).

Am 27. April findet das letzte Salzburger Konzert in Wien vor dem Erzbischof statt.

Wahrscheinlich wieder bei seinem Vater, dem Fürsten Colloredo. Brunetti war schon abgereist. Mozart mußte am Schluß noch Variationen auf ein vom Erzbischof angegebenes Thema auf dem Klavier spielen.

Am 1. oder 2. Mai muß Mozart sein Logis im Deutschen-Ritter-Ordens-Haus verlassen und zieht zu Frau Cäcilie Weber, Am Peter (jetzt Nr. 11), „Zum Auge Gottes", im zweiten Stock.

Diese Unterkunft war zunächst nur für eine Woche geplant.

Am 9. Mai kommt es zum Bruch mit dem Erzbischof und am 10. übergibt Mozart dem Oberstküchenmeister Karl Grafen Arco sein Abschiedsgesuch.

Die geplante Abreise Mozarts nach Salzburg war vom 8. auf den 12. Mai verschoben worden.

Nach einer zweiten Unterredung mit Arco zu Ende des Monats Mai erhält Mozart am 8. Juni seinen Abschied durch einen Fußtritt des Grafen.

Im Juli ist Mozart wiederholt auf dem Reisenberg zu Besuch, dem Sommersitz des Vize-Hof- und Staatskanzlers Johann Karl Philipp Graf Cobenzl.

Der Graf hatte Wolfgang schon im Herbst 1763 in Brüssel kennengelernt, und seine Kusine, Marie Karoline Gräfin Thiennes de Rumbeke, wurde Mozarts erste Wiener Klavier-Schülerin. — Der Reisenberg, jetzt Cobenzl genannt, ist der östliche, Wien zugekehrte Teil des Kahlengebirges im Wienerwald. Das Landhaus des Grafen ist erst nach 1781 zu einem Schloß geworden. Garten, Teich und eine künstliche Grotte bestanden aber schon damals, wie aus den Tagebüchern Zinzendorfs vom 2. Mai 1781 und 31. Juli 1783 zu ersehen ist, der von einem „irdischen Paradies" mit „Getter aller Art" spricht. (Vgl. Alfred v. Arneths Biographie Cobenzls, Wien 1885, S. 45.) Mozart verbrachte Anfang Juli eine Nacht dort, um den 13. mehrere Tage, dann wieder die Zeit vom 21. bis zum 25., vielleicht auch die Nacht vom 26. zum 27.

Am 30. Juli übergibt Gottlieb Stephanie Mozart das Textbuch zum Singspiel *Die Entführung aus dem Serail.*

Vgl. 4. Oktober 1780. — Stephanie gehörte seit 1769 dem Burgtheater an, als Regisseur und Bühnendichter.

Leopold Mozart an Breitkopf, Salzburg, 10. August 1781

Meinen Sohn betreffend, so ist solcher nicht mehr in hiesigen Diensten. Er wurde vom Fürsten, der damals in Wienn war, als wir in München waren, nach Wienn beruffen, ... Da nun S. Hochfürstl. Gnaden meinen Sohn ganz außerordentlich alda misshandelt haben, und ihm im Gegentheile der ganze hohe Adl ganz besondere Ehren erwiesen, so konnten sie ihn auch leicht bereden seinen mit einem elenden Gehalt vergesellschafteten Dienst nieder zu legen und in Wien zu verbleiben.
Man wollte uns durchaus bereden die Opera gedruckt oder graviert, die ganze spart, oder fürs Clavier eingerichtet heraus zugeben. Es gaben sich bereits Subscribenten für einige 20 Exemplare an, darunter S. Dchl. der Prinz Max von Zweybrücken &c: waren, allein meines Sohnes Reise nach Wienn, und die dazwischen gekommenen Begebenheiten machten, dass wir Alles verschoben ...
Die der Churfürstin von Pfalzbayern zugeeigneten 6 Sonaten sind vom Hrn. Sieber in Paris verlegt. Er übernahm sie von meinem Sohn in Paris gegen 15 Louis neuf, 30 Exemplare und freye Dedication.

Original in der Deutschen Staatsbibliothek, Berlin (derzeit in der Universitäts-Bibliothek Tübingen). — Jahn I, 552, 572, 706 f. (Anmerkungen). Schiedermair IV, 290. — Vgl. 12. Februar 1781. — Die Oper war *Idomeneo.* Gedruckt heißt in Typen. Partituren von Opern wurden damals nur selten gedruckt oder gestochen. Es erschien auch kein Klavierauszug dieser Oper zu Mozarts Zeit. — Das von Sieber verlegte *Oeuvre Premier* waren die Klavier-Violin-Sonaten, KV 301—306 (s. 7. I. 1779).

Am 5. September (oder kurz vorher) bezieht Mozart ein Zimmer am Graben, Innere Stadt Nr. 1175 (jetzt Nr. 17), im dritten Stock.

Das Haus lag nahe dem Platz Am Peter, wo Mozart bisher bei Frau Weber gewohnt hatte.

Am 15. Oktober, dem Theresien-Tage, wird die Bläser-Serenade in Es, KV 375, aufgeführt, die Mozart für die Schwägerin des Kammermalers Joseph Hickel geschrieben hatte.

Diese Frau Therese war die Schwester der Frau Hickels, der unter vielen Porträts auch eines von
Lange als Hamlet gemalt hat (jetzt in der Galerie des Burgtheaters). — Die Serenade wurde am
gleichen Abend noch für zwei andere Theresen gespielt.

Mozarts Namenstag, der 31. Oktober, wird mittags bei der Baronin Maria Elisabeth Waldstätten, Leopoldstadt Nr. 360 (Jägerzeile, später Praterstraße), gefeiert; am Abend wird
seine neue Serenade (KV 375) vor seinem Logis am Graben gespielt.

Die Baronin, eine geschiedene Frau, war eine gute Klavierspielerin und wurde Mozarts werktätige
Gönnerin.

Am 16. November wird Mozart von Erzherzog Maximilian dem Herzog Friedrich Eugen
von Württemberg, seiner Gemahlin Friederike und seiner Tochter Elisabeth vorgestellt
und spielt vor ihnen.

Der Erzherzog, den Mozart zuletzt in München getroffen hatte (s. 7. XI. 1780), war Coadjutor des
Kurfürst-Erzbischofs von Köln geworden, dessen Nachfolger er wurde. — Der Herzog war ein Bruder
des Prinzen Ludwig Eugen (vgl. 11. IX. und 11. X. 1766). Die Prinzessin Elisabeth, damals
14jährig, wurde eben mit dem 13jährigen Erzherzog Franz verlobt, dem Neffen Josephs II.
und späteren Kaiser. Die Hochzeit fand erst Anfang 1788 statt, und zwei Jahre darauf starb
Elisabeth. Mozarts Hoffnung, ihr Musiklehrer zu werden, erfüllte sich nicht.

Am 23. November spielt Mozart im Hause Auernhammer mit Fräulein Josepha, seiner
Schülerin, das Konzert für zwei Klaviere in Es (KV 365) und die Sonate für zwei Klaviere
in D (KV 448).

Der Wirtschaftsrat Johann Michael Auernhammer, der schon vier Monate später starb, und seine
Frau Elisabeth hatte nur mehr eine Tochter: Josepha, musikalisch hochbegabt, aber häßlich;
sie verliebte sich in ihren Lehrer, der aber kalt blieb. Später heiratete sie den Magistratsrat
Johann Bessenig. — Mozart hatte die Begleitung des Konzertes in den Ecksätzen um zwei Klarinetten, zwei Trompeten und Pauken vermehrt, die Sonate aber für diese Akademie geschrieben. Unter
den Gästen waren die Gräfin Thun, der Bibliothekar der Hofbibliothek und Präses der Studien-
hofkommission Gottfried van Swieten (s. 21. IX. 1768) und der getaufte Bankier Karl Abraham
Wetzlar Freiherr v. Plankenstern: zwei Männer, die in Mozarts Leben eine Rolle spielen sollten.

Am 25. November wohnt Mozart einer Festaufführung von Glucks *Alceste* im Schönbrunner Schloßtheater bei, gegeben zu Ehren des Großfürsten Paul und seiner Gemahlin Maria
Feodorowna, geb. Prinzessin von Württemberg.

Der Gast war der spätere Zar Paul I. — Glucks Oper war neu inszeniert worden und kam am
3. Dezember 1781, eine Woche nach jener Festvorstellung, im Burgtheater zur Aufführung, in beiden
Fällen von den Mitgliedern der Deutschen Oper italienisch gesungen. Vgl. 12. I. 1779.

Aus der «Wiener Zeitung», 8. Dezember 1781

Anzeige

In der Kunsthandlung Artaria und Komp. auf dem Kohlmarkt, der Michaelerkirche gegenüber sind neu aufgelegt und zu haben: 6 Sonaten für das Klavier mit Begleitung einer
Violine von dem genugsam bekannt u. berühmten Herrn Wolfgang Amadee Mozart, op. 2.
5 fl. —

Die amtliche *Wiener Zeitung*, früher *Wienerisches Diarium* genannt, war das einzige regelmäßig
und dauernd erscheinende (noch bestehende) Blatt der Residenz, und deshalb auch von den Musik-
verlegern für ihre Anzeigen benützt. Die Firma Artaria & Co. war die angesehenste darunter. Sie

verlegte Mozarts erstes Werk in Wien, die Sonaten KV 376, 296, 377—380. Am 26. April 1783 schrieb Mozart an Sieber in Paris, mit Beziehung auf dieses Werk, daß er *„mit dem hiesigen Stiche nicht allzusehr zufrieden"* gewesen sei. Fräulein Auernhammer, der dieses Werk gewidmet war, hat später die Korrekturen der in Wien verlegten Mozart-Drucke gelesen. Es war schon Ende November 1781 erschienen. Über die für Mozarts Werke willkürlich verwendeten Opus-Nummern vgl. O. E. Deutsch und C. B. Oldman in der *Zeitschrift für Musikwissenschaft*, Leipzig, April 1932. Dies war bereits das dritte Opus 2.

Am 11. Dezember wird im King's Theatre, London, Noverres Ballett *Les petits riens* aufgeführt.

Vgl. 11. Juni 1778. — Die nicht erhalten gebliebene Musik war von François Hippolyte Barthélémon, beruhte aber vielleicht auf Mozarts Komposition. (Deryck Lynham, *The Chevalier Noverre*, London 1950, S. 102 und 170.)

Am 24. Dezember findet in der Wiener Hofburg vor Joseph II. und der Großfürstin ein Wettstreit auf dem Klavier zwischen Mozart und Muzio Clementi statt.

Der Kaiser gab den beiden Komponisten ein Thema an, *„das wir, wechselseitig einander accompagnirend, variiren mußten"* (Clementi). Mozart spielte u. a. ein Adagio, Clementi eine Sonate und eine Toccata. Als er diese beiden Stücke 1804 bei Breitkopf & Härtel im Cahier VI seiner *Oeuvres Complettes* erscheinen ließ, setzte er vor die Sonate diese Notiz: *„Cette Sonata, avec la Toccata, qui la suit, a été joué par l'auteur devant Sa M. I. Joseph II. en 1781; Mozart étant présent."* (Sonata II — S. 20 bis 32, Toccata — S. 33 bis 36.) — Siehe 5. XII. 1782.

1782

Aus Johann Nikolaus Forkels «Musikalischem Almanach für Deutschland auf das Jahr 1782», Leipzig

Verzeichniß jetztlebender Componisten in Deutschland.

Mozart (J. G. Wolfgang) des vorhergehenden Sohn, Tonkünstler bey der Erzbischöflichen Kapelle zu Salzburg; geb. — Six Sonates pour le Clavecin, avec l'accompagnement d'un Violon. à Paris 1767. (Diese Sonaten hat er in seinem neunten Jahre componirt.) *Zwey dergleichen Sonaten.* London. — 2 Dergleichen. 6 Dergleichen. 6 Trio. Amsterdam.

S. 73. — Das war der erste Jahrgang dieses Almanachs, wahrscheinlich schon 1781 gedruckt. — Die genannten Werke sind KV 6—9, 10—15 ,301—306 und 26—31. In Paris sind 1764 vier Sonaten aus den Jahren 1762 bis 1764 erschienen, und Wolfgang ist auf den Titelblättern als siebenjährig bezeichnet. In London erschienen nicht zwei, sondern sechs Sonaten des *„achtjährigen"* Wolfgang. Auch die Amsterdamer Serie enthielt Klavier-Violin-Sonaten; ebenso die Wiener. Die Summe von 22 stimmt.

Am 3. März 1782 gibt Mozart eine Akademie im (Burg-?)Theater, wo er Teile aus dem *Idomeneo* aufführen läßt, das Klavierkonzert in D (KV 175) mit dem neuen Rondo (KV 382) als Finale und eine freie Fantasie spielt.

Das war das erste der *„Fastenkonzerte"*, die Mozart in Wien gegeben hat. Das in Köchel-Einstein, S. 244, angegebene Datum des 23. Januar ist unrichtig. — Schon im Mai 1781 hatte Mozart bei der Gräfin Thun Auszüge aus dem *Idomeneo* vorgespielt. — Die Fantasie spielte Mozart besonders Clementis wegen, seines Konkurrenten in dieser Kunst, der bald darauf Wien wieder verließ, ohne seine geplante Akademie zu geben.

Am 2. April wird *La finta giardiniera* deutsch als *Sandrina oder Die verstellte Gräfin* von der Truppe Johann Böhms in Frankfurt am Main aufgeführt.

Solche Aufführungen erfolgten ohne jedes Entgelt für die Autoren, die nur bei der Uraufführung ein Pauschalhonorar erhielten. — Vgl. 13. Januar 1775.

Am 12. April stirbt Pietro Metastasio in Wien.

Konstanze Weber an Nannerl Mozart, Wien, 20. April 1782

Wertheste und schätzbahreste Freundin!

Niemals würde ich so kühn gewesen seyn, mich so ganz gerade meinem triebe und Verlangen, an sie, wertheste freindin, zu schreiben, zu überlassen, wenn mich dero H: bruder nicht Versichert hätte, daß sie mir diesen Schritt, welcher aus zu grosser begierde mich mit einer obschon unbekannten, doch durch den namen Mozart mir sehr schätzbahren Personn wenigestens schriftlich zu besprechen, geschieht, nicht übel nehmen werden. — Sollten sie böse werden wenn ich mich ihnen zu sagen unterstehe, daß ich sie, ohne die Ehre zu haben sie von Personn zu kennen, nur ganz allein als schwester eines — ihrer so würdigen bruders, überalles Hochschätze und — liebe — und es wage — sie um ihre freundschaft zu bitten. — ohne stolz zu seyn darf ich sagen daß ich sie halb Verdiene, ganz — werde ich mich sie zu Verdienen bestreben! — darf ich ihnen die meinige /: welche ich ihnen schon längst heimlich in meinem Herzen geschenkt habe:/ entgegen anbieten? — o ja! ich Hoffees. — und in dieser hofnung Verharre ich

werteste und schätzbahreste freundin

dero

gehorsamste dienerin

und freundin

Constanze Weber

bitte meinen Handkuss an dero herren papa: —

Mozarteum, Salzburg. — Schiedermair IV, 379. — Dieser Brief lag einem Schreiben Mozarts an seine Schwester vom gleichen Tage bei. Er hatte dem widerstrebenden Vater schon von seiner Verlobung mit Konstanze berichtet und hoffte offenbar, ihn durch die Schwester umzustimmen.

Leopold Mozart an Breitkopf's Sohn & Co.

Salzburg, 29. April 1782.

... Mein Sohn ist und bleibt in Wien. bey H. Artaria sind Clavier Sonaten von ihm herausgekommen ...

Original in der Universitäts-Bibliothek Bonn. — Schiedermair IV, 290. — Vgl. 10. August 1781. — Die Sonaten waren KV 376, 296, 377—380, erschienen im November 1781.

Am 7. Mai spielt Mozart der Gräfin Thun den zweiten Akt der *Entführung aus dem Serail* auf dem Klavier vor.

Für das Vorspielen des ersten Akts ist kein Datum überliefert (s. 30. V.).

Nach einer Probe am Abend des 25. wirkt Mozart am frühen Morgen des 26. Mai beim ersten Konzert im Augarten mit: die Sinfonie in C (KV 338, s. 3. April 1781) mit dem nachkomponierten Menuett (KV 409) wird aufgeführt und das Konzert für zwei Klaviere in Es (KV 365) wieder von Mozart und Fräulein Auernhammer vorgetragen (s. 23. November 1781).

Das Programm enthielt u. a. auch eine Sinfonie von Gottfried van Swieten. Erzherzog Maximilian und zahlreiche Mitglieder des Wiener Hochadels wohnten dem Konzerte bei. — Diese Konzerte wurden von nun an meistens im Mai im Restaurations-Gebäude des kaiserlichen Parkes abgehalten, den Joseph II. 1775 öffentlich zugänglich gemacht hatte. Der Traiteur war Ignaz Jahn, der Unternehmer der zwölf Abonnements-Konzerte war Philipp Jakob Martin, der im Sommer auch Nachtmusiken auf dem Neuen Markt veranstalten durfte (s. 7. VIII. 1782). Mozart hat nur damals dort mitgewirkt. Die im Mozart-Museum, Salzburg, aufbewahrte *„Einlass-Karte zum Concert von W. A. Mozart"* dürfte nicht zu diesem Anlaß gehören, sondern zu den Subskriptions-Konzerten vom Frühjahr 1784 im Trattnerhof oder 1785 in der „Mehlgrube" (s. 1. VI. 1782).

Am 30. Mai spielt Mozart der Gräfin Thun den dritten Akt der *Entführung* vor.

Vgl. 7. Mai.

Aus der «Wiener Zeitung», 1. Juni 1782

Inländische Begebenheiten.

...Unser Lieblings-Lustort der Augarten, für dessen täglich sich mehrende Verschönerung unser Herrscher noch immer Seine höchste Sorgfalt durch die beßten Anstalten bezeigt, hat durch zwo Unternehmungen von Privatpersonen einen neuen Wert erhalten... So hat auch Herr Martin sein unlängst in der Stadt auf der Mehlgrube errichtetes Dilettantenkonzert für diesen Sommer in den Augarten verpflanzt, wo man nun, um billige Preise, alle Sonntage das Vergnügen haben kann, manche Virtuosen beyderley Geschlechts dabey zu bewundern, und sich auf das angenehmste in der schönsten Gesellschaft zu unterhalten.

Die „Mehlgrube" war das städtische Kasino auf dem Mehlmarkt, auch Neuer Markt genannt, mit einem Saal, der für Lotterie-Ziehungen, Bälle und Konzerte diente.

Am 3. Juni findet die erste Probe der *Entführung* im Burgtheater statt.

Anschlagzettel des Burgtheaters

Neues Singspiel.
Die Kaiserl. Königl. National-Hof-Schauspieler
werden heute Dienstag den 16 July 1782 aufführen:

(Zum erstenmal)
Die Entführung aus dem Serail.

Ein Singspiel in drey Aufzügen,
nach Bretznern frey bearbeitet und für das k. k. Nationalhoftheater eingerichtet.
In Musik gesetzt vom Herrn Kapellmeister Mozart.
Die Bücher sind beym Logenmeister für 17. kr. zu haben.
Der Anfang ist um halb 7 Uhr.

Oskar Teuber, *Die Theater Wiens*, Band 2, Halbband 2, Teil 1, S. 71 (Faksimile). — Seit April 1782 wurde auf den Programmen (Plakaten) des Burgtheaters das Personenverzeichnis seltener gegeben und endlich ganz eingestellt. — Die Besetzung war: Constanze — Caterina Cavalieri (später Aloisia Lange), Blonde — Therese Teyber, Belmonte — Johann Valentin Adamberger (später Friedrich Karl Lippert), Pedrillo — Johann Ernst Dauer (abwechselnd mit Gottfried Heinrich Schmidt), Osmin — Ludwig Karl Fischer, Bassa Selim (Sprechrolle) — Dominik Jautz. — Der auf dem Programm nicht genannte Bearbeiter des Textes war Gottlieb Stephanie. — Mozarts Bericht über die Premiere ist leider verlorengegangen, aber am 19. Juli schrieb er an den Vater über die zweite Aufführung. Die beiden ersten Vorstellungen brachten 1200 Gulden ein. — Das Werk wurde im Burg- oder im Kärntnertor-Theater wiederholt, wie es damals üblich war, und zwar zu Mozarts Lebzeiten: am 19., 26., 30. Juli, 3., 6., 20., 27. August, 6., 20. September, 8. Oktober und 10. Dezember 1782; am 7. Januar, 4. und 16. Februar 1783; am 25. Januar, 1. Februar und 5. November 1784; am 25., 27. und 30. November 1785; am 1., 20. Januar, 2. Februar, 7., 10. Mai, 21. Juli, 18. August, 9., 21. November, 1. und 19. Dezember 1786; am 9. Januar, 6. Februar, 8. Juni, 13., 31. Juli, 26. August, 13., 20. November und 14. Dezember 1787; endlich am 4. Februar 1788. Die Vorstellungen von 1782 und 83 waren im Burgtheater, die anderen im Kärntnertor-Theater, ausgenommen die vom 21. Juli 1786. — Das Werk war auch außerhalb Wiens der größte Bühnenerfolg Mozarts zu seinen Lebzeiten.

Titel des Textbuches der «Entführung»

DIE / ENTFÜHRUNG AUS DEM SERAIL. / Ein Singspiel / in drey Aufzügen, / nach Bretznern / frey bearbeitet, und für das k. k. Nationalhoftheater ein- / gerichtet. / In Musik gesetzt / vom / Herrn Mozart. / Aufgeführt im k. k. Nationalhoftheater. / Wien, / Zu finden beim Logenmeister, 1782.

Exemplar in der Nationalbibliothek, Wien.

Aus den Hoftheater-Rechnungsbüchern, 1782

Dem Stephanie dem jüngeren für Überarbeitung des Singspiels Die Entführung aus dem Serail   100.—

Music Compositionen und Copiatur Spesen

. . .

Dem Tyron Franz Kapellmeister für die 3. Sultaninnen gestellte Banda von der Artillerie Music Banda   12.—

item für detto bei der *Oper Die Entführung aus dem Serail*   32.—

zusammen ut No. 155   44.—

Dem Mozart Wolfgang für Componirung der Music zur *Oper Die Entführung aus dem Serail* 100 Kais. Dukaten oder ut No 166   426.40

Staatsarchiv, Wien. — 13. und 14. Halbjahr-Rechnung, 1782/3, S. 52, 54, 56. — Die Pauschal-Honorare für den Librettisten und den Komponisten waren die damals üblichen. — Tyron war Kapellmeister beim 2. Feldartillerie-Regiment. — *Soliman second ou Les trois sultanes*, ein Schauspiel mit Gesang, Text von Charles Simon Favart nach Jean-François Marmontel, Musik von Paul César Gibert und anderen, war 1765 im Burgtheater französisch gegeben worden; 1770 im Kärntnertor-Theater und 1776 im Burgtheater deutsch. Das orientalische Milieu beider Werke verlangte „türkische" Musik, die von einer Militärkapelle gestellt wurde.

Am 20. Juli holt Graf Karl Zichy Mozart ab, um mit ihm nach Schloß Laxenburg zu fahren und ihn dort dem Staatskanzler Fürsten Wenzel Kaunitz-Rietberg vorzustellen.

Die kaiserliche Sommerresidenz lag südlich von Wien. — Graf Zichy war Hofrat bei der königlichen Ungarisch-Siebenbürgischen Kanzlei und Gatte der Gräfin Anna Maria, geborenen Komtesse Khevenhüller-Metsch, einer anderen Schülerin Mozarts.

Am 23. Juli übersiedelt Mozart vom Graben zum „Roten Säbel" an der Hohen Brücke (vgl. 9. Januar 1768).

Am 29. Juli sucht Johann Thorwart als Vormund Konstanze Webers bei der für ihn zuständigen Gerichtsstelle, dem Obersthofmarschallamt, um die Erlaubnis zu ihrer Heirat mit Mozart an; der vom Sekretär des Amtes, Ferdinand v. Fetzer, gezeichnete Konsens erfolgt bald darauf.

Das Gesuch, das in Wiener, später in Londoner Privatbesitz war, ist seit etwa 1950 verschollen. — Thorwart, *„Revisor der Hof-Musik- und Theatral-Direktion"*, war mit Frau Weber einig darüber, Mozart zu binden. — Wie im Trauungsprotokoll (4. August) ist er schon hier Wolfgang Adam genannt — offenbar Thorwarts Irrtum.

Am 29. Juli wird Sigmund Haffner der Jüngere geadelt, mit dem Prädikat von Innbachhausen (Jenbachhausen).

Dieser Salzburger Großhändler, Mozarts Altersgenosse, der aber schon 1787 starb, war der Sohn des gleichnamigen früheren Bürgermeisters der Stadt, der im tirolischen Innbach (Jenbach) geboren worden war. Aus dem leichtfertigen Jüngling war ein großer Wohltäter geworden. Für die Salzburger Feier seiner Nobilitierung schrieb Mozart nun die Sinfonie in D (KV 385). Vgl. 21. Juli 1776.

Aus Zinzendorfs Tagebuch, 30. Juli 1782

. . . Le soir au Spectacle Die Entführung aus dem Serail, opera dont la musique est pillée de differentes autres. *Fischer* joua bien Adam Berger est une statue . . .

Siehe 9. Oktober 1762. — Pohl, Haydn, II, 123 (statt *„est une statue"* steht dort *„me depluit")*.

Mozarts Heiratskontrakt

Im Nahmen der allerheiligsten Dreyfaltigkeit, Gott des Vaters, Sohns, und heil: Geistes. Amen.
ANHEUT zu Ende gesezten Dato ist zwischen dem *Wohl edel gebohrnen Herrn Wolfgang Mozart* Kapelmeister lediges Stands, als *Bräutigam an Einen,* dann *Wohl edeln Jungfrauen Constantia Weberin,* als *Weyl: des Wohl edeln Herrn Fridolin Weber* k: k: Hof Musici seel: und dessen noch lebende Ehe Consortin der *Wohl edel gebohrnen Frauen Cecilia Weberin* ehelich erzeigten, minderjährigen Tochter, als *Braut, anderntheils* in Beiseyn deren hierzu erbettenen HErn: Beiständen nachfolgender Heuraths *Contract* mit obergerhabl: gnädigen *Consenz* abgeredet, und geschlossen worden, und zwar
ERSTENS ist dem HErn: Ehewerber auf sein geziemendes Ansuchen obgedachte Jungfrau *Constantia* Weberin bis auf priesterliche *Confirmation* zugesagt worden.
ANDERTENS Verheurathet widerhole Jungfrau *Braut* Ihme HErn: *Bräutigam, fünfhundert Gulden,* welche
DRITTENS derselbe mit *Ein tausend Gulden* zu widerlegen versprochen, also zwar, daß Heuraths-Gut, und Widerlaag zusammen 1 500. f. ausmachen, und auf Überleben verstanden seyn solle. Was aber
VIERTENS beede *Kon-Persohnen* währender Ehe durch den reichen Seegen Gottes mit einander erwerben, ererben, gewinnen, und rechtmässig an sich bringen werden, soll als ein gleiches Gut seyn, und heissen; auch beede Theil bei Überkommung einiger Grundstücken zugleich an Nutz, und Gewöhr geschrieben werden
FÜNFTENS stehet jedem Theil bevor Eines das andere durch Testament *Codizill,* oder Geschänkniß des mehrern zu betreuen. Dahero

SCHLÜSZLICHEN dieses Heuraths *Contract* zwey gleichlautende *Exemplaria* aufgerichtet, von Ihnen *Contrahenten*, Frauen Mutter, HErn: Gerhaben, und Beistand /: doch diesen letztern ohne Nachtheil, und Schaden: / eigenhändig unterschrieben, und gefertiget, und jedem eines eingehändiget worden. *Actum*. Wien den 3ten Augusti 1782.

Maria Costanza Weber	Wolfgang Amadè Mozart
als Braut	als Bräutigam.
Maria Caecilia Weber	Franz Gilowsky De Urazowa
als Brauth Mutter	Magister Chirurgiae Et Anatomiae
Johann Carl Cetto v. Kronstorff	
K: K: N: Ö: Landrath als	
hiezu erbettener zeug	
Johann Thorwart	
k: k: theatl: Hof Direct:	
Revisor als Gerhab	

Original in der Sammlung Stefan Zweig, London (deponiert im British Museum). — Jahn II, 699 f. Faksimile in Schiedermair, a. a. O., Bd. 5, Beilage. — Mozarts Trauzeuge war der Sohn des Salzburger Hofchirurgen Wenzel Andreas Gilowsky und Bruder der aus den Mozart-Briefen bekannten „Katherl". — Von den Siegeln dieses Dokuments ist nur das Mozarts ohne Wappen. — Am Hochzeitstage gab Baronin Waldstätten dem Brautpaar ein „fürstliches Soupée" (Wolfgang an den Vater, 7. August 1782).

AUS DEM TRAUUNGSREGISTER DER DOMPFARRE ST. STEFAN IN WIEN,
4. AUGUST 1782

Der wohledle Hr. Wolfgang Adam Mozart, ein Kapellmeister, ledig, geb. von Salzburg, des Hn. Leopold Mozart, Kapellmeisters allda, et Mariae Annae ux. sel. natae Bertl ehl. Sohn, cons[ensum] ab exc[elsissimo] Regim[ine] tulit, wohnt dermalen 12 Tag auf der hohen Brucke No 387, vorhin 5 Monat am Graben, und vor diesem 1 Jahr unter den Tuchlauben beim Aug Gottes, übrigens 16 Monat stets allhier, ita testatus D[omi]nus tutor, et testis spsae [sponsae].
Mit der wohledlen J. Konstanzia Weberin, geb. von Zell in U. Ö, des Hn. Fridolin Weber, k. k. Hof Musici sel. et Ceciliae ux. natae Stamin ehl. Tochter, cons[ensum] tutor[ium] a judicio Mareschal aulico tulit, wohnt 2 Jahr am Peter beim Aug Gottes No. 577, ita testatur tutor, et testis.
Testis spsae[sponsae] Titl. Hr. Johann Thorwarth, k. k. Hofdirektions Revisor, et Titl. Hr. Johann Cetto v Cronstorf, k. k. n. ö. Regierungsrath, et spsi[sponsi] Hr. Franz Gilowsky, Medicinae Doctor.
[Marginal-Note:]
     Dispensati in tribus denunc. [denuntiationibus]
     Depos[ito] libert[atis] Juram[ento]
     Cop[ulavi] 4 Aug: Wolff

Copulations-Buch, Nr. 74, fol. 270. — Bei Jahn, Abert und Müller v. Asow nur nach einem Auszug von 1847 zitiert; in Otto Schneiders *Mozart in Wirklichkeit*, Wien (1955), S. 214, ziemlich richtig wiedergegeben. — Das Haus „Zum Auge Gottes" war ein Durchhaus; seine beiden Adressen sind wohl absichtlich angegeben, die eine für Mozart, die andere für Konstanze. (Es war nicht selten, dass Brautleute am gleichen Orte wohnten.) Er hatte nur etwa vier Monate bei Frau Weber gewohnt, aber fast elf Monate am Graben. Konstanze war am 5. Januar 1762 in Zell im Wiesenthal, Breisgau, geboren, das zu Unter- (Vorder-) Österreich gehörte. Mozart benötigte die Zustimmung der Niederösterreichischen Landesregierung (Landesstelle), weil sein Wohnsitz nicht zum Bereich des Domes gehörte; sie aber, als Minderjährige ohne lebenden Vater, die Zustimmung ihres Vormundes und seiner Gerichtsstelle, des Oberhofmarschallamtes (siehe 29. Juli 1782). Die Dispens vom dreimaligen Aufgebot, auch von der Landesregierung erteilt, sollte nur in dringenden Fällen gewährt werden; die Brautleute hatten dann eidlich zu erklären, daß ihnen kein Ehehindernis bekannt sei. — Ferdinand Wolf war Kurat.

Am 6. August wird die *Entführung* auf Verlangen Glucks wiederholt.

Gluck beglückwünschte Mozart danach und lud ihn für den 8. zum Speisen ein. Gluck dürfte damals schon in seinem Hause auf der Wieden, 466, jetzt Hauptstraße Nr. 32, gewohnt haben.

Aus der «Wiener Zeitung», 7. August 1782
Nachricht.

Unterzeichneter, welchen das Glück begünstigt hatte, sich durch einige Nachtmusiken auf dem neuen Markt den geneigten Beyfall eines hochzuverehrenden Publikums zu erwerben, ist über die Ehre erfreut, jedermann berichten zu können, daß die meisten unter seinen Gönnern und Abonenten ihme annoch zur Fortführung dieser unterhältlichen Serenaden noch einen kleinen Geldbeytrag, aber doch unter einer Bedingniß, zu machen sich entschlossen haben: nämlich, daß sie die Musiken in der Nähe besser, und mit grösserer Bequemlichkeit, als zuvor, anhören wollen. Dem zufolge hat Unterzeichneter für die Herren Abonenten und für die, so sich noch zu aboniren gedenken, einen grossen Kreis, mit Sesseln versehen, geschlossen, und anbey alle erdenkliche Anstalten zu deren Bequemlichkeit getroffen. Er schmeichelt sich daher, die Gunst und das Zutrauen seiner Gönner immer mehr noch zu erweitern, auch zu erhalten. Der Nachtrag des Abonement ist 1fl. 20 kr. wofür den Augustmonat hindurch 4 grosse Serenaden gegeben, und zwar soll Sonntags den 11. August auf hohes Begehren die letzthin mit gnädigem Beyfall aufgenommene neue Serenade von der Composition des Unterzeichneten gegeben, den 18. aber die in Harmonie kürzlich übersetzte, von Herrn Kappellmeister Mozart neu componirte Oper, betitelt: Die Entführung aus dem Serail, gemacht, und die übrigen Musiken sollen zu seiner Zeit schon angekündigt werden. Er hoft somit einen eben so zahlreichen Zuspruch, als er immer zu haben beglückt war. Abonementbillets sind vor der Serenade beym Eintritt im Kreise neben der Limonade Hütte, oder auch bey mir

P. J. Martin, Directeur des Dilettanten Konzerts in Wien, wohnhaft auf der Mehlgrube im 1 Stock, zu haben.

Vgl. 26. Mai und Ende 1782. — Mozart beeilte sich, Ende Juli die *Entführung* für Harmonie-Musik zu bearbeiten, damit ihm niemand Anderer (Martin?) zuvorkomme. Ob er sie für Martin geschrieben und vollendet hat, ob seine Fassung mit der von Laurent Lausch am 10. Juli 1784 in Kopie angekündigten (für je zwei Oboen, Klarinetten, Hörner und Fagotte) oder mit der 1955 im Schwarzenberg-Archiv Krumau gefundenen Abschrift von acht Nummern aus dieser Oper (für je zwei Oboen, Englisch Hörner, Hörner und Fagotte) identisch ist, bleibt unentschieden. (Vgl. Franz Giegling im Programmbuch des *Fünften Deutschen Mozartfestes*, Ludwigsburg 1956, S. 71, und Ernst Fritz Schmid im *Mozart-Jahrbuch 1956*, Salzburg 1957, S. 41.)

Im Herbst 1782 führt die Truppe Karl Wahr die *Entführung* in Prag auf.

Das Datum dieser ersten Aufführung außerhalb Wiens ist nicht bekannt. Ein Textbuch *("frey bearbeitet von Bretznern")* ist in Prag 1784 erschienen. Zu Wahr vgl. 31. V. 1773. Opernpartituren wurden damals von den Kopisten der Ursprungs-Theater verkauft.

AUS DER «LITTERATUR- UND THEATER-ZEITUNG», BERLIN, 5. OKTOBER 1782

Fragmente aus Wiener Briefen.

... Ich darf einer Oper des Capellmeisters Mozart nicht vergessen, der Entführung aus dem Serail. Sie hat ausserordentlich viel glücklichen Gesang, und ist sehr hübsch gespielt worden. Es ist Schade, daß man so vielen Fleiß nicht an ein besseres Produkt verwandt hat, und da Herrn Brezners Arbeit, wie sie da lag, doch für den Componisten nicht tauglich war, so hätte der Umarbeiter lieber Adelheit von Veltheim zurechtschneiden sollen, die in jedem Betracht, den musikalischen Theil ausgenommen, eine vortrefliche Oper ist. Freilich wäre auch ein besserer Umarbeiter zu wünschen gewesen, poetisch und moralisch, was sagen Sie zum Beispiel zu der Anrede des Bedienten an die Soubrette:

> Hat nicht Osmin etwan
> Sein Recht als Herr probiret,
> Und bei dir exerciret?

Man hat Herrn Stephanie den Jüngern für diesen Umarbeiter ausgeben wollen, ich glaubs nicht, er ist ja ein Mitglied des Ausschusses!

Vgl. 4. Oktober 1780. — Die beiden Brüder Stephanie gehörten zu den fünf „Inspizienten" des Burgtheaters.

Am 8. Oktober dirigiert Mozart die *Entführung* im Burgtheater, zu Ehren des Großfürsten Paul und seiner Gemahlin.

Vgl. 25. November 1781. — Das Ehepaar weilte unter den Decknamen Graf und Gräfin du Nord bis zum 18. Oktober in Wien.

Am 3. November wirkt Mozart bei der Akademie des Fräulein Auernhammer im Kärntnertor-Theater mit.

Das Programm dieses Konzertes ist nicht bekannt.

Am 11. November verschiebt Mozart die zum Namenstag des Vaters am 15. geplante Reise nach Salzburg.

Erst im Sommer 1783 kam es dazu, daß er seine Frau dem Vater und der Schwester vorstellte.

Im Dezember übersiedelt Mozart bei der Hohen Brücke nach Nr. 412 (heute Wipplinger-straße 14), 3. Stock, zu Raimund Wetzlar Freiherrn v. Plankenstern, ins sogenannte Kleine Herbersteinsche Haus.

Das Ehepaar bewohnte dort zwei Zimmer, Vorzimmer und Küche.

Aus Zinzendorfs Tagebuch, 5. Dezember 1782

[Bei Gräfin v. Pergen.]

I'y restois jusque vers 9h. n'ayant pû partir à cause l'arrivée de l'Empereur, qui parla infinement musique, du combat entre Mozhardt et Clementi.

Siehe 24. Dezember 1781. — Ernst Benedikt, *Kaiser Joseph II.*, Wien 1936, S. 348 (in deutscher Übersetzung). — Die Gräfin war wohl Philippine Gabriele, die Gattin des Grafen Johann B. Anton Pergen, Präsidenten der Niederösterreichischen Landesregierung.

Aus den «Kurfürstlichen Mainzischen gnädigst privilegierten Anzeigen», 9. Dezember 1782

Bey dem Hofmusikstecher Herrn Schott, an der Kapuzinergasse wohnhaft, sind alle neueste wiener Musikalien, nämlich ... Sonaten von Mozart, Hayden, ... käuflich zu haben ...

Mitgeteilt von Dr. Adam Gottron, Mainz. — Die Firma Bernhard Schott war um 1770 gegründet worden.

Aus Zinzendorfs Tagebuch, 14. Dezember 1782

Le soir chez Me de Thun où Mozhard joué.

Das war im Salon der Gräfin Wilhelmine Thun.

Aus der «Wiener Zeitung», 21. Dezember 1782

Ankündigung.

Johann Traeg im Pilatischen Hause im ersten Stock, hat die Ehre einem hochzuverehrenden Publikum geschriebene neue Musikalien anzukündigen, und zwar: Sinfonien von Mozart, ... etc. ... Concerte fürs Clavier von Haydn, Mozart ...

Traeg vertrieb Musik in Abschriften, in diesem Fall in Stimmen.

Aus Benedikt Schwarz' Broschüre «Uiber das Wiener Dilektanten-Konzert», Wien 1782

Als ich vorigem Winter dem Wiener Dilektantenkonzert beiwohnte ... Fräulein von Aurenhammer eine grosse Dilektantin auf dem Pianoforte; Fräulein Desideria von Pauler, Mademoiselle Weber und Berger, die als Dilektantinnen im Singen viele Hofnung von sich geben, hatten die edle Herzhaftigkeit, die Vergnügungen des hiesigen Dilektantenkonzertes anzufangen, und mit dem wärmsten und empfindungsvollsten Dank von der Gesellschaft beehrt zu werden ...

Herr Kapellmeister Mozart, einer der grössten Virtuosen Europens, verpflichtete nicht weniger die Gesellschaft, da er uns einigemal auf seinem unvergleichlichen Pianoforte in die süsseste Bezauberung, und durch seinen brillanten Vortrag in die ihm gebührende Verwunderung versetzte.

Schwarz war ein Musiker in Wien (1750—1795). Die zitierten Stellen finden sich auf S. 7 und 8 der Broschüre (Exemplar in der Stadtbibliothek Wien). — Der Veranstalter dieser Liebhaber-Konzerte war Philipp Jakob Martin (s. 26. Mai und 7. August 1782). Er hatte dafür — im Gasthof „Zur Mehlgrube" — ein eigenes „Gerüst" (Podium) aufstellen lassen. — Unter den Violinspielern wird „v. Hering", d. i. Johann Baptist v. Häring, genannt (s. 9. April 1790). Fräulein Weber dürfte eine der

Schwestern Aloisia Langes gewesen sein, aber kaum Konstanze. Das Fräulein Berger ist in Mozarts Brief vom 25. Mai 1782 erwähnt. — Die Konzerte fanden an Freitagen von $\frac{1}{2}$ 7 bis $\frac{1}{2}$ 9 abends statt. — Vgl. Hanslick, *Geschichte des Concertwesens in Wien*, Wien 1869, S. 69, und Robert Haas in der *Festschrift Alfred Orel*, Wien (1960), S. 77—80.

Aus Johann Friedrich Schinks «Dramaturgischen Fragmenten», Graz 1782

Entführung aus dem *Serail,* / komische Oper / in drei Aufzügen, von Brezner, die Musik von Mozard.

Brezners komische Opern gehören sonst zu unsern bessern Schauspielen dieser Gattung, und sind nächst den vortreflichen Geschenken, die Weise, Engel und Götter unserm komisch-lirischen Teater gegeben haben, unstreitig das Beträchtlichste, was wir in diesem Fache besizzen. Wenigstens fehlt es ihnen weder an Laune und Unterhaltung, noch an leichtem Dialog und gefälligem Gesang. Seine Entführung aus dem Serail indessen ist gerade das Unbedeutenste seiner lirischen Stükke. Sie steht der Grosmannschen Oper aenlichen Inhalts*, weit nach; obgleich diese Grosmannsche Oper nicht den vierten Theil des Posaunenhalls wert ist, den ihr Verfasser in der Ankündigung derselben mit ungemein vieler Bescheidenheit selbst davon gemacht hat. Herr Brezner scheint mir sein Thema unnötiger weise in drei Akte gedent zu haben. Auch felt es seinen Karakteren darin an Anziehung und Leben. Belmonts und Juliens Zärtlichkeit fält darin sehr ins Langweilige, und Wiz und Laune hinken ziemlich matt darin einher.

Die Verbesserungen, die man hier damit vorgenommen, sind auch nicht die besten. Am wenigsten gefält mir die Veränderung der Breznerischen Katastrofe. Bei Brezner vergiebt der Bassa dem Belmont, weil er seinen Sohn in ihm erkennt; in der Wiener Verbesserung aber tut er's, weil es weit grösser ist, seinem Feinde zu vergeben, als sich zu rächen. Ein Bewegungsgrund, der freilich erhabner, aber auch — wie denn das mit solchen Erhabenheiten immer der Fall ist — ungleich unnatürlicher ist. Das übelste dabei ist, daß, durch diese Verbesserung, der Grund, warum Brezner seinen Bassa zum Renegaten gemacht hat, gänzlich wegfällt, und dadurch diese Verbesserung noch unnatürlicher macht.

Uiberhaupt sind diese ewigen Grosmuten ein ekles Ding, und fast auf keiner Büne mehr Mode, als auf der hiesigen. Und man kann beinahe sicher darauf rechnen, daß so ein Stük, in dem brav gegrosmutet, geschenkt, versönt und vergeben wird, schreiendes Glük macht, wenn es auch auf die unnatürlichste Art zu diesen Dingen kömmt.

Die Börse des Dichters gewinnt bei diesem Geschmak freilich; die Kunst aber desto weniger. Am meisten aber verliert dabei die Bildung des Volks.

Die Büne hat klar den sichtbarsten Einfluss auf diese Bildung. Erhält der Geschmak von hier aus eine schiefe Bildung, wird er von hier aus verdorben: so sind die Bemühungen der vortreflichsten Schriftsteller vergebens. Das Schauspiel wirkt als lebendes Beispiel stärker, als alle Bücher; und wer mit schon verdorbenem Geschmak zur Lektüre kömmt, auf den macht auch das geschmakvollste Buch keinen Eindruck mehr. Und das ganz natürlich: wie kann ich Warheit und Natur erkennen, wenn ich kein Gefül für Warheit und Natur habe?

Darüber geht nun also auch die wahre Kunst zu Grunde. Ihr grosser Zweck, zu unterrichten, weiser und besser zu machen, der menschlichen Natur einen Spiegel vorzuhalten, und die Sitten jedes Zeitalters in ihrer wahren Gestalt zu zeigen, wird gänzlich dadurch

---

* Adelheit von Veltheim.

aufgehoben. Statt Bild des Lebens, bekommen wir abendteuerliche Romane, deren ganzer Nuzzen darin besteht: daß wir falsche Grösse bewundern lernen, und, troz aller dieser abendteuerlich grosmütigen Beispiele, nicht ein Fünkchen Grosmut mehr bekommen, als wir haben, weil alle diese Grosmuten zu unnatürlich sind, als daß wir sie nachamen könnten.

Um einheimische Sitte, um Bildung eines Nazionalkarakters, ist es also in solchen Schauspielen geschehen. Wir sind und bleiben unteutsch, und werden nie etwas anders, als die ewigen Affen fremder Nazionen, ein ewiger Vorwurf der Ausländer, ein ewiger Gegenstand ihres Spotts.

Warlich, es ist empfindlich, das mit anzusehen, und es ist sehr schwer, seine Empfindlichkeit darüber nicht auszulassen. Aber man wird des Zankens über eine und die nemliche Sache endlich müde. Also wieder zu Brezner.

Die Entführung aus dem Serail ist zu Wien mit einem sehr ausgezeichneten Beifall aufgenommen worden. Ein Beifall, den sie nicht sich, sondern der vortreflichen Musik des Herrn Mozard, und der sehr guten Vorstellung der Sänger der Nazionalbühne zu verdanken hat.

Ich bin kein eigentlicher Kenner der Musik; ich verstehe von den eigentlichen Kunstregeln der Komposizion ganz und gar nichts; nicht einmal die Noten kenn' ich. Ich beurteile die Musik blos nach dem Grundsazze aller schönen Künste, nach dem Grundsazze der Warheit und Natur. Die Musik, die auf menschliches Herz, und menschliche Leidenschaft wirkt, die Freud und Leid, kurz jede Art der Empfindung rege macht, die etwas mehr, als Ohrenkizzel, die Narung der Seele ist: die Musik ist in meinen Augen vortreflich, und das unleugbare Produkt eines musikalischen Genies. Nach diesem Grundsaz geurteilt, hat denn auch Herren Mozards Musik meinen ganzen Beifall, und ich bekenne mit Vergnügen daß nur Benda und Gluk mein Herz stärker treffen und rüren könen, als es Herr Mozard mit seiner lieblichen Musik getroffen hat.

Ich kann das Werk dieses noch sehr jungen Künstlers nicht im Detail loben; dazu bin ich zu wenig eigentlicher Musikverständiger. Ich kann nur sagen, daß seine Deklamazion richtig, sein Gesang ungemein redend, Sprache des Herzens und der Natur sei, und daß er durchaus die richtigsten Begriffe von dem wahren Zwekke der schönsten aller menschlichen Künste verrät.

Die Sänger der hiesigen Nazionalbühne verdienen das Lob: daß sie gefült haben, was sie sangen; daß sie mit der ganzen Seele wiedergaben, was Mozard sezte; daß auch bei ihnen der Gesang aus dem Herzen kam; daß sie nicht blos gurgelten, sondern sprachen; und ich bin überzeugt, daß Mozards Werk auf keiner Büne Teutschlands so vollkommen gefült und dargestellt werden wird: als es auf der hiesigen Nazionalbüne geschehen ist.

Daher ist's denn auch kein Wunder, daß diese Entfürung aus dem Serail, trotz den Makeln, die ihr von Seiten des Dichters und der unweisen Verbesserung ankleben, mit dem allgemeinen Beifall ist aufgenommen worden, und noch immer mit diesem allgemeinen Beifall aufgenommen wird. Wenn Komponist und Sänger so mit vereinigten Kräften arbeiten, den wahren Zwek der Musik zu erfüllen: so mus auch unser Herz dadurch interessirt werden; und wo die Kunst unser Herz interessirt, da ist auch ihr Eindruck dauernd und bleibend...

Band IV, Stück 2, S. 1001—1025. — Schink. 1755 in Magdeburg geboren, lebte 1780 in Wien und seit 1782 in Graz. Er war ein Gegner Schikaneders und bediente sich einer eigensinnigen Rechtschreibung. Seine Besprechung des Mozartschen Singspiels bezieht sich natürlich auf die Wiener Aufführung. — Die eingangs genannten Librettisten sind Christian Felix Weisse, Johann Jakob

Engel und Friedrich Wilhelm Gotter. — Zu Großmann vgl. 4. Oktober 1780. — So interessant und geistreich auch Schinks Aufsatz über Libretti und Opern ist, kann hier doch nur die Einleitung, die sich auf die *Entführung* selbst bezieht, abgedruckt werden.

BRETZNERS PROTEST 1782

Ein gewisser Mensch, Namens *Mozart*, in Wien hat sich erdreistet, mein Drama „Belmonte und Constanze" zu einem Operntexte zu missbrauchen. Ich protestire hiermit feierlichst gegen diesen Eingriff in meine Rechte und behalte mir Weiteres vor.

Christoph Friedrich *Bretzner*,
Verfasser des „Räuschgen".

Das Datum dieses Protestes ist noch unbekannt. Er fand sich nicht in den *Leipziger Zeitungen*, und wurde zuerst in C. v. Wurzbachs *Biographischem Lexikon des Kaiserthums Österreich*, Wien 1868, Bd. 19, S. 284, zitiert. — *Das Räuschchen* war ein Lustspiel, das erst 1786 gedruckt worden ist. Bretzner veröffentlichte 1787 anonym den Roman *Das Leben eines Lüderlichen*, worin Mozarts *Figaro* wiederholt erwähnt und eine der beiden Arien Cherubinos zitiert ist. (Aloys Greither, *Die sieben großen Opern Mozarts*, Heidelberg 1956, S. 86.) Bretzner übersetzte 1794 *Così fan tutte* für Leipzig, und im Vorwort seiner oft verwendeten *Weibertreue, oder Die Mädchen sind von Flandern* ist „die reizende und vortreffliche Musik dieses Meisterwerkes des unsterblichen Mozarts" gerühmt. — Vgl. 4. X. 1780 und 21. VI. 1783.

1783

AUS FORKELS «MUSIKALISCHEM ALMANACH FÜR DEUTSCHLAND AUF DAS JAHR 1783», LEIPZIG

(Nachtrag zum Verzeichniß jetztlebender Componisten in Deutschland)

Mozart (J. G. Wolfgang) in Salzburg. Nichts Neues.

S. 52. — Siehe Ende 1781.

Am 11. Januar 1783 singt Aloisia Lange in einer Akademie in der „Mehlgrube" Szene und Rondo *„Mia speranza adorata — Ah, non sai, qual pena"* (KV 416).

Mozart schrieb diese Arie für seine Schwägerin und beendete sie am 8. Januar. Die Akademie war wohl eine der von Martin arrangierten (vgl. 26. V. 1782).

Mitte Januar veranstaltet Mozart einen Hausball in seinem Logis.

Wetzlar, der daran teilnahm, hatte leerstehende Nebenzimmer zur Verfügung gestellt. Andere Teilnehmer waren Dr. Gilowsky und die Ehepaare Adamberger, Lange und Stephanie. Jeder der „*Chapeaus*" (Herren) steuerte zwei Gulden bei. Es dauerte von 6 Uhr nachmittags bis 7 Uhr früh.

AUS DER «WIENER ZEITUNG», 15. JANUAR 1783

Musikalische Nachricht.

Herr Kapellmeister Mozart macht hiemit dem hochansehnlichen Publikum die Herausgabe drey neuer erst verfertigter Klavierconzerten bekannt. Diese 3 Conzerten, welche man sowohl bey großem Orchestre mit blasenden Instrumenten, als auch nur a quattro, nämlich mit 2 Violinen, 1 Viole, und Violoncello aufführen kann, werden erst Anfangs Aprils d. J. zum Vorschein kommen, und nämlich nur denjenigen (schön copirter, und von ihm selbst übersehen) zu Theile werden, die sich darauf subscribirt haben. Es dienet hiemit zur fernern Nachricht, daß bey ihm vom 20. dieß Monats angerechnet, bis letzten März, Subscriptionsbillets gegen 4 Ducaten zu haben sind. Seine Wohnung ist auf der hohen Brücke im klein Herbersteinischen Haus Nr. 437 im dritten Stock.

Diese Anzeige mag mit der Traegs am 21. Dezember 1782 zusammenhängen. Es handelte sich hier aber um die neuen Konzerte in F, A und C (KV 413—415). Die Subskription hatte offenbar keinen Erfolg; es ist auch kein Exemplar dieser Abschriften bekannt geworden. (Vgl. 27. IX. 1783.) Am 26. April bot Mozart die drei Konzerte für 30 Louis d'or dem Verleger Sieber in Paris an. Sie erschienen aber erst Anfang 1785 bei Artaria & Co. in Wien.

AUS KARL FRIEDRICH CRAMERS «MAGAZIN DER MUSIK», HAMBURG, 15. JANUAR 1783

Recensionen, Ankündigungen, Anzeigen.

Mozart, W. A. 1 Clav. Divertim. mit 1 Violin & Violoncel. Op. 3. Paris 2 m & 8ß.

. . .

Mozart, W. A. 3 Clav. Son. Op. 4, ibid. [Paris] 4 m & 4ß.

Band I, S. 118 und 126. — Op. III war das Divertimento (Klavier-Trio) in B (KV 254), Opus IV die drei Klaviersonaten in C, a-moll und D (KV 309—311), beides gestochen und verlegt von Madame Gertrude Heina in Paris (ca. 1782 und 1778). Vgl. 4. Juli 1778.

Am 4. Februar spielt Mozart bei einer Akademie des Hofrates Anton v. Spielmann.

Spielmann, mit van Swieten befreundet, gehörte der Hof- und Staatskanzlei an, also zu den engsten Mitarbeitern des Staatskanzlers Fürsten Kaunitz. Er wohnte in der Herrengasse, Innere Stadt Nr. 22, einem Regierungs-Gebäude.

Im Februar übersiedelt Mozart vorübergehend auf den Kohlmarkt, Stadt Nr. 1179 (jetzt Nr. 7).

Wetzlar, der die Wohnung in der Wipplingerstraße benötigte, zahlte die Übersiedlung und die Miete des Notquartiers. Mozart hatte damals schon Schulden.

AUS CRAMERS «MAGAZIN DER MUSIK», HAMBURG, 2. MÄRZ 1783

Nachricht von der churfürstlich-cöllnischen Hofcapelle zu Bonn
Louis van Betthoven

... Dieses junge Genie verdiente Unterstützung, daß er reisen könnte. Er würde gewiß ein zweiter Wolfgang Amadeus Mozart werden, wenn er so fortschritte, wie er angefangen.

Christian Gottlieb Neefe.

Band I, S. 377. — A. W. Thayer, Beethoven, Leipzig 1917, Bd. 1, 3. Auflage, S. 150. Das war die erste gedruckte Nachricht über Beethoven. Neefe war sein erster Lehrer.

Am Faschingmontag, dem 3. März, führt Mozart mit seinen Freunden im Redoutensaal der Hofburg während der halbstündigen Pause des öffentlichen Maskenballs eine „*Masquerade*", eine von ihm ersonnene Pantomime mit Musik (KV 446), auf.

Die Besetzung war: Colombine — Aloisia Lange, Harlequin — Mozart, Pierrot — Joseph Lange, Pantalon — Tanzmeister „Merk" (der französische Tänzer Louis Mergery?), und Dottore — Maler Joseph Grassi. — Der Tanzmeister hatte die Pantomime einstudiert. Das Programm, das eine als „Klepperpost" verkleidete Maske verteilte, mit den vom Burg-Schauspieler Johann Heinrich Fried-rich Müller verfaßten Knittelversen, ist nicht erhalten geblieben. (Die Klepper-, richtig Klapperpost wurde durch mit Klappern versehene Boten der sogenannten Kleinen Post für lokale Brief-Be-förderung besorgt.)

Am 11. März wirkt Mozart bei der Akademie Aloisia Langes im Burgtheater mit: es wird die Pariser Sinfonie in D (KV 297) aufgeführt, Mozart spielt das Klavierkonzert in C (KV 415) und zweimal das Konzert-Rondo in D (KV 382), Frau Lange singt Rezitativ und Arie „*Alcandro, lo confesso — Non so d'onde viene*" (KV 294).

Zur Sinfonie vgl. 18. VI. 1778 und 14. V. 1780, zum Konzert vgl. 23. und 30. III. 1783, zu KV 382 (das neue Finale zum Konzert in D, KV 175) vgl. 30. III. 1783, zu KV 294 vgl. 12. III. 1778. — Gluck, der in der Loge neben der des Herrn Lange und der Frau Mozart saß, lobte die Sinfonie und die Arie, und lud die Mozarts und die Langes für den nächsten Sonntag, den 16., zum Speisen ein. — Lange malte Mozart 1783.

Am 16. März sind die Ehepaare Mozart und Lange zum Mittagessen bei Gluck.

Vgl. 6./8. August 1782.

Am Sonntag, dem 23. März, findet, in Gegenwart des Kaisers, Mozarts große Akademie im Burgtheater statt. Das Orchester spielt die Serenade in D (KV 320) und, in neuer Fas-sung, die Haffner-Sinfonie (KV 385); Mozart selbst das Klavier-Konzert in D (KV 175) mit dem neuen Schlußrondo (KV 382) und das Konzert in C (KV 415), sowie die impro-visierten Paisiello- und Gluck-Variationen (KV 398 und 455). Therese Teyber singt die Arie 16 der Giunia aus *Lucio Silla*, „*Parto, m'affretto*"; Aloisia Lange die Arie 11 der Ilia aus *Idomeneo*, „*Se il padre perdei*"; und Johann Valentin Adamberger die ursprünglich für Sopran geschriebene Szene und Arie „*Misera, dove son! — Ah! non son' io che parlo*" (KV 369).

Siehe 9. Mai 1783. Das Finale der Haffner-Sinfonie wurde gesondert am Schluß des Konzertes ge-spielt.

Aus Cramers «Magazin der Musik», Hamburg, 27. März 1783

Wien. December 1782.) Hier kam dieses Jahr die *Entführung aus dem Serail* heraus; die Music zu dieser Oper, hat Herr *Mozart* der jüngere dazu verfertiget. Sie ist voll Schön-heiten, welche wir ein andermal bey besserer Gelegenheit näher zergliedern wollen. Sie übertraf die Erwartung des Publicums, und des Verfassers Geschmack und neue Ideen, die hinreissend waren, erhielten den lautesten und allgemeinsten Beyfall.

Band I, S. 352.

Am 30. März spielt Mozart bei der Akademie Therese Teybers im Burgtheater das Klavier-Konzert in C (KV 415) und eine freie Fantasie.

Joseph II. war wieder anwesend.

Am 3. April schickt Mozart sein Bildnis und das Konstanzes durch Hofrat Johann Anton v. Daubrawa und Dr. Franz Wenzel v. Gilowsky nach Salzburg, wo sie am 6. die Bildnisse dem Vater Mozart übergeben.

Offenbar waren das die Bildnisse von Joseph Lange, wahrscheinlich in verkleinerten Wiederholungen.

Aus Cramers «Magazin der Musik», Hamburg, 4. April 1783

Six Sonates pour le Clavecin, ou Piano Forte avec l'accompagnement d'un Violon, par Wolfg. Amadei Mozart. Oeuvre II. chèz Artaria Comp. à Vienne.

Diese Sonaten sind die einzigen in ihrer Art. Reich an neuen Gedanken und Spuren des grossen musicalischen Genies des Verfassers. Sehr brillant, und dem Instrumente angemessen. Dabey ist das Accompagnement der Violine mit der Clavierpartie so künstlich verbunden, daß beide Instrumente in beständiger Aufmerksamkeit unterhalten werden; so daß diese Sonaten einen eben so fertigen Violin- als Clavier-Spieler erfodern. Allein es ist nicht möglich, eine vollständige Beschreibung dieses originellen Werks zu geben. Die Liebhaber und Kenner müssen sie selbst erst durchspielen, und alsdann werden sie erfahren, daß wir nichts übertrieben haben.

N. N.

Band I, S. 485. — Die Sonaten sind KV 376, 296, 377—380.

Am 13. April wird im Salzburger Dom Mozarts Litanei (KV 243) wiederholt.

Aus Tagebuchblättern Nannerls im Königlichen Hausarchiv zu Haag. — Wie bei der Erstaufführung (31. März 1776) und der Wiederholung im April 1778 wurden die damals neuen Litaneien von Adlgasser, Michael Haydn und Mozart an aufeinander folgenden Tagen aufgeführt.

Am 24. April übersiedelt Mozart vom Kohlmarkt nach dem Judenplatz, Stadt Nr. 244 (jetzt Nr. 3), dritter Stock.

Im Mai und Juni war Mozart krank.

Im Mai werden wieder Teile des *Miserere* von Holzbauer in Paris aufgeführt (vgl. April 1778), wahrscheinlich in Mozarts Bearbeitung (KV Anhang 1).

Laut *Mercure de France*, gefunden von Dr. Robert Münster.

Am 8. Mai wird die *Entführung* in Warschau in deutscher Sprache gegeben.

Vgl. 25. November 1783.

Aus Cramers «Magazin der Musik», Hamburg, 9. Mai 1783

Wien, vom 22 März 1783) ... — Heute gab der berühmte Herr Chevalier *Mozart* eine musicalische Academie im National-Theater, in welcher Stücke von seiner ohnehin sehr beliebten Composition aufgeführt wurden. Die Academie war mit ausserordentlich starken Zuspruch beehret, und die zween neuen Concerte und übrigen Fantasien, die Hr. M. auf dem Forte Piano spielete, wurden mit dem lautesten Beyfall aufgenommen. Unser Monarch, der die ganze Academie, gegen seine Gewohnheit, mit seiner Gegenwart beehrte, und das ganze Publicum ertheilten denselben so einstimmig Beyfall, daß man hier kein Beyspiel davon weiß. Die Einnahme der Academie wird im ganzen auf 1600 Gulden geschätzt.

Band I, S. 578 f. — Jahn I, 817. — Das Datum der Korrespondenz aus Wien sollte 23. März gewesen sein. — Der Kaiser hatte 25 Dukaten geschickt.

Aus der «Wiener Zeitung», 24. Mai 1783

Bey Artaria Kompagnie,

Kupferstich, Landkarten, und Musikalienhändlern in Wien sind zu haben:

... W. A. Mozart, 2 Sonaten für vier Hände auf dem Klavier, Opera III 2 fl

Das waren die Sonaten in D und B (KV 381 und 358).

Am 17. Juni wird Mozarts erstes Kind, Raimund Leopold, geboren.

Sein Taufpate war Raimund v. Wetzlar, der älteste Sohn des Barons; in seiner Stellvertretung erschien aber Philipp Jakob Martin in der Kirche Am Hof. — Siehe 19. VIII. 1783. (Emil Karl Blümml, *Mozarts Kinder* in dem Buche *Aus Mozarts Freundes- und Familienkreis*, Wien 1923.)

Aus der «Litteratur- und Theater-Zeitung», Berlin, 21. Juni 1783

Nachricht.

Es hat einem Ungenannten in Wien beliebt, meine Oper: Belmont und Constanze oder die Entführung aus dem Serail, fürs K. K. Nationaltheater umzuarbeiten, und das Stück unter dieser veränderten Gestalt drucken zu lassen. Da die Veränderungen im Dialog nicht beträchtlich sind, so übergehe ich solches gänzlich: allein der Umarbeiter hat zugleich eine Menge Gesänge eingeschoben, in welchen gar herzbrechende und erbauliche Verslein vorkommen. Ich möchte den Verbesserer nicht gerne um den Ruhm seiner Arbeit bringen, daher sehe ich mich genöthiget, die von ihm eingeschobnen Gesänge nach der Wiener Ausgabe und *Mozarts* Komposizion hier zu spezifiziren:

Eingeschoben sind:

Die erste Arie des Belmont: Hier soll ich dich dann sehen etc.
Das Duett zwischen Belm. und Osm. Seite 5. Verwünscht seyst du etc.
Die Arie des Osm. Seite 9. Solche hergelaufne Laffen etc.
Das Duett des Osm. Seite 25. Ich gehe, doch rathe ich dir etc.
Das Rezitativ des Osm. Seite 27. bis zum Anfang der Arie.
Die Arie der Constanze, Seite 30. Martern aller Arten etc.
Die Arie der Blonde, Seite 34. Welche Wonne, welche Lust! etc.
Die Arie des Belmont, Seite 41. Wenn der Freude etc.
Das Quartett und Finale, Seite 42. bis S. 46.
Die Arie des Belm. Seite 49. Ich baue ganz auf etc.
Die Arie des Osmin, Seite 57. O wie will ich triumphiren!
Das Rezitativ und Duett, Seite 61. Welch Geschick etc.
Das ganze Finale von Seite 65. bis zu Ende.
Zum Schluß eine Probe von des Verbesserers Arbeit aus dem Quartett Seite 43.
Pedrillo. Doch Blondchen ach! die Leiter!
        Bist du wohl so viel werth?
        (zeigt, daß er wage gehenkt zu werden.)

Blonde. Hanns Narr! schnappts bey dir über?
            Ey hättest du nur lieber
            Die Frage umgekehrt.
Pedr.   Doch Herr Osmin — —
Blonde. Laß hören!
Const.   Willst du dich nicht erklären?

Belmonte.   Pedrillo.

                        zugleich.

Ich will doch zürne nicht   Hat nicht Osmin etwan,
Wenn ich nach dem Gerücht   Wie man fast glauben kann,
So ich gehört, es wage,   Sein Recht als Herr probiret
Doch zitternd bebend frage,   Und bey dir exerziret?
Ob du den Beste liebst?   Dann wärs ein schlechter Kauf.
      Const. (weint.)   Blonde (giebt ihm eine Ohrfeige.)
O wie du mich betrübst!   Da nimm die Antwort drauf.

Pedrillo. Nun bin ich aufgeklärt.
Belm.   Constanze ach vergieb!
Blond.   Du bist mich gar nicht werth.
Const.   Ob ich dir treu verblieb!
Blond.   Der Schlingel fragt sich an,
            Ob ich ihm treu geblieben?
Const.   Dem Belmont sagte man,
            Ich soll den Bassa lieben.
Pedr.   Daß Blonde ehrlich sey,
            Schwör ich bey allen Teufeln.
Belm.   Konstanze ist mir treu,
            Daran ist nicht zu zweifeln. etc.
Das heiß ich verbessern!
Leipzig den 27. April 1783.   *C. F. Bretzner*

Teil 1, No. 25, S. 398—400. — Jahn I. 754 (unvollständig). — Der Ungenannte war Gottlieb
Stephanie. — Bretzners Protest gegen Mozart soll in Leipzig schon 1782 erscheinen sein (s. S. 187).

AUS DEM TEXTBUCH VON PASQUALE ANFOSSIS OPER «IL CURIOSO INDISCRETO»,
WIEN, 30. JUNI 1783

Aerttmento [Avertimento]

Le due arie a carte 36 e a carte 102 sono state messe in Musica dal Signor maestro
Mozzart, per compiacere alla Signora Lange, non essendo quelle state scritte dal Signor
Maestro Anfossi secondo la di lei abilità, ma per altro soggetto. Questo si vuole far
noto perchè ne vada l'onore a chi conviene, senza che rimanga in alcuna parte pregiu-
dicata la riputazione e la fama del già molto cognito Napolitano.

Erinnerung.

Weil die 2 Arien, nemlich Seite 36 und 102 die Musik des Herrn Anfosi für jemand andern
geschrieben, und solche den erhabenen Fähigkeiten der Madame Lange nicht angemessen
war; so hat der Herr Mozztzrt gedachter Madame Lange zu gefallen, eine neue Musik

dazu geliefert. Dieses wird hiemit jedem bekannt gemacht, auf dass die Ehre davon demjenigen bleibe, dem sie soll, ohne dass der Ruhm des schon genung bekannten Neapolitaners auf was immer für eine Art verletzet werde.

Ein Exemplar des zweisprachigen Textbuches ist in der Nationalbibliothek, Wien. Das „Avvertimento" steht auf S. 142, die „Erinnerung" gegenüber. Mozart hatte für diese Aufführung im Burgtheater drei Einlagen geschrieben (KV 418—420), zwei für Frau Lange und eine für Herrn Adamberger. Die zweite Sopran-Arie mußte wiederholt werden; die Tenor-Arie aber wurde — laut Mozarts Bericht an den Vater „auf einen Pfiff des Salieri" — gar nicht gesungen und ist auch im Textbuch nicht gedruckt. Der Text der beiden Sopran-Arien steht dort auf S. 36 und 102, die zweite irrtümlich dem Conte statt Clorinda zugeschrieben. Beide Sänger traten zum ersten Male in der Italienischen Oper auf.

Aus der «Litteratur- und Theater-Zeitung», Berlin 1783
Fortsetzung der Nachrichten vom Wiener Theater.

... Den 30. [Juni] Il Curioso indiscreto. Zum erstenmale. Mad. Lange sang heute zum erstenmale in der italiänischen Oper, und das Publikum bewies, troz aller Cabale, wie sehr es ihr Talent schäzt...

Teil 1, Nr. 35, S. 559.

Im Juni wird die *Entführung* in Bonn aufgeführt.

Der Tag ist nicht bekannt.

Ende Juli reist Mozart mit seiner Frau nach Salzburg, um sie Vater und Schwester vorzustellen.

Die Ankunft erfolgte vor dem 29. Der Besuch war schon im Herbst zuvor geplant gewesen (s. 11. XI. 1782). Mozart war seit 5. November 1780 nicht in seiner Heimatstadt gewesen. Da die Familie in den nächsten drei Monaten wieder (zum letzten Male) beisammen war, fehlen fast alle Einzelheiten darüber, die sonst aus ihren Briefen zu entnehmen sind. Nur die in W. Hummels Buch *Nannerl Mozarts Tagebuchblätter*, S. 87 f. und 99 f., veröffentlichten Stellen bieten einigen Ersatz.

Am 2. August wird die *Entführung* in Frankfurt am Main aufgeführt, mit Aloisia Lange (Constanze) als Gast.

Am 19. August stirbt Mozarts Kind, Raimund, an „Gedärmfrais".

Das Kind war nicht bei der Großmutter Weber, sondern bei einer Ziehmutter in der Vorstadt Neustift Nr. 250 (heute VII. Lerchenfeldstraße 65) in Pflege gewesen. Die Eltern mögen erst im Herbst, nach ihrer Heimkehr vom Ableben des Kindes erfahren haben.

Aus der «Litteratur- und Theater-Zeitung», Berlin 1783

Nachricht von den Vorstellungen der Bondinischen Schauspieler-Gesellschaft zu Leipzig in der Michael-Messe 1783.

...

Die Entführung aus dem Serail, eine komische Oper in drey Akten von Herrn *Bretzner*, mit der Musik des Herrn *Mozart*, die nach meinem Gefühl, zu künstlich ist.

Teil 1, No. 45, S. 717. — Die Erstaufführung in Leipzig fand am 25. September statt. Pasquale Bondini, dem wir in Prag wieder begegnen werden, führte eine Wandertruppe. — Die Michael-Handelsmesse wurde Ende September abgehalten.

Aus der «Wiener Zeitung», 27. September 1783
Neue Musikalien.

Bey Johann Traeg im Eßigmacherischen Haus Nr. 654 im ersten Stock sind wieder neue geschriebene Musikalien zu haben, als die 3 neuesten Klavierkonzerte von Mozart zu 10 fl.—

Wahrscheinlich die Konzerte KV 413—415, die Mozart selbst in Stimmen-Abschriften vertreiben wollte (s. 15. I. 1783).

Am 26. Oktober führt Mozart, mit Konstanze als einer der beiden Solo-Sopranistinnen, seine c-moll Messe (KV 427) in der Kirche des Stiftes St. Peter zu Salzburg auf.

Mozart hatte vor seiner Hochzeit gelobt, seine Ehe und vielleicht auch sein Wiedersehen mit dem versöhnten Vater auf diese Weise zu feiern. Die Messe war nicht ganz fertig geworden und wurde nie vollendet. Eine Probe zu der Aufführung hatte am 23. morgens im nahen Kapellhaus stattgefunden. Das Stift war Mozart durch Pater Dominikus Hagenauer (s. 5. I. 1769) besonders vertraut. In Tagebuchblättern Nannerls, die 1881 bei Gabriel Charavay in Paris ausgeboten waren und jetzt im Königlichen Hausarchiv im Haag sind, ist vermerkt, daß die Messe am „25.", richtig am 26. Oktober, beim sonntäglichen Hochamt mit der Hofmusik aufgeführt worden ist. Die bisher für Probe und Aufführung angenommenen Daten, 23. und 25. August, scheinen auf Lesefehler Nissens zu beruhen. Siehe O. E. Deutsch in *Acta Mozartiana*, Augsburg 1957, Heft 1, und Walter Hummel in *Nannerl Mozarts Tagebuchblätter*, Salzburg 1958, S. 126 f. — Vgl. *Davidde penitente* unterm 13. März 1785.

Am 27. Oktober reisen Mozart und Konstanze um 1/2 10 Uhr vormittags von Salzburg ab, und fahren über Vöcklabruck, Lambach (28. vormittags) und Ebelsberg (29.) nach Linz, wo sie beim „alten" Grafen Thun am Minoritenplatz (jetzt Altstadt 17 und Klostergasse 20) drei Wochen lang verbleiben.

Johann Joseph Anton Graf Thun, der Vater des Wiener Grafen Franz Joseph, war der Majoratsherr der Familie Thun-Hohenstein; er lebte abwechselnd in Linz und in Prag. Die Mozarts waren mit ihm seit langem bekannt.

Aus Cramers «Magazin der Musik», Hamburg, 30. Oktober 1783
Auszüge aus Briefen, Nachrichten, Todesfälle:

Prag, im August 1783.) ... Die Opern, so hier auf dem Gräflichen National-Theater seit Ostern aufgeführt worden, sind folgende: Mozart des jüngern *die Entführung aus dem Serail*, so ausserordentlichen Beyfall erhalten.

Band I, S. 999 f. — Die *Entführung* wurde in Prag seit Herbst 1782 gegeben. Das gräflich Nostitzsche Theater, später Ständetheater (heute Tyl-Theater) genannt, war 1781 eröffnet worden. Franz Anton Graf von Nostiz-Rieneck war Oberstburggraf (d. i. Statthalter) von Böhmen.

Am 4. November gibt Mozart eine Akademie im Linzer Theater, wobei seine neue Sinfonie in C (KV 425) aufgeführt wird.

Für den Grafen Thun, dem die Linzer Sinfonie gewidmet war, ist auch die dort entstandene Einleitung zu einer Sinfonie Michael Haydns (KV 444) bestimmt gewesen. Das Programm der Theater-Akademie ist aber nicht bekannt.

Am 13. November zeichnet Mozart im Hause des Grafen Thun für Konstanze einen „Ecce homo“.

Das Blatt, von Konstanze am 21. Juli 1800 in einem Brief an Breitkopf & Härtel erwähnt, ist nicht erhalten geblieben.

Am 25. November 1783 wird die *Entführung* in Warschau in polnischer Sprache gegeben.
Vgl. 8. Mai 1783.

Ende November kehrt Mozart mit seiner Frau nach Wien zurück.

AUS DEM ZWEISPRACHIGEN ANSCHLAGZETTEL EINES KONZERTS IM BURGTHEATER

Heute Montags den 22ten Christmonds 1783. / wird im Kaiserl. Königl. National-Hof-Theater / zum Vortheile der errichteten Tonkünstler-Gesellschaft / gehalten werden / *Eine große musikalische Akademie,* / welche aus folgenden Stücken besteht: ... / 5) Konzert auf dem *Forte piano* gespielt von Herrn *Mozart.* / .. / 7) Ein neues Rondeaux von der Komposizion des Herrn *Mozart,* / gesungen von Herrn *Adamberger.* / [5) Concerto di *Forte Piano,* eseguito, dal Sig. *Mozart.* / 7) Rondeaux nuovo del Sig. *Mozart,* eseguito dal Sig. *Adamberger.*] / ... / Der Anfang ist um 7 Uhr.

Exemplar bei der Gesellschaft der Musikfreunde, Wien. — Während Mozart bei der Wiederholung des Konzertes nicht auftrat, sang Adamberger das Rondo am 23. wieder. Es ist wohl das Rezitativ „Misero! o sogno!“ und die Arie „Aura, che intorno“ (KV 431) gewesen.

1784

AUS FORKELS «MUSIKALISCHEM ALMANACH FÜR DEUTSCHLAND AUF DAS JAHR 1784», LEIPZIG

Verzeichnis jetztlebender Componisten in Deutschland.

Mozart (J. J. Wolfgang) des vorhergehenden Sohn, Concertmeister bey der Erzbischöflichen Kapelle zu Salzburg, welche Stelle er aber jetzt wieder verlassen hat, um freyer reisen zu können; geb. in Augsburg 1759. Sein Vater reißte mit ihm in den Jahren 1769—70, da er erst 9 Jahre alt war, nebst einer Schwester von 11 Jahren durch Deutschland, Frankreich und Engelland, und verschafte ihm dadurch nicht allein die beste Gelegenheit, seine seltnen musikalischen Talente zu entwickeln, sondern auch sich zugleich in der Welt bekannt zu machen. Diese Familie hat sich damals durch diese Reise so viel Beyfall und Ehre erworben, daß in Paris Vater und Kinder in einer historischen Vorstellung eines Concerts, in Kupfer abgebildet worden sind. Jetzt soll er sich in Wien aufhalten. Six Sonates pour le Clavecin, avec accomp. d'un Violon. Paris, 1767. (Diese Sonaten hat er in seinem neunten Jahre komponirt.) *Zwey dergl. Sonaten.* London. *2 dergl. 6 dergleichen. 6 Trios.* Amsterdam. Airs variés pour le Clavecin. Im Jahre 1782 hat er zu Wien eine Oper: *Die Entführung aus dem Serail,* komponirt, die allgemeinen Beyfall erhielt.

S. 104. — Die hier angegebenen Daten sind meistens unrichtig. — Das Gruppenbild ist das von Carmontelle, gestochen von Delafosse. — Die gedruckten Werke waren schon im Almanach für 1782 genannt worden, ausgenommen die Variationen, womit offenbar KV 179, 180 und 354 gemeint sind, die schon 1778 bei Heina in Paris erschienen waren.

Aus der «Wiener Zeitung», 14. Januar 1784

Musikalien.

Johann Traeg hat abermal die Ehre den Kennern und Liebhabern der Musik anzukündigen: ...
4.) Verschiedene Variationen fürs Klavier von Mozart.

Wahrscheinlich die von Heina 1778 in Paris verlegten Variationen KV 179, 180 und 354 in Abschriften.

Im Januar 1784 übersiedelt Mozart vom Judenplatz in den Trattnerhof, Am Graben, Stadt Nr. 591—596 (jetzt Nr. 29), 2. Stiege, 3. Stock.

Dieses 1776 errichtete große Gebäude gehörte dem Buchdrucker Johann Thomas v. Trattner, dem Gatten einer Schülerin Mozarts.

Aus der «Wiener Zeitung», 24. Januar 1784

Schauspiele.

... Im k. k. Kärntnerthortheater wird morgen den 25. Jäner Madame Lange, Mitglied des k. k. Nationalhoftheaters, zu ihrem Vortheile geben, das deutsche Singspiel: Die Entführung aus dem Serail, welches vom Herrn Kapellmeister Mozart in Musik gesetzt ist. und wobey er selbst dirigiren wird.

Am 24. Januar wird die *Entführung* in Mainz gegeben.

Es ist ungewiß, ob das die erste Aufführung dort gewesen ist. Das von Leopold Friedrich Günther v. Goeckingk in Ellrich herausgegebene *Journal von und für Deutschland,* das diese Vorstellung ohne besonderen Vermerk verzeichnet (3. Stück, S. 308), bezeichnet die Wiener *Entführung* am 25. Januar irrtümlich als „zum erstenmal" gegeben (1. Stück, S. 190). Das Singspiel war in Wien allerdings fast ein Jahr lang nicht aufgeführt worden.

Aus der «Wiener Zeitung», 31. Januar 1784

Schauspiele.

... Im Kärntnertortheater, morgen den 1. Februar, wird von Mad. Lange das vor acht Tägen zum erstenmal gegebene Deutsche Singspiel: Die Entführung aus dem Serail, noch einmal wiederholt.

Es ist unwahrscheinlich, daß Frau Lange eine zweite Benefiz-Vorstellung zugebilligt bekam. Eine in jeder Saison war für die ersten Sänger vertragsmäßig vorgesehen.

Am 9. Februar beginnt Mozart sein thematisches Werkverzeichnis.

Dieser bis zu seinem Ende ziemlich genau geführte Katalog ist eine wichtige Quelle der Mozart-Forschung für seine reifste Zeit geworden. Das Original ist in der Sammlung Stefan Zweig, London (deponiert im British Museum). Eine Faksimile-Ausgabe, herausgegeben von Otto Erich Deutsch, erschien 1938 in Wien, 1956 in New York.

Am 24. Februar zahlt Mozart zwei Gulden Angabe für den Halbjahr-Zins im Trattnerhof.

Zinsbücher des Trattnerhofes, früher bei Franz Mayr-Melnhof, Wien. Seit Hermine Cloeter den Band III (1782—90) für ihr Trattner-Buch (Wien 1952, S. 99 ff.) benützt hat, ist er in Verstoß geraten. Der Zins betrug 75 Gulden für das halbe Jahr von Georgi (24. April) bis Michaelis (29. September), wovon der Hausherr aber 10 Gulden nachließ. Dazu kam ein Beleuchtungs-Beitrag von 1 Gulden. Mozart war in dem verlorengegangenen Zinsbuch als *„fürstl. Salzb. Kapellmeister, von Salzburgen her"* bezeichnet.

Am 26. Februar spielt Mozart beim russischen Botschafter, dem Fürsten Galitsin (Kruger-straße, Stadt 1046).

Auch am 4., 11., 18. und 25. März. Das waren fünf aufeinander folgende Donnerstage.

Am 1. März spielt Mozart beim Grafen Johann Esterházy.

Auch am 5., 8., 12., 15., 19., 22., 26. und 29. März; das war jeden Montag und Freitag dieses Monats. Der Graf war einer der tätigsten Musikfreunde der Wiener Gesellschaft. Er war der *„Meister vom Stuhl"* der Wiener Freimaurer-Loge *„Zur gekrönten Hoffnung"*.

Am 17., 24. und 31. März, drei Mittwochen in der Fastenzeit, gibt Mozart eigene Akademien im Privatsaale des Trattnerhofs.

Der Saal war der Raum Nr. 9 des ersten Stockwerks, 1783 aus der auf des Kaisers Befehl aufgelassenen St. Georgs-Kapelle umgebaut und mit „Nebenzimmern" versehen worden. Bevor dort im Juli 1785 ein Kasino eingerichtet wurde, ist der Saal an *„Georg Friedrich Richter et Wolfgang Amadeus Mozart, frstl. Salzburg. Kapellmeister"* für einen halbjährigen Zins von 550 Gulden vermietet worden. Der aus Holland stammende Pianist Richter scheint den Saal nicht mehr als Mozart benützt zu haben, wenn seine für den 20. und 27. März und 3. April unter Mozarts Mitwirkung geplanten Samstag-Konzerte überhaupt gegeben worden sind. Aus einem unbestimmten Monat (eher April als Januar 1784, wie es bei Cloeter S. 101 scheint) hieß es in jenem Zinsbuch: *„20te do Wolfgang Amadeus Mozart für ebenfalls in dieser Fastenzeit gehaltene 3 Musicalische Academien 9 oest. Dukaten id est 38 fl. 42 Kreuzer für die übriggebliebene Zeit wird der Zins abgeschrieben 433 fl. 54 kr."* Mozart spielte in jeder dieser Akademien ein neues Klavier-Konzert: am 17. März das in Es, KV 449, am 24. das in B, KV 450 und am 31. das in D, KV 451. Im übrigen sind die Programme nicht bekannt.

Am 20. März schickt Mozart seinem Vater die Liste der Subskribenten seiner Mittwoch-Konzerte im Trattnerhof.

Siehe Anhang I, S. 485 ff. — Mozart hatte dem Vater am 3. März einen Kalender aller seiner Fasten-Konzerte übersandt.

Am gleichen Tage, dem 20. März, spielt Mozart beim Grafen Karl Zichy.

Vgl. 16. Juli 1782. — Wenn Richters erste Akademie an diesem Abend stattgefunden hat, dann dürfte Mozart nicht dabei mitgewirkt haben.

Die für den 21. März angekündigte Akademie Mozarts im Burgtheater wird auf den 1. April verschoben.

Die Ursache war, daß Fürst Alois Liechtenstein an diesem Tage eine Oper in seinem Palais aufführen ließ, so daß Mozart der besten Mitglieder des Orchesters und der „Nobleße" beraubt gewesen wäre. Er ließ deshalb ein „Avertißement" drucken, dessen Text nicht bekannt ist.

Aus dem «Wienerblättchen», 23. März 1784

Musikalische Akademie.

Heut wird Herr Stadler der ältere in wirklichen Diensten Sr. Majestät des Kaisers, im k. k. National-Hoftheater eine musikalische Akademie zu seinem Vortheil geben, wobey unter anderen gut gewählten Stücken eine große blasende Musik von ganz besonderer Art, von der Composition des Hrn. Mozart gegeben wird.

Anton Stadler, der ältere von zwei Brüdern, war ein hervorragender Klarinettist. Das in seiner Akademie gespielte Werk Mozarts war wohl die Bläser-Serenade in B, KV 361, mit zwei Bassetthörnern, die wahrscheinlich von Anton und Johann Stadler gespielt worden sind. (Pohl, *Haydn*, II, 142, vermutete, daß die Serenade KV 375 oder 388 gewesen sei.)

Aus Zinzendorfs Tagebuch, 23. März 1784

...puis au Concert de l'agent *Ployer*, ou j'entendu sa fille toucher du Clavecin a merveille...

Gottfried Ignaz v. Ployer (1773 geadelt) war Salzburger Hofagent in Wien und wohnte am Lugeck, des Sommers aber im Vorort Döbling. Seine musikalisch begabte Tochter Barbara war eine Schülerin Mozarts, der für sie im Februar das Klavier-Konzert in Es, KV 449, geschrieben hatte. Vielleicht hat sie es an diesem Abend gespielt. Vgl. 13. Juni 1784.

Aus dem «Wienerblättchen», 1. April 1784

Musikalische Akademie.

Heute Donnerstags den 1. April wird Herr Kapellmeister Mozart die Ehre haben im k. k. National-Hoftheater eine große musikalische Akademie zu seinem Vortheile zu geben. Die darinn vorkommenden Stücke sind folgende: 1) Eine große Simphonie mit Trompeten und Paucken. 2.) Eine Arie, gesungen von Herrn Adamberger. 3.) Wird Herr Kapellmeister Mozart ein ganz neues Konzert auf dem Forte piano spielen. 4.) Eine ganz neue große Simphonie. 5.) Eine Arie, gesungen von Mlle. Cavalieri. 6.) Wird Herr Kapellmeister Mozart ein ganz neues großes Quintett spielen. 7.) Eine Arie, gesungen von Herrn Marchesi dem ältern. 8.) Wird Herr Kapellmeister Mozart ganz alleine auf dem Forte piano phantasieren. 9.) Zum Beschluß eine Simphonie. Außer den drey Arien ist alles von der Komposition des Herrn Kapellmeister Mozart.

Obwohl das Programm von drei Sinfonien spricht, ist es wahrscheinlich, daß nur zwei gespielt worden sind, eine davon aber geteilt (vgl. 23. III. 1783). No. 4, die „*ganz neue*" Sinfonie, war die Linzer, KV 425; Nr. 1 und 9 vielleicht die Haffner-Sinfonie, KV 385 (s. Pohl, *Haydn*, II, 145). Nr. 3 war eines der beiden „*ganz neuen*" Klavier-Konzerte, KV 450 und 451 (s. 24. und 31. III. 1784); Nr. 6 das Klavier-Quintett mit Blasinstrumenten in Es, KV 452. — Antonio Marchesi war seit 1783 Mitglied des Italienischen Opern-Ensembles.

Aus der «Wiener Zeitung», 7. April 1784

Musikalische Akademien

Gaben im k. k. Nationalhoftheater am 1. d. M. Hr. *Mozart* und am 4. Hrn. Ludwig *Fischer*, vormaliger Sänger bey dem deutschen Singspiel des k. k. Nationaltheaters.

Fischer, Mozarts erster Osmin, war von 1780 bis 1783 engagiert gewesen.

Am 9. April spielt Mozart bei einer Akademie im Hause des Grafen Leopold Pálffy.

Vgl. 16. Oktober 1762. Der Graf dürfte ein Neffe des ungarischen Hofkanzlers gewesen sein.

Am 18. April wird die *Entführung* in Mannheim aufgeführt.

Journal von und für Deutschland, 1784, 5. Stück, S. 581. — Vgl. Anton Hasenhuts Biographie von F. J. Hadatsch, Wien 1834, S. 94 f. — Fischer sang später auch in Mannheim den Osmin.

Am 29. April spielt Mozart im Konzert der Violinspielerin Regina Strinasacchi, das im Kärntnertor-Theater in Gegenwart des Kaisers gegeben wird, mit ihr die Violin-Klavier-Sonate in B, KV 454.

Die Sonate war für die berühmte Virtuosin aus Ostiglia bei Mantua (1761—1839, später verehlichte Schlick) geschrieben worden. — In Zinzendorfs Tagebuch ist unterm „29. *Mars*" eine Theater-Akademie der Strinasacchi erwähnt.

Aus Mozarts Ausgaben-Buch

1. May 1784   zwey Mayblumel   1 Kr.

Niemetschek, Mozart-Biographie, Prag 1798, S. 59. — Mozart führte damals eine kurze Zeit lang ein solches Buch.

Am 8. Mai spielt Mozart in einer Privat-Akademie bei Frau Therese v. Trattner, seiner Schülerin, der Gattin seines Hausherrn.

Friedrich Ludwig Schröder an Wolfgang Heribert v. Dalberg, Wien, 22. Mai 1784

Mozart hat für die Entführung aus dem Serail 50 Ducaten bekommen; unter diesem Preis wird er wohl keine componiren.

Jahn I, 736. — Der berühmte deutsche Schauspieler Schröder war vom April 1781 bis zum Februar 1785 am Burgtheater engagiert; er hat 1789 den *Don Giovanni* für Hamburg übersetzt. Freiherr v. Dalberg war seit 1778 Intendant des Nationaltheaters in Mannheim (s. 18. IV. 1784). — Mozart hatte für die *Entführung* das übliche Pauschal-Honorar von 100 Dukaten erhalten (s. 16.VII. 1782).

Aus Mozarts Ausgaben-Buch

27. May 1784   Vogel Stahrl   34 Kr.

Das war schön!

Niemetschek, a. a. O., S. 59. — Dieser kleine Star konnte das hier notierte Rondo-Thema aus dem neuen Klavier-Konzert in G, KV 453, pfeifen. Am 4. Juni 1787, als er den Vogel im Garten seiner Wohnung auf der Landstraße begraben mußte, hat ihm Mozart das heiter-traurige Gedicht „*Hier ruht ein lieber Narr, Ein Vogel Staar . . .*" gewidmet (G. Nottebohm, *Mozartiana*, Leipzig 1880, S. 8 f.). — In Nissens Kollektaneen (Rudolf v. Lewicki in *Mozarteums-Mitteilungen*, Salzburg, Jg. 2, H. 1, November 1929) heißt es: „*Wenn ein Vogel starb, veranstaltete er einen Leichenzug, in dem alles, was singen kann, mit groß[en] Schleiern folgen mußte, machte eine Art Requiem, Epitaph in Versen.*"

Anfang Juni besucht Mozart den Grafen Johann Thun in Baden bei Wien, wo er, aus Linz gekommen, zur Kur weilt; auf dem Rückweg kommt Mozart durch Laxenburg.

Am 13. Juni findet, in Gegenwart Paisiellos, bei Herrn Ployer im Vorort Döbling eine Privat-Akademie statt: Barbara Ployer spielt mit Mozart die Sonate für zwei Klaviere in D, KV 448; dann spielt Mozart in dem Klavier-Quintett in Es, KV 452; und endlich Fräulein Ployer in dem Klavier-Konzert in G, KV 453.

Zu KV 448 s. 23. XI. 1781, zu KV 452 s. 1. IV. 1784; das Konzert in G war wie das in Es (KV 449) für Fräulein Ployer geschrieben worden. — Zu Paisiello s. 23. VIII. 1784.

Am 18. Juni zahlt Mozart den Rest der Halbjahr-Miete im Trattnerhof, das sind 63 Gulden; am 23. kündigt er diese Wohnung auf.

Die Kündigung war vierteljährig vor den Umzugs-Terminen im April und September. Das Zinsbuch vermerkte: „*Diese Partey hat den 23. Juny 784 um Michaelis 784 auszuziehen gerichtlich aufgekündigt. Wird künftig logieren Nro 816, im Kamesinischen Hause in der Stadt, große Schulerstraßen.*" Vgl. 29. IX. 1784.

Aus der «Wiener Zeitung», 7. Juli 1784
Neue Musikalien und Kunstsachen.

Von der Verfassung des berühmten Herrn Kapellmeisters Mozart werden in untgenannter Handlung auf Praenumeration 3 neue Clavier-Sonaten, wovon die 2 ersten fürs Clavier allein, und die dritte mit einer Violin begleitet ist, die unlängst von der berühmten Mdlle. Strinasachy im Theater mit Hrn. Mozart mit allgemeinem Beyfall gespielt worden, und also keiner weitern Empfehlung bedarf, herausgegeben werden; auch wurde Bedacht genommen, den Liebhabern Genüge zu leisten, sowohl Clavier solos, als Accomp. in einem zu liefern. Die Pränumeration ist auf 1 Exemplar 2 fl. und dauert bis Ende Juli. . .

Christoph Torricella,
Kunst- Kupferstich- und Musikalienverleger in der Herrengasse.

Der Verlag Torricellas war schon 1775 gegründet worden, trat aber erst in seinen letzten Jahren, bevor er 1786 an Artaria überging, mit Musikdrucken hervor. Die hier angezeigten Sonaten in B, D und B sind KV 333, 284 und 454. (Vgl. 29. IV. 1784.) Das Werk erschien als Opus VII, gestochen von Joseph Zahradniczek, gewidmet der Gräfin Therese Cobenzl, Gattin des Grafen Ludwig Cobenzl, der ein Sohn des verstorbenen Staatskanzlers und Botschafters in Petersburg war. Der schöne Druck, unterm Mai 1784 in Cramers *Magazin der Musik* erst am 17. November (S. 251) angezeigt, erschien am 28. August, ohne Subskribenten-Liste. Torricella war Freimaurer wie Trattner und Pasquale Artaria; Zahradniczek, Trompeter bei der Ungarischen Leibwache, gehörte 1790 der gleichen Loge wie Mozart an. Das Werk wurde 1787, ohne den mit freimaurerischen Emblemen geschmückten Titelrahmen, von Artaria & Co. wieder aufgelegt.

AUS DER «WIENER ZEITUNG», 10. JULI 1784
Neue Arien beym Clavier.

. . .

Die Opera, wenn zwey sich zanken, ist auch auf Harmonie zu haben, als a 2 Oboe, 2 Clarinette, 2 Corni, e 2 Fagotti, gesetzt von Went, Hofmusicus.
detto a detto die Pilgrime von Mecca, von *Gluck.*
detto a detto die Entführung aus dem Serail, von *Mozart.*

. . .

Mozart, 6 Concerti per il Clavi Cembalo.

Lorenz Lausch,
Musikalienverleger, in der Kärntnerstrasse
den 3 weissen Rosen über Nr. 1085.

Wie Traeg war auch Lausch ein Händler, der Noten in Abschriften vertrieb. Die Bearbeitung der *Entführung* (und von Glucks Singspiel, s. 14. IX. 1785) stammte wie die der Oper Sartis (s. 18. VIII. 1784) von dem Oboisten Johann Went; vgl. 7. VIII. 1782. Die Anzeige dieser Bearbeitung (Exemplar in der Bibliothek des Konservatoriums Florenz) wurde am 2. April 1785 und 27. August 1791 wiederholt. — Die sechs Klavier-Konzerte dürften KV 413, 414, 415, 449, 450 und 451 gewesen sein (vielleicht auch schon 453 statt eines der früheren).

AUS DER «WIENER ZEITUNG», 18. AUGUST 1784
Musikalien.

Johann Traeg . . . hat die Ehre folgende geschriebene neue Musikalien anzukündigen.

. . .

2.) Ein neues Doppelconcert fürs Klavier von Mozart, 4 fl 22 kr.

. . .

5.) Neue Variationen von Mozart und Sarti 1 fl.

Das „*Doppelconcert*" ist das in Es, KV 365; die Variationen für Klavier, KV 460, deren Echtheit Prof. Dr. Kurt v. Fischer *(Mozart-Jahrbuch 1958,* Salzburg 1959, S. 18 ff.) anzweifelt, sollen im Juni 1784 über die Arie „*Come un' agnello*" aus Giuseppe Sartis Oper *Fra i due litiganti il terzo gode* geschrieben worden sein, die am 28. Mai 1783 im Burgtheater zuerst aufgeführt worden war. Sarti selbst hatte Variationen über sein Thema geschrieben, die Lausch am 2. April 1785 um 45 kr. angeboten hat.

Am 23. August heiratet Mozarts Schwester Maria Anna in St. Gilgen den Pfleger Johann Baptist von Berchtold zu Sonnenburg.

Trauungsbuch der Pfarre St. Gilgen. — Vgl. 25. Dezember 1720. Nannerl heiratete einen Nachfolger ihres mütterlichen Großvaters, in das Amtshaus, wo ihre Mutter aufgewachsen war. Berchtold, der dort seit 1769 waltete, war schon zweimal Witwer geworden und brachte fünf Kinder in die neue Ehe mit. Mozart hatte am 18. August ein scherzhaftes Gratulations-Gedicht für Nannerl verfaßt.

Am 23. August wohnt Mozart der Uraufführung der Oper Paisiellos *Il rè Teodoro in Venezia* im Burgtheater bei.

Der Komponist, der damals in Wien weilte, erhielt ausnahmsweise 300 Dukaten für diese Oper, die sehr erfolgreich wurde. — Mozart wurde während der Vorstellung von Nieren-Koliken befallen und war bis Mitte September krank.

AUS DER «WIENER ZEITUNG», 25. AUGUST 1784

Anzeige.

In der Kunsthandlung Artaria Comp. ... sind folgende Neuigkeiten zu haben:
... Drey Claviersonaten, Opus 6, vom Herrn Kapellmeister Mozart, 2 fl. 30 kr.

Die Sonaten waren die in C, A und F, KV 330—332.

AUS DER «WIENER ZEITUNG», 28. AUGUST 1784

Bey Christoph Torricella, Kunst- und Musikalienverleger ... sind folgende Neuigkeiten
zu haben:
Die vor einiger Zeit angekündigten 3 Clavier-Sonaten von dem berühmten Hrn. A. W.
Mozart, k. k. Kapellmeister, wovon die 2 ersten fürs Clavier allein und die letzte mit
einer obl. Violine begleitet ist, und welche er mitt Mlle. Strinasachi öffentl. im Theater mit
allen Beyfall gespielet, und keiner Empfehlung bedarfen, sind in besonders schönen Stich
erschienen, sie kosten 2 fl. 45 kr....

Vgl. 7. Juli 1784.

AUS DEN «PROVINZIALNACHRICHTEN AUS DEN KAISERL. KÖNIGL. STAATEN UND
ERBLÄNDERN», WIEN, 18. SEPTEMBER 1784

Musikalien bey Artaria und Komp.

Von Herrn Kapellmeister *Mozart*, 3 Sonaten fürs Klavier.

Die Anzeigen und Nachrichten aus dieser bei Trattner erschienenen Zeitschrift hat Mr. Christopher
Raeburn gefunden. — Die Sonaten sind KV 330—332. (Vgl. 25. August 1784.)

Am 21. September wird Mozarts zweites Kind, Karl Thomas, geboren.

Die Taufe fand in der Peters-Kirche statt. Johann Thomas v. Trattner war Pate. Karl überlebte die
ganze Familie und starb ledig am 31. Oktober 1858 in Mailand, als österreichischer Staatsbuch-
haltungs-Offizial.

Am 29. September, dem Michaelis-Termin, übersiedelt Mozart vom Trattnerhof in die
Große Schulerstraße, Stadt Nr. 846 (jetzt Schulerstraße 8 und Domgasse 5), 1. Stock.

Das Haus gehörte zwei Brüdern, Joseph und Albert Camesina, deren Vater Joseph ein Stukkateur
gewesen war und den kleineren der beiden Fronträume als Musterzimmer dekoriert hatte. Dieser
Raum, vermutlich Mozarts Arbeitszimmer, und der anstoßende größere sind vom Museum der Stadt
Wien als Gedenkstätte eingerichtet worden. Die Wohnung, die noch mehrere Hof- und Hinter-
Räume hatte, kostete 230 Gulden halbjährig, gegenüber den 75 (eigentlich nur 65) Gulden für das
offenbar kleinere und höher gelegene Logis am Graben.

Am 16. Oktober wird die *Entführung* in Karlsruhe aufgeführt.

AUS DEM REISETAGEBUCH DES GRAFEN LUDWIG VON BENTHEIM-STEINFURT,
KÖLN, 24. OKTOBER 1784

Die Gesellschaft des Herrn *Boem* welcher den Sommer zu Hanau gespielt gabe *die Entführung aus dem Serail* eine artige Operette mit schöner Music von *Motzart* aus Vienne.
Die besten Arien habe ich gezeichnet, aber die Acteurs mußten so laud sufflirt werden,

dass es ein greul war, auch waren die decorations gantz gegen alles costum indem es Europaeisch anstad Turchisch war welches mir sehr repulirte. Auch ist das Orgester sehr miserabel und der erste Violinist ein grobes sujet gab sich solche Mühe dass er gantz in Schweiss war und fluchte und schalt auf die so manigfaltige Fehler besonders die blasenden Instrumenten. Unter denen Acteurs war mir keiner auszeignend und keiner über das Mittelmässige *ein ganz anderes ist die Mannheimer Bühne und das dasige Orgester.*

Eigel Kruttge in der *Zeitschrift für Musikwissenschaft*, Leipzig, Oktober 1923 (Jahrgang VI, Nr. 1, S. 21). — Die Truppe war wieder die des Johann Böhm. — „gezeichnet" bedeutet im Textbuch bezeichnet. — Der „*erste Violinist*" war der dirigierende Konzertmeister. — Es ist ungewiß, ob das die erste Aufführung des Singspiels in Köln gewesen ist.

Aus der «Wiener Zeitung», 27. Oktober 1784

Bey Johann Traeg ... Folgende neugeschriebene Musikalien sind ebenfalls bey ihm zu haben:

1 Doppelkonzert von Mozart.

Klavierkonzerte von Hayden, Mozart, Bach...

Vgl. 10. Juli und 18. August 1784. Welche Klavier-Konzerte von Mozart Traeg vertrieb, ist nicht bekannt.

Am 31. Oktober, Mozarts Namenstag, gibt es bei ihm eine kleine Hausmusik, wobei einige seiner Schülerinnen spielen.

Es ist anzunehmen, daß die Fräulein Auernhammer und Ployer darunter waren, vielleicht auch Frau Trattner.

Am 5. November eröffnet die Gesellschaft Schikaneder-Kumpf ihr Gastspiel im Kärntnertor-Theater mit der *Entführung*, in Anwesenheit des Kaisers.

Die von Emanuel Schikaneder und Hubert Kumpf geführte Truppe gab Schauspiele und Opern in deutscher Sprache. Das Gastspiel dauerte bis zum 6. Februar 1785. Ob und wie oft die *Entführung* in diesen drei Monaten wiederholt worden ist, weiß man nicht.

Aus der «Wiener Zeitung», 13. November 1784

Schauspiele.

... Die Schauspielergesellschaft unter der Direktion der Herren Schikaneder und Kumpf spielt im Theater nächst dem Kärntnerthore, und hat Freytags den 5. dies. zuerst die Oper: Die Entführung aus dem Serail, aufgeführt.

Aus Cramers «Magazin der Musik», Hamburg, 17. November 1784

... Folgende Werke werde ich auf Pränumeration, sauber in Kupfer gestochen, herausgeben, und mache solches hiermit denen respect. Musikfreunden bekannt, als:

1) Mozart Opera, die Entführung aus dem Serail,
   im Clavierauszuge   = 4 m & 8/8 Fl. 2, 30 Kr.

2) Dessen 3 neue Clavier-Sonaten,
    mit Begleitung einer Violine   = 3 m & — /8 Fl. 2, — Kr.

Wann sich hiezu eine hinlängliche Anzahl Pränumeranten findet, so geschiehet die Lieferung hier im October dieses Jahrs. Briefe und Gelder erwarte ich frey, so weit es geschehen kann. Wien, im May, 1784.

Christoph Torricella,
Musikverleger.

(In Hamburg nimmt die musicalische Niederlage hierauf Pränumeration an.)

Band II, S. 251 f. — Vgl. 7. Juli und 28. August 1784. — Der hier zum ersten Male angekündigte Klavierauszug der *Entführung* war der von Mozart selbst angefangene. Er gab diese Arbeit vor dem dritten Akt auf, als 1785 bei Schott in Mainz ein anderer Auszug erschien. Von Mozarts Bearbeitung haben sich im Autograph nur Nr. 11 und 12 (Constanzes und Blondes Arien) aus dem zweiten Akt fragmentarisch erhalten. Von Torricellas Klavierauszug ist die Ouvertüre, die der Verlag dem jungen Grafen Franz Dietrichstein widmete, gefunden worden. (Müller v. Asow in *Musikforschung*, Kassel, Jg. VIII, 1955, S. 78.) Seine Nachfolger, Artaria & Co., die diese Ouvertüre wieder auflegten, boten am 7. Dezember 1785 auch den ersten Akt an, vielleicht in einer Titelauflage nach Torricella, wovon aber bisher kein Exemplar bekannt geworden ist. — Vgl. 16. IV. und 17. IX. 1785.

Am 17. November wird die *Entführung* von der Truppe Ludwig Schmidt in Salzburg aufgeführt.

Leopold Mozart erwähnt in dem Brief an seine Tochter, wo er davon berichtet, auch je eine Aufführung in Mainz (s. 24. I. 1784) und in Berlin; aber in Berlin ist die *Entführung* erst am 16. Oktober 1788 gegeben worden.

ANKÜNDIGUNG DER LOGE « ZUR WOHLTHÄTIGKEIT » AN DIE WIENER SCHWESTERLOGEN, 5. DEZEMBER 1784

Vorgeschlagen: Kapellmeister Mozart. — Unser abgegangener Secr: Br: Hoffmann vergass diesen vorgeschlagenen bey den sehr ehrw: Schwester □□ auszuschreiben, er ist schon vor 4 Wochen bey der hochw: Districts □ angesagt, und wir wollten daher kommende Woche zu seiner Aufnahme schreiten wenn die sehr ehrw: Schwester □□ nichts gegen ihn einzuwenden hätten

W. i. O. [Wien im Orient]

5
57 XII 84   Schwanckhardt: Secr:

Staatsarchiv, Wien, Vertrauliche Akten, Faszikel 108. — O. E. Deutsch, *Mozart und die Wiener Logen*, Wien 1932, S. 23. — Die kleine Freimaurerloge „Zur Wohlthätigkeit" war eine der acht Wiener „Johannis-Logen". Ihr Vorsteher („Meister vom Stuhl") war Otto Frh. v. Gemmingen-Hornberg (s. Anfang 1779), der 1782 aus Mannheim nach Wien übersiedelt war. — Leopold Anton Hoffmann war als Professor der deutschen Sprache und Literatur nach Pest gegangen; er trat 1786 gegen die Wiener Freimaurer auf. — Die vorgesetzte Distriktsloge hieß „Zur wohlthätigen Eintracht". — Johann Daniel Schwanckhardt war Lehrer an der Theresianischen Ritter-Akademie. — Das Rechteck bedeutet die Loge, zwei solche Figuren die Mehrzahl Logen. Im freimaurerischen Kalender bedeutet 5784 das Jahr 1784.

ANKÜNDIGUNG DER LOGE « ZUR WOHLTHÄTIGKEIT » AN DIE WIENER SCHWESTER-
LOGEN, 14. DEZEMBER 1784

14
————
57 XII 84 Um ¹/₂7 Uhr, im 1. Gr. [Grade]
Wenzel Summer, Kaplan zu Erdberg, und
Mozart Kapellmeister.
Vorgeschlagen: Franz Wolf, Calculator bey der städtischen Hofbuchhalterey.
W. i. O.

11
————
57 XII 84   Schwanckhardt Secr:

Ebenso. — *„Summer"*, später „Almosenpfleger" der Loge, war schon am 1. November 1784 zur
Aufnahme vorgeschlagen worden. Mozart bekam in der Logenliste die Nummer 20. Der erste Grad
war der Lehrling, der zweite der Geselle, der dritte der Meister.

Am 15. Dezember zeigt Torricella in der *Wiener Zeitung* wieder Mozarts Opus VII an.
Vgl. 7. Juli und 28. August 1784.

AUS DEM PRÄSENZ-PROTOKOLL DER LOGE « ZUR WAHREN EINTRACHT », 24. DE-
ZEMBER 1784

CCCXL. [Arbeit] Wien $\frac{24}{12}$ 5784 wurde die □ Zur wahren Eintracht geöfnet, wobey
folgende eigenhändig verzeichnete BB. gegenwärtig waren:
... Besuchende BB.
... Mozart ...

Staatsarchiv, Wien, a. a. O., Fasz. 134. — Deutsch, a. a. O., S. 23. — *„Arbeit"* bedeutet Sitzung
oder Tagung, *„BB."* heißt *„Brüder"* (Mitglieder des Ordens). — Die Loge „Zur wahren Eintracht",
unter der Leitung des Naturforschers Ignaz v. Born, Sekretär der Großen Landesloge von Österreich,
war die vornehmste und größte in Wien. — Mozart war als der beste unter den musikalischen „Brüdern" in allen Logen willkommen.

AUS DER «LITTERATUR- UND THEATER-ZEITUNG», BERLIN 1784

An Mamsell Sophie Niclas,
als sie auf dem Hoftheater zu *Schwedt* in der Oper die Entführung aus dem
Serail *, die Rolle der Konstanze vorzüglich gut gespielt hatte.

Schon längst, geliebte Sängerinn,
So anmuthsreich als Philomele,
Riß Deine sanfte Zauberkehle
Mein Herz, gleich vielen andren, hin;
Schon oft empfand ich, wie Dein Spiel,
Das vom Gekünstelten entfernet,
Blos der Natur getreu seyn lernet,
Durch seine Wahrheit wohlgefiel.
Doch, Freundinn, wenn Du als Konstanze,
Zu unsrer Bühne Schmuck erscheinst;
Wenn Du mit eigner Schönheit Glanze,

* Nach der vortrefflichen Mozartschen Komposition.

Den morgenländschen Putz vereinst;
Wenn Du nicht Rang, nicht Reichthum achtest,
Von Treu' und Liebe ganz beseelt,
Nur nach der Rettung dessen trachtest,
Den sich Dein keusches Herz erwählt;
Wenn weder Drohung, noch Gefahren,
Dich zu erschüttern fähig waren;
Wem kommt alsdann der Wunsch nicht ein:
Er möchte Dein Belmonte seyn?

                                              v. Br.

Teil 3, Nr. 36, S. 160. — Schwedt, bei Angermünde, gehörte zum preußischen Regierungsbezirk
Potsdam. Das Singspiel war im Hoftheater des Markgrafen von Brandenburg-Schwedt aufgeführt
worden, aber das Datum ist nicht bekannt. — Frau Niclas hieß früher Fräulein Semler.

1785

Aus dem «Gothaischen Theater-Kalender», 1785

Mozard . . . Kapellmeister zu Salzburg: Seminarius, musikalisches Drama des Freyh. von
Gemmingen. Die Entführung aus dem Serail. Die verstellte Gärtnerin, Operette.

Vgl. den *Theater-Almanach* für 1779. — Statt *„Seminarius"* sollte es natürlich *Semiramis* heißen.
„Die verstellte Gärtnerin" ist *La finta giardiniera.*

Aus Schinks «Litterarischen Fragmenten», Graz 1785

Gabriel Wilhelm Steinfelds Fußgängereien.
. . . . .
Musikalische Akademie von Stadler, Virtuos auf dem Klarinet.

Sollst meinen Dank haben, braver Virtuos! was du mit deinem Instrument beginnst, das
hört' ich noch nie. Hätt's nicht gedacht, daß ein Klarinet menschliche Stimme so täuschend
nachahmen könnte, als du sie nachahmst. Hat doch dein Instrument einen Ton so weich,
so lieblich, daß ihm Niemand widerstehn kann, der ein Herz hat, und das hab' ich, lieber
Virtuos; habe Dank!
Hab' auch heut eine Musik gehört mit Blasinstrumenten, von Herrn Mozart, in vier Säzzen
— herrlich und hehr! Sie bestand aus dreizehn Instrumenten, als vier Corni, zwei Oboi,
zwei Fagotti, zwei Clarinetti, zwei Basset-Corni, ein Contre-Violon, und saß bei jedem
Instrument ein Meister — o es tat eine Wirkung — herrlich und groß, treflich und hehr! —
Mozart.   . . . . .

Das ist ein Leben hier, wie im Lande der Seligen, dem Lande der Musik. Auch Mozart hab
ich gehört; groß und original in seinen Komposizionen, und Meister, wenn er am Klavier
sizt. Sein Konzert auf dem Piano-Forte, was war das treflich! Und seine Fantasien, welch
ein Reichtum von Ideen! welche Mannigfaltigkeit! welche Abwechslung von leidenschaft-
lichen Tönen! Man schwimmt unwiderstehlich auf dem Strom seiner Empfindungen mit
fort.

Band II, S. 286—288. — Jahn I, 684. — Zu Schink vgl. Ende 1782. — Stadlers Akademie hatte im Burgtheater am 23. März 1784 stattgefunden, mit Mozarts Bläser-Serenade KV 361. Mozarts Akademie war am 1. April gefolgt. — „Steinfeld" war ein Pseudonym Schinks, der im Frühjahr 1784 in Wien geweilt hatte.

Aus dem Präsenz-Protokoll der Loge «Zur wahren Eintracht».
7. Januar 1785

CCCXLIII. [Arbeit] Wien $\frac{7}{1}$ 5785 ...

... Besuchende BB.

... Mozart ...

Staatsarchiv, Wien, a. a. O., Fasc. 134. — Deutsch, a. a. O., S. 24. — Vgl. das folgende Dokument.

Aus dem Ereignis-Protokoll der Loge «Zur wahren Eintracht»,
7. Januar 1785

CCCXLIII. [Arbeit] Wien den $\frac{7}{1}$ 5785 wurde die ☐ Zur wahren Eintracht geöfnet, wobey die im Protocollo Praesentium eigenhändig verzeichnete BB. gegenwärtig waren:

1) Nach geöfneter Lehrlings und Gesellen ☐ wurden die BB. LL. Vincenz Marquis Canarisi, Josephs Sohn, alt 34 Jahr, geb. zu Como in der Oesterreichischen Lombardey, Hauptmann bey dem k. k.Infanterie Regiment Belgio[jo]so, auf Ersuchen der S. Ehrw. ☐ Zur aufgehenden Sonne in Brünn, sodann der Br. Wolfgang Mozard auf Ersuchen der S. Ehrw. ☐ Zur Wohlthätigkeit in den 2ten Grad mit den gewöhnlichen Ceremonien befördert.

Ebenso, Fasz. 133. — Ebenso. — „LL." heißt *„Lehrlinge"*. — Canaresi wurde als nur vorübergehend in Wien verweilender Bruder schon am 14. Januar bei der „Eintracht" zum Meister befördert, also ohne den Gesellen-Grad passiert zu haben. Auch Mozarts Beförderung in den zweiten Grad war für einen ortsansässigen „Bruder" beschleunigt. Seine eigene Loge, die vielleicht ihre „Arbeiten" unterbrechen mußte, hatte die „Eintracht" um Stellvertretung ersucht (vgl. 16. und 22. April 1785).

Am 12. Januar 1785 zeigen Artaria & Co. in einer Verlags-Beilage zur *Wiener Zeitung* u. a. die Klavier-Konzerte in A, F, C (KV 414, 413, 415) in Stimmen an.

Kein Exemplar dieser im Köchel genannten Beilage ist in den Wiener Sammlungen zu finden. — Vgl. 15. I. 1783 und 29. III. 1785.

Aus dem «Magazin der Sächsischen Geschichte», Dresden 1785
Vermischte Dresdner Nachrichten.

Hiesige Theatergesellschaft [Direktion Bondini] hat im Jenner aufgeführt: ... Am 12ten eine Operette, von *Bretzner, die Entführung aus dem Serail*, componirt von *Mozart*, gefiel, ob sie gleich etwas schwer gesetzt war, allgemein, und ward durch *Günthers* Carricatur (war Osmin) und Mad. *Günthers* muthwilliges Spiel sehr unterhaltend. Hr. *Hurka* als Belmont, trug gut, mit Empfindung und oft brillant vor, worüber man seine etwas ungeübte Aktion gern vergaß.

Teil 2, S. 57 f. — Zu Bondini vgl. September 1783. — Friedrich Günther und seine Frau Sophie, geborene Huber, waren bis 1783 am Wiener Hoftheater engagiert gewesen, er bei der Deutschen Oper (s. 31. III. 1781), sie im Schauspiel.

Aus dem Präsenz-Protokoll der Loge « Zur wahren Eintracht »,
14. Januar 1785

CCCXLVI [Arbeit] Wien $\frac{14}{I}$ 5785 . . .

. . . Besuchende BB.

. . . Mozart bey der ☐ zur Wohlthätigkeit . . .

Staatsarchiv, Wien, a. a. O., Fasz. 133. — Deutsch, a. a. O., S. 24.

Aus der «Wiener Zeitung», 15. Januar 1785

In der Lauschischen Musikalienhandlung ist zu haben:

. . .

Mozarts Variations, über die Aria: *Salve tu Domine* 32 kr.

Das Thema der Variationen (KV 398) stammte aus Paisiellos Oper *I filosofi immaginarii*, die am
22. Mai 1781 deutsch und am 8. Oktober 1783 italienisch im Burgtheater aufgeführt worden war.
Vgl. 23. März 1783. Lauschs Angebot bezieht sich wieder auf Abschriften.

Am 15. Januar führt Mozart seine sechs später Joseph Haydn gewidmeten Streichquartette
in dessen Gegenwart mit Freunden vor.

Vgl. 12. Februar 1785.

Am 28. Januar morgens reist Leopold Mozart von Salzburg nach München.

Vater Mozart blieb dort beim Theaterdirektor Theobald Marchand vom 29. Januar bis 6. Februar.

Aus dem Präsenz-Protokoll der Loge « Zur wahren Eintracht »,
28. Januar 1785

CCCLI. Wien $\frac{28}{1}$ 5785 . . .

. . . Besuchende BB.

. . . Mozart zur ☐ der Wohlthätigkeit . . .

Staatsarchiv, Wien, a. a. O., Fasz. 133. — Deutsch, a. a. O., S. 24.

Kaiser Joseph II. an Graf Johann Anton Pergen, 31. Januar 1785

Ich vernehme, daß die bekannte Komedie le Mariage de Figaro in einer deutschen Übersetzung für das Kärntnerthortheater angetragen seyn solle; da nun dieses Stück viel An-
stößiges enthält; so versehe Ich mich, daß der Censor solches entweder ganz verwerfen,
oder doch solche Veränderungen darin veranlassen werde, daß er für die Vorstellung
dieser Piece und den Eindruck, den sie machen dürfte, haften werde können.

Staatsarchiv, Wien, *Billeten-Protokolle*. — Rudolf Payer v. Thurn, *Joseph II. als Theaterdirektor*,
Wien 1920, S. 60. — Reichsgraf Pergen war Präsident der Niederösterreichischen Landesregierung. —
Beaumarchais' Komödie war auch in Paris erst nach großen Schwierigkeiten 1784 zur Aufführung
zugelassen worden. Vgl. die beiden folgenden Dokumente.

Aus dem «Wienerblättchen», 2. Februar 1785

Herr Rautenstrauch hat das in Paris mit so außerordentlichem Beyfall aufgenommene
Lustspiel *les Noces de Figaro* kürzlich ins Deutsche übersetzt. Morgen wird selbiges von
der Gesellschaft des Herrn Schikaneder und Kumpf zum erstenmal aufgeführt werden.

Die Übersetzung stammte von Johann Rautenstrauch.

Aus dem «Wienerblättchen», 4. Februar 1785

Das von H. Schikaneder verheißene Lustspiel: *Die Hochzeit des Figaro*, ist gestern nicht aufgeführt worden und hat selbiges, nach der dem Publiko in dem gestrigen Anschlagzettel mitgetheilten Nachricht, die Censur, zwar zum Drucke aber nicht zur Vorstellung erhalten.

Die für den 3. Februar angekündigte Aufführung, mit Heinrich Wilhelm v. Kronstein als Figaro, war am selben Tage verboten worden. Die Zeitung brachte am 28. Februar, 1. und 2. März Auszüge aus dem Buche, das noch 1785 erschien und von dem sich ein Exemplar in Mozarts Nachlaß befand. Rautenstrauch erwähnt das Verbot der Aufführung in der Vorrede des Buches, das er *„dem Andenken von zweyhundert* [dadurch verlorenen] *Dukaten"* widmete. — Die Truppe Schikaneder-Kumpf spielte nur mehr bis zum 6. Februar im Kärntnertor-Theater, aber Schikaneder gehörte vom April 1785 bis zum Februar 1786 zum Schauspiel-Ensemble des Burgtheaters.

Am Faschingssonntag, dem 6. Februar, reist Vater Mozart von München zu Besuch nach Wien.

Er brachte den Violinspieler Heinrich Marchand mit. Heinrich und Margarethe, die Kinder des Theaterdirektors, waren Leopold Mozarts Zöglinge in Salzburg gewesen.

Am 11. Februar ersucht Mozart um Aufnahme in die Tonkünstler-Societät.

Siehe 3. April 1781. — C. F. Pohl, *Denkschrift... der Tonkünstler-Societät*, Wien 1871, S. 17 f. — In dem sonst unbekannt gebliebenen Gesuch bedauerte Mozart, *„dermal seinen Taufschein nicht produciren"* zu können, welchen er nachzutragen versprach. Das Gesuch blieb *„in suspenso, zum Theil wegen Mangel des Taufscheins und weiteres bis zur Festsetzung der allgemeinen Societäts-Zwistigkeiten".* Nach den Aufführungen seiner Kantate *Davidde penitente* am 13. und 15. März 1785 wiederholte Mozart sein Ansuchen, *„weil er schon mehrmal der Societät ersprießliche Dienste geleistet und noch ferner zu leisten erbietig ist"*; den zur Aufnahme notwendigen Taufschein werde er, *„sobald er ihn überkommt"*, nachtragen. (Die Akten sind verloren gegangen.) Am 24. August beschloß die Societät zu antworten: *„Wenn der Taufschein wird beigelegt sein, folgt ferner Bescheid."* Werke von Mozart wurden auch am 23. Dezember 1785, am 22. Dezember 1789 und am 16./17. April 1791 in den Konzerten der Societät aufgeführt, und bei der ersten dieser Gelegenheiten spielte er noch selbst. Aber der Taufschein wurde nicht beigebracht, und das Gesuch blieb unerledigt. Vgl. 20. Januar 1792. — Auch Joseph Haydns Aufnahme in die später nach ihm benannte Societät wurde von 1778 bis 1797 verzögert, aber aus anderen Gründen.

Am gleichen Tage, dem 11. Februar, um 1 Uhr nachmittags, trifft Leopold Mozart in Wien ein und steigt bei seinem Sohne ab.

Vater Mozart blieb bis zum 25. April und konnte am Wirken seines Sohnes regen Anteil nehmen.

Am Abend dieses 11. Februar gibt Mozart das erste von sechs Freitag-Konzerten im städtischen Kasino „Zur Mehlgrube" am Neuen Markt.

Mozart spielte das neue Klavier-Konzert in d-moll, KV 466. Das übrige Programm ist nicht bekannt. — Am selben Abend wurde Joseph Haydn bei der „Eintracht" aufgenommen; da er nie wieder in der Loge erschien, hat er es nicht über den Lehrlings-Grad gebracht. Mozart war wohl durch seine Akademie verhindert, der Zeremonie beizuwohnen.

Am 12. Februar besucht Haydn Mozart, und drei der sechs ihm später gewidmeten Streichquartette (KV 458, 464 und 465) werden ihm wieder vorgespielt.

Die Widmung ist vom 1. September 1785 datiert. Haydn hatte auch die ersten drei dieser Quartette (KV 387, 421, 428) schon am 15. Januar bei Mozart gehört. Die anderen wurden wohl von Mozart Vater und Sohn sowie von den Freiherren Anton und Bartholomäus Tinti, zwei Mitgliedern der „Eintracht", gespielt. An diesem Tage sagte Haydn die berühmt gewordenen Worte über Mozart zu seinem Vater, die Leopold dann seiner Tochter am 14. Februar berichtet hat.

Am 13. Februar spielt Mozart bei der Akademie der Sängerin Luisa Laschi im Burgtheater, in Gegenwart des Kaisers, ein Klavier-Konzert.

Das von Abert (I, 1015) und Einstein (Köchel 1937, S. 578) angegebene Datum des 12. Februar ist unrichtig. — Signorina Laschi (vgl. 21. IX. 1768) gehörte seit 1784 dem italienischen Opernensemble an und reiste nach ihrer Akademie wohl nur vorübergehend nach Italien. — Mozart hatte das Konzert 1784 für eine Pariser Reise der blinden Klavierspielerin Maria Theresia Paradies geschrieben; es war wohl das in B, KV 456.

Am 15. Februar spielt Mozart bei der Akademie der Sängerin Elisabeth Distler im Burgtheater wieder das Klavier-Konzert in d-moll, KV 466.

Fräulein Distler (Diestler) war die 16jährige Schwester des Haydn-Schülers und späteren Stuttgarter Kapelldirektors Johann Georg Distler und des früheren Burg-Schauspielers Joseph Anton Thomas Distler; sie gehörte seit 1785 dem deutschen Opernensemble an. Vgl. 13. März 1785.

Aus der «Wiener Zeitung», 16. Februar 1785

Johann Traeg...hat die Ehre den Musikliebhabern folgende geschriebene Musikalien anzukündigen:
...3 Sinfonien von A. W. Mozart...

Vielleicht die Sinfonien in B, C und D, KV 319, 338 und 385 (die *Haffner*).

Am Abend des gleichen Tages, des 16. Februar, wohnen Vater und Sohn einer Akademie bei Herrn Ployer in Döbling bei.

Mozart dürfte auch dort gespielt haben. Vgl. 23. März und 13. Juni 1784.

Am 17. Februar besucht Vater Mozart Frau Weber. Abends ist im Burgtheater die Akademie der Schauspielerin Josepha Hortensia Müller, die ein Klavierkonzert spielt.

Fräulein Müller, seit 1782 am Burgtheater, heiratete 1791 den Maler Heinrich Friedrich Füger.

Am 18. Februar besucht er mit Ludwig August und Franziska Lebrun und Karl Cannabich den Regisseur Stephanie. Am Abend dieses Freitags ist Mozarts zweites Konzert in der „Mehlgrube".

Der Oboist Lebrun (Le Brun) und seine Frau (geb. Danzi), die Sängerin, kamen aus München — auf ihrer Reise nach Rußland — erst nach Vater Mozart in Wien an; Christian Cannabichs Sohn, ein Violinspieler, scheint schon im Herbst 1784 gekommen zu sein.

Am 20. Februar sind die Mozarts bei einer großen Mittagstafel im Hause des Burg-Schauspielers Johann Heinrich Friedrich Müller.

Vgl. 3. März 1783. — Müller, Josephas Vater, war Schauspieler und Regisseur des Burgtheaters; 1778/9 hatte er dort das deutsche Singspiel geleitet.

Am 21. Februar spielt Mozart mit Lebrun bei einer Akademie im Hause des Grafen Zichy.

Vgl. 20. Juli 1782 und 20. März 1784.

Am 23. Februar ist die erste Akademie des Ehepaares Lebrun im Burgtheater.

Am 24. Februar gibt Fräulein Auernhammer eine Akademie dort.
Mozart dürfte dabei gespielt haben.

Am 25. Februar findet Mozarts drittes Konzert in der „Mehlgrube" statt.

Am 28. Februar ist die zweite Akademie Lebrun im Burgtheater.
Es scheint, daß Mozart dabei auch mitgewirkt hat.

Am 1. März wird die *Entführung* in Riga gegeben.

Am 2. März findet das erste Konzert Heinrich Marchands im Burgtheater statt.

Am 4. März ist das vierte Konzert Mozarts in der „Mehlgrube".

Aus den «Provinzialnachrichten», Wien, 5. März 1785
Musikalien.

In der Kunsthandlung Artaria Comp . . . ist neu zu haben: . . .
Auch sind vom Hrn. Kapellmeister Mozart, drey Clavierconcerten, in A. maj. — F. maj. —
und C. gestochen worden, und jedes à 2 fl. 30 kr. zu haben.
Die Konzerte KV 414, 413 und 415; vgl. 15. I. 1783, 12. I. und 29. III. 1785.

Am 7. März ist die dritte Akademie Lebrun im Burgtheater.

Aus der « Wiener Zeitung », 9. März 1785
Neue Musikalien.

Haydn, Guis. 3 Sinfonien nach dem Original kopirt.
. . .
Mozart, 3 dette . . .
Von jeden den Bogen zu 7 kr.   Laurent Lausch . . .
Vgl. 16. Februar 1785. — Lausch vertrieb wohl die gleichen Mozart-Sinfonien wie Traeg. — Der
Preis von Noten wurde gewöhnlich nach dem Umfang der Bogen (je 4 Seiten) berechnet.

Aus dem «Wienerblättchen», 10. März 1785
Konzert.

Heute giebt im K. K. Nationalhoftheater Herr *Mozart* ein großes Konzert, wozu alle Liebhaber und Kenner höflichst eingeladen werden.
Müller v. Asow III, 328.

Ankündigung des Mozart-Konzertes im Burgtheater am 10. März 1785
Nachricht.

Donnerstag den 10ten März 1785. wird / Hr. Kapellmeister *Mozart* die Ehre haben / in
dem / k. k. National-Hof-Theater / eine / grosse musikalische Akademie / zu seinem

Vortheile / zu geben, wobey er nicht nur ein *neues* erst / *verfertigtes Forte piano-Konzert* / spielen, sondern auch ein besonders *grosses* / *Forte piano Pedal* beym *Phantasie-* / *ren* gebrauchen wird. Die übrigen Stücke / wird der große Anschlagzettel am Tage selbst / zeigen.

Mozarteum, Salzburg. — E. W. Engel, *Mozart-Kalender*, Wien 1914, S. 83. — Nur dieser Handzettel ist erhalten geblieben, kein Plakat. Mozart spielte das neue Klavierkonzert in C, KV 467. Im übrigen ist das Programm unbekannt geblieben. Die Akademie ist auch im „*Verzeichniß*" der Aufführungen von 1785 in den beiden Hoftheatern, herausgegeben vom Souffleur Joseph Krauß (Anhang, S. 42), erwähnt. Das in Köchel-Einstein S. 589 genannte Datum des 12. März ist unrichtig. Die Einnahme betrug 559 Gulden. — Mozarts „*Forte piano-Flügel*" wurde laut des Vaters Bericht an die Tochter vom 12. März 1785 „*wenigst 12 mahl, seit dem [ich] hier bin aus dem Hause ins Theater oder in ein anders Haus getragen*" (wahrscheinlich das Instrument von Anton Walter, das jetzt im Mozart-Museum zu Salzburg steht). Ebenso oft scheint das „*große Forte piano pedale*", das sich Mozart hatte machen lassen, transportiert worden zu sein. Der Arzt Dr. Joseph Frank schrieb später (s. 1852) über Mozarts Fortepiano: „*Er hatte es durch ein zweites Klavier verstärkt, welches ihm als Pedal diente.*" Dieses Zusatz-Instrument, eine Pedalklaviatur, war noch in Mozarts Nachlaß (s. S. 496), ist aber nicht erhalten geblieben. (Siehe Eva und Paul Badura-Skoda, *Mozart-Interpretation*, Wien 1957, S. 26 ff.) — In Leopold Mozarts Zahl von wenigstens 12 Konzerten ist auch eines beim Fürsten Kaunitz inbegriffen, das sich nicht näher datieren läßt. — Im Burgtheater gab es übrigens in dieser Fastenzeit beinahe täglich eine musikalische Akademie.

Am 11. März gibt Mozart sein fünftes Konzert in der „Mehlgrube".

Ankündigung der Tonkünstler-Akademie im Burgtheater am 13. März 1785

Avviso.

Domenica li 13. di Marzo 1785. / al Teatro Nazionale presso la Imp. Corte / si darà / a beneficio della Societa di Musica / la solita / Accademia di Musica / in due parti ... / ..... / Seconda parte. / Una nuova Cantata addatata à questa occasione des Sig. Amadeo Mozart, a tre / voci con Cori, eseguita dalla Sigra. Cavallieri, Sigra. Distler, e dal / Sig. Adamberger.

British Museum, London (Hirsch Library). — Köchel-Einstein, S. 593. — Die Kantate *Davidde penitente*, deren Text von Lorenzo Da Ponte stammt, ist aus der Messe in c-moll (KV 427, s. 26. Okt. 1783) und aus zwei neuen Arien zusammengestellt. Die Tonkünstler-Sozietät hatte Mozart und Righini im Januar um neue Vokalwerke für diese Akademie gebeten, und Mozart hatte im Februar geschrieben, daß er den inzwischen versprochenen Psalm nicht habe fertig bringen können, aber einen anderen, für Wien ganz neuen Psalm anbiete (Pohl, a. a. O., S. 48). Die Kopiatur kostete 93 fl. 55 kr. (Archiv der Stadt Wien). — Der erste Teil des Konzerts enthielt eine neue Sinfonie von Joseph Haydn (vgl. 29. III. 1785).

Aus dem Programm des Konzerts am 13. März 1785

Grosse / musikalische Akademie. / Heute Sonntag den 13ten März 1785, wird im / *kaiserl. königl. Nazional-Hof-Theater* / zum Vortheile der errichteten Tonkünstlergesellschaft / gehalten werden / *die gewöhnliche / große musikalische Akademie* / in zwo Abtheilungen.

..... *Zwote Abtheilung.*

Eine ganz neue, dieser Zeit angemessene Kantate von Hrn. Amad. *Mozart*, von / drey Stimmen mit Chören, in welcher Demlle. *Kavallieri*, Demlle. *Distler*, / und Hr. *Adamberger* die Hauptarien singen werden ...

[Seconda Parte.

Una nuova Cantata addatata a questa occasione del. Sig. Amadeo *Mozart*, a tre / voci con Cori, eseguita dalla Sigra. *Cavallieri*, Sigra. *Distler*, e dal / Sig. *Adamberger* . . .]
Der Anfang ist um 7. Uhr.

Gesellschaft der Musikfreunde, Wien. — Otto Schneider, *Mozart in Wirklichkeit*, Wien 1955, S. 96.

Am 14. März findet im Burgtheater die zweite Akademie Heinrich Marchands statt.
An diesem Abend dürfte Mozart nicht mitgewirkt haben.

Am 15. März wird das Konzert der Tonkünstler-Societät wiederholt.
Das in Köchel-Einstein, S. 593, angegebene Datum des 17. März ist unrichtig.

Am 18. März gibt Mozart sein sechstes und letztes Konzert in der „Mehlgrube".
Die Programme dieser Konzerte sind unbekannt geblieben.

Am 20. März ist im Burgtheater die Akademie der Sängerin Ann Storace.
Die in London geborene Sopranistin war von 1784 bis 1787 bei der italienischen Oper in Wien engagiert. — Mozart mag an diesem Abend mitgewirkt haben.

Am 24. März besuchen die Mozarts das Ehepaar Lange, das am 19. von einem Urlaub aus München nach Wien zurückgekehrt ist.
Lange zeichnete Leopold Mozart, aber dieses Porträt scheint verloren zu sein.

Am Ostersonntag, dem 27. März, speisen die Mozarts bei Wetzlar.

Am 28. März sind sie beim Advokaten Dr. Ignaz Raab zu Gast.
Der Anwalt war ein Neffe der Salzburger Hausfrau Leopold Mozarts, Fräulein Maria Anna Raab.

ANKÜNDIGUNG DER LOGE « ZUR WOHLTHÄTIGKEIT », 28. MÄRZ 1785

Vorgeschlagen: Kapellmeister [Leopold] Mozart und Joseph Bashy da beide in kurzem von hier abreisen werden, so haben wir um Dispens: wegen ihnen angesucht.
W. i. O. [Wien im Orient]

d. 57 $\frac{28}{3}$ 85   Schwankhardt Secr:

Staatsarchiv, Wien, a. a. O., Fasz. 133. — Deutsch, a. a. O., S. 24. — Vater Mozart bewarb sich also um Aufnahme in die Loge seines Sohnes, und das Verfahren wurde für ihn besonders beschleunigt.

AUS DER « WIENER REALZEITUNG », WIEN, 29. MÄRZ 1785

In der Kunsthandlung Artaria Comp. . . . ist neu zu haben: Haydns drey neue Symphonien in G. maj — F. maj — und D. min . . .
In der nämlichen Kunsthandlung sind vom Hrn. Kapellmeister Mozart, drey Klavier-Konzerten, in A. maj. — F. maj. — und C gestochen worden, und jedes à 2 fl. 30 kr. zu haben.

Vgl. 5. März 1785. — KV 414, 413, 415.

Am 29. März speisen die Mozarts bei Adamberger, am 30. wieder bei Lange und am 31. bei Ployer.

ANKÜNDIGUNG DER LOGE «ZUR WOHLTHÄTIGKEIT», 1. APRIL 1785

Mittwochs d $\frac{6}{4}$ 85 Um 6 ½ Uhr, im 1 Gr.

Leopold Mozart Kapellmeister —

wir haben wegen diesem fr: such: [fremden suchenden] um Disp: angehalten, da er in einigen Tagen verreisen wird, und selbe auch von der hohen Landes ☐ erhalten.

W. i. O.

57 $\frac{1}{4}$ 85   Schwankhardt Secr.

Staatsarchiv, Wien, a. a. O., Fasz. 133. — Deutsch, a. a. O., S. 24. — Die „Große Landesloge in Wien" war nach der „Provinzialloge von Österreich" die höchste maurerische Behörde in den Erblanden.

Am 1. April wird die *Entführung* im Münchner Theater am Salvatorplatz gegeben.

Das Singspiel hätte dort schon in der Fastenzeit aufgeführt werden sollen.

AUS DER «WIENER ZEITUNG», 2. APRIL 1785

Musikanzeige.

. . . bey Lorenz Lausch, Musikalienhändler . . . Opern auf Harmonie gesetzt . . . Mozart, die Entführung aus dem Serail, 8 deto 5 fl. . . . Variations pour le Forte piano: . . . Mozart, 12 dete in E. b. 1 fl. Deto, 9 dete in C. Lison dormait 1 fl. Deto, 5 dete in F 24 kr. Deto, 12 dete in C le Menuet par Fischer 1 fl. Deto, 6 deto in A d'une Sonate 36 kr. Deto, 6 dete in D d'un Concert 30 kr., Deto, dete in F Salve tu Domine 32 kr.

Zu der *Entführung* für 8 Blasinstrumente vgl. 10. VII. 1784. Nach Prof. Dr. Kurt v. Fischer sind die Variationen für Klavier die über „La belle Françoise" (KV 353) oder über „Je suis Lindor" (KV 354), über „Lison dormait" (KV 264), über den Marsch aus *Les Mariages Samnites* (KV 352, Nr. 1—4 und 6), über ein Menuett von Johann Christian Fischer (KV 179); ferner der dritte Satz der Sonate in A (KV 331) und wahrscheinlich das Konzert-Rondo in D, bearbeitet für Klavier (KV 382).

Am 2. April gehen die Mozarts zu einem Quartett-Abend bei Wetzlar.

Nicht nur Mozart, auch sein Vater dürfte dort mitgespielt haben.

Am 3. April speist das Ehepaar Lange bei Mozarts.

Am 6. April wird Leopold Mozart als „Lehrling" in die Loge „Zur Wohltätigkeit" aufgenommen.

Am 7. April besucht Vater Mozart Mademoiselle Villersi.

Sie war Erzieherin beim Fürsten Fürstenberg und hatte die Mozarts im Oktober 1766 in Donaueschingen kennengelernt. Die Fürstenbergs dürften damals zu Besuch in Wien geweilt haben.

Am 15. April besuchen die Mozarts den Schloßhauptmann Philipp Lehmann in Laxenburg.
Vgl. 12. August 1773 und 20. Juli 1782.

Musikalien.

welche bey Wenzel Sukowaty, Hoftheatralkopist, am Petersplatz im Mazischen Haus
Nr. 554 im 3ten Stock im Hof zu haben sind:
... Die Entführung aus dem Serail, von Hr. Mozart, 15 fl. ...

Vgl. 17. November 1784 und 14. September 1785. — Sukowaty benützte seine Stellung, um Opernpartituren in Abschrift zu vertreiben.

CCCLXXIV. [Arbeit] Wien den $\frac{16}{4}$ 5785 ...

... Besuchende BB.
Leopold Mozart $\Big\}$ von der Wohlthätigkeit ...
Wolfgang Mozart

Staatsarchiv, Wien, a. a. O., Fasz. 133. — Deutsch, a. a. O., S. 25. — Die Eintragungen sind eigenhändig geschrieben.

CCCLXXIV. [Arbeit] Wien den $\frac{16}{4}$ 5785 ...

1) Nach geöfneter Lehrlings und Gesellen ☐ wurden die BB. LL. ... und der Br. Lehrl.
und Mitglied der S. Ehrw. ☐ zur Wohlthätigkeit Leopold Mozard auf sein Ersuchen
seiner ☐ in den zweyten Grad U. K. O. [Unseres Königlichen Ordens] mit den gewöhnlichen Ceremonien befördert.

Staatsarchiv, Wien, a. a. O., Fasz. 133. — Deutsch, a. a. O., S. 25. — Vater Mozart war nun „Geselle". — Vorher hatte er sich von Mlle. Villersi verabschiedet. — Vgl. 6. und 7. April.

Am 19. April besuchen die Mozarts Baronin Waldstätten in Klosterneuburg.
Die Baronin hatte sich aus Wien zurückgezogen.

CCCLXXVI. [Arbeit] Wien den $\frac{22}{4}$ 5785 ...

... Besuchende BB.
Leopold Mozart $\Big\}$ von der Wohlthätigkeit ...
Wolfgang Mozart

Staatsarchiv, Wien, a. a. O., Fasz. 133. — Deutsch, a. a. O., S. 25. — Die Unterschrift Leopold Mozarts ist gestrichen, weil er der Meister-Loge anfangs, als Geselle, nicht beiwohnen durfte.

AUS DEM EREIGNIS-PROTOKOLL DER LOGE «ZUR EINTRACHT», 22. APRIL 1785

CCCLXXVI. [Arbeit] Wien den $\frac{22}{4}$ 5785 ...

1) Nach geöffneter Lehrlings-Gesellen und Meister ☐ zeigte der Hw. M. v. St. an, dass auf Ersuchen der S. Ehrw. ☐ zur Wohlthätigkeit allhier der Br. Geselle Leopold Mozard ... in den dritten Grad befördert werden werden.

2) wurden die BB. GG. Leopold Mozard, Johann Georgs Sohn, und Mitglied der S. Ehrw. ☐ zur Wohlthätigkeit allhier, ... in den dritten Grad U. K. O. mit den gewöhnlichen Ceremonien befördert.

Staatsarchiv, Wien, a. a. O., Fasz. 133. — Deutsch, a. a. O., S. 25. — Vater Mozart war nun auch „Meister" geworden. „Meister vom Stuhl" war Ignaz v. Born.

AUS DEN «PROVINZIALNACHRICHTEN», WIEN, 23. APRIL 1785

Arien.

Aus *Opern* beym Klavier zu singen; zu haben in der Lauschischen Musikalienhandlung ...

Mozart. Die Entführung aus dem Serail. L'*overtura*	36 kr.
Ach gehe doch, ich rathe Dir. *Duetto*	1 fl.
Wenn der Freude thränen fließen. *Aria*	25 kr.
O! wie will ich *triumphiren. detto*	45 kr.
Vivat Bachus, Bachus lebe. Duetto	35 kr.
Konstanze! dich wieder zu sehen. *Aria*	35 kr.
Wer ein Liebchen hat gefunden. *detto*	15 kr.
Nie werd ich deine Huld verkennen. *detto*	20 kr.
Durch Zärtlichkeit und Schmeicheln. *detto*	20 kr.
Hier soll ich dich dann sehen. Konstanze! *detto*	15 kr.
Ich baue ganz an deine Stärke. *detto*	40 kr.

Siehe 16. April 1785.

Am 24. April findet in der Loge „Zur gekrönten Hoffnung" ein Fest zu Ehren Ignaz v. Borns, des Stuhlmeisters der „Eintracht" statt, in Gegenwart von Leopold und Wolfgang Mozart, dessen Kantate *Die Maurerfreude* (KV 471) aufgeführt wird.

Der Anlaß war Borns Erfindung einer neuen Amalgamations-Methode, die im Bergbau Schonung der Arbeiter und Ersparnis an Holz bedeutete. Der Kaiser verordnete am 14. April die Einführung der neuen Methode in den Erbländern; Born wurde an dem Gewinn beteiligt und am 24. zum Reichsritter erhoben. — Zu Mozarts Kantate vgl. 17. August 1785.

Am 25. April mittags reist Leopold Mozart mit Heinrich Marchand von Wien ab; Wolfgang und Konstanze begleiten ihn bis Purkersdorf, wo sie noch gemeinsam einen Imbiß einnehmen.

Am 26. kam Vater Mozart um 7 Uhr abends nach Linz, stieg beim „Schwarzen Bock" ab und nahm am 29. bei einer Gesellschaft im Hause des Grafen Johann Thun teil. Am 1. Mai erlebte Vater Mozart noch den Einzug des ersten Linzer Bischofs, Ernst Johann Graf Herberstein (s. 26. IX. 1762). Am 4. traf Vater Mozart mit Marchand in München ein, wo er etwa eine Woche verblieb, bevor er nach Salzburg zurückkehrte.

Aus der «Wiener Zeitung», 30. April 1785

Neue Musikalien.

. . .

Variationen per il Clavicemb. von Bach, . . . Haydn, Mozart . . . jede zu 1 fl.
2 Neue Sinfonien in C und D von Mozart, den Bogen 7 kr.
Johann Traeg . . . Zugleich macht er zu wissen, daß er zur gewöhnlichen Ausziehzeit, in das Haus auf dem hohen Markt Nr. 423, das Eckhaus der Wipplingerstraße, wo das Glasgewölb ist, im 4. Stock ziehet. Vom 10. May an bittet er seine Gönner und Freunde, ihn daselbst zu besuchen.

Die Sinfonien waren vermutlich die Linzer (KV 425) und die Haffner (KV 385).

1. Mai 1785, s. Nachtrag, S. 521/522

Decret der Salzburger Hofkammer an das Hochfürstl. Hofzahlamt, 2. Mai 1785

Ihro Hochfürstl. Gnaden haben durch ein gnädigstes Decretum proprium de hesterno anbefohlen, daß, wenn der mit gnädigster Erlaub auf 6 Wochen nacher Wien abgereiste Vice Kapelmeister Leopold Mozart bies Helfte dieses Monats hier nicht eintreffen würde, an ihne bies auf weitere Anschaffung keine Besoldung mehr Verabgefolget werden solle; Welches dem Hochfürstlichen Hofzahlamt zu gehorsambster Nachachtung hiemit aneröfnet wird.   Decretum in Consilio Camerae Salisburgensis

Die 2da Maji 1785.

Salzburger Landesarchiv. — Pirkmayer, a. a. O. 1876, S. 22. — Leopold Mozart war am 28. Januar von Salzburg abgereist und kam erst kurz vor Mitte Mai zurück. Er war also etwa 14 Wochen ausgeblieben.

Am 26. Mai wird die *Entführung* in Kassel gegeben.

Am 13. Juni wird die *Entführung* in Preßburg von dem Opernensemble des Grafen Ladislaus Erdödy (Kapellmeister Joseph Chudy) gegeben.

Ervin Major, *Mozart in Ungarn*, Budapest 1958, S. 25. Das Singspiel wurde dort fünfmal wiederholt. „Arien" daraus erschienen damals bei Franz August Patzko in Preßburg.

Mitte 1785, s. Nachtrag, S. 522

Im Sommer wird die *Entführung* in Aachen gegeben.

Die 1785 erfolgte Erstaufführung in Augsburg kann nicht näher datiert werden.

Am 27. Juli wird Nannerls Sohn Leopold am Hannibalplatz in Salzburg geboren.

Der Großvater behielt das Kind bei sich, solange er noch lebte, fast zwei Jahre lang.

Aus dem Präsenz-Protokoll der Loge «Zur Eintracht», 12. August 1785

CCCCV. [Arbeit.] Wien den $\frac{12}{8}$ 5785 . . .

. . . Besuchende BB.
. . . Mozart . . .

Staatsarchiv, Wien, a. a. O., Fasz. 133. — Deutsch, a. a. O., S. 26.

AUS DER «WIENER ZEITUNG», 17. AUGUST 1785

Anzeige.

In der Kunsthandlung Artaria & Comp. .... ist zu haben: ... Die Maurer-Freude. Eine Kantate für eine Tenorstimme, und zuletzt ein kleiner Chor. Von dem berühmten Kapellmeister W. A. Mozart. Diese Kantate ist in Partitur gestochen und zugleich mit beygefügten Klavierauszug versehen, der Preis davon 2 fl.

Vgl. 24. April 1785 und die beiden folgenden Dokumente. — Auch in der *Realzeitung* vom 18. Oktober 1785 angezeigt.

WENZEL TOBIAS EPSTEINS VORWORT ZUR PARTITUR DER «MAURERFREUDE»

Gerührt von der Wohlthat, welche der weiseste und gerechteste Monarch, Joseph der IIte, über einen ihrer Mitbrüder ausgoss, und voll Gefühls über das bevorstehende Glück dieses edlen Mannes, dieses tiefsinnigen Gelehrten, dieses verdienstvollen M.: hat die Versammlung der BB.·. genannt zur G.·. H.·. in Wien, beschlossen ihre Empfindungen bei einem freundschaftlichen Freudenmale in brüderlicher Eintracht, und in Fröhlichkeit, durch Dicht- und Tonkunst auszudrücken. Gegenwärtige Kantate ist ein vorzüglicher Theil der bei diesem Feste gesungenen Freuden-Lieder. Die BB.·. der genannten Loge glauben nun auch dadurch den Gesinnungen ihres Monarchen, der Denkungsart ihres ehrwürdigen Gastes, und den Empfindungen ihrer eignen Hertzen zu entsprechen, indem sie diese Kantate allgemein bekannt machen, und den Ertrag zum Besten ihrer dürftigen Mitmenschen wiedmen.

Deutsch, a. a. O., S. 10. — Epstein, damals noch Kaufmann, später Staatsbeamter, sammelte Mineralien und Bücher. Er war der „Zweite Aufseher" der Loge „Zur gekrönten Hoffnung".

NACHRICHT.

Als vor Kurzem unser huldreicher Monarch die von dem hochw. Br. *Born*, Meister vom Stuhl der s. e. Schwester □ *zur wahren Eintracht* gemachte Erfindung einer neuen Amalgamazionsmethode zur Scheidung der Metalle, auf eine bekanntermassen sehr großmüthige Art belohnet hat, wurde von der s. ehrw. □ *zur gekrönten Hoffnung* beschlossen, um sowohl den freudigen Antheil zu bezeigen, den sie an dem Glücke des h w. Br. *Born* nimmt, als auch um ihre besondere Liebe und mit so vielem Rechte verdiente Hochachtung für seine Person insonderheit, als überhaupt für seine aus dem Schooße der s. ehrw. □ *zur gekrönten Hoffnung* ausgegangene s. ehrw. □, an Tag zu legen, demselben bei diesem Anlasse ein besonderes Freudenfest zu geben. Es sind dabei verschiedene von Brüdern unserer s. ehrw. □ verfaßte und in Musik gesetzte Lieder, und zugleich eine Kantate vorgekommen, die uns. Br. *Petran* verfaßt, der berühmte Br. *Mozart*, von der s. ehrw. □ zur *Wohltätigkeit*, in Musik gesezt, uns. Br. *Adamberger* gesungen, und nunmehr uns. Br. *Artaria*, mit dem Titelkupfer nach der Zeichnung unseres Br. *Unterberger* und mit einer Vorrede uns. Br. *Epstein*, in Druck gegeben hat. Da der Ertrag von dem Verkaufe durch den würd. Br. *Artaria* für das Beste der Armen gewidmet ist, so geben wir Ihnen davon Nachricht, damit auch Sie in Ihren Gegenden, wenn es thunlich ist, dieser Kantate einen Absaz verschaffen mögen.

Aus der s. ehrw. □ zur
gekrönten Hoffnung
im O. v. *Wien.*

C. D. Bartsch
Sekretär.

Ein Exemplar dieses gedruckten Blattes (nur der Name des Sekretärs ist geschrieben) früher im Archiv der Firma Artaria & Co., das an die Wiener Stadtbibliothek gekommen ist. — Deutsch, a. a. O., S. 9 (Faksimile). — Der Text der Kantate stammte von Franz Petran, Hauskaplan des Grafen Franz Joseph Thun, der auch Freimaurer war. — Pasquale Artaria war einer der Gesellschafter des Verlags. — Das prächtige Titelbild war nach Ignaz Unterberger von Sebastian Mansfeld gestochen worden. — Der Name Mozarts erscheint auf manchen Exemplaren als *Mxxxxt*, auf anderen ausgeschrieben. Der Verlag ist nicht genannt.

Am 20. August heiratet Franz Anton Weber in der Wiener Schottenkirche Genoveva Brenner; ihre Trauzeugen sind Joseph Lange und Vincenzo Righini.

Das waren die Eltern Carl Maria von Webers, Onkel und Tante Konstanzes; vgl. 8. Januar 1787. — Righini war der Direktor der Opera buffa und Genovevas Lehrer.

Mozarts Notiz für Thomas Attwood auf dem Manuskript einer Musiklektion, 23. August 1785

This after noon I am not at home, therefore I pray you to come to morrow at three & a half.   Mozart.

Mozart-Sammlung C. B. Oldmann, London. Faksimiliert in *The Musical Times*, London, 1. Dezember 1900 (F. G. Edwards). — Auf S. 8 des ersten Bandes der von Mozart überwachten Kompositions-Übungen des jungen Engländers steht von Mozarts Hand: *"Thos. Attwood's compts to Mr Mozardt, hoping this example will meet his approbation, as he has taken all possible Care to leave no room for Correction. Tuesday 23d August in the year of our Lord 1785."* Mozarts Notiz ist undatiert. Attwood weilte von Mitte 1785 bis mindestens Ende 1786 als Schüler Mozarts in Wien. Vgl. Oldman im *Gedenkboek aan Dr. D. F. Scheurleer*, 's Gravenhage 1925, S. 227. — Mozart pflegte 1785 bis 87 manchmal englisch zu schreiben.

Am 24. August beschließt die Tonkünstler-Societät ihren vorläufigen Bescheid auf Mozarts Aufnahme-Gesuch.

Vgl. 11. Februar 1785.

Am 25. August wird die *Entführung* in Nürnberg gegeben.

Aus der «Wiener Zeitung», 31. August 1785

… Mozart: Cassazio in F. a 2 Violini, 2 Corni, Viola e Basso,	2 fl. 30 kr.
— Concerto per il Clavi Cembalo, in G.	4 fl. 30 kr.
— 12 Variations in G. avec accompagnement d'un Violon,	40 kr.
— 6 detti in G. minore, detto	35 kr.
Lorenz Lausch, Musikalienverleger …	

Die „*Cassazio*" ist das Divertimento KV 247, das unter jener Bezeichnung erst 1799 von Artaria gedruckt worden ist. Das Klavierkonzert ist KV 453. Die Variationen sind die über „*La Bergère Célimène*", KV 359, und über „*Hélas, j'ai perdu mon amant*", KV 360. — Vgl. 14. September 1785.

Aus dem «Mainzer Wochenblatt», 31. August 1785

Die so vortreffliche und mit allgemeinem Beifall aufgenommene Opera, genannt die „Entführung aus dem Serail" von Herrn Mozart, erscheint endlich nach vielem Wunsch in einem Klavierauszug von Herrn Abbé Stark, verfertigt bei dem kurfürstl. Hofmusikstecher Schott dahier. 14 Bögen 3 Konventionsthaler.

Mitgeteilt von Dr. Adam Gottron, Mainz. — Das Singspiel war in Mainz zuerst im Januar 1784 aufgeführt worden. — Johann Franz Xaver Stark war Kanonikus am Liebfrauenstift und Domvikar, aber auch Dom-Organist und später Dom-Musikdirektor. (Vgl. Gottron, *Mozart und Mainz*, Mainz 1951, S. 67.) Leopold Mozart erwähnt in einem Brief an die Tochter vom 16. Dezember 1785, daß dieser Klavierauszug *„in Augspurg beim Buchhändler Stage heraus . . . und auch in Mayntz gestochen"* sei. Conrad Heinrich Stage hatte den von Bernhard Schott gestochenen und verlegten Klavierauszug *„mit vielen Lobeserhebungen des berühmten Herrn von Mozart"* offenbar *„in den augspurgischen Zeitungen"* angeboten. Dieser Klavierauszug war es, der Mozart und Torricella veranlaßte, ihren eigenen Plan aufzugeben. Siehe 17. November 1784.

Titel und Dedikation der Haydn gewidmeten Streichquartette

Sei / Quartetti

per due Violini, Viola, e Violoncello.

Composti e Dedicati / al Signor / Giuseppe Haydn

Maestro di Cappella di S.A. / il Principe d'Esterhazy & &

Dal Suo Amico

W. A. Mozart.

Opera X.

Al mio caro Amico Haydn

Un Padre, avendo risolto di mandare i suoi figlj nel gran Mondo, stimò doverli affidare alla protezione, e condotta d'un Uomo molto celebre in allora, il quale per buona sorte, era di più il suo migliore Amico. — Eccoti dunque del pari, Uom celebre, ed Amico mio carissimo i sei miei figlj. — Essi sono, è vero il frutto di una lunga, e laboriosa fatica, pur la speranza fattami da più Amici di vederla almeno in parte compensata, m'incoraggisce, e mi lusinga, che questi parti siano per essermi un giorno di qualche consolazione. — Tu stesso Amico carissimo, nell'ultimo tuo Soggiorno in questa Capitale, me ne dimostrasti la tua soddisfazione. — Questo tuo suffragio mi anima sopra tutto, perchè Io te li raccomandi, e mi fa sperare, che non ti sembreranno del tutto indegni del tuo favore. — Piacciati dunque accoglierli benignamente; ed esser loro Padre, Guida, ed Amico! Da questo momento, Io ti cedo i miei diritti sopra di essi: ti supplico però di guardare con indulgenza i difetti, che l'occhio parziale di Padre mi può aver celati, e di continuar loro malgrado, la generosa tua Amicizia a chi tanto l'apprezza, mentre sono di tutto Cuore. Amico Carissimo

Vienna il pmo Settembre 1785.   il tuo Sincer[i]ssimo Amico
W. A. Mozart.

Jahn II, 371. — KV 387, 421, 458, 428, 464 und 465. Vgl. 12. Februar und 17. September 1785. — Nur die erste Auflage enthält das Widmungs-Schreiben (Faksimile in Robert Haas, Mozart, S. 113).

Aus der «Wiener Zeitung», 10. September 1785

Mozard

6 Quartetten a 2 Violin, Viola e Violoncello, sind in meiner Kunsthandlung am Kohlmarkt nächst dem Milano um den billigsten Preis zu haben.   Christoph Torricella

Diese Anzeige, die Abschriften von sechs frühen Streichquartetten (KV 168—173) galt, mußte gerade in jenen Tagen Artaria und Mozart ungelegen kommen.

Aus der «Wiener Zeitung», 14. September 1785

Musikalien,

welche bey Wenzel Sukowaty, Hoftheatralkopist ... zu haben sind, als ... Entführung aus dem Serail, del Sign. Mozart, ganz, 16 fl.

Vgl. 16. April 1785. — Diese Anzeige wird ausnahmsweise wiederholt, weil das Wort „ganz" beige-fügt und der Preis von 15 auf 16 Gulden erhöht worden ist. Vielleicht hatte die Ouvertüre ur-sprünglich gefehlt.

Aus der «Wiener Zeitung», 14. September 1785

Neue Musikalien.

Johann Traeg im Glaserischen Haus Nr. 423 im 4ten Stock am hohen Markt hat die Ehre anzukündigen:

. . .

Dann folgende neue Musikalien, sauber und korrekt geschrieben, den Bogen zu 7 kr.
Ein Doppelkonzert a 2 Clavicemb. in D von Schuster.
2 detti in A und F von Mozart
1 Concerto à Clavicemb. in G von Mozart,
    N. B. ganz neu.
1 Cassatio in F a 2 Violini, 2 Corni, Viola e Basso von Mozart,
1 Trio a Clavic. Violino e Violoncello von Mozart.

. . .

Verschiedene neue Sinfonien von Pleyel, Mozart und Mich. Hayden.

. . .

10 Variationes a Clavic. (unser dummer Pöbel) von Mozart 1 fl.
12 detti in G. (La Bergere Selimene) 1 fl.
6 detti in G min. von Mozart 40 kr.

Joseph Schuster stammte aus und lebte in Dresden. — Die beiden „Doppelkonzerte" dürften die Konzerte KV 414 und 413 gewesen sein, die allerdings nicht für zwei Klaviere sind, sondern wie das folgende, KV 453, für eines. Die „Cassatio" ist KV 247, das Klaviertrio das in B, KV 254 (von Heina in Paris um 1782 verlegt). Die „Variationes" sind KV 455, 359 und 360; die beiden letzte-ren für Klavier und Violine. — Lausch hatte von diesen Werken am 31. August, also zwei Wochen zuvor, KV 453, 247, 359 und 360 angeboten, auch in Abschriften.

Aus der «Wiener Zeitung», 17. September 1785

Anzeige.

In der Kunsthandlung Artaria Comp. ... sind zu haben: Vom Herrn Kapellmeister W. A. Mozart 6 ganz neue Quartetten für 2 Violinen, Viola und Violoncell, Opus X, gestochen, pr. 6 fl. 30 kr. — — Mozarts Werke bedürfen keines Lobes, einiges anzuführen würde also gänzlich überflüßig seyn; nur kann man versichern, daß solches ein Meisterstück sey. Man kann sich dessen um so mehr versichern, da der Verfasser dieses Werk seinem Freund, Joseph Haydn, fürstl. Esterhaz. Kapellm. zueignete, der es mit allem dem Beyfalle beehrte, dessen nur ein Mann von grossen Genie würdig ist. In Ansehung dessen haben auch die Verleger keine Kosten gesparret, um dies Werk mit aller Schönheit und Deutlichkeit des Stiches sowohl als Papier und Druck in die Hände des Liebhabers und Kenners zu liefern, in der Zuversicht, daß der darauf gelegte Preis, indem diese Quartetten 150 Seiten aus-machen, welche nicht unter 12 fl. geschrieben werden könnten, nicht zu hoch seyn dürfte.

Da Hr. Kunsthändler Torricella in den letzteren Zeitungen auch 6 Quartetten vom Mozart um billigen Preis, ohne dabey anzumerken, ob solche geschrieben oder gestochen, alt oder neu, ankündigte, so hält es Hr. Mozart für Pflicht, ein schätzbares Publikum hiemit zu benachrichtigen, daß gedachte 6 Quarteten keineswegs neu, sondern ein altes Werk sey, welches er bereits vor 15 Jahren geschrieben hat, damit Liebhaber, die seine neuen er-warteten, nicht die unrechten erhalten.

Nr. 75, S. 2191. (Diese Hinweise sind hier angegeben, weil Torricellas Replik irrtümlich von der gleichen Seite zitiert wird.) — Vgl. 10. September 1785 und das übernächste Dokument. — Artarias Anzeige erschien am 18. September in der *Realzeitung*.

TORRICELLAS REPLIK, HERBST 1785

In der Kunsthandlung Christoph Torricella...

Vom Herrn Kapellmeister W. A. Mozart 6 Quartetten für 2 Violin, Viola und Violoncello schön und korrekt geschrieben für 5 fl. zu haben.

Da in der Anzeige des Herrn Artaria Comp. über die Ausgabe der letzten neuen Quar-tetten bey nahe ganz überflüßig versichert wurde, daß diese, die ich dem Publicum bekannt machte, vor 15 Jahren geschrieben, folglich das Publicum vor einer Art von zugemutheter Bevortheilung gewarnet zu werden scheinet, — so seh ich mich genöthiget hiemit zu er-klären; daß das nicht anmerken ob solche gestochen oder geschrieben, alt oder neu wären, gerade für mich den Beweis führen dürften, daß ich das Publicum nicht irre führen wollte — wenn ja nicht erprobte Rechtschaffenheit für mich das Wort reden sollte.

Was also die 15jährige Quartetten belangt, so glaub ich, daß auch diese keiner andern Empfehlung, als ihres Meisters Namen bedürfen — so wie ich überzeugt bin, daß sie für so manchen Liebhaber der neuesten — wegen ihrem ganz eigenen Geschmack — auch eine Neuheit seyn dürften — folglich die Herrn Liebhaber niemals unrechte erhalten werden — da auch diese gewiß Mozarts Kinder sind.

Jahn II, 355. Köchel-Einstein, S. 233. Müller v. Asow III, 401 f. — Vgl. 10. und 17. September 1785. — Als Quelle für diese Replik wird S. 2191 der *Wiener Zeitung* angegeben, wo aber nur Artarias Entgegnung steht. An der Echtheit dieses nicht näher datierten Dokuments ist keineswegs zu zwei-feln, der Erstdruck konnte aber nicht gefunden werden. — Die Streichquartette KV 168—173, um die es sich offenbar handelte, waren im August und September 1773 in Wien entstanden, also nur zwölf Jahre alt.

AUS DEM «WIENERBLÄTTCHEN», 26. SEPTEMBER 1785

Uiber die glückliche Genesung der beliebten Virtuosin Madame Storace, hat der k. k. Hof-theater-Poet Herr Abbate da Ponte ein italienisches Freudenlied verfertiget: Per la Ricu-perata Salute di Ophelia.

Dieses ist von den berühmten drey Kapelmeistern Salieri, Mozart, und Cornetti in die Musik zu singen beym Clavier gesetzt worden, und wird in der Kunsthandlung Artaria Compagnie auf dem Michaelsplatz um 17 kr. verkauft.

Köchel-Einstein, S. 599. — Ann Storace hatte bei der Erstaufführung der Oper *Gli sposi malcon-tenti* ihres Bruders Stephen, die am 1. Juni 1785 im Burgtheater stattgefunden hatte, ihre Stimme für eine Zeit lang völlig eingebüßt. Vgl. Michael Kelly, *Reminiscences*, London 1826, I. 234, und

Da Ponte, *Denkwürdigkeiten*, herausgegeben von Gustav Gugitz, Dresden 1925, II. 322 und III. 356. — Unter Cornetti ist vielleicht Alessandro Cornet gemeint, jedenfalls kein *„berühmter Kapellmeister"*. Kein Exemplar dieser Kantate (KV Anh. 11ª) ist bekannt. Auch der Text hat sich nicht erhalten. Die Anspielung auf Ophelia ist deshalb kaum verständlich. — S. 18. Oktober 1785.

Im September wird die *Entführung* von der Truppe Joseph Bellomos in Weimar gegeben.

In den *Ephemeriden der Litteratur und des Theaters* (s. 4. X. 1780), Berlin 1786, Band 3, S. 406, wo diese Aufführung ohne Tagesdatum erwähnt ist, steht sonst nur noch: *„gefiel"*. — In dieser Zeitschrift erschien 1785 Daniel Bergers Stich nach Joseph Langes Doppelbildnis seiner selbst und seiner Frau.

Aus der «Wiener Zeitung», 5. Oktober 1785

Lauschische Musikalienhandlung ... Mozart, 6 Quartetti, a 2 Violini, Viola, e Violoncello Opera X. ganz neu, und schön gestochen 6 fl. 30 kr.
Mio caro Adone mit 6 Variations, per il Clavicembalo v. ebend. 24 kr.

Lausch bot hier ausnahmsweise einen Druck an: es sind die bei Artaria am 17. September erschienenen Quartette. — Die Variationen aber, über ein Thema aus Salieris Oper *La fiera di Venezia* (KV 180, im Herbst 1773 in Wien geschrieben und um 1778 bei Heina in Paris erschienen) waren in Abschriften zu haben.

Am 11. Oktober kündigt der Pariser Verleger Boyer in der *Gazette de France* die sechs Sonaten für Klavier und Violine, KV 376, 296, 377—380 als Œuvre 2ᵉ, an.

Mozart en France, Paris 1956, S. 69. — Das war ein Nachdruck.

Schriftliche Einladung der vereinigten Logen «Zu den drei Adlern» und «Zum Palmbaum» an die Wiener Schwesterlogen, 15. Oktober 1785

Zur Unterstützung zweier fremder Brüder, — beyde Virtuosen auf dem Basset Horn —, welche vor einiger Zeit in der Absicht, hier ihr Unterkommen zu finden, nacher Wien kamen, durch ihr Verdienstloses Zuwarten aber mittlerweil in missliche Umstände verfielen, und gegenwärtig dadurch auch ausser Stand gesetzt seind, ihre beschlossene Zurückreise in ihr Vaterland unternehmen zu können; haben die beyden Sehrehrwürdigen Logen zu den 3. Adlern und zum Palmbaum veranlasset, künftigen Donnerstag als den $\frac{20}{X}$ Abends um halb 7 Uhr ein Concert, wobey sich auch die würdigen BBr Mozart und Stadler werden hören lassen, in dem ☐ Quartier geben.
Die Sehrehrwürdigen Schwester Logen werden demnach brüderlich gebetten, solches bey Ihren Hoch- und Verehrungswürdigen Mitgliedern circuliren — und dieselben ersuchen lassen zu wollen, dass Sie dabey so zahlreich als möglich erscheinen, und bey ihrem Eintritt zum Besten dieser fremden Brüder etwas nach ihrer eigenen Willkür abgeben möchten.
Von den beyden S:e:w: ☐ ☐

zu den 3. Adlern und Palm-

baum I. O. z. W. 57 $\frac{15}{X}$ 85.

Puthon

Mstr. v. Stuhl d □ zu 3. A.

Loibel Mstr v St: zum Palmb.

PS: Br Mozart wird durch sein so sehr beliebtes Phantasiren die Bbr unterhalten.

Kette

Secr: der □ z. 3. A.

Staatsarchiv, Wien, a. a. O., Fasz. 103. — Deutsch, a. a. O., S. 26. — Die beiden einladenden Logen waren zwei kleinere unter den acht Wiener Logen. Der Großhändler Johann Baptist Freiherr v. Puthon, Schatzmeister der Landesloge von Österreich, leitete die eine; der Raitrat bei der Ungarisch-Siebenbürgischen Hof-Buchhalterei Johann Martin Loibel (Loibl), Zeremonienmeister der Landesloge, Mozarts Nachbar in der Schulerstraße, die andere. Von Loibels Hand stammt auch das Postskript. Johann Kette war auch Sekretär bei der Tabaksgefällen-Kameraldirektion. — Anton Stadler, der Klarinettist, war erst drei Wochen zuvor beim „Palmbaum" aufgenommen worden. — Die beiden Virtuosen auf dem Bassetthorn, einer Altklarinette in F, waren Anton David aus Offenburg in der Ortenau und Vinzent Springer aus Jungbunzlau bei Prag; sie hatten also kein gemeinsames „Vaterland". In Johann Friedrich Reichardts *Musikalischer Monatsschrift*, Berlin, August 1792 (S. 41) ist Springer als Davids Schüler bezeichnet. — Mozart hat nach der Begegnung mit den beiden das Instrument in seinen Partituren häufig verwendet. — Vgl. 9. Dezember 1785.

AUS DER «WIENER REALZEITUNG», WIEN, 18. OKTOBER 1785

Schöne Künste und Wissenschaften.

316. Vom Herrn Kapellmeister W. A. Mozart, 6 neue Quartetten für 2 Violinen, Viola und Violoncell, Opus X. 6 fl. 30 kr.

Bei Artaria am Kohlmarkte, Nr. 132 [133].

317. Die Maurer-Freude. Die Musik vom Hrn. W. A. Mozart, 2 fl. Bei Artaria.

319. Per la ricuperata salute da Ophelia. Von Abbate da Ponte. In die Musik gesetzt von den Kapellmeistern Salieri, Mozart und *Cornetti*. 17 kr. Bei Artaria.

Aus einer Liste von Neu-Erscheinungen. — Siehe 17. August, 17. September und 26. September 1785. — Daß der Name Cornetti hier in Kursiv gesetzt ist, deutet vielleicht auf ein Pseudonym hin.

Im Oktober zeigt der Pariser Verleger Pierre Le Duc im *Mercure de France* Mozarts „erstes" Klavierkonzert an.

Cari Johansson, *French Music Publishers' Catalogues of the Second Half of the Eighteenth Century*, Stockholm 1955, S. 95 und 100. — Es ist das Konzert in F, KV 413, das am 29. März 1785 bei Artaria & Co. erschienen war.

Am 17. November wird in der Loge „Zur gekrönten Hoffnung" eine Trauerfeier für zwei verstorbene „Brüder", Herzog Georg August zu Mecklenburg-Strelitz und Graf Franz Esterházy von Galántha, abgehalten; Mozarts dafür geschriebene *Maurerische Trauermusik* (KV 477) wird aufgeführt.

Die Einladung der Loge (Staatsarchiv, Wien, a. a. O., Fasz. 108) ist vom 11. November datiert. Der Herzog, ein General-Feldwachtmeister (Generalmajor), war am 6. November zu Tyrnau in Ungarn gestorben; er war als abwesender Bruder Ehrenmitglied der Loge „Zu den drei Adlern", die sein „Gedächtniß" erst am 7. Dezember feiern konnte. Der Graf, ungarisch-siebenbürgischer Hofkanzler, war am 7. November in Wien gestorben; er gehörte der „Hoffnung" an (deren Stuhlmeister Graf Johann Esterházy war). Vgl. Deutsch, a. a. O., S. 12 und 30 f. — Die Trauerrede, die Wenzel Epstein am 17. November auf den Grafen hielt, wurde zugunsten der Armen gedruckt. (Vgl. *Realzeitung*, 20. Dezember 1785, S. 882 f.)

Am 28. November werden im Burgtheater bei der Erstaufführung der Oper *La villanella rapita* von Francesco Bianchi zwei Einlagen von Mozart gesungen.

Die Einlagen waren das Quartett „*Dite almeno, in che mancai*" (KV 479), gesungen von Celesta Coltellini, Vincenzio Calvesi, Stefano Mandini und Francesco Bussani, und das Terzett „*Mandina amabile*" (KV 480), gesungen von der Coltellini, Calvesi und Mandini. Signora Coltellini war die Tochter des Librettisten der *Finta semplice* und heiratete den mit Mozart befreundeten Kaufmann Johann Georg Meurikofer, später Meuricoffre genannt, aus Lyon. — Sukowaty verkaufte Abschriften der Einlagen in Partitur (ein Exemplar des Terzetts war im Gymnasium von Zittau). — Der Anschlagzettel nennt für die Erstaufführung den 25. November; sie mußte wohl von Freitag auf Montag verschoben werden, denn die *Wiener Zeitung* vom 3. Dezember gibt den 28. November an.

Aus Zinzendorfs Tagebuch, 30. November 1785

30. Novembre.

. . . Au Spectacle. La *villanella rapita.* Le Spectacle est gai, la musique contient quelques morceaux de Moshart, les paroles beaucoup d'equivoques. Le souflet repeté.

Aus der «Wiener Zeitung», 3. Dezember 1785

Im k. k. Hoftheater nächst dem Kärntnerthore ward Freytag den 25. Nov. ein deutsches Singspiel nach Hrn. Bretzner, mit Musik von Hrn. Mozart, vorgestellt, die Entführung aus dem Serail, wobey Mad. Lange nach ihrer grossen Krankheit das erstemal wieder zum Vorschein kam, und verdienstgemäß aufs beste bewillkommnet wurde.

Frau Lange war schwer krank gewesen. Vgl. Leopold Mozarts Brief an seine Tochter vom 22. September 1785 (Deutsch-Paumgartners Ausgabe dieser Briefe, Salzburg 1936, S. 121).

Aus der «Wiener Zeitung», 7. Dezember 1785

Neue Musicalien.

. . . Mozart, eine Fantasie und Sonate fürs Forte-Piano Opera II. 1 fl. 30 kr.

— — — der erste Aufzug von der Opera, die Entführung aus dem Serail fürs Klavier schön gestochen 2 fl.

Bey Artaria Compagnie
Kunsthandlung am Michaelsplatz.

Jahn I, 738. — Das Frau v. Trattner gewidmete Opus (KV 475 und 457) und das wohl von Torricella übernommene, verschollene Fragment des originalen Klavierauszugs der *Entführung* (vgl. 17. November 1784).

SCHRIFTLICHE EINLADUNG DER LOGE «ZUR GEKRÖNTEN HOFFNUNG» AN DIE WIENER SCHWESTERLOGEN, 9. DEZEMBER 1785

Hochwürdiger Meister vom Stuhl!
Hochwürdiger Deputirter Meister!
Sehr ehrwürdige BBr Aufseher und Beamte!
Sammtlich hoch und verehrungswürdige Brüder!

Auf Ersuchen der beiden w. BBr David, und Sprenger hat die s:e: ☐ zur gekrönten Hoffnung beschlossen am 15. des XII eine Versammlung zu halten, in welcher sie mit mehrern andn h: und verehrungswürdigen BBrn nach folgender Ordnung sich bemühen werden, die Gesellschaft durch Harmonie, und Tonkunst zu ergözen.

1tens Wird eine Symphonie ausgeführt die der w: Br: Wranizky für die s:e: ☐ verfertiget hat.

2tens Ein Konzert so die beiden w: w: BBr David, und Sprenger auf dem Bassethorn blasen.

3tens Die auf den hochw: Br: Born verfaßte Kantate mit der Musik des w: Br: Mozart, gesungen von dem w: Br: Adamberger.

4tens Ein Konzert auf dem Pianoforte gespielet von dem w: Br: Mozart

5tens Die Parthien vom Br: Stadler für 6. blasende Instrumente entworfen, wobey auch der w: Br: Locz den grossen 8tav Fagott spielen wird.

6tens Eine zweite Symphonie des w: Br: Wranizky ebenfalls für die s:e: ☐ komponirt.

7tens Phantasien von dem w: Br: Mozart

Versichert dass Ihre s:e: ☐ einer Unterhaltung gerne teilnehmen werde, welche mit dem Vergnügen ausgewählte Stücke von Künstlern, und BBrn zu hören auch das — der Unterstützung der beiden fremden Brüder verbindet, soll Unterzeichneter die Ehre haben Sie zu dieser Versamlung hiemit einzuladen, und dabey anzuzeigen, dass der s: e: Br: Schatzmeister an der Thüre der ☐ dasjenige empfangen, und sammeln werde, was die Wohlthätigkeit der h:h: u v:v:w:w: BBr den Reisenden möchte angedeyhen lassen.

Im Orient von Wien
den 9. des XII. 5785

Im Namen und auf Geheiss
der s:e: ☐ zur gekrönten
Hoffnung
C. D. *Bartsch*
Sekretair

Staatsarchiv, Wien, a. a. O., Fasz. 103. — Deutsch, a. a. O., S. 27. — Die Abkürzungen bedeuten: w. — würdig (w. w. — Mehrzahl), B. — Bruder (BBr — Mehrzahl), s. e. — sehr ehrenwert, h. — hoch, hochw. — hochwürdig, v. w. — verehrungswürdig (v. v. w. w. — Mehrzahl). — Vgl. 15. Oktober 1785. — Paul Wranitzky, Musikdirektor des Grafen Johann Esterházy, gehörte auch der „Hoffnung" an. — Die Kantate war die *Maurerfreude* (s. 24. April 1785). — „*Parthie*" bedeutet hier Suite. — Theodor Lotz, Bratschist und erster Klarinettist der Kapelle des Fürsten Joseph Batthyány in Preßburg, hatte 1782 das Bassethorn verbessert; er war es wohl, der an diesem Abend das Kontrafagott spielte. Die Brüder Stadler lernten übrigens bald, selbst Bassethorn zu spielen. — Der Schatzmeister der Loge war Graf Joseph Stockhammer.

Am 15. Dezember findet, unter der Mitwirkung Mozarts, in der Loge „Zur gekrönten Hoffnung" die Akademie zugunsten der Bassethorn-Spieler David und Springer statt.

AUS DEM PRÄSENZ-PROTOKOLL DER LOGE «ZUR WAHREN EINTRACHT»,
19. DEZEMBER 1785

CCCCXXXVII. [Arbeit] Wien den $\frac{19}{12}$ 5785...

... Besuchende BB.

... Mozart von der Wohlthätigkeit ...

Staatsarchiv, Wien, a. a. O., Fasz. 133. — Deutsch, a. a. O., S. 26. — Die erhaltenen Wiener Frei-
maurer-Akten werden von nun an kleinlaut. Am 11. Dezember hatte Kaiser Joseph angeordnet, daß
die acht Logen in zwei oder drei zusammengelegt werden, wahrscheinlich, um sie besser überwachen
zu können. Das geschah am 28. Dezember. Die „Eintracht" bildete mit dem „Palmbaum" und den
„Drei Adlern" die neue Loge „Zur Wahrheit", die am 6. Januar 1786 eröffnet wurde. Die „Ge-
krönte Hoffnung" erstand mit der „Wohlthätigkeit" (Mozarts Loge) und den „Drei Feuern" als
Wiener Hauptloge „Zur neugekrönten Hoffnung" am 14. Januar 1786 wieder. Die beiden restlichen
Logen, „Zum heiligen Joseph" und „Zur Beständigkeit", verschwanden. — In der handschriftlichen
Liste der „Neugekrönten Hoffnung" erscheint Mozart 1786 als Meister; wann er den 3. Grad der
Maurerei erreichte, ist unbekannt.

AUS DER «WIENER ZEITUNG», 21. DEZEMBER 1785

Nachricht.

Bey Johann Traeg ... sind folgende Musikalien zu haben:

1 Concerto in B per il Clavicembalo von W. A. Mozart den Bogen zu 7 kr.

· · ·

Neue Sinfonien von ebendens. à 7 kr.

· · ·

Das Klavierkonzert war wahrscheinlich KV 456 (s. 13. II. 1785). Zu den Sinfonien vgl. 30. IV. 1785.

Am 23. Dezember spielt Mozart im Burgtheater, zwischen den beiden Abteilungen des
Oratoriums *Esther* von Karl Ditters v. Dittersdorf, das neue Klavierkonzert in Es, KV 482,
und muß das Andante daraus wiederholen.

Schon am 22. Dezember war jenes Oratorium im ersten Advent-Konzert der Tonkünstler-Societät
aufgeführt worden, unter Mitwirkung des Violinspielers Joseph Otter. (Bei der Erstaufführung des
Oratoriums, am 19. Dezember 1773 im Kärntnertor-Theater, hatte Dittersdorf selbst ein Violinkonzert gespielt.) Für das zweite Konzert wurde angekündigt: „*Im Zwischenact ein Clavierconcert
neu componirt und geschlagen von W. A. Mozart.*" (Köchel-Einstein, S. 605.) In den Vereinsakten
hieß es: „*Wird Hr. W. A. Mozart ein neues Concert von seiner Composition auf dem Forte-Piano
schlagen.*" (Pohl, a. a. O., S. 61.) — Salieri dirigierte das Oratorium. — Am 28. Dezember schrieb
Mozart nach Salzburg (wie wir aus Leopolds Brief an Nannerl vom 13. Januar 1786 wissen), daß
er „*in Eyle 3 Subscriptions Accademien gegeben von 120 Subscribenten*". Wo sie stattfanden und
was Mozart dabei gespielt hat, ist nicht bekannt.

AUS DER «WIENER ZEITUNG», 24. DEZEMBER 1785

Musikalische Akademie.

Am 22. und 23. d. M. hielt die hiesige Tonkünstlergesellschaft die jährlich gewöhnliche
grosse Akademie zum Vortheil ihrer Wittwen und Waisen, und führte dabei das Ora-

torium: Esther genannt, von dem berühmten Hrn. Ditters v. Dittersdorf, mit vielem Beyfalle auf. Sowohl Se. Maj. der Kaiser, als des Erzherzogs Franz K. H., und die Prinzeßin
Elisabeth fanden sich nebst dem hohen Adel, und einem zahlreichen Publikum dabei
ein. Zwischen den zwey Abtheilungen liess sich am ersten Tage ... Hr. Joseph Otter ...
mit einem Konzert auf der Violine hören ... Am zweyten Tage wechselte Hr. Wolfgang
Amade Mozart mit einem Konzert auf dem Forte Piano von seiner eigenen Komposition
ab, von dessen vorzüglicher Aufnahme wir nichts erwähnen, weil unser Lob dem verdienten Ruhme dieses eben so bekannten als allgemein geschätzten Meisters überflüssig ist.

Am 28. Dezember in den *Provinzialnachrichten* wieder abgedruckt.

Am 24. Dezember kündigt Hieronymus Löschenkohl in der *Wiener Zeitung* zwei neue
Kalender mit gestochenen Schattenrissen von Wiener Persönlichkeiten, darunter Mozart,
an.

Löschenkohl war Kupferstecher und Verleger von aktuellen Stichen, gelegentlich auch von Musikalien. — Die *„Kalender"* für 1786 waren der *Gelehrten-Almanach von Wien* mit 36, und der
Österreichische National-Kalender mit 53 Silhouetten. Der zweite enthält folgende Gruppen: „Natur und Kunst" (Schaubühne), „Geist und Harmonie" (Komponisten), „Gesang und kunstvolles
Spiel" (Oper). Mozarts Schattenriß erschien in der kleinen zweiten Gruppe, nach Glucks und
Haydns, vor Salieris Porträt. — Die beiden Kalender wurden in den folgenden Jahren, etwas vermehrt und verändert, wieder aufgelegt.

Aus der «Pressburger Zeitung», 24. Dezember 1785

In der Schauffischen Kunsthandlung im Schneeweissgassel zu haben: Mozart 6 Quartetti
per due Violini, Viola e Violoncello: opera 10. 6 fl. 30 xr.

Ervin Major, a. a. O., S. 43. — Das waren die Haydn gewidmeten, bei Artaria erschienenen Quartette.

Aus dem «Wienerblättchen», 31. Dezember 1785

In der Edlen von Schönfeldischen Buchhandlung am Kärntnerthor, und in der Buchdruk-
kerey im grossen Jakoberhof Nro. 837, ist zu haben:
Wiener Musik- und Theater-Allmanach auf das Jahr 1786. Er enthält versprochener
massen ... 4.) Sechs der beliebtesten Opern Arien. 5) Sechs der besten und beliebtesten
wälschen Opern Arien. Die 12 Arien sind von Ritter Gluck, Paisiell, Mozart, Salieri, Umlauff und Gretry ...
Der Preiss ist 1 fl. 30 kr. ...

Der selten gewordene Almanach enthält auf S. 20 bis 23 das Duett *„Vivat Bacchus"* aus der *Entführung* (Nr. 14), für eine Stimme gesetzt. — Johann Ferdinand v. Schönfeld mag den Almanach für
seinen Kollegen Johann Georg Weigand (s. 4. Januar 1786) gedruckt haben und vertrieb ihn als Buchhändler.

1786

Aus der «Wiener Zeitung», 4. Januar 1786

In der Weingandischen Buchhandlung am Graben Nr. 1174. sind . . . zu haben:
Wiener Musik- und Theateralmanach auf das Jahr 1786 in 4to. Enthält: . . . 4) Sechs der
besten und beliebtesten deutschen Opernarien von den berühmtest n Meistern: als Hrn.
Gluck, Mozart, Paisiello, Saliery u. Gretry. 5) Sechs der besten und be iebtesten welschen
Opernarien. . . .

Siehe die vorhergehende Anzeige.

Am 14. Januar 1786 werden in der Loge „Zur neugekrönten Hoffnung" die Chöre „Zur
Eröffnung der □" (KV 483) und „Zum Schluß der □" (KV 484) gesungen.

Das geschah bei der ersten Versammlung der neuen Loge (vgl. 19. Dezember 1785), am Anfang
und am Schlusse dieser „Arbeit" (oder „Loge"). Es sind Soli mit dreistimmigem Chor und Orgel-
Begleitung. Die gedruckten Texte stammten von Augustin Veith Edlen v. Schittlersberg, Raitoffizier
der Kameral-Hauptbuchhaltung. Vgl. Deutsch, a. a. O., S. 14.

Aus den «Allgemeinen Wiener Bücher-Nachrichten», 18. Januar 1786

Wiener Musenalmanach auf das Jahr 1786. Herausgegeben von J. F. Ratschky und Blumauer. 8. Wien bey Gr. Phil. Wucherer. 45 kr.

Nr. III, S. 44. — Joseph Franz v. Ratschky war der Verfasser des Textes der Gesellenreise (KV 468)
und hatte wie Alois Blumauer zur „Eintracht" gehört, die nun in der Loge „Zur Wahrheit" auf-
gegangen war. Das Lied der Freiheit (KV 506) von Blumauer, das im Wienerischen Musenalmanach
für 1786 erschien, muß auch schon 1785 komponiert worden sein. Johann Holzer, einer der bedeutendsten Liederkomponisten Wiens um diese Zeit, hatte die Gesellenreise vor Mozart, aber für
zwei Stimmen gesetzt.

Im Januar bietet Le Duc, Paris, im Mercure de France die Klavier-Variationen über
Nicolas Dezèdes Ariette „Lison dormait" (KV 264) und die Haydn gewidmeten Streichquartette, „Opus X" (KV 387 etc.) an.

Johansson, a. a. O., S. 95 und 100. — Die 1778 in Paris entstandenen Variationen wurden von
Artaria erst am 26. April 1786 angezeigt, von Le Duc am 28. April in den Affiches noch einmal.
Die Streichquartette waren schon im September 1785 in Wien erschienen.

7. Februar 1786, s. Nachtrag, S. 522/523

Aus Zinzendorfs Tagebuch, 7. Februar 1786

Arrivés à Schoenbrunn ce salon d'Orangerie qui fait un si beau vase, se trouva beaucup
mieux orné que l'année passée . . . On alla entendre une Comédie allemande intitulée der

Schauspiel Director dans laquelle la Sacco et Lang jouerent un morceau de Bianca Capello, la Adam Berger et Weidmann un morceau aus der galanten Bäuerin. La Cavallieri et la Lang chantoient. Le tout etoit fort médiocre. Ensuite on passa a l'autre bout de la sale, ou Benucci, Mandini, la Storace et la Coltellini jouoient une petite piece *Prima la musica e poi le parole*, dans laquelle la Storace imita parfaitement Marchesi en chantant des airs de Giulio Sabino ....

Kaiser Joseph hatte schon ein Jahr vorher, am 6. Februar 1785 mittags, einen ähnlichen Empfang in dem langgestreckten Gebäude der Schönbrunner Orangerie veranstaltet, dem einzigen gut heizbaren Saal des Schlosses. Wie damals war in der Mitte die lange Tafel für die Gäste aufgestellt, und an den Schmalseiten, einander gegenüber, zwei Bühnen, vor denen die Stühle abwechselnd postiert wurden. Diesmal wurde das „Frühlingsfest an einem Wintertage", wie Löschenkohls Kupferstich des Schauplatzes von 1785 betitelt ist, zu Ehren der „Generalgouverneure" der österreichischen Niederlande, nämlich des Herzogs Albert von Sachsen-Teschen und seiner Gemahlin, der Erzherzogin Marie Christine, einer Schwester des Kaisers, abgehalten. Unter den adeligen Gästen war auch Fürst Stanislaus Poniatowsky, der Neffe des gleichnamigen Königs von Polen. Die beiden parodistischen Einakter waren eine deutsche Komödie, *Der Schauspieldirektor* von Gottlieb Stephanie mit Musik von Mozart, und (gegenüber) eine Opera buffa, *Prima la musica, e poi le parole*, Text von Giovanni Battista Casti, Musik von Salieri. In der Komödie spielten vom Burgtheater die Damen Johanna Sacco, Maria Anna Adamberger und Anna Maria Stephanie, sowie die Herren Franz Karl Brockmann, Joseph Lange, Joseph Weidmann und, in der Titelrolle, der Autor. Die anderen sechs Schauspieler produzierten sich paarweise in eingelegten Szenen aus damals bekannten Stücken: *Der aufgehetzte Ehemann, Bianca Capello* und *Die galante Bäuerin*. Mozarts Gesangsnummern wurden von Aloisia Lange, Caterina Cavalieri und Valentin Joseph Adamberger vorgetragen. Das Singspiel Salieris, in dem die Damen Storace und Coltellini mit Francesco Benucci und Stefano Mandini auftraten, bot eine Verulkung Da Pontes, aber auch ein Zitat aus Sartis *Giulio Sabino*, worin die Storace den Kastraten Luigi Marchesi imitierte, der 1785 in Wien gastiert hatte. — Zur Tafel spielte die kaiserliche Kammermusik für „Harmonie" eingerichtete Weisen aus Salieris Oper *La Grotta di Trofonio*, die 1785 zuerst im Burgtheater gegeben worden war. — Vgl. O. E. Deutsch in der *Österreichischen Musikzeitschrift*, Wien, Februar 1954 und Oktober 1957; Christopher Raeburn in *The Music Review*, Cambridge, Mai 1955, und in der *Österreichischen Musikzeitschrift*, Januar 1958; Gerhard Croll im Vorwort und Kritischen Bericht der *Neuen Mozart-Ausgabe* II/5/15, *Der Schauspieldirektor*, mit Faksimilia des Textbuches.

Joseph II. an Graf Orsini-Rosenberg, 7. Februar 1786

Ich überschicke Ihnen hier nebengehend 1000 # die Sie unter die beym heutigen Fest zu Schönbrunn verwendet werdenden Individuen folgendermassen zu vertheilen haben: nämlich

dem Salieri	100 #
... Mozart	50 .
den 10 deutschen Schauspielern à 50 #	500 .
...4 italienischen Operisten à 50 #	200 .
dem Bussani	50 .
dem Orchestre ss	100 .
	1000 #

Staatsarchiv, Wien, Kabinetts-Protokolle der Kabinetts-Kanzlei, Band 40, S. 80. — Payer v. Thurn, a. a. O., S. 65 f. — Graf Rosenberg war Oberstkämmerer und Oberdirektor der Hoftheater (vgl. 23. IV. 1775 und 23. I. 1778). — Daß Mozart nur 50 Dukaten bekam, erklärt sich daraus, daß er nur eine Bühnenmusik (Ouvertüre und vier Gesänge) geschrieben hatte, Salieri aber eine kleine Oper. — Die drei Sänger der Deutschen Oper wurden unter die deutschen Schauspieler gezählt. (Die Cavalieri, später bei der Italienischen Oper tätig, hieß eigentlich Cavalier.) Francesco Bussani, der zur Italienischen Oper gehörte, hat die Regie geführt. — Die Anweisung dürfte schon vor dem Feste geschrieben worden sein.

AUS DER «WIENER ZEITUNG», 8. FEBRUAR 1786

Inländische Nachrichten.

Wien.

Diensttags gaben Se. Maj. der Kaiser den durchlauchtigsten Generalgouverneuren der k. k. Niederlanden und einer Gesellschaft des hiesigen Adels ein Lustfest zu Schönbrunn. Es waren dazu 40 Kavaliers, wie auch oberwehnter Fürst Poniatowsky, geladen, die sich ihre Dames selbst wählten, und paarweise in Pierutschen und geschlossenen Wägen um 3 Uhr, von der hiesigen Hofburg aus, mit Sr. Kais. Maj., Höchstwelche die durchl. Erzherzoginn Christina führten, nach Schönbrunn aufbrachen, und allda in der Orangerie abstiegen. Diese war zum Empfang dieser Gäste auf das herrlichste und zierlichste zum Mittagmahle eingerichtet. Die Tafel unter den Orangeriebäumen, war mit einheimischen und fremden Blumen, Blüthen und Früchten auf die angenehmste Weise besetzt. Während dem Se. Maj. mit den hohen Fremden und den Gästen das Mahl einnahmen, ließ sich die Musik der Kaiserl. Königl. Kammer auf blasenden Instrumenten hören. Nach aufgehobener Tafel wurde auf dem an einem Ende der Orangerie errichteten Theater ein neues für dieses Fest eigens komponirtes Schauspiel mit Arien, betitelt: Der Schauspiel-Director, durch die Schauspieler von der K. k. Nationalbühne aufgeführt. Nach dessen Ende wurde auf der wälschen Bühne, die am andern Ende der Orangerie errichtet war, die ebenfalls ganz neu für diese Gelegenheit verfaßte Opera buffa unter dem Titel: Prima la Musica e poi le Parole, von der Gesellschaft der Hofoperisten vorgestellt. Während dieser Zeit war die Orangerie mit vielen Lichtern an Lustern und Plaken auf das herrlichste beleuchtet. Nach 9 Uhr kehrte die ganze Gesellschaft in voriger Ordnung, jeder Wagen von zwey Reitknechten mit Windlichtern begleitet, nach der Stadt zurück.

Müller v. Asow III, 242. — Am 11. Februar in den *Provinzialnachrichten* wieder abgedruckt. — Der Text entspricht dem Zeremonialprotokoll vom 7. Februar (s. Nachtrag, S. 522/523).

AUS DER «WIENER ZEITUNG», 8. FEBRUAR 1786

... in der Lauschischen Musikalienhandlung ... zu haben sind, als:

. . .

Mozart, Mandina amabile, questo danaro, Terzetto, 48 kr.
Dite almeno in che maniera, Quartetto 1 fl. 8 kr.

. . .

Mozart, 10 Variazioni, Unser dumme Pöbel meint, per il Clav. Cemb. 51 kr.

. . .

KV 480, 479 und 455. — Statt „*maniera*" sollte es „*mancai*" heißen.

ANSCHLAGZETTEL VOM 11. FEBRUAR 1786

Im Theater nächst dem Kärntnerthor von den National-Hofschauspielern (zum erstenmal): *Der Schauspiel-Director*, ein Gelegenheitsstück in einem Act. Die Musik dazu vom Herrn Capellmeister *Mozart*. Nachher von den Italienischen Hof-Operisten „*Prima la Musica, poi le parole*" (Erst die Musik, dann die Worte), ein komisches Singspiel in einem Act. Die Musik dazu ist von Herrn Capellmeister *Salieri* in wirklichen Diensten Seiner Majestät des Kaisers.

Oskar Teuber, *Die Theater Wiens*, Wien 1903, Band 2, Halbband 2, Teil 1, S. 76. — Wiederholt am 18. und 25. Februar. — Es wurde irrtümlich angenommen, daß die Vorstellung am 11. abgesagt wurde; tatsächlich ist aber die Aufführung von Glucks *Pilgrime von Mekka* am 10. durch Umlaufs *Irrlicht* ersetzt worden, weil der Sänger Dauer erkrankt war (Raeburn).

Aus der «Wiener Zeitung», 15. Februar 1786
Theaternachrichten.

Sonnabends den 11. dies. erschienen zum erstenmal in dem k. k. Hoftheater nächst dem Kärntnerthor die beyden Neuigkeiten, welche für das Gartenfest zu Schönbrunn abgefaßt wurden; erstlich gaben die Nationalhofschauspieler: den *Schauspieldirektor*, ein Gelegenheitsstück in einem Aufzuge, wozu die Musik vom Herrn Kapellmeister Mozart ist. Hierauf folgte von den Italienischen Hofoperisten das komische Singspiel: *Prima la Musica, poi le parolle*, genannt, die Musik dazu ist von Herrn Kapellmeister Salieri.

Am Sonntag, dem 19. Februar, geht Mozart zum Maskenball im Redoutensaal der Hofburg, kostümiert als indischer Philosoph, und verteilt ein gedrucktes Blatt mit acht Rätseln und vierzehn *„Bruchstücken aus Zoroasters Fragmenten"*, alle von ihm selbst verfaßt.

Kein Exemplar jenes Flugblattes ist bekannt geworden; aber siehe 23. März 1786. — Der Fasching endete erst am 28. Februar. — Vgl. 3. März 1783 und 23. März 1786.

Aus der «Wiener Realzeitung», 21. Februar 1786
Zwey neue Stücke*.

Den 11ten dieses wurde im Theater nächst dem Kärntnerthor von den National-Hofschauspielern aufgeführt (zum erstenmal) Der Schauspieldirektor. Ein Gelegenheits Stück in einem Aufzuge. Die Musik dazu ist vom Hrn. Kapellmeister Mozart.
Als Gelegenheitsstück, wo dem Verfasser (Hrn. *Stephani dem jüngern*) sowohl der Plan desselben, als auch die Zahl und Nahmen, der darinnen Spielenden angegeben wird, hat es sicher sehr viel Gutes. Nur die Szene aus dem *aufgehetzten Ehemanne* schien hier nicht an ihrem rechten Orte zu stehen; sie ermüdete. Eben so hätte statt der tragischen Szene aus den *Bianka Capello* leicht eine vorteilhaftere Auswahl geschehen können; war aber der Autor an das Stück gebunden, so hätt' er selbst in demselben Situationen finden können, die eine bessere Wirkung würden gemacht haben. Um so glücklicher gewählet aber war die Szene aus der *galanten Bäuerinn*, darinnen Madam *Adamberger* und Herr *Weidmann* allgemeinen Beyfall erhielten.
Auch die Musik des Hrn. *Mozart* zeichnete sich durch einige besondere Schönheiten aus.
[Folgt eine kurze Besprechung des Singspiels von Salieri.]

                                                      — — r.

* Diese beyden Stücke wurden zu einem Lustfeste in Schönbrunn verfertiget, welches Se. Majestät den 7ten dieses den durchlauchtigsten Generalstatthaltern der k. k. Niederlandden mit Gesellschaft des hiesigen Adels gaben.

8. Stück, S. 126 f.

Aus «Allgemeine Wiener Bücher-Nachrichten oder Verzeichnis neuer und alter Bücher für das Jahr 1786», 22. Februar 1786

K. K. Nationalhoftheater.

Der *Schauspieldirektor*, Schauspiel mit Arien. *Prima la Musica, e poi le Parole*, ein komisches Singspiel — beyde auf Veranlassung des am 7ten d. M., von Sr. Majestät dem Kaiser, den durchl. Generalgouverneuren der Niederlande gegebenen Lustfestes zu Schönbrunn. *Gelegenheitsschauspiele*, bey einem Feste von einem angebeteten Monarchen, einer geliebten Schwester gegeben, wer wird die, eben da theilnehmendes Mitgefühl der Freude, jede kalte Untersuchung erstickt, mit der Fackel der Kritik beleuchten? Es ist aber ganz gewiss nicht Nationalpartheilichkeit noch niedere Schmeychelei, wenn wir sagen, daß das deutsche Gedicht, das welsche unendlich an innern Werthe überwieget — daß dem vortreflichen Spiele der Adamsberger — diesmal Cottelini mit allen Grazien ihrer Kunst weichen musste — daß ohne die herrliche, geschmackvolle Anordnung des Ganzen und aller damit verwandten Zaubereyen, weder Worte noch Musik, Nachsicht gefunden hätten!

Nr. VIII, S. 119. — Dieser Anzeiger erschien in Trattners Verlag.

Aus den «Ephemeriden der Litteratur und des Theaters», Berlin 1786

Vermischte Nachrichten.

Se. Majestät der Kaiser lassen die Nationalschauspieler dieses Jahr zum erstenmal während der Fasten bis zum Palmsonntag wöchentlich viermal im Kärntnerthortheater spielen. Jedoch ist solches weder in den erbländischen Provinzen noch auch in Wien selbst einer andern Gesellschaft erlaubt. Auch haben Se. Maj. am 7. Febr. abermals ein Fest zu Schönbrunn auf die nemliche Art wie voriges Jahr gegeben, und sowohl von den Teutschen Schauspielern als den Italienischen Operisten besonders dazu verfertigte Stücke aufführen lassen. Von den Teutschen waren: Hr. Stephanie der jüng., Mad. Stephanie, Hr. Brockmann, Hr. und Mad. Lange, Hr. und Mad. Adamberger, Hr. Weinann, Mdlle. Cavalieri und Mad. Sacco. Von den Italienern: Mad. Storacci, Mdlle. Coltalini, Hr. Benuci und Hr. Mandini. Das Teutsche Stück hatte Hr. Stephanie der Jüng. und das Italienische Hr. Casti verfertigt. Jede von den spielenden Personen bekam 50 Dukaten, da sie im vorigen Jahr nur 25 erhielt. Beide Stücke wurden nachher in Wien dreimal im Kärntnerthortheater mit ausserordentlichem Beifall und Zulauf gegeben. —

Band 3, S. 189. — Die drei Aufführungen waren offenbar nur in der Fastenzeit möglich, während das Burgtheater geschlossen war. — *„Weinann"* steht für Weidmann.

Aus der «Wiener Zeitung», 4. März 1786

Neue Musikalien

sind bey Wenzel Sukowaty, Hoftheatralkopist ... zu haben:
Der Schauspieldirektor, vom Hrn. Mozart in der Spart, 6 fl. 30 kr. Prima la musica, poi le Parole, vom Hrn. Salieri, in der Spart 3 Dukaten.

Sukowatys Klavierauszüge wurden am 15. März auch in Trattners *Bücher-Nachrichten* (No. XI, S. 175) verzeichnet. — Die Abschrift des *Schauspieldirektors* in der Wiener Nationalbibliothek (M. 16, 144) stammt wahrscheinlich aus der Werkstatt Lausch; siehe 25. März.

Aus Zinzendorfs Tagebuch, 13. März 1786

... a 10h je dois attendre *Louise*, qui revenoit de l'opera Idomenée de chez le P^{ce} Auersperg. (Hatzfeld Elettra) ....

Frau Louise v. Dieden war Zinzendorfs Freundin. — Im Palais des Fürsten Karl Auersperg auf dem Glacis, jenseits der in der Inneren Stadt gelegenen Hofburg (s. 13. X. 1762), fanden nicht nur Konzerte, sondern im Privattheater dort seit Mitte 1781 auch Opernaufführungen statt. Dieses nicht mehr bestehende Theater, hinter dem Palais gelegen (heute Lerchenfelderstraße 6), war 1776 bis 1781 von der Truppe Franz Scherzer benützt und dann vom Fürsten übernommen worden. — Mozart, der diese Aufführung selbst dirigierte, hatte seine Münchner Oper von 1781 umgearbeitet und zwei neue Nummern komponiert: eine Scena mit Rondo für Sopran (Tenor) mit Violinsolo (KV 490) und ein Duett für Sopran und Tenor (KV 489). Die Solisten waren: Ilia — Frau Anna v. Pufendorf (s. 25. 12. 1762); Elettra — Gräfin Hortense Hatzfeld; Idomeneo — Giuseppe Antonio Bridi aus Rovereto; Idamante (Tenor) — Pulini; Violinsolo — Graf August Hatzfeld, Mozarts Altersgenosse und enger Freund, der schon 1787 starb. (Vgl. 26. Juli 1787 und Ernst Fritz Schmid im *Mozart-Jahrbuch* 1954, Salzburg 1955.) Gräfin Hatzfeld, geborene Komtesse Zierotin, die Frau von Augusts Halbbruder Clemens, hatte bei Auersperg am 23. Juli 1782 die Armida in Righinis Oper gesungen, und am 12. Februar 1786 die Alceste in Glucks Oper, unter dessen Leitung; im Januar 1788 sang sie dort die Aspasia in Salieris *Axur*. Auf diesem Privattheater wirkten aber auch Berufssänger mit. — „Pulini" sang die Tenorpartie in KV 489, aber auch die im Sopranschlüssel geschriebene Singstimme in KV 490.

Aus der «Wiener Zeitung», 18. März 1786

Bey Christoph Torricella,

Kunst- Kupferstich- und Musikalienverleger ... ist zu haben:

. . .

Mozart, eine Sonate fürs Klavier, auf vier Hände geschrieben, 1 fl.
— Zwey Sonaten fürs Piano Forte, nebst einer dritten, welche mit einer Violine begleitet ist, Op. 7. 2 fl. 45 kr.

Es ist keine vierhändige Sonate Mozarts aus dem Verlag Torricellas bekannt, noch auch eine, die Artaria & Co. später von seinen Platten gedruckt hätten. Vielleicht handelte es sich nur um eine Abschrift. — Die anderen Sonaten sind die schon am 28. August 1784 von Torricella angezeigten: KV 333, 284 und 454.

Aus der «Oberdeutschen Staatszeitung», Salzburg, 23. März 1786

Anekdote: Im letzten *Carneval zu Wien* (am 19ten Febr.) theilte eine Maske *Bruchstücke aus Zoroastens Fragmenten* gedruckt zur *Beherzigung in der Redoute* aus: voran waren 8 sehr gute Räthseln zu lesen, worunter die versetzten Buchstaben der *Auflösung* standen: Z. B. N. V.

„Man kann mich haben, ohne mich zu sehen.

„Man kann mich tragen, ohne mich zu fühlen.

„Man kann mich geben, ohne mich zu haben.

D. e. e. h. i. n. ë. r. r. [Die Hörner.]

Das Beste aber waren unstreitig die *Fragmente*, wovon wir, da es uns eben an wichtigerem Stoffe gebricht, Einige ausheben:

1) Rede viel — und rede schlecht; doch das letzte giebt sich selbst; es werden alle Augen und Ohren auf dich gerichtet seyn. 4) Ein offenbares Laster ist mir lieber, als eine zweydeutige Tugend; ich weiß wenigstens, woran ich mich halten soll. 5) Ein Heuchler, der die Tugend nachahmen will, kann sie nur mit Wasserfarben nachahmen. 10) Es schickt sich

nicht für jedermann, bescheiden zu seyn: nur großen Männern kömmt es zu, es zu seyn. 11) Bist du arm, aber geschickt, so bewaffne dich mit Geduld; arbeite. Wirst du nicht reich, so bleibst du wenigstens ein geschickter Mann. — Bist du ein Esel, aber reich, so benütze deine Vorzüge; faulenze; wirst du nicht arm, so bleibst du wenigstens ein Esel. 12) Man lobt ein Frauenzimmer auf die gewisseste und zärtlichste Art, wenn man ihr Böses von ihren Nebenbuhlerinnen sagt. Wie viele Männer sind nicht in diesem Stücke Weiber? 14) Bist du ein armer Dummkopf — so werde K - - r [Kleriker?]. Bist du ein reicher Dummkopf, so werde ein Pächter. Bist du ein adelicher, aber armer Dummkopf — so werde, was du kannst, für Brod. Bist du aber ein reicher, adelicher Dummkopf, so werde, was du willst; nur kein Mann vom Verstande — das bitte ich mir aus.

S. 233 f. — Rudolf v. Lewicki in den *Mozarteums Mitteilungen*, Salzburg, November 1919, Band II, Nr. 1, S. 29 f. Ernst v. Frisch in *Das Mozart-Museum in Salzburg*, Salzburg 1925, S. 28 f. — Vgl. 19. II. 1780. — Der Herausgeber jener Zeitung war Lorenz Hübner, dem Vater Mozart das Flugblatt zur Benützung übergeben hatte, der aber den Namen des Verfassers verschwieg. Aus Leopolds Brief an seine Tochter, vom gleichen Tage, wissen wir, daß im letzten Fragmente das Wort „K--r" eine für Salzburg „*vergoldete Abänderung*" war; nach Nissens hinterlassenen Kollektaneeen (Mozarteum, Salzburg), die Lewicki benützte, während Frisch die Zeitung zitierte, ist das originale Wort als „*Canonikus*" zu lesen — vielleicht aus Konstanzes Erinnerung. — Es sei noch bemerkt, daß aus dem Namen des 563 v. Chr. verstorbenen iranischen Propheten Zoroaster nicht nur der Zarathustras, sondern auch der Sarastros abgeleitet worden ist.

Aus der «Wiener Zeitung», 25. März 1786

Neue Musikalien.

Der Schauspieldirektor, ein Gelegenheitsstück, die Musik ist vom Hrn. Mozart
        im Klavierauszug.
L'overtura, 28 kr.
Da schlägt die Abschiedsstunde, Aria 20 kr.
Bester Jüngling mit Entzücken, detta 20 kr.
Ich bin die erste Sängerin, Terzetto 56 kr.
Jeder Künstler strebt nach Ehre, Schlußges. 44 kr.
Die ganze Piece in der Spart samt dem Buch, 6 fl. 30 kr. . . .
Mozart, Mandina amabile questo danaro, Terzetto 52 kr.
— Dite almeno in che maniera, Quartetto, 1 fl. 8 kr. . . .
— Quartetto per il Clavi Cembalo, Violino, Viola, e Violoncello, 2 fl. 30 kr.
Zu haben in der Lauschischen Musikalienhandlung . . .

Vgl. 4. März 1786. — Je ein Exemplar dieses Klavierauszuges und dieser Partitur sind in der Fürstlich-Fürstenbergischen Hofbibliothek, Donaueschingen, erhalten (Mus. Ms. 1391). Der handschriftlichen Partitur war auch das Textbuch beigegeben, offenbar das bei Joseph v. Kurzbeck erschienene, von dem die Nationalbibliothek Wien zwei Exemplare besitzt. Der Druck ist vollständig, enthält also — entgegen der Angabe in Köchel-Einstein, S. 610 — auch die Gesänge. — Zu den beiden anderen Gesängen vgl. 8. Februar 1786. — Das Klavierquartett war das in g-moll, KV 478, das schon im Winter vorher bei Franz Anton Hoffmeister in Wien erschienen sein dürfte.

Aus Zinzendorfs Tagebuch, 27. März 1786

. . . Le soir apres 7ʰ au Concert chez le *Pnz* de Paar. Me Duschek chanta en perfection.

Wenzel Johann Joseph Fürst Paar, den die Mozarts schon lange kannten, war Erbland-Postmeister. — Die Sängerin Josepha Duschek und ihr Mann, der Komponist Franz Xaver Duschek, seit 1777 mit den Mozarts vertraut, waren am 14. März aus Prag nach Wien „berufen worden" (vgl. 12. April

1786). Sie gaben bald darauf im Burgtheater eine Akademie; Josepha produzierte sich auch an einem unbekannten Tage in der Hofburg mit Mozart und dem Münchner Geiger Johann Friedrich Eck. — Am 6. April hörte Zinzendorf Frau Duschek beim Fürsten Paar; an einem anderen Tage sang sie beim Grafen Johann Buquoy, dem Präsidenten der weltlichen Stiftungs-Hofkommission.

Aus der Zeitschrift «Pfeffer und Salz», Salzburg (Wien) 1786
Am 5. April.

Mit den Schauspielen wechseln musikalische Akademien ab, welche verschiedene Virtuosen auf ihre eigene Faust und zu ihrem eigenen Besten geben. Unter diesen zeichnet sich Herr Mozart besonders aus. Er ist ungemein beliebt, und sein Ausdruck verdient Bewunderung. Er ist auch gefällig genug, sich recht oft hören zu lassen. Seine Ernte ist nicht auf die Fastenzeit beschränkt, er thut es im Advent, und, wenn es sonst dem Publikum beliebt, auch im Sommer. Seine mit Accompagnement zu sehr überfüllte Opera, welche bey dem Fürsten Auersberg vom Adel gegeben wurde, hat nicht den Beifall erhalten, den man sonst seiner Kunst, wenn er sich auf dem Fortepiano hören lässt — zuklatschen muss. Die Gräfin Hatzfeld, welche vortreflich singt, (und, ohne eben den Verdiensten der Baronin Buffendorf die beym F. Auersberg mitsang, zu nahe zu treten,) unsere Storaze fast übertrift, hat Hrn. Mozarten ein ansehnliches Geschenke gemacht. Wäre Herr Mozart reicher als die Gräfin, so wärs hier an ihm gewesen, Geschenke auszutheilen: Denn seine Opera hat durch die Kunst der Gräfin, nicht sie durch die Opera in den Augen der Kenner gewonnen.

Legen sie dieses Urtheil nicht unrecht aus, lieber Freund! Ich rede hier nicht von der Kunst Mozarts überhaupt, sondern nur allein von seiner Opera.

Hr. Leopold Kozeluch wetteifert kanntlich mit Mozarten. Seine Kunst auf dem Klavier zu spielen kann nicht beurtheilt werden, denn er ist vielleicht der einzige Virtuos zu Wien, der sich niemals öffentlich hören lies. Seine Compositionen verrathen indessen einen vortreflichen Kopf, und man kann ihnen keine andre Fehler ausstellen, als daß sie zu schwer sind. Der Stolz des Hrn. Kozeluch ist unter andern auch das Fräulein v. Buton, welche im zwölften Jahre ihres Alters mit vielen Virtuosen wetteifern darf.

Ueberhaupt giebt es hier Diletantinen, welche jene Concerte, die sie erlernt haben, beinahe so gut als Mozart selbst spielen.

Man freuet sich auf eine Opera, die Hr. Mozart für das Theater gemacht haben soll, sie kann leicht die wälsche Opern, die Zeit her gegeben wurden, übertreffen. Auch Hr. Kozeluch sollte eine schreiben, er schrieb sie für M. Coldolini, und man wollte sie dann erst geben, da M. Coldelini nicht mehr zu Wien sein würde. Kozeluch übersah den wälschen Plan der Ro+gischen Lieblinge und blieb aus. Wenn es Hr. Mozarten eben so geht, ha, welche Unterstützung für einheimische! Künstler. Es leben Salieri und Casti!

Heft 1, S. 15—17. Exemplare in der Stadtbibliothek Wien und der Studienbibliothek Salzburg. — Zitiert (der letzte Absatz nur) in Gustav Gugitz' Ausgabe der *Denkwürdigkeiten des Venezianers Lorenzo da Ponte*, Dresden 1924, 1. 389 f. — Die Zeitschrift, die wohl schon nach dem zweiten Heft verboten worden ist, war von Franz Xaver Huber und Karl Franz Guolfinger v. Steinsberg verfaßt (freundliche Auskunft von Gustav Gugitz). — Die erste der beiden Mozart-Opern ist *Idomeneo*, die zweite *Figaro*. — Statt Buffendorf sollte es Puf(f)endorf heißen, und statt Buton: Puthon. Die letztere war wohl eine Tochter des Johann Baptist v. Puthon, der 1784 unter den Subskribenten der Mozart-Akademien gewesen ist (siehe Anhang I, S. 490). — „M. *Coldelini*" war Celesta Coltellini, die aber bis 1788 bei der Italienischen Oper in Wien verblieb. — „Ro+g" ist Graf Rosenberg. —

Von Leopold Kozeluch wurde keine Oper in Wien aufgeführt; gemeint ist hier wohl seine Oper *Deborah und Sisera* (Müller v. Asow).

Am 7. April gibt Mozart eine Akademie im Burgtheater und spielt u. a. (?) das neue Klavierkonzert in c-moll, KV 491.

Sonst ist von dem Programm nichts bekannt. — Daß Mozart, wie es heißt (Abert, I. 1015), in dieser Saison noch zwei andere Akademien im Theater gegeben habe, und daß in einer — an diesem 7. April? — *Betulia liberata* aufgeführt worden sei (Köchel-Einstein, S. 147), ist nicht erwiesen, obwohl ein Wiener Textbuch eines Oratoriums dieses Namens von 1786 vorliegt. — Die Akademie am 7. April war Mozarts letzte im Burgtheater.

AUS DER «WIENER ZEITUNG», 8. APRIL 1786

Theaternachrichten.

Freitag den 7. d. gab Herr Mozart eine grosse musikalische Akademie, welche die letzte vor Ostern in diesem Theater war; nachdem unterschiedene auswärtige und einheimische Virtuosen sich daselbst während dieser Fastenzeit, an den Tagen wo kein Schauspiel gegeben wurde, hatten hören lassen.

Das Theater war das Burgtheater.

JOHANN THOMAS KLEINHARDT AN GRAF FRANZ STERNBERG IN PRAG, WIEN, 12.–18. APRIL 1786

Herr Duschek und Madame sind nach Wienn den verflossenen 14ten Merz berufen worden. Madame liess sich öffentlich in k. Theater hören, wo die Gegenwart des Monarchen, der ganzen Hoffstat, aller Noblesse und des ganzen Publikums so voll war, dass mann Leuthe zurückschiken musste. Der Monarch blieb vom Anfange bis an das Ende, klatschte selbst oft Pravo und bezeugte seine ganze Zufriedenheit. Nach einigen Tagen hatte Me. Duschak extra Audienz. Ihr accombanirte der famose Fliglist Mozart und H. Virtuos Eck. Nach den Feyertagen gehen sie von Wienn ab. Das Accombanement der übrigen Musicis kostete Me. Duschek 100 Thaler. Theure österreichische Musikanten! Wo es ihr bey unsern doch in Wahrheit höflichen Landsleuthen etwa 12 Dukaten gekostet hätte. Von dannen nehmen sie den Ruckweg nach Salzburg, allwo sie die Erbschaft ihres seel. Grossvaters abholet; dann eine Station nach Dresden alle Gelehrte und gutte Freunde zu besuchen und dann mit Sehnsucht nach Prag in ihr Landgütchen.
Begierig bin ich schon mündlich alles von ihr zu vernehmen, was sich wehrend ihrer Abwesenheit überall zugetragen hat und auch begierig wider ihr Landgütchen zu besuchen um da gesunde Luft zu schöpfen und ihr Kupferstichkabinett einzurichten.

Archiv des Nationalmuseums, Prag. — Paul Nettl, *Mozart in Böhmen*, Prag 1938, S. 37 f. — Kleinhardt (der jüngere) war Maler und Kupferstecher in Prag, auf Besuch in Wien. — „*Fliglist*" bedeutet Flügel-, Klavierspieler. — Das Ehepaar Duschek war schon am 12. April, vor Ostern in Salzburg eingetroffen. Der Bürgermeister Weiser (s. Januar 1770), den die Duscheks 1777 (s. 15. 8. 1777) in Salzburg besucht hatten, hinterließ seiner Enkelin Josepha eine Erbschaft, die aber zum Teil seinen Salzburger Enkeln zugesprochen wurde. — Das Landgut der Duschek war seit April 1784 die **später durch** Mozarts Besuche ausgezeichnete Villa Bertramka bei Prag. — Graf Franz Joseph Sternberg war ein bedeutender Kunstsammler.

Aus der «Wiener Zeitung», 26. April 1786

Nachricht.

In der Kunsthandlung Artaria Comp. . . . ist neu zu haben: . . . Mozart, Fantaisie e Sonate pour le Forte Piano, 1 fl. 30 kr.

——— Ariette Lison dormoit, avec Variations pour le Clavecin, 40 kr.

KV 475 und 457 (vgl. 7. XII. 1785), KV 264 (s. Januar 1786): beides Original-Ausgaben.

Anschlagzettel des Burgtheaters, 1. Mai 1786

Neues Singspiel.

Im kaiserl. königl. National-Hof-Theater

wird heute Montag den 1ten May 1786 aufgeführt:

(zum erstenmal)

LE NOZZE
DI FIGARO.

Die Hochzeit des Figaro.

Ein italiänisches Singspiel in vier Aufzügen.

Die Musik ist vom Herrn Kapellmeister Mozart.

Die Bücher sind italiänisch und deutsch jedes für 20 kr. beym Logenmeister zu haben.

Der Anfang ist um halb 7 Uhr.

Nationalbibliothek Wien. — Faksimile bei Teuber, a. a. O., S. 77. — Die Uraufführung war schon für den 28. April geplant gewesen, mußte aber um drei Tage verschoben werden. Da Ponte, der Librettist, ist hier nicht genannt, wohl aber im Textbuch. Zum Text vgl. 4. II. 1785. — Mozart dirigierte die beiden ersten Vorstellungen, der 20jährige Joseph Weigl von der dritten an, immer vom Cembalo aus. Bei der zweiten Aufführung mußten fünf Nummern wiederholt werden, bei der dritten sieben, worunter ein kleines Duett sogar dreimal gesungen wurde. Die Oper wurde 1786 neunmal gegeben: am 1., 3., 8. und 24. Mai, 4. Juli, 28. August, 22. (23.?) September, 15. November und 18. Dezember. In den Jahren 1787 und 88 wurde es nicht aufgeführt. 1789, mit zwei neuen Arien, am 29. und 31. August, 2., 11. und 19. September, 3., 9. und 24. Oktober, 5., 13. und 27. November; 1790 am 8. Januar, 1. Februar, 1., 7., 9., 19. und 30. Mai, 22. Juni, 24. und 26. Juli, 22. August, 3. und 25. September, und 11. Oktober; 1791 am 4. und 20. Januar, und am 9. Februar. Bis zum 10. Juli 1798, als der *Figaro* im Kärntnertor-Theater wieder erschien, wurde dann in den beiden Hoftheatern keine Oper von Mozart aufgeführt. — Die Besetzung von 1786 war: La Contessa — Luisa Laschi, Susanna — Ann Storace, Cherubino — Dorotea Bussani, Marcellina — Maria Mandini, Barbarina — Anna Gottlieb (geboren 1774); Il Conte — Stefano Mandini, Figaro — Francesco Benucci, Bartolo und Antonio — Francesco Bussani, Don Basilio und Don Curzio — Michael Kelly.

Titel und Autoren-Vermerk des italienischen Textbuches

LE NOZZE / DI FIGARO. / Comedia per musica / tratta dal francese / in quattro atti. / Da rappresentarsi / nel teatro di corte / l'anno 1786. / In Vienna, / presso Giuseppe Nob. de Kurzbek, / Stampatore di S. M. I. R.

. . .

La Poesia è dell' Ab. da Ponte, Poe-/ta del Teatro Imp.

La Musica è del Signor Volfgango / Mozart, Maestro di Cappella, / Tedesco.

Exemplare in der Library of Congress, Washington, und im Istituto musicale, Florenz.

Titel und Autoren-Vermerk des deutschen Textbuches

DIE HOCHZEIT DES FIGARO. / Ein / Schauspiel in Musik / in 4. Aufzügen / aus dem Französischen herausgezogen. / Aufgeführet / in dem k. k. Nazionalhoftheater. / Im Jahre 1786. / Wien, / bei Joseph Edlen v. Kurzbeck, k. k. / Hofbuchdrucker, Groß- und Buchhändler.

. . .

Die Poesie ist des Hrn Abbe da Ponte, / Poet des k. k. Theaters.
Die Musick ist des Hrn Wolfgang Mozart, / deutschen Kapellmeisters.
Zwei Exemplare in der Stadtbibliothek, Wien. — Titelblatt abgebildet bei Teuber, a. a. O., S. 78. — Das deutsche Textbuch ist durchaus in Prosa gehalten.

Da Pontes Vorwort im italienischen Textbuch

Il tempo prescritto dall' uso alle drammatiche rappresentazioni, un certo dato numero di personaggi comunemente praticato nelle medesime; ed alcune altre prudenti viste, e convenienze dovute ai costumi, al loco, e agli spettatori, furono le cagioni per cui non ho fatto una traduzione di quella eccelente comedia [Beaumarchais], ma una imitazione piuttosto, o vogliamo dire un estratto.

Per questo sono stato costretto a ridurre a undici attori i sedici che la compongono, due de' quali si possono eseguire da uno stesso soggetto, e ad ommettere, oltre un intiero atto di quella, molte graziosissime scene, e molti bei motti, e saletti ond'è sparsa, in loco di che ho dovuto sostituire canzonette, arie, cori ed altri pensieri, e parole di musica suscettibili, cose che dalla sola poesia, e non mai dalla prosa si somministrano. Ad onta però di tutto lo studio, e di tutta la diligenza e cura avuta dal maestro di capela, e da me per esser brevi, l'opera non sarà delle più corte che si sieno esposte sul nostro teatro al che speriamo che basti di scusa la varietà delle fila onde è tessuta l'azione di questo dramma, la vastità e grandezza del medesimo, la moltiplicità de' pezzi musicali, che si son dovuti fare, per non tener di soverchio tratto tratto con diversi colori le diverse passioni che vi campeggiano, e il desiderio nostro particolarmente di offerire un quasi nuovo genere di spettacolo ad un pubblico di gusto sì raffinato, e di si giudizio intendimento.
Oscar Sonneck, *Catalogue of Opera Librettos printed before 1800*, Washington 1914, I. 807.

Da Pontes Vorwort im deutschen Textbuch

Die für dramatische Vorstellungen von dem Gebrauche vorgeschriebene Zeit, eine gewisse bestimmte, in denselben allgemein gewöhnliche Zahl der vorstellenden Personen, und einige andere kluge, in Rücksicht der guten Sitten, des Ortes und der Zuschauer nöthige Beobachtungen, sind die Ursache gewesen, warum ich dieses vortreffliche Lustspiel nicht übersetzet sondern nachgeahmet, oder vielmehr nur einen Auszug davon gemacht habe. Daher war ich gezwungen, die Zahl der sechzehn agirenden Personen, aus denen es bestehet, für deren zwo eine genug thun kann, nur auf eilfe zurück[zu]führen, nebst diesem einen ganzen Aufzug, manchen sehr artigen Auftritt, viele schöne anmuthige Scherze, und witzige Gedanken, die darinn verstreuet waren, auszulassen, und dafür Lieder, Arien, Chöre, und andere Gedanken, und für die Musik schikliche Wörter anzubringen: was uns die gebundene Rede allein, nicht aber die ungebundene Rede an die Hand giebt.
Ungeachtet aber, daß sowohl ich als der Kapellmeister keine Mühe geschonet, und mit allem Fleiße und Sorgfalt gesuchet haben, dieses Schauspiel so kurz als möglich zu machen;

so wird es doch nicht eines der kürzesten seyn, die auf unserem Theater aufgeführet worden.

Darinn, hoffen wir, wird uns genugsam entschuldigen die Verschiedenheit der Fäden, welche die Handlung dieses Schauspiels durchweben, das Neue und die Größe desselben, die Vielfältigkeit und Verschiedenheit der musikalischen Stüke, die man hineinbringen mußte, um nicht leider oft die Akteurs unthätig zu lassen, um den Eckel und die Einförmigkeit der langen Rezitativen zu vermeiden, um verschiedene Leidenschaften, die da vorkommen, mit verschiedenen Farben auszudrücken, besonders aber wegen der fast neuen Art des Schauspieles, so wir diesem gnädigsten, verehrungswürdigsten Publiko zu geben wünschten.

Teuber, a. a. O., S. 78 f.

Aus den Hoftheater-Rechnungsbüchern 1786/7

Besoldungen der italienischen Singspieler Gesellschaft von 1sten März 1786 bis letzten Hornung 1787

. . .

Poeta

Dem abbate da Ponte an jährl. 600 [fl.]

Dem Da Ponte Lorenzo für drei über seiner Schuldigkeit vermög seines Contracts componirte italienische Oper. laut 3. Quitt. ut No. 153   600.—

Dem Mozart Wolfgang Amade, für Componirung der Musique zur *Opera Le Nozze di Figaro* ut No. 179.   450.—

Staatsarchiv, Wien, Band 21, S. 30, 56 und 60. — O. E. Deutsch in *Music & Letters*, London, April 1944, S. 97. — Von Da Ponte waren in dieser Saison auch die Libretti zu Anfossis *Il trionfo delle donne* (nach Giovanni Bertati) und zu Vicente Martin y Solers *Il burbero di buon cuore* (nach Goldoni). Für jedes der drei Bücher bekam er also 200 Gulden.

Aus Zinzendorfs Tagebuch, 1. Mai 1786

1. de May

. . . a 7ʰ du soir a l'opera le Nozze *di Figaro*, la poesie de da Ponte, la musique de Mozhardt. Louise dans notre loge, l'opera m'ennuyer . . .

Aus der «Wiener Zeitung», 3. Mai 1786

K. K. Hoftheater.

Montag den 1. May ein neues italienisches Singspiel in vier Aufzügen, genannte le Nozze di Figaro, nach dem franz. Lustspiel des Hrn. v. Beaumarchais bearbeitet vom Hrn. Ab. da Ponte, Theaterpoeten; die Musik dazu ist vom Hrn. Kapellmeister Mozart. La Sign. Laschi, welche seit kurzem hier wieder angelangt ist, und la Sign. Bussani, eine neue Sängerin, erschienen dabey das erstemal als Gräfin und Page.

Aus der «Wiener Zeitung», 3. Mai 1786

Le Nozze di Figaro, Die Hochzeit des Figaro.

Da ich so glücklich bin, bereits dieses sowohl schöne als künstliche Werk des berühmten Herrn Kapellmeisters Mozart den hochachtbaren Publikum liefern zu können, so wollte ich nicht länger den respect. Musikliebhabern die Nachricht vorenthalten, daß die Partitur dieser ganzen Oper gegen Bestellung für den billigsten Preis in meiner Handlung zu bekommen sey. —

Bekannt mit dem vortrefflichen Geschmack des h. Publikums habe ich bereits geschickten Tonkünstlern die Ausführung eines Klavierauszuges sowohl, als auch in Quartetten für 2 Violin, Viola und Baß gesetzt, überlassen, und können die Herren Liebhaber ebenfalls gegen Bestellung binnen kurzer Zeit damit bedienet werden; werden demnach alle diejenigen, die diese Opera auf eine oder die andere Art zu besitzen wünschen, ersucht, sich bey Zeiten vorzumerken, um sie dann vor allen andern, da um diese Oper bereits von umliegenden k. k. Staaten sowohl, als vom Auslande viele Nachfrage geschah, auf das genaueste bedienen zu können.

Christoph Torricella

Kunst- Kupferstich- u. Musikalienhandler u. Verleger am Kohlmarkt nächst dem Millianischen Caffeehaus.

Die Partitur sollte natürlich in Abschrift vertrieben werden; vielleicht identisch mit dem in Köchel-Einstein S. 623 erwähnten Exemplar in Donaueschingen, wo aber nur der 1. und 2. Akt vorhanden sind. — Die beiden von Torricella geplanten Arrangements sind nicht erschienen. — Statt „Millianischen" sollte es „Milanischen" heißen.

KAISER JOSEPH AN GRAF ROSENBERG, 9. MAI 1786

Um die Dauerzeit der Opern nicht allzuweit erstrecken, dennoch aber den von den Opernsängern in der Wiederholung der Singstücken offt suchenden Ruhm nicht kränken zu lassen, finde ich nebengehende Nachricht an das Publicum (daß kein aus mehr als einer Singstimme bestehendes Stück widerholt werden soll) das schicksamste Mittel zu seyn. Sie werden daher solche einigen Anschlagszetteln beydrucken lassen. Das nemliche ist auch nachher bey den deutschen Singspielen zu beobachten, und daher auch dort bekannt zu machen.

Staatsarchiv, Wien, wie zuvor. — Payer v. Thurn, a. a. O., S. 69. — Es ist wahrscheinlich, daß diese Verfügung durch den *Figaro* veranlaßt wurde.

AUS DEM BURGTHEATER-ZETTEL VOM 12. MAI 1786

NB. Es wird Jedermann zu wissen gemacht, daß von nun an, um die für die Singspiele bestimmte Dauerzeit nicht zu überschreiten, kein aus mehr als einer Singstimme bestehendes Stück mehr wird wiederholt werden.

Teuber, a. a. O., S. 80. — An diesem Abend wurde Domenico Cimarosas *L'Italiana in Londra* gegeben.

AUS FRANZ KAZINCZYS SELBSTBIOGRAPHIE

(Übersetzung)

[Wien, Mai 1786]

Storace, die schöne Sängerin, bezauberte Auge, Ohr und Seele. — Mozart dirigierte das Orchester, sein Fortepiano schlagend; aber die Freude, welche die Musik verursacht, ist so fern von jeder Sinnlichkeit, daß man nicht darüber sprechen darf. Wo gäbe es Worte, würdig, eine solche Freude zu schildern?

Zuerst gedruckt ohne Mozarts Namen 1828 in Széphalom; neue, vollständige Ausgabe, herausgegeben von Lajos Abafi, Budapest 1879, S. 86 f. — *Mozart in Ungarn*, Bibliographie von Lidia
F. Wendelin, Budapest 1958, S. 151. — Kazinczy war ein hervorragender ungarischer Dichter, nach
1790 ein Günstling van Swietens in Wien. — Das ungarische Original ist im Anhang III, S. 516,
wiedergegeben.

Im Juni wird der *Figaro* auch auf dem Schloßtheater in Laxenburg aufgeführt, mit den
Wiener Sängern.

Teuber, a. a. O., S. 79.

AUS DER «WIENER ZEITUNG», 1. JULI 1786

LE NOZZE DI FIGARO

die mit allgemeinem Beyfall aufgenommene Opera des berühmten Kapellmeisters, Herrn
W. A. Mozart, gut übersetzt beym Klavier zu singen, den Bogen zu 7 kr.

Atto I

		fl.	kr.
L'overtura	. . . .	—	28
Nr. 1. Cinque . . . dieci . . . venti . . . trenta, Duetto	. . . .	—	25
2. Se a caso Madama, detto (Din din, Don, don)	. . . .	—	35
3. Se vuol ballare, Signor Contino, Aria (le suonero, si)	. . . . . .	—	18
4. No so più cosa son, cosa faccio, d.	. . . .	—	21
5. Cosa sento! tosto andate, Terz.	. . . .	—	53
6. Giovanni liete, fiore spargete, Coro	. . . .	—	14
7. Non più andrai farfallone amoroso, Aria	. . . .	—	25

Atto II

Nr. 1. Porgi amor qualche ristoro. Ar.	. . . .	—	11
2. Voi che sapete che cosa è amor, detta (Con chitarrino)	. . . . . .	—	18
3. Venite inginocchiatevi: restate fermo li, detta	. . . .	—	21
4. Susanna or via sortite, Terzetto	. . . .	—	35
5. Aprite presto aprite, Duetto	. . . .	—	18
6. Esci omai, garzon mal nato, Fin.	. . . .	—	35
7. Signore, cos'equel Stupore? Terz.	. . . .	—	14
8. Susanna, son morta: il fiato mi manca, detto	. . . . . .	—	39
9. Signori di fuori, son gia i suonatori, Quartetto	. . . .	—	35
10. Ah Signor . . . Signor . . . cosa è stato? Quintetto	. . . . . .	1	38
11. Voi Signor che giusto siete, Sc. ult.	. . . .	1	52

Atto III

Nr. 1. Crudel! perche finora, Duetto (E non mi Mancherai)	. . . .	—	21
2. Hai gia vinta, Recit. Vedrò mentre io sospiro, Aria	. . . . .	—	28
3. Riconosci in questo amplesso, Sestetto (Sua Madre? Suo Padre?)	. . .	1	10
4. E Susanna non vien! Recitativo.			
Dove Sono i bei momenti, Aria	. . . .	—	25

5. Su l'aria; che soave zefiretto, Duet. (Wo die Gräfin der Susanna diktirt)   — 18
6. Ricevete, o Padroncina, Coro . . . .   — 14
7. Ecco la marcia . . . andiamo, Marcia . . . .   — 14
8. Amanti Constanti, Coro . . . .   — 21

Atto IV

Nr. 1. L'ho perduta . . . me Meschina! . . . Cavatina   . . . .   — 11
2. In quegl'anni, in cui val poco, Ar. . . . .   — 25
3. Tutto è disposto, Recit. Aprite un pò quegl'occhi uomi, Aria . . . .   — 25
4. Giunse alfin, Recit. Deh vieni non tardar, o gioja bella, Aria . . . .   — 18
5. Pian pianin, le andrò più presso, Fi. . . . .   — 35
6. Partito è alfin l'audace, Quart. . . . .   — 21
7. Tutto è tranquillo è placido, Duet. . . . .   — 42
8. Pace pace mio dolce tesoro, Trz. . . . .   — 18
9. Cosa avvenne? il scelerato, Sc. ult. 1 24

Auf die Quartetten davon a 2 Violini, Viola e Violoncello, wird bis 31. Juli
pränumerirt mit . . . .   6 —
Die ganze Opera in der Spart . . . .   30 —
Zu haben in der Lauschischen Musikalienhandlung . . .

Vgl. 3. Mai 1786. — Wie Torricella bot Lausch die Partitur, einen Klavierauszug, aber nur in
Nummern, und eine Streichquartett-Bearbeitung, auch auf Subskription an. Im Klavierauszug fehlen
die originalen Nummern 4 (Aria des Bartolo), 5 (Duettino Susanna-Marcellina) und 24 (Aria
der Marcellina). Die Finali des zweiten und des vierten Aktes sind in sechs bzw. fünf Nummern
zerlegt. — Die Partitur-Abschriften in Florenz (Istituto musicale, A. 262) und in London (British
Museum, Cat. A. Hughes-Hughes, 354) sind vielleicht von Lausch. — Die Nummern I. 7 und IV. 4
seines Klavierauszugs sind in der „Kaisersammlung" der Musiksammlung der Nationalbibliothek,
Wien, die Nummern IV. 5—9 im Schwarzenbergischen Musikarchiv, Krumau, erhalten.

Aus Zinzendorfs Tagebuch, 4. Juli 1786

. . . A l'opera. Le nozze *di Figaro*. La musique de Mozart singuliere des mains sans tète . . .

Teuber, a. a. O., S. 79, Gustav Gugitz in den *Wiener Geschichtsblättern*, 1956, Nr. 1, S. 18.

Am 5. Juli wird die *Entführung* in Rostock gegeben, am 17. in Altona, im Juli oder August von der Truppe Böhm in Bad Pyrmont.

Die Aufführung in Pyrmont ist bezeugt durch die *Ephemeriden der Litteratur und des Theaters*,
Berlin 1787, Band 5, S. 271.

Aus der «Wiener Realzeitung», 11. Juli 1786

Montags den 1ten May wurde in dem k. k. National-Hof-Theater aufgeführt: (zum erstenn-
mal) La Nozze di Figaro. *Die Hochzeit des Figaro. Ein italiänisches Singspiel in vier Aufzügen.* Die Musik ist von Hrn. Kapellmeister Mozart.
„Was in unsern Zeiten nicht erlaubt ist, gesagt zu werden, wird gesungen." Könnte man
nach *Figaro** sagen. Dieses Stück, das man in *Paris* verbothen, und hier als *Komödie* so-

* Im Barbier von Seviglia.

wohl in einer schlechten als in einer guten Uebersetzung aufzuführen nicht erlaubt hat, waren wir endlich so glücklich als *Oper* vorgestellet zu sehen. Man sieht, daß wir besser daran sind als die Franzosen.

Die Musik des Herrn *Mozart* wurde schon bey der ersten Vorstellung von Kennern allgemein bewundert, nur nehme ich diejenigen aus deren Eigenliebe und Stolz es nicht zuläßt, etwas gut zu finden, was sie nicht selbst verfaßt haben.

Das *Publikum* zwar (und dem Publikum begegnet dieses oft) wußte am ersten Tage nicht eigentlich, wie es daran war. Es hörte manches Bravo von unpartheiischen Kennern, aber ungestümme Bengel im obersten Stockwerke sprengten ihre gedungenen Lungen nach Kräften an, um mit ihren St! und Pst! Sänger und Zuhörer zu betäuben; und folglich waren mit Ende des Stücks die Meinungen getheilt.

Ueberdieß hat es seine Richtigkeit, dass die erste Aufführung, weil die Komposition sehr schwer ist, nicht am besten von statten gieng.

Itzt aber nach wiederholten Vorstellungen würde man sich offenbar entweder zur *Kabale* oder *Geschmacklosigkeit* bekennen, wenn man eine andere Meinung behaupten wollte, als daß die Musik des Hrn. *Mozart* ein Meisterstück der Kunst sey.

Sie enthält so viele Schönheiten, und einen solchen Reichthum von Gedanken, die nur aus der Quelle eines angebohrnen Genie's geschöpft werden können.

Einige Zeitungsschreiber beliebten zu erzählen, Herrn Mozarts Oper habe ganz und gar nicht gefallen. Es läßt sich errathen, von welcher Art Korrespondenten seyn müssen, die dergleichen offenbare Lügen in den Tag hineinschreiben. Ich glaube es ist genugsam bekannt, daß eben die dritte Vorstellung dieser Oper und die in selber so häufig anverlangten Wiederholungen die Ursache waren, warum einige Tage darauf auf *allerhöchsten Befehl* öffentlich bekannt gemacht wurde, *es sey in Hinkunft verbothen, in den Singspielen kein Stück mehr, das aus mehr als einer Stimme besteht, wiederholen zu lassen.*

Fr.

28. Stück, S. 447. — Christopher Raeburn in der *Österreichischen Musikzeitschrift*, Wien, Juli-August 1957. — Das Zitat aus Beaumarchais' *Le Barbier de Séville* ist aus Akt I, Szene 2.

Am 16. Juli zeigt der Pariser Verleger M. Wenck in *Annonces, Affiches et Avis divers* eine vierhändige Sonate (KV 381) an.

Aus der «Wiener Zeitung», 5. August 1786

Bey Artaria Compagnie, Kunsthändlern ... sind folgende Landkarten und Musikalien zu haben:

Mozart, Ariette. La Belle Francoise, ganz neu variert fürs Klavier	40 kr.
— — Lison dormoit, mit Variationen fürs Klavier	40 kr.
— — Salve tu Domine, detto	36 kr.
— — Unser dummer Pöbel meint, det.	40 kr.
— — Marche des Mariages Samnites, detto	30 kr.
— — Variat. fürs Klav. mit Violin	40 kr.
— — La Bergere Silimene, variert fürs Klavier und Violin	40 kr.

KV 353, 264, 398, 455, 352, 360 und 359. — Die unbenannten Variationen für Klavier und Violine waren die über das Andantino „*Hélas, j'ai perdu mon amant*" (KV 360), die Lausch und Torricella wie KV 359 schon 1785 (31. August und 14. September) in Abschriften angeboten hatten. Das Thema stammte, wie das von „*La Bergère Célimène*" (KV 359), von M. Albanèse. — Auch die Variationen über „*Salve tu, Domine*" (KV 398) waren seit 15. Januar 1785 in Abschrift bei Lausch zu haben, und die über „*Unser dummer Pöbel meint*" (KV 455) sind laut Jahn schon 1785 bei Torricella erschienen. Artarias Ausgabe von KV 398 dürfte von Platten gedruckt worden sein, die Torricella vorbereitet hatte, und Artarias Ausgabe von KV 455 war vielleicht auch nur eine Titelauflage der verschollenen Ausgabe Torricellas. Siehe die folgende Anzeige.

Aus der «Wiener Zeitung», 9. August 1786

Licit. Musikalienplatten.

Von dem k. k. ni. öst. Merkantil- und Wechselgericht wird hiemit angezeigt: daß den 18. August, dann den 1. und 15. September d. J. früh um 9 Uhr in der Stadt am Graben bey der weissen Rosen Nr. 1150 im 1ten Stock verschiedene Musikalienplatten, benanntlich:
Mozart 3 Sonaten, mit 59 in Zinn gestochenen Platten, ... Hayden 3 Sinfonien mit 111 deto, ... Haydn la Chasse, mit 38 deto, ... versteigerungsweis werden hindangegeben werden, und falls diese Musikalienplatten weder bey dem ersten, noch bey dem zweyten Termin, um den Schätzungsbetrag, oder darüber an Mann gebracht werden könnten, dieselbe bey dem dritten Termin, auch unter der Schätzung verkauft werden würden.

Das einzige hier genannte Werk von Mozart, Opus VII, enthielt die Sonaten KV 333, 284 und (für Klavier und Violine) 454; siehe 28. August 1784. — Artaria & Co. erwarben Torricellas Platten und damit die Verlagsrechte.

Aus den «Provinzialnachrichten», Wien, 9. August 1786

Neue Musikalien.

In der Lauschischen-Musikalien-Handlung ... ist zu haben: ...
Mozart: Le Nozze di Figaro. Do. Do. [Opera, a Violini, Viola e Violoncello] 6 fl. 30 kr.

Am 18. Oktober wird Mozarts drittes Kind, Johann Thomas Leopold geboren.

Blümml, a. a. O., S. 6. — Bei der Taufe zu St. Stephan fungierte Johann Thomas v. Trattner als Pate. Der Rufname Leopold war zu Ehren des Großvaters gewählt, wie bei Nannerls Kind.

Am 15. November stirbt der Knabe an „Stickfrais" (Erstickungs-Krämpfe) und wird am 17. auf dem Friedhof der Vorstadt St. Marx begraben.

Dieser damals neue Friedhof war für das Viertel der Dompfarre zuständig, in dem die Schulerstraße sowie die Rauhensteingasse liegt, wo Mozart 1786 bzw. 1791 wohnte.

Am 19. November tritt Thekla Podleska im Burgtheater als Constanze in der *Entführung* auf.

Ephemeriden der Litteratur und des Theaters, Berlin 1787, Band 5, S. 208. — Fräulein Podleska, später verehlichte Batka, war nur vom 1. November 1786 bis zum 31. August 1787 bei der

Deutschen Oper engagiert und ging dann nach Prag. Zinzendorf notierte am 22. Dezember 1786, daß er sie in einem Konzert miauen gehört habe; es war in Anton Teybers Oratorium *Gioas* im Burgtheater, wo auch die Storace, Benucci und Kelly mitwirkten.

Am 5. Dezember spielt Mozart bei einer von vier seiner Advents-Akademien im Trattnerschen Kasino sein neues Klavierkonzert in C, KV 503 (?).

Diese Angabe (Abert I, 1015) ist dokumentarisch nicht zu belegen, wie denn die Abhaltung der vier Akademien fraglich ist. Laut Leopold Mozarts Brief an seine Tochter vom 8. Dezember 1786 bestand allerdings die Absicht, diese Akademien zu veranstalten. — In diesem Herbst plante Mozart, mit seiner Frau auf längere Zeit nach England zu gehen, was aber schon an der Weigerung des Vaters scheiterte, den Knaben Karl indessen nach Salzburg zu nehmen, wo schon Nannerls Leopold untergebracht war.

Aus der «Prager Oberpostamtszeitung», 12. Dezember 1786
Prag den 11. Dezember.

Kein Stück (so gehet hier die allgemeine Sage) hat je so viel Aufsehen gemacht als die italienische Oper: *Die Hochzeit des Figaro*, welche von der hiesigen Bondinischen Gesellschaft der Opernvirtuosen schon einigemal mit dem vollsten Beyfalle gegeben wurde, und wobey sich besonders Madame Bondini und Herr Ponziani in den komischen Rollen ausgezeichnet haben. Die Musik ist von unserm berühmten Herrn Mozart. Kenner, die diese Oper in Wien gesehen haben, wollen behaupten, daß sie hier weit besser ausfalle; und sehr wahrscheinlich, weil die blasenden Instrumenten, worinn die Böhmen bekanntlich entschiedene Meister sind, in dem ganzen Stück viel zu thun haben; besonders gefallen die Duetten der Trompete und des Waldhorn. Unserem Großen Mozart muß dieses selbst zu Ohren gekommen seyn, weil seit dem das Gerücht gehet, er würde selbst hieher kommen, das Stück zu sehen, zu dessen so glücklichen Ausführung das wohlbesetzte Orchester, und die Direkzion des Herrn Strobachs viel beytragen.

Ein nicht ganz vollständiges Exemplar dieser Zeitung ist in der Universitäts-Bibliothek, Prag. — Oskar Teuber, *Geschichte des Prager Theaters*, Prag 1885, II. 207. — Das genaue Datum der Prager Erstaufführung ist nicht bekannt. — Zu Bondini siehe September 1783 und S. 207 unten. Seine Frau Caterina sang die Susanna, Felice Ponziani den Figaro und Luigi Bassi den Grafen. Johann Joseph Strobach dirigierte. Am 14. Dezember wurde der *Figaro* zum Benefiz der Signora Bondini gegeben, am 4. Januar 1787 zu dem Ponzianis. — Das von Joseph Emanuel Diesbach gedruckte Prager Libretto von 1786 (Stadtbibliothek, Wien) ist betitelt *Le Nozze di Figaro, o sia La folle giornata*, der Innenvermerk über den Komponisten lautet aber wie im italienischen Wiener Textbuch.

Aus Cramers «Magazin der Musik», Hamburg, 17. Dezember 1786
Die Entführung aus dem Serail; eine comische Oper, in drey Aufzügen, von Brezner. Die Musik von Mozart. Brezners ... Entführung aus dem Serail ... ist ... das Unbedeutenste ... seiner lyrischen Stücke. Sie steht der *Großmannischen* Oper ähnlichen Inhalts *, weit nach ...
Die Verbesserungen, die man in Wien damit vorgenommen, sind auch nicht die besten. Am wenigsten gefällt die Veränderung der Breznerischen Katastrophe. Bey Brezner vergiebt der Bassa dem Belmont, weil er seinen Sohn in ihm erkennt; in der Wiener Verbesserung aber thut ers, weil es weit grösser ist, seinem Feinde zu vergeben, als sich zu

* Adelheit von Veltheim.

rächen. Ein Beweggrund, der freylich erhabner, aber auch — wie denn das mit solchen Erhabenheiten immer der Fall ist — ungleich unnatürlicher ist. Das übelste dabey ist, daß durch diese Verbesserung, der Grund, warum Brezner seinen Bassa zum Renegaten gemacht hat, gänzlich wegfällt, und er dadurch diese Verbesserung noch unnatürlicher macht.

Ueberhaupt sind diese ewigen Großmuthen ein eckles Ding, und fast auf keiner Bühne mehr Mode, als auf der Wiener . . .

Die Entführung aus dem Serail ist zu Wien mit einem sehr ausgezeichneten Beyfall aufgenommen worden. Ein Beyfall, den sie nicht sich, sondern der vortreflichen Musik des Herrn *Mozart* und der sehr guten Vorstellung der Sänger der Nationalbühne zu verdanken hat . . . Herren *Mozarts* Musik [hat] meinen ganzen Beyfall, und ich bekenne mit Vergnügen, daß nur *Benda* und *Gluck* mein Herz stärker treffen und rühren können, als Herr *Mozart* mit seiner lieblichen Musik getroffen hat.

Ich kann das Werk dieses noch sehr jungen Künstlers nicht im Detail loben; dazu bin ich zu wenig eigentlicher Musikverständiger, ich kann nur sagen, daß seine Declamation richtig, sein Gesang ungemein redend, Sprache des Herzens und der Natur sey, und daß er durchaus die richtigsten Begriffe von dem wahren Zwecke der schönsten aller menschlichen Künste verräth.

Die Sänger der hiesigen Nationalbühne verdienen das Lob; daß sie gefühlt haben, was sie sangen; daß sie mit der ganzen Seele wiedergaben, was Mozart setzte; daß auch bei ihnen der Gesang aus dem Herzen kam; daß sie nicht bloß gurgelten, sondern sprachen; und ich bin überzeugt, daß *Mozarts* Werk auf keiner Bühne Deutschlands so vollkommen gefühlt und dargestellt werden wird, als es auf der hiesigen Nationalbühne geschehen ist. Daher ist's denn auch kein Wunder, daß diese *Entführung aus dem Serail*, trotz den Mackeln, die ihr von Seiten des Dichters und der unweisen Verbesserung ankleben, mit dem allgemeinen Beyfall ist aufgenommen worden, und noch immer mit diesem allgemeinen Beyfall aufgenommen wird. Wenn Componist und Sänger so mit vereinigten Kräften arbeiten, den wahren Zweck der Musik zu erfüllen: so muß auch unser Herz dadurch intereßirt werden, und wo die Kunst unser Herz intereßirt, da ist auch ihr Eindruck dauernd und bleibend.

Band II, S. 1056—1061 (1079). — Diese „Recension" war ein Plagiat des Berichtes von Schink, Graz 1782. — Vgl. 4. Oktober 1780.

AUS DER «PRAGER OBERPOSTAMTSZEITUNG», 19. DEZEMBER 1786

Prag den 16. Dezember.

Verflossenen Donnerstag wurde in unserm Nazionaltheater das schon jüngst erwähnte Meisterstück des Hrn Mozards zum Besten der Madame Bondini gegeben. Man hat es noch nicht genug gehört; denn das Theater war abermals voll Zuschauer, obschon kein Abonementstag war. Dießmal regnete es gleichsam von deutschen Gedichten, die man von der Gallerie herabwarf, wovon wir ein geschriebenes, welches hiebey folgt, auffiengen:

> „Bondinnin singt
> Und Freude dringt
> Ins melancholische Herz:
> Fern wenigst ist der Schmerz

> Solang Bondinnin singt,
> Solang ihr schalker Scherz
> Aus ihrer Kehle klingt."

Man wird diese Oper noch lange geben können, ehe — zur Ehre des Prager Geschmacks —
man dafür eine neue verlangen sollte.

Teuber, a. a. O., II. 208. — Die Benefiz-Vorstellung war am 14. gewesen. — Das Abwerfen von
Huldigungsgedichten, gedruckten oder geschriebenen, war um 1800 üblich, bei Premieren für
Autoren, bei Benefiz-Abenden für die gefeierten Solisten. Mit dem Worte *„deutsch"* bezeichnete
man damals in Prag den Gegensatz zu *„italienisch"*.

AUS DER «PRAGER OBERPOSTAMTSZEITUNG», 26. DEZEMBER 1786

Der berühmte Compositeur Hr. Mozart schickt sich an, auf künftiges Frühjahr nach London zu reisen, wohin er die vorteilhaftesten Anträge hat. Er wird seinen Weg über Paris
nehmen.

Nettl, a. a. O., S. 81. — Diese Nachricht hing mit Mozarts herbstlichen Plänen zusammen, die laut
Leopolds Brief an Nannerl vom 12. Januar 1786 um Neujahr noch nicht aufgegeben waren. Auch in
München war damals von dieser Reise die Rede. Zu einer förmlichen Einladung nach London kam
es erst im Dezember 1790, als Johann Peter Salomon aus London nach Wien kam, der schon 1786
eine Mozart-Sinfonie als Nr. 1 des ersten Subskriptions-Konzertes in Hanover Square Rooms aufgeführt hatte (C. F. Pohl, *Haydn in London*, Wien 1867, S. 80, wo ohne Quellenangabe auch eine
Londoner Kritik deutsch zitiert ist: *„eine große Composition und mit viel Geist und Effect ausgeführt")*. Mozarts englische Freunde in Wien: Attwood, Kelly und die Storaces, die im Begriffe
waren heimzukehren, hatten eine Reise nach London im Winter 1786/87 angeregt.

ANTON DANIEL BREICHAS HULDIGUNGS-GEDICHT, PRAG, ENDE 1786

An Mozart bey Gelegenheit der Vorstellung der Oper le nozze di Figaro.

Was soll ich die Musen, begeistert von Dir,
Um Beystand beschwören? Sey Muse Du mir!
   Sey Du mir des Pindus berauschende Quelle!
Ich hört' Dich, melodischer Denker, und priess
Dein Schöpfertalent, und in's Wonnemeer riss
   Mich bald der Empfindungen mächtigste Welle.

Zwar rollen bey Deinem Getöne nicht Wald,
Nicht Felsen herbey; nicht fabelhaft hallt
   Dein sprechendes Spiel dem gefräßigen Tiger.
Doch bist Du den Fühlenden Orpheus mehr,
Bist Herrscher der Seelen, Dir fröhnt das Gehör
   Der Kinder, der Mädchen, der Männer, der Krieger.

Wenn Liebe Dein schmelzendes Saitenspiel tönt,
Sucht trunken der Jüngling sein Liebchen und stöhnt,
   Und heftiger hämmert der Busen dem Liebchen,
Sie winkt dem Geliebten zum Göttergenuss,
Und mit in Dein Saitenspiel lispelt ein Kuss
   Von Lippen des Jünglings, von Lippen des Liebchen.

Wenn ängstig und fieb'risch Dein Saitenspiel bebt,
Durchfrieren uns Schauer und Angst. Doch belebt
    Uns Freude, wenn Töne sich necken und scherzen.
Wenn wimmernd und dumpf, wie des Grabes Getön,
Die klagenden Lieder die Ohren umweh'n,
    Ertönen auch Wehmuth die Saiten der Herzen.

Sieh! Deutschland, Dein Vaterland, reicht Dir die Hand,
Nach Sitte der Deutschen, und löset das Band
    Der Freundschaft mit Fremdlingen auf, und verehret
In Dir nun den deutschen Apoll, und versöhnt
Sich so mit Germaniens Musen, und höhnt
    Des schielenden Neides, der selbst sich verzehret.

(Im Namen einer zahlreichen Gesellschaft Musikfreunde gesungen von B---a.)

Nissen, Anhang, S. 184 f., druckte das Gedicht in zwei Teilen ab und datierte es irrtümlich 1785. —
Vgl. Nottebohm, *Mozartiana*, S. 115, und Rudolf v. Procházka, *Mozart in Prag*, Prag 1892, S. 27 f.
— Das Gedicht wurde zuerst als Flugblatt verbreitet, wovon Mozart ein Exemplar Anfang Januar
aus Wien nach Salzburg geschickt hat. Es ist auch in der von Johann Dionis John 1787 herausgegebenen Prager Anthologie *Blumen, Blümchen und Blätter* abgedruckt. — Breicha war ein Arzt,
hatte aber kurz vorher auf der (Graf Franz) Trauttmansdorffschen Liebhaberbühne in Prag den
Hamlet gespielt. — Mozart hatte das Gedicht aus Prag gleichzeitig mit Einladungen dorthin erhalten,
die vom „*Orchester und einer Gesellschaft großer Kenner und Liebhaber*" kamen (Leopold Mozart
an seine Tochter, 12. Januar 1787); wahrscheinlich vom Kapellmeister Strobach, dem Grafen
Johann Thun und dem Ehepaar Duschek, das aber im Januar 1787 verreist war.

1787

Mozarts Eintragung in das Stammbuch Edmund Webers

Seyen Sie fleissig — fliehen Sie den Müssigang — und vergessen Sie nie ihren sie vom
Herzen liebenden Vetter

                                                Wolfgang Amadé Mozart.

Wien den 8. Jänner 1787
Morgens um 5 Uhr, vor der Abreise.

Das Stammbuch ist im Besitz der Frau Sophie Lichtenberger in Speyer, geborenen Heckel aus
Mannheim. — Jahn, I. 471. — Edmund war wie sein älterer Bruder Fritz (Fridolin) ein Schüler
Joseph Haydns, der am 22. Mai 1788 in das Album schrieb, als die Brüder Wien verließen (Pohl,
Haydn, II, 204). Ihr Vater, Franz Anton Weber, Fridolins Bruder, war mit diesen beiden
erwachsenen Söhnen 1784 nach Wien gekommen und hatte dort 1785 die 21 jährige Sängerin
Genoveva Brenner geheiratet; aus dieser Ehe stammte Carl Maria von Weber. (Vgl. O. E. Deutsch
in *Music & Letters*, London, April 1944.) Siehe 20. August 1785. — Mozart führte 1787 selbst ein
Stammbuch (s. 1. April 1787).

Am Morgen des 8. Januar 1787 reist Mozart mit Konstanze nach Prag.

In ihrer Gesellschaft war der Violinspieler Franz Hofer, der 1788 Konstanzes älteste Schwester
Josepha heiratete, und wahrscheinlich auch seine kleine Kollegin, die 13 jährige Marianne Crux aus
Mannheim.

Prag den 7. Jänner.

... Nur Schade, daß diese schöne [Theater-]Gesellschaft sich itzt trennet, und wir wünschen denjenigen wirklich Glück, die Hrn. Ponziani auf ihr Theater engagieren werden, diesen Mann, der hier und überall, wo er auftrat, der Liebling der Kenner, und aller die ihn hörten, war.

Nettl, a. a. O., S. 75. — Am 4. Januar war der *Figaro* zum Benefiz Ponzianis gegeben worden: *„Das Schauspielhaus war besetzt, daß kaum eine Bewegung stattfinden konnte."* Vgl. 12. Dezember 1786. — Die Truppe Bondini ist dann noch in Prag verblieben.

Am 11. Januar mittags trifft Mozart in Prag ein und steigt zuerst bei den „Drei Löwen" ab, übersiedelt aber bald ins Palais des Grafen Johann Thun auf der Kleinseite.

Am Abend des gleichen Tages besuchte Mozart mit dem Grafen Joseph Emanuel Canal den vom Universitätsprofessor Johann Baron Bretfeld jeden Donnerstag im Konviktsaal arrangierten Ball, wo er die in Prag arrangierten *Figaro*-Tänze hörte.

Am 12. Januar führt Mozart im Palais Thun sein scherzhaftes Terzett *Das Bandel* (KV 441) auf, aber auch ein Klavier-Quartett (wahrscheinlich das in Es, KV 493).

Das Terzett mit Streichquartett-Begleitung ist offenbar in Mozarts Zimmer aufgeführt worden, das Quartett aber im Musiksalon des Grafen, der ein eigenes Orchester hatte.

Prag den 12. Jänner.

Gestern Abends kam unser grosse und geliebte Tonkünstler Hr. Mozard aus Wien hier an. Wir zweifeln nicht, dass Herr Bondini diesem Manne zu Ehren die Hochzeit des Figaro, dieß beliebte Werk seines musikalischen Genies, aufführen lassen werde, und unser rühmlich bekanntes Orchester wird sodann nicht ermangeln neue Beweise seiner Kunst zu geben, und die geschmackvollen Bewohner Prags werden sich gewiss, ohngeachtet sie das Stück schon oft gehört haben, sehr zahlreich einfinden. Wir wünschten auch Herrn Mozard's Spiel selbst bewundern zu können.

Teuber, a. a. O., II. 209. — Das Theater war 1781—83 vom Oberstburggrafen (Statthalter) Anton Graf v. Nostitz und Rieneck auf eigene Kosten erbaut worden. (Zu Nostitz s. Subskribenten-Liste im Anhang I, S. 489).

Am 13. Januar vormittags besucht Mozart im Clementinum die Bibliothek und das Geistliche Seminar, mittags den Grafen Canal und abends Paisiellos Oper *Le gare generose*.

Zum Seminar vgl. 12. November 1787. — Graf Canal, der auch ein eigenes Orchester hatte, war Freimaurer. — Paisiellos Oper war im Frühjahr 1786 zuerst in Neapel aufgeführt worden, am 1. September dieses Jahres auch in Wien.

Am 17. Januar wird der *Figaro* in Anwesenheit Mozarts wiederholt.

Teuber, a. a. O., II. 212.

BEWILLIGUNG DER BÖHMISCHEN STATTHALTEREI

Dem Mozart wird die angesuchte Bewilligung zur Haltung einer musikalischen Akademie
ertheilet.   Heimbacher.
Den 18. Jäner 787.

Teuber, a. a. O., II. 212. — Nettl, a. a. O., S. 96.

Am 19. Januar gibt Mozart eine Akademie im Prager Theater; er führt die Sinfonie in D,
KV 504, auf und spielt auf dem Klavier drei Fantasien, zuletzt über „Non più andrai"	aus
dem Figaro.

Die Sinfonie wurde später die Prager benannt. Vgl. Niemetscheks Erinnerungen von 1798. — Ob es zu
einer zweiten Akademie im Theater gekommen ist, bleibt trotz Nissens Angabe (S. 517) ungewiß.

Am 22. Januar dirigiert Mozart den Figaro.

Am selben Tage konzertierte Marianne Crux beim Grafen Thun. Mozart dürfte dabei also nicht
mitgewirkt haben.

AUS DER «PRAGER OBERPOSTAMTSZEITUNG», 23. JANUAR 1787

Freytags den 19ten gab Hr. Mozard auf dem Fortepiano im hiesigen Nazionaltheater Konzert. Alles was man von diesem großen Künstler erwarten konnte, hat er vollkommen
erfüllt. Gestern wurde die Oper Figaro, dies Werk seines Genies, von ihm selbst dirigirt.

Rudolf v. Freisauff (Mozart's Don Juan 1787—1887, Salzburg 1887, S. 14), Teuber (II. 226) und
Nettl (S. 95) datieren diesen Bericht vom 21. Januar (einem Sonntag!) und folgern daraus, daß
Mozart den Figaro am 20. dirigiert habe (Abert, II. 412). Teuber (II. 212) nimmt an, daß er das
auch schon am 18. getan hätte.

Um den 8. Februar verläßt Mozart Prag und trifft etwa vier Tage später in Wien ein.

Mozart brachte den Auftrag Bondinis mit, für die nächste Prager Saison eine Oper zu schreiben.

Am 10. Februar reist Vater Mozart zum Karneval nach München und kehrt am 23. abends
nach Salzburg zurück.

Am 23. Februar verabschiedet sich Ann Storace in einer Akademie im Kärntnertor-
Theater.

Wahrscheinlich hat die Storace an diesem Abend die Szene mit Rondo „Ch'io mi scordi di te —
Non temer, amato bene" (KV 505) gesungen, am konzertierenden Klavier vielleicht begleitet von
Mozart.

Am 24. Februar wird in der Wiener Zeitung ein Wochenblatt für Kinder zur angenehmen
und lehrreichen Beschäftigung in ihren Freystunden angekündigt, das von Joseph May und
Johann Strommer, Lehrern am k. k. Taubstummen-Institut, herausgegeben wird und ab
5. April erscheinen soll, ein Bogen jede Woche.

Unter den Subskribenten der vier 1787 und 1788 erschienenen Bändchen (Stiftsbibliothek Klosterneuburg) waren „Mozart, k. k. Kammermusikus", Ignaz v. Born, Franz Georg Edler v. Keeß (ein beson-

derer Musikfreund), Karl Schubert (Lehrer in der Leopoldstadt, Onkel Franz Schuberts) und Freiherr v. Wetzlar. Da Mozart erst am 7. Dezember 1787 zum Kammermusikus ernannt worden ist, dürfte die Subskriptions-Liste nicht vor 1788 gedruckt worden sein. Die Zeitschrift brachte halbjährig eine Musikbeilage, darunter *Die kleine Spinnerin* (KV 531) im ersten Halbjahr 1787 und *Beim Auszug in das Feld* (KV 552) im zweiten Halbjahr 1788. *Des kleinen Friedrichs Geburtstag* (KV 529) scheint ebenso wie die Lieder KV 472, 474, 517 und 518 in der von Joseph May und F. A. Gaheis seit 1788 herausgegebenen *Neuen Kinderbibliothek*, später betitelt *Bibliothek für Kinder und Kinderfreunde*, erschienen zu sein, die noch seltener als jene Zeitschrift geworden ist (sechs Bändchen, Druck des Taubstummen-Instituts, Wien).

Am 26. Februar abends treffen Attwood, Kelly, Ann Storace mit Bruder und Mutter auf der Heimreise von Wien nach London in Salzburg ein und werden am 27. vormittags von Leopold Mozart durch die Stadt geführt. Nachdem die Storace abends beim Erzbischof gesungen hat, reisen sie um Mitternacht nach München weiter.

Von Stephen Storace war 1785 und 1786 je eine Oper in Wien aufgeführt worden. Die Gesellschaft, die im März 1787 in London eintraf, hatte Mozart nicht, wie beabsichtigt war, mitnehmen können.

Am 3. März kündigt der Pariser Verlag Boyer et le Menu im *Mercure de France* die Klaviersonate in D, KV 284, an.

Mozart en France, Paris 1956, S. 69. — Das war ein Nachdruck.

Am 7. März gibt Marianne Willmann mit ihren Geschwistern eine Akademie im Kärntnertor-Theater und spielt ein Klavierkonzert von Mozart (KV 503?).

Die Willmanns waren eine zahlreiche Musikerfamilie. Schon 1785 hatte im Burgtheater eine Akademie dreier Geschwister Willmann stattgefunden und 1787 gaben sie wieder eine. Es waren Maximilian, der Cellist, Marianne, die Pianistin, und Magdalena, die Sängerin. Marianne soll eine Schülerin Mozarts gewesen sein. Das würde den ungewöhnlichen Vortrag eines seiner Klavierkonzerte erklären.

Am 12. März bietet Friedrich Zöllner, gräflich Batthyány'scher Schauspieldirektor in Hainburg (Niederösterreich), der Landesregierung von Krain ein Gastspiel seiner Truppe für den Winter 1787/8 in Laibach an, deren Repertoire auch die *Entführung* umfaßt.

Slovenisches Staatsarchiv, Ljubljana, Ständearchiv, Fasc. F 49. — Mitgeteilt von Prof. Dr. Dragotin Cvetko, Ljubljana. — Vgl. *Laibacher Zeitung*, 1787, Nr. 46. Ob Mozarts Oper damals in Laibach aufgeführt wurde, ist unbestimmt. Vgl. 13. Juni 1785, Aufführung in Pressburg.

Am 14. März ist im Kärntnertor-Theater eine Akademie des Oboisten Friedrich Ramm, die mit einer Sinfonie von Mozart beginnt und auch eine Mozart-Arie, gesungen von Aloisia Lange, bringt.

Zu Ramm siehe 13. Februar 1778.

Am 21. März findet im Kärntnertor-Theater eine Akademie des Bassisten Ludwig Karl Fischer statt, die wieder mit einer Mozart-Sinfonie beginnt und mit der für dieses Konzert geschriebenen Baß-Arie „*Alcandro, lo confesso — Non so, d'onde viene*" (KV 512) schließt.

Fischer, der erste Osmin der *Entführung*, war nur zu Besuch in Wien.

Mozarts Eintragung in das Stammbuch des Johann Georg Kronauer

Patience and tranquillity of mind contribute more to cure our distempers as the whole art of medecine. —

Wien den 30ten März 1787. Ihr wahrer aufrichtiger Freund und O:Br:

Wolfgang Amadè Mozart

Mittglied der sehr E: ☐ zur Neugekrönten

Hofnung im O: v: W:

Nationalbibliothek, Wien. — George Grove's Schubert-Artikel in seinem *Dictionary of Music and Musicians*, London 1882, III. 332. — Grove, dem C. F. Pohl den Text mitgeteilt hatte, meinte, es handle sich um einen englischen Freimaurer. Kronauer war ein Sprachlehrer in Wien, aus Winterthur in der Schweiz gebürtig. Sein reichhaltiges, seit 1783 geführtes Album ist um 1935 für eine amerikanische Loge ganz faksimiliert worden. (Vgl. Edwin Zellweker in der *Österreichischen Musikzeitschrift*, Februar 1951; Paul Nettl in der *Neuen Zürcher Zeitung*, 22. Januar 1956, und in den *Acta Mozartiana*, Augsburg, April 1956, Jg. 3, Heft 2; Frank Bernhart in *Ars Quatuor Coronatorum*, London, 5. Oktober 1956, englische Übersetzung des ganzen Albums.) — Ob die Sentenz von Mozart stammt oder ein Zitat ist, bleibt unentschieden. Mozart scheint sich um diese Zeit, vielleicht mit Hinblick auf die beabsichtigte Reise nach London, im Englischen geübt zu haben. Vgl. 23. August 1785 und 24. April 1787.

Anzeige eines Klavierauszuges des «Figaro», arrangiert von Vincenz Maschek, Prag 1787

Nachricht.

Auf einiges Begehren verschiedener hoher gnädigster Gönner, wie auch einiger meiner Freunde, sezte ich in Klavierauszug die mit allen recht sehr, beliebte Opera, genannt; le Nozze di Figaro, mit welcher der hohe, gnädige Adel, wie auch das verehrungswürdigste Publikum, täglich bey mir in der brennten Gasse Nr. 84. in zweyten Stock, nach Befehl alsogleich bedient wird.

Die ganze Opera sammt allen Recitativen, sauber eingebunden, kostet . . .   6 Dukaten.

Eben das ganze Werk ohne Recitativ   4 Dukaten,

Sollte jemand diese Opera nur Aktweiß befehlen, so kostet der 1te Akt 4 fl., der 2te 6 fl. der 3te 4 fl. und der 4te 6 fl. — Einzelne Stücke kann man auch zu allen Stunden haben, das Stück ohne unterschied zu 1 fl.

NB. Zur Anempfehlung meiner Uebersezung seze ich bey, dass ich mir alle erdenkliche Muhe gegeben habe, dieses Meisterstück leicht zu sezen, und doch nicht vergessen, alle Schönheiten dieser Musik zu behalten; für die Abschrift kann ich auch Bürge sein, in deme ich jedes Exemplar selbst durchsehe, um damit man nach Wunsch bedienet wird. Man findet bey jeden Akt auch einen Register, vermög welchen jedes Stück ohne nachzusuchen zu finden ist.

Winzens Maschek

Compositeur.

Bibliothek des Nationalmuseums, Prag (wo auch ein Exemplar dieses handschriftlichen Klavierauszuges ist). — Nettl, a. a. O., Tafel vor S. 125. — Das Blatt ist undatiert und wird hier mit Vorbehalt eingereiht. — Vgl. 3. Mai und 1. Juli 1786 und 6. Juni 1787.

Ludwig Karl Fischer in Mozarts Stammbuch

Die holde Göttin: Harmonie:
der Töne und der Seelen,
ich dächte wohl, sie sollten nie
uns Musen Söhnen fehlen;
doch oft ist Herz und Mund verstimmt;
dort singen Lippen Hönig,
wo doch des Neides Feüer glimmt;
glaub mir, es gebe wenig
Freünde, die den Stempel tragen
ächter Treu, Rechtschaffenheit.
lass dir nur noch dieses sagen:
prüf mein Herz und Redlichkeit;
wirst du mich im Grund recht kennen,
willst mich dann dein' Freünd noch nennen,
Gut! so sey dies gantz mein Lohn,
meine Freundschaft hast du schon.   Wien d. 1. April 1787.
                                                     Louis Fischer.

Das Stammbuch Mozarts aus den Jahren 1787 bis 89 (das von seinem Sohne Karl 1795 bis 1836 weiter benützt worden ist) gehörte dem Mozarteum, Salzburg, und ist 1945 verlorengegangen. Sein Archivar Johann Evangelist Engl hat die elf für Mozart geschriebenen Eintragungen 1911 im 31. Jahresbericht der Internationalen Stiftung Mozarteum und in der Wiener Zeitschrift *Ton und Wort* (November und Dezember) abgedruckt; die beiden Publikationen decken sich aber nicht ganz. — Fischers Eintragung (Jahn, II. 345) war die früheste. — Neun von den elf Blättern sind aus dem Jahre 1787, eines undatiert und eines von 1789. — Der Herausgeber hat 1937 Abschriften der Eintragungen gemacht, von denen aber leider die erste (Fischer) und die undatierte (Bauernfeld) nicht erhalten geblieben sind. — Zu Fischer s. 21. März 1787. — 1829 sah das Ehepaar Novello das Stammbuch bei Konstanze in Salzburg.

Am 4. April schreibt Mozart seinen letzten Brief an den Vater.

Leopold Mozart war Mitte März ernstlich erkrankt; Nannerl weilte bei ihm bis Anfang Mai. — In dem vorletzten, verlorengegangenen Brief hatte Mozart den Tod des Grafen Hatzfeld (am 30. Januar) schon erwähnt und nannte ihn seinen *„liebsten besten Freund"* (vgl. 3. September 1787).

Am 7. April kommt der sechzehnjährige Beethoven aus Bonn nach Wien, um bei Mozart zu lernen.

Er blieb nur bis zum 20. April, weil er wegen der schweren Erkrankung seiner Mutter heimkehren mußte. — Die Meinungen über Zeit und Dauer dieses ersten Aufenthaltes Beethovens in Wien schwanken zwischen März und Juni 1787. Seine Mutter starb im Juli.

Gottfried v. Jacquin in Mozarts Stammbuch

Wahres Genie ohne Herz — ist Unding — denn nicht hoher Verstand allein; nicht Imagination allein; nicht beide zusammen machen Genie — Liebe! Liebe! Liebe! ist die Seele des Genies.
Wien d. 11. April 1787.

                                        Dein Freund Emilian Gottfried Edler von
                                                   Jacquin.

Der berühmte Botaniker Nikolaus Joseph v. Jacquin (1727—1817) hatte drei Kinder: Gottfried (1763—92), Joseph Franz (1766—1839) und Franziska, später verehelichte Lagusius (1769—1853). Gottfried und Franziska waren sehr musikalisch, und der ältere Bruder komponierte auch. Der jüngere Bruder wurde des Vaters Nachfolger. Die Familie wohnte am Rennweg, beim Botanischen Garten. Mozart war eng mit ihnen befreundet; er hat für Gottfried mehrere Gefälligkeits-Kompositionen geschrieben, die unter dessen Namen aufgeführt oder veröffentlicht worden sind.

Am 12. April wird die *Entführung* von der Truppe Großmann in Hannover gegeben.
Der Kapellmeister war Bernhard Anselm Weber. — Siehe 3. Oktober 1788.

Sigmund Barisani in Mozarts Stammbuch
Wien den 14ten Aprilmonats 1787.

Wenn deines Flügels Meisterspiel
Den Briten, der, selbst gross an Geist,
Den grossen Mann zu schätzen weiss,
Dahinreisst zur Bewunderung;
Wenn deine Kunst, um welche dich
Der welsche Komponist beneidt,
Und wie er kann und mag verfolgt;
Wenn deine Kunst, in der dir nur
Ein Bach, ein Joseph Hayden gleicht
Dir längst verdientes Glück erwirbt,
Vergiss da deines Freundes nicht,
Der sich mit Wonne stets und stets
Mit Stolz erinnern wird, dass er
Als Arzt dir zweymal hat gedient
Und dich der Welt zur Lust erhielt,
Der aber noch weit stolzer ist
Dass du sein Freund bist so wie er.

> Dein Freund Sigmund Barisani
> Physicus Primarius im allgemeinen
> Krankenhaus.

Jahn I, 839. — Sigmund Barisani war ein Sohn des Salzburger Leibarztes (s. 20. I. 1781) und starb noch 1787, 29 Jahre alt. Er hatte Mozart im Spätsommer 1784 behandelt (s. 23. August) und wohl bei einer Wiederkehr jener Nieren-Koliken. Vgl. 3. September 1787 und 5. Dezember 1791.

Aus Cramers «Magazin der Musik», Hamburg, 23. April 1787
Wien, den 29sten Januar, 1787.) ... Mozart hat vor einigen Wochen eine musikalische Reise nach Prag, Berlin, und man sagt, sogar nach London angetreten. Ich wünsche, daß sie zu seinem Vorteil und Vergnügen ausschlagen möge. Er ist der fertigste, beste Clavierschüler, den ich je gehört habe; nur Schade, daß er sich in seinem künstlichen und wirklich schönen Satz, um ein neuer Schöpfer zu werden, zu hoch versteigt, wobei freilich Empfindung und Herz wenig gewinnen, seine neuen Quartetten für 2 Violin, Viole

und Baß, die er Haydn dedicirt hat, sind doch wohl zu stark gewürzt — und welcher Gaum kann das lange aushalten. Verzeihen Sie dieses Gleichniß aus dem Kochbuche... Die Madame Aurenhammer ist eine ausgezeichnete Meisterin im Clavier, worin Sie auch Stunden giebt. Ich habe Sie schon lange nicht gehört. Sie ist es, die viele Sonaten und variirte Arietten von Mozart bey die Herren Artaria zum Stich besorgt und durchgesehen hat.

A * *.

Band II, S. 1273 f. — Jahn I, 779, 806. — Abert I, 977, 1003; II, 171. — Mozarts Reise im Januar hatte nur bis Prag geführt.

Mozarts Eintragung in das Stammbuch Joseph Franz v. Jacquins

Don't never forget your true and faithfull friend

Wolfgang Amadè Mozart

Vienna. the 24 April. 1787.

Mozarteum, Salzburg. — Faksimile in Roland Tenscherts Mozart-Buch, Amsterdam 1931, Tafel 51. — Zu Jacquin s. 11. April, zu Mozarts Englisch 30. März 1787. — Er schrieb diesen Satz unter den Doppel-Kanon KV 228.

Joseph Franz v. Jacquin in Mozarts Stammbuch

> Tibi qui possis
> Blandus auritas fidibus canoris
> Ducere quercus,
> In amicitiae tesseram

Viennae die 24 Aprili 1787.   Josephus Franciscus à Jacquin.

Horaz, *Carmina*, I, 12, 11. — Jahn II, 53. — Am 24. April wurden also die beiden Stammbücher ausgetauscht.

Am 24. April übersiedelt Mozart von der Schulerstraße in die Hauptstraße der Vorstadt Landstraße Nr. 224 (jetzt 75 und 77, Neubau), Gartentrakt.

Mozart war um diese Zeit wieder krank.

Am 25. April (oder etwas früher) wird die *Entführung* von der Truppe Schikaneder in Regensburg aufgeführt (?).

Das Datum scheint aus zwei Gründen fraglich. Egon Komorzynski sagt in seinem Schikaneder-Buch (Wien 1951, S. 110), daß dieser die Direktion dort erst am 29. Mai übernommen habe, und Schikaneder bestätigte erst am 3. Juli den Empfang einer handschriftlichen Partitur von Artaria & Co., die er am 11. Juni bestellt hatte. (Der Brief ist bei der Gesellschaft der Musikfreunde, Wien; die Quittung war früher in der Prager Sammlung Fritz Donebaur.)

Ignaz v. Born in Mozarts Stammbuch

Dulcis Apollo! qui tuas artes, tua munera Mozarto nostro dedisti, ut poscenti chorda sonos reddat, quos vult manus et mens, acutos, graves, citos, tardos, canoros, querulos, magnos, parvos, sine ulla offensione concinentes; fac ut cum grata lyrae suae musica faustorum quoque dierum numeri consonent, et grata sortis harmonia.

27. April. 787.   Ignatius a Born

Jahn III, 310. — Faksimile in Robert Haas' Mozart-Buch, S. 152. — Zu Born s. 24. April 1785.

Am 2. Mai werden in der *Wiener Zeitung* die Gläubiger des „entwichenen" Franz Anton Gilowsky aufgefordert, sich bis zum 21. Juli beim k. k. niederösterreichischen Landrecht zu melden.

Dieser Franz Anton Gilowsky v. Urazowa war ein Vetter des Trauzeugen Mozarts, Franz Wenzel. Er hatte um 1784 die *Kleine Post* (lokale Briefpost) in Wien betrieben und dabei sein Geld verloren. Es ist wahrscheinlich, daß er der „Franz Gilowsky" gewesen ist, dem Mozart am 23. August 1786 dreihundert Gulden geliehen hat, die im Nachlaß als uneinbringlich bezeichnet wurden. Gilowsky, dessen Konkurs 1788 aufgehoben wurde, ist auch 1790 und 1800 als zahlungsunfähig erklärt worden und blieb verschollen.

AUS DER «NEUEN LITTERATUR UND VÖLKERKUNDE», DESSAU, MAI 1787

Artaria und Kompagnie, Kunsthändler in Wien, haben auf eigene Kosten folgende Musikalien verlegt.

Simphonien.

... Mozart 1 Simph. Op. 8. 3 fl. detto 1 Simph. Op. 9. 3 fl.

. . . . .

Quartetten.

... Mozart 6 detti [Quartetti a 2 Violin, Viola e Violoncello]. Op. 10. 6 fl. 30 kr.

. . . . .

Clavier Concerten.

... Mozart Conc. pour detto [le Clavecin ou P. F. avec accomp. de plus. instrum.]. Op. No. 1. 2 fl. 30 kr. detto. Conc. pour detto. Op. No. 2. 2 fl. 30 kr. detto. Conc. pour detto. Op. No. 3. 2 fl. 30 kr.

. . . . .

Claviersonaten mit Accompagnement.

... Mozart 6 Sonate per Clavicembalo con Violino. Op. 2. 5 fl. detto Ariette avec variations pour le Clavecin & Violon. Op. No. 6. 40 kr. detto — la Bergere Silimene, varie pour le Clav. & V. Op. No. 7. 40 kr.

. . . . .

Sonaten fürs Clavier allein.

... Mozart 3 Sonates pour le Clavecin ou Forte Piano. Op. 6. 2 fl. detto Fantaisie & une Sonate pour le Forte Piano. Op. 11. 1 fl. 30 kr. detto Ariette, Lison dormoir, avec Variations pour Clav. Op. No. 1. 40 fl. detto — La belle Francoise, avec Variations detto. Op. No. 2. 40 kr. detto — Unser dummer Pöbel meint, mit Variationen Op. No. 3. 40 fl. detto — Salve tu Domine, mit Variationen detto. Op. No. 4. 40 kr. detto — Marche de

Mariages samnites, avec Variat. Op. No. 5. 40 kr.

. . . . .

Sonaten für 2 Personen auf 1 Clavier.
... Mozart 2 Sonates pour detto. op. 3. 2 fl.

. . . . .

Band I (der ganzen Folge Band X), Anhang, S. 40—43. — Herausgegeben von Johann Wilhelm
v. Archenholz. — Gefunden von Christopher Raeburn. — Die Anzeige stammt vom März oder April
1787. Sie liegt zwischen dem 2. und dem 4. Katalog des Verlages Artaria & Co., die 1782 und 1788
erschienen (Gesellschaft der Musikfreunde, Wien), und bietet Ersatz für den 3. Katalog vom De-
zember 1787, der ebenso wie der 1. von 1781 verloren ist. — Die Mozart-Stücke sind: Sinfonien —
KV 319 und 385; Streich-Quartette — KV 387, 421, 458, 428, 464 und 465; Klavier-Konzerte —
KV 414, 413 und 415; Klavier-Violin-Sonaten etc. — KV 376, 296, 377 bis 380, 360, 359; Klavier-
Sonaten etc. — KV 330 bis 332, 475 und 457, 264, 353, 455, 398 und 352; vierhändige Sonaten —
KV 381 und 358. — Die Variationen Mozarts bildeten bei Artaria eine besondere Serie; „Op.
Nr. 1" bedeutet also Nr. 1 dieser Serie. — Bei den Preisen ist zweimal 40 fl. statt 40 kr. gedruckt
worden.

Aus dem Tagebuch Dominikus Hagenauers, 28. Mai 1787

Pfingstmontag, den 28ten Früh 1787 starb der hiesige Vice Kapellmeister Leopold Mozart,
der Salzburg mit seinen zwey Kindern vor etwas 20 Jahren besonders Ehre gemachet hat,
indem er den Knaben Wolfgang, und die Tochter Anna erstern mit 7 und letztere mit
10 Jahren als grosse Virtuosen auf dem Clavier in ganz Deutschland, Frankreich, Holland,
Engelland, Schweitz, Welschland auch bis Rom geführet hat, und aller Orten Beyfahl und
Lob gefunden, auch reichliche Geschänke davon und mit sich gebracht hat. Der Sohn ist
dermal in Wien einer der berühmtesten Compositeur, und die Tochter ist mit H. von Sonnenburg Pfleger zu St. Gilgen in Salzburgischen verheurathet. Die Mutter starb in Paris,
als sie das zweytemahl mit ihrem Sohn dahin gereiset ist. Der heut verstorbene Vater war
ein Mann von vielen Witz und Klugheit, und würde auch ausser der Musick dem Staat
gute Dienste zu leisten vermögend gewesen seyn. Seiner Zeit war er der regelmessigste
Violinist, von welchem seine zweymal aufgelegte Violinschule Zeugniss gibt. Er war in
Augsburg gebohren, brachte seine Lebenstäge meistens in hiesigen Hofdiensten zu, hatte
aber das Unglück hier immer verfolgt zu werden, und war lang nicht so beliebt, wie
in andern grössten Ortens Europens. Ereichte ein Alter von 68 Jahren.

I, 246 f. — Archiv des Stiftes St. Peter, Salzburg. — Pater Dominikus war 1786 Abt dieses Stiftes
geworden. — Leopold Mozart starb *„an der Auszehr"*, wie das *Salzburger Intelligenzblatt* vom
2. Juni berichtete, an *„Milzverstopfung"*, wie sein Arzt, Dr. Joseph von Barisani, gemeint hatte. Der
Hofkriegsrat Franz D'Yppold (Ipold), ein alter Freund der Familie, verständigte Wolfgang vom
Ableben seines Vaters.

Am 4. Juni begräbt Mozart seinen Star.
Vgl. 27. Mai 1784.

Aus der «Wiener Zeitung», 6. Juni 1787
Nachricht

an einen hohen gnädigen Adel, und das verehrungswürdigste Publikum.
Der ungetheilte laute Beyfall, mit welchem Mozarts Meisterstück: Die Hochzeit des
Figaro, in Prag aufgenommen wurde, läßt mich vermuthen, daß nicht wenige wünschen
werden, dieses in seiner Art einzige über alles Lob erhabene Singspiel im Klavierauszuge

zu besitzen. Um diesen edeln Wunsch zu erfüllen, habe ich mich entschlossen, solchen zu veranstalten, und habe die Ehre einer hohen gnädigen Noblesse und verehrungswürdigen Publikum selbes anzutragen; damit aber jeder den Werth dieses Klavierauszuges bestimmen könnte, setz ich nur hinzu, daß der verdienstvolle grosse Tonkünstler und Klaviermeister, Herr Kucharz, dieses Werk mit möglichstem Fleisse übersetzt hat. Wegen der Kostbarkeit des Stückes will ich den Weg der Pränumeration vorschlagen, und werde jeden Monat einen Act ausliefern, wovon jeder Act 4 fl. 30 kr. kosten wird, das ganze aus 4 Acten bestehende Stück wird auf saubern Papier, korrekt geschrieben, actweise geliefert werden. Nebst diesem kann auch pränumerirt werden auf dieses nämliche Werk übersetzter in Quintetten vom Hrn. Abbee Vogel, welches in 2 grossen Abtheilungen erscheinen wird, wovon jede Abtheilung 6 fl. kostet, im ganzen 12 fl. und mit dem Ende des zukünftigen Monats den Anfang nehmen wird. Auch ist dieses nämliche Werk auf blasende Instrumenten sowohl in 6 als 8stimmiger Harmonie bey mir zu haben, wofür das 6stimmige 20 fl. und das 8stimmige 27 fl. kostet. Die Pränumeration dieses Werks kann täglich in der Kunsthandlung im Trattnerischen Freyhof im zweyten Hof in dem Gewölb Nr. 20 bey Balzer u. Comp. geschehen.

Vgl. die Anzeige von Mascheks Prager Klavierauszug (eingereiht vor 1. April 1787). — Johann Baptist Kucharz, Organist in Prag und 1791 bis 1800 Kapellmeister der dortigen Oper, hat auch Klavierauszüge der vier folgenden Mozart-Opern verfaßt. Die Wiener Nationalbibliothek besitzt ein Exemplar dieses handschriftlichen Klavierauszuges von *Figaro*, mit der Adresse des Prager Händlers Anton Grams. (Andere Exemplare im Nationalmuseum, Prag, und bei Prof. Dr. Paul Nettl, Bloomington, Indiana, U. S. A.) Balzer & Co. waren wohl nur Agenten für Wien: diese Familie von Kupferstechern (Anton und Joseph Balzer lebten in Wien, andere in Prag) stammte aus Böhmen. — Die Bearbeitung für Streichquintett stammt von dem Exjesuiten Abbé Cajetan Vogel in Prag; ein Exemplar war offenbar in Mozarts Nachlaß (s. Anhang II, Nr. 60, S. 499), ein anderes ist im Musikarchiv des Stiftes Osek, jetzt im Nationalmuseum Prag (Nachweis von E. F. Schmid). Von den Arrangements für Blasmusik ist nichts Näheres bekannt.

Am 18. Juni wird die *Entführung* in Hamburg gegeben.

FRANZ KAJETAN v. PLOYER IN MOZARTS STAMMBUCH
Tibi, qui coelesti Apollinis arte cunctos
superasti, eaque natam suam insignem
reddidisti, in perpetuam grati animi
ac amicitiae suae significationem.

Die 28va Juny 1787.   Franc. Cajetan a Ployer.

Zu Ployer s. 23. März 1784. Franz Kajetan dürfte ein naher Verwandter Gottfried Ignaz v. Ployers gewesen sein. Engl, a. a. O., las „Franc. Cajetana", Tenschert im 39. Jahresbericht des Mozarteums in Salzburg für 1926 (erschienen 1927), S. 12, „Franc. Cajetan. a Ployer". — Das Stammbuch Babettes im Mozarteum, Salzburg, ist auch 1945 verlorengegangen; es enthielt einen „kleinen Trauermarsch" für Klavier (KE 453a), um 1784 von Mozart geschrieben.

Im Juni wird der *Figaro* im Prager Rosenthal-Theater deutsch gegeben.
Teuber, a. a. O., II. 244.

Aus Johann Georg Meusels «Museum für Künstler und Kunstliebhaber», Mannheim 1787

Junge Ton-Künstler unserer Zeit.

... Bekannt ist's, dass *Mozart* in unsern Tagen schon als Kind sich hören liess. Er erhielt durchgehends auf seinen Reisen, die er in Gesellschaft seines Vaters machte, ungeheuchelten Beyfall. Und die Fertigkeit und der Vortrag seines Spiels übertraf auch die höchste Erwartung.

Drittes Stück, S. 29. — Die Zeitschrift, die sich nur gelegentlich mit Musik befaßte, war die Fortsetzung der *Miscellaneen artistischen Inhalts.*

Johann Nepomuk v. Grezmüller in Mozarts Stammbuch

Wann eigentlich nur jener
    In seiner Kunst ein wahrer Meister heisst,
Der Kenner, und Nicht-Kenner,
    Durch sie dahin bis zum Entzücken reißt:
So ist wohl Mozart Meister,
    Ganz dieses Namens werth; dann sicherlich!
Er fesselt grosse Geister,
    Die Kunstrichter, wie blosse Hörer: mich

Den 13 Jully $\overline{787}$ Johann Nep. v. Grezmüller.

Grezmüller (der jüngere) war Raitrat des Salzerzeugungs-Departements. Er und der Reichshofrats-Agent Erasmus v. Grezmüller (sein Vater?) waren 1784 unter den Subskribenten der Mozart-Konzerte.

Am 13. Juli trifft in Esterháza die von Haydn bestellte Partitur des *Figaro* ein.

Esterházy-Archiv, Budapest. — Wahrscheinlich Lauschs Abschrift. Erst 1789 in Eisenstadt aufgeführt.

Aus der «Wiener Zeitung», 21. Juli 1787

Bey Artaria Compagnie, Kunsthändlern ... sind zu haben:
    Musikalien.
. . .
Mozart, 1 Quartetto per Clavicembalo con Violino, Viola e Violoncello, 1 fl. 30 kr.

Das Klavier-Quartett in Es, KV 493, als Opus 13 erschienen.

Aus Cramers «Magazin der Musik», Hamburg, 26. Juli 1787

Bonn, den 14ten Febr. 1787.) Der zu frühe Tod des Grafen *August von Hatzfeld*, Domherrn zu Eichstädt, verdient in ihren Blättern angezeigt zu werden... In Wien machte er Bekanntschaft und Freundschaft mit *Mozart*. Hier studirte er und spielte unter Anleitung des Autors selbst dessen berühmte Quadros, und verschwisterte sich so mit dem Geiste ihres Componisten, daß derselbe sein Meisterstück fast von keinem andern mehr hören wollte. Ungefähr zwei Monde vor seinem Tode hörte ich sie von ihm mit einer

Genauigkeit und Innigkeit vorgetragen, daß er sich die Bewunderung jedes Kenners erwarb, und aller Herzen bezauberte ...

S. N.

Band II, S. 1380 ff. — Ernst Fritz Schmid im *Mozart-Jahrbuch 1954*, Salzburg 1955, S. 25 f. — Über Hatzfeld s. 13. März 1786. Er war am 30. Januar 1787 in Düsseldorf gestorben. — Die „*Quadros*" waren wohl die sechs Haydn gewidmeten Streichquartette. — In der gleichen Nummer dieser Zeitschrift ist davon die Rede, daß Clementi in Wien von Haydn, Mozart und Kozeluch stilistisch beeinflußt worden sei.

Aus dem Sitzungs-Protokoll des hochfürstlichen Hofrates, Salzburg, 21. August 1787

Die Leopold Mozartische Erbsinteressenten langen bey dieser hochen Stelle sub dato et praes[entato] 20. Aug. anni curr. in Unterthänigkeit an, um Hochgnädige Verwilligung einer gerichtlichen Mobilien-Licitation auf die erste Woche des nächstkünftigen Michaeli-Markts.
Wird die Licitation auf die gebettene Zeit hiemit bewilliget, jedoch mit deme, daß dem hochfürstl. Versatz-Amt an der dortigen Mobilar-Versteigerung kein Nachtheil zuwachse.

Salzburger Landesarchiv. — Aufgefunden 1937 von Franz Martin, veröffentlicht von Walter Senn im zweiten Augsburger Mozart-Buch (1960?). — Das Michaeli-Fest ist am 29. September. Siehe 15. September 1787.

Am 24. August wird die *Entführung* in Breslau gegeben.

Mozarts Vermerk unter Sigmund Barisanis Eintragung in seinem Stammbuch, 3. September 1787

Heute am 3ten September dieses nemlichen Jahres war ich so unglücklich diesen Edeln Mann, liebsten, besten Freund und Eretter meines Lebens, ganz unvermutet durch den Tod zu verlieren. — Ihm ist wohl! — — — aber mir — uns — und allen die ihn genau kannten — uns wird es *nimmer* wohl werden — bis wir so glücklich sind ihn in einer bessern Welt — wieder — *und auf nimmer scheiden* — zu sehen. —

Vgl. 14. April 1787 und Mozarts Worte über Hatzfeld, 4. April 1787.

Aus dem «Salzburger Intelligenzblatt», 15. September 1787

Versteigerung. Es wird hiemit zu Jedermanns Wissenschaft bekannt gemacht, daß am 25sten dieses laufenden Monats, und folgende Täge Vormittags von 9 bis 11 Uhr, dann Nachmittags von 2 bis 5 Uhr in dem sogenannten Tanzmeisterhause enthalb der Brücke verschiedene Preziosen, Galanterien, und Silbergeschmeide, Leib- und Leinwäsch, Mannskleider, Zinn, Messing, Porzellain, und Hausfahrnisse, nebst einigen Büchern, und musikalischen Instrumenten zum öffentlichen Verkauf feilgebothen, und den Meistbiethenden überlassen werden. Unter den zum Verkaufe kommenden Sachen befinden sich auch: *Erstens* ein zusammengesetztes Mikroskop mit aller Zugehörde, so von Dollond in London verfertiget worden, annoch bestens konditionirt, und in keinem Stück mangelhaft ist. *Zweytens* ein vortreffliches Sonnemikroscop mit aller Zugehörde, ebenfalls von Dollond verfertiget. *Drittens* ein achromatischer *Tubus* von *drey* Schuhen in der Länge mit dop-

261

peltem Objektivglase vom nämlichen *Dollond* bearbeitet, und in bester Beschaffenheit: wie auch *viertens* eine Flüg von dem berühmten *Friderizi* aus *Gera* in zwey Manualen von Ebenholz, und Elfenbein durch fünf ganze Oktaven, dann einem besondern Kornet, und Lautenzug. *Salzburg*, den 14ten September 1787.

Hochfürstl. Hofraths-Kanzley allda.

Beilage der *Oberdeutschen Staatszeitung*. — Erich Valentin im *Neuen Mozart-Jahrbuch*, Regensburg 1943, III, 93 f. — Am 18. September kam es durch den Salzburger Hofrat Ernst v. Gilowsky zu einem Vergleich zwischen Mozart und seiner Schwester über die Erbschaft, wonach Mozart eine Pauschalsumme, 1000 Gulden, bekommen sollte. (Siehe 21. und 25.–28. September und 10. Oktober 1787.) Nannerl schickte Kopien von Kirchenmusik des Vaters und des Bruders aus Leopold Mozarts Nachlaß an das Stift Heilig Kreuz in Augsburg und Wolfgangs Autographe Ende 1787 an diesen. Manche Kompositionen von Leopold und Wolfgang Mozart scheinen aber in der Verwirrung „weggeworfen" worden zu sein (Nannerl an Breitkopf, 6. April 1803). Die Familien-Briefe nahm sie zu sich. — Die von John Dollond gegründete Optiker-Firma, die das genannte Fernrohr erfunden hatte, besteht heute noch in London. — Das von Christian Gottlob Friderici erworbene Cembalo („*eine Flüg*" = Flügel) hatte „einen besondern Kornet [-], und Lautenzug".

Aus dem Sitzungs-Protokoll des hochfürstlichen Hofrates, Salzburg, 21. September 1787

H. Josef Ernst v. Gilowsky, hf. Hofrath allhier als Mandatarius des Wolfgang Amade *Mozart* in Wien und H. Johann Bapt. Berchtold von Sonnenburg, hf. Rath und Pfleger v. St. Gilgen supplicieren allda sub praes. 21 huius, dass beygebogener Vergleich, welchem H. v. Sonnenburg mit dem Wolfgang Mozart und respective auf desselben Anweisung mit H. Hofrath v. Gilowsky als Mandatario unterm 18. dies. über die ihme zur Helfte angefallene väterliche Verlassenschaft getroffen hat, nach vollem Innhalt hochgnädig ratificiert werden möchte, welcher dahin lautete, dass Mozart seinem Schwager H. v. Sonnenburg die im Inventario ihme als eigenthümlich zuständigen specifirten Sachen um eine Kaufs-Summe per 1000 fl. Wiener Kurrent eigenthümlich überlasse, und dagegen ihme Herrn Käuffer zusichert, dass er
a die Kaufs-Summe alsogleich durch einen Wexler in Wien auszahlen lassen,
b alle erlauffenden gerichtlichen und anderen Unkösten, wie sie immer Namen haben mögen und so viel davon den Verkäuffer betroffen hätten abführen, dann
c auch das Abfahrtgeld von diesen ausser Land gehenden 1000 fl. an eine löbl. Landschaft entrichten wolle.
Conclusum: fiat decretum an H. Hofrath v. Gilowsky als Wolfgang Mozartischen Mandatarium und H. v. Sonnenburg als Übernemmern des Wolfgang Mozartischen väterlichen Erbsantheils, dass der übergebene Kaufskontrackt mit deme hochobrigkeitlich ratificiert werde, dass H. v. Sonnenburg und seine Gemahlin in Beystandschaft eines anderen die Schadlosverschreibung dahin ausstellen sollen, dass sie im Fall sich über kurz oder lang an die Leopold Mozartische Verlassenschaft Anforderungen erregen sollten, für alles zu stehen und zu haften schuldig und gehalten seyn wollen und sollen.
Was aber die Erinnerung des Sperr-Commissarii hereditarii Hofers betrifft, dass sich bey der Zusammen-Sichtung der Mozartischen Sachen zur Licitation noch einige Ducaten und Silberstücke von beylich 30 fl. vorgefunden haben, und H. v. Sonnenburg hierauf, weil er alles übernommen habe, einen Anspruch mache, ist hievon umsomehr dem H. Hofrath v. Gilowsky Nachricht zu geben, weil dieser Geldbetrag nicht in dem Inventario enthalten ist, worauf sich dieser Contract beziehet.

Salzburger Landesarchiv. — Aufgefunden von Franz Martin, veröffentlicht von Walter Senn im zweiten *Augsburger Mozart-Buch* (1960?).

Am 23. September wird der *Figaro* deutsch in Donaueschingen gegeben.

Das geschah nicht auf dem Privattheater des Fürsten Johann Friedrich von Hohenlohe (Alfred Loewenberg, *Annals of Opera*, Cambridge 1943, S. 212). Die Übersetzung *„für das Fürstlich Fürstenbergische Hoftheater"* stammte vom Sekretär Michael Held und dem Kammersänger Walter; das Textbuch erschien aber anonym.

Vom 25. bis 28. September findet die Versteigerung des Nachlasses Leopold Mozarts im Tanzmeistersaal am Salzburger Hannibalplatz (heute Makartplatz 8) statt.

J. E. Engl veröffentlichte im 11. Jahresbericht des Mozarteums 1891 (S. 76) einen Auszug aus den nun verschollenen Lizitations-Protokollen, die vom Hofrats-Sekretär Johann Nepomuk Hofer unterfertigt waren. Danach waren die 579 Nummern dieser Auktion auf 999 fl. 42 kr. geschätzt, aber nur 314 wurden für 150 fl. 56 kr. verkauft. Es gab Hofkleider, Jagdgerätschaften, Wäsche, Küchen- und Zimmereinrichtung, Schmucksachen und Musikinstrumente, darunter *„die große Flieg"* (Flügel), die auf 100 Gulden geschätzt war. — Wenn Mozart wirklich 1000 Gulden für sein Teil bekommen hat, dann dürfte Nannerl schon vor der Versteigerung mancherlei an sich genommen haben. Mozart schrieb am 29. September an seinen Schwager Berchtold nach St. Gilgen, daß die vereinbarte, aber nicht genannte Summe in einem Wechsel an Michael Puchberg geschickt werden solle, weil er übermorgen verreise. (Der von Emily Anderson gefundene Brief ist von O. E. Deutsch in der *Österreichischen Musikzeitschrift*, Wien, September 1956, veröffentlicht worden.)

Im Herbst 1787 wird der *Figaro* in Monza gegeben.

Der dritte und vierte Akt waren von Angelo Tarchi neu komponiert worden. Siehe Alfred Einstein in *Monthly Musical Record*, London, Juli/August 1935.

Am 1. Oktober reist Mozart mit Konstanze nach Prag.

Vgl. Mozarts Brief an seinen Schwager Berchtold zu Sonnenburg vom 29. September (gefunden von Miss Emily Anderson). — Das nun dreijährige Söhnchen Karl dürfte Mozart damals schon in der 1782 gegründeten Erziehungsanstalt des Pädagogen Wenzel Bernhard Heeger in Perchtoldsdorf bei Wien untergebracht haben, wie 1791, also nicht bei der Großmutter Weber.

Aus der «Prager Oberpostamtszeitung», 6. Oktober 1787
Prag den 4. Oktober.

Unser berühmte Hr. Mozart ist wieder in Prag angekommen, und seit dem hat man hier die Nachricht, daß seine von ihm neu verfaßte Oper, das steinene Gastmahl auf dem hiesigen Nazionaltheater zum erstenmal gegeben wird.

Nettl, a. a. O., S. 117. — Die Reise hatte also drei Tage gedauert. Mozart stieg im Gasthof „Zu den drei Löwen" (Kohlmarkt 20) ab, wohnte aber zeitweilig auch auf der Bertramka, seit 1784 der Landsitz der Duscheks in der Prager Vorstadt Smichov.

Aus der «Prager Oberpostamtszeitung», 9. Oktober 1787
Prag den 8. Oktober.

Der k. k. Dichter Hr. Abbee Laurenz da Ponte, ein gebohrner Venezianer, ist aus Wien hier angekommen und wird sich einige Tage hier aufhalten.

Nettl, a. a. O., S. 129. — Da Ponte, Mozarts Librettist, stieg gegenüber den „Drei Löwen", im Gasthof „Zum Platteis", ab. Er blieb aber nur eine Woche in Prag, angeblich weil er zur Einstudierung von Salieris Oper *Axur* (Text von Da Ponte), die aber erst am 8. Januar 1788 im Burgtheater aufgeführt worden ist, nach Wien zurückreisen mußte.

LANDSCHAFTLICHER STEUERAKT, SALZBURG, 10. OKTOBER 1787

Signatur an eine löbliche Landschaft alhier.

Der hochfürstliche Rath und Pfleger zu St. Gilgen H. Johann v. Sonnenburg und Wolfgang Motzart in Wienn haben sich über die Verlassenschaft des Leopold Motzart im Leben gewest-hochfürstl. Vice-Kapellmeisters alhier seel. dahin einverstanden, dass dieser jenem den väterl: Erbschafts Antheil gegen Hinausbezahlung 1000 fl. Wiener Cours überlassen hat.

Wenn nun bey dieser Hinauszahlung von der Sperrs-Commission auf das gewöhnliche Abfahrtsgeld 10 fl. pro cento der behörige Bedacht genommen worden; als will man diesen Betrag per 120 fl. gegen erbittenden Empfangs Schein aldahin geziemend zu übermachen hiemit unermanglen.

Geschehen Salzburg im hochfürstlichen Hofrath den 10. Oct. 1787.

Franz Thad[dä] v. Kleienmayrn m. p.   Joh. Martin Sauter m. p.

Actum St[eue]r: Stuben den 12 Nov. 1787.

Da das Abzug Geld pr: 120 fl. entrichtet ad acta

Salzburger Landesarchiv. — Aufgefunden von Franz Martin, veröffentlicht von Walter Senn im zweiten *Augsburger Mozart-Buch* (1960?). — In Österreich galt der 20, in Salzburg der 24 Gulden-Fuß. 1000 Wiener Gulden entsprachen deshalb 1200 Salzburger Gulden.

Am 14. Oktober wird der *Figaro* in Prag unter Mozarts Leitung wiederholt.

Tags zuvor war das Gesuch Bondinis, Beaumarchais' Komödie aufführen zu dürfen, durch ein Hofdekret mit folgenden Worten abgelehnt worden: „*daß dieses als Schauspiel nicht, wohl aber als wälsche Oper, wie sie auf der Wiener Hofbühne vorgestellet worden ist, auch in Prag aufgeführt werden könne*" (Teuber, a. a. O., S. 190 f.). Vgl. 4. Februar 1785. — Für den 14. Oktober war ursprünglich schon die Uraufführung des *Don Giovanni* geplant, der Prager Festoper zu Ehren des Brautpaares, das durch Prokuration ihres Onkels Erzherzog Ferdinand in Florenz am 8. September getraut und in Wien am 1. Oktober durch Vicente Martin y Solers *L'arbore di Diana* (Text von Da Ponte) im Burgtheater gefeiert worden war: Erzherzogin Maria Theresia, eine Nichte des Kaisers, und Prinz Anton Clemens von Sachsen. Mit der Erzherzogin war ihr Bruder, Erzherzog Franz, am 10. Oktober von Wien abgereist und am 13. nach Prag gekommen. (Die Geschwister waren Kinder des Großherzogs Leopold von Toskana, der nach Joseph Kaiser wurde, gefolgt von seinem Sohne Franz, während seine Tochter Königin von Sachsen wurde.)

AUS DER «PRAGER OBERPOSTAMTSZEITUNG», 16. OKTOBER 1787

Prag den 15. Oktober.

... Um halb sieben Uhr verfügten Sie [die Hoheiten] Sich in das gräfl. Nostitzische Nationaltheater, welches bey dieser Gelegenheit auf eine sehr auszeichnende Art enbellirt und beleuchtet. Der Schauplatz war durch den Schmuck der zahlreichen Gäste dergestalt verherrlicht, daß man noch nie eine so prachtvolle Scene gesehen zu haben, gestehen muß. Beym Eintritte der höchsten Herrschaften wurden Sie mit der öffentlichen Freudenbezeugung des ganzen Publikums empfangen, welches Höchstdieselben mit liebevollem Danke erwiederten. Auf Verlangen wurde die bekannte und dem allgemeinen Geständniß nach bei uns so gut exequirte Oper „Die Hochzeit des Figaro" gegeben. Der Eifer der Tonkünstler und die Gegenwart des Meisters Mozart erweckte bey den höchsten Herrschaften allgemeinen Beyfall und Zufriedenheit. Nach dem 1. Acte wurde eine Sonette, welche auf diese Feierlichkeit von einigen Patrioten Böhmens veranstaltet wurde, öffentlich vertheilt. Der frühzeitigen Abreise wegen erhoben sich Höchstdieselben noch vor Ende der Oper in die k. Burg zurück.

Jahn II, 350. — Teuber, a. a. O., II. 228 f. — Die Braut reiste schon am 15. Oktober ab, ohne die für sie bestimmte Oper gehört zu haben. In Dresden fand die Hochzeit in Person am 18. Oktober statt. Am selben Tage kehrte Erzherzog Franz nach Wien zurück.

Aus der «Wiener Zeitung», 17. Oktober 1787

Neue Musikalien

Johann Traeg macht zu wissen, ... es sind folgende neue Musikalien bey ihm zu haben:
3 Quart. à Flaut. Viol. Viola e Violonc. von Pleyel ...
1 detto von Mozart 1 fl.

Wahrscheinlich das Quartett in A, KV 298, dessen Erstdruck Traeg 1808 verlegt hat.

Aus der «Wiener Zeitung», 20. Oktober 1787

Böhmen. Aus Prag wird unter dem 15. Okt. geschrieben:

„Vorgestern Nachmittags sind Ie. K. H. die Erzherzoginn *Mar. Theresia*, in Begleitung Ihres durchl. Bruders des Erzherzogs *Franz*, in der hiesigen Kön. Burg angekommen. Tages darauf wohnten Dieselben in der Metropolitankirche dem hohen Amte bey. Zu Mittage speisten Sie allein in Gesellschaft Ihrer Obersthofmeister. Um 5 Uhr war Cercle, bey welchem der ganze hiesige Adel, nebst der Generalität, den Stabs- und anderen Offizieren erschienen. Die Vorstellung geschah durch die Gemahlinn des Herrn Oberstlandhofmeisters, Grafen *v. Wieschnick*. Abends verfügten sich II. KK. HH. in das Gräflich Nostitzische Nazionaltheater, welches bey dieser Gelegenheit auf eine sehr zierliche Art beleuchtet war. Beym Eintritte wurden II. KK. HH. mit öffentlichen Freudensbezeigungen des ganzen Publikums empfangen. Es wurde die bekannte Oper, *die Hochzeit des Figaro*, gegeben. Nach dem ersten Akte wurde ein für diese Feyerlichkeit verfaßtes Gedicht öffentlich vertheilt. Heute früh reisten I. K. H., unter segensvollen Wünschen, nach Dresden ab."

Franz Xaver Graf von Wieschnick (Věžník) war seit 1783 Oberstlandhofmeister von Böhmen. — Am 15. Oktober reisten die Geschwister ab. Erzherzog Franz begleitete die Erzherzogin bis Lobositz und reiste über Prag nach Wien zurück, wo er am 18. ankam. Am gleichen Tage erreichte sie Dresden, wo die Hochzeit stattfand. Aus diesem Anlaß wurde am 21. eine Kantate von Johann Gottlieb Naumann, Text von Giovanni Ambrogio Migliavacca aufgeführt.

Am 25. Oktober (oder etwas früher) kommt Giacomo Casanova aus Dux nach Prag.

Nettl, a. a. O., S. 145. Am 4. November 1787 schrieb Graf Max Lamberg aus Brünn an den Schriftsteller Johann Ferdinand Opitz in Časlav: „*Casanova ist in Prag; sein Brief an mich ist vom 25. Oktober.*" — Casanova lebte seit 1785 als Bibliothekar des Grafen Joseph Karl Emanuel Waldstein in Dux. Er war zu Verhandlungen mit einem Verleger nach Prag gekommen, und dürfte der Premiere des *Don Giovanni* beigewohnt haben, die vom 24. wegen Indisposition einer Sängerin nochmals hatte verschoben werden müssen. Nettl fand im böhmischen Casanova-Archiv eine fragmentarische Umarbeitung des Textes zum Sextett des 2. Aktes der Oper (a. a. O., S. 146—148).

Domenico Guardasoni an Lorenzo Da Ponte

... Evviva da Ponte, evviva Mozart! Tutti gli impresarij, tutti i virtuosi devono benedirli! Finchè essi vivanno, non si saprà mai, cosa sia miseria teatrale ...

Abert II, 422. — Der Brief soll vor der Premiere aus Prag nach Wien geschrieben worden sein. — Vgl. Da Pontes Erinnerungen, 1829/30. — Guardasoni war ein Sänger, 1785 bis 1788 zuerst Regisseur, zuletzt aber als Bondinis Nachfolger Impresario der Truppe, die des Sommers in Leipzig spielte.

Aus der «Prager Oberpostamtszeitung», 30. Oktober 1787

Prag den 29. Oktober.

Der Direkteur der hiesigen italienischen Gesellschaft gab gestern Nachricht von der für die Anwesenheit der hohen toskan. Gäste bestimmt gewesenen Oper, Don Jouan, oder die bestrafte Ausschweifung. Sie hat den Herrn Hoftheaterdichter Abbé da Ponte zum Verfasser, und wird heute den 29ten zum erstenmale aufgeführt. Alles freuet sich auf die vortreffliche Komposizion des großen Meisters Mozart. Nächstens mehr hievon.

Freisauff, a. a. O., S. 38 f. — Teuber, a. a. O., II, 236. — Nettl, a. a. O., S. 159. — Diese Nachricht sollte schon am 29. Oktober, einem Montag, erscheinen, und ist wohl aus Versehen liegen geblieben. — Der öfters abgedruckte und 1887 sogar drucktechnisch rekonstruierte Theaterzettel ist unecht; er ist italienisch abgefaßt und enthält die Besetzung, wobei Teresina statt Caterina Bondini als Zerlina genannt ist. Wie der originale Anschlag ausgesehen hat, kann man aus den deutsch gehaltenen Exemplaren der Prager Vorstellungen vom 30. November 1787 (um 1890 im Tschechischen Nationaltheater, Prag, abgedruckt bei Procházka, S. 119 f.) und vom 23. September 1788 (der früher im Kloster Strahov war und von Nettl nach S. 152 reproduziert worden ist) ersehen. Der Titel ist natürlich: *„Il dissoluto punito osia II D. Giovanni"*; aber der deutsche Titel darunter lautet anders als die Versionen der Prager Zeitung vom (29.) 30. Oktober und 3. November (vgl. 6. Oktober): *„Der gestrafte Ausschweifende, oder: Don Jean".* Dann weiter: *„Ein großes Singspiel in zween Aufzügen. Die Poesie ist von dem Kais. Königl. Theaterdichter Herrn Abt da Ponte eigens hiezu verfertiget. Und die ganz neue vortrefliche Musik ist von dem berühmten Kapellmeister Herrn Mozart, ebenfalls ausdrücklich dazu komponirt worden ... NB. Die Opernbüchel in italiänischer Sprache allein sind bei der Kasse gebunden in Goldpapier das Stück pr. 40 kr. und ordinari pr. 20 kr. zu haben. Die Arien und andere Stüke der Musik in Partitur sind bey dem Impressarius Hrn. Guardasoni wohnhaft dem Nationaltheater gegenüber im Bergmandischen Hause Nro 285 im ersten Stock zu haben ... Der Anfang ist um 7 Uhr. Das Ende um halb 10 Uhr."* Der Umstand, daß Mozarts Hoftitel (s. 6./7. XII. 1787) noch nicht genannt ist, deutet darauf hin, daß der Text vom September 1788 noch dem vom Oktober 1787 entsprach. Der bei Freisauff (a. a. O., nach S. 152) in Faksimile reproduzierte Handzettel der gleichen Truppe, von der Erstaufführung in Leipzig am 15. Juni 1788, weist die selben Titel auf, setzt aber zu *„Ein großes Singspiel"* die Worte *„mit Chören, vielen Decorationen und doppeltem Orchester"*, und dann den Vermerk: *„Wegen Wiederholung der Arien wird ein geneigtes Publikum um gütige Verschonung gebeten."* Der Leipziger Zettel gibt aber auch die Besetzung an, die in der folgenden Liste der Prager Uraufführung in Klammern beigesetzt wird. Diese Liste beruht hauptsächlich auf Mozarts eigenen Notizen in seinem Werkverzeichnis: Don Giovanni — Luigi Bassi (Kosta), Donna Anna — Teresa Saporiti (Mme. Prospero Crespi), Don Ottavio — Antonio Baglioni (Baglioni), Commendatore — Giuseppe Lolli (Lolli), Donna Elvira — Caterina Micelli (Micelli, die jüngere), Leporello — Felice Ponziani (Ponziani), Zerlina — Caterina Bondini (Micelli, die ältere), Masetto — Lolli (Lolli). — Über das Textbuch siehe das folgende Dokument. — Guardasoni vertrieb die Partitur dieser und anderer Opern an auswärtige Bühnen; aber auch Anton Grams (vgl. 6. VI. 1787) hatte weiter eine auf Lager. Kucharz machte wieder einen Klavierauszug. Alle diese drei handschriftlichen Fassungen sind erhalten (s. Köchel-Einstein, S. 675 f.). — Da Ponte soll in Prag 50 Dukaten als einmaliges Honorar bekommen haben, Mozart 100 Dukaten. Sie wurden aber in Wien nochmals honoriert (vgl. S. 276 oben).

Titel und Innenvermerk des Prager Textbuches

Il / DISSOLUTO / PUNITO. / O sia / Il D. Giovanni. / — / Dramma giocoso / in due atti. / — / Da rappresentarsi / nel Teatro di Praga l'anno 1787. / In Praga. / di Schoenfeld. ... La Poesia è dell'Ab. Da Ponte Poeta / de'Teatri Imperiali di Vienna. / La Musica è del Sig. Wolfgango Mozzart, / Maestro di Cap. tedesco.

Exemplare in der Universitäts-Bibliothek, Prag, und in der Library of Congress, Washington. — Vor diesem war schon in Wien ein Textbuch gedruckt worden, das aber nicht verkauft worden ist. Da Ponte hatte offenbar für die Hofzensur eine Fassung hergestellt, deren erster Akt mitten im Quartett „Non ti fidar" schließt. Das Titelblatt dieses Textbuches (Gesellschaft der Musikfreunde, Wien), ohne Druckernamen, hat den Zusatz: *„per l'arrivo di Sua Altezza Reale / Maria Teresa / Arciduchessa d'Austria: sposa del / Ser. Principe Antonio di Sassonia"*. — Faksimiles beider Titelblätter in Paul Stefans *Don Giovanni*, Wien 1938, S. 75.

Aus der «Prager Oberpostamtszeitung», 3. November 1787

Prag, den 1. November.

Montags den 29ten wurde von der italienischen Operngesellschaft die mit Sehnsucht erwartete Oper des Meisters Mozart Don Giovani oder das steinerne Gastmahl gegeben. Kenner und Tonkünstler sagen, daß zu Prag ihres Gleichen noch nicht aufgeführt worden. Hr. Mozart dirigirte selbst, u. als er ins Orchester trat, wurde ihm ein dreymaliger Jubel gegeben, welches auch bey seinem Austritte aus demselben geschah. Die Oper ist übrigens äußerst schwer zu exequiren, und jeder bewundert dem ungeachtet die gute Vorstellung derselben nach so kurzer Studierzeit. Alles, Theater und Orchester bot seine Kräften auf, Mozarden zum Danke mit guter Exequirung zu belohnen. Es werden auch sehr viele Kosten durch mehrere Chöre und Dekorazion erfordert, welches alles Herr Guardasoni glänzend hergestellt hat. Die außerordentliche Menge Zuschauer bürgen für den allgemeinen Beyfall.

Teuber, a. a. O., II. 236 f. — Faksimile bei Stefan, a. a. O., S. 81. — Dieser Bericht erschien am 14. November auch in der *Wiener Zeitung*.

Am 3. November wird *Don Giovanni* zu Mozarts Benefiz wiederholt.

Das war schon die vierte Vorstellung der Oper, wahrscheinlich alle unter Mozarts eigener Leitung. Die Wiederholung am 30. November wurde sicher schon von Strobach dirigiert.

Aus den «Provinzialnachrichten», Wien, 10. November 1787

Prager Theater.

Montags, 29. Oktober, wurde die italienische Oper, *Don Giovani*, oder *der steinerne Gast*, Musik v. Hrn. Mozart, zum erstenmale, mit allgemeinen Beyfalle aufgeführt. Herr Mozart dirigirte in Person, und wurde von der zahlreichen Versammlung mit frohen Jubel bewillkommet.

Adelheid Weber in Mozarts Stammbuch

Wer ächte, Herzliche, uneigennützliche Freundschaft nicht Kennt, der Kennt nicht das Beste, was Menschen Sich geben Könen. Dieße biethet Ihnen Lieber Mozart an von ganzem Herze

Prag d 11te 9bre 1787.

Ihre wahre Freudin
und tante Webern.

Nach Karl Maria Pisarowitz war die Schreiberin nicht Genoveva Weber (s. 8. Januar 1787), sondern deren Schwägerin, die ältere Schwester Fridolin und Franz Anton Webers, Adelheid Weber (ca. 1729 bis 1807), die 1754 bis 1758 mit einem Herrn Krebs verheiratet gewesen war.

Joseph Hurdalek in Mozarts Stammbuch

Wenn Orpheus Zauberlaute klingt
Amphion in die Leyer singt
Dann wird der Löwe zahm, die Flüsse stehn
Der Tyger lauscht, die Felsen gehn.

Wenn Mozarts Meisterspiel ertönt,
Wenn ungetheilter Ruhm ihn krönt,
Dann ist das Musenchor,
Dann ist Apoll ganz Ohr.

Prag den 12. Novemb. 787

Ihr Verehrer und Freund
Joseph Hurdalek
Rektor des Generalseminars.

Siehe 13. Januar 1787. — Im Prager Clementinum war schon das erzbischöfliche Seminar untergebracht gewesen, das durch Kaiser Joseph in ein Generalseminar für den priesterlichen Nachwuchs umgewandelt worden war. Bischof Hurdálek war von 1785 bis 1790 Rektor dieses Seminars.

Am 13. November verläßt Mozart Prag und kommt am 16. (?) nach Wien zurück. Die Daten sind nicht ganz sicher.

Am 15. November stirbt Gluck.

Am 23. November wird die *Entführung* in Koblenz gegeben.

Aus Goethes «Italienischer Reise», Rom, November 1787

Alles unser Bemühen..., uns im Einfachen und Beschränkten abzuschließen, ging verloren, als Mozart auftrat. Die Entführung aus dem Serail schlug alles nieder, und es ist auf dem Theater von unserm so sorgsam gearbeitetem Stück niemals die Rede gewesen.

Abert I, 973. — Goethes „Stück" war *Scherz, List und Rache*, ein einaktiges Singspiel, das als sein erstes Libretto 1784 entstand und 1790 gedruckt wurde, zuerst von Christoph Kayser und dann von Peter v. Winter komponiert worden ist. Goethe hatte die *Entführung* seit dem Herbst 1785 wiederholt in Weimar gehört.

Anfang Dezember übersiedelt Mozart von der Vorstadt Landstraße wieder in die Innere Stadt, auf Nr. 281, „unter den Tuchlauben" (jetzt Nr. 27), Ecke Schultergasse.

Vortrag des Obersten Kämmerers Franz Grafen Rosenberg, das allergnädigste Placet wegen Anstellung des Wolfgang Mozart als Kammer-Musicus betreffend

Da Eure Majestät mittelst *mündlicher* Entschliessung mir allergnädigst anzubefehlen geruht haben, daß der Wolfgang *Mozart* als Kammermusicus mit einem jährlichen Gehalt von 800 fl. angestellt werden solle, so erkühne ich mich Eurer Majestät allerhöchstes Placet zu diesseitiger Bedeckung sowohl wegen dessen Anstellung als Anweisung seiner Besoldung in tiefster Ehrfurcht mir zu erbitten.
Placet.
Wien, den 6. December 1787.   Rosenberg.

Staatsarchiv, Wien. — Ludwig v. Köchel im *Jahrbuch für Landeskunde von Nieder-Oesterreich,* Wien 1868, S. 357. — Zu Rosenberg vgl. 23. April 1775 und 23. Januar 1778.

Note des Obersten Kämmerers Grafen Rosenberg an das Obersthofmeisteramt, die Gehaltsanweisung pro jährlich 800 fl. für den neu aufgenommenen Kammermusicum Wolfgang Mozart betreffend

Seine des Kaisers Majestät haben auf einem dieß Ort alluntertänigst erstatteten Vortrag allergnädigst zu befehlen geruht, daß der Wolfgang *Mozart* als Kammermusicus mit achthundert Gulden jährlichem Gehalt vom 1. December d. J. anfangend anzustellen sei.
Ein löbliches k. k. Obersthofmeisteramt wird demnach in Freundschaft ersucht, die benöthigte Anweisung seiner Besoldung an das k. k. Universal-Kameral-Zahlamt gefälligst zu erlassen. Wien, den 7. December 1787.   Rosenberg.

Staatsarchiv, Wien. — Köchel, a. a. O., S. 357.

Aus dem Protokoll der kaiserlichen Kabinettskanzlei, 6.—7. Dezember 1787

[datum Exhibitionis:] 6. Dec. [Exhibirende Stelle:] Rosenberg [Inhalt des Exhibits:] N. 5949. Vortrag vom 6. Dezember die Anstellung des Wolfgang Mozart als Kammer-Musicus mit 800. f. Gehalt. [Erledigt und abgeschicket:] Res: Placet. [datum:] eod. dato [7. Dec.].

Staatsarchiv, Wien, Kabinetts-Protokolle, Bd. 44, S. 1167. — Karl Glossy, *Das Burgtheater unter seinem Gründer Joseph II.,* Wien 1926, S. 67.

Mozarts Anstellungdekret

Von Seiner Röml. Kail., zu Hungarn, und Böheim Königl. Ap. Maitt. etc. Erzherzog zu Oesterreich etc Unsers allergnädigsten Herrns wegen, dem Wolfgang Mozart in Gnaden anzufügen: Es haben allerhöchst gedacht, Se:, Kail: Königl: Apol: Majtt: etc denselben, in Ansehung seiner in der Musik besitzenden Kentniß und Fähigkeit, und sich hierdurch erworbenen Beifall, die besondere Gnade angethan, ihn zu allerhöchst Dero Kammermusikum aufzunehmen, anbei ihme Achthundert. Gulden — jährlichen Gehalt bei der k. k. Hofkammer vom 1:ten Dezember dieses Jahrs, anzuweisen geruhet!

Solchemnach wird ihme Wolfgang Mozart diese allerhöchste Entschliessung zu seiner Nachricht hiermit eröfnet, und gegenwärtiges Oberstkämmerer-Amts-Dekret auf allerhöchsten Befehl, zu seiner Versicherung ausgefertiget.

Rosenberg

Pr. kail: königl: Oberstkämmerer-Amt.

Wien den 7:ten Dezember 1787,

Johann Thorwart.

Mozarteum, Salzburg. — Köchel, a. a. O., S. 357 f. — Jahn I, 806 f., 355, 700. — Faksimile in Bory, a. a. O., S. 159. — Bei dieser Auszeichnung dürften zwei Umstände mitgespielt haben: die Prager Festoper für des Kaisers Nichte und das Ableben Glucks, der für die gleiche Sinekure 2000 Gulden jährlich bekommen hatte. (Leopold Kozeluch, der nicht Mozarts Nachfolger wurde, bekam als „Compositor" der Hofmusikkapelle von 1792 an 1500 Gulden.) Als einzige, nicht normierte Pflicht Mozarts erwies sich, daß er alljährlich für die Maskenbälle des Hofes im Großen und im Kleinen Redoutensaale einige Tänze, Menuette und Deutsche, schreiben mußte. Mozart hat in den vier folgenden Wintern 36 Menuette und mindestens 31 Deutsche Tänze für die beiden Ball-Orchester in den Redoutensälen komponiert. — In den Hof- und Staatsschematismen für 1789 und 91 wurde Mozart unter den „k. k. Hofkammermusici" oder den „Kammermusizi" als „Komposítor" geführt; er war also „k. k. Kammer-Komposíteur", aber nicht „Kapellmeister in wirklichen Diensten Seiner k. k. Majestät", wie er selbst glaubte und in diesen Jahren öfters genannt worden ist. Am 19. Dezember 1787 schrieb er an seine Schwester, daß ihn „der Kaiser in seine Dienste genommen" habe; und am 2. August 1788, nach der Aufführung des Don Giovanni im Burgtheater, wo ihn der Anschlagzettel (vgl. 26. Januar 1790), „auf welchem gewiß nicht zuviel steht, da ihn die k. k. Theaterdirection herausgibt", „Kapellmeister in wirkl. kaiserl. Diensten" genannt hatte (das Textbuch „all' attual servizio della Corte Imperiale" und die Wiener Zeitung vom 10. Mai „in wirkl. Diensten des kaiserl. Hofes"), erklärte er ihr: „der Kaiser hat mich zu sich in die Kammer genommen, folglich förmlich decretirt; einstweilen aber nur mit 800 fl. — es ist aber keiner in der Kammer der soviel hat." Mozart selbst zeichnete sich bald nach seiner Ernennung als „k. k. Kammermusikus" (s. 24. II. 1787), bei einer anderen Subskription (1788) als „Tonkünstler in Diensten Sr. k. k. apost. Majestät", in der Wiener Zeitung vom 2. April 1788 als „Kapellmeister in wirkl. Diensten Sr. Majestät", in seinem Zeugnis für Joseph Eybler am 30. Mai 1790 als „Kapellmeister in K: Diensten", im April 1791 aber, in seinem Gesuch an den Wiener Magistrat, als „k. k. Hofkompositor". Konstanze bezeichnete ihn in ihrem Pensionsgesuch am 11. Dezember 1791 als „k. k. Kammer Kompositor". Bei den Taufen seiner Kinder wurde er 1783 Kapellmeister genannt, was damals nichts Besonderes bei einem Komponisten bedeutete, dann aber (1784, 86 und 89) „k. k. Kapellmeister", 1787 und 1791 „k. k. Hofkapellmeister". Die Totenscheine sprechen von dem „k. k. Kapellmeister und Kammer-Composíteur". Von seinen Wiener Verlegern nennen ihn Artaria & Co. ohne Titel; Hoffmeister bezeichnet ihn um 1790 auf italienischen Titelblättern als „all attuale Servizio di Sua Maesta I: è R:" (KV 426) oder als „Maestro di Capella in attuale servizio di S. Maesta I. R." (KV 546), in einem französischen Titel „au Service de sa Majeste I. et R." (KV 533 mit 494); Lausch als „Kapellmeister in wirkl. k. k. Diensten" (KV 527) oder als „Kapell-Meister in wirkl. Diensten Sr. Majestät des Kaisers" (KV 539, 577, 599—605). Auf dem Anschlagzettel von Così fan tutte wird er 1790 ebenso betitelt, und im Textbuch der Clemenza di Tito in Prag 1791 desgleichen auf Italienisch. Der Theaterzettel der Zauberflöte endlich nennt ihn 1791 „Kapellmeister und K. K. Kammerkompositeur", das Textbuch aber „Kapellmeister und wirklicher k. k. Kammer-Composíteur". — Der Titel eines Hofkapellmeisters gebührte Giuseppe Bonno (gestorben 1788) und dann Antonio Salieri.

AUS DER «PRAGER OBERPOSTAMTSZEITUNG», (8.?) DEZEMBER 1787

Am 6. Dec. wurde bei St. Niclas eine von dem hier so beliebten Tonsetzer Hrn. Mozart verfertigte musikalische Messe aufgeführt und Alles gestand, dass er auch in dieser Compositionsart ganz Meister sey.

Teuber, a. a. O., II. 240. Jahn, II. 355. — Am 6. Dezember ist das Fest St. Nikolaus. Die Kirche steht auf der Kleinseite Prags (vgl. Seite 374 oben). — Die Messe könnte die in c-moll (KV 427) gewesen sein.

Aus der «Wiener Zeitung», 19. Dezember 1787

Neue Musikalien.

In der Kunsthandlung Artaria Compagnie sind zu haben:

. . .

Von Mozart 1 neues Quartet fürs Klavier mit Violin, Viola und Violoncell, Op. 13

1 fl. 40 kr.

Von detto 1 neue Sonate für 2 Personen auf ein Klavier, Op. 12.   2 fl.

Der Preis des Klavierquartetts in Es, KV 493, war irrtümlich um 10 Kreuzer erhöht worden (vgl. 21. VII. 1787). Die vierhändige Sonate in F, KV 497, wurde hier zum ersten Mal angezeigt. — Lausch bot diese Werke auf der gleichen Seite an, offenbar in Artarias Ausgabe, mit Opus-Nummern und zu den originalen Preisen.

Am 27. Dezember wird Mozarts viertes Kind, Theresia, geboren.

Die Taufe fand in der Peters-Kirche statt. Frau Theresia v. Trattner stand Patenschaft. Das Kind blieb auch nur ein halbes Jahr am Leben.

Joseph Haydn an den Ober-Verpflegsverwalter Franz Rott in Prag, Dezember 1787

Sie verlangen eine Opera buffa von mir. Recht herzlich gern, wenn Sie Lust haben, von meiner Singkomposition etwas für sich allein zu besitzen. Aber um sie auf dem Theater zu Prag aufzuführen, kann ich Ihnen diesfalls nicht dienen, weil alle meine Opern zu viel an unser Personale gebunden sind, und außerdem nie die Wirkung hervorbringen würden, die ich nach der Lokalität berechnet habe. Ganz was anders wäre es, wenn ich das unschätzbare Glück hätte, ein ganz neues Buch für das dasige Theater zu komponieren. Aber auch da hätte ich noch viel zu wagen, indem der *große Mozart* schwerlich jemanden andern zur Seite haben kann.

Denn könnt ich jedem Musikfreunde, besonders aber den Großen, die unnachahmlichen Arbeiten Mozarts, *so tief* und mit einem solchen *musikalischen Verstande*, mit einer *so großen Empfindung* in die Seele prägen, als ich sie begreife und empfinde: so würden die Nationen wetteifern, ein solches Kleinod in ihren Ringmauern zu besitzen. Prag soll den theuern Mann festhalten — aber auch belohnen; denn ohne dieses ist die Geschichte großer Genien traurig, und giebt der Nachwelt wenig Aufmunterung zum ferneren Bestreben; weßwegen leider so viel hoffnungsvolle Geister darnieder liegen. Mich zürnet es, daß dieser *einzige* Mozart noch nicht bey einem kaiserlichen oder königlichen Hofe engagirt ist! Verzeihen Sie, wenn ich aus dem Geleise komme: ich habe den Mann zu lieb . . .

Franz Xaver Niemetscheks Mozart-Buch, Prag 1798, S. 51 f. — *Allgemeine musikalische Zeitung,* Leipzig, 19. Dezember 1798, I, 182 f. — Nissen, a. a. O., S. 643 f. — *Wiener allgemeine Musik-Zeitung,* 4. Dezember 1847, VII, 581. — Rott war ein tätiger Musikfreund (vgl. Gottfried Johann Dlabacz, *Allgemeines historisches Künstlerlexikon für Böhmen,* Prag 1815, II, 597). — *„Unser Personale"* bedeutet das Ensemble im fürstlich Esterházy'schen Theater in Eisenstadt und Esterháza.

Aus Franz Kratters «Philosophischen und statistischen Beobachtungen vorzüglich die österreichischen Staaten betreffend», Frankfurt und Leipzig 1787

. . . Aber, Talent des Künstlers, was erwartest du in deinem Vaterlande, wo man sich darum rauft, die hochmüthige Ausländerin Storace, die für Kunst und Impertinenz ein gleich großes Talent besaß, in einer schlechten Akademie ein paar Arien nachläßig singen zu hören*, und seinem Mozart, diesem vortreflichen Künstler, für eine gute Akademie nicht einmal soviel bezahlt, um die Auslagen dafür bestreiten zu können.

* M. Storace hatte in dieser Akademie eine Einnahme von mehr als 4 000 Gulden.

I, 48 f. — Das Vorwort dieses Bandes ist aus Wien vom 17. September 1787 datiert. (Ein zweiter Teil, der 1791 in Brünn erschien, mit einem Vorwort aus Lemberg vom 22. März 1791, hat den Untertitel: *Bemerkungen ... von ... meiner Reise durch einige Provinzen Oberteutschlands.*) Kratter hatte 1786 ein Buch über Galizien und eine Broschüre gegen die Freimaurerei veröffentlicht. — Die Akademie der Storace hatte am 23. Februar 1787 stattgefunden. Mozart hatte 1784 für seine Konzerte mehr Subskribenten als seine Mitbewerber Richter (s. 17. III. 1784) und John Abraham Fisher, der Gatte der Storace, zusammen.

1788

Im Jahre 1788 erscheinen in Wien zwei Bücher, in deren Subskribenten-Listen der Name Mozarts erscheint: Gottlieb Leons *Gedichte* — „*Mozzart, Kapellmeister*", und [Anton Steins] *Österreichische und türkische Kriegslieder* — „*Hr. Mozart, Tonkünstler in Diensten Sr. k. k. apost. Majestät*".

Vgl. 24. Februar 1787. — Leon, von dem die Texte zweier verlorengegangener Freimaurer-Lieder Mozarts stammen (vgl. Deutsch, a. a. O., S. 15, und Köchel-Einstein, S. 605), war Amanuensis der Hofbibliothek. — Anton Joseph Stein war Professor der Poetik am Akademischen Gymnasium, später Professor der klassischen Literatur an der Wiener Universität. Franz Grillparzer war einer seiner späten Schüler, und durch einen anderen, Eduard v. Bauernfeld, lernte ihn Schubert kennnen. Der Drucker der anonym erschienenen Sammlung, Joseph Hraschansky, hat 1792 auch Mozarts *Kleine Freimaurer-Kantate* (KV 623) gedruckt. — Der zweite Türkenkrieg (1787—92), den Österreich im Bündnis mit Rußland führte, war für die Österreicher anfangs unglücklich, bis General Gedeon v. Loudon 1789 Belgrad eroberte und sie 1791 mit den Türken Frieden schlossen. Mozarts Anteilnahme an diesem Kriege ist durch *Ein deutsches Krieglied* (KV 539) und ein anderes, *Beim Auszug in das Feld* (KV 552) bezeugt, aber auch durch den Kontretanz (KV 535), der *La Bataille* oder *Die Belagerung Belgrads* betitelt war (s. 19. März 1788).

Am 6. Januar 1788 heiratet Erzherzog Franz, des Kaisers Neffe, die Prinzessin Elisabeth von Württemberg (s. 16. November 1781).

Aus diesem Anlaß wurde im Burgtheater am 8. Januar Salieris Oper *Axur, Re d'Ormus*, Text von Da Ponte, aufgeführt, eine Umarbeitung des *Tarare*, der ein halbes Jahr zuvor in Paris gegeben worden war.

Am 4. Februar endigt die Deutsche Singspiel-Periode im Kärntnertor-Theater mit der *Entführung.*

Das Singspiel war dort seit 16. Oktober 1785 gepflegt worden, manchmal abwechselnd mit dem Burgtheater.

Vom 5. Februar 1788 bis zum 16. November 1791 bleibt das Kärntnertor-Theater geschlossen.

Ausnahmen waren zwei Opern-Vorstellungen am 17. und 25. Juli 1791 (Cimarosas *Pimmalione*) und ein Konzert am 19. August 1791 (Kirchgeßner).

Dela chez l'*amb[assadeur]* de Venise, ou il y avoit grand monde. Un Concert, ou Mandini et la Morichelli chantèrent, Mozart et une certaine Muller, fille de Cordonnier toucherent l'un du piano forte, l'autre de la harpe.

Pohl, *Haydn*, II, 146. — Gugitz in den *Wiener Geschichtsblättern*, 1956, Nr. 1, S. 18. — Der Gesandte Andrea Dolfin wohnte in der Dorotheergasse (heute Nr. 9). — Stefano Mandini und Anna Morichelli gehörten zum Ensemble der Italienischen Oper in Wien. Josepha Müllner, später verehelichte Gollenhofer, damals 18 Jahre alt, von 1811 bis 23 Hof-Harfenmeisterin, gab von 1788 an jährlich ein Konzert im Burgtheater.

Am 15. Februar gibt Stefano Mandini eine Akademie im Burgtheater, wobei eine Sinfonie von Mozart gespielt wird.

Wien, am 26sten Febr. 1788. An diesem Tage und am 4ten März wurde Ramlers Cantate, *die Auferstehung und Himmelfahrt Christi* nach der vortreflichen Composition des unvergleichlichen Hamburger *Bachs*, bey dem Grafen *Johann Esterhazy*, von einem Orchester von 86 Personen in Gegenwart und unter Leitung des großen Kenners der Tonkunst, des Freyherrn *von Swieten*, mit dem allgemeinsten Beyfall aller vornehmen Anwesenden aufgeführt. Der Kaiserl. Königl. Capellmeister, Hr. *Mozart* taktirte, und hatte die Partitur, und der Kaiserl. Königl. Capellmeister, Hr. Umlauff spielte den Flügel. Die Ausführung war desto vortreflicher, da zwey Hauptproben vorher gegangen waren. In der Aufführung am 4ten März ließ der Hr. Graf das in Kupfer gestochene Bildniß des Hrn. Capellmeist. *Bach* im Saale herumgehen. Die anwesenden Fürstinnen und Gräfinnen und der ganze sehr glänzende Adel bewunderten den großen Componisten, und es erfolgte ein hohes Vivat, und eine dreyfache, laute Beyfallsbezeigung. Unter den Sängern waren Madam *Lange*, der Tenorist *Adamberger*, der Bassist *Saale*, 30 Choristen ec. Am 7ten wurde das nemliche Stück im Kais. Königl. Hof-National-Theater aufgeführt.

Nach E. F. Schmid hat Mozart damals eine der Arien der Kantate uminstrumentiert; vgl. KV Anhang 109^g, Nr. 19 und KE, S. 984. — Der „Hamburger Bach" war Carl Philipp Emanuel, der zweite Sohn Johann Sebastian Bachs. Karl Wilhelm Ramlers *Geistliche Kantaten* waren 1760 in Berlin, Bachs Musik 1787 in Leipzig erschienen. — Graf Esterházy scheint in der Hinteren Schenkenstraße, Stadt Nr. 50 (jetzt Schenkenstraße 17, Neubau), im Palais Pálffy gewohnt zu haben. — Ignaz Umlauf, der als Bratschist im Orchester des Burgtheaters begonnen hatte und erster Kapellmeister der Deutschen Oper am Nationalhoftheater (1778—83) gewesen war, wurde 1789 Salieris Substitut als Hofkapellmeister. — Ignaz Saal war seit 1782 bei der Deutschen Oper engagiert. — Gottfried van Swieten hatte eine Kavaliers-Gesellschaft zur Pflege klassischer Musik gegründet (s. November 1788).

Im Februar wird die *Entführung* in Braunschweig gegeben.

Die Erstaufführung kann etwas früher erfolgt sein.

Am 7. März wird C. P. E. Bachs *Auferstehungs-Kantate* im Burgtheater öffentlich aufgeführt.

Vgl. 26. Februar 1788. — Mozart dürfte das Werk wieder dirigiert haben.

Am gleichen Tage, dem 7. März, singt Friedrich Baumann in seiner Akademie im Leopold-städter Theater *Ein deutsches Kriegslied* mit Orchester-Begleitung (KV 539).

Baumann war ein beliebter Komiker im Theater in der (Vorstadt) Leopoldstadt, später Hofopern-sänger. Seine Frau Therese war eine Tochter des ersten Bassa Selim der *Entführung*, Dominik Jautz (s. 16. Juli 1782). Mozart hatte das Lied für Baumanns Akademie geschrieben. Der Text *(„Ich möchte wohl der Kayser sein")* war schon zwölf Jahre zuvor von Johann Wilhelm Ludwig Gleim veröffentlicht worden, hatte aber durch den Türkenkrieg eine aktuelle Bedeutung gewonnen. Gleim hatte das Gedicht *„Meine Wünsche. An unsern deutschgesinnten großen Kaiser"* (Joseph II.) be-titelt und Johann Holzer (s. 18. Januar 1786) seine schon 1779 erschienene Komposition *Der Kaiser* benannt. — Baumann mag Mozarts Lied am 12. März in der Akademie seines älteren Bruders Anton wiederholt haben. — Siehe die folgende Anzeige.

Aus der «Wiener Zeitung», 19. März 1788

Neues Kriegslied

eines deutschen Soldaten, des Herrn Kapellmeister Mozart in wirkl. Diensten Sr. Majestät des Kaisers.
Ich möchte wohl der Kaiser seyn, mit allen Stimmen, 1 fl.
detto im Klavierauszug, 12 kr.
— — Die Belagerung Belgrads, mit allen Stimmen, 1 fl.
detta im Klavierauszug, 12 kr. . . .
Zu haben in der Lauschischen Musikalienhandlung . . .

Zum *Kriegslied* s. 1. August 1789; zu dem Kontretanz *La Bataille* oder *Die Belagerung Belgrads* (KV 535) s. 17. Januar 1789 und Februar 1790.

Aus Schubarts «Vaterlandschronik», Stuttgart 1788

Mozart, am jezigen Musikhimmel ein Stern der ersten Größe, ist Kapellmeister beim Erz-herzog Franz geworden. Krittler behaupten, er habe den Zauber seines Genie's ganz auf den Flügel verpflanzt, und er würke in grösern musikalischen Säzen mit diesem allver-klärenden Feuer nicht.

1. Halbjahr, S. 30. — Exemplar in der Württembergischen Landesbibliothek, Stuttgart. — Hier liegt natürlich eine Verwechslung mit Mozarts Ernennung zum Kammermusiker des Kaisers vor (s. 7. De-zember 1787). Im Zusammenhang mit Mozarts Bemühungen, Musiklehrer der Braut des Erzherzogs zu werden (s. 16. November 1781) und im Mai 1790 durch dessen Hilfe zweiter Hofkapellmeister, ist dieses falsche Gerücht von einigem Interesse; es erhielt sich über Mozarts Tod hinaus.

Aus der «Wiener Zeitung», 2. April 1788

Musikalische Nachricht.

Drey neue Quintetten a 2 Violoni, 2 Viole, e Violoncello, welche ich, schön und korrekt geschrieben, auf Subskripzion anbiete. Der Preis der Subskripzion ist 4 Dukaten, zu 18 fl. Wienerkurent. — Die Subskriptionsbillets sind täglich bey Herrn *Puchberg,* in der Sallin-zischen Niederlagshandlung am hohen Markte zu haben, alwo vom 1. Julius an auch das Werk selbst zu haben seyn wird. Ausländische Liebhaber ersuche ich, ihre Bestellungen zu frankiren. Wien den 1. April 1788.

Kapellmeister Mozart
in wirkl. Diensten Sr. Majestät.

Jahn I, 826. — Die Anzeige erschien im Juni 1788 auch im Weimarer *Journal des Luxus und der Moden (Intelligenz-Blatt* Nr. 6). Es handelt sich hier um die Streichquintette in c-moll, C-dur und g-moll (KV 406, 515 und 516), alle vom Frühjahr 1787. Vgl. 25. Juni 1788. Kein Exemplar dieser Kopien, wenn solche je angefertigt wurden, ist bekannt oder erkannt worden. — Die drei Quintette erschienen einzeln bei Artaria & Co.: 406 — 1792, 515 — 1789, und 516 — 1790. — „4 *Dukaten, zu 18 fl. Wienerkurent*" bedeutet hier: 4 Dukaten oder 18 Gulden österreichischer Konventions-Münze, was bei der Wiederholungen der Anzeige *(„oder 18 fl.")* deutlich gemacht ist. — Das ist der zweite Beleg für die freundschaftliche geschäftliche Verbindung zwischen Mozart und seinem „Bruder" Puchberg (s. 25.—28. Sept. 1787), dem Inhaber der Textilfirma Michael Salliet auf dem Hohen Markt 522, im Hause des Grafen Franz Walsegg-Stuppach (der 1791 das Requiem bestellte). Wie sich aus Mozarts Brief an Puchberg vom 17. Juni 1788 ergibt, war diese Subskription dazu bestimmt, eine Schuld an Puchberg zu bezahlen. — Beim zweiten und dritten Abdruck der Mozartschen Anzeige, am 5. und 9. April, wurde statt der Geschäfts-Adresse Puchbergs die seiner Wohnung am selben Orte angegeben: *„in dem gräfl. Walseggischen Hause Nr. 522 auf dem Hohen Markt".*

Am 9. April wird die *Entführung* in Hildesheim gegeben.

Die erste Aufführung dort mag schon etwas früher gewesen sein.

Aus dem «Magazin der Sächsischen Geschichte», Dresden 1788

Dresdner Merkwürdigkeiten.

Am 17ten [April] gab Mad. *Duscheck,* diese berühmte Sängerin, und am 22ten der ehemalige Chfl. Kammersänger *Hurka* im Hotel de Pologne für ihre Rechnungen Concert. Erstere sang 2 Szenen von Mozart und einige Bruchstücke aus Naumanns Oper: Orpheus.

Bd. 5, S. 252. — Richard Engländer, *J. G. Naumann als Opernkomponist,* Berlin 1916. — Im Frühjahr 1789 kam Mozart selbst in dieses Hotel. — Friedrich Franz Hurka war ein Tenor und Liederkomponist. — Johann Gottlieb Naumann, den Mozart dann in Dresden kennenlernte, war Oberkapellmeister am kurfürstlich sächsischen Hofe. Seine Oper *Orpheus og Euridice* war 1786 in Kopenhagen aufgeführt worden.

Anschlagzettel der Wiener Erstaufführung des «Don Giovanni», 7. Mai 1788

Neues Singspiel. / Im kaiserl. königl. National-Hof-Theater / wird heute Mittwoch den 7ten May 1788 aufgeführet: / (zum erstenmal) / IL DISSOLUTO PUNITO, / osia: / IL DON GIOVANNI. / Don Juan, oder: der bestrafte Bösewicht. / Ein Singspiel in zwey Aufzügen, / Die Poesie ist vom Hrn. *Abbate da Ponte,* Dichter des Italiänischen Singspieles beym k. k. Theater. / Die Musik ist vom Hrn. Wolfgang Mozzart, Kapellmeister in wirkl. kaiserl. Diensten. / Die Bücher sind bloß italiänisch beym Logenmeister für 20 kr. zu haben. / Der Anfang ist um 7 Uhr.

Nationalbibliothek Wien. — Teuber, *Die Theater Wiens,* Wien 1903, Bd. II, 2. Halbband, S. 80 f. — Die Aufführung war vom Kaiser anbefohlen (vgl. 16. Mai und 15. Dezember 1788). — Die Besetzung war: Donna Anna — Aloisia Lange, Zerlina — Louisa Mombelli (geborene Laschi), Donna Elvira — Caterina Cavalieri; Don Giovanni — Francesco Albertarelli, Leporello — Francesco Benucci, Don Ottavio — Francesco Morella, Commendatore und Masetto — Francesco Bussani. (Albertarelli und Morella waren neu engagiert worden.) — Die Oper wurde zu Mozarts Lebzeiten nur 1788 gegeben: am 7., 9., 12., 16., 23. und 30. Mai, 16. und 23. Juni, 5., 11. und 21. Juli, 2. August, 24. Oktober, 3. November und 15. Dezember. — Ein Exemplar des Textbuches ist in der Nationalbibliothek Wien.

Aus Zinzendorfs Tagebuch, 7. Mai 1788

... a l'opera. Don *Giovanni*. La musique de Mozart est agréable et très variée ...

Aus den Hoftheater-Rechnungsbüchern, 1788/9

Dem Da Ponte Lorenz für Componirung der Poesi zur Opera *il Don Giovanni*	100.—
Dem Hoffmann Johann für extra Dienste statt des erkrankten Woborzill	2.—
item	3.—
item für das zur ital. *Opera il Don Giovanni* gestellte Musik Personale	240.—
Zusammen vermög 3. Quittung ut No. 139	245.—
Dem Mozart Wolfgang für Componirung der Musique zur Opera *Il Don Giovanni* ut No. 138	225.—

Staatsarchiv, Wien, 25. und 26. Halbjahr, S. 45—47. — Teuber, a. a. O., S. 81. — O. E. Deutsch in *Music & Letters*, London, April 1944, S. 97. — Das Honorar war für die Wiederaufführung der schon in Prag bezahlten Oper berechnet. — Johann Hoffmann war der Chordirigent; Thomas Woborzill (Vobořil) war Violinist in der Hofkapelle und bei Josephs II. Nachmittags-Konzerten, früher auch Orchester-Direktor der Deutschen Oper. Die „*gestellte*" war die Bühnenmusik.

Aus der «Wiener Zeitung», 10. Mai 1788

Im k. k. Nationalhoftheater

wurde Mittwoch den 7. May das erstemal vorgestellt: il Dissoluto punito, osia: il Don Giovanni. Ein Singspiel in zwey Aufzügen, vom Herrn Abbate da Ponte, Operndichter des k. k. Theaters. Die Musik ist vom Hr. Wolfgang Mozzart, Kapellmeister in wirkl. Diensten des kaiserl. Hofes.

Teuber, a. a. O., S. 80 f.

Aus Zinzendorfs Tagebuch, 12. Mai 1788

A l'Opera. *Don Giovanni*. Me de la Lippe trouve la musique savante, peu propre au chant.

Gugitz, a. a. O., S. 18. — Die Dame war die Gattin des Reichsgrafen Karl Christian zur Lippe, Kämmerers und Reichshofrats.

Erzherzogin Elisabeth Wilhelmine an ihren Mann, Erzherzog Franz

[Vienne,] 15. mai [1788.]

On a donné ces jours passés un nouvel opéra de la composition de Mozart, mais on m'a dit qu'il n'avait pas eu beaucoup de succès. La Coltellini ne doit point avoir débuté à son avantage dans la première qui s'est donné à son arrivée.

Briefe an Erzherzog Franz von seiner ersten Gemahlin Elisabeth, 1785—1789, herausgegeben von H. Weyda, Wien 1870, S. 91. — Mitgeteilt von Frau Erna Felmayer, Wien. — Die Erzherzogin war eine geborene Prinzessin von Württemberg. Der Erzherzog stand gegen die Türken im Felde. — Anna Coltellini, Celestas Schwester, hatte wahrscheinlich am 23. April 1788 im Burgtheater, in Paisiellos *La modista raggiratrice* debütiert; unseres Wissens sang sie nicht im *Don Giovanni*, weder am 7. noch auch am 9. oder 12. Mai. Donna Anna war Frau Lange, Donna Elvira Signora Cavalieri, und Zerline Signora Mombelli-Laschi, die nach sieben Aufführungen, weil sie schwanger war, von Therese Teyber abgelöst wurde.

KAISER JOSEPH AN DEN GRAFEN ROSENBERG, SEMLIN, 16. MAI 1788

La Musique de Mozart est bien trop difficile pour le chant.

Staatsarchiv, Wien, Protokolle der Kabinettskanzlei, Bd. 47, S. 366. — Payer v. Thurn, a. a. O., S. 75. — Der Kaiser, der seit 28. Februar im Felde weilte, hatte die Oper noch nicht gehört. Siehe 15. Dezember 1788.

Am 18. Mai wird der *Figaro* von der Truppe Großmann in Lübeck deutsch aufgeführt.

Annalen des Theaters (Fortsetzung der *Ephemeriden*), Berlin 1790, Heft 5, S. 29 f., wo „Fräulein von Knigge" als Übersetzerin genannt ist. Wie aus Adolf Freiherr v. Knigges *Dramaturgischen Blättern* vom 23. Mai 1789, die sich auf die Aufführung in Hannover am 19. beziehen, hervorgeht, hat seine Tochter Philippine Eregine v. Knigge den Dialog mit Benützung des französischen Originals übersetzt, er aber die Arien. (Alfred Loewenberg, *Annals of Opera*, Cambridge 1943, S. 212, wo aber die Erstaufführung in Lübeck nicht erwähnt ist.)

AUS DER «WIENER ZEITUNG», 24. MAI 1788

Il Don Giovanni, o sia il Dissoluto punito.

Neue Opera des IIrn. Kapellmeister Mozart, in wirkl. k. k. Diensten, beym Klavier zu singen; Uibersetzung des Hrn. Haydenreich.

L'Overtura 32 kr.

Atto Imo.

1. Notte e giorno faticar. Introduzione Terzetto 48 kr.
2. Ma qual mai, Recitativo, Fuggi crudele, Duetto. S. e T. (Che giuramento o Dei!) 40 kr.
3. Ah chi mi dice mai, quel barbaro dove Aria S. 20 kr.
4. Madamina il catalogo é questo, detta B (Ma in Spagna son giá mille e tre) 32 kr.
5. Giovinette che fate all'amore. Coro 16 kr.
6. Ho capito Signor si, Aria B. (Cavaliera ancora te) 16 kr.
7. Lá ci darem la mano, Duettino, S. e B. (Andiam mio bene) 16 kr.
8. Ah fuggi il traditor. Aria S. 12 kr.
9. Non ti fidar o misera, Quartetto 32 kr.
10. Don Ottavio son morta! Recit. Or sai Chi l'onore, Aria, S. 32 kr.
11. Dalla sua pace la mia dipende, detto T. (Morte mi da) 12 kr.
12. Fin ch'han dal vino, Calda la Testa, detta B. 24 kr.
13. Batti batti, o bel Masetto, detta S. 20 kr.
14. Presto presto pria ch'ei venga, Finale 1 fl. 4 kr.
15. Proteggo il giusto cielo, Terzetto 8 kr.
16. Risposate vezzose ragazze (Viva la libertá) 36 kr.
17. Da bravi via ballare. Der Ball 1 fl. 4 kr.

Atto IIdo

1. Eh via buffone non mi seccar, Duetto B. 12 kr.
2. Ah taci ingiusto Core Terzetto (Donna Elvira am Fenster) 28 kr.
3. Deh vieni alla finestra, Aria, B. con Mandolino (Die Nachtmusik) 12 kr.
4. Metà di voi quà vadone, detta B. (Fe' or vedrai cos'è) 16 kr.
5. Vedrai carino se sei buonino, detta S. 16 kr.
6. Sola in bujo loco, palpitar il cor mi sento, Sestetto 1 fl. 12 kr.

7. Per queste tue manine, Duetto S. e B. (Beym Anbinden) 24 kr.

8. In quali eccessi Recit. Mi tradi quell' alma ingrata, Aria S. 32 kr.

9. O Statua gentilissima, Duetto B. 24 kr.

10. Crudele! Ah non mio bene Recit., Non mi dir bell' Idol mio Rondeau S. 24 kr.

11. Già la Menza è preparata. Finale 3 fl. 24 kr.

Die ganze Opera in der Spart samt dem Büchel 34 fl.

Im Klavierauszug gebunden 16 fl.

Auf die Quartetten, davon bis 30. Juni pränumerirt mit 5 fl.

In Wien in der Lauschischen Musikalienhandlung
in der Kärntnerstrasse Nr. 1085 den drey weissen Rosen über.

Joseph Heidenreich war ein bescheidener Komponist und fruchtbarer Arrangeur von Opern für Harmonie-Musik; er bot 1796 in der *Wiener Zeitung* (S. 1038) ein angeblich von Mozart stammendes *Fundament des Generalbaßes* in Abschrift an. — Die Nummern 14 bis 17 bilden das Finale des ersten Akts. — Die Nr. 7 (2. Akt), das Duett Zerlina-Leporello, war für die Wiener Aufführung an Stelle der Arie Don Ottavios, *„Il mio tesoro"*, geschrieben worden. Es scheint aber, daß auch die dieser Arie vorangehende des Leporello, *„Ah, pietà, signori miei!*, in Wien ausgefallen ist. — Ein Exemplar der handschriftlichen Partitur ist im Istituto musicale, Florenz (P 265) erhalten. — E. F. Schmid fand im Schwarzenberg-Archiv, Krumau, zahlreiche Nummern des Klavierauszugs und die Stimmen der Quartett-Bearbeitung (vgl. 16. Juli 1788).

Im Mai bietet Le Duc, Paris, im *Mercure de France* das Klavier-Quartett in g-moll, KV 478, als Opus 14 an.

Johansson, a. a. O., S. 99. — Die Anzeige wurde in den *Affiches* am 13. Juli 1788 wiederholt. — Das Quartett war im Winter 1785/6 bei Hoffmeister in Wien ohne Opus-Zahl erschienen.

Am 2. Juni wird im Burgtheater als Einlage in Anfossis *Le gelosie fortunate* die Ariette *„Un bacio di mano"* (KV 541) vom Bassisten Albertarelli gesungen.

Der Text der Oper, die zuerst 1786 in Venedig aufgeführt worden war, stammt von Filippo Livigni. Die Einlage dürfte von Da Ponte verfaßt worden sein. Ihr Text findet sich in dem Wiener Libretto, das im Taubstummen-Institut gedruckt worden ist (Exemplar in der Biblioteca del Conservatorio S. Pietro a Majella, Neapel).

Aus der Gazzetta Toscana, Florenz, 14. Juni 1788

La sera del dì 11. stante andò in Scena nel Regio Teatro degl' Intrepidi detto della Palla a Corda un Opera Seria col titolo: *L'Idalide, o sia: La Vergine del Sole.* La bravura degli Attori, ed in particolare della prima Donna la Sig. Caterina Lusini, e la musica del celebre Sig. Giuseppe Sarti, incontrarono l'approvazione degli Spettatori. Nella susseguente sera nel Regio Teatro di via della Pergola furono rappresentati i primi due Atti di un Opera buffa col titolo: *Il Matrimonio di Figaro,* e lunedi sera verranno posti in Scena gli altri due.

Mitgeteilt von Christopher Raeburn. — *Figaro* wurde also im Teatro della Pergola in zwei Teilen gegeben, am 12. und 16. Juni. Das Textbuch (Deutsche Staatsbibliothek, Berlin) vermerkt: *„La Musica è del Signor Volfgango Mozart. Maestro di Cappella Tedesco."*

Am 15. Juni wird die *Entführung* in Graz gegeben; am gleichen Tage *Don Giovanni* von der Truppe Guardasoni in Leipzig.

Zu der Aufführung des *Don Giovanni* siehe 30. Oktober 1787.

Ueber die neueste Favorit-Musik in großen Concerten, sonderlich in Rück-sicht auf Damen-Gunst, in Clavier-Liebhaberey.

... *Mozart* ist nun auch als Kaiserl. Kapellmeister nach Wien gegangen. Er ist ein merk-würdiger Mann für jeden philosophischen Liebhaber der Tonkunst. Er war ein äußerst frühzeitiges Genie und componirte und spielte schon in seinem neunten Jahre (ja noch früher) als wahrer Virtuos, zu jedermanns Verwunderung. Was aber sehr selten ist, er war nicht nur ungewöhnlich früh ein geschickter Musikus, sondern reifte auch glücklich fort und zeigte sich in bleibender Gedeihlichkeit auch noch als Mann. Man kennt die vorüberblitzenden schnellen Genien aus leidiger Erfahrung! Wo sind die Früchte zu rech-ter Zeit? und Dauer in Solidität? Nicht so bey Mozart! Jetzt nur ein Paar Worte über ein bizarres Phänomen, das er (oder seine Berühmtheit) veranlaßt. Es kam vor einiger Zeit von ihm ein einzelnes Quadro (für Clavier, 1. Violin, 1. Viola (Bratsche) und Violoncell) gestochen heraus, welches sehr künstlich gesetzt ist, im Vortrage die äußerste Präcision aller vier Stimmen erfordert, aber auch bey glücklicher Ausführung doch nur, wie es scheint, Kenner der Tonkunst in einer Musica di Camera vergnügen kann und soll. Der Ruf: „Mozart hat ein neues gar besonderes Quadro gesetzt, und die und die Fürstin und Gräfin besitzt es und spielt es!" — verbreitete sich bald, reitzte die Neugier und veranlaßte die Unbesonnenheit, diese originelle Composition in großen lärmenden Concerten zu produ-ciren, und sich damit, invita Minerva, zum Prunk hören zu lassen. Manches andre Stück soutenirt sich noch auch bey einem mittelmäßigen Vortrage; dieses Mozartische Produkt aber ist würklich kaum anzuhören, wenn es unter mittelmäßige Dilettanten-Hände fällt, und vernachläßigt vorgetragen wird. — Dieß ist nun im vorigen Winter unzähligemal ge-schehen; beynahe wo ich auf meiner Reise nur hinkam, und in einige Concerte eingeführt wurde, kam ein Fräulein, oder eine stolzirende bürgerliche Demoiselle, oder sonst ein naseweiser Dilettante in rauschender Gesellschaft mit diesem Quadro angestochen, und prätendirte, daß es goutirt würde. Es *konnte* nicht gefallen; alles gähnte vor Langerweile über dem unverständlichen Tintamarre von 4 Instrumenten, die nicht in vier Takten zu-sammen paßten, und bey deren widersinnigem Concentu an keine Einheit der Empfindung zu denken war; aber es *mußte* gefallen, es *mußte* gelobt werden! Mit welchem Eigensinn man dieß beynahe allerwärts zu erzwingen gesucht hat, kann ich Ihnen kaum beschreiben. Diese Thorheit eine ephemerische Manie du jour zu schelten, sagt zu wenig, weil sie fast einen ganzen Winter hindurch gewährt, und sich (nach allem dem, was ich noch nebenzu Erzählungsweise vernommen habe) viel zu wiederholt gezeigt hat. Sie verdient eine öffent-liche Rüge in Ihren Blättern, wo so manche andre Mode-Thorheit, und schiefe Ostentation dergleichen ebenfalls mit Recht bisher erhalten hat. Denn in der That ist diese unschick-liche Vordringlichkeit nicht nur unanständig, und nicht nur ohne Nutzen und Frommen, sondern sie schadet auch der Kunst und Verbreitung des ächten Geschmacks. „Ists nichts weiter als das?" (denkt der halbgelehrte Zuhörer der Musik) „das soll in Vortrefflichkeit an die Extreme der Kunst gränzen? und ich fühle doch Versuchung, mir öfters die Ohren dabey zuzuhalten? Wie reimt sich das? Weiß ich auch nur zuletzt, was ich aufrichtig in Musik loben oder tadeln darf?" — So verleidet man wahre Musik-Liebhaberey, macht den gesunden Menschenverstand und gesundes Natur-Gefühl irre, und hindert diejenige Gerad-heit und Gründlichkeit in Cultur, ohne welche doch keine Kunst zu haltbarer Höhe je-mals emporsteigt. Welch ein Unterschied, wenn dieses vielbemeldete Kunstwerk von vier geschickten Musikern, die es wohl studirt haben, in einem stillen Zimmer, wo auch die Suspension jeder Note dem lauschenden Ohr nicht entgeht, nur in Gegenwart von zwey oder drey aufmerksamen Personen, höchst präcis vorgetragen wird! Aber freylich ist hiebey an keinen Eclat, an keinen glänzenden Mode-Beyfall zu denken, noch conventionelles Lob zu lucriren! Politische Ambition hat dabey nichts zu thun, nichts zu erringen, nichts zu verschenken, nichts zu geben, nichts zu nehmen, — wie dieß doch in *öffentlichen* Concerten neuerer Art beynahe durchgängig statt hat.

S. 231 ff. — Die Zeitschrift wurde seit 1786 vom Buchhändler Friedrich Justin Bertuch und dem Maler Georg Melchior Kraus herausgegeben. — Das Klavier-Quartett kann das in g-moll (KV 478) gewesen sein, wahrscheinlich aber das 1787 erschienene in Es (KV 493). — *„Tintamarre"* (französisch) bedeutet Getöse.

Aus Zinzendorfs Tagebuch, 16. Juni 1788

. . . Depuis a l'opera *Don Giovanni.* Il fut en robe de chambres, la Taeuberin fesoit le rôle de la Mombelli . . . .

Das dürfte Elisabeth Teyber gewesen sein, die älteste Schwester Thereses, die das erste Blondchen in der *Entführung* gesungen hatte. Elisabeth gastierte 1788 an der Wiener Hofoper. Die Partie der Zerlina war der Mombelli abgenommen worden (s. 24. Oktober 1788).

Am 17. Juni übersiedelt Mozart von den Tuchlauben in die Vorstadt Alsergrund Nr. 135, Währingerstraße, „Zu den drei Sternen" (jetzt Nr. 16), Gartenseite.

Aus der «Wiener Zeitung», 18. Juni 1788
Nachricht.

Bey Joh. Traeg . . . sind folgende Musikalien um beygesezten Preise zu haben:

. . .

1 Concerto in G. à Clavicembalo, von W. A. Mozart, 2 fl. 40 kr.

. . .

6 detti [Duetti] à Viol. è Viola. Die 4 ersten sind von M. Haydenreich, das 5te und 6te von Mozart, 5 fl. 30 kr.

Zum Klavier-Konzert vgl. 14. September 1785. — Die Duos KV 423 und 424 erschienen im Druck erst 1792, bei Artaria & Co. — Statt Heidenreich (s. 24. Mai 1788) sollte es Haydn heißen; s. 2. Juli 1788.

Aus Zinzendorfs Tagebuch, 23. Juni 1788

. . .Le soir je m'ennuyois beaucoup à l'opera *Don Giovanni* . . .

Aus der «Wiener Zeitung», 25. Juni 1788
Musikalische Nachricht.

Da die Anzahl der Herren Subscribenten noch sehr geringe ist, so sehe ich mich gezwungen, die Herausgabe meiner 3 Quintetten bis auf den 1. Jäner 1789 zu verschieben. Die

Subscriptionsbillets sind noch immer gegen Bezahlung 4 Dukaten, oder 18 fl. Wien Korrent bey Hrn. Puchberg in der Salietzischen Niederlagshandlung am hohen Mark zu haben.
Wien den 23. Juni 1788.   Kapellmeister Mozart,
                                                 In wirkl. Diensten Sr. Majestät.

Vgl. 2. April 1788. — Die Subskription blieb ohne genügenden Erfolg.

AUS DEN «PROVINZIALNACHRICHTEN», WIEN, 25. JUNI 1788
Neue Musikalien.

. . .

Mozart, Menuetto, aus *Don Giovanni*, im ersten *Finale, per il Clavi Cembalo.* 4 kr.

. . .

In Wien, in der Lauschischen Musikalien Handlung . . .

Erst am 2. Juli in der *Wiener Zeitung* abgedruckt. Vgl. 24. Mai 1788.

Am 29. Juni stirbt Mozarts viertes Kind, Theresia, an *„Gedärmfrais"* (Darmkrämpfe) und wird auf dem Allgemeinen Währinger Friedhof vor der Nußdorferlinie begraben.

Vgl. 27. Dezember 1787. — Blümml, a. a. O., S. 7.

Im Juni 1788 plant Mozart, *„Academien im Casino"* zu geben.

Das ergibt sich aus einem der zwei undatierten Briefe an Puchberg, den ersten erhalten gebliebenen. Danach sollten diese Akademien (im Trattnerhof oder in Philipp Ottos neuem Kasino in der Spiegelgasse) schon in der dem einen Briefe folgenden Woche beginnen, und die beiden Billette, die Mozart mitschickte, waren wohl für diese Serie bestimmt. Was in diesen beiden Briefen (der andere ist mit 17. Juni sicher zu datieren) von Subskriptionen gesagt ist, bezieht sich aber nicht auf die Akademien, sondern auf die Kopien der Streichquintette (s. 2. April und 25. Juni). Die Akademien scheinen nicht zustande gekommen zu sein, obwohl die drei großen letzten Sinfonien (beendet am 26. Juni, 25. Juli und 10. August 1788, KV 543, 550 und 551) vielleicht noch mit jenem Plan zusammenhingen. Mozart gab dann keine öffentlichen Akademien mehr, er schrieb auch weder Sinfonien noch Klavier-Konzerte, ausgenommen das in B, KV 595, das er am 4. März 1791 in der Akademie des Klarinettisten Joseph Bähr spielte.

AUS DER «WIENER ZEITUNG», 2. JULI 1788
Nachricht.

Bey Joh. Traeg . . . sind folgende neue Musikalien um beygesetzten Preise zu haben:
1 Concerto in D. à Violin Princip. von Ignaz Pleyel 2 fl. 45 kr.

. . .

1 ditto in G. à Clavicembalo, von W. A. Mozart 2 fl. 40 kr.

. . .

6 Duetti à Violino, è Viola, von Devienne, 2 fl. 30 kr.

6 detti á Viol. è Viola. Die 4 ersten sind von M. Haydn, das 5te und 6te von Mozart, 5 fl. 30 kr.

. . .

Vgl. 18. Juni 1788.

Aus der «Wiener Zeitung», 16. Juli 1788

Musikalien.

Aus der neuen Opera Le Gelosie Fortunate des Hrn. Anfossi, sind folgende Stücke beym Klavier zu singen, zu haben in der Lauschischen Musikalienhandlung ...

. . .

Un bacio di mano vi fa maraviglia, detta detto [Aria B] 20 kr.

. . .

Mozart, Singfundament für den Sopran 2 fl.
Detto Don Giovanni, Opera, a 2 Violini, Viola, e Violoncello 6 fl. 30 kr.

. . .

Zur Einlage (KV 541) in Anfossis Oper vgl. 2. Juni 1788, zum Quartett-Arrangement des *Don Giovanni* vgl. 24. Mai 1788. — Das zweifelhafte *„Singfundament"* ist nicht bekannt geworden; Köchel-Einstein S. 492 meint, daß die für Konstanze 1782 geschriebenen Solfeggien, KV 393, darin verwendet worden sein könnten.

Am 21. Juli heiratet Josepha Weber, Konstanzes älteste Schwester, den Geiger Franz Hofer im Dom von St. Stephan.

Zu Hofer siehe 8. Januar 1787. Er wurde 1789 Violinist der Hofmusik-Kapelle.

Aus Zinzendorfs Tagebuch, 21. Juli 1788

... Le soir au Theatre, puis a l'opera *Don Giovanni* ....

Aus Heinrich Philipp Bosslers «Musikalischer Real-Zeitung», Speyer, 30. Juli 1788

In Rath *Bosslers* Verlage zu Speyer hat die Presse verlassen ... Mozart, Flöten-Quartett Op. 14 1 fl.

Die Erstausgabe des Quartetts in C für Flöte, Violine, Viola und Violoncello (KV Anhang 171).

Am 9. August wird der *Figaro* in Graz deutsch gegeben.

Vgl. Hellmut Federhofer im *Mozart-Jahrbuch* 1957, S. 142, und 1958, S. 109.

Aus der «Musikalischen Real-Zeitung», Speyer, 13. August 1788

Rezensionen.

VIII. Variations d'un Thema de Mr. Mozart pour le Clavecin / par Mr. Em. Alois Foerster. Et VI Variations pour le Clavecin / avec un Violon par Mr. W. Amad. Mozart. Speier bei Rath Bossler. 4. / (Preis 42 kr. rhein. Oder 10 Ggr. Sächs.)
Die Variationen dieser beeden Tonsezer machen das dritte und vierte Stük des musikalischen Archivs aus. Herrn F. Thema ist ein Tempo di Menuetto aus f dur, und das *Mozartsche* ein Andantino aus g b im $^6/_8$ Tact. Beede Arbeiten sind sich in Ansehung der Ausführung ziemlich ähnlich, das heißt, die Veränderungen betreffen blos das Melismatische; Schwierigkeiten folgen auf Schwierigkeiten, und schnelle, beflügelte Säze der rechten Hand wechseln mit solchen für die Linke. Dieses gibt dann solchen Produkten eine

gewisse Einförmigkeit, da wenn man eine derselben gehört hat, hat man bei nahe alle gehört. Daher wäre es sehr zu wünschen, daß man auch bei dieser Gattung von Musik nach den Mustern der beeden *Bach* und anderer älterer Tonkünstler sich richten möchte. Zwar wird man *F.* und *M.* Variationen immer gerne hören und sie als gute Uebungsstüke schäzen; allein man vermißt doch in denselben und in den meisten neueren Tonstüken dieser Art die sinnreiche Inversionen und Nachahmungen und die in der gebundenen Schreibart variirte Säze, wodurch solche Compositionen allein einen wahren Werth erhalten können.

Zx.

Sonate pour le Clavecin avec accompagnement d'un Violon / par Mr. W. A. Mozart. Archiv eilftes Stük. Speier bei Rath Bossler. 4. / (Pr. 1 fl.)
Auch diese Sonate des Herrn *M.* wird wegen ihrer gefälligen Manier, in welcher sie geschrieben ist, bei den Liebhabern der Kunst ihr Glük machen. Nur wäre zu wünschen, Herr *M.* liesse sich weniger vom Modegeschmak unsers Zeitalters fesseln. Seine Arbeiten würden dadurch noch einen allgemeineren und zugleich dauerhafteren Werth erhalten. Und daß es Herrn *M.* nicht an guten Grundsätzen der Harmonie, noch an Reichthum der Phantasie fehlet, uns stärkere Speise vorzusezen, dafür bürgt uns diess und mehrere bekannte Arbeiten desselben. — Der erste Saz dieser Sonate in e ♭ ist ein sehr munteres fliessendes Allegro. Nur dünkt Rec. die Stelle der getheilten gebrochenen Accorden auf der vierten Seite theils zu abgenuzt, theils zu gedehnt, und der zweite Theil in Vergleichung mit dem ersten viel zu lang. Man hat zwar in dem Sistem der Tonwissenschaft keine bestimmte Vorschrift in solchen Fällen; doch sieht man, daß ein Unterschied von 3½ Seite kein wahres Verhältniß ist. Das Adagio ist voll sanfter Empfindungen, wahrer Ausdruk schmachtender Liebe, möchte ich sagen, und die Verwechslung der Klanggeschlechter, die sich Herr *M.* in diesem Saz zweimal erlaubte, ist nicht ohne Härte; sondern auch von guter Würkung. Den Beschluß macht ein Allegro mit 6 Veränderungen.   Zx.

Spalte 49 f. — A. Hyatt King, *Mozart in Retrospect*, London 1955, S. 176. — Boßler hatte 1781 einen Musikverlag gegründet, der u. a. die *Musikalische Real-Zeitung* (1788—90, fortgesetzt als *Musikalische Korrespondenz*, 1790—92), das *Archiv der auserlesensten Musikalien* (1788), die *Bibliothek der Grazien* (1789—91) und als Supplement der *Real-Zeitung* die *Musikalische Anthologie für Kenner und Liebhaber* (1790) herausgab. Im wesentlichen begnügte er sich in seinen Ausgaben mit Nachdrucken. — Förster stammte aus Preußisch-Schlesien, lebte aber seit 1776 als angesehener Musiklehrer in Wien. Seine zehn Variationen über ein Allegretto aus Sartis Oper *I finti eredi*, 1788 komponiert, wurden um 1800 Mozart zugeschrieben (KV Anh. 289). — Unter den „beeden *Bach*" sind wohl Carl Philipp Emanuel und Johann Christian Bach gemeint. — Die Variationen über das Andantino „*Hélas, j'ai perdu mon amant*" (KV 360) waren 1786 bei Artaria erschienen; die Violinsonate in Es (KV 481) um 1785 bei Hoffmeister.

AUS DER «MUSIKALISCHEN REAL-ZEITUNG», SPEYER, 13. AUGUST 1788

Ebendaher [Dresden] vom 28ten Juli.

Der berühmte Organist Herr *Häßler* aus Erfurth ist jezt hier ... Auch will man sicher wissen daß er von hier nach Wien gehen wolle um dem Wiener musikal. Publikum in einem Wettstreit mit dem großen *Mozart* auf dem Klavier zu zeigen, daß lezterer, so stark er auch auf dem Fortepiano ist, doch nicht Klavier spielen könne.

Abert II, 626. — Johann Wilhelm Häßler ging nicht nach Wien, aber Mozart hatte mit ihm am 14. April 1789 in Dresden einen Wettstreit auf der Orgel, und dann auch einen auf dem Fortepiano, wobei Mozart gut abgeschnitten zu haben scheint; nicht aber einen Wettstreit auf dem Clavichord, das Häßler vielleicht wirklich besser gespielt hat. — Er spielte am 30. Mai 1792 in London ein Klavierkonzert von Mozart (King, a. a. O., S. 14).

Aus Joachim Daniel Preislers «Journal over en Rejse igiennen Frankerige og Tydskland i Aaret 1788», Kopenhagen 1789

(Übersetzung)

Mittwoch, den 20. August [1788]. Zwischen 10 und 11 Uhr [vormittags] holte uns der Schauspieler *Lange* ab, seine Sammlung eigener Bilder anzusehen und seine Frau singen zu hören. — Eine melancholische Schwärmerei war gleich aus ihren Augen zu lesen. Sie war hoch-schwanger und konnte in diesem Zustand nicht auftreten. Zu unserem Pech! denn sie war, wenngleich eine *Deutsche*, die *Primadonna* der *Italienischen Oper*. Der wohl-bekannte *Mozardt* ist ihr Schwager und hat sie so gut ausgebildet, dass sie aus einer Par-titur begleitet und Zwischenspiele ausführt wie ein Kapellmeister. So sang und spielte sie für uns eine grosse *Bravour-Arie*, eine *Szene von Paisello* und ein *Rondo aus der Oper Creso.* Die Stimme ist etwas Ungewöhnliches! aber (als Musikfreund, nicht als *Däne* ge-sagt) lange nicht so gut wie die unserer *Müller*; doch ihre Höhe und Delikatesse, ihr Vor-trag und Geschmack, ihre theoretische Kenntnis müssen von jedem unparteiischen Kritiker bewundert werden. Dennoch wird ihr das *gleiche Schicksal* zuteil, das so vielen guten Bür-gern anderer Nationen bestimmt ist. — Das *Fremdartige muß* geschätzt werden, sei es außerordentlich gut, oder außerordentlich schlecht. Sie bezieht kaum die Hälfte der Gage der *Italiener*, und dennoch muß und kann sie die größten und schwierigsten Partien un-vergleichlich besser singen als die hier vom *Wiener Adel* verhätschelten Sängerinnen. Die *Italienische Oper* wurde heute aufgekündigt und wird nicht länger als bis zur *Fastenzeit* spielen können. — Ich bin nun auf die Entscheidung des *Kaisers* begierig, ob auch diese reizende *Madame Lange* wird mit den anderen gehen müssen. — Wir sahen einige vor-treffliche Bilder, darunter die meisten Schauspieler aus der *Theater-Galerie in Miniatur*, und Lange verdient den Ruf, dass viele seiner *Kopien* besser als die *Originale* seien. Eigentlich aber hat er aus irgendeinem *Grunde* das Malen aufgegeben, wofür er außer-ordentlich *begabt* war, nicht nach meinem Urteil, sondern nach dem von *Schmutzer* und der ganzen *Akademie*. — Am Abend gingen wir in die *Opera buffa* und hörten gute Musik von *Anfossi*. Diese Aufführung war umso mehr ermüdend, als wir schon am Vormittag etwas wahrhaft Gutes gehört hatten. Ich kannte die *besseren Nummern* der Oper wohl, von Konzerten in Kopenhagen, aber nur der *Tenor* sang anständig. Die anderen kannten nicht einmal ihre Partien. Zudem erlaubten sich diese Künstler Freiheiten auf der Bühne, wofür sie der Kaiser *an den Pranger* stellen lassen sollte. Der Tenor z. B. begrüßte einen guten Freund im Parterre ganz familiär — es fehlte nur, daß er ihm eine *Prise Tabak* an-geboten hätte! — und der *Bassist*, der unter einem Tische hockte, um von seinen Gegnern nicht gesehen zu werden, schnitt ihnen *Gesichter*, als wenn er sagen wollte: *„Ihr dürft mich nicht erblicken, bevor der rechte Takt in der Musik kommt!"* Das zeigt, dass *Illusion* ein unbekanntes Wort unter diesen *gut bezahlten* Stümpern ist!

S. 228—231. — Mitgeteilt von Herrn Hans Jörgen Hurum, Oslo. — Im Mai 1788 hatte das Könige-liche Theater in Kopenhagen drei seiner Mitglieder auf eine Studienreise nach dem Kontinent ge-schickt, die ersten Theater dort zu besuchen: Joachim Daniel Preisler, Michael Rosing und Peter Ras-mus Saabye. Wien war ursprünglich nicht auf dem Programm gewesen. Zwei der drei Schauspieler schrieben ihre Eindrücke nieder. Preisler, der sein Journal selbst veröffentlichte, war sehr musi-kalisch und nannte sich selbst auch Begleiter im Orchester. Zu Rosing, dem anderen Chronisten, s. 24. August. — Die Langes, die in der Mariahilferstraße wohnten, hatten schon einen kleinen Sohn; sie verloren das erwartete Kind, wie drei frühere und zwei spätere, durch vorzeitigen Tod. — Die Paisiello-Arie mag aus der Oper *La grotta di Trofonio* gewesen sein, die im Burgtheater 1785 italienisch und 1787 deutsch gegeben worden war. Der „*Creso*" dürfte die Oper von Anfossi (Rom 1787) gewesen sein. — Catarine Möller war die Primadonna des Kopenhagener Theaters; 1807 sang sie dort die erste Donna Anna. — Den Sängern der Italienischen Oper war schon am 3. August gekündigt worden; nur die Cavalieri, Ferdinand und Therese Arnold (geb. Teyber) und Herr Saal waren ausgenommen. Schließlich aber blieb die Italienische Oper weiter bestehen, und Aloisia Lange wurde nicht entlassen. — Das Burgtheater hat seit 1786 eine Porträt-Galerie seiner besten Mitglieder, meist Schauspieler, die ersten von Joseph Hickel (s. 15. Oktober 1781) gemalt. Langes kleine Kopien scheinen nicht erhalten geblieben zu sein. Wenn er das Malen wirklich vor 1789 aufgegeben hat, so könnte das vielleicht erklären, warum er sein bekanntes Mozart-Bildnis (Mozarteum, Salzburg) nicht vollendete. — Der Kupferstecher Jakob Schmutzer, aus einer bekannten österreichischen Künstlerfamilie stammend, war Direktor einer der Schulen der Akademie der bildenden Künste und Langes Lehrer. — Anfossis Oper war *Gli amanti canuti*, seit 15. Juli im Burgtheater gegeben, bald nach *Le gelosie fortunate* (s. 2. Juni 1788). Der Tenor dürfte Francesco Morella, der Bassist Francesco Albertarelli gewesen sein (s. 7. Mai 1788). — Das dänische Original ist im Anhang III, S. 514/515, abgedruckt.

Aus den «Dramaturgischen Blättern», Frankfurt a. M., 1788

Am 21sten im August: Die Entführung aus dem Serail. Operette in 3 Aufzügen, von Brezner. Die Musik von Mozart.

Als Operette betrachtet, hat dieses Stück das Verdienst, daß die Gesänge ziemlich ungezwungen herbeigeführt sind; daß sie der Musik Gelegenheit geben, sich in ihrem ganzen Umfange zu zeigen: izt das stille Trauern verlassener Liebe auszudrükken, ihre leisen Hofnungen, vermischt mit Furcht und banger Ahndung; dann die Wonne des Wiedersehens, den festlichen Jubel der Janitscharen, den fröhlichen Taumel des berauschten Osmins, u. s. w. Sonst ist darin wenig von dem orientalischen Kostum zu finden; wenig von dem, was dramatische Wirkung hervorbringen könnte. Mozarts sonst schöne Musik hat — in meinen Ohren wenigstens — den Fehler, daß sie einzelne Ausdrükke zu sehr verzerrt, und so zum leeren Klingklang wird ...

Jahrgang I, 1. Quartal, 10. Stück, S. 159 f. — Das Singspiel war in Frankfurt am 2. August 1783 zum ersten Mal aufgeführt worden. — Über die Wiederholung am 9. September 1788 schrieb die gleiche Zeitschrift (13. Stück, S. 230), daß sie „*des Dichters und des Tonkünstlers würdig war*".

Aus Preislers «Journal», Kopenhagen 1789

(Übersetzung)

Sonntag, den 24. August [1788]. ... Am Nachmittag holten uns *Jünger, Lange* und *Werner* ab, zum Kapellmeister *Mozardt* zu gehen. Dort erlebte ich die glücklichste Stunde Musik, die mir je beschieden war. Dieser kleine Mann und grosse Meister *phantasierte* zweimal auf einem *Pedal-Flügel*, so wundervoll! so wundervoll! dass ich nicht wusste, wo ich war. Die schwierigsten Passagen und die lieblichsten *Themen* ineinander verwoben. — Seine Frau schnitt Kielfedern für den Notenschreiber, ein Schüler komponierte, ein kleiner Knabe von vier Jahren ging im Garten herum und sang Rezitative, kurz: alles um den herrlichen Mann war *musikalisch!* — Ich gedachte mit Vergnügen seiner „Entführung aus dem Serail", die ich 1787 in Hamburg gehört hatte und die ich beinahe auswendig kenne, aber er nannte diese *Operette* eine „Kleinigkeit"; doch es wäre eines Mannes wie *Mozardt* unwürdig, vor Leuten gepriesen zu werden, die selbst nicht zählen, und deshalb schwieg ich. Er produziert in Wien [jetzt] Kirchen-Musik, und da die *Operette* zu Ende gekommen ist, hat er nichts [mehr] mit dem Theater zu tun.

S. 251 f. — H. J. Hurum, *I Mozart verden*, Oslo 1955, S. 107. — Johann Friedrich Jünger war ein erfolgreicher Autor des Burgtheaters. — Dr. Karl Werner (wenn dieser gemeint ist) war niederösterreichischer Landschafts-Protomedicus. — Zu Mozarts Pedal-Flügel vgl. 10. März 1785. — Der Knabe war Karl, damals bald vier Jahre alt. — In Hamburg wurde die *Entführung* seit Juni 1787 gegeben. — Unter „*Operette*“ ist hier einmal „Singspiel“, das andere Mal die Opern-Gesellschaft gemeint, vielleicht die Deutsche Oper, die 1783 eingestellt worden war. — Was Preisler als Kirchen-Musik bezeichnet, könnte auf Mozarts Arbeiten für van Swieten deuten. — Das dänische Original ist im Anhang III, S. 515, wiedergegeben.

Aus Michael Rosings Tagebuch, 24. August 1788

(Übersetzung)

Um 4 Uhr [nachmittags] kamen Jünger, Lange und Doktor Werner, uns zum Kapellmeister Mozart zu führen, der für uns freie Phantasien auf eine Art spielte, dass ich wünschte, selbst so phantasieren zu können; besonders sein Pedal in der zweiten Phantasie machte den angenehmsten Eindruck. Glücklich und überwältigt, Mozart gehört zu haben, gingen wir [zurück] in die Stadt.

Frederik Schyberg, *Den store teaterrejse*, Kopenhagen 1943, S. 285 f. — Rosing, dessen Tagebuch und Briefe erst in diesem Buch veröffentlicht wurden, war in Norwegen geboren, Schauspieler und kurz zuvor auch Regisseur am Theater in Kopenhagen geworden. — Das dänische Original ist im Anhang III, S. 515, wiedergegeben.

Aus dem «Neuen Theater-Journal für Deutschland», Leipzig 1788

Kurze Geschichte des gegenwärtigen Theaters zu Breslau.

... Den 24sten August: Bellmont und Konstanze, oder die Entführung aus dem Serail, S. 3. A. von Bretzner mit Musik von Mozart. Es ist ein wahrer Ohrenschmaus, so eine herrliche und für Ohr und Herz geschaffene Musik vorstellen zu hören. Da bleibt auch kein einziges Gefühl unbefriedigt, wenn man Herrn Mozart Leidenschaft auf Leidenschaft, und gleich wieder drauf drolligte Laune malen und darstellen sieht. Folgende Arien haben uns vorzüglich gefallen: Ach ich liebte etc. Martern aller Arten etc. Wenn der Freude Thränen fließen etc. Und das letzte Duett: Welch [ein] Geschick! etc... — Demohngeachtet hat dieses Singspiel nicht diejenige Sensation hier in Breslau erregt, die es an andern Orten bewirkt hat. Vielleicht waren der musikalischen Kenner zu wenig.

Heft 1, S. 51. — In Breslau war dieses Singspiel am 24. August 1787 zuerst gegeben worden.

Im August erscheint das Lied *Beim Auszug in das Feld* („*Dem hohen Kaiser-Worte treu*“, KV 552) in dem *Wochenblatt* für Kinder.

Exemplare im Stift Klosterneuburg, bei der Gesellschaft der Musikfreunde, Wien, und im British Museum (Hirsch Library), London. — Zu dem *Wochenblatt* s. 24. Februar 1787, zum Türkenkrieg Anfang 1788 und 7. März 1788.

Aus der «Wiener Zeitung», 27. September 1788

Neue Musikalien.

Bey Artaria Comp. Kunsthändlern sind zu haben: ...
Mozart 1 neue Sonate für Klavier mit Violin und Viola oder Clarinet — — — Opera 14 1 fl. 20 kr.

Das Trio in Es, KV 498, war tatsächlich für Klavier, Klarinette und Viola geschrieben, für Franziska v. Jacquin (vgl. 11. April 1787), angeblich während einer Kegel-Partie, und deshalb das *Kegelstatt-Trio* benannt. Die Violinstimme war also als Alternative für die der Klarinette gemeint.

Aus Knigges «Dramaturgischen Blättern», Hannover 1788

Den *dritten October: Belmonte und Konstanza*, oder: die *Entführung aus dem Serail* —
Einer von den schwatzhaften Titeln, über welche ich im vorigen Stücke eine Stelle aus
dem Theater-Kalender angeführt habe! — *Ein Singspiel in drey Aufzügen, von Bretzner,
in Music gesetzt von Mozart.*

Vom Stück selbst ist nicht viel zu sagen. Die Erfindung der Intrigue und die Art der Bearbeitung haben nicht den Werth der Neuheit, und poetische Schönheiten trifft man hier
auch nicht an; doch ist man immer froh, die vortheilhaften Eindrücke, welche die Music
macht, nicht, so wie in den italienischen Opere buffe durch planloses, plattes Gewäsche
und Possenreisserey geschwächt zu fühlen. Eben von der Music aber will ich etwas weit-
läuftiger reden.

Ich hatte mir selbst oft die Frage aufgeworfen, woher es wohl kommen könnte, daß die
herrliche Composition von Mozart, die man in der Partitur mit wahrem Entzücken liest
und spielt, und deren einzelne Schönheiten uns auch in der Aufführung hinreissen, dennoch im Ganzen nicht die allgemein vortheilhafte Würkung macht, die man davon erwarten sollte. Zwar hat dieses Kunstwerk bey der ersten Erscheinung überrascht und sehr
gefallen. Die brillante Ouvertüre; das Ungewöhnliche der türkischen Music, selbst zu
Begleitung von Arien; das alles hat seines Zwecks nicht verfehlt; aber noch einmal! Daß
diese herrliche Music, bey so viel einzelnen Schönheiten, das Herz so mancher Leute, die
weniger Kenner der Kunst als gefühlvolle Liebhaber der Melodie sind, leer lässt, das
wusste ich mir nicht recht zu erklären. Ich sprach darüber mit einem Manne, dessen theoretische und praktische Kenntnisse in der Music, dessen Fleiß, noch täglich weitere Fortschritte darinn zu machen, und dessen Bescheidenheit gleich viel Lob verdienen— mit
Einem Worte? mit unserm *Weber*, der, da er hier die Music bey den Singspielen, um deren
gute Aufführung er kein geringes Verdienst hat, dirigiert, am genauesten mit den einzelnen Schönheiten und Fehlern jeder Composition bekannt ist, und ich will einen Theil
dessen, wodurch er meine Ideen über den Mozartschen theatralischen Styl berichtigt hat,
hierhersetzen.

Die Music zu der Entführung aus dem Serail ist erstlich hie und da zu ernsthaft für das
Sujet einer comischen Oper; sie nähert sich in manchen, übrigens meisterhaft gearbeiteten
Stellen zu sehr dem ernsthaften Opern-Style; und da andre ächt comische Stücke zu sehr
dagegen abstechen; so fehlt es also an Einheit des Styls. Sodann ist der Tonsetzer zu ge-
schwätzig mit den Blas-Instrumenten gewesen. Statt daß diese nur den stärkern Nachdruck,
da wo es nöthig ist, der Melodie geben, und die ganze Harmonie unterstützen sollten; so
verdunkeln sie oft jene, und verwirren diese, unterdrücken den schönen einfachen Gesang,
und stöhren den Sänger im Vortrage. Dies fiel mir vorzüglich in einer Arie auf, welche
Konstanze singt. — Ein Fehler, in welchen die besten italienischen Tonsetzer nie ver-
fallen, der aber jetzt um so allgemeiner bey uns wird, je mehr wir ehemals die Einwürkung
der Blas-Instrumente vernachlässigten. Nicht weniger verdunkelt das zu große Kunst-
gewebe in manchen Stellen den fliessenden Gesang. Der Kenner fühlt den Wert dieser
Stellen; aber für den populairen Vortrag taugt das nicht. Der nemliche Fall ist mit den
häufigen Ausweichungen und den vielfachen enharmonischen Gängen, die, so schön sie
am Clavier klingen, im Orchester keine Würkung thun, theils weil sie nie rein genug vorgetragen werden, weder vom Sänger noch von den Spielern, besonders von den Blas-
Instrumenten, theils weil die Auflösungen zu schnell mit den Misklängen abwechseln, so

daß nur ein geübtes Ohr den Gang der Harmonie verfolgen kann. Diese Ungemächlich-
keit hat besonders in den häufig hier vorkommenden Arien aus Moll-Tönen Statt, die
der vielfachen chromatischen Sätze wegen, von dem Sänger schwer vorzutragen, von dem
Zuhörer schwer zu fassen sind, und überhaupt etwas Beunruhigendes haben. Solche fremde
Harmonien verrathen den großen Meister, aber sie gehören nicht für das Theater. Herr
Weber hat schon oft bemerkt, daß, wenn sich die 4 in der weichen Tonart mit der ver-
minderten 3 und 7, oder, in der Umwendung, mit der übermäßigen 6 im Theater auf einmal ohnvermuthet hören ließ, diese Harmonie viel Sensation erregte, oft wiederholt aber
der größern Anzahl von Zuhörern nicht gefiel, sondern alle Würkung verlohr. Aus manchen der vorerwähnten Ursachen bleibt z. B. die Hälfte der Schönheiten des ganz vortreflich gearbeiteten Quartetts am Ende des zweyten Aufzugs ohngefühlt. Dies Quartett ist
ein wahres Meisterstück für den Kenner; aber wie Wenige werden den Werth der darinn
angebrachten Kunst fühlen! Endlich ist der Gesang in manchen Stellen dieser Oper zu
sehr syncopiert, besonders in Duetten, Quartetten etc. Der Sänger hat nicht Zeit, Odem
zu schöpfen, seiner Stimme neue Kraft zu geben; diese wird matt und lahm, Ein schöner
Gedanke verdrängt den andern, und entrückt ihn der Bewunderung des Zuhörers.

Aber o! mögten alle Tonsetzer im Stande seyn, solche Fehler zu begehn! Und welche herrliche einzelne Stücke sind nicht in dieser Oper! Am reichsten an Schönheiten ist der zweyte
Aufzug. Das erste darinn vorkommende Duett ist hinreissend, Blondens Arie, welche
Madam Großman so unverbesserlich sang, ganz vortreflich; Das Rondeau: „Welche
Wonne, welche Lust!" allerliebst; Das Vaudeville am Ende des dritten Aufzugs in dem
reizenden Styl geschrieben — Doch wer kann alle einzelnen Schönheiten dieser Oper
herzählen? . . .

2. Stück, S. 21 ff., erschienen am 11. Oktober. — Jahn, 1. Auflage, III, 470 ff. — Diese Zeitschrift,
die 1788/9 in Hannover erschien und sich in Mozarts Nachlaß fand, muß von der gleichnamigen
Frankfurter unterschieden werden. — Die erste Aufführung des Singspiels hatte in Hannover am
12. April 1787 stattgefunden. — Der Artikel scheint vom Herausgeber, Adolf v. Knigge (s. 18. Mai
1788), geschrieben worden zu sein. Sein Berater war Bernhard Anselm Weber (s. 12. April 1787). —
Ende 1788 erschien in der gleichen Zeitschrift (11. Stück, S. 171) ein Bericht des Theaterdirektors
Großmann über den Erfolg seiner Aufführungen; darin heißt es: „*Sehr gut: die Räuber, die Entführung aus dem Serail.*" (Schillers Schauspiel war 1781 erschienen.)

AUS DEN «DRAMATURGISCHEN BLÄTTERN», FRANKFURT A. M., 1788

Am 11. im Oktober: Figaro — Operette in vier Aufzügen. Mit Musik von
Herrn Mozart.

Das Lustspiel von Beaumarchais, aus dem diese Operette genommen ist, war nur für
Paris geschrieben. Die Satire, die allenthalben darin umhergestreut ist, gieng für uns
Deutsche grosentheils verloren. Daher unter uns die verschiedenen Urtheile über dieses
Stük, das, als dramatisches Produkt betrachtet, eben keinen grosen Werth hat. Die ganze
Intrike ist auch schiklicher für eine Oper, wo man keine so genaue Verbindung der Sze-
nen, nicht so viel Wahrheit der Situazionen, und keine so genau gezeichnete Karaktere
fordert, als im eigentlichen Schauspiele. Die Musik von Mozart hat schöne Passagen, aber
auch bekannte Ideen und Wendungen . . .

Jahrgang I, 2. Quartal, 4. Stück, S. 88 ff. — Die neue Übersetzung stammte von Christian August
Vulpius, Goethes Schwager. — Siehe das folgende Dokument.

AUS DEN «DRAMATURGISCHEN BLÄTTERN», FRANKFURT A. M., 1788

Am 13. im Oktober: Figaro — Operette.

Dieses Stük hat bei uns seine Periode schon überlebt. Liegt die Schuld an dem Stükke selbst? liegt sie an der Musik — oder an der Darstellung der Schauspieler? Vielleicht an allen dreien zugleich . . .

5. Stück, S. 97 f. — Auch bei der Aufführung am 21. Oktober hatte die Zeitschrift (7. Stück, S. 131 f.) noch Kritik an der Regie zu üben.

AUS DER «MUSIKALISCHEN REAL-ZEITUNG», SPEYER, 15. OKTOBER 1788

In dieser Musikalienhandlung sind zu haben: . . .
Mozart Ouverture dell' Opera Il Don Giov. Klavierauszug 24 kr.

Band I, Nr. 16, Spalte 128.

Am 16. Oktober wird die *Entführung* in Berlin gegeben.

In einem Briefe Leopold Mozarts an seine Tochter vom November 1784 *(Schweizerische Musikzeitung, Zürich, April 1953, S. 152)* schreibt er, von zwei Baronen Techenbach erfahren zu haben, daß sie das Singspiel in Berlin, Mainz und Mannheim gesehen hätten. Es ist aber erst 1788 in Berlin aufgeführt worden, siebenmal vor dem neuen Jahr. — Friedrich Karl Lippert, der schon am 7. Mai 1786 in Wien den Belmonte gesungen hatte, gab ihn auch in Berlin. (Er übersetzte 1798 den *Don Giovanni*, den er 1790 in Berlin in Schröders Fassung gesungen hatte, für Wien aufs Neue ins Deutsche.) — Anläßlich dieser Aufführung erschien in Berlin ein Klavier-Auszug der *Arien und Gesänge* des Singspiels.

AUS ZINZENDORFS TAGEBUCH, 24. OKTOBER 1788

. . . De la au Spectacle. *Don Giovanni*, en robe de chambre, la Laschi n'y jouoit point. . . .

Vgl. 16. Juni 1788. — Signora Mombellis Mädchenname war Laschi.

AUS DER «WIENER ZEITUNG», 12. NOVEMBER 1788

Neue Musikalien.

Bey Artaria Com. Kunsthändlern . . . sind zu haben:
Von Herrn Mozart 3 ganz neue Sonaten für das Clavier, mit Begleitung einer Violin und Violoncell, Opera 15, 3 fl.

Die drei Klavier-Trios in B, E und C (KV 502, 542 und 548).

AUS DEM «RAPPORT VON WIEN», 29. NOVEMBER 1788

Angenehme und lehrreiche Beschäftigung für Kinder in ihren Freystunden . . . Lieder mit Musik von dem berühmten Mozart . . .

S. 276. — In dieser Anzeige des *Wochenblatts* (s. 24. Februar 1787), die im *Rapport* erschien, wurden die beiden Lieder KV 531 und 552 summarisch erwähnt. — Das Exemplar des *Rapports* in der Wiener Universitäts-Bibliothek ist leider verbrannt. Der Wortlaut konnte deshalb nicht überprüft werden.

Im November (?) wird Händels Pastorale *Acis und Galathea* mit der von Mozart ver-
mehrten Instrumentation (KV 566), von ihm selbst dirigiert, zu seinem Benefiz im Jahnschen Saale, Stadt Nr. 991, Himmelpfortgasse (heute Nr. 6), aufgeführt; die Solisten sind
Signora Cavalieri, die Herren Adamberger und Tobias Gsur.

Jahn, II, 461. — Das war die erste der vier Händel-Bearbeitungen, die Mozart für Gottfried van
Swieten und die von ihm seit 1780 geleitete Kavaliers-Gesellschaft zur Pflege klassischer Musik,
besonders Händels, unternahm. Dieser Gesellschaft gehörten die Fürsten Johann Karl Dietrichstein,
Ferdinand Philipp Joseph Lobkowitz (gest. 1784) und Johann Nepomuk Schwarzenberg, die Grafen Anton Georg Apponyi, Anton Batthyány und Johann Esterházy an. Die Proben fanden
wahrscheinlich in Swietens Dienst-Wohnung in der Hofbibliothek statt, deren Vorstand Swieten
war. (Erst 1795 erwarb er das Haus Stadt Nr. 146 in der Renngasse, heute Nr. 3, und zog dort
ein.) Auch *Acis* dürfte in Swietens Wohnung geprobt worden sein. Siehe 31. Dezember 1788. —
Der Bassist Gsur war Mitglied der Hofburg-Kapelle. — Der Saal des Restaurateurs Ignaz Jahn
wurde um 1790 öfters für Konzerte benützt (vgl. 4. März 1791); er faßte höchstens 400 Zuhörer.

Am 13. Dezember bietet Le Duc, Paris, in den *Affiches, Annonces et Avis divers* (supplement) ein Klaviertrio von Mozart als Opus XVI an.

Der Titel *(Trio pour le clavecin ou le forte-piano avec accompagnement de violon ou [clarinette]
& d'alto)* ergibt, daß es sich um KV 498 handelt, das am 27. September 1788 bei Artaria & Co. als
Opus 14 erschienen war.

Am 15. Dezember besucht Kaiser Joseph eine Vorstellung des *Don Giovanni* im Burgtheater.

Der Kaiser war am 5. Dezember nach mehr als neun Monaten aus dem Felde krank zurückgekehrt;
vgl. 16. Mai 1788. — Diese Vorstellung war die letzte in Wien zu Mozarts Lebzeiten.

Aus der «Musikalischen Real-Zeitung», Speyer, 24. Dezember 1788

Verzeichnis der in der musikalischen Anthologie für Kenner und Liebhaber enthaltenen
Materien ihrer Folge nach.

. . .

Arie dell'Opera: Il Don Giov. del'Sigre. A. Mozart 25.

Band I, Nr. 26, Spalte 203.

Aus Zinzendorfs Tagebuch, 31. Dezember 1788

. . . Le soir a un Concert chez Jean Eszterhazy dirigé par le Baron Acis et Galatée de
Hendel . . .

Siehe 26. Februar und November 1788. — Der „Baron" ist Gottfried van Swieten. Aus Zinzendorfs
Eintragung vom 29. ergibt sich, daß das Konzert am 30. stattgefunden hat.

Im Jahre 1788 werden in London von Mozart zwei Sinfonien, Opus 8 und 9 (KV 385 und
319), ein Klavier-Quartett (KV 478 oder 493) und die sechs Haydn gewidmeten Streichquartette (KV 387 etc.) aufgeführt.

C. F. Pohl, *Mozart in London*, Wien 1867, S. 142. — Leider hat Pohl seine Quelle nicht angegeben,
und sie ist bisher nicht wieder gefunden worden. — Vgl. 26. Dezember 1786.

Aus Paul v. Stettens «Kunst-, Gewerb- und Handwerks-Geschichte der Reichsstadt Augsburg», 2. Band, 1788

Von dem jungen Mozart, der jetzt Kapellmeister in Wien ist, stehet eine sehr unterhaltende Erzählung des Herrn Daines Barington in den Philos. Transact. Vol. 60, Seite 54. etc. S. 318. — Vgl. Ende 1779. — Zu Barrington s. 28. November 1769.

1789

Aus Forkels «Musikalischem Almanach für Deutschland auf das Jahr 1789, Leipzig»

(Verzeichniß jetzt lebender Componisten in Deutschland.)

Mozart (J. J. Wolfgang) seit 1787. Capellmeister in Wien. s. Die Entführung aus dem Serail in 1785. gedruckt. Auch sind seit 1784. verschiedene *Sinfonien, Quartetten* und *Sonatensammlungen* nebst *Concerten* fürs Clavier öffentlich bekannt geworden.

S. 84 f. — Siehe Ende 1781, 82 und 83.

Aus dem «Hof- und Staatsschematismus der . . . Haupt- und Residenzstadt Wien . . . auf das Jahr 1789»

K. k. Hofkammermusici.

Kompositor.

Hr. Wolfgang Mozart, woh. in der Währingergasse 135.

S. 400. — Diese Notiz blieb 1791 unverändert, sogar in der Adresse, die nur für 1788 gegolten hätte; es hieß dann aber statt „*Hofkammermusici*" einfach „*Kammermusici*". — 1788 war Salieri als *Kompositor* unter den *Kais. Kön. Hof- und Kammermusici* genannt. — 1790 ist der Schematismus nicht erschienen.

Aus F. Kasimir Kunz' «Almanach der kais. königl. National-Schaubühne in Wien auf das Jahr 1789»

Herr Wolfgang Mozart ist in wirkliche Dienste Seiner Majestät des Kaisers mit einem ansehnlichen Gehalt aufgenommen worden. Alle Freunde der Tonkunst werden dieser Beförderung wegen gewiß das innigste Vergnügen fühlen, da dieser vortrefliche Tonkünstler so lange Zeit verkannt, und nicht nach seinen Verdiensten geschätzt wurde.

Seite 115.

Anfang 1789 übersiedelt Mozart aus der Währingerstraße wieder in die Innere Stadt, Nr. 245, Judenplatz (jetzt Nr. 4), „Zur Mutter Gottes".

Das Haus war dem benachbart, das Mozart 1783 bewohnt hatte: Nr. 3 und 4 wurden 1895 in einem Neubau vereinigt.

Aus Knigges «Dramaturgischen Blättern», Hannover 1789

Eingeschicktes Tagebuch der Großmannschen Gesellschaft [in Lübeck].

Nach hiesigem Herkommen darf vor drey Königen nicht gespielt werden; Die Bühne wurde also erst eröfnet den 7ten Jenner mit der *Entführung aus dem Serail.*

Wahr spricht Reichard in seinem musicalischen Kunst-Magazine, wenn er sagt: „der Ton-künstler ist weit übler daran, als der Mahler und Bildhauer. Diesen ist ihr eigenes Auge, ihre eigene Hand genug, zur Darstellung ihrer höchsten Schöpfungen; der Tonkünstler bedarf zu seinem Werke, Ohr, Hand und Kehle von Hunderten. — Ohne Sänger, ohne *Orchester*, kann der Tonkünstler nicht würken" u. s. f. Die Wahrheit dieser Worte, beson-ders in Ansehung des Orchesters, bestätigte die heutige Aufführung dieses Singspiels: *die Entführung aus dem Serail* von Mozart ist eine Oper, die ohnehin schon, wegen der starken Untersetzung von allen nur möglichen Blas-Instrumenten, wegen der darin vor-kommenden concertirenden Arien und Sätze, auch von einem Orchester mit gleich stark besetzten Männern schwer, sehr schwer zu executiren ist; Kömmt nun noch ein nicht zusammenstudirtes Orchester, oder gar eine mittelmäßige, oft weniger als mittelmäßige Besetzung der Blas-Instrumente hinzu; so giebt es denn freylich je zuweilen ein jämmer-liches Geheule, das einem die Zähne klappern macht. Arien, die öfters nur für den Umfang der Stimme einzelner Sänger, oder auch concertirend für mehrere Instrumente großer Künstler, bloß an demselben Orte, eingerichtet sind, sollen und müssen dann überall, mit halben, nicht von der Natur zur Kunst, sondern nur zum Pfeifen und Fiddeln gemachten Menschen aufgeführt werden, die entweder auf ihren Saiten-Instrumenten immer schon einen Vorschmack vom folgenden Tacte eben zu der Zeit geben, wo viel-leicht der bessere Theil des Orchesters noch einen halben Tact zurück ist, oder auf ihren Blas-Instrumenten, bey einer anhaltenden Note, die der Tonsetzer mit vielem Bedachte so gesetzt hat, einesweilen ein Trillerchen appliciren. So wird der arme Sänger, der zu Hause Fleiß und Mühe anwendet, seinen Gesang schön vorzutragen, gekreuzigt, und was noch betrübter ist, die schönsten Kunstwerke werden grausamer Weise gemor-det. Nicht anders ergieng es denn auch hier der *Entführung* von unserm teutschen Mozart. Allgemein hat sie nicht gefallen, die Ursache lässt sich aus dem schon Gesagten leicht schliessen. *Herr Bilow*, der sich durch seine Geschicklichkeit auf der Violine in Ansehung seines Tons und seines geschmackvollen Vortrags, nicht minder durch seine Höflichkeit und Bescheidenheit, — eine dem ausübenden Tonkünstler so selten verliehene Gabe — als ein wahrer Künstler von Genie und Talent auszeichnet, hat die Freundschaft, nebst dem *Herrn Kunze*, einem fertigen Clavierspieler, aus blosser Kunstliebe, bey Auf-führung der Opern in dem Orchester mitzuspielen, und zwar Ersterer an der Geige, und Letzterer am Violoncell, wodurch denn die Aufführung sehr viel gewinnt.

Vorzüglich zeichnen sich noch die beyden Hörner, durch ihren festen runden Ton aus, durch pünctliche Genauigkeit im Pausieren, und Reinheit der Intonation. Es wäre zu wünschen, daß der übrige Rest sich auch bemühn mögte, den beyden *Herrn Hernberg* in Fleiß und Achtsamkeit nachzuahmen. Sie würden dann gleiches Lob verdienen, und sich das Pu-blicum, welches Geschmack und Kenntniß besitzt, verbindlich machen . . .

15. Stück, S. 226 ff. — Der Bericht betrifft die Erstaufführung des Singspiels in Lübeck. — Johann Friedrich Reichardt gab 1782 bis 1791 in Berlin das *Musikalische Kunstmagazin* heraus. — Über die deutsche Aufführung von Anfossis *Il geloso in cimento* am 9. Januar schrieb die gleiche Zeitschrift (S. 230): *„Die Execution des Orchesters war heute ungleich besser, als bey der Entführung aus dem Serail."*

Aus Zinzendorfs Tagebuch, 15. Januar 1789

... Chez le grand Chambelan. L'abbé *da Ponte* lui parla d'un projet de souscription pour garder ici l'opera Italien, ou tous les ministres etrangers veulent souscrirer ...

Obersthofmeister war Fürst Georg Adam Starhemberg. — Der Kaiser hatte am 29. Juli 1788 aus Semlin an den Oberstkämmerer Franz Grafen Rosenberg die Weisung gegeben, die Italienische Oper wegen eines Defizits von 80000 Gulden bis auf weiteres einzustellen (Payer v. Thurn, a. a. O., S. 81). Sie blieb aber weiter bestehen; wie es scheint, durch Da Pontes Intervention.

Aus der «Wiener Zeitung», 17. Januar 1789

Musikalien.

Bey Artaria Comp. am Kohlmarkt sind folgende Tanzmusikalien zu haben:

· · ·

Mozart 6 Contratänze, 1 fl. 3 kr.

Das waren die Tänze KV 462 (No. 3), 534, 535 und 535ª im Klavierauszug. — Zu KV 535 vgl 19. März 1788 und Februar 1790.

Aus der «Musikalischen Real-Zeitung», Speyer, 18. Februar 1789

Dreßden den 25sten Jenner.

In einem hiesigen Privatkonzert ist *Mozarts* vortrefliche Oper: Il Don Giovanni auf 8 blasende Instrumente gesezt, aufgeführt worden; der Effekt, den sie auf die Zuhörer macht, ist nicht zu beschreiben. — Da man sonsten nur Suiten und Märsche auf diesen Instrumenten zu hören gewohnt war, so machte dieses Meisterstük desto mehr Eindruk. Freilich trugen aber auch die grose Virtuosen, die es aufführten, und unter denen ich nur einige nennen will, nemlich: Hr. *Richter* auf der Oboe, Herr *Schmidt* auf dem Fagott und Herr *Rothe* auf der Klarinette sehr viel bei.

Band I, Nr. 7, Spalte 62 f. — Diese Bearbeitung scheint nicht erhalten geblieben zu sein. Vgl. 24. Juni 1789.

Aus den «Dramaturgischen Blättern», Frankfurt a. M., 1789

Mainzer Nazionaltheater.

Am 31ten Jenner: Das verstellte Gärtnermädchen, komische Oper in 3 Aufzügen, nach dem Italiänischen. Musik von W. *Mozart*. Ein neues Stük, das durch den Namen des Tonsezzers Aller Erwartung im voraus gespannt hatte, und doch durchaus misfiel. Freilich ist auch das Stük im höchsten Grade abgeschmakt und langweilig; und *Mozarts* Saz, fast immer schwer und künstlich, scheint besonders in dieser Oper über die Fassungskraft gewöhnlicher Dilettanten sich hinwegzuschwingen, so majestätisch, so launicht er in einzelnen Stellen, so voll starker Harmonie er im ganzen auch ist.

Jahrgang 2, 3. Quartal, 8. Stück, S. 116. (Mitgeteilt von Christopher Raeburn.) — Diese Erstaufführung im kurfürstlichen Nationaltheater ist bisher in der einschlägigen Literatur übersehen worden (Loewenberg, a. a. O., S. 170; Gottron, a. a. O., S. 35). In Frankfurt war die Oper (München, 13. Januar 1775) schon am 2. April 1782 unter einem anderen Titel deutsch gegeben worden. Die Mainzer Truppe brachte sie am 30. April 1789 wieder nach Frankfurt, nachdem sie ihr Gastspiel dort am 13. mit der *Entführung* begonnen hatte.

Aus Zinzendorfs Tagebuch, 4. März 1789

... Au Spectacle. L'ape *musicale* ...

Textbuch in der Nationalbibliothek, Wien. — Dieses Pasticcio, Text von Da Ponte, wurde im Burg-theater aufgeführt. Es enthielt (Akt 1, Szene 7) eine Parodie des Duetts Zerlina - Don Giovanni *„Là ci darem la mano"* aus *Don Giovanni,* gesungen von Signora Mombelli (der ersten Wiener Zerlina) und Signor Benucci (dem ersten Wiener Leporello). Das *„musikalische Lustspiel"* in zwei Akten wurde bis zum 13. März fünfmal gegeben und am 24. Januar 1792 in Triest (wo Da Ponte damals lebte) mit dem Untertitel *Il Poeta Impresario* wieder aufgeführt. — Siehe 21. März 1789 und 23. März 1791.

Am 6. März wird Händels *Messias* in Mozarts Instrumentierung (KV 572) beim Grafen Johann Esterházy zum ersten Male aufgeführt (vgl. 7. April 1789).

Dr. Andreas Holschneider, Freiburg im Breisgau, fand 1958 in der Bibliothek des Stifts Kloster-neuburg ein Exemplar des 1789 bei Christian Friedrich Wappler in Wien gedruckten Textbuches mit einem handschriftlichen Vermerk, der uns Näheres über diese Aufführung mitteilt.

Handschriftlicher Vermerk auf dem Titelblatt eines Textbuches des «Messias», 6. März 1789

Vortreflich ausgeführt, den 6ten März 1789 bey den H: Grafen Johann v. Esterhazy. — Mozart dirigirte das Orchester, Umlauf die Singstimmen. Madam Lange, Madelle Alta-monte, Herr Saal und Herr Adamberger sangen dabey, nebst 12 Choristen. Herr Haus-mann von Hanover war mit mir und meiner ältesten Tochter zu dieser academie eingeladen.

Der Schreiber ist unbekannt. — Zu Fräulein v. Altamonte (Altomonte) vgl. 26. März 1791.

Aus den «Dramaturgischen Blättern», Frankfurt a. M., 1789

[Mainz.] Am 13ten [März]: Don Juan — Singspiel in 2 Aufzügen, nach dem Italienischen frei bearbeitet; Musik von *Mozart.* Wieder eine Oper, die unserm Publikum die Köpfe schwindeln machte. Wenig fehlte, es hätte das Komödienhaus gestürmt, weil man es drei Stunden vor der Spielzeit nicht geöfnet hatte. — Viel Prunk und Lärm für den grossen Haufen; fader Stof, Abgeschmaktheiten für den gebildeten Theil! Auch die Musik, zwar gross und harmonisch, aber mehr schwer und kunstvoll, als gefällig und populär ...

Jahrgang 2, 3. Quartal, 9. Stück, S. 131 f. — Die Übersetzung stammte von Heinrich Gottlieb Schmieder.

Am 17. März wird Nannerls zweites Kind, Jeanette, geboren.

Das Mädchen starb am 1. September 1805 in Salzburg, wohin Frau von Berchtold zu Sonnenburg nach dem Tode ihres Gatten 1801 mit zwei Kindern und vier Stiefkindern zurückgekehrt war. Ihr drittes Kind, Marie, lebte nur von 1790 bis 91.

Aus der «Wiener Zeitung», 21. März 1789

Musikalien.

Bey Artaria Com. Kunsthändlern am Kohlmarkt sind zu haben:

. . .

Mozart 12 deutsche Tänze, welche in dem k. k. kleinen Redoutensaal aufgeführet worden, für das Klavier übersetzt 40 kr.
Detto 12 Menuette 40 kr.

. . .

Mozart 2 sehr schöne neue deutsche Arien, zum Singen beym Klavier. 40 kr.

. . .

Die Deutschen Tänze waren KV 536 und 567, die Menuette KV 568 (beide Gruppen später als „Iter Theil" bezeichnet). Die zwei Lieder (ebenso bezeichnet) waren KV 523 und 524; *Abendempfindung* und *An Chloe*. Das hübsche Titelblatt der Lieder-Serie ist von Sebastian Mansfeld gestochen.

Aus der «Wiener Zeitung», 21. März 1789

L'ape musicale, Opera von einigen der berühmtesten Componisten, zusammen gesetzt, und ist beym Klavier zu singen, zu haben in Wien in der Lauschischen Musikalienhandlung...

Atto Imo

	fl.	kr.
L'overtura aus L'inganno amoroso.	—	20
Nr. 1. Sedete amici mei, l'Introduz.	—	36
2. Com ape ingegnosa, Cav. Basso	—	8
3. Permettete o Madamina, Terz.	—	40
4. Donne mie voi siete quelle, Ar. B.	—	20
5. Ch'é una petegolla senza creanza, Q.	—	52
6. Que vos yeux sont touchants, Recitativo. Votre coeur aimable flore, Cavatina Soprano	—	12
7. Amour nous parle sans cesse, detta Soprano con Mandolino	—	12
Amor schenkt uns die Schönen, detta mit deutschem Text	—	12
8. Je suis né natif de ferrare, Romance Tenor. (A hi povero Calpigi)	—	28
9. Un vate Signora, detta B. (Non posso parlare lasciaremi star)	—	20
10. Da questi Liniamenti, intendo chlaramente, Cavatina Soprano	—	12
11. Vi presento amico caro. Finale.	1	44

Atto IIdo

	fl.	kr.
1. Dunque per un infido, Recitativo Il mio cor gli affetti miei, Rond. S.	—	40
2. Voi che sapete che cosa é amor, A. T. [aus *Figaro*]	—	16
3. Le Donzellette che sono amanti, d. S.	—	16
4. Care piante fortunate, Duet. S. e. T.	—	20
5. Ah chi fa questo suo male. Trz.	—	12
6. Non piu andrai farfallone amoroso, Aria Basso [aus *Figaro*]	—	24
7. Sento che in seno mi batte il core, Cavatina Soprano	—	20
8. Ah se tu m'ami, Recit. Ah sol bramo o mia speranza, Rond. S.	—	32
9. Sposa! Consorte! Recit. Cari ogetti del mio core, Rondeau S. (Compati e i casi miei, Compiangete il mio dolor)	—	40
10. Guarda bene so chi sono, Finale	2	20

Siehe 4. März. — Leider ist bisher kein Exemplar dieses handschriftlichen Klavierauszugs bekannt geworden. Die Ouvertüre war aus einer Oper Pietro Guglielmis genommen, die seit 9. April 1787 in Wien gegeben wurde. Merkwürdigerweise fehlte in diesem Klavierauszug das Duett „*Là ci darem la mano*", während im Textbuch bei der Arie „*Non più andrai*" *(Figaro, Akt 2, No. 2)* Mozart nicht erwähnt ist. Auch sonst wich das Textbuch vom Klavierauszug ab. Das Pasticcio scheint öfters variiert worden zu sein.

Gottfried van Swieten an Mozart

Den 21sten März 1789.

Ihr Gedanke, den Text der kalten Arie in ein Recitativ zu bringen ist treflich, und in der Ungewißheit, ob Sie wohl die Worte zurückbehalten haben, schicke ich sie Ihnen hier abgeschrieben. Wer Händel so feyerlich und so geschmackvoll kleiden kann, daß er einerseits auch den Modegecken gefällt und andererseits doch immer in seiner Erhabenheit sich zeiget, der hat seinen Werth gefühlt, der hat ihn verstanden, der ist zu der Quelle seines Ausdruckes gelanget und kann und wird sicher daraus schöpfen. So sehe ich dasjenige an, was Sie leisteten, und nun brauche ich von keinem Zutrauen mehr zu sprechen, sondern nur von dem Wunsche das Recitativ bald zu erhalten.

Swieten.

Niemetschek, a. a. O., S. 31. Die Echtheit dieses Briefes mag angezweifelt werden. — Die „*kalte Arie*" ist Nr. 48 in Händels *Messias* ("If God is for us"), deren Text Mozart in Rezitativform einkleidete. Reinhold Bernhardt hat dieses Rezitativ 1929 in der Berliner *Musik*, Jahrgang XXII, Nr. 1, S. 434 f., wieder abgedruckt. — Siehe 7. April 1789.

Joseph Haydn an Joseph Eybler

Estoras, den 22tn Mertz 789

. . . Küssen Sie stat meiner die 2 grossen Männer Mozart und Albrechtsberger.

Original bei Prof. Robert Keldorfer, Klagenfurt. — Mitgeteilt von H. C. Robbins Landon. — Estoras ist eine altertümliche Schreibung für Esterháza, eines der Schlösser der Fürsten Esterházy, wo Haydn als Kapellmeister lebte.

Mozarts Wechsel für Franz Hofdemel

Wienn den 2ten Aprill 789

100 fl: Wiener Courant per Caßa.

A dato 4 Monathe zahle ich Endesgesetzter die Summa von 100 fl:, Sage *Ein-Hundert gulden* an Hr: von Hofdemel oder dessen Ordre; valuta habe baar empfangen; leiste zur verfallzeit richtige Zahlung, und unterwerfe mich einen k: k: N: Oe: Merkantil und Wechsel Gericht.

Sola *an mich.*
Wolfgang Amadè Mozart
kapellmeister in wirklichen k: k: Diensten.

Original in der Sammlung Louis Koch, Muzzano (Schweiz). — Georg Kinskys Katalog der Sammlung, Stuttgart 1953, S. 36, Nr. 32. — Hofdemel war Kanzlist bei der Obersten Justizstelle und im Begriffe, der Loge Mozarts beizutreten. In einem undatierten Briefe hatte ihn Mozart um dieses Darlehen gebeten, aber nur für einen Monat. Es scheint, daß er das Geld für seine bevorstehende Reise nach Berlin benötigte. Hofdemel hat den Wechsel schon nach drei Monaten zediert (s. 2. Juli 1789). Hofdemels Frau Maria Magdalena, 1766 geb. Pokorny, soll eine Klavier-Schülerin Mozarts gewesen sein (s. 6. Dezember 1791). — Vgl. 1. Oktober 1790.

AUS ZINZENDORFS TAGEBUCH, 7. APRIL 1789

... Avant 7h au Concert chez Jean Eszterhazy. Der Meßias, une musique de Haendel. J'y pris un peu d'ennui quoique la musique fut bien belle...

Vgl. 6. und 21. März 1789. Die Arie No. 44 des *Messias* ("*The trumpet shall sound*") wurde stark gekürzt, wahrscheinlich nicht von Mozart, aber offenbar mit seiner Zustimmung. Die neue Instrumentierung ist KV 572. — Da Zinzendorfs Tagebuch darüber schweigt, wissen wir nicht, wann Mozarts Instrumentierungen von Händels *Alexanderfest* und *Cäcilien-Ode* (Juli 1790, KV 591 und 592) zuerst aufgeführt worden sind.

Am 8. April morgens reist Mozart mit dem Fürsten Karl Lichnowsky von Wien über Znaim, Mährisch-Budwitz, Iglau und Časlav zunächst bis Prag, wo sie im Gasthof „Zum Einhorn" absteigen, aber am Karfreitag, dem 10., nur von $1/2$2 bis 9 Uhr abends verweilen.

Es ist bemerkenswert, daß die Abreise — wahrscheinlich am frühen Morgen — nach der *Messias*-Aufführung stattfand. — Mährisch-Budwitz liegt nordwestlich von Znaim. Die zweite Nacht dürften die Reisenden in Časlav verbracht haben. — Mozart wurde in Dresden und Berlin erwartet. Der musikfreundliche Fürst, der selbst nach Berlin reiste, bot ihm eine freie Hinfahrt. Lichnowsky war Freimaurer und mit Christine, einer der schönen Töchter der Gräfin Wilhelmine Thun, vermählt; er hat 1796 auch Beethoven, als dieser nach Berlin reiste, bis Prag mitgenommen.

Am 12. April treffen Mozart und Lichnowsky in Dresden ein, wo sie im „Hotel de la Pologne", Ecke Schloßstraße und Große Brüderstraße, Quartier nehmen.

Am 13. April gibt Mozart im „Hotel de la Pologne" ein Privat-Konzert.

Mit dem Organisten Anton Teyber und dem aus Eisenstadt kommenden Cellisten Anton Kraft führte Mozart Quartette auf, aber auch das Streichtrio in Es, KV 563, und mit der in Dresden weilenden Frau Duschek Stücke aus *Figaro* und *Don Giovanni*. — Am Vormittag des gleichen Tages hatte Mozart in der Schloßkapelle eine Messe von Naumann gehört.

Am 14. April, nach einem Mittagessen beim russischen Gesandten, dem musikfreundlichen Prinzen Alexander Belowselski-Beloserki, hat Mozart in der Hofkirche ein Wettspielen mit dem Organisten Häßler.

Vgl. 13. August 1788 und 15. April 1789.

AUS DEM «JOURNAL DES DRESDENER HOFMARSCHALLAMTES», 14. APRIL 1789

Abends war in Ihr. Durchl. der Churfürstin Zimmer Concert, wobey sich der Wiener Capellmeister H. Mozzart auf dem Flügel, H. Prinz auf der Flöte und ein kleiner 9jähriger Knabe, Kraft, auf dem Violoncello mit vielem Beyfall hören ließen.

Hauptstaatsarchiv, Dresden. — Müller v. Asow, a. a. O., III. 258. — Der Kurfürst war Friedrich August III. von Sachsen, seine Gattin war Amalie von Pfalz-Zweibrücken. — Das Konzert begann um $1/2$6 abends. Mozart spielte u. a. sein neues Klavier-Konzert in D, KV 537. Außer Johann Friedrich Prinz und dem kleinen Nikolaus Kraft, einem Sohn des Cellisten, wirkte auch wieder Frau Duschek mit. Mozart, der abends noch in die Oper ging, bekam am nächsten Tage hundert Dukaten in einer schönen Dose. — Siehe 17. Juni 1789.

Am 14. April wird die *Entführung* in Bamberg konzertmäßig gegeben.

Am 15. April hält Mozart ein Wettspielen mit Häßler auf dem Fortepiano.
Vgl. 13. August 1788 und 14. April 1789.

Am 16. oder 17. April besucht Mozart den Oberkonsistorialrat Christian Gottfried Körner, dessen Schwägerin, Doris Stock, Mozart zeichnet.
Körner war ein Freund Schillers und wurde der Vater des Dichters Theodor Körner. Die Silberstift-Zeichnung auf Elfenbein-Karton, die Doris Stock improvisierte, ist eines der letzten Bildnisse Mozarts.

Am 18. April reist Mozart von Dresden über Meißen, Hubertusburg und Wurzen nach Leipzig, wo er am 20. eintrifft und drei Tage verbleibt.

Am 22. April improvisiert Mozart ein Konzert auf der Orgel der Thomaskirche, wobei der Thomas-Kantor Johann Friedrich Doles und der Organist Karl Friedrich Görner registrieren.
Doles war ein Schüler J. S. Bachs, und der Organist ein Sohn Johann Gottlieb Görners, der neben dem Kantor Bach der Organist der Kirche gewesen war. (Reichardt in der *Berlinischen Musikalischen Zeitung* 1805, Jahrgang I, No. 33, S. 132.) — Wie im Dresdner Hause Körner, spielte Mozart in Leipzig beim Rektor der Universität Leipzig, Dr. med. Ernst Platner, auf dem Fortepiano.

Am 23. April reist Mozart von Leipzig nach Potsdam, wo er am 25. eintrifft.
Beide Daten sind nicht genau fixiert. — Mozart soll in Potsdam bei dem Waldhorn-Spieler Karl Türrschmiedt im Blankenhorn-Haus gewohnt haben. (Vgl. *Neue Berliner Musikzeitung*, 30. Januar 1856, Jg. X, Nr. 5, S. 34 ff., wo die Ankunft Mozarts zu früh angesetzt ist.)

Kabinetts-Vortrag für König Friedrich Wilhelm II., Potsdam, 26. April 1789

Der Nahmens Motzart alhier (hatt sich beym Einpaßieren für einen Capell-Meister aus Wien angegeben) meldet, daß ihn der Fürst Lichnowsky zur Gesellschaft mit sich genommen, daß er wünschte seine Talente zu Ew. Königlichen Majestät Füßen zu legen und daß er Befehl erwartete, ob er hoffen dürffe, daß Ew. Königliche Majestät ihn vorkommen laßen würden.
Ernst Friedlaender in den *Mitteilungen der Berliner Mozart-Gemeinde*, 4. Heft, April 1897. — Der König von Preußen weilte damals in Potsdam. Er schrieb an den Rand zu diesem Punkt 5 des Vortrags: „Directeur du Port", d. h. daß sich Mozart an den Direktor der Kammermusik, Jean Pierre Duport, wenden sollte. Mit dem verstand er sich schlecht, aber er schrieb am 29. April neun Klavier-Variationen (KV 573) über ein Lieblingsstück des Königs, ein Menuett von Duport, das in Nr. 6 seines Opus 4 *(Six Sonates pour le Violoncelle)* bei J. J. Imbault in Paris erschienen ist (vgl. F. Peters-Marquard in der *Zeitschrift für Musik*, Regensburg 1951, S. 469). — Von Mozarts Aufenthalt in Potsdam ist sonst wenig bekannt.

Aus den «Dramaturgischen Blättern», Frankfurt a. M., 1789

Am 30ten April: Das verstellte Gärtnermädchen — Singspiel in 3 Aufzügen, nach dem Italienischen; die Musik von Mozart.
Ein buntes, geschmakloses Ding, wie die meisten Operetten von der italienischen Bühne. Auch *Mozarts* Musik machte wenig Sensazion auf unser Publikum. Sie ist mehr für den

Kenner, der ihre Finheiten zu entwikeln versteht, als für den Dilletanten, der sich blos von seinem natürlichen Gefüle leiten läßt, blos nach dem ersten, unmittelbaren Eindrukke entscheidet.

Jahrgang 2, 1. Quartal, 7. Stück, S. 100. — S. 31. Januar 1789.

Aus den «Dramaturgischen Blättern», Frankfurt a. M., 1789

Am 3ten [Mai]: Don Juan — Singspiel in 2 Aufzügen, nach dem Italienischen; die Musik von Mozart.

Eine Legende in Pater Kochems Geschmack, zu der *Mozarts* herrliche — nur hie und da zu gekünstelte — Musik eben so paßt, als Rafaels Manier zu den Ideen eines Teniers und Calots. Ungeachtet das Ganze eine Mönchposse ist, mus ich gestehen, daß die Szene auf dem Kirchhofe mich mit Grauen ergrif. *Mozart* scheint die Sprache der Geister von Shakespear abgelernt zu haben. — Es war dumpfer, schauerlicher Grabeston, der aus der Erde zu kommen schien, man wähnte die Schatten der Abgeschiednen hervorgehen zu sehen aus ihren Behältnissen.

Ebenso, 8. Stück, S. 116. — S. 13. März 1789. — Die Mainzer Gesellschaft wollte auch am 5. Oktober 1790 in Frankfurt zu Ehren des dort weilenden Mozart den *Don Juan* aufführen, wozu es aber nicht gekommen ist. — Der Kapuziner Martin von Kochem war ein katholischer Volksprediger (1634—1712).

Aus den «Dramaturgischen Blättern», Frankfurt a. M., 1789

Am 4ten [Mai]: Don Juan.

Das Stük wird seine Periode bei uns bald überleben. Die Musik ist nicht populär genug, um algemeine Sensazion erregen zu können.

Ebenso.

Am 8. Mai kommt Mozart mit Fürst Lichnowsky aus Potsdam wieder nach Leipzig.

Nach den *Berlinischen Zeitungen* (Spener und Voß) soll der Fürst vom 30. April bis 2. Mai in Berlin geweilt haben und von dort nach Leipzig gereist sein.

Am 9. Mai wird im Londoner King's Theatre, Haymarket, Giuseppe Gazzanigas Oper *La Vendemmia* zum erstenmal gegeben, mit dem eingelegten Duett „*Crudel! perchè finora*" aus dem *Figaro*, gesungen von Benucci und Ann Storace.

Loewenberg, a. a. O., S. 181. — Die 1778 in Florenz aufgeführte Oper wurde in London auch mit Arien von Paisiello, Angelo Tarchi und Carlo Pozzi versehen. — Benucci trat an diesem Abend zum zweitenmal in London auf. Das Duett des Originals spielte zwischen dem Grafen und Susanna; Benucci hatte in Wien den Figaro gesungen, Ann Storace aber die Susanna. Die Vorstellung, worin wohl das erste Stück aus Mozarts Opern in London gesungen worden ist (vgl. 1. März 1790), wurde auf Befehl des Königs am 12. Mai wiederholt.

Aus den «Leipziger Zeitungen», 12. Mai 1789

Heute, als den 12ten May, wird der Herr Capellmeister Mozart, in wirklichen Diensten Sr. Kaiserl. Königl. Majestät, eine musicalische Academie in dem grossen Concertsaale zu Leipzig zu seinem Vortheil geben. Die Billets sind für 1 Gulden bey Hrn. Rost in Auerbachs Hofe, und bey dem Einlasse des Saals zu bekommen. Der Anfang ist um 6 Uhr.

Jahn II, 477. — Exemplar in der Universitätsbibliothek Leipzig. — Der Saal war der des alten Gewandhauses, wo seit 1781 Konzerte stattfanden.

PROGRAMM DES LEIPZIGER KONZERTES, 12. MAI 1789

Concert
des
Herrn Kapellmeister Mozart
in Kaiserl. Königl. Diensten.
Im Saale des Gewandhauses.
Dienstags, den 12. May 1789.

Erster Theil.

Sinfonie.
Scene. Mad. (Duscheck).
Concert, auf dem Pianoforte.
Sinfonie.

Zweyter Theil.

Concert, auf dem Pianoforte.
Scene. Mad. (Duscheck).
Fantasie, auf dem Pianoforte.
Sinfonie.

Alle diese Musikstücke sind von der Composition des Herrn Kapellmeisters Mozarts. Entre-Billets sind in der Rostischen Kunsthandlung, und bey dem Bibliothek-Aufwärter Meyer zu 16 Groschen zu haben.

Der Anfang ist um 6 Uhr.

Faksimiliert in dem Buche *Die Gewandhaus-Konzerte zu Leipzig 1781—1931*, Leipzig 1931, S. 37. — Es ergab sich, daß Mozart, wie einen Monat zuvor in Dresden, Frau Duschek in Leipzig wieder traf. Sie sang die Szene mit Rondo, KV 505 ("Ch'io mi scordi dite — Non temer, amato bene") und wahrscheinlich die für sie in Prag geschriebene Sopran-Szene, KV 528 („*Bella mia fiamma — Resta, oh cara*"). Er spielte zwei Konzerte, das in B (KV 456) und das in C (KV 503), sodann wohl die Fantasie in c-moll, KV 475, auf die Variationen (KV 353 oder 354) folgten. Die beiden Sinfonien, von denen je zwei Sätze den ersten Teil der Akademie einleiteten und beschlossen, können auch nicht mit Sicherheit genannt werden. (Vgl. Johann Friedrich Rochlitz in der *Allgemeinen musikalischen Zeitung*, Leipzig 1798, I. 20—22, 85 f., 179; 1820, XXII. 297; und in seinem Werke *Für Freunde der Tonkunst*, 3. Auflage, 1868, II, 181.)

AUS DER «WIENER ZEITUNG», 16. MAI 1789

Anzeige.

Johann Traeg hat die Ehre den Kennern und Liebhabern der Musik hiemit bekannt zu machen, daß er in der Singerstraß Nr. 863 der Apotheke gegenüber ein Musikaliengewölb eröffnet hat. Er hoft allen Zuspruch durch akkurate Bedienung zu verdienen. Er wird sich stets bemühen nicht allein neue, sondern auch alte gute Stücke von den besten Meistern herbeyzuschaffen. Von seinen Vorrath kündigt er einstweilen folgende Sachen an:

. . .

1 Violinkonzert von Mozart 3 fl.

. . .

Das Violin-Konzert kann nicht bestimmt werden.

Am 17. Mai verläßt Mozart Leipzig und trifft am 19. in Berlin ein, wo er beim Stukkateur Sartory auf dem Gendarmen-Markt absteigt und abends in die *Entführung* geht.

Sartory war ein Freund Türrschmiedts, des Potsdamer Gastgebers Mozarts. Nach anderen Angaben wohnte er in Berlin bei einem Herrn Moser. — Die *Entführung* wurde in Berlin seit 16. Oktober 1788 unter dem Titel *Belmonte und Constanze* gegeben. Die *Chronik von Berlin* (Bd. 4, 79./80. Stück, S. 1222) und das Weimarer *Journal des Luxus und der Moden* (S. 394) meldeten, daß die Vorstellung am 19. Mai 1789 *„Auf lautes Begehren"* stattfand, erwähnten aber nichts von Mozarts Anwesenheit, von der Rochlitz 1798 in der *Allgemeinen musikalischen Zeitung* anekdotisch berichtete und die 1833 in einem Zürcher Stich dargestellt worden ist. (Vgl. Tiecks Erinnerungen, 1855.) Die Besetzung, die Mozart in Berlin gesehen hat, war: Constanze — Frl. Marianne Hellmuth, Blonde — Frau Henriette Baranius, Belmonte — Friedrich Karl Lippert, Pedrillo — Herr Greibe, Osmin — Franz Frankenberg, und Bassa Selim — Karl Czechtitzky. — Frl. Hellmuth, später verehelichte Müller, dürfte die Tochter der Frau Josepha Hellmuth gewesen sein, die am 19. November 1789 die Constanze in Mainz gesungen hat; Marianne war erst 17 Jahre alt und sang 1790 den Cherubino und die Donna Elvira, 1794 die Königin der Nacht in Berlin. — Frankenberg war 1779 bis 1783 bei der Deutschen Oper in Wien gewesen.

Aus Knigges «Dramaturgischen Blättern», Hannover 1789
Fortgesetztes Tagebuch der Großmannschen Gesellschaft.

. . .

Den 18ten Mai: *Die Hochzeit des Figaro;* ein Singspiel in vier Aufzügen, nach dem Italienischen; Music von Mozart.

Das italienische Stück, nach Beaumarchais Lustspiele in ein Singspiel umgeschaffen, ist recht artig, und passte sich, wegen so mancher schönen Situationen und Verwicklungen, recht gut zu einer comischen Oper. Da aber das Stück selbst sehr gut und mit Lebhaftigkeit gespielt werden muß, wenn man die Feinheiten jener Situationen fühlen soll; so zweifle ich, ob italienische Sänger, die mehrentheils wenig Fleiß an Ausbildung ihrer Schauspieler-Talente wenden, dies Stück, was das Spiel betrifft, so vollkommen aufführen können, als billig geschehn müsste. Dazu kömmt, daß die schönsten Züge natürlicher Weise in die Finalen kommen mussten, wo es nicht möglich ist, daß jeder Sänger so deutlich singen und dabey so gut agiren sollte, daß nicht manche Pointe verlohren gienge; und das ist doch Schade für ein Stück, das mit so viel Witz geschrieben ist.

Der Dialog ist von meiner Tochter. Sie hat dabey das französische Stück genützt und manche launichte Stelle, die im Italienischen weggelassen war, wieder herein gebracht. Der Text der Arien ist von mir. Wer die Schwierigkeiten einer so undankbaren Arbeit kennt, als die ist, teutsche Verse, statt der italienischen, einer schon fertigen, und noch obendrein so schweren Music unterzulegen; der wird keine schöne Poesie in diesen Arien erwarten. Man muß da auf die Uebereinstimmung des musicalischen Accents mit den gramatticalischen und oratorischen genaue Rücksicht nehmen, wenn es keine Schüler-Arbeit seyn soll; Man muß Sylbenmaße finden, die mit den italienischen übereinkommen;

Der Componist zieht zuweilen die Vocalen, an denen die wälsche Sprache so reich ist, zusammen, da dann aus mehr Sylben nur eine einzige wird, und in einer andern Stelle derselben Arie trennt er sie wieder; wo findet man in unsrer, mit Consonanten so gesegneten Sprache Wörter, mit denen sich das thun lässt? Die Rouladen auf A und O darf man doch auch nicht im Teutschen auf spitze Selbstlauter legen; Man muß fast Zeile vor Zeile übersetzen, wenn nicht das, was die Music gemalt hat, auf andre Worte fallen soll, zu denen sich das Bild nicht passt — und was der Ungemächlichkeiten mehr sind! Zur Probe, die Uebersetzung von drey Arien, nebst dem italienischen Texte!

Voi, che sapete,   Ihr, die Ihr Triebe
Che cosa e amor,   Des Herzens kennt;
. . .   . . .

Cherubin ist es, der dies Lied und das folgende singt:
    Non so piu cosa son', cosa faccio,
Or di foco, ora sono di ghiaccio
. . .

    Neue Freuden neue Schmerzen
Toben jetzt in meinem Herzen;
. . .

Endlich ein Lied, das die Gräfin singt:
    Dove sono i bei momenti
Di dolcezza e di piacer?
. . .

    Nur zu flüchtig bist Du verschwunden,
Freudenvolle, frohe Zeit!
. . .   [Knigge.]

Über die Music zu dieser Oper.

Sie ist so, wie sie von Mozart zu erwarten war; groß und schön, voll neuer Ideen und unerwarteter Wendungen, voll von Kunst, Feuer und Genie. Bald bezaubert uns schöner, reizender Gesang; bald erwecken uns feiner comischer Witz und Laune zum Lächeln; bald bewundern wir den natürlich angelegten, meisterlich ausgearbeiteten Plan; bald überrascht uns Pracht und Größe der Kunst. Wenn dies alles vereinbart ist; so muß es würken und den erfahrnen und geübten Kenner, sowohl, als den gefühlvollen Zuhörer befriedigen. Mozart ist eins der glücklichen Genien, die Kunst mit Natur, und dabey Gesang mit Grazie zu verweben wissen. Rasch und feuervoll wagt er nun Ausfälle, und ist kühn mit der Harmonie. Auch in dieser Oper zeigt er, daß er wahres Talent zum comischtheatralischen Style besitzt, so wie seine Clavier-Sachen vom teutschen Publicum und von auswärtigen Nationen passend für dies Instrument, als Meisterstücke anerkannt und bewundert werden.

Figaros Arien sind charakteristisch schön gezeichnet, besonders die Letzte im ersten Acte: „Dort vergiß leises Flehen, süßes Wimmern!" Die beyden Gesänge des Pagen sind allerliebst, mit schwärmerischen Ausdrucke. Die der Gräfinn enthalten wieder, angemessen ihrer Person, eigene Schönheiten. Süß und schmelzend ist das Andantino im dritten Act: „Nur zu flüchtig bist Du verschwunden, freudenreiche, frohe Zeit". Das darauf folgende Duett zwischen ihr und Susannen:

„Wenn die sanften Abendlüfte
„Über unsre Fluren wehn,
„Wollen wir durch süße Düfte
„In den stillen Garten gehn."

mit obligaten Oboe und Fagott, ist ganz Natur. Die reizenden Chöre und überhaupt der Ausgang des dritten Aufzugs schmücken das Ganze mit Mannigfaltigkeit und Anmuth. Die kleine niedliche Cavatine im Anfange des vierten Acts, Basils Arie und die darauf folgende die Figaro singt, unterscheiden sich durch charakteristische Stempelzüge. Die beyden Terzette im ersten und zweyten Acte sind voll Kunst und Ausdruck. Basils eingeschobener Gesang im ersten Terzette des ersten Acts: „Ja so machens alle Schönen" ist ein wahrer Geniezug. Das Finale des zweyten Acts verdient aber doch in mancher Rücksicht als das Meisterstück der ganzen Oper angesehn zu werden. Prächtig und reich an Kunst erquickt hier süßer, melodischer Gesang unsre Seele. Jede einzelne Stelle ist malerisch schön dargestellt. Gleich der Anfang ist voll Feuer und Kraft. Der Auftritt mit Susannen, die Stelle wo der Gärtner kömmt und nun mit dem Briefe, mit Figaro sind meisterhaft, voll Laune, originell und treu geschildert. Der Ausgang ist groß und prächtig. Es kommen freylich, nach der Aussage des geschmackvollen Theil des Publicums Stellen vor, die nicht die Würkung machen, die man sich wünscht, so bleibt z. B. das Sextett des dritten Aufzugs, obschon auch hier originelle Züge durchschimmern, etwas dunkel und unfaßlich aber man muß auch etwas Weniges den großen und meisterhaft hingeschriebenen Schönheiten aufopfern, welche dies Werk eines teutschen Künstlers enthält.   W.

Mit der Vorstellung gieng es sehr gut, ohngeachtet die Music zu dieser Oper eine der schwersten ist, die wir haben...

31. Stück, S. 492—4; 32. Stück, S. 495—501. — Vgl. 18. Mai 1788. — Der literarische Teil dieses Artikels ist von Knigge selbst, der musikalische wahrscheinlich von Bernhard Anselm Weber (s. 3. Oktober 1788). — Die Übersetzungs-Proben der Arien bezeugen, wie stark Knigges Version auf spätere deutsche Fassungen nachgewirkt hat.

Aus der «Musikalischen Real-Zeitung», Speyer, 20. Mai 1789

Dresden den 16. April.

Den 10. März hat sich allhier Hr. *Hummel* ein junger Klav. Spieler von 9 Jahren aus *Wien* gebürtig und Mozarts Schüler mit den Variationen von *Mozart* auf Lison dormoit und seinem großen Konzert aus C dur zu Bewunderung aller Zuhörer öffentlich hören lassen, er gehet von hier nach *Berlin*.

Spalte 156. — Johann Nepomuk Hummel war 1778 in Preßburg geboren und 1787 und 1788 Mozarts Schüler in Wien gewesen; er befand sich nun mit seinem Vater Johannes Hummel, der Musikdirektor im Wiener Freihaus-Theater gewesen sein soll, auf einer drei Jahre dauernden Konzertreise. Vgl. Karl Benyovszky, *J. N. Hummel*, Preßburg 1934, S. 30—32. — Die *Biographischen Notizen* von Maximilian Johann Seidel (Manuskript von 1837) und die Angaben in Waldo Selden Pratt's *The New Encyclopedia of Music and Musicians*, New York 1929, S. 460, werden hier als unglaubwürdig übergangen. — Die genannten Variationen sind KV 264, das Konzert war wohl KV 503.

Aus der «Spenerschen Zeitung», Berlin, 21. Mai 1789

Sonnabends den 23. May wird sich in einem wohlbesetzten Koncerte im Corsikaschen Koncertsaale ein zehnjähriger Virtuose, Mons. Hummel aus Wien, auf dem Fortepiano hören lassen. Er ist ein Schüler des berühmten Herrn Mozart und übertrifft an Fertigkeit, Sicherheit und Delikatesse alle Erwartung. Die Person zahlet 16 Gr. Billette sind bey Herrn Corsika, bei Herrn Toussaint in der Poststraße im goldnen Adler und beym Eingang zu haben. Der Anfang ist um 4 Uhr.

Ernst Friedlaender, a. a. O. — Bei diesem Konzert konnte Hummel seinen Lehrer begrüßen.

Am 26. Mai spielt Mozart vor dem König im Berliner Schloß.

Bei dieser Gelegenheit dürfte Mozart von Friedrich Wilhelm II. den Auftrag erhalten haben, sechs leichte Klaviersonaten für die Prinzessin Friederike und sechs Streichquartette für den König zu schreiben. Für das erste Quartett in D, KV 575, das er im Juni in Wien komponierte und nach Berlin schickte, soll er hundert Friedrichsd'or in einer goldenen Dose erhalten haben. Nur noch zwei der geplanten Quartette, in B und in F (KV 589 und 590), entstanden 1790, und alle drei erschienen am 28. Dezember 1791, kurz nach Mozarts Tod, als Opus 18 bei Artaria & Co., ohne Widmung an den König.

Am 27. Mai wird die *Entführung* anonym in Ofen gegeben, aufgeführt von der Truppe Hubert Kumpf (s. 5. November 1784 und 4. Februar 1785).

Der Titel war dort *Der Wettstreit der Großmuth*. — Die Oper wurde am 30. Mai in Pest wiederholt. Ein Textbuch war schon 1788 (in Pest ?) erschienen. Vgl. 13. Juni 1785 (Preßburg) und 19. Juni 1791 (Pest).

Am 28. Mai verläßt Mozart Berlin und reist über Leipzig nach Prag, wo er sich vom 31. Mai bis 2. Juni aufhält, um am 4. zu Mittag in Wien einzutreffen.

Fürst Lichnowsky hatte Mozart schon Anfang Mai in Leipzig verlassen.

AUS DER «MUSIKALISCHEN REAL-ZEITUNG», SPEYER, 17. JUNI 1789
Auszug eines Schreibens Dresden vom 28. Mai.

Den 14ten April hat sich der berühmte Tonsezer Hr. *W. A. Mozart* von *Wien* bei *Sr. Kurfürstl. Durchlaucht* auf dem Fortepiano hören lassen — außerdem hat er auch noch hier in *Dresden* in vielen herrschaftlichen und Privathäussern mit dem gränzenlosesten Beifall gespielt; seine Fertigkeit auf dem Klavier und dem Fortepiano ist ganz unaussprechlich — hierzu kommt nun noch eine ausserordentliche Fertigkeit vom Blat zu lesen, die warlich bis zum Unglaublichen geht: — denn er selbst ist beinahe nicht im Stande durch Übung eine Sache besser zu spielen, als er sie gleich das erstemal spielt. Auch auf der Orgel hat er seine grose Geschiklichkeit in der gebundenen Spielart bewiesen. — Er gehet von hier nach *Berlin.*

Jg. I, No. 24, Spalte 191. — Jahn II, 471. — Dieser Bericht war zweifach verzögert worden.

AUS DER «WIENER ZEITUNG», 24. JUNI 1789
Neue Musikalien.

In dem musikalischen Magazin, der heil. Dreyfaltigkeitssäule auf dem Graben gegenüber, in der untern Breunerstraß Nr. 1152 sind folgende Musikalien zu haben:

. . .

Mozard Variations fürs Klavier a 45 kr.

. . .

Der Inhaber dieses 1785 gegründeten Verlages, in dem Mozart seine Streichquartette für den König von Preußen (s. 26. V. 1789) erscheinen lassen wollte, war der Komponist Leopold Kozeluch. — Die Variationen über „*Je suis Lindor*" (KV 354), für Torricella gestochen, erschienen bei Kozeluch ohne Verlagsangabe, mit der ursprünglichen Verlagsnummer 17 (festgestellt von Prof. Dr. Kurt v. Fischer).

Aus der «Musikalischen Real-Zeitung», Speyer, 24. Juni 1789

Dresden vom 20sten Mai.

Den 30. März ist auf Veranlassung eines Musikliebhabers auf dem grossen Musiksaale im Hotel de Bologne ein Konzert von blasenden Instrumenten gegeben worden, und zwar im ersten Theile die Sinfonie und die schönsten Arien aus *Mozarts* Don Juan und im zweiten, die Sinfonie und die schönsten Stücke aus Una Cosa rara von *Martin* [;] das ausserordentlich zahlreiche Auditorium, welches fast alle hohe Herrschaften und viele andere Musikfreunde in sich fasste, gieng mit allgemeiner Zufriedenheit auseinander.
Die Vortreflichkeit eines Richters, Schmidts, Hummel, Haudeck, und Gebrüder Rothe, so wie die gute Auswahl aus diesen ohnehin vortreflichen Opern muste auch fast allgemeinen Beifall bewürken.

Jg. I, No. 25, Spalte 198 f. — Auch dieser Bericht, wie der vom 17. Juni, ist doppelt verzögert erschienen. — Das „*Hotel de Bologne*" hieß richtig „*de la Pologne*". — Martin y Solers *Una cosa rara* war zuerst 1786 im Burgtheater gegeben worden, 1787 in Prag und 1788 in Dresden. Aus dieser Oper hat Mozart in der Bläser-Tafelmusik des *Don Giovanni* den Schlußsatz des ersten Finales zitiert: „*O quanto un si bel giubilo*". — Zu den Musikern vgl. 18. Februar 1789.

Im Sommer wird *Figaro* von der Truppe Georg Wilhelm in Baden bei Wien aufgeführt.
Gefunden von Gustav Gugitz im Theaterkalender, Gotha 1790, S. 116 ff.

Hofdemel zediert Mozarts Wechsel

Für mich an die ordre Hern Mathias Anzenberger mit meinem ferneren obligo, den werth an Baarem empfangen.

Wien den 2 Jully 1789:
Franz Hofdemel

Siehe 2. April 1789. — Anzenberger war der Inhaber der Modewaren-Handlung „Zum Meerfräule" am Kohlmarkt (Mitteilung von Dr. Ernst Weizmann). — Vgl. Mozarts Brief an Puchberg, Anfang Mai 1790, wo von 100 Gulden die Rede ist, die er einem Galanteriewaren-Händler am Stock-im-Eisen-Platz schulde.

Mozart bezeugt eine Quittung

madame Elisab: Rothmannins quittierung fyr July 1789. No. 2.
Von meinem vielgeliebten Herrn Schwager Martin Rothmann habe ich heute in gegenwart der Herren TestamentsExecutoren K. Kammerrath Ignaz von Kunnersdorff, K.

HoffKapell Dirictor Amadeus Mozart und K. Amts Rath Jost. v. Spaug, eine Summa von Zwey Tausend Florinern Hartes Geld empfangen.
Gegeben Wien den 10 July 1789

Elisabeth Rothmann
verwihtwete J. A. Born.

Gegenwärtige Zeugen
Ignatz v. Kunnersdorf   Mozart   v. Spaug

Original in der Kungl. Musikaliska Akademiens bibliotek, Stockholm. — Erich H. Müller v. Asow in der *Österreichischen Musikzeitschrift*, Wien, April 1956, Jg. 11, Heft 4, S. 146. — Es ist nichts über die Beziehungen Mozarts zu diesen Personen bekannt; auch nicht, daß er Testaments-Exekutor nach dem verstorbenen Herrn Rothmann gewesen wäre. — Mit dem Hofdemel-Wechsel dürfte diese Zeugenschaft nicht zusammenhängen, da er erst am 2. August 1789 fällig wurde.

Am 10. Juli singt Aloisia Lange die Constanze in der *Entführung* in Hamburg.

Annalen des Theaters, Berlin 1790, Heft 6, S. 78. — Frau Lange sang die Partie auch am 24. Juli.

Aus der «Musikalischen Real-Zeitung», Speyer, 22. Juli 1789

Mozarts 4 Arien aus Belmonte und Constanze, Op. 50. Berlin bei J. C. F. Rellstab.

Jg. II, No. 29, Spalte 231. — Die vier beliebten Arien waren No. 8, 12, 13 und 19 des Singspiels. (Zweite Auflage in der Hirsch Library des British Museum, London.) — Rellstab numerierte seine Verlagswerke fortlaufend als Opera.

Aus Cramers «Magazin der Musik», Kopenhagen 1789

Julius 1789. (Schreiben aus A. an seinen Freund.)

... Die Arbeiten dieses Componisten [Kozeluch] erhalten sich und finden [in Wien] allenthalben Eingang, dahingegen Mozarts Werke durchgehends nicht so ganz gefallen. Wahr ist es auch, und seine Haydn dedizirten sechs Quartetten für Violinen, Bratsche und Baß, bestätigen es aufs neue, daß er einen entschiedenen Hang für das Schwere und Ungewöhnliche hat. Aber was hat er auch grosse und erhabene Gedanken, die einen kühnen Geist verrathen!

Der ungenannte Korrespondent hatte sich auf der Rückreise von Italien in Wien aufgehalten, vielleicht schon 1787 oder 1788. — Zu Kozeluch s. 7. Dez. 1787 und 24. Juni 1789.

Aus der «Wiener Zeitung», 1. August 1789

Bey Johann Traeg ... sind folgende neue Musikalien zu haben:

· · ·

2 Quint. a 2 Viol. 2 Viole e Violonc. von Mozart 4 Fl.

· · ·

Duetti a detti [2 Violini] e Figaro, 3 Fl.
Freyheitslied von Mozart 10 kr.
Kriegslied von Mozart 15 kr.

1 Sonata a 2 Clavicemb. von Mozart 2 Fl.
1 Concerto in ES. a Clavic. von Mozart, 4 Fl. 30 kr.

Die Quintette waren wahrscheinlich die in C und g, KV 515 und 516, die 1789 bei Artaria & Co.
erschienen. Das „Freiheitslied" war offenbar das Lied der Freiheit (KV 506), das schon im
Wienerischen Musenalmanach für 1786 gedruckt worden war, und das „Kriegslied" war Ein deutsches
Kriegslied (KV 539), das Lausch schon 1788 in Abschriften der Stimmen und eines Klavierauszuges
angeboten hatte. Die Sonate für zwei Klaviere war die in D (KV 448) und das Klavier-Konzert das
in Es, KV 482. Der Preis des Konzertes wurde am 8. September 1790 mit 3 fl. 30 kr. angegeben.

Am 11. August wird der Figaro in Braunschweig deutsch gegeben.

Aus der «Chronik von Berlin», 1789
Tagebuch des Königl. National-Theaters in Berlin. August 1789.

. . .

Den 13ten. Auf lautes Begehren: Belmonte und Constanze. (In den öffentlichen Blättern
aber waren schon der Zauber-Spiegel und die beiden Billette angekündigt.) Madame
Lange aus Wien trat als Constanze auf. Wenn bei einer Künstlerinn oder bei einem Künstler schon der gute Ruf der Vorreiter ist; so braucht man sich freilich nicht zu verwundern,
das er so allgemein als möglich wird. Natürlich war der Zuspruch sehr zahlreich. Madame
Lange erhielt den stärksten Beifall. Als sich in dem Anfange dieser Beifall nicht allgemeine
verbreiten wollte; so lispelten einige andern zu: So applaudirt doch Kinderchen! Die Frau
verdient es! Solche Sängerinnen gibt es wenige. In Hamburg erhielte sie bei Schröder die
größte Ehre! Eine Schande wär' es ja, wenn wir Berliner nicht zeigten, daß wir gegen große
Sängerinnen so gefühlvoll wären. Nachher wurde das Klatschen wirklich allgemeiner. Von
Lippert müssen wir bemerken, daß er sich heute vorzüglich als Belmont alle Mühe gab.

Band 4, 87./88. Stück, S. 1355. — Auf S. 1354 f. der Zeitschrift wird berichtet, daß am 11. und 12.
August das Publikum im Theater nach „Madame Lange als Constanze!" gerufen hatte. Über ihr
Auftreten in Hamburg, wo Friedrich Ludwig Schröder (vgl. 22. Mai 1784) Theater-Direktor war,
siehe 10. Juli 1789. — „Der Zauberspiegel" war seit 1781 die Berliner Fassung nach A. E. M. Grétrys
zweiaktiger Oper La fausse magie, Text von J. F. Marmontel, übersetzt von C. F. v. Bonin. „Die
beiden Billets" war ein einaktiges Lustspiel von J. P. C. de Florian, übersetzt von Anton Wall. —
Frau Lange, die damals schwanger war, weilte mit ihrem Gatten in Berlin.

Vom 15. (?) bis 18. August weilt Mozart auf Besuch bei seiner Frau in Baden bei Wien.

Der Hausarzt, Dr. Nikolaus Closset, hatte Konstanze, die an einem Fußleiden laborierte, eine Kur
von den Schwefelquellen dort empfohlen.

Aus der «Musikalischen Real-Zeitung», Speyer, 19. August 1789
(Über einen ungenannten Organisten in Hechingen, einen Schüler Abbé
Voglers.)

. . . Man sagt mir aber, daß sein Spiel auf dem Forte piano und dem Klavier unausstehlich
sei. Dies hat er mit den meisten Organisten von Profeßion gemein. Feine Kenner der Musik
in Straßburg, z. B. der berühmte Silbermann, die Voglern gehört haben, sagten mir, er habe
eben diesen Fehler in einem sehr merklichen Grad, und zogen ihm Becke, Mozart, ja
selbst ihren Organisten an der neuen Kirche Namens Heppe, (einen, in der That, sehr

delikaten und angenehmen Spieler) in Ansehung der Feinheit und des Ausdrucks im Spiel weit vor.

Spalte 262. — Aus dem Straßburger Zweig der bekannten Orgel- und Klavierbauer-Familie Silbermann lebten damals Johann Heinrich, der Pianofortes herstellte, und Johann Friedrich, ein Orgelbauer.

Am 19. August findet die erste Probe zur Neueinstudierung des *Figaro* statt.

Am 29. August wird der *Figaro* im Burgtheater wieder aufgeführt.

Die letzte Vorstellung hatte am 18. Dezember 1786 stattgefunden. — Mozart hatte für Adriana Ferrarese del Bene, die die Susanna sang, zwei neue Sopran-Nummern geschrieben: das Rondo „*Al desio, di chi t'adora*" (KV 577) und die Arie „*Un moto di gioia mi sento*" (KV 579). Die Texte, wahrscheinlich von Da Ponte, sind in dem neuen Libretto abgedruckt worden (vgl. Leopold v. Sonnleithner in den *Recensionen und Mittheilungen über Theater und Musik*, Wien 1865, Nr. 46). Signora Ferrarese hieß eigentlich Francesca Gabrieli; sie stammte aus Ferrara und war seit 1788 an der Italienischen Oper in Wien engagiert. Caterina Cavalieri sang die Gräfin. Joseph Weigl dirigierte (s. 1. Mai 1786).

AUS ZINZENDORFS TAGEBUCH, 31. AUGUST 1789

... A l'opera. Le nozze *di Figaro*. Charmante Duo entre la Cavalieri et la Ferraresi.

Das Duettino Susanna - La Contessa ist Nr. 20 der originalen Partitur: „*Sull' aria ... Che soave zefiretto.*"

AUS DER «WIENER ZEITUNG», 5. SEPTEMBER 1789

Neue Musikalien.

Bey Artaria Comp. Kunsthändlern am Kohlmarkt, sind schön gestochen, und auf gutem Papier abgedruckt, zu haben:

. . .

Mozart 2 deutsche Arien für das Klavier, zweyter Theil, 30 kr.

. . .

Mozart 3 Sonaten fürs Klavier, Violin und Basso, Op. 15 3 fl.

. . .

Die „*deutschen Arien*" waren *Das Veilchen* (Goethe, KV 476) und *Das Lied der Trennung* (KV 519); die „*Sonaten*" waren die Klavier-Trios in B, E und C (KV 502, 542 und 548).

AUS ZINZENDORFS TAGEBUCH, 6. SEPTEMBER 1789

... De retour en ville a l'opera. I due *Baroni* mauvais Opera. La Bussani jolie. . . .

Cimarosas Oper *I due Baroni di Rocca Azzurra*, zuerst 1783 in Rom aufgeführt, wurde in Wien am 6. und 13. September mit einer eingelegten Arie von Mozart gegeben, „*Alma grande e nobil core*" (KV 578), die er für Dlle. Louise Villeneuve geschrieben hatte. Diese schöne Schwester der Signora Ferrarese (Pohl, *Haydn*, II. 124) war erst 1789 engagiert worden. — Zu Dorotea Bussani, geborenen Sardi, s. 1. Mai 1786.

AUS DER «WIENER ZEITUNG», 23. SEPTEMBER 1789

Neues Rondeau,

von Madame Ferarese gesungen, aus der Opera Le Nozze di Figaro des Hrn. Kapellmeister Mozart, in wirklichen Diensten Sr. Maj. des Kaisers, im Klavierauszug.

Giunse alfin, Recitativo: Al desio di chi t'adora, Rondeau Soprano 28 kr.

. . .

Zu haben in Wien in der Lauschischen Musikalienhandlungen . . .

Siehe 29. August 1789. — Exemplar im British Museum, London (Add. MSS. 14, 316).

Am 27. September wird *Don Giovanni* in Mannheim deutsch gegeben.

Die Übersetzung war von Christian Gottlieb Neefe (s. 4. Oktober 1780 und 2. März 1783).

Aus der «Analytical Review», London, September 1789

Art. LXXV. *A Duet for two Performers on one Piano-Forte or Harpsichord.*

By A. Moyart. Pr. 2 s. Andrews.

This is a pleasing, familiar composition, and the parts are so adjusted as to move together with very good effect. It comprises three movements: the first in common time of four crochets in a bar, the second a *minuetto* ³/₄ with a trio, and the third a rondo ²/₄ *allegretto*. In the first movement we discover a pleasing train of ideas, well connected, and somewhat novel. The minuetto is also conceived with taste and ingenuity, while the rondo, or concluding movement, possesses a spirited subject, successfully relieved by its several digressions. This piece, we apprehend, by the ease of its style, not to be designed for proficients on the pianoforte or harpsichord, but for the use of practitioners, for whose improvement it certainly is well calculated, and will be found by them as pleasing as it is profitable.

S. 111. — King, a. a. O., S. 108 f. — Diese Sonate (KE 19ᵈ) war Anfang Mai 1765 in London entstanden. F. de Roullede hatte sie in Paris schon 1788 verlegt (vgl. aber Ende 1789). Hugh Andrews' Ausgabe wurde um 1795 von Robert Birchall als Opus 16 in einer Titelauflage neu gedruckt.

Am 13. Oktober wird *Don Giovanni* in Bonn deutsch gegeben.

Die Übersetzung war die Neefes (s. 27. September). Vgl. Anfang 1791.

Am 14. Oktober wird *Don Giovanni* in Warschau italienisch gegeben.

Guardasoni wirkte dort 1789/90.

Aus den «Dramaturgischen Blättern», Frankfurt a. M., 1789

Am 17ten [Oktober]: Figaro — Operette in 4 Aufzügen.

Man giebt hier diese Operette nach einer Uebersetzung von Herrn *Vulpius:* Um über ihren poetischen Werth urtheilen zu können, höre man nur folgende Stelle aus einer Arie der *Gräfin:*

> Ach, in Thränen sind verwandelt
> Meiner Liebe Prachtgestein;
> Ach, was hab ich mir erhandelt?
> Leiden, Quaal, und Schmerz und Pein!

Diese Stelle bedarf wohl keiner weiteren Kritik. Herr von *Knigge* hat diese Oper ebenfalls verdeutscht, und sein Name bürgt für den Werth seiner Arbeit. Ich wünschte, man möchte uns künftig diese Uebersezzung, statt jener des Herrn Vulpius, geben ...

Jahrgang 2, 3. Quartal, 7. Stück, S. 100 f. — Die Übersetzung von Vulpius, Goethes Schwager, war in Frankfurt seit 11. Oktober 1788 in Verwendung; die von Knigge in Lübeck seit 18. Mai 1788, in Hannover seit 18. Mai 1789.

Aus den «Dramaturgischen Blättern», Frankfurt a. M., 1789

Am 22ten [Oktober]: Die Entführung aus dem Serail.

Herr von *Knigge* bemerkt von *Mozarts* Musik zu dieser Oper, daß sie im Allgemeinen nicht den Eindruk mache, den man von ihr, als einem ächten Kunstwerke, erwarten solte. — Dies ist wenigstens bei uns nicht der Fall, man sieht dieses Stück, bei öfters wiederholten Vorstellungen, mit immer neuem Vergnügen. Es seie nun, daß das Orchester in Braunschweig *Mozarts* schweren Sazz nicht gehörig vorzutragen versteht, oder daß es an der nöthigen Besezzung der Instrumenten fehlte, oder daß jenes Publikum in Absicht der Musik mit dem unsrigen verschiedener Meinung ist. Man tadelt hie und da an dieser Komposizion die Verbindung des Ernsthaften mit dem Komischen: aber ich begreife nicht, warum man dem Tonkünstler einen Vortheil entziehen will, den man doch dem Dichter einräumt? Abweichungen von dem Haupttone befördern die Mannichfaltigkeit und die Lebhaftigkeit, nur müssen sie nicht zu häufig vorkommen, und nicht zu stark kontrastiren.

Ebenso, S. 102 f. — Zu Knigge s. 3. Oktober 1788. Sein Aufsatz bezog sich auf Hannover; das Singspiel wurde dort seit 12. April 1787, in Braunschweig seit spätestens Februar 1788 gegeben. (In Frankfurt seit 2. August 1783.)

Am 27. Oktober wird *Don Giovanni* in Hamburg deutsch gegeben.

Diese dritte Übersetzung stammte von Friedrich Ludwig Schröder, dem Direktor des Theaters.

Aus Schinks «Dramaturgischen Monaten», Schwerin 1790

[1789 in Hamburg]

Am siebenundzwanzigsten Oktober: Don Juan, oder der steinerne Gast, Singspiel in vier Aufzügen, aus dem Italienischen, die Musik von *Mozart*.

Nach dem Ideal, das uns die italienischen Dichter in ihren musikalischen Werken von der Oper geben, und nach dem Eindrukke, den diese italienischen Geistesprodukte auf unsre Publikums machen, kann nicht leicht ein so schiklicher und tauglicher Stof für das Singspiel gefunden werden, als die ursprünglich-spanische Ungereimtheit, die Herr *Mozart* durch seine vortrefliche Komposizion hat verherrlichen wollen. *Don Juan* vereinigt all das Vernunftwidrige, Abentheuerliche, Widersprechende und Unnatürliche in sich, was nur

immer ein poetisches Unding von einem menschlichen Wesen zu einem Opernhelden quali-
ficiren kann. Er ist die tollste, unsinnigste Aftergeburt einer verirrten spanischen Einbildungskraft. Der lüderlichste, niederträchtigste, ruchloseste Kerl, dessen Leben eine
ununterbrochene Reihe von Infamitäten, Unschuldverführungen und Mordthaten ist. Ein
Heuchler und ein Religionsspötter, ein ausschweifender Wollüstling und ein abgefeimter
Betrüger, ein Doppelzüngler und ein Gek; die heimtükkischste, Schadenfrohste Bestie, ein
Schurk' ohne Gewissen und Ehre. Er begeht die größten Abscheulichkeiten mit einer Kälte
und einem Gleichmute, als hätt' er ein Glas Wasser auszutrinken, stößt einen Menschen
nieder, als ging er zum Tanz, und verführt und betrügt weibliche Tugend, als nähm' er
eine Prise Schnupftabak. Und alle diese Greuel amüsiren ihn, alle diese Bestialitäten
machen ihm großen Spaaß. In jedem andern Schauspiel würde man eine solche Karrikatur
mit Pommeranzen und Nußschalen vom Theater jagen, ihn in die Kulissen hineinzischen.
Aber in der Oper findet man ihn ungemein unterhaltend, als musikalische Personage,
gelten alle seine Schändlichkeiten für allerliebst, erregen Lachen und Wohlgefallen. Das
ist nun nicht mehr, wie recht und billig, dafür ist's ja eine Oper. Wie käme die Tonkunst,
eine der schönsten und reizendsten Gaben des Himmels dazu, Natur und Wahrheit nachzuahmen? Wie könnte Vernunft im Gesang Leute ergözzen, die nur singen hören, blos ihr
Trommelfell erschüttern lassen, blos eine Austernmahlzeit bequem verdauen, blos ein
paar Stunden mit Nichtsdenken hinbringen wollen? Was kann unter diesen Umständen
willkommener seyn, als Unsinn, wie er hier vorgeht, als Abgeschmaktheiten, wie sie hier
tragerirt werden? Eine steinerne Statüe singt, läßt sich zu Gaste laden, nimmt diese Einladung an, steigt von ihrem Pferde herunter und trift zu rechter Zeit und Stunde glüklich
ein. Allerliebst! Schade! daß sie nicht auch ißt, denn wäre der Spaaß erst vollkommen. Ein
ehrlicher Mann von Zuschauer wollte zwar diese singende Statüe sehr ungereimt finden,
aber wahrscheinlicherweise aus Mangel an Operntheorie. Wer mit dieser Theorie näher
bekannt ist, wird es schwerlich so finden. Mir wenigsten würd' es nicht einmahl ungereimt geschienen haben, wenn auch das steinerne *Pferd* des steinernen Gastes gesungen,
oder sich wohl gar in einer Bravurarie produzirt hätte. In einer Oper thut das der Liebe
nichts. Erinnr' ich mich doch eines italienischen Singsangs, *Judith* genannt, in dem *Holo-
fernes* abgehauner Kopf und sein Rumpf ein sehr rührendes Duett über ihre unsanfte
Trennung mit einander sangen. Je unnatürlicher, je besser: das ist der weltbekannte Wahlspruch, den eine jede Oper an der Stirne führen muß, die — gefallen soll.
Wenn nun *Don Juan* mit allen diesen empfehlungswürdigen Eigenschaften eines ächten
Opernhelden, doch nicht so allgemein sein Glück machen sollte, als es seine Qualitäten
wohl erwarten lassen, so liegt der Fehler schwerlich an dem Stoffe, sondern — der Künstler
verzeihe mir meine Freimütigkeit! — an Herrn *Mozarts* Komposizion. Wer hieß ihn zu
einem so italienischwahren Opernthema eine so unopernmäßige, schöne, große und edle
Musik sezzen? Ist dieser Prachtvolle, majestätische und Kraftreiche Gesang wohl Waare
für die gewöhnlichen Opernliebhaber, die nur ihre *Ohren* in's Singspiel bringen, ihr *Herz*
aber zu Haus lassen? Was hätte auch das Herz in einem Schauspiel zu thun, in dem es nur
auf sehen und hören ankömmt? dessen erstes Erfordernis, wenn es Beyfall erhalten soll,
ist, daß bey seiner Verfertigung, des Dichters Herz eben so sehr feyre, als sein Kopf? Herr
Mozart mag also immer ein vortreflicher Komponist seyn, für unsre eigentliche Opernliebhaber wird er's nie werden, er müßte ihnen denn erst vorher eine Eigenschaft ein-
flössen, von der sie eben so wenig wissen, wie der Blinde von der Farbe, Empfindung.
Und, ich fürchte, es würde ihm eher möglich seyn, wie Orpheus, Feld und Wald durch

seine Kunst in Bewegung zu sezzen, als diesen Liebhabern der Oper, mit ihren Herzen von Stein, Sinn für seine Musik zu geben.

Diese Äusserung geht nun nicht etwa dieses oder jenes Publikum insbesondere an, sie betrift das deutsche Opernpublikum überhaupt. Das Schöne, Große und Edle in der Musik zum *Don Juan* wird überall nur immer einem kleinen Haufen Auserwählter einleuchten. Es ist keine Musik für Jedermans Geschmak, die blos das Ohr kizzelt, und das Herz verhungern läßt. Man muß, sie in ihrer ganzen Vortreflichkeit zu fühlen, wahren musikalischen Sinn, richtige, gebildete Begriffe von dem ersten und höchsten Zwek der Tonkunst haben; muß wissen, wozu Gesang da ist, und was er wirken soll?

Mozart ist kein gewöhnlicher Komponist. Man hört bei ihm nicht blos leichte, gefällige Melodieen auf's Gerathewohl. Seine Musik ist durchdachtes, tiefempfundnes Werk, den Karakteren, Situazionen und Empfindungen seiner Personen angemessen. Sie ist Studium der Sprache, die er musikalisch behandelt, richtige Kenntnis der Prosodie. Er beobachtet in der Länge und Kürze der Silben, in dem Karakter des Ausdruks genau das Verhältnis, welches dem natürlichen Maaß am nächsten kömmt, und die möglichste Uibereinstimmung der musikalischen Töne mit denen, durch die sich die Empfindung in der Deklamazion äußern würde. Seine Modulazionen stimmen — wenige Fälle ausgenommen — vollkommen mit den Regeln einer richtigen Deklamazion überein; seine Interpunktazionen sind wahr, und seine Pausen mit weiser Prüfung angebracht. Er legt nie Läufe und Triller in Silben, die derselben nicht fähig sind, und verschnirkelt überhaupt nie seinen Gesang mit unnöthigen und Seellosen Kolleraturen. Das heißt den Ausdruk aus der Musik verbannen, und der Ausdruk liegt nie in einzelnen Worten, sondern in der klugen, natürlichen Vereinigung der Töne, durch die die wahre Empfindung spricht. Diesen Ausdruk hat *Mozart* völlig in seiner Gewalt. Bei ihm kömmt jeder Ton aus Empfindung und geht in Empfindung über. Sein Ausdruk ist glühend, lebhaft und mahlerisch, ohne doch üppig und schwelgerisch zu werden. Er hat die reichste und doch auch die mäßigste Phantasie. Er ist der wahre Virtuos, bey dem nie die Einbildungskraft mit dem Verstande davon läuft. Raisonnement leitet seine Begeistrung, und ruhige Prüfung seine Darstellung.

Die Anwendung dieser Karakteristik des *Mozartschen* Talents auf sein vortrefliches Werk selbst, muß man mir erlassen. Ich bin nicht Musiker, nicht einmahl Dilettant. Ich beurtheile diese Musik blos nach dem allgemeinen Zwekke der schönen Künste: die Natur nachzuahmen, und durch diese Nachahmung auf unser Herz und unsre Empfindung zu wirken. Auf diese wirkt *Mozarts* Werk unausbleiblich, wenn man anders Herz und Empfindung hat. Diese Wirkung bezeugen, und auf ihr Wie? und Warum? nach meiner Einsicht aufmerksam machen, das ist alles, was ich kann. Die nähere Anwendung, die kritische Prüfung dieses schönen Produkts der Kunst, ist die Sache der Kenner, ihnen tret' ich sie ab.

Was nun die theatralische Darstellung des *Don Juans* durch die Sänger betrift; so dürfte sie auf unsern Bühnen nur äußerst selten zur Befriedigung des Komponisten ausfallen. Vokalmusik ist eine Art unter den Menschen verabredete Sprache, sie muß also auch als Sprache, deutlich, bestimmt, und dem menschlichen Ohr vernehmbar vorgetragen werden. Reine, verständliche Aussprache der Wörter, die der Dichter zur Mittheilung der Empfindungen seiner Person niederschrieb, und der Komponist durch musikalischen Ausdruk verstärkte, ist also das erste Bedürfnis des Sängers, und das um so mehr, je mehr Kraft und Nachdruck Komponist und Dichter in diese Wörter legten. Ohne diese reine und verständliche Sprache ist die schönste Stimme des Sängers nur ein Instrument, das Töne, aber keine Worte von sich giebt, höchstens eine angenehme Nachtigallenkehle, aber nicht Menschenstimme, und Menschengesang ist ganz etwas anders als Gesang einer Nachtigall. Der erste hat artikulirte Töne für die Empfindung — Worte; der lezte nichts, als unartikulirte Töne. Menschengesang muß sich also durch Worte verständlich machen, oder er ist Unding, und Niemand soll sich Sänger und Sängerin nennen, der das nicht versteht. Nachtigallenläufe und Lerchentriller, unnatürliches Abstossen und Abbeissen der Noten und Sylben; Seiltänzersprünge mit der Stimme, wunderseltsames Durcheinanderrennen der Töne con naso obligato, und musikalische Purzelbäume sind kein Gesang; Ausströmen der Empfindung mit Wahrheit und Nachdruk ist es.

Ohne diese Sichergiessung einer warmen, vollen Empfindung ist aller Gesang totes Schellengeläute, Seelloser Klingklang, und eine Musik, wie die Mozartsche, kann ohne sie gar nicht vorgetragen werden, gar nicht in die Seele des Zuhörers übergehen. Sie ist, wie gesagt, aus Empfindung gebohren, und nur Empfindung kann sie wiedergeben. Seine Noten wollen nicht blos getrillert, sie wollen mit Präzision, mit Geist und Leben ausgedrükt und versinnlicht seyn. Sie müssen tiefdurchdacht, tief empfunden werden. Man muß die Regeln der Deklamazion verstehen, sich mit ganzer Seele in den Sinn des Komponisten zu versezzen wissen. Die Stimme muß auf dem Strome der Begleitung sanft einherschweben, ohne unterzugehn, und zu ertrinken; muß nicht über die Begleitung der Instrumente hinwegschreien, und statt unser Ohr zu ergözzen, es durch quitschende und überschnappte Töne zerschneiden und zerreissen.

Mit diesen Bemerkungen über Kraft und Vortrag des Gesangs will ich Niemand beleidigen, der in der Vorstellung des *Don Juans* auf der hiesigen Bühne gesungen hat. Es sind Bemerkungen über das gesammte Singwesen in Deutschland. Das, was man Ausdruk in Gesang, und Durchdrungenheit von dem Geist und Karakter der Personen nennt, die der Komponist darstellte, ist auf allen unsern Operntheatern äusserst selten. Fast überall treten Sänger und Sängerinnen so wintermässig zum Gesang hin, als wären sie auf den Spizbergen groß geworden, als hätte Novazembla's ewiges Eiß, ihre Herzen erkältet, und ihre Empfindung in starren Januarfrost verwandelt. Den hiesigen Sängern muß man die Gerechtigkeit wiederfahren lassen, daß sie wenigsten alle Kräfte aufboten, *Mozarts* herrlicher Darstellung Gnüge zu leisten. Fällt von diesen meinen Bemerkungen über Gesang und Gesangvortrag etwas ab, von dem sie mit *Lessings Listdor* im *Freigeist* sagen können, das ist für mich; desto besser! Meine Erinnerungen sind denn doch nicht ganz in den Wind geredet, und ich geniesse das Vergnügen, etwas gutes bewirkt zu haben.

Band II, S. 320—330. — Freisauff, a. a. O., S. 51. Jahn II. 360 (Auszüge). — Zu Schink vgl. Ende 1782 und Anfang 1785. Er scheint zu vergessen, daß Mozart ein italienisches Libretto komponiert hat. — Nowaja Semlja ist eine Doppelinsel im Nördlichen Eismeer. - - Lessings Schauspiel *Der Freigeist* war 1755 erschienen.

ANTON SCHMITH IN MOZARTS STAMMBUCH

PALLAS IN LOVDON IN MOZART REGNAT APOLLO.
VIVET VTERQVE INGENS ARTE PER AEVA SVA.

[Wien,] 31. Octob. 1789.

Tuus Sincerus amicus
Ant. Schmith Med. Dr.

Engl, a. a. O. — Das Chronogramm ergibt die Zahl 1789, was der Eroberung Belgrads durch Loudon (Laudon) am 9. Oktober 1789 entspricht (s. Anfang 1788). Diese Eintragung und vielleicht die undatierte, die hier zu Ende des Jahres 1789 eingereiht ist, sind die einzigen in Mozarts Stammbuch gewesen, die nicht von 1787 stammen. — Dr. Anton Schmith war ein passionierter Violinspieler, der 1815 dem Komitee der neuen Gesellschaft der Musikfreunde in Wien beitrat, frühzeitig Schuberts Begabung erkannte, und später nach Kiew auswanderte. Näheres über ihn ist in O. E. Deutschs englischer Schubert-Biographie, London 1946 und New York 1947, zu finden. Ebenso in seinem Vortrag *Ein vergessener Freund Mozarts*, abgedruckt im *Mozart Jahrbuch 1960*, Salzburg 1961.

Am 9. November wird im Burgtheater Martin y Solers Oper *Il Burbero di buon Cuore* wieder aufgeführt, mit zwei neuen Sopran-Arien von Mozart als Einlagen.

Die Uraufführung dieser Oper war am 4. Januar 1786 im gleichen Hause. — Die beiden Arien „*Chi sà, chi sà, qual sia*" (KV 582) und „*Vado, ma dove?*" (KV 583) waren wieder für Dlle. Villeneuve geschrieben worden (vgl. 6. September 1789).

Am 16. November wird Mozarts fünftes Kind, Anna Maria, geboren und stirbt nach einer Stunde an den Fraisen (Krämpfen).

Blümml, a. a. O., S. 8. — Die Pfarre der Kirche Am Hof konnte nur eine Nottaufe vornehmen. Das Kind wurde am 17. November begraben, wahrscheinlich auf dem Friedhof vor der Matzleinsdorfer Linie.

AUS DER «MUSIKALISCHEN REAL-ZEITUNG», SPEYER, 25. NOVEMBER 1789

Cassel, den 14ten Okt.

Unser gewöhnliches Winterkonzert hat am 6ten dieses Monats wieder seinen Anfang genommen . . . Das Konzert wird alle Dienstag gehalten, gehet um 6 Uhr an, und dauert bis halb 9 Uhr . . . Die Sinfonien sind von *Haydn, Pleyl, Wranizky, Mozart* . . .

Bd. II, No. 47, Spalte 374 f. — Die Sinfonien wurden in diesen Konzerten am Anfang und am Ende gespielt, wahrscheinlich je eine in zwei Teilen.

Am 25. November wird der *Figaro* in Mainz deutsch gegeben.

Annalen des Theaters, Berlin 1790, 5. Heft, S. 70: „*sehr gefallen*". Die Übersetzung dürfte die von Vulpius gewesen sein, die seit 11. Oktober 1788 in Frankfurt verwendet wurde.

Am 30. November wird *Don Giovanni* in Graz deutsch gegeben.

Dieses Datum ist fraglich: wahrscheinlich war die erste Aufführung dort erst am 28. Mai 1795.

AUS DER «MUSIKALISCHEN REAL-ZEITUNG», SPEYER, 25. NOVEMBER 1789

Fortsetzung der in Wien erschienenen „Philosophischen Fragmente über die praktische Musik".

. . . Im sechsten Aufsaze giebt er nur zu, daß man ein guter Partikulartonsezer werden könne, und läugnet, daß es gute Universaltonsezer gebe. Warum fiel dem Manne *Joseph Haydn* nicht ein, der doch täglich in *Wien* vor seinen Augen herumwandelt? Warum dachte er nicht an *Gassemann*, an *Vogler*, an *Mozart* den Sohn und hundert andre, die so sicher auf den Namen eines Universaltonsezers, und zwar eines guten Anspruch machen können?

. . .

Der achte und neunte Aufsaz handelt von dem Namen eines Virtuosen und von jungen unzeitigen Virtuosen ... Übrigens hat der V. nicht bedacht, daß nicht alle frühzeitige Virtuosen unzeitige Virtuosen sind, was wäre sonst *Hendel* gewesen, und was wäre *Wolfgang Mozart?*

Bd. II, No. 48, Spalte 378. — Diese Auszüge aus dem 1787 in Wien erschienenen Buche begannen am 25. November und liefen bis zum 9. Dezember. Die Vorrede des auf Kosten des Verfassers im Taubstummen-Institut gedruckten Buches ist „A. W. S." gezeichnet, das ist Amand Wilhelm Smith, wahrscheinlich der in den Auszügen gemeinte Verfasser. Obwohl Mozarts Name nicht unter den Subskribenten erscheint, war ein Exemplar dieses Buches in seinem Nachlaß (Nr. 17 der Bibliothek).

ANSCHLAGZETTEL EINES KONZERTS DER TONKÜNSTLER-SOCIETÄT (ZWEISPRACHIG)

Musikalische Akademie. / Heute Dienstag den 22ten Christmonats 1789. / wird im / kaiserlichen königlichen Nazional-Hoftheater / von der / errichteten Tonkünstlergesellschaft / zum / Vortheile ihrer Wittwen und Waisen / eine / *grosse musikalische Akademie* / gehalten werden, / in welcher eine Kantate von der Komposition des Hrn. Vinzenz / *Righini*, Hofkapellmeister Sr. Churfürstl. Durchlaucht / zu Mainz, gesungen wird, betitelt: / *Das Geburtsfest des Apoll.*

Es werden dabei singen:

Mademoiselle Kavalieri. Herr Kalvesi. / Madame Hofer. Herr Saal.

Zwischen beiden Abtheilungen der Kantate wird ein Quintett von Hrn. / *Mozart* gegeben, wobei die Hauptstimmen Hr. *Stadler*, / k. k. Hofmusikus und Hr. *Zistler*, in wirklichen Diensten des / Herrn Fürsten von Krasalkowitz ausführen werden.

[Fra le due Parti della Cantata si eseguirà un Quintetto del Sigre. *Mozart*, nel quale le prime Parti suonerano il Sigre. *Stadler*, in att. Serv. di Sua M. l'Imperatore & il Sigre. *Zistler*, in att. Serv. del Sigre. Principe di Krasalkowitz.]

Die Musik, Instrumenten und Singstimmen gerechnet, wird von / mehr denn 180 Personen ausgeführet.

· · · · ·

Der Anfang ist um 7 Uhr.

Exemplar bei der Gesellschaft der Musikfreunde, Wien. — Otto Schneider, *Mozart in Wirklichkeit*, Wien 1955, S. 334 (Faksimile). — Die Ankündigung ist italienisch und deutsch. (Bei der Wiederholung der Kantate *Il Natale d'Apollo* am 23. Dezember wurde ein Trio für Klarinette, Flöte und Fagott von François Devienne aufgeführt, wobei Anton Stadler wieder die Klarinette spielte; s. Pohl, *Tonkünstler-Societät*, S. 63.) — Der letzte Kurfürst von Mainz war Friedrich Karl Joseph Freiherr von Erthal, in dessen Schlosse Mozart am 20. Oktober 1790 ein Konzert gab. — Frau Josepha Hofer, geb. Weber, Mozarts Schwägerin, gehörte seit Anfang 1789 dem Theater auf der Wieden, im Starhembergischen Freihaus, an; sie war noch von Johann Friedel engagiert worden, dessen Nachfolger inzwischen Schikaneder geworden war. Righini, von dessen schon 1781 aufgeführter Kantate Mozarts nichts hielt, war 1783 bis 1785 ihr Lehrer gewesen. — Mozart hatte das Klarinetten-Quintett in A, KV 581, für Stadler geschrieben. — Der Geiger Joseph Zistler, früher in Diensten des Kardinals Joseph Fürst Batthyány, des Primas von Ungarn, gehörte zum Orchester des Fürsten Anton Grassalkovics in Preßburg.

AUS DER «WIENER ZEITUNG», 27. DEZEMBER 1789

Neue Musikalien.

In der Hofmeisterischen Musikalien- Kunst- und Buchhandlung am Hof sind nebst vielen andern Musikalien vorzüglich folgende ganz neue Werke zu haben:

· · ·

12 Menuette aus dem k. k. Redoutensaal, vom Hrn. Mozart ganz neu bearbeitet auf 7 Stimmen 1 fl. 30 kr.
Dieselbe fürs Klav. 40 kr.

Franz Anton Hoffmeister hatte ein Jahr zuvor einen eigenen Verlag gegründet, der hauptsächlich Kammermusik herausgab. Er war, wie Leopold Kozeluch, Komponist und Veleger. — Die Menuette von Mozart, die wohl nur handschriftlich in Stimmen und im Klavierauszug vertrieben worden sind, dürften die vom Dezember 1789 (KV 585) gewesen sein, die ursprünglich nur für zwei Violinen und Baß geschrieben waren, wozu dann aber die übliche Bläserbesetzung (mit Pauken) der Redoutentänze kam.

Am 30. Dezember wird ein Hauskonzert bei Mozart abgesagt.

Bei dieser Kammermusik sollte der Violinspieler Zistler (s. 22. Dezember) mitwirken und Puchberg als Zuhörer erscheinen.

Am 31. Dezember findet bei Mozart eine *„kleine Opern-Probe"* zu *Così fan tutte* statt.

Haydn und Puchberg waren eingeladen, und sind wohl auch gekommen.

Im Dezember wird *Don Giovanni* in Brünn deutsch gegeben.

Um Neujahr 1790 ist der *Figaro* in Bonn deutsch aufgeführt worden; s. Reichards *Theater-Kalender* für 1791, S. 199. (In Köln war schon 1787 die Übersetzung von Vulpius gedruckt worden.) Nach jenem Kalender (1790, S. 131) war eine deutsche Aufführung des *Don Giovanni* damals auch schon in Pest geplant, die aber erst 1797 oder gar 1801 zustande gekommen ist (Loewenberg, a. a. O., S. 224).

AUS DEM «CALENDRIER MUSICAL UNIVERSEL», PARIS 1789

Sonate à quatre mains pour le piano par M. A. Mozart: œuv. 14e, Prix 3 liv. 12 s. chez de Roullede.

S. 239. — Eduard Reeser, *De klaviersonate met vioolbegeleiding*, Rotterdam 1939, S. 32. William S. Newman in *Notes*, Washington, März 1954, S. 204. King, a. a. O., S. 109 ff. Wolfgang Rehm im Kritischen Bericht zur *Neuen Mozart-Ausgabe*, IX/24/Abt. 2, S. 62 ff. — Vgl. September 1789. King datiert die Folge der 1789 gesammelten *Calendrier*, zu der S. 239 gehört, zwischen 20. November 1787 und 15. Dezember 1788. Er bezweifelt, daß es sich bei Roulledes „œuv. 14e" um KE 19d handle, und vermutet, daß das vielmehr die Sonate in C, KV 521, gewesen sei.

JOSEPH V. BAUERNFELD IN MOZARTS STAMMBUCH [1789?]

Der Zweck des Stammbuches, ist zur Zierde!
Bei dir trift dieser Fall nicht ein;
Wer seine Pflicht genau erfüllet,
Sich nie in dunkle Handlung hüllet,
Und nur nach wahrer Tugend strebet:
Wie du! ohn' allen Makel lebet,
Der darf sich seines Lebens freu'n
Und ist des Stammbuchs Zierde.

              Joseph Edler von Bauernfeld.

Dieses Blatt ist undatiert gewesen. — Bauernfeld, ein Logenbruder Mozarts, war als Geldgeber der stille Kompagnon Emanuel und Eleonore Schikaneders, als das Ehepaar nach Johann Friedels Tod im Frühjahr 1789 das Freihaus-Theater (vgl. 22. Dezember 1789) übernahm.

1790

Aus der «Musikalischen Real-Zeitung», Speyer, 6. Januar 1790

Rezension.

Zwei (zwo) deutsche Arien zum Singen beim Klavier in Musik gesezt von Herrn Kapellmeister W. A. Mozart. 2ter Th. Wien bei Artaria. (Pr. 30 kr.)

Die Lieder sind folgende: *Ein Veilchen auf der Wiese stand* und das Trennungslied: *die Engel Gottes weinen:* Beide sind ganz ausgeführt, mit Einsicht, Geschmak und feiner Empfindung ausgeführt. Unter der Menge von Kompositionen, wo mit das erste Lied schon beehrt und entehrt wurde, ist Rec. ausser der Komposition des seel. Kapellmeister *Schweizers* keine bekannt, die dieser an die Seite gesezt werden könnte. Sehr überraschend und vorzüglich schön ist die Behandlung des Textes am Schluß, da Herr M. am Ende der dritten Strophe die Worte noch einmal wiederholt:

„Das arme Veilchen!
„Es war ein herzigs Veilchen."

und dann mit denselben schließt. Möchten doch solche Lieder als Muster eines guten Gesanges und einer reinen Harmonie von vielen angehenden Liederkomponisten studirt werden *.   Z.

* Dergleichen Schönheiten gehören vorzüglich in unsere Anthologie und daher werden wir das eine von diesen Liedern *das Veilchen* in unsre nächsten Blätter aufnehmen.   D. H.

Spalte 1. — KV 476 und 519 waren am 5. September 1789 erschienen. — Goethes *Veilchen* war bis dahin u. a. von Johann André, Herzogin Anna Amalia von Sachsen-Weimar, Philipp Christoph Kayser, Karl David Stegmann, Joseph Anton Steffan, Karl Friberth, J. F. Reichardt und Anton Schweitzer komponiert worden; nicht alle aber waren schon gedruckt. (Vgl. Max Friedlaender im *Jahrbuch*, Band XVII, S. 181, und in den *Schriften der Goethe-Gesellschaft*, Weimar, Band 11, S. 133 ff., Band 31, S. 228.) In Mozarts Nachlaß war die 3. Abteilung der *Sammlung deutscher Lieder für das Klavier*, Wien 1780, mit Friberths Komposition; die von Steffan war schon 1778 in der 1. Abteilung erschienen, wo das Gedicht irrtümlich Gleim zugeschrieben ist, der ein anderes, auch von Steffan komponiertes *Veilchen im Hornung* verfaßt hat. (Mozart ist dadurch nicht, wie manchmal behauptet wird, irregeführt worden.) — Der Ankündigung Boßlers, des Herausgebers („D. H.") entsprechend, wurde *Das Veilchen* am 13. Januar 1790 in der *Musikalischen Anthologie für Kenner und Liebhaber*, dem *praktischen Theil* der Real-Zeitung, auch *Anthologie zur musikalischen Realzeitung* genannt (Bd. I, 7. Stück, S. 5), nachgedruckt.

Am 20. Januar 1790 findet im Burgtheater die erste Orchester-Probe zu *Così fan tutte* statt.

Haydn und Puchberg sollten Mozart um 10 Uhr vormittags zu dieser Probe abholen, und taten es wahrscheinlich auch.

Anschlagzettel des Burgtheaters, 26. Januar 1790

Neues Singspiel. / Im kaiserl. königl. Nazional-Hoftheater / wird heute Dienstag den 26ten Jäner 1790 aufgeführt: / (zum erstenmal) / COSI FAN TUTTE, / o sia: / LA SCUOLA DEGLI AMANTI. / So machen sie's, oder: die Schule der Liebhaber. / Ein komisches Singspiel in zwey Aufzügen. / Die Poesie vom Hrn. Abbate da Ponte, Dichter des italiänischen Singspiels beym k. k. Hoftheater. / Die Musik ist vom Herrn Wolfgang Mozart, Kapellmeister in wirklichen Diensten Sr. Majestät des Kaisers. / — / Die Bücher sind bloß italiänisch beym Logenmeister um 24 kr. zu haben.

Nationalbibliothek, Wien. — Die Besetzung war: Fiordiligi — Adriana Ferraresi del Bene, Dorabella — Louise Villeneuve, Despina — Dorotea Bussani; Guglielmo — Francesco Benucci, Ferrando — Vincenzio Calvesi, Don Alfonso — Francesco Bussani. — Die Oper wurde am 26., 28. und 30. Januar, 7. und 11. Februar, 6. und 12. Juni, 6. und 16. Juli und 7. (nicht 17.) August 1790 gegeben; dann nicht mehr zu Mozarts Lebzeiten (italienisch erst wieder nach 1850, im Kärntnertor-Theater). — Da die Rechnungsbücher der Hoftheater für 1789/90 im Wiener Staatsarchiv fehlen, können die Pauschal-Honorare Da Pontes und Mozarts nicht mit Sicherheit angegeben werden. Laut Mozarts Brief an Puchberg vom 29. Dezember 1789 sollte er 200 Dukaten bekommen, das wäre doppelt so viel, als üblich war.

Titel des Textbuches zu «Cosî fan tutte»

COSÎ FAN TUTTE / O SIA / LA SCUOLA / DEGLI AMANTI. / DRAMMA GIOCOSO / IN DUE ATTI / DA RAPPRESENTARSI / NEL TEATRO DI CORTE L'ANNO 1790. / VIENNA / PRESSO LA SOCIETÀ TIPOGRAFICA
[Auf Seite 2:]

La Poesia è dell'Abbate Da Ponte, Poeta del Teatro Imperiale. / La musica è del Signor Wolfgango Mozzart Maestro di / Cappella in / actual servigio di S. Maestà Cesarea.

Zwei Exemplare in der Stadtbibliothek, Wien. — Teuber, a. a. O., S. 83.

Aus Zinzendorfs Tagebuch, 26. Januar 1790

... Avant 7h au nouvel Opera. *Cosi fan tutte*, osia la *Scuola degli amanti*. La musique de Mozart est charmante, et le sujet assez amusant ....

Das war das erste und das letzte Mal, daß der Graf sich zu uneingeschränktem Lobe Mozarts aufschwang.

Aus der «Wiener Zeitung», 30. Januar 1790

Im k. k. Nationalhoftheater wurde letztvergangener Mittewoche den 16. dieses zum erstenmal aufgeführt ein neues komisches Singspiel in zwey Aufzügen, betitelt: Cosi fan tutte, o sia: la Scuola degli Amanti. Die Poesie ist vom Herrn Abbate da Ponte, Dichter des italienischen Singspiels beym k. k. Hoftheater, und die Musik vom Herrn Wolfgang Mozart, Kapellmeister in wirklichen Diensten Sr. Maj. des Kaisers.

Statt Mittwoch, den 16., sollte es Dienstag, den 26., heißen.

Aus dem «Journal des Luxus und der Moden», Weimar, März 1790

Wien den 17. [richtig 27.] Jänner 1790. Ich kündige Ihnen wieder ein vortreffliches Werk von Mozart an, das unser Theater erhalten hat. Gestern nemlich wurde es zum erstenmale auf dem K. K. National-Theater gegeben. Es hat den Titel: Cosi fan tutte, o sia, la Scuola degli Amanti. Der Text ist vom Hrn. Abbate Da Ponte, Dichter des italienischen Singspiels beym K. K. Hoftheater. Von der Musik ist, glaub ich, alles gesagt, daß sie von Mozart ist.

S. 148.

Joseph Haydn an Frau Maria Anna von Genzinger

Estoras den 9ten / Febr. 790

... ich konte wenig schlafen, so gar die Dräume verfolgten mich, dan, da ich an besten die Opera le Nozze di Figaro zu hören Traumte; wegte mich der Fatale Nordwind auf und bließ mir fast die Schlafhauben vom Kopf...

Original in der Nationalbibliothek, Wien. — Theodor v. Karajan, *J. Haydn in London 1791 und 1792*, Wien 1861. — Frau Genzinger, seine Freundin in Wien, war die Frau des Arztes Peter Leopold Edlen von Genzinger; auch Mozart soll gelegentlich in ihrem Salon im Schottenhof gespielt haben. — *Figaro* dürfte damals in Esterháza (Estoras) nicht aufgeführt worden sein. Partitur und Singstimmen wurden allerdings schon am 7. Januar 1789 gekauft, und Pietro Travaglias Rechnung für die Szenenbilder ist vom 8. August 1789 datiert (Esterházy-Archiv im National-Museum, Budapest). Zu Travaglia vgl. 6. September 1791 *(Tito)*.

Aus der «Musikalischen Real-Zeitung», Speyer, 17. Februar 1790

Lebensbeschreibung des Herrn Justin Heinrich Knecht ... Musikdirektor der Freien Reichstadt Biberach.

... Für die Bühne zu Biberach hat *Knecht* mehrere, aber nicht gedruckte, Operetten geschrieben. *Die treuen Köhler, der Erndtekranz, die Entführung aus dem Serail* verdienen vor andern Erwähnung, wegen des glüklichen Wettstreits mit *Wolf, Hiller* und *Mozart*. Man darf es bei den meisten Lesern dieser Nachrichten als etwas bekanntes voraussezen, daß sich die diesen Titel führenden Arbeiten jener drei Tonsezer unter den übrigen Produkten ihres Genies vorzüglich auszeichnen ... Mozart übergab mit seiner Bearbeitung des magern Textes der Entführung dem sachkundigen Publikum ein Kreditiv seiner Würdigkeit zum Kapellmeister ...

Band I, No. 7, Spalte 52. — Ernst Wilhelm Wolf komponierte 1773 das Singspiel *Die treuen Köhler*, Johann Adam Hiller 1771 den beliebten *Ärndtekranz*.

Aus der «Musikalischen Real-Zeitung», Speyer, 17. Februar 1790

Thalia, eine Monatschrift für Violonliebhaber, liefert eine geschmackvolle Auswahl vorzüglich schöner Arien und Ouverturen aus unsern neuesten und beliebtesten Opern für 2 Violinen, Bratsche und Bass ... Das erste Heft enthält folgende Arien aus der vortreflichen Mozartischen Oper: *Belmont* und *Konstanze*: 1. O wie will ich triumphiren. 2. Durch Zärtlichkeit und Schmeicheln. 3. Menuet. 4. Frisch zum Kampfe, frisch zum Streite ... Speier den 10 Febr. 1790.

Band I, Nr. 7, Spalte 65. — Vgl. 2. Juni 1790.

AUS DER «WIENER ZEITUNG», 20. FEBRUAR 1790
Neue Musikalien.

Bey Artaria Comp. Kunsthändlern am Kohlmarkt, sind folgende beste Arien ... für das Klavier gut übersetzt, und deutlich gestochen zu haben:

. . .

Aus der neuen Opera: Cosi fan tutte, vom Hrn. Mozart das schönste Duetto: Il Core vi dono bel Idolo mio 20 kr.

. . .

Das Duett (Nr. 23) zwischen Dorabella und Guglielmo erschien als Nr. 73 von Artarias „*Raccolta d'arie*". Sonst wurde nur noch der Klavierauszug der Ouvertüre (Nr. 58 dieser Sammlung) zu Mozarts Lebzeiten gedruckt.

Am 20. Februar stirbt Joseph II.

Sein Bruder Leopold, Großherzog von Toskana, wurde sein Nachfolger als deutscher Kaiser und als Herrscher von Österreich.

Im Februar wird in Boßlers *Bibliothek der Grazien. Eine Monatsschrift für Gesang und Klavier*, Speyer, ein Klavierauszug des Kontretanzes *La Bataille* (KV 535) nachgedruckt.

Band II, 2. Heft, S. 38 f. — Siehe 19. März 1788 und 17. Januar 1789.

AUS DEM «PUBLIC ADVERTISER», LONDON, 1. MÄRZ 1790

A new comic opera was last night produced at this theatre ...
The music of it is evidently a melange though announced as the composition of Bianchi and Hogart. Martini has certainly contributed a share, and most of the airs given to the new tenor are from Painello. The general character of such music must be, of course, that it abounds in good passages but it must also prove extremely unequal.

Mitgeteilt von Christopher Raeburn. — Im King's Theatre, Haymarket, war am 27. Februar ein Pasticcio unter dem Titel *La vilanella rapita* aufgeführt worden. (Nicht Bianchis Oper, die am 25. November 1785 mit zwei Einlagen von Mozart im Wiener Burgtheater gegeben worden war.) „Hogart" sollte Mozart heißen, von dem die Storace aus dem *Figaro* Susannas Arie „*Deh vieni non tardar*" und aus *Don Giovanni* Zerlinas Arie „*Batti, batti, o bel Masetto*" sang. Andere Musikstücke waren wohl von Martin y Soler und Paisiello.

Am 8. März wird im Covent Garden Theatre, London, William Shield's komische Oper *The Czar Peter* aufgeführt, in deren zweitem Akt John Bannister und Elisabeth Billington das Duett Giovanni — Zerlina „*Là ci darem la mano*" singen.

Alfred Loewenberg in *Music & Letters*, London, Juli 1943. — Die dem Duett unterlegten Worte waren: „*Should worldly cares oppressing Encircle us with woes ...*".

Am 13. März trifft Leopold II. in Wien ein.

Am 9. April führt Mozart beim Grafen Hadik das Trio-Divertimento in Es, KV 563, und das Klarinetten-Quintett in A, KV 581, auf.

Der Graf war wohl der älteste Sohn des Feldmarschalls Andreas Hadik (der Aloisia Weber an die Wiener Oper gebracht haben soll und am 12. März 1790 gestorben war), Johann Karl, ungarischer Hofkammerrat und Amateur-Maler. Johann Baptist v. Häring — s. Ende 1782 —, Bankier und tüchtiger Violinspieler (der 1807 die adeligen Liebhaber-Konzerte in Wien begründete), wirkte mit; wahrscheinlich auch Anton Stadler, für den das Quintett geschrieben worden war. Mozart lud Puchberg dazu, für den er das Trio komponiert hatte.

Aus der «Musikalischen Real-Zeitung», Speyer, 14. April 1790

VI *Englische Tänze für das Klavier oder Forte Piano von Herrn Vanhal. Wien bei Artaria.*
S. 5 in queer Fol. (Pr. 24 kr.)
VI *dergleichen von Herrn Mozart. Ebend. S. 5 in qu. Fol. (Pr. 24 kr.)*
Beede Verf. sind schon längst durch grössere Produkte bekannt und selbst diese kleine Blätter schwächen den Ruhm nicht, den sie sich durch dieselbe erworben haben. Unter M. Sammlung befindet sich auch charakteristische Tanzmusik, Nro 3. z. B. *La Tempete* und Nro 6. *La Bataille.* Der Klavierauszug ist an einigen Stellen sehr mager.

Band I, Nr. 15, Spalte 118. — Johann Baptist Vanhal (Wanhal) stammte aus Böhmen und lebte, ein fruchtbarer Komponist, in Wien. — Mozarts *Englische Tänze* sind die VI Contretaenze, die am 17. Januar 1789 bei Artaria erschienen waren (KV 462 No. 3, 534, 535 und KE 535ᵃ). KV 534, *Das Donnerwetter,* ist in dieser Ausgabe als „la Tempête" bezeichnet, und KV 535 als „la Bataille".

19. April 1790, s. Nachtrag, S. 523.

Aus der «Musikalischen Real-Zeitung», Speyer, 28. April 1790
Catalogue raisonné.

. . . Grand Quintetto per due Violini, due Viole & Violoncello del Sigr. Mozart. Wien bei Artaria in Fol. (Pr. 2 fl.)
Ist mit vielem Fleiß, und Geschmak und so weit sich's durchs Gehör beurtheilen läßt, nach den strengen Regeln der Sezkunst gearbeitet. Das Thema findet sich in der Anth. S. 70. . . .

Bl. I, No. 15, Spalte 137. — Das Streichquintett in C, KV 515, war 1789 bei Artaria erschienen. Das Thema steht im ersten Band der *Musikalischen Anthologie* (S. 70).

Aus Zinzendorfs Tagebuch, 7. Mai 1790

. . . A l'opera le nozze di Figaro. Le Duo de deux femmes, le rondeau de la Ferraresi plait toujours. . . .

Das Briefduett wurde von der Cavalieri (Gräfin) und der Ferrarese (Susanna) gesungen; das Rondo ist „Al desio, di chi t'adoro" (KV 577, s. 29. August 1789).

Mitte Mai besucht Mozart an einem Sonntag (dem 16.?) Schwechat.

Zu Schwechat vgl. 22. September 1773. Mozart besuchte dort die Eltern des jungen Musikers Joseph Eybler (s. 30. Mai 1790), der ihm beim Einstudieren von *Così fan tutte* geholfen haben soll. — Konstanze, die wieder zur Kur in Baden weilte, sollte kurz nach Wien kommen und mit nach Schwechat fahren. Eyblers Vater war Schullehrer und Chorregent.

Am 22. Mai wird in Mozarts Wohnung das Streichquartett in B, KV 589, gespielt.

Das war das zweite der für Friedrich Wilhelm II. geschriebenen drei Quartette (KV 575, 589 und 590), Mozarts letzten; vgl. 26. Mai 1789. — Puchberg und seine Frau waren zu dieser Hausmusik geladen.

Mozarts Zeugnis für Joseph Eybler

Ich Endesgesezter bescheine hiemit daß ich Vorzeiger dieses Hn: Joseph Eybler als einen würdigen Schüller seines berühmten Meisters Albrechtsberger, als einen gründlichen Komponisten, sowohl im Kammer- als Kirchenstyl gleich geschickten, in der Sing-Kunst ganz erfahrnen, auch vollkommen Orgel- und KlavierSpieler, kurz als einen jungen Musiker befunden habe, wo es nur zu bedauern ist, daß seinesgleichen so selten sind.
Wienn den 30t May. 1790

Wolfgang Amadè Mozart
Kapellmeister in K:Diensten.

Nationalbibliothek, Wien. — Jahn II, 647. — Wenige Tage darauf, am 8. Juni, stellte Haydn ein ähnliches Zeugnis für Eybler aus; erst am 24. Januar 1793 auch sein Lehrer Albrechtsberger (beide auch in der Wiener Nationalbibliothek). Eybler wurde zunächst 1792 Chorregent in der Karmeliter-Kirche der Vorstadt Leopoldstadt, zuletzt Hofkapellmeister als Nachfolger Salieris, und schließlich geadelt.

Haydn an Frau v. Genzinger

Estoras, den 30t May/790

. . . es wird auch diese Zeit vorüber gehen, und jene wider komen, in welcher ich ds unschäzbahre Vergnügen haben werde, neben Euer Gnaden am Clavier zu sitzen, Mozarts Meister Stücke spillen zu hören, und für So Viel schöne Sachen die Hände zu küssen . . .

Nationalbibliothek, Wien. — Karajan, a. a. O.

Im Mai besucht Mozart im Freihaus-Theater die Oper *Der Fall ist noch weit seltner!*

Der Text dieser deutschen Fortsetzung zu Da Ponte-Martins Oper *Una cosa rara* stammte von Schikaneder, die Musik vom Tenor Benedikt Schack; sie wurde zuerst am 10. Mai gegeben. Mozart berichtete seiner Frau in Baden, daß ihm dieses Werk nicht so gut gefallen habe *„wie die Antons".* *Der dumme Gärtner aus dem Gebürge oder Die zween Anton,* eine komische Oper von Schikaneder mit Musik von Schack und dem Bassisten Franz Xaver Gerl, wurde seit 12. Juli 1789 dort aufgeführt. Ein Lied aus der ersten von sechs Fortsetzungen, *Die verdeckten Sachen,* hatte Mozart im März 1791 zu Klavier-Variationen (KV 613) angeregt.

Im gleichen Monat entwirft Mozart ein Gesuch an den Erzherzog Franz, ihn bei seinem Vater für die Stelle eines zweiten Hofkapellmeisters zu empfehlen.

Der undatierte Entwurf, angeblich Anfang Mai geschrieben, ist im Mozarteum, Salzburg; ob er abgeschickt worden ist, bleibt ungewiß, jedenfalls ist das Gesuch nicht erledigt worden. Mozart erwähnte, daß Salieri mit dem Kirchenstil nicht so vertraut sei wie er, und bietet sich auch wegen seiner Meisterschaft auf dem Klavier als Hof-Musiklehrer an. (Bei Franzens erster Braut, Elisabeth von Württemberg, hatte Joseph II. Salieri dafür gewählt.) — Daß ein österreichischer Erzherzog königliche Hoheit genannt wurde, war seit Maria Theresias Zeiten üblich. Da Leopold II. erst am

30. September 1790 zum deutschen Kaiser gewählt worden ist, war sein höchster Titel nur König (von Böhmen und Ungarn) und seine Familie vorläufig auch nur königlich: Mozarts Gesuch berücksichtigte diese Umstände.

Aus der «Musikalischen Real-Zeitung», Speyer, 2. Juni 1790

In des Rath Bosslers Verlagshandlung in Speier ist das 4te Stük der *Thalie* oder der Monatschrift für Quartettliebhaber erschienen, und enthält: 1) die *Ouverture* aus der Oper *le Nozze de Figaro* . . .

Band I, No. 22, Spalte 176. — Vgl. 17. Februar und 23. Juni 1790.

Anfang Juni fährt Mozart zu Konstanze nach Baden (?).

Er dürfte um den 6. Juni auf ein paar Wochen hinausgezogen und nur tageweise nach Wien zurückgekommen sein.

Aus der «Wiener Zeitung», 9. Juni 1790
Ankündigung.

In der Lauschischen Musikalienhandlung, dermal in der Weihburggasse Nr. 959, dem Geigenmacher gegenüber, ist zu haben:
. . .

Mozart Sonate auf 4 Hände auf einem Klavier 2 fl.

Diese Sonate läßt sich nicht eindeutig bestimmen. Wenn es sich nicht um eine Abschrift handelt, könnte die Sonate in F (KV 497) gemeint sein, die am 19. Dezember 1787 bei Artaria zum Preise von 2 fl. erschienen war.

Am 12. Juni dirigiert Mozart im Burgtheater *Così fan tutte.*

Die Oper war, nach den fünf Vorstellungen im Januar und Februar, am 6. Juni wieder aufgenommen worden und erfuhr im Juli und August noch drei Wiederholungen, zehn Vorstellungen im ganzen.

Am Sonntag, dem 13. Juni, wird in der Stadtpfarrkirche von Baden eine Mozart-Messe aufgeführt.

Der Chorregent dort war Anton Stoll, mit dem Mozart (und später Haydn) in freundschaftliche Beziehungen kam. — Die Messe war vermutlich die in C, die sogenannte *Krönungsmesse* (KV 317). — Mozart dürfte noch nicht rechtzeitig aus Wien zurückgekommen sein.

Aus den «Annalen des Theaters», Berlin 1790
Von der Fallerschen Schauspielergesellschaft.
Erlangen 1790.

Am 19. Juni Die Entführung aus dem Serail. Am 26. Juni Figaro . . . Am 8. Juli Die Entführung aus dem Serail.

Von hier ging die Gesellschaft nach Hildburghausen, wohin sie der dortige Hof berufen hatte. Nun aber seit dem December 1790 spielt sie in Bayreuth.

Heft 7, S. 58. — Weder die *Entführung* noch der *Figaro* scheint an den anfangs genannten Tagen zum erstenmal in Erlangen aufgeführt worden zu sein. Fallers Truppe mag die beiden Opern auch im Juli in Hildburghausen und im Dezember in Bayreuth gegeben haben.

Aus der «Musikalischen Real-Zeitung», Speyer, 23. Juni 1790

Das Junistük der Grazienbibliothek enthält ... die Ouverture *Le Nozze di Figaro* von Hrn. *A. Mozart.*

Band I, No. 25, Spalte 200. — Vgl. 2. Juni 1790. — Die Monatsfolge hieß eigentlich *Bibliothek der Grazien.*

Aus einem Katalog des Verlegers John Bland, London, 25. Juni 1790

The Public will be pleased to take notice ... that in a Journey of more than 4000 Miles in Germany, &c, (last Year) he personally settled a Connexion with Haydn, Hoffmeister, Mozart, Kozeluch, Paradies, Vanhall, and many others, whose Works will come out with all possible Expedition. And they may be assured all the new Works will be original, and published for such Instruments, &c. as first written for.

Exemplar beim Royal College of Music, London. — Mitgeteilt von Dr. Edith Schnapper, Cambridge. — Bland, der seit etwa 1776 Musik verlegte und seine, manchmal thematischen, Listen genau zu datieren pflegte, war schon im Herbst 1788 vier Monate auf dem Kontinent gewesen und hatte im Herbst 1789 seine zweite Reise dort gemacht, beide Male, um mit Komponisten zu verhandeln. Haydn, den er Anfang November 1789 in Esterháza besuchte, auch um ihn nach London einzuladen, wohnte 1791 in London am ersten Tag bei ihm und überließ ihm sein *Stabat mater* und seine Kantate *Arianna a Naxos* zum Verlag. Von Mozart, den er im Herbst 1789 auch besucht haben dürfte, hat Bland nichts Originales verlegt.

Am 26. Juni wird *Don Giovanni* in Soest von der Truppe Toscani-Müller deutsch gegeben.

Am gleichen Tage mußte der *Figaro* im Burgtheater wegen Erkrankung Benuccis (als Figaro) abgesagt werden.

Im Sommer 1790 wohnt Mozart dem Probespiel des Hoforganisten Johann Georg Albrechtsberger auf der neuen Orgel Franz Xaver Chrismanns in der Kirche zum heiligen Laurenz in der Vorstadt Schottenfeld bei.

King, a. a. O., S. 235. — C. F. Pohl hat in seinen Artikeln über Chrismann in der *Allgemeinen Deutschen Biographie,* Leipzig 1876, IV. 139 f., und in George Grove's *Dictionary of Music and Musicians,* London 1879, I. 355, über dieses Ereignis geschrieben. Er berichtete 1876 aus einem gedruckten Programm, dessen damals „*einziges Exemplar*" verloren zu sein scheint, daß der Hoforganist „*Stücke von Bach, Albrechtsberger, Haydn, Gaßmann und eine freie Phantasie*" gespielt habe. Albrechtsberger und Mozart sollen die Orgel damals für die beste in Wien erklärt und ihr Urteil mündlich begründet haben. (Pfarrer Honorius Ludwig Kraus im *Denkbuch der Pfarre und Kirche,* Wien 1839, S. 9.) — Der Orgelbauer, ein Geistlicher, hatte auch das berühmte Werk im Stift St. Florian, Oberösterreich, geschaffen. Für die Wiener Orgel bekam er 4200 Gulden (Auskunft vom Archiv des Wiener Schottenstifts).

Am 5. Juli wird *Don Giovanni* in Schwerin deutsch gegeben.

Aus Schubarts «Schwäbischem Merkur», Stuttgart, 12. Juli 1790

Stuttgart. Theater-Belustigungen dieser Woche. . . . Freitag den 16. Juli: Zum erstenmal, das in und ausser Deutschland mit so vieler Sensation aufgenommene Singspiel: Die Hochzeit des Figaro, in vier Aufzügen. Aus dem Italienischen mit poetischer Freiheit ins Deutsche übertragen von dem Theatral-Dichter Vulpius. Die Musik ist von Mozart, einem in ganz Deutschland gefeierten Namen. Er hat in diesem Stüke gezeigt, dass seine Muse grösserer Produkte fähig ist, als blos für den Flügel zu arbeiten.

Nr. 83, S. 178. — Exemplar in der Württembergischen Landesbibliothek, Stuttgart. — Ernst Holzer, *Schubart als Musiker*, Stuttgart 1905. — Vgl. 27. April 1775 und Frühjahr 1788. — Die Erstaufführung mußte vom 16. auf den 23. Juli verschoben werden. — Die Vornotiz stammt von Schubart selbst.

Aus Schubarts «Schwäbischem Merkur», Stuttgart, 19. Juli 1790

Stuttgart. Theater-Belustigungen dieser Woche. . . . Freitag den 23. Jul. Zum erstenmal: Die Hochzeit des Figaro, ein Schauspiel in 4 Aufzügen. Nebst einem damit verbundenen Tanz und einem Ballet. Theaterdirektion.

Nr. 86, S. 188.

Aus der «Musikalischen Korrespondenz der teutschen Filarmonischen Gesellschaft» (Speyer, Bossler), 28. Juli 1790

Auszug eines Schreibens aus Wien vom 5ten Jul. 1790.

[Über die Hausmusik Joseph II. mit seinem Kammerdiener Johann Kilian Strack und dem Primgeiger Franz Kreibich.]

. . . Warum aber diese Herren einem *Haydn, Mozart, Kozeluch, Pleyel* und anderen braven Männern mit ihren Kunstprodukten hier *exclusivam* ertheilten, lasse ich unentschieden. Genug, Joseph bekam keine Note von diesen gewiss verdienstvollen Tonsezern zu hören; hingegen desto mehr von solchen, die nicht werth sind, jenen die Schuriemen aufzulösen.

Nr. 4, Spalte 27—31. — Die *Korrespondenz* war die Fortsetzung der *Real-Zeitung*. — Der Kammer-Musikdirektor Franz Kreibich, der die erste Violine spielte, und J. K. Strack sollen Haydns Streichquartette aus dem Musikzimmer des Kaisers fern gehalten, auch Mozarts Kammermusik, und Salieri nichts dagegen getan haben (Pohl, *Haydn*, II, 25 und 111 f.). — Mozart hatte Strack 1781 bei Hickel (s. 15. Oktober 1781) getroffen und glaubte, ihn zum Freund gemacht zu haben. Er wohnte am Graben No. 585, wo ihn Mozart 1782 wiederholt besuchte. — Ignaz Pleyel, ein sehr erfolgreicher österreichischer Komponist und Schüler Haydns, war damals Kapellmeister am Straßburger Münster.

Im Juli 1790 beendet Mozart seine Instrumentierungen von Händels *Alexanderfest* (KV 591) und *Ode auf den St. Cäcilientag* (KV 592).

Es ist anzunehmen, daß die beiden Werke bald darauf in Swietens Kavaliersgesellschaft privat aufgeführt worden sind, unter Mozarts Leitung; aber wann und wo, ist unbestimmt. — Gluck erzählte Burney 1772 in Wien, daß die Cäcilien-Ode dort schon einmal italienisch aufgeführt worden sei.

Aus der «Wiener Zeitung», 21. August 1790

In der Kunsthandlung Artaria u. Komp. am Kohlmarkt sind folgende Stücke ganz neu zu haben:

. . .

Mozart grand Quintetto per 2 Violini, 2 Viole e Violoncello Nr. 2 2 fl.
. . .

Das Streichquintett in g-moll (KV 516) war das zweite der drei, die Mozart am 2. April 1788 für Subskribenten in Abschriften angeboten hatte.

Am 29. August wird die Tochter Josepha des Ehepaares Hofer geboren.

Joseph v. Bauernfeld war ihr Taufpate. Sie wurde Sängerin und war, als Frau des Börsenkommissärs Karl Hönig, von 1814 bis 1824 am Kärntnertor-Theater engagiert.

Am 11. September wird Schikaneders Oper *Der Stein der Weisen oder Die Zauberinsel* im Freihaus-Theater aufgeführt, mit (?) Mozarts Duett *„Nun liebes Weibchen, ziehst mit mir"* (KV 625).

Die Musik zu dieser *„heroisch-komischen"* Oper war von Schack, Gerl und dem Kapellmeister des Hauses, Johann Baptist Henneberg. Es scheint, daß Mozart jenes Duett, gesungen von Frau Barbara Gerl und Schikaneder (Akt II, Szene 4), nur instrumentiert hat.

Am 14. September wird der *Figaro* in Berlin deutsch gegeben.

Das italienisch-deutsche Textbuch zeigt, daß die Übersetzung von Vulpius verwendet worden ist (s. 11. Oktober 1788). — Das Werk wurde von der Kritik gepriesen, aber das Publikum zog ihm die Opern von Martin y Soler und von Dittersdorf vor (s. 2. Oktober 1790).

Am 23. September reist Mozart mit seinem Schwager Hofer zur Krönung Leopold II. nach Frankfurt.

Im eigenen Wagen, mit wechselnden Postpferden, fuhren sie über Eferding, Regensburg, Nürnberg, Würzburg und Aschaffenburg.

Aus dem «Regensburgischen Diarium oder wöchentlichen Frag- und Anzeige Nachrichten», Ende September 1790

Den 25 [Sept.: Zum Ostentor hinein:] Per Posta, Herr Mozart, Kön. Ung. Kapellmeister, s. 2. log. im weiß. Lamm.

Erich Valentin im *Neuen Mozart-Jahrbuch*, Regensburg 1942, II, 162 f. — „s.2" heißt: mit zwei Personen. Mozart hatte auch einen Diener mitgenommen.

Am 28. September um 1 Uhr nachmittags kommen sie in Frankfurt an, wo sie zuerst in einem Gasthof absteigen, zwei Tage später aber in ein Privatlogis übersiedeln.

Aus der 20. Fremdenliste, herausgegeben vom Buchhändler Friedrich Ehslinger, Frankfurt a. M., 29. September 1790

Hr. Mozart Koeniglicher Capellmeister v. Wien, Steinweg, E. N. 221, weissen Schwanen.

Seite 80. — Exemplar im fürstlich Waldburg-Zeilschen Archiv, Schloß Zeil. — Mitgeteilt von Ernst Fritz Schmid. — Der Gasthof lag am Steinweg (neu Nr. 12), Ecke Theaterplatz. Nach einer Überlieferung wäre Mozart für die erste Nacht im Gasthof „Zu den drei Rindern" (heute Brückenstraße), in Sachsenhausen, am linken Ufer des Mains, abgestiegen. Vielleicht gilt das für die Nacht vom 29. auf den 30. Mozart und Hofer übersiedelten am 30. September zum Theater-Prinzipal Böhm in die Kalbächer Gasse 167 (neu Nr. 10), wo sie 30 Gulden monatlich zu zahlen hatten. Die Adresse Ecke Töngesgasse und Hasengasse für dieses Logis ist unrichtig.

Am 30. September übersiedeln Konstanze und Karl in die Rauhensteingasse, Stadt Nr. 970 (heute 8), 1. Stock.

Das Haus hieß nach den ersten Besitzern, namens Kayser, das kleine Kaiserhaus. Vgl. O. E. Deutsch in der *Österreichischen Musikzeitschrift*, Wien, April 1956.

Im Herbst 1790 wird der *Figaro* italienisch in Potsdam gegeben.

Loewenberg, a. a. O., S. 211. — Die Berliner Erstaufführung am 14. September 1790 war deutsch.

SCHULD VERSCHREIBUNG.

Ich zu Ende Gefertigter Wolfg. A. Mozart Hofkompositeur Allhier urkunde und bekenne hiedurch, für mich, meine Erben und Nachkommen öffentlich und in bester Form Rechtens, daß mir der Wohlgeborene Herr Heinrich Lackenbacher privilegirter Handelsmann Allhier, auf mein Ansuchen, und zu meinem dermaligen Bedarf, Ein Capital von 1000 fl., sage tausend Gulden in Conv. Müntze und zwar in kayserl. oster. Zwantzig Kreutzer Stücken in Silber nach dem Zwantzig Gulden Fus 3 Stück auf Eine köllnische Mark Silber gerechnet dargeliehen und ohne allen Abzug baar zugezählet hat. Ich bestättige daher hiedurch nicht allein den richtigen Empfang dieses Darlehens, sondern verpflichte auch mich, meine Erben und Nachkommen, dieses Capital dem obbenannten Herrn Darleiher seinen Erben oder Cessionaren, nach Verlauf von zwei Jahren a Dato, ohne vorherige Aufkündigung, in gleicher obbeschriebenen Müntz Sorte, ohne irgend eine Einwendung, wieder zurückzuzahlen inzwischen aber mit Fünf von hundert in gleicher Valuta zu verzinsen, diese Interessen in halbjährigen Fristen so pünktlich hier in Wien abzuführen als ich widrigens des Capitals Rückzahlungs Termines verlustiget und Herr Darleiher das Capital sammt vollständigen Interessen und Unkosten, sogleich zurückfordern kann.
Zur Sicherheit sowohl des Capitals als der Interessen, verpfände ich dem Herrn Darleiher mein gesammtes Mobilare.
Urkund dessen meiner und der ersuchten Herren Zeugen Eigenhändige Unterschrift. So geschehen zu Wien am 1. Oktobris 1790.

     Mathias Brünner   Anton Heindl   W. A. Mozart.
       als Zeuge   Zeuge

Mozarteum, Salzburg. — Ludwig Karpath im *Merker*, Wien 1916, S. 832 f. Müller v. Asow, a. a. O., III, 276. — Dieser Schuldschein dürfte erst nach Mozarts Heimkehr, also vordatiert, unterzeichnet worden sein. Er schrieb am 28. und 30. September 1790 aus Frankfurt an Konstanze über den Darlehnsgeber (der Name ist im Original — von Nissen? — unleserlich gemacht worden), den Anton Stadler zu ihr kommen lassen sollte. Ob Mozart die Zinsen pünktlich abgeliefert hat, ob die Schuld vor dem 1. Oktober 1792 fällig und bezahlt worden ist, weiß man nicht. Lackenbacher erscheint jedenfalls Ende 1791 nicht unter den Gläubigern. Von ihm und den beiden Zeugen ist nichts Näheres bekannt. Der Schuldschein ist von fremder Hand geschrieben. — Vgl. 2. April 1789.

Am 2. Oktober speist Mozart bei dem Frankfurter Bankier Franz Maria Schweitzer.

National-Theater.

Den 14. Sept. zum erstenmale: Die Hochzeit des Figaro. Ein Singspiel in 4 Aufzügen. Die Musik von Mozart. Das Stück ist zu bekannt um das Interesse davon weitläufig auseinander zu setzen; auch hat es als Operette sehr wenig vom Original verloren. Mozart gehört zu den außerordentlichen Menschen, deren Ruhm Jahrhunderte dauern wird. Sein großes Genie umfaßt gleichsam den ganzen Umfang der Tonkunst; es ist reich an Ideen; seine Arbeiten sind ein reißender Strom, der alle Flüsse, die sich ihm nahen, mit sich fort nimmt. Keiner hat, vor ihm, ihn übertroffen, und tiefe Ehrfurcht und Bewunderung wird die Nachwelt diesem großen Manne nie versagen. Man muß noch mehr als Kenner seyn um ihn beurtheilen zu können. Welch ein Meisterstück, die heutige Musik! Für den Kenner wie interessant? wie gross, wie hinreissend, wie bezaubernd die Harmonie! Auch für den großen Haufen? Das ist eine andere Frage. Nur der männliche Tenor wurde in den ersten Stimmen vermißt, und es ist ein großer Verlust, daß damals Mozart seinen Figaro an einem Hofe componirte wo gute Baßisten aber kein guter Tenorist war . . .

Band VIII, 175. Stück, S. 1229–32. — Ein guter Tenor war 1786 in Wien Calvesi.

Am 4. Oktober hält Leopold II. seinen Einzug in Frankfurt.

Am 5. Oktober führt die Mainzer Theatergesellschaft in Frankfurt statt des geplanten Don Juan Dittersdorfs Die Liebe im Narrenhause auf.

Der Don Juan sollte zu Ehren Mozarts gegeben werden.

Am 9. Oktober findet im Dom die Krönung Leopold II. statt.

Die Musik beim Krönungs-Hochamt wurde von der Hofkapelle des Mainzer Kurfürsten (s. 22. Dezember 1789), als des amtierenden Konsekrators, bestritten: Righinis Missa solemnis, der Sopranpart gesungen von Margareta Louise Schick, geb. Hamel, aus Mainz. Sie war die Gräfin im Mainzer Figaro, und Righini der Kapellmeister der Hofkapelle dort. — Übrigens hatte der Kaiser — wie 1791 in Prag — Salieri im Gefolge, während Mozart wieder nur ein Zaungast bei der Krönung war.

Den 16. [Sept.] Die Hochzeit des Figaro, Oper, zum 1sten mal wiederholt. Das Haus war nicht so voll als am Tage der ersten Vorstellung, ein Beweiß, daß diese große himmlische Musik ganz außer der Gränzen des Empfindungs-Vermögens des hiesigen Publikums liegt; denn es kann darin nicht nachsingen, wie im Baum der Diana und Lilla. Die Finals die ein Meisterstück der Tonkunst sind, wurden vortreflich executirt, es ist zum Erstaunen, dass so viele unmusikalische Leute so gut damit durchkommen.

Band VIII, 176. Stück, S. 1244 f. — Martins L'Arbore di Diana wurde seit 1789 in Berlin deutsch gegeben, seine Cosa rara als Lilla seit 1788. — „Unmusikalische Leute" bedeutet hier singende Schauspieler wie Unzelmann als Figaro.

Am 12. Oktober führt Johann Böhm, als Direktor der Truppe des Kurfürstentums Trier, in Frankfurt die Entführung auf.

Siehe 29. September 1790.

Aus dem «Rats- und Schöffenprotokoll der Reichsstadt Frankfurt zur Wahl und Krönung des Kaisers Leopold».

Mittwoch 13. Oktober 1790. Als vorkäme, daß der Kayserl. Concert-Meister Mozart um die Erlaubniß nachsuchte, Morgen Vormittag im Stadtschauspielhaus ein Concert geben zu dörfen: solle man ohne Consequenz auf andere Fälle hierunter willfahren.

S. 400. — Jahn II, 535. — Das Konzert fand erst am 15. Oktober statt, war aber für den 13. oder 14. geplant gewesen.

Das Frankfurter Konzertprogramm

Mit gnädigster Erlaubniß / Wird Heute Freytags den 15ten October 1790. / im grosen Stadt-Schauspielhause / Herr Kapellmeister Mozart / ein groses / musikalisches Konzert / zu seinem Vortheil geben.

Erster Theil.

Eine neue grose Simphonie von Herrn Mozart. / Eine Arie, gesungen von Madame Schick. / Ein Concert auf dem Forte-piano, gespielt von Herrn Kapellmeister / Mozart von seiner eigenen Komposition. / Eine Arie, gesungen von Herrn Cecarelli.

Zweyter Theil.

Ein Concert von Herrn Kapellmeister Mozart von seiner eigenen Kom-/position. / Ein Duett, gesungen von Madame Schick und Herrn Cecarelli. / Eine Phantasie aus dem Stegreife von Herrn Mozart. / Eine Symphonie.

Die Person zahlt in den Logen und Parquet 2 fl. 45 kr. / Auf der Gallerie 24 kr.

Billets sind bey Herrn Mozart, wohnhaft in der Kahlbechergasse Nro. 167 vom Donner-/stag Nachmittags und Freytags Frühe bey Herrn Cassirer Scheidweiler und an der / Casse zu haben.

Der Anfang ist um Eilf Uhr Vormittags.

Mozarteum, Salzburg. — Engel, a. a. O., S. 143. — Die beiden Klavier-Konzerte, von denen gewöhnlich nur das zweite als Krönungs-Konzert bezeichnet wird, waren das in F (KV 459) und das in D (KV 537). Johann André in Offenbach gab 1794 beide mit der gleichen Notiz über diese Aufführung heraus. — Zu Frau Schick s. 9. Oktober 1790, zu Ceccarelli s. 21. Dezember 1777. Ihre Gesangsstücke können nicht bestimmt werden, aber das Duett scheint nicht von Mozart gewesen zu sein. — Die Sinfonie, die wahrscheinlich in zwei Teilen am Anfang und am Ende gespielt werden sollte (vgl. das folgende Dokument), dürfte eine der drei gedruckten, KV 297, 319 oder 385, gewesen sein. — Der materielle Erfolg war schlecht. — Zu dem geplanten zweiten Konzert in Frankfurt am 17. Oktober ist es nicht gekommen.

Aus dem Reisetagebuch des Grafen Ludwig von Bentheim-Steinfurt, Frankfurt, 15. Oktober 1790

Vendredi le 15me. Le matin a 11 heures il y avoit dans la salle de la Comedie nationale un grand *Concert de Mozart*. L'on commença avec cette belle 1) *Simphonie* que j'ai longtems de Mozart, 2), Puis une superbe Scene Italienne non so di chi que Madame *Schick* chanta avec une expression infinie, 3), *Mozart joua un Concert* de sa composition qui etoit *d'une gentilesse et d'un agrement extraordinaire*, il avoit un forte Piano de Stein a Augsburg qui doit exceller dans ce genre et qui coute 90 a 100 # cet instrument etoit a Madame la Baron de Frentz. Le Jeu de Mozart rasemble un peu a cellui de feu *Klöffler* mais infiniment plus parfait Mr. Mozart est un petit home de figure assez agreable il avoit un habit satin

Brune de marine [?] bien brodé, il est engagé a la cour de l'Empereur. 4). Le Soprane *Cecarelli* chanta une b[el]le Scene et Rondeau car les airs de Bravoura ne paraissoient point etre son fait qui a une grace et une methode parfaite, excellent chanteur mais un peu son ton decline avec cela de laide Phisionomie, au reste ses passages agrements et trillo est admirable, faudroit voir a l'engager pour les mois de l'été et donner Lecon a Henriette. Peutetre qu'il pouroit venir avec Edom [?] ou quelque autre: car il poura avoir licence n'apartenant point a la Comedie comme Madame Schick qui en été son [?] a Francfort.

Au second Acte Nr. 5 encore un concert de *Mozart* mais qui ne me contenta pas comme le premier. 6). un Duo que nous avons et que reconnus au passage Per te, Per te mit den heraufsteigenden Noten . . . . c'etoit un vrai plaisir d'entendre ces deux personnes quoique la *Chicke* perdit vis a vis du soprano en fait de voix et agrements, mais en passages au moins elle gagna. 7). *Une Phantasie* sans musique de *Mozart* tout charmante *dans la quelle il brilla infiniment faisant voir toute la force de son talent.* 8.) La derniere Simphonie ne fut point donné puisque il etoit presque deux heures et que chacun soupiroit apres le diné. La Musique dura dont trois heures ce qui provient puisque entre chaque Piece il eut des pauses tres longues. L'orchestre ne fut pas qu'assez faible de 5 a six violons mais sans cela tres precis: il n'ya que ce maudit qui me deplait beaucoup. Il n'y avoit pas beaucoup de monde et j'etois assis a coté d'une jeune Cantatrice nommé Succarini allemande est assez bonne, Mr. Westerholt ce grand amateur de Musique fut derier moi.

Eigel Kruttge in der *Zeitschrift für Musikwissenschaft*, Leipzig, Oktober 1923, VI. Jg., S. 29. — Das doppelte Kreuz war das Zeichen für Dukaten. — Johann Friedrich Klöffler, der im Februar 1790 gestorben war, war Musikdirektor des Grafen gewesen. — Henriette war die Tochter des Grafen.

Am 16. Oktober fährt Mozart auf dem Marktschiff nach Mainz, wo er im Arnsberger Hof (Schustergasse 45) gegenüber dem Kasino absteigt.

Gottron, a. a. O., S. 43—48. — Mozart hatte Konstanze am 15. Oktober, nach dem Konzert, geschrieben, daß er am 18. abreisen wollte. Es scheint aber, daß sein nächster, verlorengegangener Brief vom 17. schon aus Mainz kam. — Während des Aufenthaltes in Mainz soll Mozart, nach Mitteilungen von Xaver Schnyder von Wartensee, mit dem Geiger Heinrich Anton Hoffmann die Violinsonate in A (KV 526) und mit dessen Bruder, dem Pianisten Carl Philipp Hoffmann, die vierhändige Sonate in F (KV 497) privat gespielt haben. Auch mit Ignaz v. Beecke (s. 27. April 1775 und 25.—27. Okt. 1777) ist Mozart, wenn nicht schon am 2. oder 3. Oktober in Frankfurt, in Mainz wieder zusammengekommen und soll mit ihm ein vierhändig arrangiertes Klavier-Konzert gespielt haben (King, a. a. O., S. 258).

Aus der «Wiener Zeitung», 20. Oktober 1790

Neue Musikalien.

Bey Artaria & Comp. auf dem Kohlmarkt sind folgende neue Musikalien im reinen, deutlichen und korrekten Stich erschienen:

. . .

Mozart 1 Trio per il Clavicembalo, Violino e Basso. Op. 16, 1 fl. 30 kr.

. . .

Das Klaviertrio in G, KV 564, war schon 1789 als Nr. 5 des II. Bandes von Stephan Storace's *Collection of Original Harpsichord Music* in London erschienen; das Andante mit der ersten und zweiten Variation in einer Klavier-Fassung war schon bei Thonus in Leipzig als Nr. 3 von „*XII petites pièces*", erschienen, bevor es Hoffmeister & Kühnel 1801 übernahmen.

Am 20. Oktober gibt Mozart im Akademie-Saal des kurfürstlichen Schlosses zu Mainz ein Konzert.

Gottron, a. a. O., S. 48, vermutet, daß das Programm das gleiche wie am 15. Oktober in Frankfurt gewesen sei. Wahrscheinlich ist es, daß Mozart die Instrumental-Stücke daraus wiederholt hat.

Aus den Rechnungsauszügen der Mainzer Hofmusik, 1790

Virtuos Mozard 165 fl.

Gottron, a. a. O., S. 48. — Mozart nennt in seinem Brief an Konstanze am 23. Oktober „*magere 15 Carolin*" als Geschenk des Kurfürsten. Ein Karolin entsprach tatsächlich elf Gulden des 24-Gulden-fußes.

Aus der «Privilegierten Mainzer Zeitung», 22. Oktober 1790

Mainz, vom 21. Oktob. Unter mehreren fremden hohen Herrschaften befinden sich auch Se. fürstl. Gnaden des Hrn. Reichs-Vizekanzlers Fürsten von Colloredo nebst Frau Gemahlin und Kinder hier. Gestern war bei Hof große Tafel, wozu sämmtliche hohe Fremde eingeladen wurden, und Abends Akademie, in welcher sich der berühmte Tonkünstler und Kapellmeister Sr. k. H. des Erzherzogs Franz, Hr. Mozart, auf dem Klavier mit höchst- und hohem Beifall hören ließ.

Exemplar in der Stadtbibliothek, Mainz. — Gottron, a. a. O., S. 48. — Franz de Paula Gundaccar Fürst Colloredo, der älteste Sohn des Fürsten Rudolf Joseph (s. 11. X. 1762), war seinem Vater 1788 als Reichs-Vizekanzler gefolgt. Seine Frau war Maria Isabella, geb. Reichsgräfin von Mansfeld; die Söhne hießen Rudolf Joseph und Hieronymus. — Wie schon früher einmal (s. Frühjahr 1788) und später (s. S. 382) wurde Mozart irrtümlich als in Diensten des Erzherzogs Franz bezeichnet.

Am 22. Oktober reist Mozart von Mainz nach Mannheim, wo er am 23. eintrifft.

Gottron, a. a. O., S. 50, nimmt an, daß Mozart schon am 21. Oktober Mainz verlassen habe.

Am 23. Oktober wohnt Mozart der Hauptprobe des *Figaro* in Mannheim bei.

Der Mannheimer Schauspieler Wilhelm Backhaus erzählte, wie er Mozart abweisen wollte, bis er sich zu erkennen gab. (Ludwig Nohl, *Musikalisches Skizzenbuch*, Leipzig 1866, S. 190.)

Sonntag, den 24. Oktober, macht Mozart einen Ausflug nach Schwetzingen; abends ist er bei der ersten (deutschen) Aufführung des *Figaro* in Mannheim.

Aus den «Annalen des Theaters», Berlin 1791

Übersicht der merkwürdigsten Vorfälle bei der Mannheimer Bühne. Vom Jahr 1790.

. . .

Am 24ten Oktober, zum erstenmale: *Die Hochzeit des Figaro.* Eine Operette in vier Aufzügen. Die Musik von *Mozart.* Auch nur Mozarts Musik vermag es, diesen kombabisirten Figaro erträglich zu machen, so sehr hat er unter dieser Verstümmelung gelitten; sie ist

331

für Ohr und Herz, angepaßt den Charaktern und Empfindungen der singenden Personen,
voll Ausdruck und Wahrheit. Diese Eigenschaften charakterisiren Mozarts Arbeiten und
ihn, als denkenden Künstler . . . .

Heft 7, S. 47. — „Kombabisirt" bedeutet entmannt.

Am 25. Oktober reist Mozart von Mannheim über Bruchsal, Cannstatt, Göppingen, Ulm
und Günzburg nach Augsburg, wo er am 28. oder 29. eintrifft und beim „Weißen Lamm"
absteigt.

Vgl. 1. November 1790.

Robert May O'Reilly an Mozart

A Monsieur / Monsieur / Mozart Célèbre Compositeur de Musique
à / Vienne.

Londres ce 26 Octobr. 1790.

Monsieur!

Par une personne attachée à S. A. R. le Prince de Galles j'apprends votre dessein de faire
un voyage en Angleterre, et comme je souhaite de connoître personellement des gens
à talents, et que je suis actuellement en état de contribuer à leurs avantages, je vous offre
Monsieur la place de Compositeurs ont eus en Angleterre. Si vous êtes donc en état de Vous
trouver à Londres envers la fin du mois de Decembre prochain 1790 pour y rester jusqu'à
la fin de Juin 1791 et dans cet espace de tems de composer au moins deux Operas ou
sérieux ou comiques, selon le choix de la Direction, je vous offre trois cents livres Sterling
avec l'avantage d'écrire pour le concert de la profession ou toute autre salle de concert
à l'exclusion seulement des autres Théatres. Si cette proposition peut vous être agréable et vous êtes en état de l'accepter faites moi la grâce de me donner une réponse à vue,
et cette lettre vous servira pour un Contract.

J'ai l'honneur d'être

Monsieur
Votre très humble Serviteur
Rob. May O'Reilly.

Ayez la bonté de diriger
au Panthéon à Londres.

Nottebohm, *Mozartiana*, S. 67. (In Zeile 4 scheint etwas zu fehlen.) — Dieses Schreiben erreichte
Mozart erst nach seiner Rückkehr in Wien. Ob und was er geantwortet hat, ist nicht bekannt. —
O'Reilly war Manager einer italienischen Stagione in London. Nach der Versuchung durch die
englischen Musiker in Wien, nach dem Besuch des Verlegers Bland und vor dem Besuche Salomons
im Dezember war das eine von mehreren Anregungen, nach London zu reisen, denen Mozart nicht
gefolgt ist, oder folgen konnte. — Der „*Prince de Galles*" ist der Prinz von Wales, der spätere König
Georg IV. von England. — Das „*Pantheon*", ein Konzertsaal, stand in der Oxford Street.

Am 29. Oktober erreicht Mozart München und steigt wieder beim „Schwarzen Adler" ab.

Aus dem «Augsburgischen Intelligenz-Blatt», 1. November 1790

Ankommende Herrschaften und Reisende ... Zum weisen Lamm ... Den 29. [Oktober]
... Hr. v. Mozart, kais. Hofmusikus mit Konsorten und Bedienten von Frankfurt.

E. F. Schmid im *Augsburger Mozartbuch*, Augsburg 1943, S. 182. — Statt 29. sollte es wohl 28.
heißen. Der „*Konsorte*" war natürlich Franz Hofer.

Aus dem «Kurfürstl. gnädigst privilegierten Münchner Wochen- oder Anzeigsblatt», 3. November 1790

Anzeige der hier angekommenen Fremden ... Bei Hrn. Albert, Weingastgeber zum schwarzen Adler in der Kaufingergasse ... Den 29. [Oktober] ... Hr. Mozart, kaiserl. königl.
Hofmusikus und Kapellmeister von Wien.

E. F. Schmid, a. a. O. — Exemplar in der Stadtbibliothek München.

Am 4. oder 5. November wirkt Mozart bei der Hofakademie zu Ehren des Königs Ferdinand I. von Neapel im Kaisersaal der Münchner Residenz mit.

Der König beider Sizilien, mit Erzherzogin Maria Karolina, einer Tochter Maria Theresias, vermählt, war ein Musikfreund (vgl. 23. Oktober 1767 und Ende März 1768). Mozart war zu diesem
Besuche am Hofe Karl Theodors zeitgerecht in München eingetroffen. Die Zeitung meldete nichts
über die Mitwirkenden bei jenem Konzert.

Am 6. oder 7. November reist Mozart von München nach Wien und kommt um den 10. in
das neue Quartier in der Rauhensteingasse.

Am 17. November wird Nannerls drittes Kind, Marie Babette, geboren.

Sie starb schon am 29. April 1791. — Mozart scheint sich auf dem Heimweg weder in Salzburg aufgehalten, noch auch die Schwester in St. Gilgen besucht zu haben.

Aus Bosslers «Musikalischer Korrespondenz der teutschen Filarmonischen Gesellschaft», Speyer, 24. November 1790

(Brief von Hrn. Pf. Christmann, der einige kurze Nachrichten von den Lebensumständen
des Hrn. P. [Sixt] Bachmann enthält.)

... Ein glüklicher Umstand für den jugendlichen Virtuosen war die Liebhaberei zur Musik
des Herrn Grafen: er ... suchte ... seinen Eifer noch mehr anzufrischen und seinen Ehr-
geiz zu immer größerer Vervollkommnung in dieser Kunst immer reger zu machen. Hiezu
benuzte der Herr Graf insonderheit jenen Zeitpunkt, da Herr Kapellmeister Mozart als
junger Virtuose mit seinem Vater reißte und auch auf dem gräflichen Schloße die Beweise
seiner Geschiklichkeit in der Musik ablegte. Der junge *Bachmann* wurde aufgemuntert,
sich mit *Mozart* in einen Wettstreit auf der Orgel einzulassen. Jeder that sein äusserstes,
um dem andern den Vorzug streitig zu machen, und für beede fiel der angestellte Wettstreit sehr rühmlich aus.

No. 21, Spalte 163 f. — Jahn, I, 52. — Zu Pater Sixtus Bachmann s. 19. Oktober 1766. Er war 1754
in Kettershausen, in der gräflich Fuggerischen Herrschaft Babenhausen geboren und Prämonstratenser
im Kloster Obermarchthal an der Donau geworden. Der württembergische Pfarrer Johann Friedrich
Christmann war Musikschriftsteller und Komponist. — Bachmanns Patron war Graf Christoph Moritz
Bernhard Fugger von Kirchheim und Weißenborn. (E. F. Schmid im *Schwäbischen Mozartbuch*.)

Am 14. Dezember findet in Wien ein Abschiedsmahl für Haydn statt, der am 15. nach London reist.

Der Konzertunternehmer Johann Peter Salomon, der Haydn für London gewonnen hatte, soll Mozart bei jenem Mahle ein ähnliches Angebot für die nächste Wintersaison gemacht haben (Pohl, *Haydn*, II, 250). Vgl. 26. Dezember 1786 und 26. Oktober 1790.

Am 20. Dezember wird *Don Giovanni* in Berlin deutsch gegeben.

Die Übersetzung war die von Schröder, die für Hamburg (27. Oktober 1789) geschrieben worden war. Für die Berliner Aufführung, der König Friedrich Wilhelm II. am ersten Abend beiwohnte, wurde ein Textbuch ohne Dialog gedruckt. — Die Besetzung war: Donna Anna — Frau Friederike Unzelmann (spätere Frau Bethmann), Donna Elvira — Frl. Marianne Hellmuth, Zerline — Frau Henriette Baranius (spätere Frau Rietz); Don Juan — Friedrich Karl Lippert, Komthur — Herr Kaselitz, Don Ottavio — Christian Benda, Leporello — Karl Wilhelm Ferdinand Unzelmann, Masetto — Christian Brandl.

Aus der «Chronik von Berlin», 5. Februar 1791

National-Theater.

Den 20sten December zum erstenmale: *Don Juan, oder der steinerne Gast. Ein Singspiel in vier Aufzügen.* Die Musik ist von Hrn. Kapellmeister *Mozart.* Ist je eine Oper mit Begierde erwartet worden; hat man je eine Mozartische Composition, schon vor der Aufführung mit Posaunenton bis zu den Wolken erhoben; so war es eben dieser *Don Juan.* Man ging so gar so weit, und sagte: Seit Adam in den Apfel gebissen, bis zum *Reichenbacher Congreß*, seye nichts *größeres*, nicht *vortreflichers*, nicht so unmittelbar von *Euterpen* inspirit worden, als eben dieser *Don Juan.* Auch ermangelten nicht, verschiedene von Mozarts warmen Freunden, zu behaupten, daß, „seitdem Mozart an seinem *Don Juan* geschrieben, seyn die *Hippokrene* und Againype so ausgetrocknet, daß für alle noch kommende Tonkünstler kein tropfen Begeisterung auf den Helikon mehr zu hohlen wäre!" Ob man Kenner, kluger Kerl oder ein Dumkopf ist, wenn man so oben hinschwatzt, ist gleich entschieden und der Dumkopf steht dann da. — Daß Mozart ein *vortreflicher*, ein *großer* Componist ist, wird alle Welt gestehen: ob aber nie was *größeres* von ihm sey geschrieben worden, und nach ihm wird geschrieben werden, als eben diese Oper quaestionis, daran erlaube man uns zu zweifeln. Pedanten und Kleinigkeitskrämer mögen immer die Tonfolgen und ihrer nothwendig daraus entstehenden Harmonie nach aller Precision und Regeln, tacktisch auf und abmessen, ihre Gränzen und Verhältnissen bestimmen, daß wir dann beim Tänischen Coral und den Bachischen Kirchenmusiken allenfalls billigen, damit so etwas nicht ganz verlohren geht; aber theatralische Musik kennt keine andere Regel, keinen anderen Prüfungsrichter, als das Herz, *ob* und *wie* sie darauf wirkt, bestimmt alsdann allen Werth derselben. Nicht Kunst in Ueberladung der Instrumenten, sondern das Herz, Empfindung und Leidenschaften muß der Tonkünstler sprechen laßen, dann schreibt er groß, dann kommt sein Nahme auf die Nachwelt, und ein immer grünender Lorbeer blüht ihm im Tempel der Unsterblichkeit. *Gretry, Monsigny*, und Phylidor sind und werden davon Beweise seyn. *Mozart* wollte bey seinem *Don Juan* etwas ausserordentliches, unnachahmlich *Großes* schreiben, so viel ist gewiß, das Außerordentliche ist da, aber nicht das *unnachahmliche Große!* Grille, Laune, Stolz, aber nicht das Herz war *Don Juans* Schöpfer, und wir wünschten lieber in einem *Oratorium* oder sonst einer feyerlichen Kirchenmusik die hohen Möglichkeiten in der Tonkunst von ihm zu bewundern, erhalten zu haben, als in seinen *Don Juan*, dessen Ausgang so ziemlich analog ist, mit einer Schilderung des *jüngsten Gerichts*, wo, wie Seifenblasen, die Gräber aufspringen, Berge platzen, und der Würg-Engel des Herrn mit der Schrecktrompete zum Aufbruch bläßt. Bei allem dem hat diese Oper der Direction gute Einnahme geschaft und die Gallerie, die Logen und das Parket werden in der Folge nicht leer seyn, denn ein geharnischter Geist und feuerspeiende Furien sind ein sehr starker Magnet. — *„Ach, Verstand der Abderitten!"*

Band IX, Stück 201, S. 132 f. — Rudolf v. Freisauff, *Mozart's Don Juan 1787—1887*, Salzburg 1887, S. 51 f. Jahn II, 361 (beide unvollständig). — In Reichenbach hatten 1790 Konferenzen stattgefunden, durch die ein Krieg zwischen Österreich und Preußen abgewendet worden war. — Auf dem Helikon in Böotien, dem Sitz der Musen, entsprangen die Quellen Aganippe und Hippokrene; die letztere galt als zum Dichten begeisternd. — Unter „*Tänischer Coral*" ist wohl eine Psalmmelodie zu verstehen. — Die Abderiten waren durch einen Roman von Wieland (1776) als die Schildbürger des alten Griechenland bekannt. — Die Fortsetzung dieses Berichts, am 12. Februar im 202. Stück, S. 145 ff., erschienen, handelt von den Sängern der Berliner Aufführung. — S. 9. April 1791. — Bei Freisauff (S. 52 f.) sind zwei weitere Kritiken ohne Quellenangabe zitiert.

Aus dem «Journal des Luxus und der Moden», Weimar Februar 1791

Berlin.

Aufgeführte Stücke im December 1790.

. . . 20. Zum erstenmal Don Juan, oder; der steinerne Gast, O. 4 A. mit Musik von Mozart. Die Komposition dieses Singspiels ist schön, hie und da aber sehr künstlich, schwer und mit Instrumenten überladen. Der Inhalt des Stüks ist das alte bekannte Sujet, das nur durch die burlesken Späße des Leporello, vorzeiten des Hanswurst's, und durch den steinernen Comthur zu Pferde dem großen Haufen gefällt. . .

S. 76.

Im Jahre 1790 wird *Don Giovanni* auch in Augsburg deutsch gegeben und in Pest eine solche Aufführung geplant.

Loewenberg, a. a. O., S. 223 f. — Nach dem Gothaer Theaterkalender von 1790, S. 131, bereitete die Truppe des Grafen Ladislaus Erdödy (s. 13. Juni 1785) 1790 eine Aufführung in Pest vor, wahrscheinlich in der Übersetzung von Franz Xaver Girzik; aber erst am 28. Dezember 1797 wurde die Oper dort gegeben.

1790 widmet der Leipziger Johann Friedrich Doles seine Kantate *Ich komme vor Dein Angesicht* Mozart und Naumann.

Zu Doles s. 22. April 1789, zu Naumann s. 17. April 1788. — Die „*Kantate über das Lied des seel. Gellert . . . Herrn Mozart . . . und Herrn Naumann . . . zugeeignet*", wurde mit einer Vorrede gedruckt, die aber Mozart nicht erwähnt. Ein Exemplar fand sich in Mozarts Nachlaß (Nr. 70 der Bibliothek).

Aus F. F. S. A. v. Boeklins «Beyträgen zur Geschichte der Musik, besonders in Deutschland . . .», Freiburg im Breisgau, 1790

Wien.

. . . Gluck, Salieri, Mozart, welche fürtreffliche Künstler sind das nicht? — Ich wünschte, sie hörten solches. — Denn in der Abwesenheit läßt sich auch davon nichts gründliches urtheilen, noch sagen. —

Salieri und Mozart sind glücklicher im Ausdruck der sanften — als der starken Leidenschaften. —

       Salzburg.

Da in dieser hübschen belebten Stadt zwar die Kirchenmusik gut, geschmackreich, und den heiligen Gegenständen völlig angemessen, auch verschiedene feine Bläser hier zu hören: — so ist hingegen das Concert-Orchester gar nicht im übrigen glänzend; wie wohl dennoch einige fürtreffliche bekannte Tonkünstler vorfindlich, welche bey Sonaten und Concertstücken, jene Schatten durch ihre reitzende Spielart mildern; — ja über ihre schwachen Begleiter — ein Licht verbreiten, das einem Fremden öfters über das Ganze die vortheilhafteste Idee verursachet. — ...

S. 19 und 28 f. — Die Eindrücke Boeklins stammten aus der Mitte der achtziger Jahre.

AUS ERNST LUDWIG GERBERS «HISTORISCH-BIOGRAPHISCHEM LEXICON DER TONKÜNSTLER», LEIPZIG 1790

Mozart (Leopold) Vicekapellmeister, Violinist und Anführer des Orchesters in der Kapelle des Fürst Erzbischofs von Salzburg, geb. zu Augsburg am 14ten December 1719; trat, nachdem er die Rechtsgelahrtheit studieret hatte, 1743 in diese Stelle. Seit dieser Zeit hat er sich von jeder Seite um die Musik verdient gemacht; erstlich als Schriftsteller, dann als Komponist, und endlich durch die vortrefliche und ehrenvolle musikalische Erziehung seines Sohnes und seiner Tochter.

Im Jahr 1764 nahm er mit diesen beyden jungen Virtuosen, wovon die Tochter neun, und der Sohn sieben Jahre alt war, eine musikalische Reise nach Frankreich, England und Italien vor. Es ist uns noch im frischen Andenken, wie viel Ehre er sich in allen diesen Ländern mit seinen beyden Kindern erworben hat. Gleich zu Paris erregte er mit seiner jungen Familie in so hohem Grade Bewunderung, daß man sie alle drey durch einen Kupferstich verewigte: auf welchem der kleine Sohn den Flügel, der Vater hinter ihm die Violine spielt, indem die daneben stehende Tochter singt. Einiges von den ehrenvollen Aufnahmen in den übrigen Ländern, wird man in dem folgenden Artikel finden.

Im Jahr 1756 ließ er zu Augsburg auf seine Kosten drucken: Versuch einer gründlichen Violinschule, entworfen und mit vier Kupfertafeln sammt einer Tabelle versehen u. s. w. Man findet in diesem Werke den gründlichen und geschickten Virtuosen, den vernünftigen und methodischen Lehrmeister und den gelehrten Musikus an desselben Verfasser. Von seinen vielen praktischen Werken sind blos 6 Violintrios, die er 1740 selbst in Kupfer radirt hat, herausgekommen.

In Mspt. hingegen hat er 12 Oratorien und andere Kirchensachen, eine Menge von theatralischen Werken, worunter die Semiramis und die verstellte Gärtnerin bekannt sind, auch Pantomimen, und endlich eine große Anzahl von Sinfonien, über 30 große Serenaten, eine Menge Conzerte für Blasinstrumente, und noch mehr Trios u. s. w. verfertiget. Noch hat er 1759 zu Augsburg 12 Klavierstücke unter dem Titel herausgegeben: Der Morgen und der Abend, den Einwohnern von Salzburg melodisch und harmonisch angekündiget. Es sind dies diejenigen Stücke, welche das sogenannte Hornwerk oder vielmehr Orgelwerk auf der Vestung Hohensalzburg Morgens und Abends spielt.

Mozart (Wolfgang Amadei, nach andern J. G. Wolfg.) Ritter vom goldenen Sporn, Kapellmeister des Erzherzogs Franz zu Wien, gebohren zu Salzburg 1757, wurde schon in seiner zarten Kindheit durch den Unterricht seines Vaters so weit gebracht, daß, als er in seinem

7ten Jahre mit seinem Vater und seiner Schwester nach Paris kam, er durch seine Fertigkeit auf dem Klaviere die allgemeine Bewunderung auf sich zog; noch mehr, man würdigte daselbst seine Komposition in diesem Alter, und machte sie 1767 durch den Stich bekannt, so wie man den kleinen 7 jährigen Knaben vorher 1764 in Kupfer gestochen hatte. Eine gleiche Bewunderung genoß er, als er ein paar Jahre darauf mit seinem Vater nach London kam. Im Jahre 1769 brachte ihn sein Vater nach Rom, auch hier bewunderte man ihn so sehr, daß ihm Se. Päbstliche Heiligkeit mit dem *Sprone d'oro* beehrten. Von hier giengen sie nach Neapel, und von da nach Mailand, wo man diesen jungen Künstler sogar die Komposition der Oper auf das Beylager des Erzherzogs auftrug. Diese Komposition wurde auch so wohl aufgenommen, daß man ihm die Komposition der Oper für das künftige Karneval von neuem auftrug. Nach ihrer Zurückkunft nach Salzburg ernannte ihn der Erzbischof zu seinem Conzertmeister.

Wie viel muß sich die Musik nicht von einem so früh und so vortreflich entwickelten Talente versprechen! Es scheint auch, daß diesem jungen Manne zu Salzburg der Würkungskreis zu klein vorgekommen sey; denn er verließ gegen 1780 sein Vaterland von neuem und begab sich nach Wien. In dieser großen Stadt, wo die Künste, und besonders die Musik so allgemein geliebt wird, wurde es ihm nicht schwer, durch den Klavierunterricht der vornehmsten Liebhaber und Liebhaberinnen ein reichliches Auskommen zu erwerben. Seine Kompositionen für das Theater und die Cammer und die musikalischen Akademien, die er als Komponist für das Nationaltheater erhielt, und wovon ihm eine derselben 1783 allein 1600 Gulden einbrachte, trugen nicht wenig dazu bey. Auf diese Weise stieg daselbst sein Ruhm mit seinem Beyfalle von Tage zu Tage, bis er bey der Vermählung des Erzherzogs Franz im Januar 1788 vom Kaiser zu dessen Kapellmeister mit einem jährl. Gehalte von 6000 Fl. erkläret wurde.

Dieser große Meister hat sich durch seine frühe Bekanntschaft mit der Harmonie so tief und innig mit selbiger vertraut gemacht, daß es einem ungeübten Ohre schwer fällt, ihm in seinen Werken nachzufolgen. Selbst geübtere müssen seine Sachen mehrmals hören. Ein Glück für ihn, daß er noch jung, unter den gefälligen und tändelnden Wienschen Musen, seine Vollendung erhalten hat; es könnte ihn sonst leicht das Schicksal des großen Friedemann Bachs treffen, dessen Fluge nur wenige Augen der übrigen Sterblichen noch nachsehen konnten. Daß er noch immer unter unsere itzt lebenden besten und fertigsten Klavierspieler gehört, wird man ohne mein Erinnern glauben.

Seine erste Oper in Wien ist, die Entführung aus dem Serail, vom Jahr 1782, welche mit unglaublichem Beyfalle aufgenommen worden ist, und selbigen auch in allen Beziehungen verdient. Zu Maynz ist davon 1785 ein Klavierauszug gestochen worden. 2) Le nozze di Figaro in 4 Akten, zu Wien, und 3) der Schauspieldirektor 1786 ebendaselbst. Il Don Giovanni ebendas. 1787. Ferner, die Maurerfreude, 1786 gestochen. An Klaviersonaten, Klaviertrios mit einer Violin, und Violinquartetten sind von seiner Arbeit bis 1788 bis 10 Werke gestochen worden, welche außer seinen jugendlichen Arbeiten, welche 1767 zu Paris gestochen worden sind, viel vortrefliches enthalten. Besonders sind eine ziemliche Anzahl variirter Arietten fürs Klavier bey den Liebhabern beliebt, deren Stich eine gewisse Madam Aurenhammer zu Wien besorgen soll.

Teil 1, Spalte 976—979. — Der Pariser Kupferstich ist das von Delafosse nach Carmontelle gestochene Blatt. Über Leopold Mozarts „Violintrios" s. 14. November 1719 (er war nicht am 14. Dezember geboren). Die Zuschreibung des verlorenen Fragments des Melodrams *Semiramis* (KV Anh. 11) und der Oper *La finta giardiniera* (KV 196) an Leopold Mozart ist natürlich ein Irrtum. Über die „12 Klavierstücke" s. Ende 1759. — Irrtümlich ist auch die hier wiederholte Angabe, daß Wolfgang Kapellmeister des Erzherzogs Franz gewesen sei, 1757 als sein Geburtsjahr, und 1767 als Erscheinungsjahr der ersten Sonaten. Der Erzherzog in Mailand war nicht etwa Franz, sondern Ferdinand. Mozarts Honorar für die *Entführung* und sein Gehalt als Kammer-Komponist sind sehr überschätzt. — Zu Josepha Auernhammer vgl. 23. April 1787. — Die beiden Mozart-Artikel dürften schon einige Jahre vor 1790 geschrieben worden sein. In der zweiten Auflage des Lexikons, von 1813, hat Gerber sich über Wolfgang etwas anders geäußert.

1791

Aus dem «Theater-Kalender für 1791», Gotha

Bonn. . . . 13 Oct. 1789. . . . Don Giovanni, Op. von Mozart. Die Musik gefiel den Kennern sehr. Die Handlung mißfiel. . . . [Anfang 1790.] Die Hochzeit des Figaro, Op. von Mozart, gefiel ungemein. Sänger und Orchester wetteiferten mit einander, dieser schönen Oper Gnüge zu thun.

S. 199. — Thayer, Beethoven, Band 1, 3. Auflage, Leipzig 1917, S. 252. — Die Annahme, daß diese Notizen von Neefe stammen, ist fragwürdig.

Am 1. Januar 1791 wird im Drury Lane Theatre, London, Stephan Storace's Pasticcio-Oper *The Siege of Belgrade* aufgeführt, mit ein oder zwei Nummern von Mozart.

Loewenberg, a. a. O., S. 242; ergänzende Mitteilungen von Mr. Harry R. Beard. — Das Libretto dieser erfolgreichen Oper war von James Cobb. Die Musik war zum großen Teil aus Martins *Una cosa rara*; dazu kam ein Menuett von Salieri, das Rondo *alla Turca* aus Mozarts Klaviersonate in A (KV 331), benützt für den Eingangschor, und vielleicht auch das Duett zwischen Susanna und der Gräfin (No. 20) aus seinem *Figaro*. Storace hatte natürlich auch Eigenes dazu komponiert. Er soll tausend Pfund an dieser Oper verdient haben. — Belgrad war, wie schon erwähnt, am 9. Oktober 1789 von den Österreichern unter General Loudon erobert worden.

Aus der «Wiener Zeitung», 15. Januar 1791

Neue Musikalien.

Bey Franz Anton Hoffmeister, Musik- Kunst- und Buchhändler in der Wollzeile Nr. 803 neben dem Schwebbogen sind folgende neue Musikalien schön und korrekt geschrieben zu haben:

Tanzmusik.

Mozart 6 deutsche Tänze aus dem k. k. Redoutensaal, vollstimmig 1 fl. 40 kr.

. . .

Cavatina del Sig. Salieri, varirt alla Bach, Mozart, Haydn, Kozeluch, Clementi, &c. mit Begleitung einer Violin 1 fl.

Bei der Abschrift der Deutschen Tänze dürfte es sich um KV 571 gehandelt haben, im Februar 1789 für den Kleinen Redoutensaal komponiert. Die Gesellschaft der Musikfreunde, Wien, besitzt davon geschriebene Stimmen, datiert 1790.

338

Im Januar wird die *Entführung* in Amsterdam gegeben.

Loewenberg, a. a. O., S. 196. — Privat soll das Singspiel dort schon 1789 aufgeführt worden sein.

25. JANUAR 1791, s. NACHTRAG, S. 523/524

HANDZETTEL MIT DER ANKÜNDIGUNG DES WIENER KONZERTES DES KLARINETTEN-VIRTUOSEN JOSEPH BÄHR AM 4. MÄRZ 1791
Nachricht.

Herr *Bähr*, wirklicher Kammermusikus / bey Sr. rußischen kaiserl. Majestät wird künf-/tigen Freytag den 4. März die Ehre ha-/ben, im Saale bey Herrn Jahn sich in einer / grossen musikalischen Akademie zu verschiede-/nenmalen auf der Clarinette hören zu lassen; / wobey Madame Lange singen, und Herr Ka-/pellmeister Mozart ein Konzert auf dem For-/te piano spielen wird. Dieienigen, so sich / noch zu abboniren Belieben tragen, können / täglich bey Herrn Jahn mit Billeten bedie-/net werden. / Der Anfang ist um 7 Uhr abends.

Mozarteum, Salzburg. — Faksimile bei Bory, a. a. O., S. 177. — Siehe 12. März. — Joseph Bähr (recte Beer), den Mozart aus Paris kannte, ist nicht zu verwechseln mit dem gleichnamigen Klarinettisten in Diensten des Fürsten Johann Liechtenstein (1770—1819), der vielleicht sein Sohn gewesen ist. — Mozart, der von seinem Arbeitszimmer das Haus des Restaurateurs Jahn sehen konnte, spielte sein neues Klavier-Konzert in B, KV 595, sein letztes. Es war auch sein letztes Auftreten in einem Konzert.

Am selben Abend, dem 4. März, wird *Don Giovanni* in Hannover deutsch gegeben.

Die Übersetzung war die von Neefe; vgl. 27. September und 13. Oktober 1789. Drei Szenen aus Molières *Don Juan* wurden eingelegt.

Am 5. März veröffentlicht Johann Christian Lorenz in der Erfurter Zeitschrift *Nicht zu wenig, Nicht zu viel* ein Gedicht auf Frau Josepha Beck, die Darstellerin der Constanze in Weimar.

S. 73 f. — Die *Entführung* war in Weimar am 22. Januar von der Truppe Joseph Bellomos wieder aufgeführt worden. Das Singspiel wurde in dem Gedicht „*Mozarts Meisterstück*" genannt. — Der Herausgeber der Zeitschrift war Gottlieb Friedrich Lorenz, wohl ein naher Verwandter des Poeten. — Frau Beck war eine Schülerin Dorothea Wendlings in Mannheim (s. 29. Januar 1781), wurde dort 1790 engagiert und sang 1799 auch in München die Constanze.

AUS DER «WIENER ZEITUNG», 12. MÄRZ 1791

Herr Bähr, wirkl. Kammermusikus Ihrer Rußischkaiserl. Maj. gab den 4. März in dem Sale bey Herrn Jahn eine grosse musikalische Akademie, und erwarb durch seine ausser-ordentliche Geschicklichkeit auf dem Clarinette bey den mehrenteils aus Kennern bestandenen Zuhörern sich allgemeinen Beyfall. — Herr Kapellmeister Mozart spielte ein Konzert auf dem Forte piano, und jedermann bewunderte seine Kunst sowohl in der Composition als Execution, wobey auch Mad. Lange durch etweiche Arien das Spiel vervollkommete.

. . .

Aus der «Wiener Zeitung», 12. März 1791

Neue Musikalien.

In der Lauschischen Musikalienhandlung ... sind neu zu haben:

...

Des Hrn. Kapellmeisters Mozart, in wirklichen Diensten Sr. Majest. des Kaisers, 12 Menuetten und 12 Trio aus dem k. k. kleinen Redoutensaal von 1791 mit allen Stimmen 2 fl. 30 kr.

— — in Klavierauszug 48 kr.

— — 12 deutsche Tänze, 12 Trio und Coda mit allen Stimmen 2 fl. 30 kr

— — im Klavierauszug 48 kr.

— — Der Schlittenfahrt deutsche Tanz und Trio mit allen Stimmen 20 kr.

— — im Klavierauszug 8 kr.

Die Menuette sind KV 599, 601 und 604, die Deutschen Tänze (eigentlich 13) KV 600, 602 und 605; der *Schlittenfahrt*-Tanz ist No. 3 aus KV 605. — Abschriften. Siehe 16. und 23. März, 1. Juni und 30. November 1791.

Aus der «Wiener Zeitung», 16. März 1791

Bey Artaria & Comp. Kunsthändlern am Kohlmarkt ist ganz neu zu haben:

...

Mozart 12 Deutsche aus dem kleinen Redoutensaal fürs Klavier 45 kr.

— — 12 Minuetti fürs Klavier 45 kr.

KV 600, 602 und 605; KV 599, 601 und 604. Erstdrucke im Klavierauszug.

Aus der «Wiener Zeitung», 23. März 1791

Bei Johann Träg ... sind folgende neue Musikalien zu haben:

...

Redout Menuetts und Deutsche. 2te Abtheilung von Mozart 1791 fürs Klavier 1 fl. 30 kr.

KV 599, 601 und 604, KV 600, 602 und 605. Siehe 16. März. — Abschriften; vgl. 12. März.

Am 23. März wird im Burgtheater das Pasticcio *L'ape musicale rinnuovata* oder *Die neu bearbeitete musikalische Biene* gegeben.

Vgl. 4. und 21. März 1789. — Der Text war wieder von Da Ponte, der bald darauf zunächst nach Mödling bei Wien übersiedelt ist. Das *„musikalische Lustspiel"* in drei Akten, dessen Musik *„fast ganz neu"* war, wurde am 23. März zum Vorteil Da Pontes, am 30. März zu dem Benuccis gegeben, am 6. April *„verändert"* zum Vorteil Gasparo Bellentanis (eines neuen Opernsängers), im ganzen sechsmal.

Aus der «Wiener Zeitung», 26. März 1791

Nachricht.

Hr. Müller, der durch seine auf dem Stockameisenplatz Nr. 610 im ersten Stock befindliche Kunstsammlung allgemein bekannt geworden ist, hat am 23. März das von ihm errichtete Mausole, welches er dem unvergesslichen weltberühmten Feldmarschall Freyherrn v.

Loudon mit grossen Aufwand hergestellet, in der Himmelpfortgasse gegen den Münzamt
über in der Behausung des Hrn. Baumeister Gerl Nr. 1355 eröfnet, allwo dieses sehens-
werthe Monument in einer eigens dazu bereiteten Wohnung zu ebener Erde, von früh
8 Uhr bis Nachts 10 Uhr herrlich beleuchtet zu sehen, und der Eingang beym grossen Thore
über die 3 ersten Stafl der Hauptstiege zu finden ist, die ausgetheilten Avertissements als
auch die Anschlagzetls haben einige Beschreibung davon gegeben, aber da es unmöglich
ist, das ganze lebhaft genug durch Worte zu schildern, so wird der Anblick dessen gewiss
jedermann überraschen, welcher dieses Mausole besuchen und damit das Andenken dieses
verdienstvollen grossen Mannes erneuert wird. Hr. Müller hat es in Kupfer stechen lassen,
und werden illuminierte Abdrucke ehestens bey dem Eingang zu haben seyn. Die Plätze
sind auf das beste eingerichtet, und zahlt die Person auf dem ersten Platz 1 fl. auf den
zweyten aber 30 kr.; mit Schlag jeder Stunde lässt sich eine Trauer Musique hören, und
wird alle Woche eine andere seyn. Diese Woche ist die Composition von Hrn. Kapellmeister Mozart.

Gefunden von Frau Erna Felmayer, Wien. — Joseph Graf Deym von Stritetz, ein österreichischer
Offizier, hatte nach einem Duell die Heimat verlassen und den Namen Müller angenommen. Um
1780 kam er mit einer Sammlung von Gipsabgüssen nach antiken Skulpturen zurück und eröffnete
am Stock-im-Eisen-Platz die „Müllersche Kunstgalerie". Sie wurde allmählich ein Panoptikum mit
Spielwerken und übersiedelte um 1795 auf den Kohlmarkt, 1798 aber in ein eigenes Gebäude beim
Roten Turm am Donaukanal. Nach dem Tode des Grafen (1804) gehörte die Galerie seiner Witwe
Josephine, geborenen Komtesse Brunsvik, bis 1819. Dann wurde sie aufgelöst, und ihre Objekte sind
spurlos verschwunden. — Mozart schrieb mehrere Stücke für die Spielwerke des Grafen, darunter
das hier gemeinte Adagio und Allegro, KV 594. Loudon war am 14. Juli 1790 gestorben, und
Mozart hat das von Deym bestellte Stück im Dezember vollendet. Neben Loudons Wachsmonu-
ment stand seit 1797 die Wachsfigur Josephs II., im Gespräch mit Loudon, zu dessen Füßen — wie
in jenem *Mausoleum* — eine kleine Türkin saß, ein Pflegekind, das der Feldmarschall aus Belgrad
mitgebracht hatte. — Vgl. O. E. Deutsch in *Music & Letters*, London, April 1948, und im *Konzert-
blatt der Gesellschaft der Musikfreunde*, Wien, 1. Dezember 1948. — Deym soll Loudon um 1789
lebensgroß in Wachs porträtiert haben. — Das Haus des Baumeisters Joseph Gerl (jetzt Nr. 9) steht
noch gegenüber dem Winterpalais des Prinzen Eugen, wo damals das Münzamt untergebracht war,
also nahe dem Restaurant Jahn und Mozarts letzter Wohnung gelegen. — Die Beschreibung des
Mausoleums scheint sich nicht erhalten zu haben. Ein Exemplar des anonymen Kupferstichs, wohl
ein Unikum, konnte in der Albertina, Wien, gefunden werden und ist in dem Bildband, *Mozart
und seine Welt in zeitgenössischen Bildern* der *Neuen Mozart-Ausgabe* (Serie X, Werkgruppe 32)
reproduziert: Loudon liegt in einem gläsernen Sarg. — Da die erste von den üblichen drei Anzeigen
an einem Samstag erschien, zwei oder drei Tage nach der Eröffnung des Mausoleums, dürfte die
Musik der ersten Woche die Mozarts gewesen sein. Ob Deym wirklich auch andere Kompositionen
für dieses Mausoleum verwendet hat, bleibt zweifelhaft. — Siehe 27. April, 23. Juli und besonders
17. August 1791.

Am 26. März annonciert Lausch in der *Wiener Zeitung*: „*Des Herrn von Jacquin
6 deutsche Lieder beym Klavier zu singen.*"

Unter diesen Liedern waren zwei, die Mozart 1787 für Gottfried v. Jacquin geschrieben hatte, das
erste in dessen Zimmer, das zweite in Prag: *Als Luise die Briefe ihres ungetreuen Liebhabers verbrannte* (KV 520) und *Das Traumbild* (KV 530). Das zweite Lied, schon 1799 in Cahier V der
Œuvres Mozarts bei Breitkopf & Härtel gedruckt, erschien 1803 in einem gestochenen Heft von
sechs Liedern Jacquins bei Jean Cappi, Wien. Jacquin widmete das erste Lied einem Fräulein
v. Altomonte, das zweite, unter dem Titel *An eine Unbekannte* war Fräulein Marianne v. Natorp
(der Schwester seiner Schwägerin) zugedacht. Jacquin starb 1792, ist also an den von Mozart gedul-
deten Plagiaten nicht unschuldig gewesen. — Vgl. Hedwig Kraus in der *Zeitschrift für Musikwissenschaft*, Leipzig, Januar 1933, und Alfred Einstein in *The Music Review*, Cambridge, Mai 1941,
S. 151 f.

Aus den «Annalen des Theaters», Berlin 1791

Verzeichniß der in Mainz von den Nationalschauspielern aufgeführten Stücke vom November 1790 an bis zum April 1791 mit einigen Bemerkungen.

. . .

Den 26ten Brachmonats [März] sahen wir endlich nach langer Zeit das Singspiel *Don Juan* wieder, das durch *Mozarts* herrliche Musik so außerordentlich gefällt. Meine musikalische Kenntnisse sind zu eingeschränkt, als daß ich es wagen dürfte, über diese Musik weitläufigt zu urtheilen. Sie reißt mich hin, sie verschaft mir ein lebhaftes Vergnügen; so oft ich sie wieder höre, entdeckt mein Gefühl eine neue Schönheit — warum sollte ich mir dies Vergnügen durch kunstmäßigen Tadel verderben lassen? . . .

Heft 8, S. 72 f. — *Don Juan* wurde in Mainz seit 13. März 1789 gegeben.

Im März wird die *Entführung* in Erfurt gegeben (?).

Diese Aufführung ist nicht gesichert.

Im Frühjahr erscheint die Abteilung *Frühlingslieder* der *Liedersammlung für Kinder und Kinderfreunde am Clavier* in Wien, mit drei Liedern von Mozart.

Die Lieder waren: *Sehnsucht nach dem Frühlinge, Im Frühlings Anfang* und *Das Kinderspiel* (KV 596—598). — Das seltene, von Ignaz Alberti gedruckte Heft wurde vom Herausgeber der Sammlung, Placidus Partsch, dem Erzherzog Franz und seiner zweiten Gemahlin, seiner Cousine Maria Theresia von Sizilien, gewidmet. Vgl. O. E. Deutschs Nachwort zum Faksimile der *Drei Frühlingslieder von Mozart*, Wien 1937.

Am 4. April wird *Figaro* in Hamburg deutsch gegeben.

Die Übersetzung war die von Knigge, zuerst am 18. Mai 1788 in Lübeck, dann am 18. Mai 1789 in Hannover benützt.

Aus der «Chronik von Berlin», 9. und 16. April, 14. Mai 1791

Ueber das Singspiel Don Juan.

Ein Brief.

Freund!

Sie ersuchten mich in Ihrem letzten Briefe, Ihnen einigen Unterricht von dem nun zum sechsten mahl in Berlin aufgeführten Sing-Spiel *Don Juan* zu geben; allein, so sehr ich es für Pflicht halte die Bitten eines Freundes nach Möglichkeit zu erfüllen, so sehr ich geneigt bin Ihr Verlangen zu befriedigen, und so gewiß ich hoffen darf, daß Ihre Nachsicht hinlänglich für meine Schwäche seyn wird, so zwangvoll ergreif' ich die Feder.

Es ist bei Göttern und Göttinnen keine Kleinigkeit sein Urtheil über ein Werk des Geschmacks fällen: denn da das Wort, *Gefallen* ein Begrif ist, welcher im ganzen Reiche denkender Wesen überall das Bürgerrecht erhalten kann: so würd' es sehr unduldsam gehandelt seyn, wenn irgend jemand ihm seine Rechte und Freiheiten einschränken wollte; ohne zu gedenken, welche unversiegbare Quelle die Verschiedenheit des Geschmacks für den physikalischen Nutzen der Menschen ist.

Das Gerüchte von dem hohen inneren Werthe dieses Singspiels — welches, wohl zu merken! die zweite Umarbeitung des *Molierschen Don Juan* ist — hatte schon lange vor der ersten

Vorstellung bei vielen Freunden des Schauspiels ein Verlangen nach Genuß erregt: und wirklich schien es, als habe Thalia dies Mahl die Fama in ihren Sold genommen, um durch den Zauberschall ihrer Trompete, die Aufmerksamkeit derer die da hören wollten in Thätigkeit zu setzen. Es gelang ihr. In allen Gesellschaften war *Don Juan* ein Theil der Unterhaltung; an allen öffentlichen Orten, es möchte Ton, oder nicht Ton seyn dahin zu gehen *Don Juan* blieb nicht aus dem Gespräch, und selbst da, wo man hätte glauben sollen, daß Vulkans treulose Gemahlin die Alleinherrscherin wäre, konnte sie doch den Nahmen dieses Wundermanns den Eingang nicht verwehren.

Einigermaßen von dem Inhalt des so sehr gewünschten Schauspiels unterrichtet, bemüheten sich schon im stillen die galanten Damen Entschuldigungen zu erfinden, um im Nothfall Gebrauch davon machen zu können: indessen die männlichen Zöglinge der großen Welt im Geist den nach ihrer Meinung glücklichen Don beneideten.

Nach langen sehnsuchtsvollen Harren, erschien endlich der längst gewünschte Morgen, wo ein mit einen Kleistertopf belasteter Merkur die Ecken der Stadt durch einen Zettel glänzend machte, welcher denen Hoffenden verkündete: heute sey der Tag, an welchem sie das Ziel ihrer Wünsche finden sollten. Mit wonnigem Geitze verschlang ihr Blick zwei Worte *Don Juan*: und die Freude darob war so groß, daß viele nicht einmal auf das achteten, was darüber stand. Schade war es, daß diejenigen welche gern ihren Mitmenschen etwas erfreuendes sagen, dies Mahl bei vielen ihren Zweck verfehlten; denn bei denen welche Abends vorher im Schauspiel gewesen waren, oder die Zeitungen gelesen hatten, kamen sie zu spät.

Sehr lange deuchte nun manchen der an sich sehr kurze Wintertag — Endlich stieg am östlichen Horizont herauf der grauschattige Abend; sein Blick verbreitete Dunkelheit über die Sphäre; und nun begannen zu wallen zu Thaliens offnem Tempel die Söhne und Töchter der Königsstadt Borussiens — Mir erlaubten Zeit und Geschäfte nicht, unter den Wallenden zu seyn: und meine Begierde mußte sich mit ihrer Befriedigung bis zur fünften Vorstellung gedulden. Voll hohen Begriffs ging ich nun hin und sah und hörte ein Singschauspiel, in welchen nach meinen Begriffen, *das Auge gesättigt, das Ohr bezaubert, die Vernunft gekränkt, die Sittsamkeit beleidigt werden, und das Laster Tugend und Gefühl mit Füßen tritt* — —

Wie, hör ich sagen, in Berlin sollte so etwas auf die öffentliche Bühne kommen? in Berlin dem Wonnesitz deutscher Musen! Wo Friedrich der Zweite ein halbes Jahrhundert hindurch seinem Volk Geschmack und Wahrheit lehrte? Wo Friedrich Wilhelm, der Menschenfreund, der Verehrer der Wissenschaften und Künste, seine unterstützungsfähige Hand bot, um Thaliens Tempel denjenigen Glanz zu geben, dessen durchdringende Strahlen schon aus so vielen Städten Europas die Finsterniß scheuchten? Wo einem *Engel*, einem *Ramler* anvertraut ist, über die Nichtentweihung dieses Tempels zu wachen? — Dort sollte eine solche Mißgeburt menschlicher Erfindung sich hinschleichen? Nein, dies ist ohnmöglich! Sie haben Recht, auch ich würde so sagen wär ich an Ihrem Platz; doch verstehen Sie mich nur; ich sprach ja blos von meinen Begriffen: Allein ich glaube mich doch demohngeachtet verbunden Ihnen von meinem kühnen Ausspruche Rechenschaft zu geben. Und so will ich versuchen, wie weit es mir gelingen wird.

... Gesprochen wird nur wenig; den größten Theil des Texts beherrscht der Gesang; und wenn je eine Nation auf einen ihrer Mitgenossen stolz seyn konnte, so sey es Deutschland auf *Mozart*, dem Musikverfasser dieses Singspiels — Nie, gewiss nie wurde die Größe eines menschlichen Geistes fühlbarer, und nie erreichte die Tonkunst eine höhere Stufe!

Melodien, die ein Engel erdacht zu haben scheint, werden hier von himmlischen Harmonien begleitet, und der, dessen Seele nur einigermaaßen empfänglich für das wahre Schöne ist, wird gewiß mir verzeihen wenn ich sage, *das Ohr wird bezaubert.* . . .

. . . Es ist bereits sechsmal gegeben worden, und jedesmahl hat die Theaterkasse sehr einleuchtend für die vortheilhafte Wahl der Direkzion gesprochen. . . die erste Ursach aber des immer vollen Hauses, ist unstreitig wohl, die über jeden Ausdruck erhabene Musik. Freilich mag mancher bedauern, daß der vortreffliche *Mozart* nicht sorgfältiger bei seiner Wahl war. Ich selbst konnte mich der stillen Wünsche nicht enthalten — O, daß Du Deines Geistes Stärke nicht so verschwendet hättest? daß Dein Gefühl vertrauter mit Deiner Phantasie gewesen wäre, und diese Dir nicht so unsaubere Stuffen zur Größe gezeigt hatte! Wie unendlich tiefer würden Dein Gesang, Deine Harmonie in die Seelen Deiner Zuhörer dringen, wenn der Gedanke an das Unedele des Textes sie nicht immer auf halben Wege zurückhielten! Nein, theurer Mann! sey künftig nicht mehr so grausam gegen Deine so liebenswürdige Muse! suche das fernere Gebäude Deines Ruhms auf Säulen zu gründen, bei welchen gern der Redliche weilt und das biedere Mädchen nicht schamroth vorüber geht! Was konnt' es Dir frommen, wenn Dein Nahme mit Diamanten-Schrift auf einer goldnen Tafel stände — und diese Tafel hing' an einen Schandpfahl — . . .
Berlin den 20. Januari,

    1791.   Ihr Freund
                                                                       N. N.

Band 9, 212. Stück, S. 316—320, 213./214. Stück, S. 327, 221./222. Stück, S. 452—454. (Der Brief erschien in fünf Fortsetzungen.) — Siehe 20. Dezember 1790 (Bericht der *Chronik* vom 5. Februar 1791). — „*Die zweite Umarbeitung des Molièreschen Don Juan*" rechnet vielleicht Goldonis *Don Giovanni Tenorio* als die erste; es ist aber auch möglich, daß Giuseppe Gazzanigas Oper *Don Giovanni Tenorio*, Text von Giovanni Bertati (Venedig, 5. Februar 1787), als Vorläufer des *Don Giovanni* von Da Ponte und Mozart gemeint ist. — Johann Jakob Engel und Karl Wilhelm Ramler, beide Schriftsteller, waren die Direktoren des Berliner Nationaltheaters.

Aus dem zweisprachigen Anschlagzettel eines Konzerts im Burgtheater

Sonnabends den 16. — und Sonntags den 17. April 1791. / wird / im kaiserl. königl. Nazional-Hof-Theater / von der errichteten Tonkünstlergesellschaft / zum Vortheil ihrer Wittwen und Waisen / *eine große musikalische Akademie,* / gehalten werden, die aus folgenden Stücken bestehet:

1) Eine große Sinfonie von der Erfindung des Hrn. *Mozart.*
(Una grande Sinfonia della composizione del Sig. *Mozart.*)
2) Ein Auszug aus der Oper: Phedra.

   Es werden dabey singen:

     Die Rolle der Arizia . . . . Mad. Lange.
     Die Rolle des Ippolits . . . . Herr Kalvesi.
     Die Rolle des Teseus . . . . Herr Nenzini.
   Chor.

Die Musik ist vom Hrn. Johann *Paisello,* mit Ausnahme der Arie, welche / Mad. Lange singt, und von der Komposition des Hrn. *Mozart* ist.

(La Musica è del Sig. Giov. *Paisiello* fuori dell'Aria, che canta la Sigra. *Lang*, ch'è / del Sig. *Mozart*.)

. . .

Der Anfang ist um 7. Uhr.

Exemplare bei der Gesellschaft der Musikfreunde und in der Theater-Sammlung der National-Bibliothek Wien. — Bei diesem Konzert dirigierte wie gewöhnlich Salieri mehr als 180 Mitwirkende. — Die Sinfonie dürfte die in g-moll (KV 550) in ihrer zweiten Fassung mit Klarinetten gewesen sein. Die beiden Stadler, Anton und Johann, wirkten als Klarinettisten mit. (Laut *Verzeichnüss* der Tonkünstler-Sozietät im Archiv der Stadt Wien, gefunden von H. C. Robbins Landon.) — Die Arie war eine der beiden 1783 (s. 30. Juni) für Frau Lange geschriebenen Einlagen: „*No, no, che non sei capace*" (KV 419). — Pohl, a. a. O., S. 63, nennt irrtümlich Righini als Komponisten der Oper *Fedra*. — Die Gesellschaft der Musikfreunde, Wien, besitzt auch den besonderen Anschlagzettel für die Wiederholung am 17. April.

Am 16. April wird *Don Giovanni* von der Truppe Großmann in Kassel deutsch gegeben.

Um den 25. April reicht Mozart beim Wiener Magistrat sein (undatiertes) Gesuch um die Stelle eines Adjunkten des Domkapellmeisters von St. Stephan ein.

Sammlung Louis Koch, Muzzano (Schweiz). — *Allgemeine musikalische Zeitung*, Leipzig, 9. März 1836. Georg Kinsky, Katalog Koch, Stuttgart 1953, S. 39. Die von Ernst Weizmann in der *Weltpresse*, Wien, am 7. April 1956 veröffentlichte Fassung des Gesuches ist eine signierte Reinschrift von fremder Hand. — Der Domkapellmeister Leopold Hofmann war seit längerer Zeit kränklich, starb aber erst nach Mozart, am 17. März 1793, so daß die positive Erledigung des dafür zuständigen Magistrats (s. 28. April und 9. Mai 1791) nicht wirksam geworden ist.

Aus dem Programm der Musikalischen Akademie der Madame Duschek im Königlichen Nationaltheater, Prag, 26. April 1791

4tens. Eine ganz neu verfertigte grosse Scene von Herrn Mozart.

5tens. Ein Konzert auf dem Forte piano von Hrn. Mozart gespielt von Hrn. Witassek.

6tens. Ein Rondo von Herrn Mozart mit obligaten Basset-Horn.

National-Museum, Prag. — Abgebildet in *Mozart und Prag*, 1957. — Die „*Scene*" dürfte KV 583 gewesen sein und das Konzert KV 595; das Rondo vielleicht schon die Arie der Vitellia aus *La clemenza di Tito* (KV 621, Nr. 23; vgl. 29. März 1798). Wenn Anton Stadler damals in Prag geweilt hat, spielte er wohl das Bassett-Horn. Johann Wittassek war ein Schüler Franz Duscheks.

Aus der «Wiener Zeitung», 27. April 1791

(Nachricht Joseph Müllers über das Loudon-Mausoleum)

. . . Jede Stunde last sich eine herrliche besonders dazu componirte Trauermusik hören, und da alle Woche eine andere Composition ist, so wird auf denen Anschlagzettln der Name des Compositeurs angezeigt werden . . .

Siehe 26. März. — Als Eröffnungstag ist diesmal der 24. März genannt. Die Preise der inzwischen fertig gewordenen Kupferstiche werden mit 20 kr. koloriert und 10 kr. schwarz angegeben. Keiner der Anschlagzettel scheint erhalten geblieben zu sein.

Entwurf einer Erledigung von Mozarts Gesuch

Wieder hinauszugeben, und zumalen der H. Kapellmeister bei St. Stephan derzeit noch keinen Adjunkten verlanget hat, so kann in dieses Begehren nicht gewilliget werden.

Ex Cons. Mag. Vien
den 28. April 1791
Hübner, Secr.

Weizmann, a. a. O., 14. April 1956. — Diese Erledigung ist auf die Rückseite der Reinschrift des Gesuches geschrieben, aber durchgestrichen worden (s. 9. Mai 1791). — Johann Hübner war Magistrats-Sekretär.

Aus Friedrich Ludwig Schröders Tagebuch, 28. April 1791

So machen sie's Alle, Singspiel von Mozart componirt, ist ein elendes Ding, das alle Weiber herabsetzt, Zuschauerinnen unmöglich gefallen kann und daher kein Glück machen wird.

F. L. W. Meyer, *Fr. L. Schröder*, Hamburg 1819, II/1, S. 63 und 68. — Diese Eintragung ist nach Lesung des übersetzten Textbuches geschrieben. Schröder wohnte drei Tage später der Erstaufführung der Oper in Frankfurt bei.

Am 1. Mai wird in Frankfurt *Così fan tutte* unter dem Titel *Liebe und Versuchung* vom Mainzer Ensemble deutsch gegeben.

Die Übersetzung war von Heinrich Gottlieb Schmieder und von Karl David Stegmann, dem Komponisten, der damals Operndirektor in Mainz war. — Laut Meyer, a. a. O., S. 68, soll Schröder nach der Premiere gesagt haben: *„Erbärmlich! Selbst von Mozarts Musik gefällt mir nur der zweite Aufzug!"*

Aus den «Annalen des Theaters», Berlin 1791

Den 1. Mai. *Liebe und Versuchung*, ein elendes, welsches Produkt mit der kraftvollen erhabenen Musik eines Mozarts.

Heft 5, S. 46. — In Mainz wurde die Oper erst am 11. Juni gegeben.

Dekret des Magistrats

Der Magistrat der k. k. Haupt- und Residenzstadt Wien will ihn Hrn: Wolfgang Amadeus Mozart auf sein bittliches Ansuchen dem dermaligen Hrn. Kapellmeister Leopold Hofmann bei der St. Stephans Domkirche dergestalt und gegen dem adjungiret haben, daß er sich durch einem hierorts einzulegen kommenden bündigen Revers verbindlich machen solle: daß er gedachtem Hrn. Kapellmeister in seinem Dienste unentgeltlich an die Hand gehen, ihn, wenn er selbst nicht erscheinen kann, ordentlich suppliren, und in dem Falle diese wirkliche Kapellmeistersstelle erledigt werden wird, sich mit dem Gehalt, und allem deme, was der Magistrat zu verordnen und zu bestimmen für gut finden wird, begnügen wolle. Welches demselben zur Wissenschaft hiemit erinnert wird.

Jos. Georg Hörl k. k. Rath und Bürgermeister
Ex cons. Magis. Vien.
den 9. May 1791.
Johann Hübner Secret.

Sammlung Louis Koch, Muzzano. — Jahn II, 701 f. Kinsky, a. a. O., S. 40. — S. 25. und 28. April und 12. Dezember 1791.

Aus der «Pressburger Zeitung», 22. Mai 1791

Wien. Der Hofkompositor Mozart hat von dem hiesigen Magistrat die Erwartung auf die 2000 Gulden eintragende Kapellmeisterstelle bei Sankt Stephan erhalten.

Weizmann, a. a. O., 14. April 1956.

Aus der «Wiener Zeitung», 1. Juni 1791

Musikalienankündigung.

In der Lauschischen Musikalienhandlung . . . sind zu haben:

. . .

Des Hrn. Kapellmeister Mozart 12 Menuetten und 12 Trio aus dem k. k. kleinen Redoutensaale von 1791. Erste Abtheilung Nr. 1 in D. mit allen Stimmen 2 fl. 30 kr.
— — im Klavierauszug 48 kr.
— — 12 deutsche Tänze, 12 Trio und Coda. Erste Abtheilung Nr. 1 in C. mit allen Stimmen 2 fl. 30 kr.
— — im Klavierauszug 48 kr.
— — 12 Menuetten und 12 Trio. Zweyte Abtheilung Nr. 1 in C. mit allen Stimmen 3 fl.
— — im Klavierauszug 48 kr.
Auch ist der Schlittenfahrt deutsche und Trio allein zu haben, mit allen Stimmen 20 kr.
— — im Klavierauszug 8 kr.
NB. Der Klavierauszug ist ächt, vom Hrn. Haydenreich gesetzt, und wie gewöhnlich im Discant, und Violinschlüssel geschrieben, und nach Belieben zu begehren.

Was Lausch als erste, und bei den Menuetten als zweite Abteilung dieser Tänze bezeichnet, deckt sich nicht mit der Numerierung der gestochenen Ausgaben Artarias. Die ersten 12 Menuette, in D, dürften KV 585 entsprechen, die aber Ende 1789 entstanden und wohl schon Anfang 1790 aufgeführt worden sind; die zweiten 12 Menuette und die 12 deutschen Tänze hatte Lausch schon am 12. März angekündigt; ebenso *Die Schlittenfahrt.* — Zu Heidenreich vgl. 24. Mai 1788.

Aus der «Wiener Zeitung», 4. Juni 1791

Neue Musikalien.

Bey Artaria & Comp. Kunsthändlern am Kohlmarkt sind neu zu haben:
Von Hrn. Mozart 12 Variationen aufs Klavier, nach der Aria, ein Weib ist das herrlichste Ding auf der Welt, aus der Opera, der dumme Gärtner, 40 kr.

Zum „*dummen Gärtner*" vgl. Ende Mai 1790. — Die Zahl der Variationen (KV 613) ist acht, nicht zwölf; vgl. 27. August 1791.

Am gleichen Tage, dem 4. Juni, fährt Konstanze wieder zur Kur nach Baden bei Wien, mit ihrem Söhnchen Karl.

Der Chorregent Stoll (s. 13. Juni 1790) hatte für sie ein Zimmer in der Renngasse 29 (jetzt Nr. 4) beim Stadtsyndikus Johann Georg Grundgeyer gemietet.

Am 6. Juni besucht Mozart mit Frau Anna v. Schwingenschuh im Freihaus-Theater Schikaneders komische Oper *Anton bei Hofe oder Das Namensfest.*

Das war der fünfte Teil, die vierte Fortsetzung, der erfolgreichen Oper *Die zween Anton* (vgl. Mai 1790). Die Premiere war am 4. Juni gewesen. Mozarts Begleiterin war die Frau eines Adjunkten im Hauptmünzamt.

Am 8. Juni, um 5 Uhr morgens, fährt Mozart zu Besuch nach Baden.

In den darauf folgenden Tagen war Mozart bei seiner Frau, aber zwischendurch, mindestens vom 11. auf den 12. Juni, auch wieder in Wien. Konstanze hatte in Baden Mozarts Schüler Franz Xaver Süßmayer (Süßmayr) getroffen, der ihm in diesen letzten Monaten nahestand.

Am 11. Juni besucht Mozart im Leopoldstädter Theater Joachim Perinets Singspiel *Der Fagottist oder Die Zauberzither*, Musik von Wenzel Müller.

Die Premiere hatte am 8. Juni stattgefunden. Dieses erfolgreiche Stück, gewöhnlich *Kaspar der Fagottist* genannt, hatte die gleiche literarische Quelle wie die *Zauberflöte*: Wielands *Dschinnistan oder auserlesene Feen- und Geister-Mährchen*, 1785—89 erschienen.

Am selben Abend, des 11. Juni, wird *Così fan tutte* in Mainz deutsch gegeben.

Siehe 1. Mai 1791.

Am 14. Juni stirbt Mozarts Onkel Franz Alois in Augsburg.

Augsburger Mozartbuch, 1943, S. 183. — Vgl. 12. und 16. Oktober 1777.

Am 17. Juni schreibt Mozart in Baden die Motette „*Ave verum corpus*" (KV 618).

Die Motette war gewiß für Stoll bestimmt, vielleicht für den Fronleichnams-Tag, der auf den 23. Juni fiel. Stoll, der später auch Haydns Frau in Baden betreute, bevor sie 1800 dort gestorben ist, führte in der Pfarrkirche wiederholt Mozartsche Musik auf.

Am 19. Juni wird die *Entführung* in Pest wieder gegeben.

Vgl. 30. Mai 1789.

AUS DER «WIENER ZEITUNG», 22. JUNI 1791

Neue Musikalien.

Bey Johann Träg ... sind folgende neue Musikalien zu haben:

. . .

6 Contredanses pour Clav. par Mozart 40 kr.

Es handelt sich vielleicht um KV 534, KE 535a (3 Tänze), KV 462, No. 3, und KV 535, die aber schon am 16. Januar 1789 im gestochenen Klavierauszug bei Artaria erschienen waren (KV 535 in Abschrift bei Lausch sogar am 19. März 1788). Die neue Abschrift von Traeg kann auch von KV 607 und 609 (5 Tänze) gewesen sein.

Am 26. Juni nimmt Mozart an der Fronleichnams-Prozession teil, die von der Piaristen-Kirche, in der Vorstadt Josefstadt gelegen, aus und zurück geht.

Der Fronleichnamstag war am 23.; aber in den Vorstädten fand die Prozession oft erst am darauffolgenden Sonntag statt, das war diesmal am 26.

AUS SCHUBARTS «CHRONIK», STUTTGART 1791

Tonkunst.

Klaviersonate mit neun Variationen in Mozarts Geschmak von Abeille, von Amon in Heilbronn gestochen... Preis 48 Kreuzer.

1. Halbjahr, S. 344. — Exemplar in der Württembergischen Landesbibliothek, Stuttgart. — Johann Christian Abeille war Konzertmeister und Hoforganist dort.

AUS DEM ANONYMEN BUCHE «ANTI-DA PONTE ... VON EINEM COSMOPOLITEN», WIEN 1791

... Nun kam *Beaumarchais* zur Rede ... Er bestand darauf, da Ponte habe sein Stück *La folle journée ou le mariage de Figaro* gar nicht verstanden, denn sonst würde er keinen solchen Wechselbalg darausgemacht haben ...

Salieri und Mozart beklagten sich laut über den geschmacklosen, holpernden und unzusammenhängenden Operntext, den er ihnen mehrmal, um ihn in Musik zu setzen, vorgelegt habe. Sie hätten oft aller ihrer Kunst aufbiethen müssen, um dem Publikum etwas harmonisches zu liefern. Allein sie hätten auch jetzt den festen Entschluß gefaßt, nicht eine einzige Note mehr zu einem *da pontischen* Text zu schreiben, mit dem Beyfügen, dass, wenn ihnen gutgeschriebene Opern eingehändigt würden, das Vergnügen des Publikums, um dessen ungetheilten Beyfall sie buhlen wollten, allezeit ihr erstes Augenmerk bey ihren Arbeiten seyn werde ...

[Da Ponte:] ... *Salieri* und *Mozart* thun mir ... einen grossen Schimpf dadurch an, dass sie keinen meiner Texte mehr in Musik sezen wollen ... Ich werde aber diesen Schimpf gewiss nicht ungerächt lassen ...

S. 49, 51 und 62. — Exemplar in der Stadtbibliothek, Wien. — Gedruckt bei Joseph Hraschansky. — Da Ponte verließ Wien im März 1791, Mödling im Juli, und zog nach Triest, um 1792 für kurze Zeit nach Wien zurückzukehren. Das Pamphlet (nach Londoner Mustern geschrieben) zeigt ein fiktives Tribunal, mit Anklage gegen Da Ponte und seiner Verteidigung. Er hatte auch für Salieri Libretti geschrieben, u. a. *Axur* (8. Januar 1788).

Im Sommer 1791 wird *Così fan tutte* in Leipzig italienisch gegeben (?).

Loewenberg, a. a. O., S. 237. — Es scheint, daß die Truppe Guardasoni die Oper 1791 zuerst in Prag aufgeführt hat, nach einem undatierten Libretto, das „Mozzart" noch als „maestro di Capella in attual servizio di S. Maestà Cesarea" bezeichnet. Vgl. 5. Oktober 1791. — Guardasoni reiste Mitte Juli von Prag nach Wien, vielleicht um Mozart das Libretto zu *La Clemenza di Tito* zu überbringen.

Am 8. Juli wird *Don Giovanni* in Bad Pyrmont deutsch gegeben.

Vom 9. bis 11. Juli weilt Mozart in Baden; am Sonntag, dem 10., werden in der Stadtpfarrkirche Michael Haydns „Pax vobiscum" und Mozarts *Missa brevis* in B, KV 275, aufgeführt,

Das Sopransolo sang in der Messe die elfjährige Antonie Huber (später Frau Haradauer), eine Schwägerin des Chorregenten Stoll. (Vgl. *Der Aufmerksame*, Graz, 18. Januar 1858.)

Mitte Juli holt Mozart Frau und Kind aus Baden zurück.

AUS DER «WIENER ZEITUNG», 23. JULI 1791

(Nachricht Joseph Müllers)

... Das von mir ebenfalls dem Andenken des Feldmarschall Loudon errichtete Mausole in der Himmelpfortgasse Nr. 1355 ist daselbst nur noch wenige Tage zu sehen ...

Siehe 26. März und 27. April. — Das gleiche Inserat spricht von der Kunstsammlung am Stock-im-Eisen-Platz, dem Hauptlokal Müllers, das er auch am 1. Juni wieder angekündigt hatte.

Am 26. Juli wird Mozarts sechstes Kind, Franz Xaver Wolfgang, geboren.

Blümml, a. a. O., S. 8 f. — Die Taufe fand im Stephansdom statt. Trattner, der Pate, war durch den Buchhändler Michael Klorf vertreten. — Wolfgang wurde Musiker und starb 1844 in Karlsbad.

Aus der «Wiener Zeitung», 27. Juli 1791
Neue Musikalien.

Bey Johann Träg ... sind folgende neue Musikalien zu haben:
. . .
Messen, Oratorien und Motetten von Mozart, Haydn, ... alles um billigen Preis.

Aus dem «Allgemeinen Theaterjournal», Frankfurt und Mainz 1792
[München.]
Don Juan Aug. 7. 23. Sept. 27. [1791.]

(Die Aufführung wurde von der Censur verbothen; auf gnädigsten Special-Befehl des Churfürsten aber erlaubt. Die Musik gefiel ausserordentlich; den Text fand man abgeschmackt.)

Bd. I, 1. Stück, S. 62. — Freisauff, a. a. O., S. 151. — Der Herausgeber dieses Journals war Heinrich Gottlieb Schmieder (s. 13. März 1789 und 1. Mai 1791). — Die Aufführung fand im Theater am Salvatorplatz statt (vgl. 1. April 1785). — Der Kurfürst war Karl Theodor von Pfalz-Bayern.

Aus der «Wiener Zeitung», 10. August 1791
Neue Musikalien.

Bey Artaria & Comp. Kunsthändlern am Kohlmarkt sind neu zu haben:
. . .
Mozart neues Clavierconcert, Opera 17. 3 fl.
— — 12 neue Redoutdeutsche fürs Klavier, 2ter Theil 45 kr.
— — 12 deto 3ter Theil 45 kr.
— — 12 Redoutminuetti, 2ter Theil 45 kr.
— — 12 deto 3ter Theil 45 kr.

Das Klavier-Konzert in B, KV 595, war, wie üblich, in Stimmen erschienen; der Preis wurde am 31. August mit nur 2 fl. 45 kr. angegeben. Die 2. Teile der Deutschen Tänze (KV 600, 602, 605) und der Menuette (KV 599, 601, 604) in Klavier-Auszügen waren schon am 16. März 1791 angezeigt worden. Der 3. Teil der Deutschen Tänze ist KV 586, der der Menuette KV 585.

Aus der «Wiener Zeitung», 13. August 1791
Musikalische Nachricht.

Durchdrungen von dem Gefühle des wärmsten Dankes, über den glücklichen Beyfall, mit dem ich in meiner am 10. Junius d. J. im kaiserl. königl. Nazional Hoftheater gegebenen musikalischen Akademie, beehrt wurde, erkenne ich es für meine Pflicht, der mir so schmeichelhaften Aufforderung: mich noch einmal auf der Harmonika hören zu lassen, nach allen meinen Kräften zu entsprechen. Ich werde daher, auf bereits erhaltene k. k. allergnädigste Erlaubniß, vor meiner Abreise von hier nach Berlin, in dem k. k. Kärntner-thor-Theater nächstkommende Woche noch eine grosse musikalische Akademie geben, und ein ganz neues, überaus schönes Konzertquintett mit blasenden Instrumenten begleitet, von Hern Kapellmeister Mozart, desgleichen neue Variationen über das beliebte Duett aus der Molinaria: Nel cor piu non mi sento von Herrn Kapellmeister Wanhal, und überhaupt solche gefällige Stüke auf der Harmonika spielen, daß jeder Kenner der Musik vollkommen sich überzeugen wird, daß die Harmonika das edelste unter allen musikalischen Instrumenten sey, und keine melancholische und traurige, sondern vielmehr frohe, sanfte und hohe Gefühle errege. Der künftige Anschlagzettel wird das Nähere besagen.

Marianne Kirchgessner.

Die blinde Virtuosin aus dem Badischen, damals 21 Jahre alt, spielte auf einer vom Karlsruher Kapellmeister Joseph Alois Schmittbauer hergestellten Glasharmonika. Über ihr Konzert in Linz am 24. April 1791 war in der *Wiener Zeitung* vom 7. Mai ein begeisterter Bericht erschienen. Am 10. Juni hatte sie (wie ihr Konkurrent Karl Leopold Röllig schon am 2. April) ein Konzert im Burgtheater gegeben, das Mozart gehört haben mag. In dem Konzert, das sie am 19. August im Kärntnertor-Theater gab, führte sie das für sie geschriebene Adagio und Rondo (KV 617) für Harmonika, Flöte, Oboe, Viola und Violoncello auf. Die Wiederholung der *„Nachricht“* am 17. August nennt den *„kommenden Freytag“*, den 19., als Datum der Akademie. Mozart, der an diesem Tage schon in Prag war, scheint das Stück für das Spielwerk im *„Schlafgemach der Grazien“* der Müllerschen Kunstsammlung (s. 17. August) verwendet zu haben. Am 8. September gab Frl. Kirchgeßner ihr letztes Wiener Konzert, im Jahnschen Saale. Der Verleger Boßler aus Speyer begleitete sie auf ihren Reisen, offenbar auch nach Wien. — Paisiellos Singspiel La molinara war im Burgtheater zuerst am 13. November 1790 gegeben worden. Das von Vanhall variierte Duett ist 1795 von Beethoven für Klavier-Variationen benützt worden.

Mitte August (15.?) reist Mozart mit Konstanze und Süßmayer nach Prag.

Der Knabe Karl dürfte wieder zu Heeger nach Perchtoldsdorf (s. 1. Oktober 1787) gebracht worden sein. — Süßmayer schrieb die Secco-Rezitative des *Tito*.

Aus der «Wiener Zeitung», 17. August 1791

Ankündigung

Die Müllerische Kunstsammlung auf dem Stockameisenplatz, welche bisher von allen, sowohl auswärtigen, als einheimischen Kunstkennern und Freunden mit ungetheilten Beyfall aufgenommen, und besuchet war, ist dermal fast ganz neu eingerichtet, und ansehnlich vermehrt worden. Der Künstler, nicht zufrieden das Auge der Besuchenden durch seine der Natur so nahe kommende Arbeiten, zu befriedigen, hat grosse Kosten angewandt, durch Anschaffung der vortreflichsten mechanischen Kunstwerker auch daß Ohr des Zusehers zu ergötzen; man höret zu den Ende verschiedene musikalische Uhren, deren eine das piano Forte, eine andere die Flaut travers, eine dritte einen Canarienvogel bis zur Täuschung nachahmet. Von seiner eigenen Arbeit sind wieder verschiedene neue

Stücke im Cabinete zugewachsen... Wenn man die zwey ersten Zimmer durchgesehen hat, wird man in dem dritten das prächtige dem grossen Feldmarschall Freyherrn v. Loudon errichtete Mausolee finden; wobey gewiß weder Mühe, noch Kosten gesparet sind, und welches noch bisher jedermanns Beyfall erhielt; dabey überraschet während der Betrachtung des ganzen eine auserlesene Trauermusik von der Composition des berühmten Hr. Capellmeister Mozart, die dem Gegenstande, für welchen sie gesetzt wurde, ganz angemessen ist...

Vgl. 26. März 1791.

Aus der «Wiener Zeitung», 27. August 1791

Musikalienankündigung.

In der Lauschischen Musikalienhandlung ... sind zu haben:
Opern in Harmonie oder Militärinstrumenten, 8 stimmig, a 2 Oboe, 2 Clarinetti, 2 Corni, è 2 Fagotti. Uebersetzung des Hrn. Vent, k. k. Hofkammermusikus, als:

    Le Nozze di Figaro ..., jede zu 6 fl. 40 kr.

NB. Dieselben werden besonders den Hrn. Regimentskommandanten empfohlen...

  ...

Des Hrn. Kapellmeister Mozart 6 Variazione über den Menuet, per il Clavicembalo 30 kr.

— — — 8 detto über die Aria, ein Weib ist das herrlichste Ding auf der Welt a deto 1 fl.

    Aus dem 2ten Theil der zween Anton.

Zu Went s. 10. Juli 1784. — Die Variationen über Duports Menuett (KV 573) waren in Potsdam entstanden (vgl. 26. April 1789). Das Autograph ist verschollen. Die Drucke enthalten neun Variationen, aber Mozarts eigenes Werkverzeichnis nennt nur sechs, wie Lausch in dieser Ankündigung. — Die Variationen aus dem zweiten Teil des *Dummen Gärtner* ... oder die *zween Anton* (KV 613) waren schon am 4. Juni bei Artaria erschienen. Während Artaria irrtümlich zwölf Variationen um 40 kr. ankündigte, spricht Lausch bei seiner teureren Abschrift richtig nur von acht.

Am 28. August kommt Mozart mit seinen Begleitern zur Krönung Leopold II. nach Prag.

Am 30. August meldete die *Prager Oberpostamtszeitung,* daß zwei Tage zuvor „*Herr Mozart, k. k. Kapellmeister das Neuthor passirt*" habe. Die *Prager Interessanten Nachrichten* vom 3. September melden dasselbe (Christopher Raeburn). — Salieri, der in der Burg abstieg, kam mit sieben Hofmusikern Ende August nach Prag. — Mozart dürfte wieder in der Stadt abgestiegen sein, aber manchmal auch in der Villa Bertramka bei Duscheks gewohnt haben. — Vgl. Johann Debrois' *Urkunde über die vollzogene Krönung ... Leopold des Zweiten,* Prag 1818.

Am 29. August trifft Leopold II. in Prag ein, am 30. die Kaiserin Maria Louisa.

Aus Zinzendorfs Tagebuch, Prag, 1. September 1791

... Avec le Mrs Lasny et Christian Sternberg chez le Pce Rosenberg ... La musique de Don Juan....

Der Graf war zur Krönung nach Prag gereist. Mit „*Lasny*" ist vielleicht der Feldmarschall Franz Moriz Graf Lacy gemeint. Graf Philipp Christian Sternberg war Geheimer Rat. Der Staats- und Konferenz-Minister Graf Rosenberg, der den Kaiser 1790 auch zur Krönung in Frankfurt begleitet hatte, war dort zum Reichsfürsten erhoben worden.

Am 2. September wird *Don Giovanni* als Festvorstellung in Prag aufgeführt.

Mozart dürfte vor dem Kaiser dirigiert haben. — Von den Sängern der Uraufführung (s. 29. Oktober 1787) war mindestens Baglioni als Ottavio noch geblieben. Anton Stadler wirkte im Orchester mit.

Aus dem «Tagebuch der böhmischen Königskrönung», Prag 1791
Den 2ten September.

Heute wird im Altstädter National Theater aufgeführt: *Il dissoluto Punito ossia: Il D. Jiovanni.* Der gestrafte Ausschweifende oder: Don Jeann. Ein komisches Singspiel in 2 Aufzügen. Die Musik ist von Hrn. Mozart.

S. 156. — Freisauff, a. a. O., S. 122. Nettl, a. a. O., S. 190 f.

Aus dem «Tagebuch der böhmischen Königskrönung», Prag 1791
Den 3ten September.

[Am 2.] Abends beehrten Ihre kais. kön. Majestäten mit Dero durchlauchtigsten Prinzen und Prinzessin k. H. H. das hiesige Altstädter Nationaltheater mit Ihrer höchsten Gegenwart, wo auf höchstes Verlangen die italiänische Oper: *Il dissoluto punito,* oder *Il Don Iovanni* gegeben wurde. Das Theater war stark mit Lustern beleuchtet, und die kais. Logen verziert.

S. 157. — Freisauff und Nettl, a. a. O.

Aus den «Annalen des Theaters», Berlin 1791
Anzeige.

Mit unberufener Bereitwilligkeit ist auch mir einer von der Gattung gewisser Leute, die ihren Linné an Herrn Müller in Itzehoe gefunden haben, auf einem Schleichwege zuvorgekommen, und hat zum Druck befördert, was ich nicht, (wenigstens durch *ihn* nicht,) gedruckt bekannt machen wollte. Dieses ist: *Die Hochzeit des Figaro.* Eine Operette, frei nach dem Italienischen bearbeitet, die ich vor einigen Jahren als *Manuscript* an das Frankfurter Theater verhandelt habe. Wie sie von dort an den ehrbaren Vor- und Nachdrucker *Lange* in Kölln am Rhein, gekommen ist, weiß ich nicht, aber *das* weiß ich, daß er sich unrechtmäßigerweise des Besitzes meines Eigenthums angemaßt hat. Diese saubere Ausgabe wimmelt nicht nur von Druckfehlern, sondern man hat mir auch eine Sprach-Eleganz angedichtet, vor der mich Gott in Gnaden bewahren wolle! — Viele Stellen haben gar keinen Verstand, und scheinen blos nach dem Gehör niedergeschrieben zu seyn, und das Metrum in den Gesängen ist, wie der Reim, oft schrecklich gemißhandelt worden. Ich warne jedermann diesen saubern Abdruck zu kaufen und sein Geld für gestohlene Waare auszugeben, die noch dazu so sehr verfälscht ist. — Das Besorgniß, mehrere ähnliche Schicksale erleben zu müssen, hat mich bestimmt, dem Publiko selbst den Abdruck, meiner nach dem Italienischen bearbeiteten Operetten zu überliefern, um mich nicht wieder der Habsucht solcher Piraten auszusetzen, die ihre Prisen nicht einmal in unverfälschter Form und Gestalt liefern. Uebrigens bleibt *Langens* Spekulation ein unrechtmäßiges Unternehmen, und sein Name prange in der Reihe der Neuwieder, Reutlinger, Karlsruher ec. Raubgesellen. — Weimar, am 5. Sept. 1791.   *C. A. Vulpius.*

Heft 8, S. 126 f. — Die Übersetzung von Vulpius war zuerst am 11. Oktober 1788 in Frankfurt verwendet worden. Das Kölner Textbuch erschien 1789; es wurde wohl für die Aufführung in Bonn Anfang 1790 gedruckt. Es scheint, daß Vulpius seine Übersetzungen italienischer Libretti nicht gesammelt hat. Wegen seiner schlechten Bearbeitungen von Wiener Singspielen für Weimar ist er später mit Schikaneder in öffentliche Kontroverse gekommen. (Die Anspielung auf Karl v. Linnés Nomenklatur ist kaum mehr verständlich.)

6. SEPTEMBER 1791, s. NACHTRAG, S. 524

Am 6. September wird *La Clemenza di Tito* als Krönungs-Oper in Prag aufgeführt.

Mozart, der den Auftrag für diese Oper von den böhmischen Ständen erhalten hatte, dirigierte. Sie wurde nur ein paarmal gegeben, zuletzt am 30. September, am Tage der Uraufführung der *Zauberflöte* in Wien. (Der angebliche Brief Schikaneders an Mozart, datiert vom 5. September 1790, in Sachen der *Zauberflöte*, ist hier bewußt übergangen worden.)

TITELBLATT DES TEXTBUCHES DER «CLEMENZA DI TITO»

LA CLEMENZA / DI TITO, / Dramma Serio per Musica / in due Atti / da rappresentarsi / NEL TEATRO NAZIONALE / DI PRAGA / nel Settembre 1791. / In occasione di sollenizzare / il giorno dell'incoronazione / di sua / MAESTA L'IMPERATORE / LEOPOLDO II. / Nella Stamperia di Nob. De Schönfeld.

Exemplar in der Sächsischen Landesbibliothek, Dresden. — Faksimile in der Monatsschrift *Città di Milano*, Dezember 1955, S. 715. — Metastasios Text, den zuerst Antonio Caldara 1734 komponiert hatte, war für Prag von dem sächsischen Hofpoeten Caterino Mazzolà gekürzt und geändert worden. Mazzolà weilte auch in Prag.

PERSONENVERZEICHNIS DARAUS

INTERLOCUTORI.

Tito Vespasiano,	Imperator di Roma.
Vitellia,	Figlia dell'Imperatore Vitellio.
Servilia,	Sorella di Sesto, amante d'Annio.
Sesto,	Amico di Tito, amante di Vitellia.
Annio,	Amico di Sesto, amante di Servilia.
Publio,	Prefetto del Pretorio.

La Scena è in Roma.

La musica è tutta nuova, composta dal celebre Sig.
   Wolfgango Amadeo Mozart, maestro di capella
   in attuale servizio di sua Maestà jmperiale.
Le tre prime Decorazioni sono d'invenzione del Sig.
   Pietro Travaglia, all'attual servizio di S. A. il
   Principe Esterazi.
La quarta Decorazione è del Sig. Preisig di Coblenz
   Il vestiario tutto nuovo di ricca e vaga invenzione del Sig. Cherubino Babbini di Mantova.

Aus dem Libretto (wie oben). — Die Besetzung war nach Christopher Raeburn und J. A. Westrup (*Music & Letters*, London, Oktober 1958) folgende: Tito — Signor Antonio Baglioni (der erste Don Ottavio von 1787), Vitellia — Signora Maria Marchetti-Fantozzi, Servilia — Signorina Antonini, Sesto — Signor Domenico Bedini, Annio — Signora Carolina Perini, Publio — Signor Gaetano Campi. (Bedini war ein Kastrat.) — Der Klarinettist Anton Stadler, der im Orchester mitwirkte, blieb eine Zeitlang in Prag und gab am 16. Oktober dort im Theater ein eigenes Konzert.

Aus Zinzendorfs Tagebuch, Prag, 6. September 1791

...A 5h au Theatre de la vieille ville....La cour n'arriva qu'a 7h ¹/₂ passé on nous regala du plus enneyeux Spectacle La Clemenza di Tito....

Statt 5 Uhr sollte es wohl 7 Uhr heißen; statt ¹/₂ 8 vielleicht 8.

Aus dem «Tagebuch der böhmischen Königskrönung», Prag, 1791

Den 7ten September

[Am 6.] Abends war Freyopera, in welche sich Se. Majestät mit der durchlauchtigsten Familie und dem Hofstaate in die für Höchst dieselben zubereiteten Logen nach 8 Uhr begaben, wohin dieselben ein allgemeines freudiges Vivatrufen durch alle Gässen begleitete, mit welchem Höchstdieselben auch im Theater empfangen wurden.

S. 225. — Freisauff, a. a. O., S. 122. — Siehe auch Debrois' *Urkunde*, 1818.

«Krönungsjournal für Prag», 1791, s. Nachtrag, S. 524/525

Um den 10. September besucht Mozart die Prager Loge „Zur Wahrheit und Einigkeit", wo seine Kantate *Die Maurerfreude* (KV 471) aufgeführt wird.

Nettl, a. a. O., S. 209. — Zur Kantate s. 24. April 1785. — Mozart scheint die Loge mehrmals besucht zu haben; die Ehrung erfolgte bei seinem letzten Besuch dort.

10. September 1791, s. Nachtrag, S. 525

Am 12. September wird im Prager Nationaltheater ein Volksfest mit Freiball gegeben; während des Soupers wird Leopold Kozeluchs *Huldigungskantate*, Text von August Gottlieb Meißner, in Gegenwart der Majestäten von Frau Duschek gesungen.

Auch die Kantate war von den böhmischen Ständen bestellt worden. Sie wurde am 23. September bei einer Akademie im Nationaltheater wiederholt. — S. 31. Dezember 1791.

Mitte September reist Mozart mit seinen beiden Begleitern nach Wien zurück.

Graf Andreas Kyrillowitsch Razumowsky an Fürst Gregor Alexandrowitsch Potemkin, Wien, 15. September 1791

... Il n'a pas tenu à moi, mon prince, de vous expédier le premier clavéciniste et un des plus habiles compositeurs de l'Allemagne le nommé Mozart, qui, ayant quelque mécontentement ici, serait disposé d'entreprendre ce voyage. Il est en Bohème maintenant, mais il sera bientôt de retour. Si Votre Altesse veut m'autoriser alors à l'engager, non pour un long terme, mais simplement à se rendre auprès d'elle pour l'entendre et l' attacher à son service ensuite, si elle le juge à propos....

A. Wassiltschikow, *Les Razoumowski*, Halle a. d. Saale 1893, II/1, S. 133 f. — *Acta Mozartiana*, Augsburg 1955, II/3—4, S. 45 (deutsch von Dieter Lehmann). — Razumowsky, später Fürst und russischer Gesandter in Wien, weilte 1790 bis 92 in diplomatischer Mission dort, wo er eine Tochter der Gräfin Wilhelmine Thun geheiratet hatte. Er dürfte Mozart durch sie kennengelernt haben. Fürst Potemkin, der russische Feldmarschall, starb schon am 16. Oktober in Bessarabien.

Am 30. September findet im Theater auf der Wieden, dem sogenannten Wiedner oder Freihaus-Theater, die erste Aufführung der *Zauberflöte* statt.

Der Text war von Schikaneder, dem Direktor des Theaters. Mozart dirigierte die erste und am Tag darauf die zweite Vorstellung vom Flügel aus (Süßmayer blätterte ihm um), die folgenden aber Henneberg, der Kapellmeister des Hauses.

TITELBLATT DES TEXTBUCHES DER «ZAUBERFLÖTE»

DIE ZAUBERFLÖTE. / Eine / große Oper in zwey Aufzügen. / Von / Emmanuel Schikaneder. / — / Die Musik ist von Herren Wolfgang Amade / Mozart, Kapellmeister, und wirklichem k. / k. Kammer-Compositeur.
Wien, / gedruckt bey Ignaz Alberti, 1791.

Ein Exemplar bei der Gesellschaft der Musikfreunde, Wien. — Faksimile herausgegeben von der Wiener Bibliophilen-Gesellschaft 1942. — Das Textbuch hat ein Titelbild mit maurerischen Symbolen und enthält ein Kostümbild, das Schikaneder als Papageno darstellt, beide gestochen von Ignaz Alberti, dem freimaurerischen Buchdrucker.

THEATERZETTEL

K. K. priv. Wiedner Theater

Heute Freytag den 30ten September 1791.
Werden die Schauspieler in dem kaiserl. königl. privil. Theater auf der
Wieden die Ehre haben aufzuführen
Zum Erstenmale:

DIE

ZAUBERFLÖTE.

Eine grosse Oper in 2 Akten, von Emanuel Schikaneder.

Personen.

Sarastro	Hr. Gerl.
Tamino	Hr. Schack.
Sprecher	Hr. Winter.
Erster ⎫	Hr. Schikaneder der ältere.
Zweiter ⎬ Priester	Hr. Kistler.
Dritter ⎭	Hr. Moll.
Königin der Nacht	Mad. Hofer.
Pramina, ihre Tochter	Mlle. Gottlieb.

Erste		. . . .	Mlle. Klöpfer.
Zweite	Dame	. . . .	Mlle. Hofmann.
Dritte		. . . .	Mad. Schack.

Papageno . . . . Hr. Schikaneder der jüngere.
Ein altes Weib . . . . Mad. Gerl.
Monostatos ein Mohr . . . . Hr. Nouseul.

Erster		. . . .	Hr. Gieseke.
Zweiter	Sklav	. . . .	Hr. Frasel.
Dritter		. . . .	Hr. Starke.

Priester, Sklaven, Gefolge.

Die Musik ist von Herrn Wolfgang Amade Mozart, Kapellmeister, und wirklicher K. K. Kammerkompositeur. Herr Mozard wird aus Hochachtung für ein gnädiges und verehrungswürdiges Publikum, und aus Freundschaft gegen den Verfasser des Stücks, das Orchester heute selbst diregiren.

Die Bücher von der Oper, die mit zwey Kupferstichen versehen sind, wo Herr Schikaneder in der Rolle als Papageno nach wahrem Kostum gestochen ist, werden bei der Theater-Kassa vor 30 kr. verkauft.

Herr Gayl Theatermahler und Herr Neßlthaler als Dekorateur schmeicheln sich nach den vorgeschriebenen Plan des Stücks, mit möglichsten Künstlerfleiss gearbeitet zu haben.

Die Eintrittspreise sind wie gewöhnlich.

Der Anfang ist um 7 Uhr.

Ein Exemplar im Mozart-Museum, Salzburg. — Urban Schikaneder war der ältere Bruder Emanuels. Josepha Hofer war Mozarts Schwägerin. Anna Gottlieb, nun 17 Jahre alt, hatte 1786 die erste Barbarina im *Figaro* gesungen. Johann Joseph Nouseul, vorher und nachher im Burgtheater engagiert, war eigentlich Schauspieler, wurde aber wie die meisten Mitglieder des Ensembles im Singspiel wie im Schauspiel verwendet. Karl Ludwig Gieseke (eigentlich Metzler), dem man zeitweilig das Textbuch der *Zauberflöte* zugeschrieben hat, wurde später Professor der Mineralogie in Dublin. Die übrigen Mitwirkenden waren: Franz Xaver und Barbara Gerl (geb. Reisinger), Benedikt Schack und Frau (geb. Weinhold), der Inspizient Winter, der Tenorist Kistler, der Bassist Moll, die Soubrette Klöpfer, die junge Liebhaberin Hofmann, Wilhelm Frasel und der Statist Starke. Der Theatermaler hieß Joseph Gayl, der Dekorateur Neßlthaler scheint der Onkel des Malers Andreas Nesselthaler gewesen zu sein, der seit 1789 in Salzburg lebte. — Die Oper muß im Oktober etwa 20mal gegeben worden sein, also fast täglich, was auch in diesem Theater etwas Außerordentliches war (vgl. 6. November 1791). — Was Mozart als Honorar bekommen hat, ist nicht bekannt. („*Pramina*" ist natürlich ein Druckfehler.)

Anfang Oktober fährt Konstanze wieder zur Kur nach Baden.

Diesmal kam der Knabe Karl bestimmt nach Perchtoldsdorf (vgl. Mitte August 1791), der kleine Wolfgang aber war mit der Mutter in Baden, oder bei der Großmutter in Wien.

Am 5. Oktober wird *Così fan tutte* von der Truppe Guardasoni in Dresden italienisch gegeben.

Ein eigenes Textbuch erschien dort italienisch und deutsch. Die Oper soll von der gleichen Gesellschaft in diesem Herbst auch in Prag aufgeführt worden sein.

Am 7. Oktober ist Mozart wieder bei der *Zauberflöte*; am gleichen Abend wird *Don Giovanni* in Köln deutsch gegeben.

Am 8. Oktober bedient Mozart selbst hinter der Szene das Glockenspiel Papagenos in der *Zauberflöte*.

Er saß sonst an diesem Abend in der Loge eines Bayern und dann in der des Magistratsbeamten Franz Xaver Flamm.

Am 9. Oktober speist Mozart mittags bei den Piaristen in der Vorstadt Josefstadt (s. 26. Juni) und führt abends seine Schwiegermutter, Frau Weber, in die *Zauberflöte*.

Das von Kaiser Joseph 1782 aufgehobene Konvikt der Piaristen sollte wieder eröffnet werden. Mozart plante offenbar, seinen Karl dort unterzubringen. Er ging zur Messe in die Piaristen-Kirche, um den Rektor vor dem Essen sprechen zu können.

AUS DEM «MUSIKALISCHEN WOCHENBLATT», BERLIN (10.? DEZEMBER) 1791

Wien, den 9ten Oktob. Die neue Maschienenkomödie: *Die Zauberflöte*, mit Musik von unserm Kapellmeister *Mozard*, die mit grossen Kosten und vieler Pracht in den Dekorationen gegeben wird, findet den gehoften Beifall nicht, weil der Inhalt und die Sprache des Stücks gar zu schlecht sind.
Wir erwarten hier nun täglich die Ankunft des neuen Kaiserl. Kapellmeisters *Cimarosa*, der einige sehr brave Sänger aus Petersburg mitbringen soll. Den deutschen Komponisten und Tonkünstlern scheint hier eben nicht die vorteilhafteste Epoche bevorzustehn.

No. X, S. 79; erst Anfang Dezember erschienen. — Abert II, 754. — Diese von Oktober 1791 bis März 1792 in 24 Nummern erschienene Zeitschrift wurde von Friedrich Ludwig Ämilius Kunzen und Carl Spazier herausgegeben. Die Nummern sind undatiert. — Domenico Cimarosa war 1789 bis 91 in Petersburg als Nachfolger Paisiellos tätig gewesen und sollte nun in Wien der Nachfolger Salieris werden. Er brachte fünf Sängerinnen und sechs Sänger, alle Italiener, mit und schrieb für Wien die Oper *Il matrimonio segreto*, die am 7. Februar 1792 im Burgtheater aufgeführt wurde. Nach Leopolds II. Tod (am 1. März 1792) mußte Cimarosa aber Salieri wieder Platz machen und kehrte 1793 heim nach Neapel.

Am 13. Oktober fährt Mozart mit seinem Schwager Hofer nach Perchtoldsdorf, um Karl abzuholen; abends führt er die beiden mit Frau Weber in die *Zauberflöte*, aber auch Salieri und Signora Cavalieri, die er im Wagen abholte.

Obzwar der Knabe nur für drei Tage der Anstalt fernbleiben sollte, um am 15. auch seine Mutter in Baden zu sehen, scheint er nicht mehr zu Heeger zurückgekommen zu sein. Mozarts letzter Brief an seine Frau, nur aus einer alten Abschrift bekannt, spricht von dem (nicht der) Cavalieri. Es gab einen *„Musikdirektor im Redoutensaal",* der so hieß. Da aber die Cavalieri, die Tochter des Schulmeisters Joachim Cavalier, Salieris Freundin war, dürfte sich der Kopist des Briefes verschrieben haben.

HAYDN AN FRAU VON GENZINGER

London, den 13t 8ber 791

... Die meinige schrieb mir, allein ich kan es nicht glauben, ds Mozart mich sehr herab setzen solte. ich verzeihe es Ihm; ... wegen der Belohnung soll Mozart zum Grafen Fries um sich dort zu Erkundigen gehen, bei welchem ich 500 ♯, und bey meinem Fürst 1000 gulden — zusam bey nahe 6000 fl anlegte, ich danke täglich meinem Schöpfer für diese wohl that, und ich schmeichle mir noch in Baar tausend nach hauß zu bringen....

Nationalbibliothek, Wien. — Karajan, a. a. O. — Haydns Frau Anna war bösartig und tratsch-
süchtig. — Mozarts Zweifel scheinen sich auf den materiellen Erfolg der Reise Haydns bezogen zu
haben, vielleicht in Hinblick auf seinen eigenen Plan, nach London zu reisen. — Das Bankhaus
Fries war von dem 1785 verstorbenen Reichsgrafen Johann Fries gegründet worden und gehörte
seiner Witwe Anna und dem minderjährigen Grafen Moritz. — Haydns Fürst war jetzt Anton Esterházy.

Am Morgen des 15. Oktober fährt Mozart mit Karl nach Baden, um Konstanze heimzu-
bringen.

Aus der «Wiener Zeitung», 15. Oktober 1791

Neue Musikalien.

Bey Johann Träg... sind folgende neue Musikalien zu haben:

. . .

Duetti à 2 Viol. dell'Opera (Le Nozze di Figaro) a 2 fl. 30 kr.

Aus dem «Musikalischen Wochenblatt», Berlin (22.? Oktober) 1791

Liebhaberkonzert.

Berlin. Im öffentlichen Liebhaberkonzert thaten sich am 8. Oktober hervor: Madame
Bachmann, die eine hübsche Scene recht brav und eindrucksvoll sang, und ein junger Herr
Rück, der mit vieler Leichtigkeit und Präcision ein Konzert von *Mozart* auf dem Pianoforte spielte, und darin die empfindungsvollen Stellen sowohl, als auch die eigenthümlichen Züge dieses reichen Künstlers gut aushob, der — wie alle größeren Genies, welchen
die Kunst zu der bizarrsten Seelenschwelgerei zu Gebote stehen muß — sich zuweilen in
den seltsamsten Paradoxien gefällt. Es macht viel Vergnügen, ein Kunstgenie dieser Art
einen seltsamen Gang mit Leichtigkeit nehmen zu sehen, wobei man die Ahnung hat, daß
es die Andern die ungeheuerste Anstrengung kosten würde. Dies Vergnügen wird aber
Mühe und Arbeit, die sich nur erst wieder durch den Umweg des Studiums in Genuss verwandelt, wenn ein solcher Künstler sich einmahl von ganzer Seele anstrengt, wie dies
vorzüglich auf den *Don Juan* von Mozart sich anwenden läßt, in welchem er dem Zuhörer
seine Kunst in ganzen Massen zuwirft, und wodurch das vortreffliche Ganze beinahe un-
übersehbar wird. Wovon vielleicht ein andermahl. —

                                                              C. S.
                                                       [Carl Spazier.]

No. III, S. 19. — Jahn III, 362. — Charlotte Bachmann, geb. Stöwe, war Mitglied der Berliner Sing-
akademie unter Karl Fasch. — Der Pianist Rück scheint es nicht weit gebracht zu haben. — Schon in
der nächsten Nummer kam die Zeitschrift auf *Don Juan* zurück.

Aus dem «Musikalischen Wochenblatt», Berlin (29.? Oktober) 1791

Nationaltheater in Berlin.

Mittwoch den 12ten Oktober. *Don Juan oder der steinerne Gast,* von Mozart.

Man vereinige tiefe Kenntniß der Kunst mit dem glücklichsten Talent, reitzende Melodien zu erfinden, und verbinde dann Beydes mit der grösstmöglichsten Originalität, so hat

man das treffendste Bild von Mozarts musikalischem Genius. Nie kann man in seinen Werken einen Gedanken finden, den man schon einmahl gehört: sogar sein Akkompagnement ist immer neu. Unaufhörlich wird man ohne Ruhe und Rast von einem Gedanken zum andern gleichsam fortgerissen, so dass die Bewunderung des letzten beständig die Bewunderung aller vorhergehenden in sich verschlingt, und man mit Anstrengung aller seiner Kräfte kaum die Schönheiten alle fassen kann, die sich der Seele darbieten. Sollte man Mozart eines Fehlers zeihen wollen, so wäre dies wohl das einzige: dass diese Fülle von Schönheiten die Seele beinahe ermüdet, und dass der Effekt des Ganzen zuweilen dadurch verdunkelt wird. Doch, wohl dem Künstler, dessen einziger Fehler in *allzugrosser* Vollkommenheit besteht! —...

W.

[Bernhard Anselm Weber.]

No. IV, S. 30 f. — Freisauff, a. a. O., S. 53. — Die Oper stand in Berlin seit dem 20. Dezember 1790 auf dem Repertoire. — Weber gibt im weiteren Verlauf dieses Artikels eine Würdigung der schönsten Teile der Oper.

Aus der «Wiener Zeitung», 5. November 1791

Die Zauberflöte,

Opera des Hrn. Kapellmeister Mozart, in wirklichen Diensten Sr. Majestät des Kaisers, aus welcher verschiedene Stücke beym Klavier zu singen, in der Lauschischen Musikalienhandlung ... zu haben sind.

Diese Bruchstücke eines ersten Klavier-Auszugs stammten wieder von Joseph Heidenreich. — Exemplare im Stift Kremsmünster und im Schwarzenbergschen Archiv, Krumau.

Aus Zinzendorfs Tagebuch, 6. November 1791

... a 6h au Théatre de Starhemberg au fauxbourg de la Vienne dans la Loge de M. et Me d Auersperg, entendre la 24me representation von der Zauberflöte. La musique et les Decorations sont jolies, le reste une farçe incroyable.

Christopher Raeburn im Programmbuch der Glyndebourne Festspiele 1956, S. 53. — Das Freihaus in der Vorstadt Wieden gehörte der Familie Starhemberg, damals dem Fürsten Georg Adam Starhemberg. — In der Loge saßen ein Graf Auersperg und seine Gattin (Franz Joseph und Johanna Elisabeth, geb. Engel?).

Aus der Handschriftlichen Wiener Zeitung «Der heimliche Botschafter», 18. November 1791

Herr Schikaneder will ehestens eine Oper aufführen lassen, die die Zauberflöte weit übertreffen soll. Man hat bereits einige Proben gehabt von dieser Oper, genannt: *Helena* und *Paris.*

Nationalbibliothek, Wien. — O. E. Deutsch, *Das Wiener Freihaustheater*, Wien 1937, S. 20. — Diese vielleicht nur in einem Exemplar hergestellte Zeitung soll von Franz Staudinger verfaßt worden sein. Sie enthält phantastische Lügen; aber Peter Winters Oper *Helena und Paris* wurde wirklich am 24. November im Freihaus-Theater aufgeführt.

Am 18. November wird der neue „Tempel" der Loge „Zur neugekrönten Hoffnung" eingeweiht; Mozart dirigiert die zu diesem Anlaß komponierte *Kleine Freimaurer-Kantate* (KV 623).

Der Text soll von Schikaneder sein, der aber — nach seiner kurzen Zugehörigkeit zu einer Regensburger Loge (1788/9) — keiner Wiener Loge angehört zu haben scheint; die Worte stammen wahrscheinlich von Gieseke. — Ob der dem Erstdruck der Kantate (25. Januar 1792) beigegebene „*Anhang zum Schluß der* ☐" („*Laßt uns mit geschlungnen Händen . . .*") auch von dem gleichen Textdichter und von Mozart stammt, ist ungewiß.

Am 20. November legt sich Mozart krank zu Bett.

Um diese Zeit, „*14 Tage vor seinem Tode*", soll er dem Musiker Franz de Paula Roser die von Mozart durch die Bläserstimmen ergänzte Abschrift der Menuette 1, 2 und 4 aus KV 585 geschenkt haben (Gesellschaft der Musikfreunde, Wien). Die Kopisten-Partitur enthielt nur die ursprüngliche Fassung der drei von zwölf Menuetten, für zwei Violinen und Baß. — Roser, damals 12 Jahre alt, soll eine Zeit lang Mozarts Schüler gewesen sein. Bei seinem Vater, dem Linzer Domkapellmeister Johann Georg Roser v. Reiter, der unter den Leidtragenden bei Mozarts Begräbnis genannt wird, hatten Leopold und Wolfgang Mozart angeblich einmal elf Tage lang gewohnt. (Vgl. um 1825.)

Aus der «Wiener Zeitung», 23. November 1791

Neue Musikalien.

Bey Artaria & Comp. Kunsthändlern am Kohlmarkt sind ganz neu zu haben:

. . .

Mozart, Duet: Bey Männern welche Liebe fühlen, fürs Klavier aus der neuen Opera die Zauberflöte 20 kr.
— — Aria: In diesen heil'gen Hallen, fürs Klavier aus der nämlichen Opera 20 kr.

Das war der Anfang eines der beiden gestochenen Wiener Klavier-Auszüge. Siehe die nächste Ankündigung.

Aus der «Wiener Zeitung», 26. November 1791

Neue Musikalien.

In dem musikalischen Magazin . . . sind folgende Musikalien auf guten Schreibpapier gedruckt, auch schön und korrekt gestochen, ganz neu zu haben:

. . .

Aus der Oper, Die Zauberflöte, von Hrn. Mozard:
Aria (in diesen heil'gen Mauern) beym Klavier 10 kr.
— — Duetto (bey Männern, welche Liebe fühlen) beym Klavier 15 kr.

Leopold Kozeluch beeilte sich, aus dem von ihm vorbereiteten Klavier-Auszug dieselben zwei Nummern herauszubringen, die Artaria & Co. verlegt hatten (s. 3. Dezember 1791). — Erst die zweite Strophe der Arie Sarastros beginnt mit den Worten „*In diesen heil'gen Mauern*" (statt „*Hallen*"). — Beide Klavier-Auszüge wurden erst 1793 abgeschlossen. Nur der aus Kozeluchs Verlag erreichte Vollständigkeit; der Artarias blieb fragmentarisch, ebenso wie ein dritter von Hoffmeister (11. Februar bis 19. Mai 1792).

Am 28. November halten Mozarts Ärzte Dr. Nikolaus Closset und Dr. Matthias v. Sallaba ein Konsilium.

Auch Sallaba war ein angesehener Wiener Arzt, zuletzt Primararzt des Allgemeinen Krankenhauses; er starb 1797, erst 31 Jahre alt.

Aus der «Wiener Zeitung», 30. November 1791

Anzeige.

Bey Artaria & Comp. am Kohlmarkt sind folgende Tanzmusikalien zu haben:
Mozart, 12 Redoutenmenuetten mit allen Stimmen 1 fl. 30 kr.
— — 12 deutsche Tänze 1 fl. 30 kr.
· · ·
Mozart, 12 Redoutdeutsche fürs Klavier 2ter Theil 45 kr.
— — 12 — — — 3ter Theil 45 kr.
— — 12 Menuetten 2ter Theil 45 kr.
— — 12 Deutsche 3ter Theil 45 kr.

Menuette in (allen?) Stimmen und Klavierauszug: KV 599, 601, 604; in Klavierauszug allein. KV 585. Deutsche Tänze in (allen ?) Stimmen und Klavierauszug: KV 600, 602, 605; in Klavierauszug allein: KV 586.

Aus der «Musikalischen Korrespondenz der teutschen Filarmonischen Gesellschaft», Speyer, 30. November 1791

Quatuor à 2 Violons, Alto e Violoncello, comp. par M. W. A. Mozart, Ebend. [Wien, bei Hoffmeister] in Fol. (Pr. 1 fl. 20 kr.)
Quartetto per il Clavicembalo o Forte Piano con l'Accompagn. d'un Violino, Viola & Violoncello. Von Ebend. Ebend. bei Artaria, in qu. Fol. (Pr. 1 fl. 40 kr.) Op. 13.
Auch diese beede Quartetten sind mit dem Feuer der Einbildungskraft und Korrektheit geschrieben, wodurch sich Hr. M. schon längst den Ruhm eines der besten Tonsezer in Deutschland erworben hat. Das erste bestehet aus vier, das lezte aber nur aus drei Säzen, und selbst der Menuet in jenem ist mit einem Fleiß gesezt, und mit kanonischen Nachahmungen durchwebt, die man in vielen andern solchen Kompositionen, selbst von berühmten Meistern öfters vermißt.

Nr. 48, Spalte 377 f. — Das Streichquartett ist das in D, KV 499, 1786 erschienen; das Klavierquartett das in Es, KV 493, am 21. Juli 1787 angezeigt.

Aus der «Wiener Zeitung», 3. Dezember 1791

Neue Musikalien.

In dem musikalischen Magazin ... sind ganz neue Werke, welche erst die Presse verlassen, auf dem besten Schreibpapier, schön und korrekt gestochen, erschienen, nämlich:
· · ·
Aus der Oper die Zauberflöte von H. Mozart:
Terzetto: Seyd uns zum zweytenmal willkommen, beym Klavier, 15 kr.
Duetto: Bey Männern, welche Liebe fühlen, 15 kr.
Aria: In diesen heilgen Mauern, 10 kr.
Vgl. 26. November 1791.

Am 3. Dezember tritt in Mozarts Befinden eine leichte Besserung ein.

Am 4. Dezember, um 2 Uhr nachmittags, wird an Mozarts Krankenbett eine Art Probe des noch unvollendeten Requiems abgehalten.

Graf Franz Walsegg-Stuppach (s. 2. April 1788) hatte anonym durch seinen Gutsverwalter Franz Anton Leitgeb im Juli 1791 bei Mozart das Requiem bestellt, das der Graf zum Gedenken seiner verstorbenen Frau als seine eigene Komposition aufführen wollte. Mozart hatte schon früher mit Konstanze, Süßmayer und anderen Freunden Teile des Werkes zu Hause geprobt. Diesmal sang er die Alt-Stimme zu Schacks Falsett-Sopran, Hofers Tenor und Gerls Baß.

Am Montag, dem 5. Dezember 1791, fünf Minuten vor ein Uhr morgens, stirbt Mozart.

Dr. Closset war noch am Abend gerufen worden, konnte aber nicht mehr helfen. Die Diagnose lautete damals auf „hitziges Frieselfieber"; heute nimmt man an, daß Mozart „einer langen Nierenkrankheit im urämischen Coma" erlegen ist. (Aloys Greither, Wolfgang Amadé Mozart. Seine Leidensgeschichte an Briefen und Dokumenten dargestellt, Heidelberg 1958.)

NACHKLANG

Konstanze in Mozarts Stammbuch

Was Du einst auf diesem Blatte an Deinen Freund schriebst,
eben dieses schreibe nun ich Tiefgebeugt an Dich
Vielgeliebter Gatte; mir, und ganz Europa unvergeßlicher Mozart —
auch Dir ist nun wohl — auf ewig wohl!! — — —
Um 1. U. nach Mitternacht vom 4te zum 5te Dezember deß Jahres
verließ er in Seinem 36te Jahre — O! nur allzu frühe! —
diese gute — aber undankbare Welt! — — O Gott! —
8 Jahre knüpfte uns daß zärtlichste, hienieden unzertrennliche Band! —
O! könnte bald auf ewig mit Dir verbunden seyn.

Deine äußerst betrübte Gattin
Constance Mozart neé Weber

Wien den 5te Decemb: 1791

Früher im Mozarteum, Salzburg. — Faksimile in Arthur Schurigs Mozart-Biographie, Leipzig 1913, II, 333; 1923, II, 416. Konstanze schrieb diese Worte auf die Rückseite der Eintragung Dr. Barisanis (14. April 1787), unter der Mozart selbst seinen Schmerz über den Verlust dieses Freundes ausgedrückt hatte (3. September 1787). — Man hat Zweifel darüber geäußert, ob Konstanze diese Zeilen wirklich schon am Todestag Mozarts niedergeschrieben hat, wo sie halb von Sinnen gewesen sein soll und aus dem Sterbehaus weggeführt werden mußte, wie es heißt.

Aus dem Sterberegister der Domkanzlei von St. Stephan

1791
Xbris
den 5t
(Stadt) Nro 970 Titl Herr Wolfgang Amadeus Mozart k:k: Kapellmeister und Kammer Compositor (Katholisch) 1 (Männlich) 1 (Lebensjahre) 36 (Krankheit und Todesart) hitziges Friesel Fieber (Ort, wohin, und Tag, an welchem die Begräbniß beschehen) Den 6te dito [Xbris] deto [Freydhofe ausser St: Marx]

Folio 173. — Die in runde Klammern gesetzten Worte sind vorgedruckt, als Köpfe der Kolumnen des Sterberegisters, die in eckigen Klammern enthalten die aus darüberstehenden Eintragungen nicht wiederholten Worte. — Der erst vor wenigen Jahren angelegte Friedhof vor der St. Marxer Verzehrungssteuer-Linie war für dieses Viertel der Pfarrgemeinde von St. Stephan zuständig (s. 15. November 1786). — Der Totenschein, den Jahn (II, 702) aus dem Jahre 1847 abdruckte, ist nur ein Auszug aus dem Sterberegister.

Aus Zinzendorfs Tagebuch, 5. Dezember 1791

... Tems doux. Troi ou quatre brouillards par jour depuis quelque tems.

Zinzendorf trug in sein Tagebuch jeden Abend das Wetter ein. Siehe 6. Dezember.

Aus dem «Necrologium particulare» des Abtes Dominicus Hagenauer

Dec. 5 1791 obiit D. Wolfgangus Motzart Salisburgensis Josephi 2di & Leopoldi 2di Imperatorum Musices Director aet. 35

Archiv des Stiftes St. Peter, Salzburg. Hs. A 250.

Am 6. Dezember, um 3 Uhr nachmittags, wird Mozarts Leichnam vor der Kruzifix-Kapelle **neben dem unausgebauten Nordturm des Stephans-Domes eingesegnet, dann durch das Stubentor über die Vorstadt Landstraße auf den St. Marxer Friedhof gefahren und in einem Reihengrab beigesetzt.**

Der Leichnam dürfte vom 5. auf den 6. Dezember im Sterbehaus aufgebahrt gewesen sein. Die Einsegnung erfolgte, wie es bei einfachen Begräbnissen üblich war, im Freien, hier vor der offenen Renaissance-Halle, die den Eingang zu den Katakomben bildete und mit einem Kruzifix ausgezeichnet ist, nahe der sogenannten Capistran-Kanzel. Der Priester stand in dieser „Kruzifix-Kapelle" (im Volksmund irreführend Kreuz-Kapelle genannt) erhöht, der Sarg davor. Es war kein Armen-Begräbnis, d. h. unbezahlt, aber eines der billigsten Klasse. — Daß weder die Witwe noch die engeren Freunde, noch auch einige der Freimaurer den Kondukt begleiteten, wie es heißt, kann nur aus der seit Kaiser Josephs Zeit üblichen Einfachheit der Leichenbegängnisse erklärt werden. (Swieten verlor am 5. Dezember durch ein Handbillet Leopold II. sein Amt als Präses der Studien-Hofkommission, laut Mitteilung von E. F. Schmid.) — Die Reihengräber waren etwa 2$^{1}/_{2}$ Meter tief und wurden in drei Schichten belegt, aber nicht auf einmal, sondern in zeitlichen Abständen. Die Personen aus dem gleichen Stadtviertel, die um den 6. Dezember beigesetzt wurden, blieben Mozarts Nachbarn und sind im Totenbuch der Pfarre St. Stephan zu finden. Der Umstand aber, daß die Reihengräber nicht bezeichnet waren und kein ihm Nahestehender Zeuge der Beisetzung gewesen zu sein scheint, machte es später unmöglich, die Stelle, wo er lag, mit Sicherheit zu bestimmen. (Hermine Cloeter, *Die Grabstätte W. A. Mozarts*, Wien 1956.) Nach Nissens Kollektaneen im Salzburger Mozarteum sollen die Gräber solcher *„allgemeiner Begräbnisstellen"* alle sieben Jahre *„geöffnet und aufgeräumt"* worden sein. (Rudolf v. Lewicki in den *Mozarteums-Mitteilungen*, November 1919, S. 29.)

Aus dem Totenbuch der Pfarre St. Stephan, 6. Dezember 1791

Den 6ten X bris.

Mozart	Der / Titl / Herr Wolfgang Amandeus
3te Class	Mozart, k. k. Kapellmeister und
Pfarre	Kammer Compositeur, in der Rauchen-
St: Stephan	steingasse im kl: Kaiserhaus Nro
	970, an hitzigen Friesel Fieber be-
	schaut, alt 36. Jr.

Im Freydhof a. St. Marx

8 f 56 kr. Bezahlt   — — — — — — —   4.36.   4.20.

Wagen f 3 —

Jahn II, 703. — Otto Schneider, *Mozart in Wirklichkeit*, Wien 1955, S. 320 (Abbildung). — Die Kosten waren 4 fl. 36 kr. Pfarrgeld und 4 fl. 20 kr. Kirchengeld.

Aus Zinzendorfs Tagebuch, 6. Dezember 1791

... Tems doux. Eu brouillard frequent.

Damit scheint die Überlieferung (s. Deiner, 1856), daß die Leidtragenden wegen heftigen Regen-
und Schneewetters nicht auf den Friedhof folgten, widerlegt zu sein. (Vgl. Nicolas Slonimsky in
The Musical Quarterly, New York, Januar 1960, Bd. 46, Nr. 1, S. 12—21.) — N. B. Die Verlassen-
schafts-Abhandlung (Archiv der Stadt Wien), die bis ins Jahr 1793 lief, ist im Anhang II abgedruckt.

Am gleichen Tag, dem 6. Dezember, verübt Hofdemel ein Attentat auf seine Frau und
begeht Selbstmord.

Ferdinand Bischoff in den *Mitteilungen für die Mozart-Gemeinde in Berlin*, Oktober 1900. — Ernst
Weizmann in der *Weltpresse*, Wien, 4. Februar 1956 und acht folgende Samstage. — Gustav
Gugitz in der *Österreichischen Musikzeitschrift*, Juli 1956. — Zu Hofdemel s. 2. April 1789. —
Diese Affaire mit Mozarts Tod in Zusammenhang zu bringen und den am 10. Mai 1792 geborenen
Knaben der Frau Hofdemel ihm zuzuschreiben, erscheint abwegig.

Aus der «Wiener Zeitung», 7. Dezember 1791

In der Nacht vom 4. zum 5. d. M. verstarb allhier der K. K. Hofkammerkompositor Wolfgang *Mozart*. Von seiner Kindheit an durch das seltenste musikalische Talent schon in
ganz *Europa* bekannt, hatte er durch die glücklichste Entwickelung seiner ausgezeichneten
Natursgaben und durch die beharrlichste Verwendung die Stufe der größten Meister er-
stiegen; davon zeugen seine allgemein beliebten und bewunderten Werke, und diese geben
das Maß des unersetzlichen Verlustes, den die edle Tonkunst durch seinen Tod erleidet.

Das war eine redaktionelle Notiz, die am 13. in der *Prager Oberpostamts-Zeitung* nachgedruckt
worden ist; der erste Satz auch in der *Pressburger Zeitung* vom 10. — Vgl. 10. und 31. Dezember.

Aus der «Wiener Zeitung», 7. Dezember 1791

Neue Musikalien.

Bey Artaria und Comp. Kunsthändlern am Kohlmarkt sind folgende Arien aus der neuen
Opera Die Zauberflöte, von Mozart, fürs Clavier übersetzt zu haben, als:
Aria, Der Vogelfänger bin ich ja, 8 kr.
Terzetto, Du feines Täubchen nur herein, 15 kr.
Terzetto der 3 Knaben, Zum Ziele führt dich diese Bahn, 10 kr.
Glockenspiel und Coro, dann Duetto, zwischen Pamina und Papageno, 10 kr.
Duetto, Bey Männern welche Liebe fühlen,
— — Bewahret euch für Weiber Tücke, 6 kr.
Aria, Alles fühlt der Liebe Freuden, 10 kr.
— — In diesen heilgen Hallen
— — Ach ich fühle es ist verschwunden, 10 kr.
Terzetto, Soll ich dich Theurer nicht mehr sehen, 24 kr.
Aria, Ein Mädchen oder Weibchen, 10 kr.
Terzetto der 3 Knaben, Seid uns zum zweytenmal willkommen, 10 kr.

Vgl. 23. November 1791.

Zeugnis für Emanuel Aloys Förster, ca. 7. Dezember 1791

Ich Endesgefertigter urkunde und bekenne zur Steuer der reinen und Gott gefälligen Wahrheit, wienach ich den H Emanuel Aloys Förster schon seit vollkommenen vier Jahren nicht

nur von seiner grossen Geschicklichkeit in Ausübung der Tonkunst, und Componiren, sondern auch von seinen übrigen sittlichen Eigenschaften sehr genau kennen gelernt habe. Was nun seine Kunst in Fliegschlagen anlanget, da hat der verstorbene grosse Meister Mozart ihm H Förster gar öfters das öffentliche Zeugniss in meiner, und anderer Leute Gegenwart angedeihen lassen, dass dieser letztere ganz sicher nach ihm Mozart der stärkste und geschickteste Meister im Fliegschlagen seye. Weiters lassen ihm H Förster alle Tonkünstler die Gerechtigkeit widerfahren, dass er in Compositions-Satze immer zwischen Hayden und Mozart gesetzt werden kann ... Wien den 3ten Xbris 791.

Augustinus Erasmus Donath
k. k. Böheimisch österreichischer Hofagent.

Staatsarchiv, Wien, Akten der Hofmusikkapelle, 1791, fol. 100 f. — Karl Pfannhauser in den *Acta Mozartiana*, Augsburg 1956, Jg. III, Nr. 3, S. 7 f. — Obzwar dieses Zeugnis vom 3. Dezember datiert ist, kann es nicht vor dem 5. geschrieben sein, weil Mozart schon als verstorben bezeichnet ist. — Zu Förster s. 13. August 1788. — *„Flieg"* bedeutet Flügel, und *„Fliegschlagen"* Klavier spielen. — Der Zweck dieser Empfehlung ist aus dem nächsten Dokument ersichtlich.

MAJESTÄTSGESUCH DES EMANUEL ALOYS FÖRSTER, CA. 8. DEZEMBER 1791

Eure Majestät!
Unterzeichneter bittet zur Hofkammer-Kapell an die Stelle des abgelebten Tonkünstlers und Compositeur Wolgang Mozart in allerhöchsten Gnaden aufgenommen zu werden.
Seine allerunterthänigste Bitte wird 1o durch die in dem Zeugnisse A. vorkommende Behelfe unterstützt; und wenn Supplikant auch einer Seits bekennen muss, dass er im Fliegschlagen, und Componiren nicht gar so vollkommen als der abgelebte Tonkünstler Mozart seye, so spricht dennoch anderer Seits das ganz sichere Verhältniss für ihn, dass kein so vollkommenes Subjekt, als Mozart in diesem Fache war, zu finden sey,
2do Will er Probe in Fliegschlagen ablegen, und auch von seiner Composition mehrere Beweisse aufführen.

Emanuel Aloys Förster.

Ebenso, fol. 99—102. — Pfannhauser, wie oben. — Auf fol. 102 steht: *„praes. den 9ten Xber 1791"*; danach dürfte das undatierte Gesuch um den 8. Dezember geschrieben sein. — Siehe 12. Januar und 12. März 1792.

AUS DER HANDSCHRIFTLICHEN WIENER ZEITUNG «DER HEIMLICHE BOTSCHAFTER», 9. DEZEMBER 1791

Ein Ereigniss für die Tonkunst, und alle Musikliebhaber äusserst unangenehm ist Mozarts Tod. Ein hitziges Frieselfieber entriess mit ihm für Herrn Schikaneder den zweyten Theil der Zauberflötte, wozu er bereits den ersten Akt komponiret hatte.

Nationalbibliothek, Wien. — Gustav Gugitz in *Mozarteums-Mitteilungen*, Salzburg, November 1920, Jg. 3, H. 1, S. 2. — Vgl. 18. November 1791.

AUS «HADI ÉS MÁS NEVEZETES TÖRTÉNETEK» (KRIEGS- UND ANDERE MERKWÜRDIGE BEGEBENHEITEN), WIEN, 9. DEZEMBER 1791

(Übersetzung)

Am fünften dieses Monats, am frühen Morgen, endete der in ganz Europa berühmte Wolfgang Mozart, k. u. k. Hofkompositeur, sein kurzes, nur 35 Jahre währendes Leben. Selbst die grössten Meister bewunderten das ganz seltene Talent dieses grossen Musikers. Was aber hat dieser hochbegabte Mann hinterlassen? Einen ewig währenden Namen, aber auch eine hilflose Witwe mit zwei Waisen, und viele Schulden. Der Waisen hat sich schon der grossherzige Baron Swieten angenommen. Das eine von diesen Kinderchen, obwohl noch sehr klein, schlägt schon das Clavichord auf eine Art, dass es alle mit Staunen hören.

S. 739 f. — Ervin Major, *Mozart und Ungarn*, Budapest 1956, S. 44, mit Faksimile des Originals. (Die vorliegende Übersetzung ist nicht daraus entnommen.) Das ungarische Original ist im Anhang III, S. 516, abgedruckt. — Vgl. 13. und 16. Dezember 1791.

Aus der «Wiener Zeitung», 10. Dezember 1791

Verstorbene Zu Wien.

Hr. Wolfg. Amadeus Mozart, k. k. Kapellmeist. u. Kammerkomposit. alt 36 J. in d. Rauhensteing. N. 970.

Pensions-Gesuch Konstanze Mozarts an Leopold II., mit Erledigung

Eure Majestät!

Unterzeichnete hatte das Unglück den unersetzlichen Verlust ihres Gatten erleben zu müssen, und von demselben mit *zwey unmündigen Söhnen* in Umständen zurückgelassen zu werden, die sehr nahe an *Dürftigkeit und Mangel* gränzen.

Sie weiß zu ihrem noch größeren Betrübnisse, daß sie bei noch nicht vollendeten 10 Dienstjahren ihres seeligen Mannes nach dem bestehenden Pensions Normal nicht den mindesten Anspruch auf irgend einen Gnadengehalt habe, und ihr daher nichts übrig bleibe, als ganz in Eurer Majestät Gnade, und der bekannten Liebe vollen Vorsorge für Dürftige jeder Art zu beruhen.

Um aber der allerhöchsten Milde nicht vielleicht unwürdig zu scheinen, wagt es dieselbe eine schwache Schilderung ihrer höchst mißlichen Lage, und deren Urquelle alleruntertänigst vorzulegen:

1stens Hatte ihr seel. Gatte nie das Glück hier in Wien eine günstige Gelegenheit abzuwarten, welche ihm erlaubt hätte, seine Talente zu Begründung besserer Aussichten der Welt auffallend genug zu machen, — und eben daher war er außer Stande einiges Vermögen zu hinterlassen.

Zwar wäre es demselben

2tens sehr leicht gewesen im Auslande — sein Glück zu finden, und seine Familie in einen glänzenderen Zustand zu versetzen; wenn er den so häufig gemachten Anträgen Gehör gegeben, und nicht in der Gnade dem hiesigen allerhöchsten Hofe zu dienen seinen größten Ruhm gesucht hätte.

3tens Gestatteten seine noch blühenden Jahre, und die sehr wahrscheinliche Aussicht den Wohlstand seiner Angehörigen durch das seltenste Talent noch immer früh genug dauerhaft gründen zu können, auch dem entferntesten Gedanken von der Möglichkeit der gegenwärtigen Lage in seinem Gedächtnisse keinen Raum.

Daher geschah es auch, daß er nicht einmal daran dachte durch Einverleibung in die musikalische Wittwen und Waisen Gesellschaft seine Nachkommen diese obgleich geringe Versorgung zu versichern.

4tens Endlich wird dieses Gemählde um so rührender, als er der Welt gerade in demjenigen Augenblicke geraubt wurde, wo seine Aussichten für die Zukunft rings umher heiterer zu werden begannen.

Denn nebst der vor Kurzen erhaltenen Anwartschaft auf die Kapellmeisters-Stelle am Dom zu St. Stephan, langte noch wenige Tage vor seinem Tode von einem Theile des ungarischen Adels die Versicherung einer Subskription von jährlichen 1000 f: und von Amsterdam die Anweisung eines noch höhern jährlichen Betrages an, wofür er nur wenige Stücke ausschließend für die Subskribenten komponiren sollte.

Bittstellerinn wagt es noch einmal sich in die allerhöchste Gnade, und bekannte väterliche Vorsorge, besonders gegen Dürftige dieser Art, um so mehr gänzlich zu ergeben, als dieselbe in ihrem Jammervollen Zustande nur die Zuversicht: Eure Majestät werden sie mit *ihren zwey unmündigen Söhnen* von der allerhöchsten Mildthätigkeit nicht ausschliessen: noch einigermassen aufrecht zu erhalten fähig ist.

Wien den 11ten Dezember 1791.

> Konstantia Mozart geborne
> Weber hinterlassene Wittwe
> des seel. Wolfgang Amadeus
> Mozart k. k. Kammer Kom-
> positor.

[Außen:]

An

Seine Majestät

Konstantia Mozart geborne Weber hinterlassene Wittwe des seel. Wolfgang Amadeus Mozart kk. Kammer-Kompositor.

> Bittet in Ansehn ihrer äusserst mißlichen Lage um einen Gnadengehalt für sich und ihre unmündigen 2 Söhne, und wagt es aus Mangel eines gegründeten Anspruches sich ganz in die allerhöchste Gnade zu ergeben.

[Bescheid.]

Die Bittstellerin wird auf Veranlassung eines kk. Obersthofmeisteramts anmit bedeutet, daß sie nach der bestehenden höchsten Anordnung ihr Gnadengehalts Gesuch mit dem Abhandlungs Verlaß oder einer sonstigen gerichtlichen Urkunde behörig belegen, zugleich sich ausweisen soll, daß Sie aus dem Hofmusik Sociaetaets Fond keine Pension anzuhoffen habe. Wien d: 5. Jäner 792.

> Per k. k. Hofmusik Direktion
> v. Caballini

Mozarteum, Salzburg. — Abert II, 912—4. — Reinschrift von fremder Hand, wahrscheinlich verfaßt von einem Freunde der Familie. — Konstanze soll dieses Gesuch Leopold II. in einer Audienz überreicht haben. — Von Anträgen aus dem Ausland ist nichts bekannt, was Mozart eine dauernde Stellung geboten hätte. — Zur Tonkünstler-Societät s. 11. Februar und 24. August 1785. Es gab damals auch eine Sozietäts-Kasse der Kammer- und Hofkapellen-Musik für Witwen und Waisen. — Zur Anwartschaft auf die Stelle des Domkapellmeisters s. 9. Mai und 12. Dezember 1791. — Auch von den Renten, die ungarische Adelige und Amsterdamer Musikfreunde Mozart für bestellte Kompositionen angeboten hätten, ist nichts weiter bekannt geworden. Vom ungarischen Adel in Wien kämen die Familien Apponyi, Bánffy, Batthyány, Esterházy, Pálffy und Zichy in Betracht. Die nachgelassenen Streichquintette in D und Es, KV 593 und 614, sind 1793 bei Artaria mit der Bezeichnung „Composto per un Amatore Ongarese" erschienen. (Vielleicht der Wiener Musikfreund Johann Tost, der in Ungarisch-Hradisch geboren war, ein Ort, der freilich in Mähren lag.) — Zum Gesuch s. 30. Dezember 1791, 20. Januar, 12. und 13. März 1792.

Am gleichen Tag, dem 11. Dezember, vollendet Anton Eberl seine Kantate *Bey Mozarts Grabe.*

Der Wiener Pianist und Komponist Eberl, von dem dann einige Werke unter Mozarts Namen erschienen, hat Konstanze und ihre Schwester Aloisia Lange 1795/6 auf einer Kunstreise nach dem Norden begleitet und öfters in Konzerten zugunsten der Witwe mitgewirkt. — Der Text der Kantate stammte von Eberls Bruder Ferdinand. Ihr Inhalt war: die Musen, Terpsichore, der Genius Deutschlands und die Künstler vereinen sich zur Klage gegen die Parzen (Robert Haas im *Mozart-Jahrbuch für 1951*, Salzburg 1953, S. 126). Die eigenhändige Partitur war in der Sammlung Wilhelm Heyer, Köln (Georg Kinskys Katalog, Köln 1916, S. 109). Haas erwähnt auch einen Klavierauszug der Kantate.

DER WIENER MAGISTRAT AN JOHANN GEORG ALBRECHTSBERGER, 12. DEZEMBER 1791

Von dem Magistrate etc., wird demselben auf sein gezihmendes Ansuchen, die durch Absterben des H. Mozart erledigte Kapellmeisters Adjunctenstelle bei der Metropolitan Kirche zu St. Stephan, gegen dem Verliehen, daß er sich mittelst Einlegung eines bündigen Reverses Anheischig mache, daß er den Würcklichen Kapellmeister, wenn er Verhinderniße oder Krankheits halber, selbst nicht erscheinen, und den Kirchendienst verrichten könnte, unentgeldlich Verdreten, auch bei der schon mit der Zeit sich ergebenden Erledigung der Würcklichen Kapellmeisterstelle, mit jenem Gehalt, welchen der Magistrat für die Zukunft bestimmen wird, begnügen wolle.

Welches ihm H. Albrechtsberger zur Wissenschaft, und guter Nachricht hiemit erinnert wird.

Ex Cons. Mag. Vien.
Wien d. 12. Xbr. 791.

Jahn I, 809. — Ernst Weizmann in der *Weltpresse*, Wien, 28. IV. 1956 (mit Faksimile). — Albrechtsberger dürfte gleich nach Mozarts Hinscheiden um diese „Anwartschaft" angesucht haben, ähnlich wie Förster um die Stelle als Hofkammer-Kompositeur. Als Leopold Hofmann am 17. März 1793 starb, wurde Albrechtsberger sein Nachfolger. Übrigens blieb er bis zum 1. April 1793 auch Organist der Hofmusikkapelle, nachdem er am 1. Dezember 1791 dort an die Stelle der beiden normierten Organisten vorgerückt war.

AUS DER HANDSCHRIFTLICHEN WIENER ZEITUNG «DER HEIMLICHE BOTSCHAFTER», 13. DEZEMBER 1791

Mozhart hatte leyder, wie die grossen Geistern so oft anklebende Sorglosigkeit, für seine häuslichen Umstände. Die Wittwe des Mannes, deme so vielle gekrönte Häupter, dem ganz Europa volle Bewunderung zohlte, der nebst seiner Stelle als Hof-Kapells Meister, und Substituten an der Stephans-Kirche, bloss von höchsten und reichesten Adel Schollaren hatte, der nemlich für so berühmte Werke, Reichthumer hätte sammeln können, und sollen; dieses Mannes Wittwe seufzet unter unversorgten Kindern, und einer ansehnlichen Schuldenlast auf einem Strohsacke; Auf seine hinterlassene Uhr leyhete ein Verwalter zehen Gulden, damit Mozhart begraben werden konnte; Wer erinneret sich hier nicht an Händel: Wer wünschet auch nicht zugleich den Wienern, dass sie durch Grossmuth für Mozharts Wittwe den Undank gegen Händel tilgen möchten.

Nationalbibliothek, Wien. — Gugitz, a. a. O., S. 2 f. — Händel starb bekanntlich als wohlhabender Mann.

Aus den «Ephemerides Politico-Litterariae», Pest, 13. Dezember 1791

Vienna 9na Dec. Wolfgangus Mozart, aulicus musicus celebris in Europa Compositor die 5ta Dec. mortuus est.

Ervin Major, a. a. O., S. 44.

Einladungskarte des Prager Theater-Orchesters

Das Orchester des Prager Nationaltheaters gibt die geziemende Parte, dass für den am 5. December Früh sanft im Herrn zu Wien entschlafenen Capellmeister und Kammer-componisten *Wolfgang Gottlieb Mozart* zur Bezeugung seiner unbegrenzten Verehrung und Hochachtung in der Kleinseitener Niclasser Hauptpfarrkirche Mittwochs, das ist den 14. um 10 Uhr ein feyerliches Seelenamt wird gehalten werden. Wozu an eine hohe No-blesse und das verehrungswürdigste Publicum die höflichste Einladung geschieht.

Procházka, a. a. O., S. 185 (nach Dlabacs). — Zur Niklas-Kirche s. 8. (?) Dezember 1787. — Zu der Seelenmesse s. 24. Dezember und vgl. 28. Dezember 1791.

Aus der handschriftlichen Wiener Zeitung «Der heimliche Botschafter», 16. Dezember 1791

Alles wetteifert um Mozarts hinterlassene Wittwe, ihren Verlust einigermassen zu er-setzen, und sie zu trösten. So hat der verdienstvolle Freyherr von Suitten den Knaben, welcher schon vortreflich Klavier spielt, und die Gräfinn von *Thun* das Mädchen an Kindes-statt angenommen. Herr Schikaneder hat für den verstorbenen die Exequien halten lassen, wobey das Requiem welches er in seiner letzten Krankheit komponirt hatte, exequirt wurde. Zum besten der Wittwe wird Herr *Schikaneder* dieser Tage eine Vorstellung der Zauber-flötte geben.

Gugitz, a. a. O., S. 3. — Auch Boßlers *Musikalische Korrespondenz* schrieb am 4. I. 1792 Ähnliches über van Swieten, und Niemetschek (S. 31) meinte 1798: *„Dieser vortreffliche ... Mann ... ist nun Vater seinen [Mozarts] hinterlassenen Waisen.“* Legal ist das van Swieten nicht geworden, aber er scheint für die beiden Knaben gesorgt zu haben, bis ihn um 1800 Georg Nikolaus Nissen, Konstanzes zweiter Mann, darin ablöste. — Im übrigen enthält der *Botschafter* wieder nur Phantasien.

Aus der «Wiener Zeitung», 17. Dezember 1791

Neue Musikalien.

In dem musikalischen Magazin ... sind ganz neue Werke, welche erst die Presse verlassen, auf dem besten Schreibpapier, schön und korrekt gestochen, erschienen, nämlich:
. . .

Aus der Oper die Zauberflöte, von Hrn. Mozart:
Aria, In diesen heil'gen Hallen, 8 kr.
— — Alles fühlt der Liebe Freuden, 9 kr. die der Mohr singt
— — Der Vogelfänger bin ich ja, 7 kr.
— — Ach ich fühle es ist verschwunden, 9 kr.
— — Ein Mädchen oder Weibchen, 9 kr.
Duetto, Bey Männern welche Liebe fühlen, 10 kr.
— — Bewahret euch für Weiber Tücke, 5 kr.
Terzetto, Du feines Täubchen nur herein, 14 kr.

374

— — der 3 Knaben, Zum Ziele führt dich diese Bahn, 9 kr.
— — der 3 Knaben, Seid uns zum zweytenmal willkommen, 9 kr.
— — Soll ich dich Theurer nicht mehr sehen, 22 kr.
Glockenspiel und Coro, dann Duetto, zwischen Pamina und Papageno, 9 kr.
Vgl. 26. November, 3. und 7. Dezember 1791.

HAYDN AN FRAU VON GENZINGER, LONDON, 20. DEZEMBER 1791

Ich freue mich kindisch nach hauss um meine guten Freunde zu umarmen nur bedaure
ich dieses an den grossen Mozart zu Entbehren, wan es anderst denn also, welches ich
nicht wünsche Er gestorben seyn solte. Die Nachweld bekomt nicht in 100 Jahren wider
ein solch Talent.

Nationalbibliothek, Wien. — Karajan, a. a. O.

AUS DER «PRESSBURGER ZEITUNG», 21. DEZEMBER 1791

Wien den 18ten Dezember.

Die Witwe des Selbstmörders (siehe Nro. 100) welcher, wie man jetzt weiß, sich mehr
aus Kleinmuth als aus Eifersucht entleibt hat, lebt noch, und nicht nur viele Damen sondern Se. Majest. die Kaiserin selbst haben dieser Frau, dessen Aufführung als untadelhaft
bekannt ist, Unterstützung zugesichert.
Für die Wittwe des verstorbenen Hrn. Kapellmeisters Mozart ist auch gesorgt. Se. Maj. der
Kaiser haben ihr den ganzen Gehalt ihres Mannes gelassen, und ihren Sohn hat der Baron
van Swieten in Versorgung genommen.

Aufgefunden von Frau Lidia F. Wendelin, Budapest. — Am 7. Dezember hatte die Zeitung von
Hofdemels Mordanschlag und Selbstmord berichtet, ohne seinen Namen zu nennen. Kaiser Leopolds
Frau war Maria Louisa, Prinzessin von Spanien. — Die Nachrichten über Konstanze waren damals
in Wien im Umlauf. Vgl. 6. und 16. Dezember 1791.

JOSEPH EYBLERS BESTÄTIGUNG ÜBER DAS REQUIEM

Endesunterzeichneter bekennet hiemit, daß ihm die verwittwete Frau Konstanzie Mozart
das von ihrem seligen Herrn Gemahl angefangene Seelenamt zu vollenden anvertraut;
derselbe erkläret sich, es bis auf die Mitte der künftigen Fastenzeit zu enden und versichert zugleich, daß es weder abgeschrieben, noch in andere Hände als die der Frau Witwe
gegeben werden soll.
Wien den 21. Dez 1791.

Abert II, 850. — Zu Eybler vgl. 30. Mai 1790. — Konstanze, die das Requiem für den ihr unbekannten Besteller vollenden lassen wollte, vertraute die Handschrift zuerst Eybler an, der die Instrumentation bis zum „Confutatis" vervollständigte, dann aber die Arbeit aufgab. Endlich hat sie
Süßmayer zu Ende geführt.

AUS DER «WIENER ZEITUNG», 24. DEZEMBER 1791

Die Freunde der Tonkunst in *Prag*, haben daselbst, am 14. d. M. in der kleinseitner Pfarrkirche bey *St. Niklas*, die feyerlichen Exequien für den am 5. allhier verstorbenen Kapellmeister und K. K. Hofkomponisten Wolfgang Gottlieb *Mozart*, gehalten. Diese Feyer, war

von dem Prager Orchester des Nationaltheaters, unter der Direktion des Hrn. Joseph *Strohbach*, veranstaltet worden, und alle Prager berühmten Tonkünstler nahmen daran Theil. An dem dazu bestimmten Tage wurden durch eine halbe Stunde alle Glocken an der Pfarrkirche geläutet; fast die ganze Stadt strömte hinzu, so daß weder der wälsche Platz die Kutschen, noch die sonst für beynahe 4000 Menschen geräumige Kirche die Verehrer des verstorbenen Künstlers fassen konnte. Das Requiem war von dem Kapellmeister *Röß-ler*, es wurde von 120 der ersten Tonkünstler, an deren Spitze die beliebte Sängerinn Mad. *Duscheck*, stand, vortreflich ausgeführt. In der Mitte der Kirche stand ein herrlich beleuchtetes Trauergerüste; 3 Chöre Pauken und Trompeten ertönten im dumpfen Klange; das Seelenamt hielt der Herr Pfarrer Rudolph *Fischer*; 12 Schüler des kleinseitner Gymnasiums trugen Fackeln mit quer über die Schulter hangenden Trauerflören und weissen Tüchern in der Hand; festliche Stille war umher, und tausend Thränen flossen in schmerzlicher Rückerinnerung an den Künstler, der so oft durch Harmonie alle Herzen zu den lebhaftesten Gefühlen gestimmt hat.

Nissen, S. 577 f., hat diesen Bericht benützt. — Nach Procházka, a. a. O., S. 186 f., war in der *Prager Oberpostamtszeitung* am 17. Dezember ein ähnlicher Bericht erschienen. — Franz Anton Rößler, der sich als Komponist Rosetti nannte, war in Böhmen geboren und seit 1789 Hofkapellmeister in Ludwigslust (Mecklenburg-Schwerin); er starb bald darauf. — Eine 1798 in Prag erschienene *Cantate auf Mozart's Tod* (Text von Schmidt) stammt von Joseph Johann Rösler.

Aus der «Wiener Zeitung», 28. Dezember 1791

Neue Musikalien.

Bey Artaria & Comp. Kunsthändlern am Kohlmarkt sind zu haben:
Drey ganz neu konzertante Quarteten für zwey Violinen, Viole und Violoncello vom Hrn. Kapellmeister Mozart. Op. 18.
Diese Quarteten sind eines der schätzbarsten Werke des der Welt zu früh entrissenen Tonkünstlers *Mozart*, welche aus der Feder dieses so grossen musikalischen Genies nicht lang vor seinem Tode geflossen sind, und all jenes musikalische Interesse von Seiten der Kunst, der Schönheit und des Geschmackes an sich haben, um nicht nur in den Liebhaber, sondern auch in dem tiefen Kenner Vergnügen und Bewunderung zu erwecken. Man hat daher auch zugleich für die äußerliche Zierde Sorge getragen, und die Auflage dieses Meisterwerkes in einem deutlichen, reinen und korrekten Stiche auf schönen und guten Papier abgedruckt, veranstaltet. — Diese 3 Quarteten kosten 3 fl.

Die drei für den König von Preußen bestimmten Quartette in D, B und F (KV 575, 589, 590) waren schon 1789 und 90 entstanden, aber Mozarts letzte gewesen.

Aus der «Musikalischen Korrespondenz der teutschen Filarmonischen Gesellschaft», Speyer, 28. Dezember 1791

Todesfall.

Leider! müssen wir noch am Schlusse dieses Jahres unsern Lesern eine für die Tonkunst sehr traurige Nachricht geben, nemlich die: Daß am 5ten dieses der allgemein gekannte, gesuchte und geliebte k. k. Hofkammerkompositeur Hr. *Mozart* an einer Herzwassersucht im 34ten Jahre seines Lebens gestorben ist. Ganz Wien, und mit dieser Kaiserstadt die ganze musikalische Welt — betrauert den frühen Verlust dieses unsterblichen Mannes.

Sein Körper ist dahin, seine Seele schwung sich zu höhern Harmonien, und uns hinterläßt er zum Troste die schönen Produkte seines Geistes ...

Nr. 52, Spalte 411. — Die Zeitschrift brachte am 4. Januar 1792 eine *„Biographische Nachricht"* über Mozart.

KONSTANZE MOZART AN LUIGI SIMONETTI

> Vienne
> à Monsieur Louigi Simonetti
> primo Tenore di Sua Altezza
> Elettorale di Cologna
> à Bonn.

Monsieur!
Sie können sowohl la Clemenza di Tito als die Zauberflöte sehr bald von mir erhalten, sobald nämlich der Kopist die Abschrift vollenden kann. Ich verlange für eine Partitur 100 Kremnizer Dukaten, und erwarte nächstens Ihren Entschluss, ob, und welche Sie nehmen, um den Kopisten sogleich anfangen zu lassen. Die Anweisung belieben Sie so einzurichten, dass man gegen Übergabe der allenfalls verlangten Partitur zugleich das Geld beheben kann, denn es ist alles Eigenthum meiner noch unmündigen Söhne. Ich bin mit Hochachtung

> > Monsieur

> > Ihre ergebene Dienerin
> > Constanze Mozart
Wien den   geborene Weber
28t Xbris 1791.

Sammlung Roger de Garate, Paris. — *Mozart en France*, Paris 1956, Katalog-Nummer 176 (französisch übersetzt). — Simonetti war Konzert-Tenor am Hofe Maximilians. Die *Zauberflöte* wurde im Juni 1793 im großen Redoutensaal zu Godesberg aufgeführt. — Der verlangte Preis war wohl viel zu hoch. Ein Dukaten entsprach 4 1/2 Gulden. Die im ungarischen Kremnitz geprägten Dukaten waren besonders geschätzt.

AUS DER EINLADUNG ZUR AKADEMIE IM PRAGER NATIONALTHEATER, 28. DEZEMBER 1791, ZUGUNSTEN DER WITWE UND DER KINDER MOZARTS

Musikalische Academie zum Andenken von Wolfgang Gottlieb Mozart.

Mozart ist nicht mehr! In den Annalen der Musik wird sein Name unvergesslich unter den ersten Tonkünstlern aller Zeiten und Nationen glänzen. Schon als Kind ein Wunder in seiner Kunst, hat er (ein noch seltener Fall) die Erwartungen, die er dadurch erweckt hatte, in seinen reifen Jahren noch übertroffen. Nie hat ein Genie das weite Gebiet seiner Kunst mehr umfasst und beinahe in jeder Abtheilung desselben mit ausgezeichnetem Verdienste geglänzt, als Er ...

Niemetschek (1798), S. 38. — Nottebohm, *Mozartiana*, S. 3. — Das Konzert scheint auf den 13. Juni (nicht Januar) 1792 verlegt worden zu sein. Siehe 9. (?) Februar 1794. — Es ist unrichtig, daß am 28. Dezember 1791 in Wien ein Benefiz-Konzert für Konstanze gegeben wurde (Abert II, 849). Nissen berichtet zwar (S. 581), daß Leopold II. Konstanze bei der Audienz am 11. Dezember ein solches Konzert angeraten und daß er dafür genug gespendet habe, um Konstanze in die Lage zu setzen, Mozarts Schulden von 3000 Gulden zu bezahlen. (Die unbezahlten Rechnungen machten kaum 1000 Gulden aus.) Vgl. 31. Dezember 1791. Wiener Konzerte zugunsten Konstanzes fanden aber erst am 29. Dezember 1794 und 31. März 1795 statt: *La Clemenza di Tito* konzertmäßig im Kärntnertor- und dann im Burgtheater. Damals aber regierte schon Franz II.

GRAF JOHANN WENZEL UGARTE AN FÜRST GEORG ADAM STARHEMBERG,
30. DEZEMBER 1791

An
Se des ersten Obersten Hofmeisters und Conferenz Ministers Fürsten v Starhemberg
Fürstliche Gnaden
Eure Fürstliche Gnaden!
In der Anlage bittet die hinterlassene Wittwe des kais königl Kammer Kompositors
Mozart für sich und ihre unmündige 2 Söhne um einen Gnaden Gehalt, ihrer äußersten
Dürftigkeit wegen, und überläst lediglich der Allerhöchsten Huld, die Willfahrung ihrer
Bitte, bei dem Umstand, dass die nicht vollbrachte zehen jährige Dienstleistung ihres
Gemahls, auf die Normalmäßige Pension keinen Anspruch gewähret:
Es sind aber auch wie es die weiteren Beilagen bewähren um die durch den Tod des Mozart
erledigte Stelle, Emanuel *Förster* und Joseph *Preindl* bittlich eingekommen, deren Bitt-
gesuch, ich des Zusammenhanges wegen Eurer Fürstlichen Gnaden unter einem vorlegen
zu müssen erachtet habe.
Mozart hat eigentlich den Titl eines Kammer Kompositors mit einem Gehalt von jährl
800 fl. lediglich in der Rücksicht, von Weiland Sr Majestät dem lezt verstorbenen Kaiser
erhalten, damit ein in dem Musik-Fache so seltenes Genie, nicht genöthiget sey, in dem
Auslande Verdienst und Brod zu suchen;
Derzeit ist meines Erachtens seine Stelle ganz entbehrlich, und ich glaube Sie sey nicht
zu ersezen, somit wären beide obbenannten Bittwerber aus diesem Grunde abzuweisen,
zu welchem Ende ich mir die anschlüßige Bittschriften in Genehmigungsfall ruckerbitte.
Die Wittwe betreffend, so hangt die Behandlung derselben lediglich von der Gnade
Sr Majestät ab, da bei denen von ihr selbst anerkannten Umständen der Fall des Normale
nicht vorhanden ist.
Daß aber ihre Lage in der That traurig, daß Sie der höchsten Huld würklich bedürftig
ist, daß die Wittwe eines in seinem Fache so berühmten Mannes einiger Ruksicht würdig
seyn dürfte, diese Umstände zu bestättigen, halte ich mich aus Amts-Pflicht verbunden;
Und erachte daher, daß bei dem Umstand, daß dem aerario eine jährliche Besoldung von
800 fl durch einen so früh-niehmal zu vermuthenden Tod anheim fällt, es allerdings der
Großmuth und Gnade Sr Majestät entspreche, der Wittwe Mozart 200 fl. und jedem
ihrer Söhne 50 fl zusammen 300 fl als einen außerordentlichen Gnaden Gehalt zu
gewähren.
Wienn den 30t Xmber 791.   *Ugarte*

[Rubrum:]
Bericht des k:k: Hof Music Grafen
       ddo. 30t Decemb: 1791

Womit das Pensions Gesuch der Kammer Compositors Wittwe Constantia Mozart an-
empfohlen wird, dann die angetragene Abweisung der um diese Stelle bittlich eingekommenen Emanuel Förster, und Joseph Preindl betref. expedirt d 2t Jan: 1791 [recte 1792]

Staatsarchiv, Wien. — Mitgeteilt von Dr. Walter Goldinger, Wien; ebenso die Dokumente vom
25. und 27. Februar, 5. und 13. März 1792. — Georg Adam Fürst Starhemberg war Erster Obersthofmeister; Johann Wenzel Graf Ugarte (s. 24. April 1775, 25. und 27. Februar 1792) war seit 1791
Hofmusikgraf (vom 25. November 1791 bis 10. November 1792 auch Direktor der Hoftheater). —
Zu Förster vgl. 13. August 1788 und ca. 7. und ca. 8. Dezember 1791, zu Preindl 12. Januar 1792.

Aus den «Ephemerides Politico-Litterariae», Pest, 30. Dezember 1791

Archi-Dux Maximilianus elector Coloniensis 18ma Viennae discessit ... Viduae vero celebris musici Mozart 24 aureos donavit.

Pragae manibus celebris Mozart lessum mortualem in templo urbis principe memorandis melodiis chorus musicorum nuper peregerat.

S. 395 und 396. — Lidia F. Wendelin in *Mozart in Ungarn*, Budapest 1958, S. 101 und 170. — Die Goldstücke waren natürlich Dukaten. — Maximilian (s. 15. Oktober 1762, 23. April 1775, etc.) war seit 1784 Kurfürst von Köln. — Die Trauerfeier in Prag hatte am 14. Dezember stattgefunden.

Aus der «Wiener Zeitung», 31. Dezember 1791

MOZARDI

TUMOLO INSCRIBENDUM.

Qui jacet hic, Chordis Infans Miracula Mundi
Auxit; et Orpheum Vir superavit.

Abi!

Et Animae ejus bene precare!

K.

Jahn II, 721. — Es ist schade, daß man damals nicht versucht hat, diese Grabschrift an der Stelle anzubringen, wo Mozart beerdigt worden und die zu jener Zeit vielleicht noch zu eruieren war. — Daß der mit K. gekennzeichnete Entwurf von Leopold Kozeluch, dem Inhaber des Musikalischen Magazins, stammte und veröffentlicht wurde, wie man vermutet hat, ist nicht erwiesen.

Aus der «Wiener Zeitung», 31. Dezember 1791

Neue Tanzmusikalien.

In dem musikalischen Magazin ... sind ganz neue Tanzmusikalien auf die gegenwärtige Faschingszeit verfertigt worden, von H. Stanislaus Ossowsky, als
12 Deutsche aus der Oper die Zauberflöte, von weil. H. Mozart mit allen Stimmen 1 fl. 30 kr. im Clavierauszug 40 kr.

Kozeluch verlegte mehrere Werke von Ossowsky.

Aus der «Pressburger Zeitung», 31. Dezember 1791

Wien, den 29ten Dezemb.

Die Wittwe *Mozart* hat zu ihrem Vortheile die allerhöchste Erlaubniß erhalten, vergangenen Freytag eine musikalische Akademie im Nationaltheater geben zu dörfen, bey welcher nicht nur allein der gesammte Hof sondern auch eine zahlreiche Menge Publikum sich einfanden; von Hofe aus hat sie 150 Dukaten erhalten, und in allem belief sich ihre Einnahme auf 1500 Gulden.

Aufgefunden von Frau Lidia F. Wendelin, Budapest. — Freitag war der 23. Dezember. Es gibt keinen anderen Beleg dafür, daß im Dezember eine solche Akademie stattgefunden habe. Vgl. 28. Dezember 1791.

Aus dem «Musikalischen Wochenblatt», Berlin (31. ? Dezember) 1791

Nachrichten aus Briefen.

Prag, den 12ten Decemb. Bei der hiesigen Krönung waren zwei musikalische Arbeiten merkwürdig. Die eine bestand in einer großen — oder vielmehr mittler — ernsthaften Oper, einer abermals komponirten *Clemenza di Tito*, die aber, wiewohl die Musik von Mozart war, nicht gefiel. Dieser sonst grosse Komponist schien dasmal des Wahlspruchs vom Oktavius: *Festina lente!* vergessen zu haben. Auch waren nur die Arien und Chöre von seiner, die Recitative von einer andern Hand. Die zweite bestand in einer grossen, von Kozeluch gesetzten Kantate. Der Text dazu war auf Verlangen der Stände von Meisner verfertigt. Diese Tonsetzung fand Beifall, so übelgewählt Zeit und Ort waren, wo sie gegeben ward. Wenn Sie wünschen, so will ich Ihnen nächstens mehr darüber schreiben; will mich auch wo möglich bemühen, eine oder die andere Arie seiner Musik zu bekommen, wiewohl ich doch fürchte, dass sie zu weiten Umfangs sind, als einen Abdruck auf der letzten Seite ihres Wochenblatts finden zu können.

Indem ich so eben meinen Brief schliessen will, erhalt' ich eine leider! sichere Nachricht, die ich Ihnen hier noch mittheile.

Mozart ist — todt. Er kam von Prag kränklich heim, siechte seitdem immer: man hielt ihn für wassersüchtig, und er starb zu Wien, Ende voriger Woche. Weil sein Körper nach dem Tode schwoll, glaubt man gar, dass er vergiftet worden. Eine seiner letzten Arbeiten *soll* eine Todtenmesse gewesen seyn, die man bei seinen Exequien aufgeführt hat. Nun er todt ist, werden wohl die Wiener erst wissen, was sie an ihm verloren haben. Im Leben hatte er immer viel mit der Kabale zu thun, die er indessen wohl zuweilen durch sein Wesen *sans Souci* reizte. Weder sein Figaro, noch sein Don Juan machten in Wien Glück; doch desto mehr in Prag. Friede sey mit seiner Asche!

Nr. XII, S. 94. — Jahn II, 663 f. (nur der dritte Absatz). — Die beiden Aufführungen in Prag hatten am 6. *(Tito)* und am 12. *(Kantate)* IX. stattgefunden. — Der „*Wahlspruch*" stammt von Caesar Octavianus Augustus (31 v. Chr.—14 n. Chr.). — Die Rezitative des *Tito* waren von Süßmayer geschrieben worden. — Der Text der Kantate, von August Gottlieb Meißner verfaßt, erschien zuerst im *Krönungstagebuch*, dann 1792 auch gesondert. Die Kantate dürfte im Freien aufgeführt worden sein, bei einem Volksfest. Kozeluch war schon am 2. August nach Prag gekommen. (Vgl. *Der Bär*, Leipzig 1928, S. 105.) — Das Gerücht von der Vergiftung Mozarts ist in Wien erst später zu belegen. — Das Requiem, noch unvollendet, ist dort nicht für Mozart aufgeführt worden.

Aus Haydns Londoner Tagebuch, Ende 1791

Mozard starb den 5tn 10bri $\overline{791}$.

Nationalbibliothek, Wien. — C. F. Pohl, *Haydn in London*, Wien 1867, S. 172.

Aus Franz Alexander v. Kleists «Phantasien auf einer Reise nach Prag», Dresden 1792

Nie bin ich so belohnt aus einem Opernhause gegangen, als heut, wo ich in einem Saal soviel merkwürdige Menschen in so verschiedener Lage sah. Der Kaiser nebst seiner Familie sollte heute in die Oper kommen und der ganze Weg vom Schlosse bis zum Opernhause wimmelte von Menschen, die neugierig waren, einen Kaiser zu sehen, wie er nach einem Schauspiel fährt. Im Hause waren alle Logen und das Parterre mit Menschen angefüllt, und als endlich der Kaiser kam, empfing man ihn mit einem dreimaligen Hände-klatschen und Vivat! ... Der Kaiser schien mit seiner Bewillkommnung zufrieden und verneigte sich einigemal gegen die Zuschauer. ... Fort mit diesen Menschen, mir winkt zu schöneren Bemerkungen dort ein kleiner Mann im grünen Rocke, dessen Auge verräth, was sein bescheidener Anstand verschweigt. Es ist Mozart, dessen Oper Don Juan heute gegeben wird, der die Freude hat, selbst das Entzücken zu sehen, in welches seine schöne Harmonie die Herzen der Zuschauer versetzt. Wer im ganzen Hause kann stolzer und froher sein als er? Wem gewährt sein eigenes Selbst mehr Befriedigung als ihm? Umsonst würden Monarchen Schätze verschwenden, umsonst der Ahnenstolz seine Reichthümer; er kann auch nicht ein Fünkchen dieses Gefühls erkaufen, mit welchem die Kunst ihren Geliebten belohnt! ... Alles muß den Tod fürchten, nur der Künstler fürchtet ihn nicht. Seine Unsterblichkeit ist ihm Hoffnung, sie ist Gewißheit! ... Er wirkt noch auf künftige Geschlechter, wenn längst die Gebeine der Könige vermodert sind. Und mit allen diesen Überzeugungen konnte Mozart dastehen, als tausend Ohren auf jedes Beben der Saite, jedes Lispeln der Flöte lauschten, und hochwallende Busen, schnell schlagende Herzen die heiligen Empfindungen verriethen, die seine Harmonien weckten ... Sei es Schwärmerei, oder richtiges Menschengefühl, genug, ich wünschte in diesem Augenblicke lieber Mozart als Leopold zu sein! Und wenn auch unseren deutschen Zuhörern die hohe Empfänglichkeit der Begeisterung fehlt, mit der der Brite einen Händel, der Franzose einen Gluck bewundert, so muß doch auch schon die unwillkürliche Äußerung weniger Fühlender ein schöner himmlischer Lohn dem Künstler sein, der den Sphären ihre Harmonien ablauscht und durch Töne Seelen zu entzücken versteht. ...

Am Abend war eine sehr schöne Oper „La Clemenza di Tito" frei von den Ständen gegeben. Die Musik ist von Mozart und ganz ihres Meisters würdig; besonders gefällt er hier im Andante, wo seine Melodien schön genug sind, die Himmlischen herabzulok-ken. Kritisch mich darüber auszulassen, ist unmöglich, da ich die Oper nur einmal im grossen Gedränge gehört habe.

Das Buch erschien unter der Chiffre „K." — Nettl, a. a. O., S. 192 und 202. — Kleists Neffe, der damals 14 Jahre alte Heinrich, der später berühmt gewordene Dichter, war mit ihm und wohnte der Festaufführung des *Don Giovanni* am 2. und der Uraufführung der *Clemenza* am 6. September 1791 bei. — Im Publikum der Festaufführung bemerkte Kleist mehrere hervorragende Persönlich-keiten der französischen Emigration.

Aus dem «Allgemeinen Theaterjournal», Frankfurt und Mainz, 1792

... Dies Verdienst muß man aber Hrn Schikanedern lassen, daß er zu seinen neueinstudirten Stücken keine Kosten spart, und wo es nöthig ist, neue Dekorationen und Kleider ver-fertigen läßt. So soll der Aufwand auf die letzte Mozartsche Oper: Die Zauberflöte — Mozarts Schwanengesang — auf 5000 fl. betragen haben, er bekömmt ihn aber auch reich-lich wieder heraus, denn nur dadurch, daß man denen, die mehr Augen als Gefühl ins Schauspielhaus mitbringen, durch schöne Dekorationen und kostümmäsige Kleider diesen Sinn befriedigt, und daran nichts spart, kann man die Stükke mehr wiederholen, und dadurch seine Auslagen mit Vortheil und Ersparniß so vieler andern neueren Stükke wieder gewinnen. ...

Bd. 1, 2. Stück, S. 149 f. — Aus einem Bericht über das Wiener Freihaus-Theater, wo die *Zauberflöte* am 30. September 1791 aufgeführt worden war.

HANDSCHRIFTLICHE NOTIZEN AUF STIMMEN DES GRADUALE AD FESTUM BEATAE MARIAE, KV 273, IM ESTERHÁZY-ARCHIV, EISENSTADT

Titelseite: Auth. Wolfgango Mozart/requiescat in pace/B: F: D:

Tenorstimme: Mozart:/Requiescat in pace:/Ecce quam bonum/quamque jucundum/ habitare fratres in unum 792.

Zweite Violinstimme: Mozartt frantz/Bitt für ihm 1 RosenKrantz.

Mitgeteilt von H. C. Robbins Landon. — Ähnliche Bemerkungen finden sich auch auf anderen Stimmen dieser Abschrift, aber alle von der Hand eines Kopisten. — Die Worte auf der Tenorstimme sind Psalm 133, 1.

AUS MEUSELS «MUSEUM FÜR KÜNSTLER UND KUNSTLIEBHABER», MANNHEIM 1792

Am 5ten December starb in Wien Herr *Wolfgang Amadeus Mozart*, Kapellmeister des Erzherzogs Franz, im 34sten Jahr seines ruhmvollen Alters.

16. Stück, S. 291. — Zu Meusel s. Mitte 1787. — Der Irrtum, daß Mozart zum Hofstaat des Erzherzogs Franz gehörte, wurde hier noch einmal wiederholt.

JOSEPH HAYDN AN PUCHBERG   [London, Januar 1792.]

... Ich war über seinen Tod eine geraume Zeit ganz außer mir und konnte es nicht glauben, daß die Vorsicht so schnell einen unersetzlichen Mann in die andere Welt fordern sollte. Nur allein bedaure ich, daß er nicht zuvor die noch dunklen Engländer darin hat überzeugen können, wovon ich denselben täglich predigte ... Sie werden, bester Freund, die Güte haben, mir das Verzeichnis der noch nicht hier bekannten Stücke mitzuschicken: ich werde mir alle erdenkliche Mühe geben, solche der Witwe zum Besten zu befördern. Ich hatte der Armen vor drei Wochen selbst geschrieben mit dem Inhalt, daß, wenn ihr Herzenssohn die gehörigen Jahre haben wird, ich denselben unentgeltlich die Komposition mit allen meinen Kräften lehren will, um die Stelle des Vaters einigermaßen zu ersetzen.

Nottebohm, *Mozartiana*, S. 10. — Die Rechtschreibung Haydns ist hier offenbar von Nottebohm verbessert worden. — Der „*Herzenssohn*" war Karl, der 1792 oder 1794 zu dem Pädagogen Franz Xaver Niemetschek nach Prag kam. — In Charles Burneys posthum gedrucktem Mozart-Artikel, der 1819 in Abraham Rees' *Cyclopedia* erschien, heißt es: "When Haydn was asked in our hearing by Broderip, in his music-shop, whether Mozart had left any MS. compositions behind him that were worth purchasing, as his widow had offered his unedited papers at a high price to the principal publishers of music throughout Europe; Haydn eagerly said: 'Purchase them by all means. He was truly a great musician. I have been often flattered by my friends with having some genius; but he was much superior.'" Percy A. Scholes (The great Burney, London 1948, II, 116) fügt hinzu: "This anecdote is confirmed in the manuscript notes of R. J. S. Stevens the glee composer. He says: 'He called on Broderip in the Haymarket, and urged him to purchase all Mozart's compositions. Such a genius he never knew. I saw Haydn leave Broderip's shop, after he had made this declaration. Mr. Broderip mentioned Haydn's words to me.'" Francis Broderip war Teilhaber des Musikverlags Longman & Broderip in London. Stevens war ein bekannter Londoner Komponist.

2. JANUAR 1792, s. NACHTRAG, S. 525/526

AUS DER «WIENER ZEITUNG», 4. JANUAR 1792

Anzeige.

Bey F. A. Hoffmeister, Musik- Kunst- und Buchhändler ... sind folgende Tanzmusikalien, sowohl mit allen Stimmen, als auch im Klavierauszug zu haben:

. . .

6 Deutsche von Mozart vollstimmig, 1 fl. 40 kr.

12 Redoutdeutsche v. d. im Klavierauszug, 48 kr.

13 Deutsche, 13 Trio und Coda aus dem k. k. kleinen Redoutensaal 1791, von Hrn Mozart, vollstimmig, 3 fl.

12 Redoutmenuetten von deto, im Klavierauszug, 48 kr.

KV 509; 586; 600, 602 und 605 (hier richtig als 13 Deutsche Tänze gezählt); 585.

Aus der «Wiener Zeitung», 7. Januar 1792
Neue Musikalien.

Bey Artaria & Comp. Kunsthändlern am Kohlmarkt sind zu haben.

. . .

Zugleich will man erinnern daß die jüngst in unserm Verlage erschienenen, und mit so *allgemeinem Beyfall* aufgenommenen Quartetten des Hrn. *Mozart* noch für 3 fl. zu haben sind. —

KV 575, 589 und 590, am 28. Dezember 1791 zuerst angezeigt.

Aus Joseph Preindls Majestätsgesuch um die Stelle des Adjunkten des Hoforganisten, 12. Januar 1792

Euer Majestät!

Unterzeichneter wünschte schon um die durch Mozarts Tod erledigte Kammermusikusstelle allerunterthänigst ansuchen zu können; allein seine Wünsche wurden ihm durch die nicht fernere Fortdauer der Stelle vereitelt . . .   Joseph Preindl.

Wien den 12. Jäner 792.

Staatsarchiv, Wien, *Hofmusikkapelle*, 1792, fol. 3 f. — Pfannhauser in *Acta Mozartiana*, Augsburg 1956, Band III, Heft 3, S. 9. — Preindl, gleichaltrig mit Mozart, war Chormeister an der Peterskirche in Wien und wurde später Domkapellmeister, als Nachfolger Albrechtsbergers. — Vgl. 12. März 1792.

Aus der «Wiener Zeitung», 14. Januar 1792
Neue Musikalien.

Da mehrere Musikfreunde den Wunsch geäußert haben, die beliebte Oper, die *Zauberflöte*, als das letzte Werk eines grossen Mozart in Harmonie übersetzter zu besitzen, so schmeichelt sich Unterzeichneter nicht eine mißfällige Nachricht zu geben, wenn er sagt: daß er besagte Oper in 8 Stimmen gesetzt, und auf Pränumeration zu 6 fl. 40 kr, welche bis Ende Jäner dauert, herausgeben wird, und können die Hrn. Pränumeranten gegen Rückgabe der Scheine ihre Exemplarien bis 16. Februar abholen lassen. Sollten aber einige Hrn. Musikfreunde Belieben tragen diese Oper in 6 Stimmen zu haben, so ist Unterzeichneter mit Unterstützung hinlänglicher Hrn. Pränumeranten nicht minder zu Diensten.

. . .

Liebhaber können diese Stücke in der obern Bäckenstraße beym schmeckenden Wurm im Durchhaus, im Haarbeutelgewölb, oder bey Unterzeichneten in der Leopoldstadt hinter dem Theater in der Schmelzgasse beym kleinen Ring Nr. 456 im Laden bestellen.

         Joseph Haydenreich, Herausgeber.

Zu Haydenreich (Heidenreich, 1753—1821) s. 24. Mai, 18. Juni 1788 und 1. Juni 1791. Einen handschriftlichen Klavierauszug der *Zauberflöte* von Heidenreich zeigte Lausch am 22. August 1792 an.

Neue Musikalien.

Bey Johann Träg... sind folgende neue Musikalien zu haben:

. . .

Duetten a 2 Violini. (Aus der Zauberflöte.) 3 fl.

. . .

7 neue Kontratänze mit einer Ouverture nebst Figuren, von W. A. Mozart 3 fl.
— — fürs Klavier 40 kr.

Die sieben Kontretänze mit einer Ouvertüre waren KV 106 (Ouvertüre und drei Tänze), 609 Nr. 3,
587, 603 No. 1 und 2, 1789 bis 91 entstanden. Ein Exemplar dieser Abschrift ist bei der Gesellschaft der Musikfreunde, Wien.

Die Zauberflöte,

Opera des Hrn. Kapellmeister Mozart, aus welcher einstweilen folgende Stücke beym
Klavier zu singen, in der Lauschischen Musikalienhandlung... zu haben sind,

als:

Der Vogelfänger bin ich ja, Aria Basso, (Hey heya! Pupaya!) 16 kr.
Du feines Täubchen nur herein, Terzetto (Hu! das ist der Teufel sicherlich) 20 kr.
Bey Männern, welche Liebe fühlen, Duetto Soprano e B. 12 kr.
Zum Ziele führt dich diese Bahn, Terzetto die 3 Knaben 12 kr.
Wie stark ist nicht dein Zauberton, Aria Tenor. Flauto solo 16 kr.
Das klinget so herrlich, das Glockenspiel, Coro 12 kr.
Bewahret euch vor Weibertücken, Duetto T. e B. 8 kr.
Alles fühlt der Liebe Freuden, Aria T. 16 kr.
In diesen heil'gen Hallen, detta B. 12 kr.
Sey uns zum zweytenmal willkommen, Terzetto, die 3 Knaben 12 kr.
Ach ich fühls, es ist verschwunden, A. S. 12 kr.
Soll ich dich Theurer nicht mehr seh'n, Terzetto. (Die Stunde schlägt, wir seh'n uns
wieder!) 20 kr.
Ein Mädchen oder Weibchen, Aria B. mit Variationen, 24 kr.
Auf die Quartetten davon a 2 Violini, Viola, e Violoncello, wird mit 5 fl. 30 kr, gegen
Scheine bis letzten Jäner pränumerirt, und den 15. Februar, werden sie sodann, gegen
Zurückstellung derselben, sicher verabfolgt werden. NB. Dies ist das letzte Werk dieses
weltberühmten Compositeurs; Verehrer der Tonkunst! weihet ihm eine Thräne — Wolf-
gang Amade Mozart — der Liebling der Musen — ist nicht mehr. —

. . .

12 deutsche Tänze und Coda aus der Zauberflöte, mit allen Stimmen, 1 fl. 30 kr.
— — — im Klavierauszug. 40 kr.
Auch sind die beyden Abtheilungen von Menuetten und Deutschen des Hrn. Mozart von
1791 zu haben:
Mit allen Stimmen, jede 3 fl.
— — — — im Klavierauszug, jede 48 kr.

Aus der «Wiener Zeitung», 14. Januar 1792
   Anzeige.
Bey F. A. Hoffmeister, Musik- Kunst- und Buchhändler ... sind folgende Tanzmusikalien, sowohl mit allen Stimmen, als auch im Klavierauszug zu haben:

. . .

Auch ist in dieser Handlung ganz neu erschienen und zu haben:
Arien aus der Oper die *Zauberflöte*, von Hrn. Kapellmeister Mozart, beym Klavier zu [singen:]
Aria, In diesen heil'gen Hallen, 8 kr.
— — Alles fühlt der Liebe Freuden, 9 kr.
        die der Mohr singt
— — Ach ich fühle es ist verschwunden, 9 kr.
— — Der Vogelfänger bin ich ja. 7 kr.
— — Ein Mädchen, oder Weibchen, 9 kr.
Duetto, Bey Männern welche Liebe fühlen, 10 kr.
— — Bewahret euch für Weiber Tücke, 5 kr.
Terzetto, Du feines Täubchen nur herein, 14 kr.
— — der 3 Knaben, Zum Ziele führt dich diese Bahn, 9 kr.
— — der 3 Knaben, Seid uns zum zweytenmal willkommen, 9 kr.
— — Soll ich dich Theurer nicht mehr sehen, 22 kr.
Glockenspiel und Coro, dann Duetto, zwischen Pamina und Papageno, 9 kr.
6 Menuet vollstimmig aus der Oper, Die Zauberflöte, 1 fl.
6 Deutsche — — 1 fl.
6 —— im Klavierauszug —— 40 kr.
Unter den *„Tanzmusikalien"* sind die Mozart-Stücke vom 4. Januar 1792 wiederholt.

18. Januar 1792, s. Nachtrag, S. 526

Attest der Tonkünstler-Societät
Daß der Verstorbene Herr Wolfgang Amadeus Mozart, k. k. Hof-Kompositor kein Mitglied der Musikal. Wittwen- und Waisengesellschaft ware und dahero seine hinterlassene Wittwe aus besagtem Societaetsfonds weder dermalen eine Pension beziehe, noch in Zukunft anzuhoffen habe, wird hiemit bezeuget.
                              Pr. Musikal. Wittwen-und Waisengesellschaft.
                                         Wien den 20. Jan. 1792.
                                              Joseph Scheidl
                                              Societ. Secret.
Pohl, a. a. O., S. 18. Nottebohm, *Mozartiana*, S. 16. Jahn, II. 705. — Vgl. 3. April 1781, 11. Februar und 24. August 1785, 11. Dezember 1791 und 12. März 1792.

Aus der «Wiener Zeitung», 25. Jänner 1792
   Ankündigung einer Cantate des verstorbenen grossen Tonkünstlers Mozart.
Verehrung und Dankbarkeit gegen unsern verewigten Mozart veranlassen eine Gesellschaft Menschenfreunde, die Herausgabe eines Werkes, dieses grossen Künstlers, zum Vortheil seiner hülfsbedürftigen Wittwe und Waisen auf Pränumeration anzukündigen, eines Werkes, das man billig seinen Schwanengesang nennen kann, das er mit der ihm

eigenen Kunst bearbeitet, und dessen Ausführung er zwey Tage vor seiner letzten Krankheit, im Kreise seiner besten Freunde selbst dirigirt hat. Es ist eine Cantate auf die Einweihung einer Freymaurer Loge in Wien, deren Worte die Arbeit eines Mitgliedes derselben sind. Die Aechtheit des Werkes darf Kennern und Liebhabern nicht verbürgt werden; nur dies muß man versichern, daß sich die Original Spatitur davon in Händen dieser Gesellschaft befinde. Die Pränumeration von 2 Dukaten empfängt Hr. Hraschanzky, k. k. privil. Deutsch-und Hebräischer Buchdrucker und Buchhändler, im Strauchgässel im fürstl. Oettingischen Hause Nr. 206, vom 15. Jäner bis zum 15. Juli 1792, und am Ende Juli wird das Werk allda gegen Pränumerationsschein zu erhalten seyn. Daß diese Cantate mit allen Stimmen erscheinen, ein zweckmäßiger Kupfer das Titelblatt zieren, und man überhaupt auf Zierlichkeit und Korrektheit dieses treflichen Werkes bey der Herausgabe bedacht seyn werde, versteht sich von selbst. Auswärtige Liebhaber belieben sich an Hrn. Hraschanzky postfrey zu wenden.

Die *Kleine Freimaurer-Kantate* (KV 623) war am 15. November 1791 beendet und am 18. bei der „Neugekrönten Hoffnung" aufgeführt worden. — Die „Gesellschaft Menschenfreunde" waren die Freimaurer. — Der Verfasser des Textes war wohl Gieseke, nicht Schikaneder (s. 8. Sept. 1792). — Das Autograph kam später an die Gesellschaft der Musikfreunde, Wien. — Zu Joseph Hraschansky vgl. Anfang 1788 und Mitte 1791. — Das Titelblatt der Partitur blieb schmucklos. — Bei dem damit erschienenen *„Anhang. Zum Schluß der* □ " ist die Autorschaft zweifelhaft. — Bemerkenswert ist, daß Schikaneder die Kantate mit einem neuen, nicht bekanntgewordenen Text unter dem Titel *Die Abreise des Fürsten* am 13. März 1794 in einer Akademie des Freihaus-Theaters aufführen ließ. — Hraschansky zeigte die Ausgabe in der *Wiener Zeitung* vom 14. November 1792 als erschienen an. Ein undatierter Einblattdruck nennt den Grafen Johann Esterházy als Bürgen für den Verbleib der Partitur und den Kaufmann Erzelt v. Löwenfels als Agenten für den Vertrieb des Druckes (Bernhard Beyer in *Quellen zur Geschichte der Freimaurerei*, Bayreuth 1918, I. 65 ff.)

KONSTANTIN PHILIPP WILHELM JACOBI FREIHERR V. KLÖST AN KÖNIG FRIEDRICH WILHELM II. VON PREUSSEN

Sire! Vienne, ce 18 Fevr. 1792.

En conformité des ordres très gracieux de Votre Majesté du 7 de ce mois, j'ai d'abord pris des arrangemens avec la veuve Mozzart, pour acquerir au moien du prix de 100 ducats par piece les huit morceaux de musique designés. J'espere d'en etre en possession aux premiers jours de la semaine prochaine, de sorte que je pourrai les faire porter pour Berlin avec le premier chariot de poste, qui partira d'ici vendredi prochain, le 24 du courant.

Je suis avec le plus profond respect
Sire De Votre Majesté
le très humble, très soumis et
très fidèle sujet Jacobi Klöst.

Ernst Friedlaender in *Mitteilungen für die Mozart-Gemeinde in Berlin*, April 1897, Heft 4, S. 119f. — Jacobi v. Klöst war preußischer Gesandter in Wien; 1784 war er unter den Subskribenten der Mozart-Konzerte gewesen. — Welche Werke aus dem Nachlaß der König erwarb, ist nicht sicher (KE, S. XXVI).

GRAF UGARTE AN FÜRST STARHEMBERG, 25. FEBRUAR 1792

Euer Fürstlichen Gnaden
Haben über das untern 30ten Xmber v:J: mit meinem Fürwort einbegleitet Gnadengehalts-Gesuch der Witwe *Constantia Mozart* untern 2ten Jäner 792 an mich den Auftrag erlassen, obgedachte Witwe hätte ihre Mittellosigkeit gehörig darzuthun, und zugleich zu erweisen, daß Sie aus dem Hofmusik *Societäts Fond* keine *Pension* anzuhoffen hat.

Diesen Erfordernüsse glaubt Sie mittels der sub B beiliegenden Inventur, und Schätzung dann dem Zeugnuß des Joseph Scheidl *Secretairs* der Hofmusik *Societät* Genüge zu leisten.

Diese Aktenstüke unterlege ich hiemit *Euer Fürstlichen* Gnaden mit der Bitte: aus denen in dem untern 30 Xmber v. J. erstatteten Bericht, angeführten Beweggründen, auf welchen ich mich beziehe für die mittellose hinterlassene Witwe, und ihre 2 unmündige Söhne eines in seinem Fach verdienten Mannes einen Gnaden-Gehalt angetragenermaßen Allerhöchsten Ortes bewirken zu wollen.

Wienn den 25 Hornung 792   Ugarte

Siehe 30. Dezember 1791 und 2. Januar 1792 (Nachtrag, S. 525/526). — Zu Scheidl siehe 20. Januar 1792. — Die Beilage B ist nicht erhalten geblieben; vgl. die Akten des Nachlasses im Anhang.

Aus dem «Musikalischen Wochenblatt», Berlin (25.? Februar) 1792

(Carl Spazier in einer Besprechung des „Oberon" von Wranitzky, nach der Aufführung in Berlin am 15. Februar 1792:)

... eine gewisse affektirte, gesuchte Fülle, die gegen den wahren, unerborgten, ungekünstelten Ideenreichthum eines *Mozart* sonderbar genug absticht.

Nr. XX, S. 158. — Jahn II, 362. — Paul Wranitzkys Oper *Oberon*, Text von Karl Ludwig Gieseke nach Friederike Sophie Seyler, war am 7. November 1789 zuerst im Freihaus-Theater aufgeführt worden.

Fürst Starhemberg an die Hofkammer, 27. Februar 1792
Note.

Es hat mittels der Anlage der kais:königl:Hofmusik Graf Herr Graf von Ugarte das Pensionsgesuch der ganz mittellos rückgelassenen Kammerkompositors Wittwe Konstantia *Mozart* vorwortlich unterstützet.

Eine löbl. kais:königl:Hofkammer wird daher in Freundschaft ersuchet, nebst *Reaccludirung* eingangs berührter Aktenstücke die beliebige Wohlmeinung anher zu eröfnen, um nach Befund das Weitere hierüber veranlassen zu können.

Wien den 27ten Hornung 792.   Starhemberg
  An
Eine löbl:kais:königl:Hofkammer.

Siehe 30. Dezember 1791 und 25. Februar 1792. — Diese *Note* ist im Hofkammer-Archiv, Wien, erhalten, ihr Konzept im Staatsarchiv, Wien.

Am 1. März 1792 stirbt Leopold II.

Erzherzog Franz, sein Sohn, wurde Kaiser.

Aus dem «Musikalischen Wochenblatt», Berlin (3.? März) 1792
Aus einem Briefe von Cassel, im Februar 1792.

... Den 31ten Januar haben wir *Mozarts* Andenken gefeiert. Das ganze Konzert bestand aus Mozartscher Musik, ausser dem Schlusschor, welches eine Art Apotheose des Künstlers war. Frau *von Jasmund* und die Fräulein *d'Aubigny* gaben diesem Konzert den grössten Reiz durch den Wetteifer ihrer Talente. —   v. A.

Nr. XXI, S. 164 f. — Nina d'Aubigny v. Engelbronner, geb. 1777 in Kassel, war wie ihre ältere Schwester Susanna (verehelichte Horstig) eine Amateur-Sängerin. Sie veröffentlichte 1803 in Leipzig eine erfolgreiche Singschule *(Briefe an Natalie über den Gesang)* und komponierte Lieder in mehreren Sprachen. Später übersiedelte sie nach Wien, und Schubert spielte im Frühjahr 1827 in ihrem Salon. — Frau Henriette v. Jasmund, geborene v. Schlotheim, war eine gute Pianistin. (Freundliche Auskunft von Herrn Landgerichtsdirektor Franz Uhlendorff, Kassel.)

Graf Johann Rudolf Chotek an das Obersthofmeisteramt, 5. März 1792

Note.

Die Wittwe des verstorbenen Hof-Kompositors Mozart, deren unterm 27t letztverflossenen Monats Hornung samt den damit in Verbindung stehenden Akten anher beliebig mitgetheilte Bittschrift in der Nebenlage danknehmig zurückfolget, würde zwar nach der Strenge des Pensionsnormals nicht zu einer Pension, sondern nur zur Abfertigung mit einem vierteljährigen Besoldungsbetrage geeignet seyn, weil ihr Ehegatt nicht durch 10 Jahre in k:Diensten gestanden ist.

Allein die besonderen, auch von dem k. Herrn Hofmusikdirektor bestättigten Umstände sind von der Beschaffenheit, daß bei dieser Wittwe eine Ausnahme von der allgemeinen Vorschrift billig statt finden kann.

Der verstorbene Hofkompositor Mozart ist in k: Dienste aus der Absicht aufgenommen worden, damit ein Künstler von einem so ausgezeichneten Genie nicht genöthiget wäre, sein Unterkommen im Auslande zu suchen, es scheinet daher, von dieser Seite betrachtet, selbst dem Dekor des k: Hofes entgegen zu stehen, die Wittwe eines in k. Diensten gestandenen so seltenen Talentes dem Bettelstabe auszusetzen.

Nebstbei treten bei dieser Wittwe die rücksichtswürdigen Umstände ein, daß sie mit 2 Kindern, ohne mindesten Vermögen verlassen ist, und von keiner Seite einige Hülfe zu hoffen hat. Sie würde sich daher in sehr traurige Lage versetzt finden, wenn sie von der allerhöchsten Milde Sr Maitt. ausgeschlossen würde.

Ein weiterer Beweggrund zur Pensionierung dieser Wittwe läßt sich aus dem Umstande schöpfen, dass die Stelle ihres verstorbenen Gatten nicht mehr ersetzt wird, mithin dem höchsten Aerarium die Besoldung von jährl. 800 f zurückfällt.

Aus diesen Gründen erachtet diese Hofstelle, einem löbl. königl. Obersten Hofmeisteramte die Meinung geziemend eröffnen zu können, daß in diesem besonderen Falle ohne alle Folge für erwähnte Wittwe und ihre 2 Kinder auf das Drittel von der Besoldung ihres Gatten pr 800 f, mit 266 f 40 xr von 1ten Jäner 792 anzufangen, zur Pension allerhöchsten Orts eingerathen werden kann.

Dagegen würde es gegen die bestehende Vorschrift laufen, auf einen Pensionsbeitrag für die 2 vorhandenen Kinder insbesondere einzurathen, da hier die Vielheit der Kinder, deren wenigstens 4 vorhanden seyn müssten, nicht bestehet.

Wien den 5t. März 1792.   Joh. Chotek

An
das k. Obersthofmeisteramt!
Wird die Meinung eröfnet, daß für die Wittwe des verstorbenen Hof Kompositors Mozart auf eine Pension von 266 f 40 x eingerathen werden könne.
Wien den 5t März 1792

Siehe 30. Dezember 1791. — Johann Rudolf Graf Chotek war seit 1792 Leiter der neuen Finanz-Hofstelle. — *„Hofmusikdirektor"* war Johann Wenzel Graf Ugarte.

Convoc. Mozartischer Gläubiger.

Von dem Magistrate der k. k. Haupt- und Residenzstadt Wien wird hiermit bekannt gemacht: Es sey über Absterben des Hrn. Wolfgang Andre Mozart, kaiserl. königl. Kapellmeisters und Kammerkompositeurs, um mit der diesfälligen Verlassenschafts Abhandlung sicher vorgehen zu können, für nothwendig befunden worden, all jene vorzuladen und anzuhören, welche an dieser Verlassenschaft entweder aus dem Erbrecht, oder jure crediti, oder auf was immer für eine Art Ansprüche machen können. Zu diesem Ende haben all jene, welche hieran Forderungen zu stellen glauben, den 19. März d. J. vormittag um 9 Uhr entweder selbst persönlich, oder durch einen hinlänglich Bevollmächtigten vor diesem Magistrate alsogewiß zu erscheinen, als nach Verlauf dieses Termins ohne weitern die Abhandlung gepflogen, und der Frau Wittwe eingeantwortet werden würde.

Die Verlautbarung erschien am selben Tage auch in No. 19 der *Posttäglichen Anzeigen aus dem k. k. Frag- und Kundschaftsamt in Wien,* einer Beilage der *Wiener Zeitung.* (Exemplar bei Herrn Konsul Fritz Hunziker, Bern.) — Vgl. die Akten des Nachlasses im Anhang II, S. 493 ff.

Prof. Johann Jakob Engel an König Friedrich Wilhelm II. von Preussen, Berlin, 8. März 1792

Das Singspiel „Die Zauberflöte", welches Ew. Königl. Majestät mir gestern zur Prüfung zuzufertigen allergnädigst geruht haben, war mir schon durch Nachrichten aus Wien und Prag als ein Stück der schönsten und mannigfaltigsten Dekorationen und Verwandlungen bekannt, dessen Aufführung ein Theater von sehr großem Umfang erfordert und für den engen Raum des hiesigen Nationaltheaters also gar nicht gemacht sei. Ich finde dieses bei genauer Durchlesung über meine Erwartungen bestätigt. Der Verfasser scheint es darauf angelegt zu haben, alle nur ersinnlichen Schwierigkeiten für den Maschinisten und Dekorateur zusammenzudrängen, und so ist eine Arbeit entstanden, deren ganzes Verdienst Pracht für das Auge ist. Wenigstens kann das Publikum, das gewisse Mysterien nicht kennt und durch die schwere dunkle Hülle der Allegorie nicht durchzublicken vermag, derselben unmöglich einiges Interesse abgewinnen. Ich bedaure hierbei, daß der große Tonkünstler Mozart sein Talent an einen so undankbaren, mystischen und untheatralischen Stoff hat verschwenden müssen.

Götz Friedrich, *Die Zauberflöte,* Dresden 1954, S. 101. — Engel führte mit Ramler die Direktion des Berliner Nationaltheaters. Der König empfahl ihm die *Zauberflöte* im Mai 1792 noch einmal, und wieder vergebens. Erst am 12. Mai 1794 konnte das Werk dort aufgeführt werden.

Vortrag des ersten Obersthofmeisters Fürsten Georg Adam v. Starhemberg — das Pensionsgesuch der ganz mittellos rückgelassenen Kammerkompositorswitwe Constantia Mozart betreffend. Wien 12. März 1792.

Allergnädigster Herr!

Gleich nach erfolgtem Tode des k. k. Kammercompositors Wolfgang Mozart hat der Musikgraf Graf v. Ugarte das unterthänigste Gesuch seiner Witwe hierher einbegleitet, womit selbe in Rücksicht ihrer zwei unmündigen Kinder und des gänzlichen Mangels an Vermögen um einen jährlichen Gnadengehalt anfleht.

Da diese Bittschrift mit dem vorschriftsmäßigen Zeugnisse der Dürftigkeit nicht versehen war: so habe ich dem Grafen v. Ugarte mitzugeben befunden, daß die Witwe fördersamst ihre Mittellosigkeit erprobe und zugleich erweise, daß sie aus dem Hofmusik-Societäts-fond keine Pension zu hoffen habe.

Diesem zufolge hat der Musikgraf die anverlangten Erfordernisse in seinem weiteren Berichte beigebracht, welche vollkommen bestätigen, daß der verstorbene Mozart seine Witwe mit zwei Kindern wirklich ohne Vermögen und Anspruch auf die Societätscasse zurückgelassen hat.

Um alles zu erschöpfen, was in Pensionsfällen vor Erstattung des Vortrages normalmäßig vorgeschrieben ist, sind die Actenstücke der kön. Hofkammer um ihre Wohlmeinung zu-gestellt worden.

Worauf diese Hofstelle ihre Aeußerung in der Nebenlage dahin abgegeben hat:

Die Witwe sei zwar nach der Strenge des Pensionsnormales zu keiner Pension, sondern nur zur Abfertigung mit einem vierteljährigen Betrag geeignet, weil ihr Mann nicht durch 10 Jahre in kais. Diensten gestanden ist.

Jedoch erfordere die Billigkeit, wegen der besonderen Umstände eine Ausnahme für die Witwe zu machen.

Der verstorbene Kammerkompositor sei in die Hofdienste aufgenommen worden, damit ein Künstler von so seltenem Genie nicht bemüßigt werde, sein Brod im Auslande zu suchen. Es wäre demnach wider das Ansehen des höchsten Hofes, die Witwe dieses Mannes dem Bettelstabe zu überlassen.

Aus diesen rücksichtswürdigen Gründen erachtet die Hofkammer, daß in diesem beson-deren Fall und ohne Consequenz für gedachte Witwe und ihre 2 Kinder auf das Drittel von dem Gehalte ihres Ehegatten pr. 800 fl. mit 266 fl. 40 kr. vom 1. Januar laufenden Jahrs anzufangen, zur Pension eingerathen werden könne, ohne jedoch auf einen beson-deren Beitrag für die 2 Kinder anzutragen, weil vermög Normale wenigstens 4 vor-handen sein müßten.

Allergnädigster Herr! Bei dieser Witwe treten allerdings solche Umstände ein, welche sie einigermaßen berechtigen, auf die Milde Ew. Majestät Anspruch zu machen. Höchst die-selbe dürften demnach um so mehr geneigt sein, ihr die von der Hofkammer vorgeschlagene Pension von 266 fl. 40 kr. gnädigst zu verwilligen, als nach der Meinung des Hofmusik-grafen die Compositorstelle nicht mehr zu ersetzen ist, mithin die Besoldung von 800 fl. in Ersparung kömmt.

Aus eben dieser Ursache wird es auch der Gesinnung Euer Majestät angemessen sein, daß die 2 Competenten, welche um diesen Platz bittlich eingekommen sind, abweislich verbeschieden werden. Placet.   Franz m. p.   Starhemberg.

Staatsarchiv, Wien. — Köchel im *Jahrbuch für Landeskunde von Nieder-Österreich*, Wien 1868, I. 357 f. — Jahn, II, 705 f. — Vgl. 11. Dezember 1791. — Zu Starhemberg s. 15. Januar 1789; zum Musikgrafen Ugarte s. 24. April 1775; zur Tonkünstler-Societät s. 25. Februar 1792; zu den zwei Bewerbern um die Stelle des Kammer-Kompositeurs s. ca. 7. Dezember 1791 und 12. Januar 1792. — Franz II. schrieb seine Zustimmung auf das Manuskript des Vortrags.

AUS DEN KABINETTSPROTOKOLLEN DER KAISERLICHEN KABINETTSKANZLEI,
12. MÄRZ 1792

12 März (Exhibirende Stelle:) Starhemberg
Vortrag No. 72 v. 12. Merz das Pensionsgesuch der mittellosen Kammerkompositors Witwe Konstanzia Mozart. Dann Abweisung der 2 Kompetenten Förster u Preindl
Placet. / 266 f. 40 xr. v. 1. Jän.

Staatsarchiv, Wien, Kabinettsprotokolle, Band 119, Nr. 526.

BESCHEID [AUF KONSTANZES GESUCH].

Seine Majestät haben der Bittstellerin sammt ihren zweien Kindern das Drittel von dem Gehalte ihres Ehegatten pr. 800 fl. mit 266 fl. 40 xr. zur Pension vom 1. Jäner d. J. aus der Universalcameralcasse aus besonderer höchster Gnade und ohne Consequenz zu ertheilen geruht.

Pr. den 13. März 1792.

Staatsarchiv Wien. — Köchel, wie oben. Jahn, wie oben. (Er mißverstand das „Pr." — *Präsentiert* — als Prag.)

DAS OBERSTHOFMEISTERAMT AN DIE HOFKAMMER UND AN DEN HOFMUSIKGRAFEN, 13. MÄRZ 1792

Hofordonanz / an die Königliche Hofkammer. / ddo. 13te März 1792.

Se des Königs Majestät haben der ganz mittellos rückgelassenen Kammerkompositors Wittwe Konstanzia Mozart samt ihren 2. Kindern aus besonderer Gnade und ohne Konsequenz einen jährlichen Gnadengehalt von 266 f 40 Xr vom ersten Jäner dieß Jahrs an zu verwilligen geruhet.

Welche allerhöchste Entschliessung Einer löbl: königl: Hofkammer zur weiteren Verfügung erinnert wird.

Intimatum
an den königl: Hofmusikgrafen
Herrn Grafen v: Ugarte.
ddo. 13te März 1792.

Obschon die rückgelassene Kammerkompositors Wittwe Konstanzia Mozart nach den bestehenden Normale zu keiner Pension geeignet ist, weil ihr Mann nicht durch 10 Jahre in kaiserl: Diensten gestanden; so haben doch Se Majestät derselben samt ihren zwey Kindern das Drittel von dem Gehalte ihres Ehegatten pr: 800 fin mit 266 fin 40 xr aus besonderer Gnade und ohne Konsequenz vom 1te Jäner dieß Jahrs an zu verwilligen geruhet, ohne für gedachte Kinder einen besonderen Beytrag zu bestimmen, weil vermög Normale wenigstens 4 vorhanden seyn müssen. Die Ersetzung der erledigten Kompositorsstelle hingegen haben Höchstdieselbe entbehrlich befunden, und daher die dießfälligen zween Kompetenten, deren Bittschriften hier angeschlossen werden, abweislich zu verbescheiden befohlen.

Welch ein so anders dem k: Herrn Hofmusikgrafen zur Wissenschaft und weiterer Veranlassung hiemit erinnert wird.

Siehe 30. Dezember 1791. — Die Gesuche Försters und Preindls wurden abschlägig beschieden.

AUS DEM «MUSIKALISCHEN WOCHENBLATT», BERLIN (24.? MÄRZ) 1792
Öffentliche Musik in Berlin.

Mozards Andenken ward am 18. März, zum Besten der Armen, im Koncert des Hrn. D. Fließ, durch eine Cantate von Hrn. *Burmann, Mozards Urne,* komponirt von Hrn. Musikdirektor *Wessely,* und durch Mozardsche Instrumental- und Singsachen gefeiert ...

C. S.

Nr. XXIV, S. 191. — „*D.Fließ*", der damals in Berlin ein monatliches Liebhaber-Konzert unterhielt, ist vielleicht mit Dr. Bernhard Flies identisch, dem Komponisten des Mozart zugeschriebenen *Wiegenlieds* (KV 350). Gottlob Wilhelm Burmann, ein Privatlehrer in Berlin, komponierte selbst. Bernhard Wessely war Musikdirektor des Berliner Nationaltheaters. Die Kantate sollte im Juli 1792 für Subscribenten gedruckt werden. — Das *Musikalische Wochenblatt* (s. 10. ? Dezember 1791), in dessen letzter Nummer dieser Bericht von Carl Spazier erschien, wurde bald darauf von der *Musikalischen Monatsschrift* abgelöst.

Am 20. April versendet die „Neugekrönte Hoffnung" ein Rundschreiben über Mozarts Tod.

Text und Fundort derzeit unbekannt. — Deutsch, a. a. O., S. 18. — Bald darauf fand die „Trauerloge" statt, in der die *Maurerrede auf Mozarts Tod* vorgelesen wurde.

MAURERREDE AUF MOZARTS TOD. VORGELESEN BEY EINER MEISTERAUFNAHME IN DER SEHR EHRW. ST. JOH. ☐ ZUR GEKRÖNTEN HOFFNUNG IM ORIENT VON WIEN VOM BDR. H . . . . . R

Wien, gedruckt beym Br. Ignaz Alberti. 1792.

HOCHWÜRDIGER
MEISTER VOM STUHL,
HOCHWÜRDIGER
DEPUTIRTER MEISTER,
HOCH UND VEREHRUNGSWÜRDIGE BRÜDER!
. . . . .

Lassen Sie mich, meine Hoch- und Verehrungswürdigen Brüder! die Stimmung Ihrer Gemüther benutzen, und Sie auf einen für uns alle höchst traurigen und schmachvollen Gegenstand zurück bringen. Dem ewigen Baumeister der Welt gefiel es, eines unserer geliebtesten, unserer verdienstvollesten Glieder aus unserer Bruderkette zu reissen. Wer kannte ihn nicht? — wer schätzte ihn nicht? — wer liebte ihn nicht? — unsern würdigen Bruder Mozart — Kaum sind einige Wochen vorüber, und er stand noch hier in unsrer Mitte, verherrlichte noch durch seine zauberischen Töne die Einweihung unseres Maurertempels.

Wer von uns, meine Brüder! hätte ihm dazumahl den Faden seines Lebens so kurz ausgemessen? — Wer von uns hätte gedacht, dass wir nach drey Wochen um ihn trauern würden? Es ist wahr — es ist das traurige Loos der Menschheit, mitten im Keimen die oft schon ganz ausgezeichnete Lebensbahn verlassen zu müssen; Könige sterben mitten in ihren Planen, die sie unausgeführt der Nachwelt überlassen; in ihren Planen, die so oft erst nach Jahrhunderten zum Wohl ihrer Mitmenschen zweckten; — Künstler sterben, nachdem sie die ihnen verliehene Lebensfrist anwandten, die Vervollkommnung ihrer Kunst auf den höchsten Grad zu bringen — allgemeine Bewunderung folgt ihnen in ihr Grab — ganze Staaten bedauern sie — und das allgemeine Loos dieser grossen Männer ist — vergessen zu werden von ihren Bewunderern. Nicht so wir, meine Brüder! Mozarts früher Tod bleibt für die Kunst ein unersetzlicher Verlust — seine Talente, die er schon im frühesten Knabenalter äusserte, machten ihn schon dazumahl zum seltensten Phänomen seines Zeitalters — halb Europa schätzte ihn — die Grossen nannten ihn ihren Liebling — und wir — nannten ihn Bruder. So sehr es aber die Billigkeit erfodert, seine Fähigkeiten für die Kunst in unser Gedächtniss zurück zu rufen — eben so wenig müssen wir vergessen, ein gerechtes Opfer seinem vortrefflichen Herzen zu bringen.

Er war ein eifriger Anhänger* unseres Ordens — Liebe für seine Brüder, Verträglichkeit, Einstimmung zur guten Sache — Wohlthätigkeit — wahres, inniges Gefühl des Vergnügens, wenn er einem seiner Brüder durch seine Talente Nutzen bringen konnte, waren Hauptzüge seines Charakters — er war Gatte — Vater — Freund seiner Freunde — Bruder seiner Brüder — nur Schätze fehlten ihm, um nach seinem Herzen Hunderte glücklich zu machen — — —

Meine Hoch- und Verehrungswürdigen Brüder! Können wir das Andenken unseres nun verklärten Bruders auf eine edlere — auf eine für uns nützlichere Art feyern, als wenn wir aufs neue bey dem Grabe A *** unverbrüchliche Treue für die Tugend geloben? — müsste er nicht selber mit segnendem Blick auf dieses Traueropfer hernieder sehen, wenn er unserer Sphäre nicht entrückt — mitten unter uns schwebte, und als unsichtbarer Zeuge unserer Arbeit beywohnte? — —

Meine Brüder! ein schaudernder Gedanke für uns — Hier war der Platz, worauf er stand — der Platz, welcher vielleicht in kurzer Zeit den Zweyten aus unserer Mitte nehmen wird — —

Verwesung! — — ich glaube nicht, dass für die menschliche Natur etwas Schrecklicheres, Schauderndres gedacht werden kann, als diese!

Gewohnt, unsern Körper als einen wesentlichen Theil unseres Ichs zu betrachten — unbekannt mit der Natur, dem Zustande und den eigentlichen Beschäftigungen unseres davon getrennten Geistes — und dann der Gedanke: bald zerfällt dieser Leib in Staub, oder wird nach Beschaffenheit der Umstände die Wohnung und Speise ekelhafter Insecten — solche wider die menschliche Natur kämpfende Vorstellungen muthvoll zu besiegen, und den grossen, wichtigen Schritt in die unbekannten Gefilde der Ewigkeit mit ruhigem Lächeln zu thun — kann nur der, der hier an diesem Ort die grosse Kunst lernte, tugendhaft zu leben, um als Maurer, als Christ sterben zu können.

Zwar ist der Tod schon wegen seinen natürlichen Folgen das Schrecklichste für die menschliche Natur — er trennet so oft, nur allzu früh das heiligste Band zwischen Gatten und Gattinnen — trennet uns von unsern Freunden und Anverwandten — beraubet öfters Kinder ihrer Ältern — und entreisset unsern Armen diejenigen, die wir so zärtlich liebten — Keine unter allen Veränderungen, die dem Menschen bevor stehen, ist dem Erfolge nach unausbleiblicher — keine Betrachtung der Zeit ungewisser — keine wegen ihres Ursprungs und der damit verknüpften Umstände ernstlicher und feyerlicher — keine von einem wichtigeren Einfluss in unsre zukünftige Glückseligkeit — als der Tod —

Jeder Tag, den wir dahin leben, jede Stunde, die wir zählen, die Nacht und der Schlaf — alles ist entweder ein Bild, oder ein Ruf des Todes für uns.

Wie manches Kind verblüht schon an der Brust seiner Mutter, das dort Kraft und Leben einsaugen wollte — wie viele Jünglinge sterben, wie Blumen, in dem Frühling ihres Lebens dahin — wie viele, da sie erst angefangen haben, für das Wohl der Menschheit zu leben — werden in dem Sommer ihrer Tage ein Raub des Todes —

Sollen wir aber nun desswegen, weil der Tod uns so gewiss ist, den so wichtigen Gedanken an ihn von uns entfernen? oder würden wir wohl dabey gewinnen, wenn wir ihn von uns entfernen wollten?

---

* Im Original steht irrtümlich „Anfänger" (Herausgeber).

Würde uns nicht jede Trennung von unsern Freunden, jede Leiche aus unsrer Mitte daran erinnern?

Nein, meine Brüder! Klugheit und Vorsicht fodern, dass wir unsern Feind kennen lernen; aber es ist nicht genug, ihn zu kennen, wir müssen ihn auch zu besiegen wissen. —

Und wo finden wir die Mittel dazu, diesen Feind der Natur zu besiegen? wo anders, als in unserm Maurertempel, den wir erbauet haben, um gute Menschen zu bilden — Hier — hier an A*** Grabe, der uns die weise Kunst lehrt, glücklich zu leben, und froh dem Tage unseres Hinscheidens entgegen zu sehen.

Selig wir, meine Brüder! wenn wir gewürdiget werden, Werkzeuge unseres grossen Baumeisters zu seyn, um Menschenglück zu befördern — Selig wir, wenn wir der profanen Welt zeigen könnten, was man in unsern Hallen für Menschen bildet — was der Gott der Maurer für Grundsätze in den Herzen seiner Schüler wurzelt. —

Die Asche unsers ewig theuren Bruders ruhe in Frieden — sein früher Tod seye uns die kräftigste Aufmunterung zur Tugend — Unser Andenken vereinige sich mit ihm in jenen überirdischen Hallen, wo volles Licht aus Jehovahs ewiger Quelle in alle Bewohner des Himmels — in alle wahre Maurer ströhmen wird!

> Auf! traurt um ihn — nach ächter Maurersitte,
>   Den uns das Loos zum Bruder gab;
> Zu früh sank er aus unsers Zirkels Mitte
>   Hinab, von uns ins düstre Grab.
>
> Er war im Leben gut — und mild — und bieder,
>   Ein Maurer nach Verstand und Sinn;
> Der Tonkunst Liebling! — denn er schuf uns wieder
>   Zu höheren Empfindungen.
>
> Getrennt ist nun das Band! ihn soll begleiten
>   Der Maurersegen froh und kühn —
> Denn unsre Bruderliebe soll ihn leiten
>   Auch in das Land der Harmonien:
>
> Die wir im stillen folgten seinen Schritten,
>   Zu suchen, die das Schicksal schlug,
> Wo er so oft in armer Wittwen Hütten
>   Die ungezählte Gabe trug;
>
> Wo er sein Glück auf Waisen-Segen baute,
>   Das Kleid der nackten Armuth gab,
> Und Gottes Lohn dafür sich anvertraute,
>   Der ihn begleitet bis ins Grab;
>
> Der, eingewiegt durch die Sirenenlieder
>   Der Schmeicheley — sich konnte freun
> Des frohen Blickes seiner armen Brüder,
>   Und nicht vergasse, Mensch zu seyn.

So schlafe sanft in deiner stillen Stätte,
   Die dich zu deiner Ruhe führt,
Bis einst durch drey Mahl drey zur Bruderkette
   Dich Adoniram rufen wird,

Wo wir in sanftern Melodienchören,
   Vereint durchs ew'ge Meisterwort —
Das heilig — heilig — heilig werden hören,
   Jehovah ists! der Maurer Gott!!!

Einzig bekanntes Exemplar in der Musiksammlung der Nationalbibliothek, Wien. — Erster (nicht getreuer) Nachdruck in der *Allgemeinen Österreichischen Freimaurer-Zeitung*, Wien, 23. Mai 1875 (II/9, S. 68—70). Faksimile und Neudruck in der *Schweizerischen Musikzeitung*, Zürich, Februar 1956 (Otto Erich Deutsch). — Der Verfasser der Rede und des Gedichts an ihrem Ende war der Theaterschriftsteller Karl Friedrich Hensler, der Drucker der Broschüre (17 Seiten Oktav) Ignaz Alberti, dessen Name auch auf dem ersten Textbuch der *Zauberflöte* steht; beides Freimaurer. — Der Inhalt der Rede ist zum großen Teil allgemeiner Art, da diese „Loge" der Beförderung dreier Gesellen zu Meistern galt und nur gleichzeitig dem Gedächtnis Mozarts gewidmet war. Deshalb ist hier der Anfang, fast die Hälfte der Rede, ausgelassen worden. — Der darin wiederholt, aber meistens nur als „A***" genannte Adoniram, eigentlich Adonirham, war der Schatzmeister des Königs Salomon; sein Name bedeutet bei den Freimaurern den Hochgrad des Schottischen Ritus.

JOHANN ANDREAS SCHACHTNER AN MARIA ANNA VON BERCHTOLD zu
SONNENBURG

A Madame
Madame Marie Anne
De Sonnenburg.
abzugeben
in der Pfleg. *St. Gilgen*
No 4.

Hochwohledelgebohrne gnädige Frau!

Deroselben sehr angenehmes Schreiben traff mich nicht in Salzburg, sondern in der Hammerau an, wo ich eben bey meinem Sohne dortigen Mitbeamten beym Obverwesamt, auf einen Besuch war; aus meiner sonstigen Willfährigkeit gegen Jedermann, und vorzüglich gegen das Mozartische Hauß, können Sie schließen, wie sehr leid mir war, daß ich nicht auf der Stelle ihren Auftrag befriedigen konnte. Zur Sache also! auf ihre erste Frage: was ihr seel. Herr Brud. in seiner Kindheit, NB ausser der Beschäftigung in der Musik für Lieblingsspiele hatte:

Auf diese Frage ist nichts zu beantworten: denn so bald er mit der Musik sich abzugeben anfieng, waren alle seine Sinne für alle übrige Geschäfte, so viel als todt, und selbst die Kindereyen, und Tändelspiele mussten, wenn sie für ihn interessant seyn sollten, von der Musik begleitet werden; wenn wir, Er und Ich, Spielzeuge zum Tändeln von einem Zimmer ins andere trugen, musste allemal derjenige aus uns, so leer gieng, einen Marsch dazu singen, oder geigen. Vor dieser Zeit aber, eh er die Musik anfieng, war er für jede Kinderey, die mit ein bischen Witz gewürzt war, so empfänglich, dass er darüber Essen und Trinken, und alles andere vergessen konnte. Ich ward ihm daher, weil ich, wie Sie wissen, mich mit ihm abgab, so äusserst lieb, dass er mich oft zehnmal an einem Tage fragte, ob ich ihn lieb hätte, und wenn ich es zuweilen, auch nur zum Spasse verneinte, stunden ihm gleich die hellichten Zähren im Auge, so zärtlich und so wohlwollend war sein gutes Herzchen.

2te Frage. wie er sich als Kind gegen die Grossen benahm, wenn sie sein Talent und Kunst in der Musik bewunderten?

Wahrhaftig da verrieth er nichts weniger als Stolz oder Ehrsucht: denn diese hätte er nie besser befriedigen können, als wenn er Leuten, die die Musik wenig oder gar nicht verstanden, vorgespielt hätte, aber er wollte nie spielen, ausser seine Zuhörer waren grosse Musik Kenner, oder man musste ihn wenigsten betrügen, und sie dafür angeben.

3te Frage. welche wissenschaftliche Beschäftigung liebte er am meisten? Antwort: hierinfalls liess er sich leiten, es war ihm fast Einerlei, was man ihm zu lernen gab, er wollte nur lernen, und liess die Wahl seinem innigst geliebten Papa, welches Feld er ihm zu bearweiten auftrug, es schien, als hätte er es verstanden, dass er in der Welt keinen Lehrmeister, noch minder Erzieher, wie seinen unvergesslichen Herrn Vater, hätte finden können.

4te Frage. was er für Eigenschaften, Maximen, Tagesordnung, Eigenheiten, Neigung zum Guten und Bösen hatte?

Antwort. Er war voll Feuer, seine Neigung hieng jedem Gegenstand sehr leicht an; ich denke, dass er im Ermangelungs Falle einer so vortheilhaft guten Erziehung, wie er hatte, der ruchloseste Böswicht hätte werden können, so empfänglich war er für jeden Reitz, dessen Güte oder Schädlichkeit er zu prüfen noch nicht im Stande war.

> Einige sonderbare Wunderwürdigkeiten
> von seinem 4 bis 5 jährigen Alter, auf deren
> Wahrhaftigkeit ich schwören könnte.

Einsmals gieng ich mit Hrn. Papa nach dem Donnerstag-Amte zu ihnen nach Hause, wir traffen den 4jährigen Wolfgängerl in der Beschäftigung mit der Feder an:

Papa: was machst du?

Wolfg: ein Concert fürs Clavier, der erste Theil ist bald fertig.

Papa: lass sehen. Wolfg: ist noch nicht fertig.

Papa: lass sehen, das muss was saubers seyn.

Der Papa nahm ihms weg, und zeigte mir ein Geschmire von Noten, die meistentheils über ausgewischte Dintendolken geschrieben waren./:NB: Der kleine Wolfgangerl tauchte die Feder, aus Unverstand, allemal bis auf den Grund des Dintenfasses ein, daher musste ihm, so bald er damit aufs Papier kamm ein Dintendolken entfallen, aber er war gleich entschlossen, fuhr mit der flachen Hand drüber hin, und wischte es auseinander, und schrieb wieder drauf fort:/ Wir lachten anfänglich über dieses scheinbare galimathias, aber der Papa fieng hernach seine Betrachtung über die Hauptsache, über die Noten, über die Composition an, er hieng lange Zeit steif mit seiner Betrachtung an dem Blate, endlich fielen seine Thränen, Thränen der Bewunderung und Freude aus seinen Augen, sehen sie Hr. Schachtner, sagte [er], wie alles richtig und regelmässig gesetzt ist, nur ists nicht zu brauchen, weil es so ausserordentlich schwer ist, dass es kein Mensch zu spielen im Stande wäre. Der Wolfgangerl fiel ein: drum ists ein Concert, man muss so lange exercieren, bis man es treffen kann, sehen Sie, so muss es gehen. er spielte, konnte aber auch just so viel herauswirgen, dass wir kennen konnten, wo er aus wollte. Er hatte damals den Begriff, das Concert spielen und Mirakel wirken einerley seyn müsse.

> Noch Eins:

Gnädige Frau! sie wissen sich zu erinnern, dass ich eine sehr gute Geige habe, die weiland

Wolfgangerl, wegen seinem sanften und vollen Ton immer Buttergeige nannte. Einsmals, bald nachdem sie von Wien zurückkammen geigte er darauf, und konnte meine Geige nicht genug loben, nach ein oder zween Tagen kam ich wieder ihn zu besuchen, und traf ihn, als er sich eben mit seiner eigenen Geige unterhielt an, sogleich sprach er: Was macht ihre Buttergeige? geigte dann wieder in seiner Phantasie fort, endlich dacht er ein bischen nach, und sagte zu mir, Hr. Schachtner, ihre Geige ist um einen halben 4tel Ton tiefer gestimmt als meine da, wenn Sie sie doch so gestimmt liessen, wie sie war, als ich das letzte mal drauf spielte. ich lachte darüber, aber Papa, der das ausserordentliche Tönegefühl und Gedächtniß dieses Kinds kannte, bath mich meine Geige zu hohlen, und zu sehen, ob er recht hätte, ich thats, und richtig wars.

Einige Zeit vor diesen, die nächsten Tage, als sie von Wien zurückkammen, und Wolfgang eine kleine Geige, die er als Geschenk zu Wien kriegte, mitbrachte, kamm unser ehemalige sehr gute Geiger Hr. Wenzl seel. der ein Anfänger in der Composition war, er brachte 6 Trio mit, die er in Abwesenheit des Hrn. Papa verfertigt hatte, und bath Papa um eine Erinnerung hierüber, wir spielten diese Trio, der Papa spielte mit der Viola den Bass, der Wenzl das erste Violin, und ich sollte das 2te spielen, Wolfgangerl bath, dass er das 2te Violin spielen dörfte, der Papa aber verwies ihm seine närrische Bitte, weil er nicht die geringste Anweisung in dem Violin hatte, und Papa glaubte, dass er nicht [das] mindeste zu leisten im Stande wäre. Wolfgang sagte, um ein 2tes Violin zu spielen braucht es ia wohl nicht, erst gelernt zu haben, und als Papa drauf bestand, dass er gleich fortgehen, und uns nicht weiter beunruhigen sollte, fieng Wolfgang an bitterlich zu weinen und trollte sich mit seinem Geigerl weg. Ich bath, dass man ihn mit mir möchte spielen lassen, endlich sagte Papa, geig mit Hrn. Schachtner, aber so still, dass man dich nicht hört, sonst musst du fort, das geschah. Wolfgang geigte mit mir, bald bemerkte ich mit Erstaunen, dass ich da ganz überflüssig seye, ich legte still meine Geige weg, und sah ihren Hrn. Papa an, dem bey dieser Scene die Thränen der Bewunderung und des Trostes über die Wangen rollten, und so spielte er alle 6 Trio. Als wir fertig waren wurde Wolfgang durch unsren Beyfall so kühn, dass er behauptete auch das 1 Violin spielen zu können. Wir machten zum Spasse einen Versuch, und wir mussten uns fast zu Tode lachen, als er auch diess, wiewohl mit lauter unrechten und unregelmässigen Applicaturen doch so spielte, dass [er] doch nie ganz stecken blieb.

Zum Beschluss. Von Zärtlichkeit, und Feinheit seines Gehörs.

Fast bis in sein 10tes Jahr hatte er eine unbezwingliche Furcht vor der Trompete, wenn sie allein, ohne andere Musik geblasen wurde, wie man ihm eine Trompete nur vorhielt, war es eben so viel, als wenn man ihm eine geladene Pistolle aufs Herz setzte, Papa wollte ihm diese kindische Furcht benehmen, und befahl mir einmal trotz seines Weigerns ihm entgegen zu blasen, aber mein Gott! hätte ich mich nicht dazu verleiten lassen, Wolfgangerl hörte kaum den schmetternden Ton, ward er bleich und begann zur Erde zu sinken, und hatte ich länger angehalten, er hatte sicher das Fraise bekommen.

Dieses ist beyläufig, womit ich auf die gestellten Fragen dienen kann, verzeihen Sie mir mein schlechtes Geschmire, ich bin geschlagen genug, dass ichs nicht besser kann. Ich bin mit geziemend schuldigster Hochschatzung, und Ehrfurcht

Salzburg
den 24t April
1792

Euer Gnaden

Ergebenster Diener
Andre Schachtner
Hochfürstl. Hoftrompeter

Meinen gehorsamsten Respect an Sr Gnaden Dero gnädigen Herrn Gemahl.

Zur dritten Frage.

Was man ihm immer zu lernen gab, dem hieng er so ganz an, dass er alles uebrige, auch so gar die Musik auf die Seite setzte, z. B. als er Rechnen lernte, war Tisch, Sessel, Wände, ia so gar der Fussboden voll Ziffern mit der Kreide überschrieben.

Original bei Mr. Albi Rosenthal, Oxford. — Ludwig Nohl, *Mozart nach den Schilderungen seiner Zeitgenossen,* Leipzig 1880, S. 4—7. — Jahn, I, 21—24. — Das waren die ersten niedergeschriebenen Erinnerungen an Mozart, deren letzte erst um 1880 erschienen. — Schachtner (1731—1795) war einer der Dichter, die für die Bühne der Salzburger Aula schrieben. Er übersetzte Libretti ins Deutsche, auch Varescos Libretto zum *Idomeneo,* er gestaltete den Text zur unvollendeten *Zaide* (KV 344), und veröffentlichte Gedichte, die Johann Christoph Gottsched einer Vorrede würdigte. Sein Beruf war aber der eines Hof- und Feld-Trompeters des Erzbischofs von Salzburg; er spielte auch Violine und Violoncello. Das Spielgrafenamt, das er zuletzt versah, machte ihn zum Leiter der bürgerlichen Musik in Salzburg. Er war mit der Familie Mozart von Anfang an befreundet. Frau Marianne, die mit den Ihren in St. Gilgen lebte, hatte ihm noch rechtzeitig, für Schlichtegrolls 1793 erschienenen *Nekrolog,* eine Liste von Fragen geschickt, damit er seine Erinnerungen an Wolfgangs Kindheit aufschreibe, weil sie damals selbst noch zu jung gewesen war, um diese Zeit zu erfassen. In ihrem Bemühen, Materialien zur Biographie Mozarts zu sammeln, folgte sie den Absichten des Vaters, der die Familienbriefe sorgfältig aufbewahrt und hinterlassen hatte. — „*Wenzl*" war der Spitzname Wenzel Hebelts (vgl. 3. Januar 1765 und 10. März 1769).

Marianne v. Berchtolds Erinnerungen, Frühjahr 1792

Data

zur Biographie des Verstorbenen Tonn-Künstlers

Wolfgang Mozart.

1.) Johannes Chrisostomus Wolfgang Gottlieb Mozart ist den 27. Januar 1756 in Salzburg gebohren.

2.) Sein Vatter, Leopold Mozart Buchbinder Sohn von Augspurg wurde *daselbst* den 14ten November 1719 gebohren. *Er kam zum studieren in die hochen Schullen nach Salzburg,* wurde dann Kammerdiener bey Herrn Grafen v. Thurn, Domherr daselbst kam dann als Hofmusicus in die hochfürstliche Dienste in Jahr 1743. (In Anfang des Jahrs 1762. wurde der Vatter vicecapellmeister *am Hof des Fürst-Erzbischoffen zu Salzburg.)* Er verehlichte sich in Jahr 1743 den 21ten November mit Maria Anna Pertlin, des in Leben gewesten hochfürstlich Salzburgis: Pflegs-Comissarj zu Hüttenstein hinterlassenen Tochter, welche in Jahr 1720 den 25ten December *in dem Salzburgischen Markt St: Gilgen* gebohren war. Er beschäftigte sich immer neben seinen Dienst bey Hof und *in der Metropolitan Kirche* mit Unterweisung auf der Violin, und mit Componiren. Er gab 1756 ein Buch in Druck heraus, *Versuch einer gründlichen Violin Schulle,* welche in Jahr 1770 das zweyte mahl aufgelegt wurde.

Da ihm von 7 Kindern nur eine Tochter, *Maria Anna* und dieser Sohn *Wolfgang Gottlieb* bey leben blieben, so gab er so wohl die Unterweisungen auf der Violin als auch das componiren ganz auf, um ausser seinen hochfürstliche Dienste die übrige Zeit auf die Erziehung seiner zwey Kinder zu wenden.

Der Sohn war damahls drey Jahr alt, als der Vater seine siebenjährige Tochter anfieng auf dem Clavier zu unterweisen.

Der Knab zeugte gleich sein von Gott ihm zugeworfenes ausserordentliches Talent. Er unterhielte sich oft lange Zeit bey dem Clavier mit Zusammensuchen der Terzen, welche er immer anstimte, und sein Wohlgefahlen verriet daß es wohl klang.

In vierten Jahr seines Alters, fieng sein Vatter so zu sagen spielend an ihm auf dem Clavier einige Menuet und Stücke zu lehren. Es kostete so wohl seinem Vatter als diesen Kinde so wenig Mühe, daß es in einer Stunde ein Stück, und in einer halben Stunde eine Menuet so leicht lernte, daß es solches dann ohne Fehler, mit der vollkomsten Nettigkeit, und auf das genaueste auf dem Tact spielte. Es machte solche Vorschritte, daß es mit fünf Jahren schon kleine Stückchen componirte, welche es seinem Vatter vorspielte, der es dann zu Papier setzte.

3.) In sechsten Jahre seines Alters machte der Vatter mit ihm die erste Reise

4.) nach München, wo sich beide Kinder beym Churfürsten hören liessen. (die Mozartische Familie bestand in dem Vatter, Mutter, Sohn und Tochter.) Nachdem sie sich drey Wochen alda aufgehalten, kammen sie wieder in Salzburg zurück.

Da sich die Kinder immer mehr auf dem Clavier perfectionirten, so machte die Mozartische Familie den 18ten September 1762 eine Reise über Pasau Linz nach Wien, wo die Kinder sich in wenig Tägen nach ihrer Ankunft bey dem kaisserlichen Hof producirten. machten auch eine kleine Reise nach Prespurg und kammen in Januar 1763 in Salzburg zurück. (Es dauerte über drey Stunden daß sie sich bey beyden kaisserlichen Maystäten aufhielten wo sich nur die grossen Erzherzogen, und Erzherzoginnen befanden. Der Kaisser Franz sagte unter andern zu dem Sohn es wäre keine Kunst mit alle Fingern zu spiellen, aber dieß wäre es erst künstlich, wenn man das Clavier bedeckte. Darauf spielte das Kind gleich mit einem Finger mit der grösten Fertigkeit — ließ sich auch die Claves bedecken und spielte darauf, als wenn er es schon oft genug geübet hätte.)

Den 9ten Juni 1763 machte die Mozartische Familie eine Reise nach München, Augspurg, Ulm, Ludwigstburg, Bruchsal, Schwezingen, Heidlberg, Manheim, Worms, Mainz, Frankfurt an Mayn, Maynz, Coblenz, Bonn, Brühl, Kölln, achen, Lüttig, Tillemonde, Löwen, Brüssel, Mons, Paris. wo sie den 18ten November 1763, ankammen.

(In *München* liessen sich die Kinder wieder beym Churfürsten hören, Der Knab spielte auch da ein concert auf dem Violin und preambolirte schon aus den Kopf. auch bey Herzog Clement spielten Sie. In *Augspurg* gaben sie zwey academien. In Heidlberg spielte der Sohn die orgel in der hl: Geist Kirche. In *Manheim* liessen sie sich beym Kurfürsten von der Pfalz hören. Frankfurt gaben sie 4 academien. *Maynz.* gaben sie 2 academien. der Churfürst war krank konnten sie sich also bey ihm nicht hören lassen. *Coblenz,* spielten sie beym Churfürsten. *Kölln.* Der Churfürst war in Westphallen, könnten sich also nicht hören lassen. Achen gaben sie eine academie. *Bruxelles,* gaben sie eine academie. In den ubrigen orten hielten sie sich nur so lange auf bis sie alle Merkwürdigkeiten gesehen hatten.)

Sie liessen sich in Versailles bey der königlichen Familie hören. auch spielte der Sohn in der Hof Capell in Versailles vor dem ganzen Hof mit allem Beyfahl die orgel.

Sie gaben auch zwey grosse academien in einem privat Saal. nachdem sie sich in Paris 21 Wochen aufhielten

(*Paris.* der Sohn machte hier seine zwey ersten Werke auf das Clavier. Das *erste* dedicirte er der Madame Victoire, der zweyten Tochter des Königs. das *zweyte* dedicirte er der Md: La comtesse de Tessé. er hatte damahls sieben Jahre. beyde Werke sind in paris gestochen.

Gleich nach ihrer Ankunft in paris wurden die Kinder, und der Vatter in Kupfer gestochen.) reiste die Mozartische Familie den 10ten April 1764. über Calais nach Engliand wo sie den 22ten April in London ankammen. Den 27ten april liessen sich die Kinder bey beyden

königlichen Maystätten hören. Den 19ten May, waren sie wieder bey dem König und der Königinn, Der Sohn spielte auch auf der orgel des Königs, und alle schätzten sein orgel spielen weit höcher als sein Clavier spielen. Sie gaben den 5ten Juny ein Benefit, oder grosse academie zu ihrem Vortheil. Den 5ten August musten sie ausser der Stadt London in chelsea ein land Haus miethen, damit sich der Vatter von einem gefährlichen Halswehe erhollen konnte, welcher ihm fast an Rande des Todes brachte. (Wäre der Vatter nicht krank geworden, würden sie nach Tunbridge gereist seyn, wo die gröste Noblesse sich da in Bade versammelte.) Da sich der Vatter endlich in zwey Monaten vollkommen erhollte, kehrten sie wieder nach London zurück.
(Der Sohn componirte hier 6 Sonaten auf das Clavier, ließ solche stechen und dedicirte sie der Königinn, er war 8 Jahr alt.
Sowohl in Paris als in London, legte man dem Sohn verschiedene schwere Stücke vom Bach, Hendel, Paradies, und andern Meistern vor, und alles spielte er nicht nur allein von Blat wek, sondern mit dem angemessenen Tempo, und Nettigkeit.
London. Da er beym König spielte, so nahme er einen glate Baßstimm, und spielte die schönste Melodie darüber: Der Sohn sang auch Arien mit der grösten Empfindung.
Die Kinder spielten nun auch überall Concert auf zwey Clavier.
bey dieser academie, wurden alle Simphonien von der composition des Sohns gemacht.
Den 29ten Juny war das Benefit zum Nutzen des hospitals, de femmes en couche. Der Vatter ließ seinen Sohn da ein concert auf der Orgel gratis spielen.
Herr Johann Christian Bach lehrmeister der Königin, nahm den Sohn zwischen die Füsse, jener spielte etwelche Tact, dann fuhr der andre fort, und so spielten sie eine ganze Sonaten und wer solches nicht sahe, glaubte es wäre solche allein von einem gespielt.)
Den 25ten october spielten sie wieder beym König und der Königinn.
Den 21ten February 1765. gaben sie wieder zu Ihrem Vortheil ein Benefit. Nachdem sie sich nun bey der grösten Noblesse haben hören lassen, reisten sie den 24ten Juli 1765, von London ab, nach Canterbury *Dover.* wo sie einen so guten Wind hatten, daß sie die Ueberfahrt nach Calais in 3 ½ Stunde machten. Von da giengen sie nach *Dünkirchen, (Dunckirchen.* sahen sie alles Merkwürdige. *Lille (Lille.* musten sie sich wegen einer Unpässlichkeit des Vatter und Sohns aufhalten.) *Gent,* (*gent.* spielte der Sohn die orgel beym Bernardinern.) *antwerpen (Antwerpen* spielte der Sohn die grosse orgel in der Cathetral Kirche.) *Mordyk.* liessen sich da über einen kleinen Arm des Meer überführen. Von der andern Seite fuhren sie in der Kutsche nach Rotterdam von da auf einem Schiff nach Haag wo sie im September 1765 ankammen. Da die Tochter gleich nach ihrer Ankunft erkrankte so war der Vatter mit seinem Sohn zweymahl allein bey dem Prinzen von oranien. und einmahl bey der Prinzesinn seiner Schwester. Da sich die Tochter endlich wieder von einer gefährlichen Tods Krankheit ein wenig erhollte, so überfiehle den 15ten November den Sohn ein gefährliche Krankheit welche ihn vier Wochen in bette hielte. (Wie sich der Sohn von seiner Krankheit gebessert hatte, componirte er 6 Sonaten auf das clavier liesse sie stechen, und dedicirte solche der Prinzessinn von Nassau-Weilburg, er war damahls 9 Jahre alt.)
nachdem sich die Kinder erst nach 4 Monat wieder Vollkomen erhollten reisten sie zu Ende des Monats Januar 1766 nach Amsterdam, blieben da ein Monat, reisten wieder nach Haag zu dem Instalations Fest des Prinzen von oranien, den 11ten März gehalten wurde.
(Haag. componirte der Sohn zu dieser Festivität ein *quotlibet* auf alle Instrumenten. zweyerley Variationes für das Clavier einige Arien für die Prinzessin.) spielten öfters

bey dem Prinzen. nachdem sie sich wieder 5 Wochen in Haag aufhielten, reisten sie wieder über harlem *(Harlem.* spielte der Sohn die grosse orgel.) nach amsterdam, utrecht, Rotterdam, mordeck, Antwerpen. Mecheln, Brüssel, Valencienes nach paris wo sie zu Ende April 1766. ankammen.

(Seit ihrem aufenthalt in paris waren sie zweymahl in Versailles.) Sie hielten sich in Paris zwey Monat auf. Den 9ten Jully 1766 verliessen sie Paris, begaben sich nach dijon *(Dijon* blieben sie 14 Tag.) Lyon, (Lyon. 4 Wochen.) genève (genève 3 Wochen.) Lausanne (Lausane hielten sie sich wegen den Prinz louis von Wirtenberg 8 Täge auf.) Bern, Zürch (Zürch blieben sie 14 Täge.) über Winterthur nach Schaffhausen. donauöschingen. (donauöschingen machten 14 Täge, täglich Musick beym Fürst von Fürstenberg.) Moßkirch, Ulm, dillingen. (dillingen. liessen sich die Kinder beym Fürsten hören.) Augspurg, München, wo sich die Kinder wieder beym Churfürsten hören liessen. (München. Der Sohn muste beym Churfürsten ein Thema zu papier setzen und solches ausführen, welches ihm der Churfürst vorsang. Er that solches in gegenwart des Churfürsten ohne ein Clavier, oder violin zu gebrauchen. wie er damit fertig war, spielte er es, so wohl der Churfürst als die andern so solches hörten waren voll erstaunen.) kammen nach einer vierthalb jährigen Reise zu Ende des Monats November 1766. glücklich in Salzburg an.

Den 11ten September 1767 reiste die Mozartische Familie nach Wienn zu deneren Festivitäten, welche in Wien wegen der Vermählung der Erzherzogin Josepha mit dem König von Neapel veranstaltet wurden. Sie waren kaum angekommen, so starb die Erzherzogin. Da alles wegen diesem Todfall in Trauer war, wollten sie gleich wieder fortreisen, aber da der Kaisser öfters von ihnen sprach, so liesse man sie nicht fortreisen weil man nicht sicher war, ob er sie nicht rufen läst, Da aber auch die Erzherzogin Elisabeht krank wurde, liessen sie sich nicht mehr aufhalten, und reisten sie nach Brün, und ollmütz. (Der Vatter eilte dessenwegen von Wien fort, da die Blattern in Wien so starck grasirten, und seine Kinder solche noch nicht hatten.) Da sich der Sohn bey ihrer ankunft in ollmütz nicht wohl befand, so machte der Vatter allein einen Besuch bey dem grafen von Podstatsky, Domdechant alda, welcher auch zugleich Domherr in Salzburg war. Nun bekam der Sohn die Blattern, und auch hernach bekam sie die Tochter. (Da der graf Podstatsky von dem Vatter erfuhr, daß er förchtete der Sohn möchte die Blattern bekommen, gab er der ganzen Familie in der Domdechantey, wo er selbst wohnte eine schöne Wohnung und Tafel. Wo die Kinder glücklich die blattern überstanden haben.) nachdem sie vollkommen hergestellt waren, reisten sie den 23ten december 1767. nach Brün und dann wieder nach Wien. wo sie den 10ten Januar 1768. ankammen. Den 19ten Januar liessen sich die Kinder Beym Kaisser Joseph hören. es ware niemand dabey als die Kaisserinn Maria Theresia, Prinz Albert von Sachsen, und die Erzherzoginen. Es wurde auch wegen den Kindern eine grosse academie beym Prinz Gallitzin Russischen gesandten gegeben.

(*Wien.* Der Vatter liesse beym capellmeister Bono, capellmeister Hasse, poeten Metestasio, duc du Braganza, und Fürsten Kaunitz in jedem ort die nächste beste Welsche Arien aufschlagen, und der Sohn componirte in gegenwart dieser Personnen, die Musick mit allen instrumenten dazu.

Wien. Der Kaisser sagte dem Sohn, er möchte eine opera Buffa schreiben. Der Kaisser liesse es auch dem Impresario, welcher das Theater in Verpacht hatte wissen. Der impresario machte auch mit dem Vatter alles richtig. Der Sohn componirte die opera. Sie wurde aber nicht aufgeführt — — obwollen der Capellmeister Hasse. der Poet Metastasio solche ungemein lobten. Die opera hiesse: *La finta Semplice.)*

Bei der benidicirung der Waisenhaus Kirche auf der Landstrasse Tactirte dieser 12jarige Knab das Amt in gegenwart des kaisserlichen Hofes. (Der Sohn componirte das Amt, das Offertorium und ein Tropetten Concert dazu.) in December 1768. kamen sie wieder zurück *nach Salzburg.*

Den 12ten December 1769 reiste der Vatter mit dem Sohne allein nach Italien. über Inspruck, Bozen, Rovoredo, Verona, Mantua, Mayland. wo sie den 25ten Jenner 1770. anlangten. (Ehe sie die Reise nach Italien 1769 machten, wurde der Sohn Concert meister *bey dem hochfürstl: Salzburgis: Hof-Orchester.*

Inspruck. beym graf Königl wurde eine academie gegeben wo der Sohn ein concert prima vista spielte. *Rovoredo* spielte der Sohn die orgel in der Haupt Kirche, wo eine erstaunliche Menge Volcks versammelt war. *Verona.* wurde eine academie veranstaltet. Der Sohn spielte auch auf der orgel in der Kirche St: Tomaso. wo vor menge des Volks sie nicht durch die Kirche auf die orgel komen könnten, sie mussten durch das Kloster gehen. *Mantua.* wurden sie zu dem Wöchentlichen concert in dem Saal der academie filarmonica eingeladen. Mayland. machte er zwey Lateinische Motteten für zwey kastraten. er componirte auch verschiedene Italienische Arien, und Simphonien.) Der Sohn zeichnete sich besonders hier in gegenwart des Maestro Samm Martino und einer menge der geschick-testen Leute in verschiedenen Proben seiner Wissenschafft aus. Es waren mehrere academien in dem gräfl: firmianischen Haus wo sich der Herzog und die Prinzessin von Modena auch einfanden. Nachdeme der Sohn die scrittura zu der ersten opera für dem Carnaval 1771. bekommen hatte, reisten sie den 15ten März 1770. nach parma, Bologna, Florenz, nach Rom. wo sie in der Charwoche ankamen. Mittwoch nachmittag verfiegten sie sich also gleich in die Capellam Sixtinam, um das so berufene Miserere zu hören. und da der Sage nach, solches abcopiren zu lassen unter der exommunication der päbstl: Musick solle verboten seyn, so nahm sich der Sohn vor, solches wohl zu hören, und dann aufzuschreiben. Daß geschahe auch, wie er nach Hause kam, schrieb er es auf, den folgen-den Tag gieng er wieder hin, hielt seinen aufsatz in hut, um zu bemerken, ob er es getroffen, oder nicht. Allein es wurde ein anderes Miserere gesungen. Am Charfreytag *hingegen wurde das erstere abermahl wiederhohlet.* nachdem er nach Hause kam, machte er da und dort eine Ausbesserung, dann war es fertig. Daß wurde nun bald in Rom bekannt, Er muste es in einer academie beym Clavier singen. Der Castrat Christofori, der es in der Capella sang, war zugegen.

(Bologna. war der Lerm am grösten, denn der Pater Maestro Martini, jener starke Contra-punctist, war sammt allen übrigen Capellmeistern ganz ausser sich, als ihm der Sohn über jedes Fugen-Thema, daß ihm der Padre Martini hinschrieb, die dazu gehörige risposta nach dem Rigore Modi angab, und die Fuga augenblicklich auf dem Clavier ausführte. *Florenz.* wurden sie gleich zum Großherzog gerufen, bey dem sie sich 5 Stunden zubrachten.

Die Verwunderung war hier um so grösser, da der Marchese Ligneville Musick director eine starker contrapunctist. dem Sohn die schweresten Fugen vorlegte, und die schwersten Themata aufgab, welche er gleich vom blat wegspielte, und ausführte.

Fiorenza. machte der Sohn Bekanntschafft mit einem Engländer Tommaso Linley. ein Knab von 14 Jahren im nehmlichen Alter wie der Junge Mozart. ein Schüler des berühm-ten Violinspieller Nardini. Dieser Knab spielte recht bezaubernd das Violin. Dieser Engländer und der junge Mozart producierten sich abwechselnd nicht wie Knaben, sondern als Männer. Linley kam noch den tag ihrer Abreise zu ihnen, gab den Jungen

Mozart unter Vielen Umarmungen und Thränen eine Poesie welche er von der Sigra Corilla hat verfertigen lassen. und begleitete ihren Wagen bis zum Stadtthor:

Neapel. in conservatorio alla pieta, da der Sohn spielte, verfielen alle auf den gedanken in seinem Ring steckete die Zauberey, er zog dem Ring ab, und dann war erst alles Voll Verwunderung.

Neapel, eine grosse academie bey dem Kaisserlichen Gesandten Gr: Kaunitz.

Bologna. den 9ten october 1770 wurde der Sohn mit einhelliger Stimme als Mittglied und Maestro della academie filarmonica aufgenohmen, Er wurde ganz allein eingesperrt, muste eine vorgegebene Antiphona vierstimmig setzen.

mit welchen er in einer starken halben Stunde fertig war. Da wurde ihm das Diploma überreicht.

Wenn der Sohn nicht schon die scrittura zu der ersten Carnaval opera 1771 nach Mayland gehabt hätte, so würde er solche zu *Bologna*, Rom, oder zu Neapel bekomen haben.)

Von Rom reisten sie nach Neapel, und dann wieder nach Rom zurück.

Der Pabst wollte dem Sohn sehen, und gab ihm das Kreuz und Breve als militiae auratae eques.

Den 10ten July reisten sie nach civita castellana. wo der Sohn in der Domkirche die orgel spielte. Loretto, Sinegaglia. Bologna. hier musten sie sich länger aufhalten, weil sie auf der Reise umgeworfen wurden, und der Vatter sich am Fuß beschädiget hatte. giengen dann mit dem Feldmarschall grafen Pallavicini auf ein Landgut, bis der Fuß völlig wieder geheilet war. ware dieser Zufall nicht gewesen, würden sie wieder nach Florenz, Pisa, Livorno, und über Genua nach Mayland gegangen seyn, so musten sie schnurgerade nach Mayland gehen, wo sie zu Ende octobers ankammen. Hier componirte der Sohn die opera Seria *Mitridate*, welche den 26ten December 1770. das erstemahl aufgeführt wurde. (Diese opera wurde etlich und 20mahl nacheinander aufgeführt. Das die opera Beyfall erhielte kann man daraus schliessen, weil die Impresa ihm alsogleich den schriftlichen accord auf das Jahr 1773. gab. Da er die opera schriebe war er 14 Jahr alt.)

nachdem der Sohn die drey ersten Vorstehlungen seiner opera beym Clavier, wie es in Italien der gebrauch ist dirrigirte reisten sie nach Turin die opera zu sehen, kammen nach Mayland zurück die zweyte opera zu sehen: dann gleich nach Venedig um die letzten Täge des Carnavals alda zuzubringen. Da hielten sie sich bis den 12ten Merz 1771 auf, und giengen dann uber Padua, Vicenza, Verona, *(Verona.* bekamm er auch das Diplom als Mitglied und Maestro di capella *della academia filarmonica.* nach Padua muste er ein oratorium *Betulia liberata* componiren.) Roveredo, Trient, Inspruck nach Salzburg zurück. (Der Sohn bekam in Italien den Nammen, il cavaliere filarmonico.)

bey ihrer Ankunft fanden sie ein Schreiben von dem Grafen Firmian, Minister in Mayland, daß der Sohn von Ir. Me: der Kaiserin berufen seye, bey dem im october dieß Jahr in Mayland vorfallenden Hochzeits Feyerlichkeiten des Erzherzogs Ferdinand die grosse Teatralische Seranata zu schreiben. Da S:Mayestät dem Hr: *Hasse* als den ältesten Capellmeister zur Composition der opera bestimet, so hatte sie den jüngsten zur Serenata gewählet. (Die Seranata hieß *Ascanio in alba.*) Den 13ten august 1771 reisten sie nun wieder nach Mayland, wo sie den 21ten August anlangten. Den 17ten octb: wurde die Seranata das erstemahl aufgeführt. (Mit der opera, und Seranata wurde so lange die Feyerlichkeit dauerte, immer abgewechselt.) Den 13ten December 1771. kammen sie wieder in Salzburg zurück.

(In Jahr 1772. machte der Sohn zur Wahl des Erzbischofs *zu Salzburg* eine Seranata. *il sogno di scipione.*)

Den 24ten october 1772. reiste der Vatter das drittemahl mit dem Sohn nach Italien. wo der Sohn in Mayland die opera Seria. *Lucio Silla.* für dem carnaval 1773 schrieb. (Die opera wurde 26mahl aufgeführt.) Den 13ten Merz 1773 kammen sie wieder zurück.

In Monat July 1773. machte der Vatter eine kleine Reise mit dem Sohn nach Wien. in october kammen sie wieder zurück.

Den 9ten Dezember 1774. machte der Vatter mit dem Sohn eine Reise nach München. (*München.* Der Sohn componirte hier eine opera Buffa. *La Finta giardiniera.* Es wurden auch 2 grossen Messen von der composition des Sohnes in der Hof Capelle gemacht.) den 7ten März 1775. kammen sie wieder zurück.

In Monat April 1775. machte der Sohn eine Seranata, *il Re Pastore* bey dem Aufenthalt des Erzherzog Maxmilian in Salzburg.

Den 23ten September 1777. reiste der Sohn mit seiner Mutter nach Paris. Es würde zu seinem Vortheil gewessen seyn, wenn er in Paris geblieben wäre, allein, er fand so wenig Geschmack an der französischen Musick, daß er mit Freuden nach Deutschland zurück kehrte. (*Paris.* componirte er, eine Sinfonie für das concert Spirituell. eine Sinfonie concertante, ein concert für die Flauten. ein Concert für die Harpfe. liesse auch 6 Sonaten in paris stechen, welche er der Churfürstin in der Pfalz dedicirte.

Den 3ten July 1778. starb die Mutter in paris, im 58ten Jahre ihres Alter.) In Monat Jenner 1779 langte er wieder bey seinem Vatter in Salzburg an.

Den 8ten November 1780. reiste der Sohn nach München, wo er eine opera Seria *Idomeneo.* für den Carnaval 1781. schrieb. Da Seine Hochfürstl. Gnaden der Erzbischoff *von Salzburg* nach dem carnaval nach Wien reiste, wurde er zu ihm nach Wien berufen, er reiste also gleich von München aus nach Wien.

(Der Vatter starb in Salzburg den 28ten May 1787.)

5) Was nun seinem weitern Lebens Lauf betrift, müssen Sie sich schon in Wien darnach erkundigen, da ich nichts vorfinden kann, woraus ich was Vollständiges schreiben könnte.

6) Nach erhaltener Nachricht aus Wien ist er den 5ten December (55 minuten nach Mitternacht.) 1791. in einem hitzigen Frieselfieber gestorben.

In Jahre 1788 bekamm ich die Nachricht von Wien, daß er würklich in die kaisserliche Dienst getretten ist. daß übrige ist wieder in Wien zu erfahren. *(so auch, wer seine Frau war, wie viell Kinder er mit ihr erzeuget habe, wie vielle derer noch leben etc.)*

7) Er kamm in seinem 24ten Jahr nach Wien, wo er nun schon bereits 10 Jahr war. Er wird sich wohl in dieser Zeit in der Composition um vielles gebessert haben, da schon 1785. der Berühmte Hr: Joseph Haydn zu seinem Vatter, der damahls in Wien war sagte. „Ich sage Ihnen vor Gott als ein Ehrlicher Mann, ihr Sohn ist der gröste Componist, den ich von Person und den Nammen nach kenne, er hat Geschmak und über das die grösste Compositions Wissenschafft".

(Er war, so bald er beym Clavier sasse, ganz Meister, er bemerkte bey der Vollständigsten Musick den kleinsten Missthon, und sagte gleich auf welchen instrument der Fehler geschahe, ja, so gar welcher ton es hätte seyn sollen. Über das kleinste Geräusch bey einer Musick wurde er aufgebracht. Kurz, so lange die Musick dauert war er ganz Musick, so bald sie geendet, *sahe man wieder das Kind.*

8.) Er wurde weder zum componiren, noch zum spielen gar niemahls gezwungen, in Gegentheil muste man ihn immer davon abhalten, er würde sonst Tag und Nacht beym Clavier oder beym Componiren sitzen geblieben seyn.

9.) Ist Nro: 2 beantwortet worden.

10.) (Aus einem Brief gezogen aus London.) Daß Hr: Baron von Grim dem Vatter Vorschläge macht wegen Russland. und wegen dem Erbprinzen von Braunschweig. (Wir sind respective nach Hamburg verschrieben, wir könnten nach Koppenhagen reisen, da sowohl der königliche danische Gesandte in Paris, als auch der von hier eine gewisse Summa in Voraus garantiren wollten. Der Prinz Gallazin wollte mich auch bereden nach Russland zu gehen.)

11.) Als Kind schon hatte er Begierde alles zu lernen, was er nur sahe, in Zeichnen, rechnen, zeigte er vielle Geschicklichkeit, doch, da er mit der Musick zu viel Beschäfftiget ware so konnte er in keinen andern, Fach seine Talente zeigen.

Nachtrag.

Die Tochter Maria Anna Mozart ist seit einigen Jahren an einen Hochfürstl: Rath und Land Pfleger verheurathet, welcher ihr aus zweyen Ehen schon Kinder zubrachte, und mit dem auch Sie schon einige Kinder erzeugt hat. So lebt Sie damahln an dem nämlichen Ort, wo ihre seel: Mutter gebohren war, in Anspruchsloser ruhiger Stille ganz den schönen Pflichten der Gattin und Mutter. in den letzteren Jahren ihres leedigen Standes, welche Sie zu Hauß bey ihrem Vatter Verlebte, gab Sie einigen jungen Frauen Zimern der Haupt-Stadt Salzburg, Unterricht im Clavier Spiell; und noch heut zu Tag kennet man der Nannètte Mozart Schülerinnen aus all anderen heraus, an Nettigkeit, Präzision, und wahren Aplicatur im Spiell.

Weiters

Die beyden Mozartisch: Eltern waren zu ihrer Zeit das schönste Paar Eheleuthe in Salzburg; auch galt die Tochter in ihren jüngeren Jahren für eine Regelmässige Schönheit. aber der Sohn Wolfgang war klein, hager, bleich von Farbe, und ganz leer von aller Prätenzion in der Physiognomie und Körper. ausser der Musick war und blieb er fast immer ein Kind: und dies ist ein Haupt Zug seines Characters auf der schattigten Seite; immer hätte er eines Vatters, einer Mutter, oder sonst eines Aufsehers bedürfen; er konnte das Geld nicht regieren. heyrathete ein für ihn gar nicht passendes Mädchen gegen den Willen seines Vatters, und daher die grosse häusliche Unordnung bey und nach seinem Tod.

Mozarteum, Salzburg. Nannerls Handschrift, mit Ergänzungen von Nissen (besonders das hier kursiv gesetzte), der die letzten 24 Worte unleserlich zu machen gesucht hat. — Nottebohm, *Mozartiana,* S. 95—111, wo einige Berichtigungen zu finden sind. — Für Schlichtegroll vor Juni 1792 geschrieben, auf Grund der Briefe des Vaters. Diese Erinnerungen, in Form von Antworten auf gestellte Fragen gehalten, kamen durch einen Mittelsmann (Albert v. Mölk) an Schlichtegroll, der aber mehr von Schachtners (1792) als von Nannerls Aufzeichnungen verwendet hat. Ob diese auch Niemetscheck (1798) zur Verfügung standen, ist ungewiß. Am 24. November 1799 schickte Nannerl eine Abschrift an den Verlag Breitkopf & Härtel, der selbst eine Mozart-Biographie plante. Nissen hat sie in seinem 1828 erschienenen Buche benützt, aber die Konstanze belastenden letzten Worte begreiflicherweise nicht. — Vgl. auch Nannerls 1800 in Breitkopfs Zeitschrift gedruckte Erinnerungen.

Am 15. Mai wird in Graz, im Garten des Herrn Franz Deyerkauf, das erste Mozart-Denkmal, ein Tempel mit einer Büste, errichtet.

Deyerkauf, ein Freimaurer, war Kunst- und Musikalien-Händler, ein Freund Puchbergs. Der Tempel ist erhalten (heute Schubertstraße 35) und wurde 1956 restauriert. Die Fresken im Innern sind zerstört; ebenso die Büsten Mozarts und Haydns, die Herr Kargl 1819 in Mariagrün bei Graz aufstellen ließ. — Die Büste von Gottlieb Klauer, allerdings nur aus Ton gebrannt, die die musikfreundliche Herzogin Anna Amalie von Weimar 1799 im Park von Tiefurt aufstellen ließ, ist nicht erhalten geblieben. — Erst 1825 und 1831 ließ der musikalische Kaufmann Giuseppe Antonio Bridi (s. 13. März 1786) in seinem Garten zu Rovereto den noch erhaltenen „Harmonie-Tempel" und zwei Gedenksteine zu Ehren Mozarts errichten, mit einer lateinischen und einer deutschen Inschrift. Vgl. (Antonio Rosaro,) *Mozart a Rovereto*, 1935.

Am 5. Juni eröffnet die „Neugekrönte Hoffnung" in einem Rundschreiben eine Geldsammlung für die bedürftigen Hinterbliebenen Mozarts.

Text und Fundort derzeit unbekannt. — Deutsch, a. a. O., S. 18. — Über das Ergebnis dieser Sammlung ist nichts bekannt.

Am 13. Juni findet im Prager Nationaltheater eine musikalische Trauerfeier für Mozart statt, deren Ertrag den Hinterbliebenen zugedacht ist.

Teuber, a. a. O., II. 274. — Nettl, a. a. O., 145, 210 und 220. — Teuber folgte Dlabacs' *Künstlerlexikon*, indem er als Datum den 13. Januar 1792 angab; Nettl nennt beide Daten, also zwei verschiedene Trauerfeiern. — Die Akademie war von Graf Franz Sternberg (s. 12.—18. 4. 1786) und Dr. Johann Nepomuk Vignet veranstaltet worden. Neben Frau Duschek wirkten Frl. de Vignet, Frl. Mariani und Herr Ramisch mit; am Klavier Johann Wittasek, ein Schüler Duscheks. Aufgeführt wurden Gesänge aus dem *Idomeneo* und ein Klavierkonzert von Mozart.

Aus Schinks «Hamburgischer Theaterzeitung», 7. Juli 1792
Vorstellungen des hiesigen Theaters.

. . . am fünfundzwanzigsten Juni: Figaro's Heyrat, Singspiel in zwei Aufzügen, nach dem Italienischen, die Musik von Mozart.
Daß Beaumarchais folle journée bei diesem Singspiel zum Grunde liegt, brauch' ich wohl nicht erst zu erinnern. Wenn man das französische Original nicht kennt, oder seine Bekantschaft wenigstens vergißt, findet man sich unstreitig, auch als Schauspiel betrachtet, recht gut darin unterhalten, besonders, da es einem so guten und Geschmakvollen Uebersezzer, als Herr Baron von *Knigge*, in die Hände gefallen ist. Die Musik dazu würde *Mozarts* Nahmen berühmt machen, wenn er es nicht schon wäre. Sie ist theatralischer, als irgend eine seiner Kompositionen für die Bühne. Richtige Karakteristik, schöne, Geistvolle Melodien, wahrhaft handelnde Chöre, und besonders ein Geist der Gefällig- und Leichtigkeit, geben ihr einen Wert, der sie immer auf unsrer lyrischen Bühne erhalten wird. Der Tod dieses vortreflichen Tonkünstlers ist ein wahrer Verlust für die Musik. Wie viel war er schon, und was hätt' er noch werden können, da er nicht blos mehr mit *Genie*, sondern auch mit *Kopf* zu komponiren anfing, — das heist: seine Phantasie seinem Verstande zu unterwerfen begann. Friede sey mit seiner Asche! . . .

No. 27, S. 435—7. — Der *Figaro* wurde in Hamburg seit 4. April 1791 deutsch gegeben.

Aus der «Wiener Zeitung», 11. August 1792
Neue Musikalien.

Bey Johann Träg . . . sind folgende *Mozartischen* Werke zu haben:
6 *Messen von W. A. Mozart.*

2 Klavier Konzerte à 2 *Clavicemb.*

2 *Concerti à Corno Princ.*

1 *Concerto à Violino Princ.*

15 *Sinfon.*

1 *Cassatio à 2 Viol. 2 Cor. Viola è Basso.*

4 *Parthien à 2 Obe 2 Clarinetti 2 Cor. 2 Fag.*

1 *Quintetto à Corno 2 Viol. Viola è Basso.*

2 *Duetti à Violino è Viola.*

24 *Contredanses* mit allen Stimmen.

7 — — — — nebst einer *Ouverture.*

1 Sonata in D à 2 Clavicemb.

3 *Sonates per il Clav.*

Verschiedene *Arien* mit Italienischen Text in *Partitura.*

3 *Sinfon.* arrangirt für *Quintetten 2 Viol. 2 Viole è Basso.*

1 *Quintetto in G min.* arrangirt für *Clav. Viol. Viola è Basso.*

Ausser diesen noch verschiedene *Quart.* und *Trios* sowohl für die Violin als Flöte *arrangirt.*

Die Messen waren wahrscheinlich KV 257, 258, 259, 317, 337 und 427; die Klavierkonzerte KV 242
(von drei auf zwei Klaviere reduziert) und 365; die Hornkonzerte vielleicht KV 447 und 495; das
Violinkonzert vielleicht KV 271ª; die 15 Sinfonien zwischen KV 181 und 551; die „Cassatio"
KV 247 oder 287; die „Partien" KV 375, 388 und zwei Arrangements; das Quintett wahrscheinlich
KV 407 arrangiert; die „Duette" KV 423 und 424; die 24 Kontretänze wahrscheinlich KV 462,
510 (unecht), 535ª, 565 und 609 Nr. 1—2 und 4—5; die 7 Kontretänze wie am 14. Januar 1792; die
Sonate für zwei Klaviere KV 448; die drei Klaviersonaten vielleicht KV 545, 570 und 576.

Am 8. September wird in der Loge „Zur (neu-)gekrönten Hoffnung" Mozarts *Kleine Freimaurer-Kantate* als „Dankopfer" für Kaiser Franz II. mit neuem Text von Karl Ludwig
Gieseke aufgeführt.

Vgl. 18. November 1791. — Ein Exemplar des gedruckten Textes in der Wiener Stadtbibliothek. —
Siehe O. E. Deutsch in der *Österreichischen Musikzeitschrift,* Wien, Juli-August 1957.

AUS DER «WIENER ZEITUNG», 14. SEPTEMBER 1792

Neue Musikalien.

Bey Artaria & Comp. Kunsthändlern am Kohlmarkt ist zu haben:

· · ·

Mozart, Trio per Clavicemballo Violino e Violoncello, Opera 27, 1 fl. 30 kr.

— — die Zauberflöte, arrangirt in Quartetten auf 2 Violinen, Viola und Baß, 3 fl.

— — detto in Duetten für 2 Violinen oder 2 Flauten, 1 fl. 30 kr.

— — die Zauberflöte im Clavierauszug, 4 fl. 30 kr.

· · ·

Mozart, 12 Redout Minuetten auf 2 Violinen und Basso übersetzt, 40 kr.

12 — Deutsche für 2 Violin und Basso, 40 kr.

Das Klaviertrio, KV Anh. 148, war ein Arrangement des Streichquartetts in D, KV 575. — Artarias
Klavierauszug der *Zauberflöte* ist, wie der des Musikalischen Magazins, seit November 1791 in

einzelnen Nummern erschienen, aber wie jener auch 1793 nicht vollständig geworden. — Die letzten Redoutentänze Mozarts waren 1791 bei Artaria in Klavierauszügen und Stimmen erschienen, aber diese Arrangements waren neu.

Aus der handschriftlichen Wiener Zeitung «Der heimliche Botschafter», 25. September 1792

Das Theater auf der Wieden soll nächstens eingehen, indem der Eigenthümer desselben Herr Fürst von Stahremberg willens ist, Wohnungen daraus zu bauen zu lassen.

Nationalbibliothek, Wien. — Deutsch, a. a. O., S. 20. — Erst am 1. April 1800 kam es zu dieser Kündigung.

Aus der handschriftlichen Wiener Zeitung «Der heimliche Botschafter», 2. Oktober 1792

Der hier angekommene Kapellmeister Hayden arbeitet an dem 2ten Theil der beliebten Oper des verstorbenen Mozarts, der Zauberflötte, am 15ten dieses aber als am Namensfeste Ihro Majestät der Kaiserinn wird im Hoftheater eine neue Oper von seiner Komposition gegeben werden.

Nationalbibliothek, Wien. — Gugitz, a. a. O., S. 2. — Erst am 12. Juni 1798 brachte das Freihaus-Theater als zweiten Teil der *Zauberflöte* Peter Winters Oper *Das Labyrinth*, Text von Schikaneder, zur Aufführung. — Am 15. Oktober 1792 wurde Joseph Weigls neues Singspiel *Der Strazzensammler* im Burgtheater gegeben.

Ferdinand Graf Waldstein in Beethovens Stammbuch

Lieber Beethoven!

Sie reisen itzt nach Wien zur Erfüllung ihrer so lange bestrittenen Wünsche. Mozart's Genius trauert noch und beweinet den Tod seines Zöglinges. Bey dem unerschöpflichen Hayden fand er Zuflucht, aber keine Beschäftigung; durch ihn wünscht er noch einmal mit jemanden vereinigt zu werden. Durch ununterbrochenen Fleiss erhalten Sie: *Mozart's Geist aus Haydens Händen.*

Bonn d 29t. Oct. 792.

                        Ihr wahrer Freund Waldstein.

Nationalbibliothek, Wien. — Anton Schindler, *Beethoven*, Münster 1840, I, 18. — Beethoven verließ seine Vaterstadt am 2. November 1792, um nach Wien zu übersiedeln.

Aus der «Musikalischen Monatsschrift», Berlin, November 1792

Paris.

Théatre de la rue Feydeau.

Montag den 24. [September] gab man *il confictato il Pietro,* oder *le festin de Pierre,* eine ital. Oper. Am Ende dieses Stücks ist ein brillantes Specktakel: es war aber leicht vorherzusehen, dass diese Art Schauspiele zu unsrer Zeit nicht mehr das Glück machen würde, das es in vorigen Zeiten gemacht hatte. Es sind schöne Stellen in der Musik*, sie hat untersdessen nicht denselben Enthusiasmus erregt, den die Werke eines Paisiello und anderer grosser Meister Italiens ** hervorbringen. Verschiedene Stücke sind applaudirt worden, unter andern liess man eine Arie von Mengazzi wiederhohlen.

* Der Journalist sagt nicht von wem es sey; indessen wollen wir hoffen, dass es nicht Mozarts Dom Juan war, worin einzelne Arien mehr innern Werth haben, als ganze Opern von Paisiello.
** In welchem Winkel Italiens die leben mögen, ist Übersetzern dieses Artikels völlig unbekannt.

5. Stück, S. 122. — Jahn II, 362. — Die Monatsschrift, herausgegeben von Reichardt u. a., war die Fortsetzung des *Musikalischen Wochenblatts.* — François Lesure (Paris) hat sich vergeblich bemüht, diese Aufführung festzustellen. Es handelt sich wohl um eine der zahlreichen Opern des Namens *Il Convitato di Pietra.* — Die redaktionellen Bemerkungen stammen vielleicht von Carl Spazier.

AUS DER «MUSIKALISCHEN MONATSSCHRIFT», BERLIN, NOVEMBER 1792

Freymüthige Gedanken über das erste und vierte Heft des musikalischen Wochenblatts.

... Sein [Hr. W.'s] Urtheil über Mozards Don Juan ist höchst übertrieben und einseitig. Niemand wird in Mozard, den Mann von grossen Talenten und den erfahrnen, reichhaltigen und angenehmen Componisten verkennen. Noch hab' ich ihn aber von keinem gründlichen Kenner der Kunst für einen correkten viel weniger vollendeten Künstler halten sehn, noch weniger wird ihn der geschmackvolle Kritiker für einen in Beziehung auf Poesie richtigen und feinen Componisten halten.

5. Stück, S. 139. — Jahn II, 363 (ungenau). — Die „*Gedanken*", vielleicht auch von Spazier verfaßt, beziehen sich auf B. A. Webers Artikel in Nr. IV des *Wochenblatts* (29.? Oktober) 1791.

AUS ZINZENDORFS TAGEBUCH, 2. JANUAR 1793

... Le soir chez la P^sse *Schwarzenberg*, de la chez la vieille Princesse *Colloredo* ce qui me fit manquer le requiem de Mozart.

Köchel-Einstein, S. 811. — Die Fürstin Schwarzenberg war wohl Maria Eleonora, die Witwe des Fürsten Johann Nepomuk (s. November 1788); die Fürstin Colloredo war Marie Gabriele, die Witwe des Fürsten Rudolph (s. 11. Oktober 1762 und später). — Siehe das Folgende.

AUS DER ZEITUNG «MAGYAR HIRMONDÓ», WIEN, 4. JANUAR 1793

(Übersetzung)

Mozart, der sich in der Musik einen unsterblichen Namen gemacht hat, hinterließ eine Witwe und zwei Waisen in Armut. Viele edle Wohltäter helfen dieser unglücklichen Frau. Vorgestern veranstaltete Baron Swieten zum Gedächtnis Mozarts an einem öffentlichen Orte eine Konzert mit gesungener Trauer-Musik. Die Witwe bekam als Erlös über 300 Golddukaten.

Mitgeteilt von Frau Lidia F. Wendelin, Budapest. — Das Requiem wurde also zu Ehren Mozarts und zugunsten Konstanzes zuerst in Wien aufgeführt, bevor es der Besteller benützen konnte (s. 14. Dezember 1793). Die Aufführung fand offenbar nicht in der Hofbibliothek, sondern im Jahnschen Saale statt, wie Maximilian Stadler 1826 in seiner Schrift über das Requiem berichtete. Konstanze, und danach Jahn II. 652, verlegte das Konzert irrtümlich ins Jahr 1792 (Brief an Breitkopf, 17. November 1799); Salieri soll den Proben beigewohnt haben. — Das ungarische Original ist im Anhang III, S. 516, wiedergegeben.

AUS DER HANDSCHRIFTLICHEN WIENER ZEITUNG «DER HEIMLICHE BOTSCHAFTER»,
22. OKTOBER 1793

Die allgemein beliebte Oper des unsterblichen Mozarts, die Zauberflöte, soll nun ins Italiänische übersetzt, auf das hiesige Italiänische Hoftheater gebracht werden. Herr Pertati soll den Auftrag erhalten haben, diese Übersetzung zu liefern.

Nationalbibliothek, Wien. — Deutsch, a. a. O., S. 20. — Der Text der *Zauberflöte* wurde nicht von Giovanni Bertati, sondern von Giovanni de Gamerra (s. 26. Dezember 1772) übersetzt, und nicht in Wien, sondern im Karneval 1794 in Prag italienisch aufgeführt. (Dort war am 25. Oktober 1792 die erste Vorstellung des Originals außerhalb Wiens gegeben worden, und die erste Aufführung in tschechischer Sprache dürfte in Prag auch 1794 stattgefunden haben.)

FRAU RAT KATHARINA ELISABETH GOETHE AN IHREN SOHN, FRANKFURT AM MAIN, 9. NOVEMBER 1793

Neues gibts hir nichts, als daß die Zauberflöte 18 mahl ist gegeben worden — und daß das Hauß immer gepropft voll war — kein Mensch will von sich sagen laßen — er hätte sie nicht gesehn — alle Handwerckergärtner — ja gar die Sachsenhäußer — deren ihre Jungen die Affen und Löwen machen, gehen hinein so ein Specktackel hat mann hir noch nicht erlebt — das Hauß muß jedesmahl schon vor 4 Uhr auf seyn — und mit alledem müßen immer einige hunderte wieder zurück die keinen Platz bekommen können — das hat Geld eingetragen!

Die Briefe der Frau Rath Goethe, Leipzig 1923, I. 240 f. (Albert Köster). — Die *Zauberflöte* wurde seit 16. August 1793 in Frankfurt gegeben. — Sachsenhausen ist ein Vorort von Frankfurt. — Siehe 6. Februar 1794.

Am 14. Dezember 1793 führt Graf Walsegg Mozarts Requiem als seine Komposition auf.

Nach Alfred Schnerichs Vorwort zum Faksimile des Requiems (Wien 1913) fand diese Aufführung in der Kirche des Zisterzienser-Stiftes Neukloster zu Wiener-Neustadt, statt, nach E. I. Luin *(Schweizerische Musikzeitung*, Zürich, Dezember 1951) aber auf dem gräflichen Gute Stuppach im Süden von Niederösterreich, und nur eine Probe in jener Kirche. Die Gattin des Grafen Walsegg-Stuppach (s. 4. Dezember 1791), Anna, geborene v. Flammberg, zu deren Gedächtnis das Requiem bestellt und aufgeführt wurde, war am 14. Februar 1791 gestorben. Die benutzte Abschrift des Grafen trug den Titel: „*Requiem composto del Conte Walsegg.*" Vgl. 2 und 4. Januar 1793, 20. April 1796 und Ende 1798.

AUS FRIEDRICH SCHLICHTEGROLLS «NEKROLOG AUF DAS JAHR 1791», GOTHA 1793

In Wien verheirathete er sich mit Constanza Weber, und fand in ihr eine gute Mutter von zwey mit ihr erzeugten Kindern, und eine würdige Gattinn, die ihn noch von manchen Thorheiten und Ausschweifungen abzuhalten suchte. So beträchtlich sein Einkommen war, so hinterließ er doch, bey seiner überwiegenden Sinnlichkeit und häuslichen Unordnung, den Seinigen weiter nichts als den Ruhm seines Nahmens, und die Aufmerksamkeit eines großen Publicums auf sie...

Jahrgang II, S. 82 ff. — Jahn II, 835. — Da dieser Nekrolog auf Schachtners und Nannerls Erinnerungen beruht, wird hier nur die Stelle zitiert, die den letzten Absatz in Nannerls Erinnerungen berichtigt.

Frau Rat Goethe an ihren Sohn, 6. Februar 1794

Dencke! vorige Woche ist die Zauberflöthe zum 24tenmahl bei voll gepfropftem Hauße gegeben worden, und hat schon 22.000 f. eingetragen! Wie ist sie denn bey Euch executirt worden? machens eure Affen auch so brav, wie unsere Sachsenhäußer?

A. a. O., S. 252. — Vgl. 9. November 1793. — In Weimar war die *Zauberflöte* am 16. Januar 1794 zuerst gegeben worden.

Aus der «Prager Neuen Zeitung», (9.?) Februar 1794

(Über das Mozart-Konzert am 7. Februar)

Der Akademiesaal war stark beleuchtet. Im Hintergrund desselben über dem Orchester flammte Mozarts Name in einer Art von Tempel, zu dessen beiden Seiten zwei Pyramiden mit den Inschriften „Dankbarkeit und Vergnügen" transparent illuminiert standen. Man wählte für diesen Abend die besten Stücke von Mozart. Den Eingang machte eine Sinfonie in C, dann spielte Hr. Wittassek, ein sehr hoffnungsvoller junger Böhme, das prächtigste Concert von Mozart in D-Moll auf dem Fortepiano mit ebenso viel Präcision als Gefühl. Darauf sang Böhmens beliebte Sängerin Frau Duschek das himmlische Rondo der Vitellia aus der opera seria „la clemenza di Tito" von Mozart. Ihre Kunst ist allgemein bekannt; hier begeisterte sie noch die Liebe für den großen Todten und seine gegenwärtige Fr. Witwe, deren warme Freundin sie immer gewesen ist. Den Beschluß machte eine der besten Sinfonien, die es gibt, in D-Dur von Mozart. Die Musik ging sehr gut, obgleich es kritische und meist concertirende Stücke waren: denn es exequirte das Prager Orchester und sie sind von Mozart! Man kann sich vorstellen, wenn man Prags Kunstgefühl und Liebe für Mozart'sche Musik kennt, wie voll der Saal gewesen ist. Mozarts Witwe und Sohn zerfloßen in Thränen der Erinnerung an ihren Verlust und des Dankes gegen eine edle Nation. So wurde dieser Abend auf eine schöne Art der Huldigung des Verdienstes und Genies geweiht; es war ein genußreiches Fest für gefühlvolle Herzen — und ein kleiner Zoll für das unnennbare Entzücken, das uns oft Mozarts himmlische Töne entlockten! Von manchem edlen Auge floß eine stille Thräne um den geliebten Mann! Mozart scheint für Böhmen geschrieben zu haben, nirgends verstand und exequirte man besser seine Musik als in Prag und selbst auf dem Lande ist sie allgemein beliebt . . . so viel Herzen gewann sich Mozarts hoher Genius.

No. 12. — Procházka, a. a. O., S. 189 ff. — Frau Konstanze war ihres Sohnes Karl wegen nach Prag gekommen, um ihn bei Franz Niemetschek unterzubringen oder ihn dort zu besuchen. (Nach Karl Mozarts später Erinnerung verbrachte er die Jahre 1792 bis 97 dort: nach einem Briefe Niemetscheks an Breitkopf & Härtel, vom 21. März 1800, nur *„mehr als 3 Jahre"*.) S. 9. April 1794. — Das Konzert war (nach Dlabacž, a. a. O., II. 34) von den Rechtshörern der Universität im Konviktsaale veranstaltet worden. — Die erste Sinfonie soll KV 425, die zweite KV 297 (504?) gewesen sein; das Klavierkonzert war KV 466. — Zu Wittasek s. 13. Juni 1792. — Das Rondo aus dem *Tito* ist No. 23, „Non, più di fiori". (Es war am 14. Oktober 1793 im Freihaus-Theater als Einlage zu Schikaneder-Hennebergs Oper *Die Waldmänner* verwendet worden, mit den Worten „Schön ist der Abend".) — Nach Dlabacž wurde auch eine Trauerode, nach Niemetschek (S. 66 f.) ein Gedicht des jungen Joseph Georg Meinert vorgetragen. Es ist bei Nissen (S. 697 f.) und bei Procházka (S. 190 f.) zu finden.

Aus den Kabinettsprotokollen der Kabinettskanzlei, 31. März 1794

526 (Protokoll derselben) 26 März . . .

148 die Bitte der Wittib Mozart um Erlaubniss eine Kantate zu ihrem Vortheile aufführen zu därfen . . .

Ad Num: 148. Verwillige der Wittib Mozart einen Tag nach Ostern.

Staatsarchiv, Wien, Kabinettsprotokolle, Band 119, No. 526. — Gustav Gugitz, *Wiener Geschichtsblätter*, 1956, No. 1, S. 19. — Die kaiserliche Bewilligung kam offenbar zu spät. Die konzertmäßigen Aufführungen des *Tito* fanden erst am 29. Dezember 1794 im Kärntnertor- und am 31. März 1795 im Burgtheater statt.

Aus der «Prager Neuen Zeitung», 9. April 1794

Man ist dem verehrungswürdigen Prager Publicum, das den Namen Mozart zu ehren weiss, eine Erklärung schuldig, die durch die 2 letzten Opernavertissements nothwendig gemacht wurde. Der Knabe Mozart, der Sohn des unsterblichen Mannes, dessen himmlische Harmonien uns noch spät entzücken werden, wird auf Veranlassung Sr. Exzellenz des Herrn Baron van Swieten, seines edlen Wohlthäters, im Vertrauen auf den Geist der böhm. Nation nach Prag zur Bildung und Erziehung gegeben. Dieser 9jährige Knabe, voll Feuer und Lebhaftigkeit, sollte nach Wunsche einiger Freunde des mozartischen Namens in der Oper „Axur" in der Rolle des Opferknaben öffentlich auf der Bühne auftreten. Welche schädliche Wirkung dies auf die Bildung des jungen Menschen gehabt hätte, das können nur Jene ganz einsehen, deren Aufsicht und Sorge derselbe übergeben wurde. Die Kinder grosser Männer gehören einigermassen dem Publicum an; und die Erzieher des Knaben haben zu viel Hochachtung für dasselbe und zu viel Liebe für das Wohl des Knaben, als dass sie es hätten zulassen können. Da diese Gesinnungen zugleich diejenigen seines edlen Wohlthäters und seiner Mutter sind: so nahm man umso weniger Anstand, das Auftreten des Knaben zu verhindern. Hätte man in den Opernanzeigen die Sache der Publicität nicht voreilig überliefert, so wäre diese Erklärung nicht nöthig gewesen; aber so könnte leicht der Unterrichtete nach dem letzten Opernzettel die Witwe Mozarts, die voll Hochachtung und Dankgefühl fürs Prager Publicum ist, eines Eigensinnes beschuldigen, wovon sie nichts weiss.

Nottebohm, *Mozartiana*, S. 5 f. — Zu van Swieten vgl. 9. und 16. Dezember 1791. — *Axur, Re d'Ormus* war Da Pontes italienische Fassung von Salieris Oper *Tarare*, die mit Beaumarchais' Text 1787 in Paris gegeben worden war. *Axur* wurde am 8. Januar 1788 zuerst im Burgtheater aufgeführt, aber noch im selben Jahre in Prag und Leipzig. — Außer Niemetschek hatte sich Franz Duschek der Erziehung des Knaben Karl angenommen; nach Niemetscheks oben zitiertem Brief an Breitkopf & Härtel hatte ihm van Swieten nichts dafür bezahlt. Konstanze mag damals noch in Prag gewesen sein.

Aus der «Wiener Zeitung», 13. Dezember 1794

Nachricht.

Die k. k. oberste Theatralhofdirektion hat der Unterzeichneten gnädig erlaubt, in gegenwärtiger Adventzeit eine musikalische Akademie zu ihrem Vortheile zu geben. Sie bestimmet hiezu eines der beßten und letzten Werke ihres, für sie und für die Kunst, zu früh verstorbenen Mannes, des seel. k. k. Hofkammerkompositors, Wolfgang Amade Mozart, nämlich die von ihm auf die Metastsische Oper *La Clemenza di Tito*, geschriebene, hier

noch nicht aufgeführte Musik. Der allgemeine Beyfall, womit Mozarts musikalische Produkte jederzeit aufgenommen worden sind, macht sie hoffen, das verehrungswürdige
Publikum werde auch die Aufführung eines seiner letzten Meisterstücke mit seiner Gegenwart beehren. Der Tag der Aufführung dieser Musik, und die singenden Personen, werden
durch den gewöhnlichen Anschlagzettel zu seiner Zeit bekannt gemacht werden.

Mozart, gebohrne Weber.

Der Anschlagzettel ist nicht erhalten geblieben.

Aus der «Wiener Zeitung», 24. Dezember 1794

Nachricht.

Die von der Wittwe Mozart in den letzten drey Zeitungen angekündigte Musikalische
Akademie wird nächsten Montag als den 29. dies Monats Decemb. gegeben, und das weitere davon durch den gewöhnlichen Anschlagszettel bekannt gemacht werden. Die Schlüssel
zu den Logen sind entweder bei der Wittwe Mozart, wohnhaft in der Krugerstrasse beym
blauen Säbel im zweyten Stock, oder bey dem Logenmeister zu haben.

Die Akademie fand im Kärntnertor-Theater am 29. Dezember statt. (Eine darauf bezügliche Proto-
koll-Eintragung vom 24. Dezember 1794 im früheren Archiv des Ministeriums des Innern ist in der
Wiener Stadtbibliothek auszugsweise erhalten.) Frau Lange sang den Sesto. Eberl (s. 11. Dezember
1791) spielte zwischen den beiden Abteilungen ein Klavier-Konzert von Mozart. — Konstanzes
Wohnung in der Krugerstraße (10), Stadt Nr. 1046, war im gleichen Hause, wo Joseph Haydn um
1798 ein Absteigquartier unterhielt. Es ist zwischen 1791 und 1799 die einzige nachweisbare Wohnung Konstanzes.

Aus «Teutschlands Annalen des Jahres 1794», Chemnitz 1795

In diesem 1794sten Jahre kann und darf nun nichts gesungen und gespielt und nichts mit
Beifall angehört werden, als was den allgewaltigen Zaubernamen *Mozart*, an der Stirn
führt. *Opern, Sinfonien, Quartetten, Trios, Duetten, Klaviersachen, Lieder*, sogar *Tänze*,
alles muss von Mozart seyn, wenn es Anspruch auf allgemeinen Beifall machen soll. Auch
haben die Notenpressen an ihrer Seite nichts unterlassen, diese Grillen der Dilettanten zu
befriedigen. Vermittels der grossen Kunst des *Arrangirens*, besitzen wir bereits *die
Zauberflöte* dieses Komponisten in allen oben genannten Formen gedruckt und gestochen.
Der Himmel weiss, wie abenteuerlich manche dieser Versuche ausgefallen sind, und wegen
der Natur dieses Stückes insbesondere, ausfallen mussten. Genug, man spielt oder singt von
Mozarten, und was noch mehr, aus seiner *Zauberflöte*.

Daß *Mozart* diesen Beifall größtentheils verdiene, wird niemand in Abrede seyn. Daß er
aber noch in seinen Brausejahren lebte und seine Ideen sich öfters noch gleichsam in der
Gährung befanden, davon finden sich nur mehr als zuviel Beweise in seinen Werken. Nur
bei seinen *Sinfonien* stehen zu bleiben; so fehlt diesen bei allem Feuer, bei allem Pompe
und Glanze, dennoch jene Einheit, jene Klarheit und Deutlichkeit der Darstellung, die
wir an Jos. *Haydns* Sinfonien mit Recht bewundern. Wer Gelegenheit hat, ähnliche Ver-
gleichungen mit *Mozarts* Arbeiten *für den Gesang*, gegen die Arbeiten anderer guter
Meister, anzustellen, wird noch mehrere Gebrechen finden. Auch möchte man überhaupt
öfters bei Anhörung Mozartscher Werke, mit jener Kammerjungfer in der Komödie aus-
rufen: „An mir ist, Gott sey Dank, nichts natürlich!" Fast lauter verwürzte Kost, die
bei anhaltendem Genusse den Gaumen verdirbt, und vermittelst der unseligen Nachahmer,

die nur glauben mozartisiren zu dürfen, um zu gefallen, endlich alle edle Simplicität aus der Musik verbannen. Dies könnte leicht am Ende die Folge dieser allgemeinen Vergötterung werden.

*

Mozarts Zauberflöte im Klavierauszuge, in Maynz, Mannheim, Offenbach, Leipzig, Berlin und Braunschweig: Also sechsmal in einem und dem nemlichen Jahre aufgelegt: eine bis itzo in der musikalischen Literaturgeschichte beispiellose Erscheinung, welche dasjenige hinlänglich rechtfertiget, was oben von dem allgemeinen Enthusiasmus für *Mozarts* Arbeit gesagt worden ist.

Herausgegeben von Friedrich Julius Heinrich Graf von Soden; 7. Buch *(Geschichte der Musik)*, S. 315 ff. — Erich Valentin, *Wege zu Mozart*, Regensburg 1941, S. 168—170.

Aus der «Wiener Zeitung», 18. März 1795
Musikalische Akademie.

Unterzeichnete gibt sich die Ehre, einem hohen Adel und verehrungswürdigen Publikum anzuzeigen, dass sie von der k. k. obersten Theatralhofdirektion die Erlaubniß erhalten habe, in gegenwärtiger Fastenzeit eine musikalische Akademie zu ihrem Vortheile zu geben. Innigst gerührt von dem ungetheilten Beyfalle, welchen die von ihr zur Adventzeit voriges Jahr veranstaltete Aufführung des letzten Meister-Werkes ihres sel. Gatten: *La clemenza di Tito* erhalten hat, findet sie sich verpflichtet, dafür den wärmsten Dank abzustatten. Der für sie so schmeichelhafte, von den Liebhabern der Kunst öfters seither geäusserte Wunsch, diese Oper, deren meisterhaften Vortrag sie dem Orchester, hauptsächlich aber der unentgeldlichen freundschaftlichen Anstrengung der Sänger und Sängerinnen, mit dankbarer Erkenntlichkeit zuschreiben muss, wieder zu hören, legt ihr die Pflicht auf, diese letzte Arbeit ihres sel. Gatten zur Ausführung zu bestimmen. Sie verspricht sich um so mehr einen zahlreichen Zuspruch, als die edlen Bewohner Wiens, wenn es auf Unterstützung der Wittwen und Waisen ankam, immer ihrer Lieblingsneigung — Wohlzuthun — gefolgt sind. Der Tag der Aufführung dieser Musik und die singenden Personen, werden durch den gewöhnlichen Anschlagzettel seiner Zeit bekannt gemacht werden.

Konstanza, Wittwe Mozart.

Der Anschlagzettel ist nicht erhalten geblieben; die Aufführung war am 31. März. Frau Lange sang wieder den Sesto. Die übrige Besetzung war nach Eduard Wlassacks *Chronik des k. k. Hof-Burgtheaters* (Wien 1876, S. 98): Tito — Giuseppe Viganoni, Vitellio — Marianne Sessi, Servilia — Mad. Marescalchi, und Publio — Johann Michael Vogl (später Schuberts Freund).

Aus der «Wiener Zeitung», 21. März 1795
Forte Piano und Clavicourt zu verkaufen.

Es ist ein grosses Forte piano, und ein Clavicourt vom verstorbenen Mozart täglich zu verkaufen. Kauflustige belieben sich deßhalb in der rothen Thurmgasse beym schwarzen Elephanten, wo das Kaffeehaus ist, im ersten Stock rechts früh bis 1 Uhr anzufragen.

Während Konstanzes Konzertanzeige am 18., 21. und 25. März erschien, wurde dieses merkwürdige Angebot am 21., 25. und 28. abgedruckt. Dennoch ist nicht anzunehmen, daß es direkt von ihr kam. Sie wohnte Ende 1794 in der Krugerstraße, wahrscheinlich schon längere Zeit. Sie mag die beiden Instrumente um 1793 aus Not oder aus Platzmangel verkauft oder verpfändet haben. Ihre indessen verbesserte Lage dürfte es ihr dann ermöglicht haben, sie zurückzukaufen oder auszulösen. Sie stehen, aus dem Besitz ihrer Söhne kommend, im Salzburger Mozart-Museum. — Der Inserent ist nicht bekannt. Seine Adresse entspricht heute Rotenturmstraße 31, damals Stadt Nr. 677. Das Haus gehörte Michael Dutzingers Erben, das Kaffeehaus darin Frau Barbara Holl.

JULI 1795, s. NACHTRAG, S. 526/527

AUS DER «GRÄTZER ZEITUNG», 26. AUGUST 1795

Zum Besten von Mozarts Witwe und Sohn wird im hiesigen Schauspielhause eine grosse musikalische Akademie gegeben. Da man übrigens seit ein paar Jahren deutlich bemerken konnte, dass der Geschmack des hiesigen, verehrungswürdigen Publikums sich immer mehr für die Mozartsche Musik erklärt, so hat man sich bestrebt, sein letztes Werk, die ernsthafte Oper: *La clemenza di Tito*, die er in Prag zur Krönungsfeier des höchstseligen Kaisers Leopold II. schrieb, hierher zu erhalten, um mit diesem, ausser Wien und Prag noch ganz unbekannten Meisterwerke unsere verehrungswürdigen Musikfreunde in dieser Akademie zu überraschen.

Erika Kaufmann in *Mozart und Graz*, Graz 1956, S. 13.

Am 4. September 1795 wird im Grazer Schauspielhaus *La Clemenza di Tito* konzertmäßig „zum Besten von Mozarts Witwe und Sohn" aufgeführt.

AUS DER «GEHEIMEN GESCHICHTE DES VERSCHWÖRUNGSSYSTEMS DER JAKOBINER IN DEN ÖSTERREICHISCHEN STAATEN. FÜR WAHRHEITSFREUNDE», LONDON 1795

... Der Beyfall, den es [„Die Zauberflöte"] in Wien erhielt war ... außerordentlich groß. Zwey und sechzigmal nach einander ward es aufgeführt, und immer blieb der Zulauf derselbe. Um sieben Uhr fangen in Wien die Schauspiele an, doch in den ersten vierzehn Tagen der Vorstellung der Zauberflöte, mußte man schon um fünf Uhr seinen Platz suchen, denn etwas später mußten die Menschen zu Hunderten abgewiesen werden, weil das Haus voll war. Erst in der dritten Woche konnte man es so weit bringen, daß man um sechs Uhr mit Mühe ein Plätzchen sich erkämpfte.

S. 47 f. — Egon Komorzynski, *Schikaneder*, Wien 1951, S. 232. — Der Druckort London ist fiktiv. — Die Untersuchung gegen die österreichischen Jakobiner, die auch zum Verbot der Freimaurerei führte, hatte 1794 begonnen. — Die Seiten 47 bis 54 des Buches behandeln die *Zauberflöte*, deren Text allegorisch gedeutet wird, z. B. die Königin der Nacht als die despotische Regierung Ludwigs XVI., Pamina als die Freiheit und Tamino als das Volk.

AUS ANDRÉ ERNEST MODESTE GRÉTRYS «MÉMOIRES OU ESSAIS SUR LA MUSIQUE», PARIS 1795

... Je rencontrai jadis à Genève un enfant qui exécutait tout à la première vue. Son père me dit en pleine assemblée: Pour qu'il reste aucun doute sur le talent de mon fils, faites lui, pour demain, un morceau de Sonate très difficile. Je lui fis un Allegro en mi-bémol, difficile, sans affectation; il l'exécuta, et chacun, excepté moi, crit au miracle. L'enfant ne s'était point arrêté; mais en suivant les modulations, il avait substitué une quantité de passages à ceux que j'avais écrits ...

I, 84 f. — Henri Kling, *Mozart et Grétry à Genève 1766—1767*, im Journal de Genève, 28. Juli 1886. Auch Prof. Willy Tappolet, Genf, nimmt an, daß Grétry im Spätsommer 1766 Mozart in Genf begegnet ist.

Im Herbst 1795 unternimmt Konstanze mit Aloisia Lange eine Konzertreise nach Deutschland.

Die Schwestern, anfangs begleitet von Eberl (s. 24. Dezember 1794), mögen auf der Hin- und Rückreise Prag besucht haben, wo der Knabe Karl bei Niemetschek lebte und wo Konstanze jetzt auch den kleinen Wolfgang zurückließ; aber von einem Konzert der beiden dort ist nichts bekannt. Das angeblich Anfang 1796 in Prag gegebene Konzert Konstanzes fand erst am 15. November 1797 statt.

PROGRAMM EINES MOZART-KONZERTES IM LEIPZIGER GEWANDHAUS, 11. NOVEMBER 1795

Concert der zwey Schwestern Madame Lange und Madame Mozart.
Wobey Herr Capellmeister *Eberl* sich auf dem Pianoforte wird hören lassen.
Sinfonie.
Arie *No che non sei capace* (Mad. Lange).
Concert auf dem Pianoforte (Capellmeister Eberl).
Terzett aus „Clemenza di Tito" *Vengo, aspettate* (Mad. Mozart, Mad. Lange und Hr. Richter).
Marsch aus der nämlichen Oper.
Ein Allegrosatz.
Recitativ und Rondo *Mia speranza adorata* (Mad. Lange).
Quartett auf dem Pianoforte (Eberl).
Duett aus „Clemenza di Tito" *Come ti piace, imponi* (Mad. Lange und Mad. Mozart).
Recitativ, Quintett und Chor aus „Clemenza di Tito" *Oh Dei, che smania è questa.*

Alfred Dörffel, *Geschichte der Gewandhauskonzerte*, Leipzig 1884, S. 195. — Frau Lange sang die für sie geschriebenen Arien KV 419 und 416.

HANDSCHREIBEN FRIEDRICH WILHELM II.

Se. Königl. Majestät von Preussen etc. etc. machen sich ein wahres Vergnügen, durch die Gewährung des Wunsches der Wittwe Mozart zu beweisen, wie sehr Sie das Talent ihres verstorbenen Mannes geschätzt, und die ungünstigen Umstände bedauert haben, welche ihm die Früchte seiner Werke einzuerndten verhinderten. Allerhöchstdieselben bewilligen der Wittwe Mozart zur Aufführung dessen letzter Komposition, *La Clemenza di Tito*, das grosse Opernhaus, so wie Dero eigenes Orchester, haben auch dieserhalb die nöthigen Befehle an den Kammerherrn Freyherrn von der *Reck* erlassen, an welchen sich selbige nunmehr zu wenden hat, um wegen des hiezu zu bestimmenden Tages und wegen des übrigen Details mit ihm sich gehörig zu besprechen.
Berlin den 14ten Februar 1796.

Niemetschek, *Mozart*, Prag 1798, S. 43. Nissen, *Mozart*, S. 615. — Konstanze hatte sich nach ihrer Ankunft in Berlin an den König gewandt, der sich schon vier Jahre zuvor zu ihr sehr hilfreich gezeigt hatte (s. 18. Februar 1792).

Verlautbarung der Berliner Opern-Direktion

Zu dem Concerte, welches am Sonntage den 28ten dieses mit Sr. Königl Majestät aller-
höchster Erlaubniß im Opernhause zum Benefiz der Madame Mozart gegeben wird, hört
das Eigenthum aller und jeder Logen auf, es sey denn, daß mit derselben darüber ein
Abkommen getroffen werde, welches täglich zur angekündigten Zeit im Opernhause
geschehen kann. Im Entstehungsfall aber müssen die Schlüssel zu den Logen bei dem
Castellan des Opernhauses abgeliefert werden.
Berlin den 22ten Febr. 1796.

Königl. Opern-Direktion.

Nottebohm, *Mozartiana*, S. 15.

Programm des Berliner Konzerts Konstanzes

Heute Sonntags, den 28. Februar 1796.
wird
durch die besondere Gnade Sr. Majestät des Königs
die Wittwe des verstorbenen Kapellmeisters Mozart
auf dem Königlichen Opern-Theater,
unterstützt von den Königlichen Sängern und Sängerinnen, und der Königlichen
Kapelle, die Ehre haben aufzuführen,
das letzte Werk ihres verstorbenen Mannes:
LA CLEMENZA DI TITO.

Erster Theil.

Ouverture aus der Zauberflöte.
Arie, gesungen von Madame Righini, komponirt von Mozart.
. . .
Arie, gesungen von Demoiselle Schmalz, komponirt von Mozart.

Zweyter Theil.

Der Auszug der wesentlichsten Stücke, aus der Oper:
La Clemenza di Tito, von Mozart;
worinn Madame Schick, Madame Righini, Demoiselle Schmalz, Herr Fischer, Herr Hurka,
und Madame Mozart singen werden.

Die Texte zur Musik werden beym Eingang für 4 Groschen ausgegeben.

Preise der Plätze.
. . . . .

Billets auf ganze Logen im Ersten Range, sind bey der Wittwe Mozart, in der Neuen
Friedrichsstraße, in Schielens Hause, neben der Garnisons-Kirche . . . zu haben.

Der Anfang ist um halb Sechs Uhr.

Mitteilungen für die Mozart-Gemeinde in Berlin, H. 17, März 1904, S. 277 (mit Faksimile des Programms). — Henriette Righini, geb. Kneisel, war die Frau des Komponisten Vincenzo Righini, des

Kapellmeisters der Berliner Oper (vgl. 22. Dezember 1789 und 9. Oktober 1790). — Zu Frau Schick siehe ebenfalls 9. Oktober 1790; sie war erst kurz vorher aus Hamburg nach Berlin gekommen. — Auguste Amalie Schmalz, seit 1790 in Berlin, wurde ihre Nachfolgerin dort. — Ludwig Karl Fischer, der erste Osmin in der *Entführung*, war seit 1788 in Berlin engagiert; Friedrich Franz Hurka, ein Tenor (s. 17. April 1788), seit 1789. — Nottebohm, *Mozartiana*, S. 4, zitiert einen Bericht über dieses Konzert aus der *Camera obscura von Berlin*, 10. Stück, 29. Februar 1796, betitelt *Mozarts Todtenfeier*.

Aus «Magyar Hirmondó», Wien, 11. März 1796

(Übersetzung)

Die unglückliche Witwe des k. k. Hofkapellmeisters und Komponisten Mozart genießt in Wien mancherlei Gnaden vom allerhöchsten Hofe. Sie ist nun auf einige Zeit nach Berlin gegangen, wo sie im König einen anderen großen Wohltäter gefunden hat. Sie erfuhr mehrere Beweise seiner Gunst, bekam aber auch die Erlaubnis, im grossen Opernhaus *La Clemenza di Tito* aufführen zu lassen, unter Mitwirkung der Hofmusiker. [Folgt das Schreiben des Königs vom 14. Februar.]

Mitgeteilt von Frau Lidia F. Wendelin, Budapest. — Vgl. 28. Februar 1796. — Das ungarische Original ist im Anhang III, S. 516, wiedergegeben.

Aus der «Wiener Zeitung», 13. April 1796

Musikalien.

Bey Joseph Haydenreich, in der Leopoldstadt in der Schmelzgasse rückwärts des Theaters, beym kleinen Ring Nr. 414 im Laden, sind folgende Stücke zu haben, als:

. . . .

Ein noch unbekanntes geschriebenes Fundament zur Erlernung des General-Basses von Mozart, 4 fl. 30 kr.

. . . .

Vermutlich die Vorlage der Generalbaß-Schule, die 1818 in Wien und 1822 in Berlin unter Mozarts Namen erschien (Köchel-Einstein, S. 833). — Zu Haydenreich s. 24. Mai 1788.

Ankündigung des zweiten Konzerts in Leipzig, (16.?) April 1796

Musik-Anzeige.

Madame *Mozart*, die nach der ehrenvollsten Aufnahme in Berlin, jetzt wieder in Leipzig [weilt], und nach Dresden reist, wünscht die letzte Arbeit ihres seligen Mannes, sein großes Requiem, sicher das fleißigste und meisterhafteste Werk dieses außerordentlichen Genies, allhier aufzuführen; und alle Musikfreunde, alle Verehrer *Mozarts* wünschen es mit ihr. Es ist zu dieser Aufführung der *Concertsaal im Gewandhause* gütigst erlaubt worden; und Madame *Mozart* schmeichelt sich, künftige Mittwoche, den 20. April, das Andenken ihres verewigten Mannes vor einem zahlreichen Auditorio aufs neue zu empfehlen. Das aufzuführende Stück dauert eine gute Stunde; nach dessen Beendigung wird Madame *Mozart* mit Gesange, und Herr Organist *Müller* mit einem Concert von ihrem Manne sich hören lassen. Der Anfang ist, wie gewöhnlich, um 5 Uhr. Billets zu 16 Gr. sind bey Madame *Mozart*, im *Hôtel de Saxe* und beym Bibliotheksaufwärter Meyer zu haben; allwo man auch, so wie beym Eingange, gedruckte Texte zu 2 Gr. findet.

Nottebohm, a. a. O., S. 16 f. — Dörffel, a. a. O., S. 44. — Das Klavierkonzert spielte der Organist August Eberhard Müller, von dem mehrere Mozart zugeschriebene Lieder stammen (KV Anhang 248, 249) und der vier Klavierauszüge Mozartscher Opern veröffentlicht hat.

PROGRAMM DES MOZART-KONZERTES IM LEIPZIGER GEWANDHAUS, 20. APRIL 1796

I. Missa pro defunctis (Opus posthumum Mozarti).
II. Arie aus „Idomeneo" *Estinto è Idomeneo.*
Concert auf dem Pianoforte.
Terzett aus „Idomeneo" *Pria di partir, oh Dio.*
Sinfonie.

Dörffel, a. a. O., S. 195. — Konstanze dürfte mitgewirkt haben. — Der Dirigent der Konzerte war damals Johann Gottfried Schicht. Sein Vorgänger, Johann Adam Hiller, übersetzte den Text des Requiems für diesen Abend ins Deutsche. — Aus *Idomeneo* wurde die erste Arie der Elettra (No. 4) und das Terzett No. 16 gesungen.

AUS DEM PROGRAMM EINES DRITTEN KONZERTS IM LEIPZIGER GEWANDHAUS, 25. APRIL 1796

Sinfonie von Mozart.
Eine vierhändige Sonate von Mozart (Herr und Mad. Müller).
Arie von Mozart *No che non sei capace* (Mad. Lange)
. . .
Hymne von Mozart *Preis dir, Gottheit.*
. . .

Dörffel, a. a. O., S. 195. — A. E. Müller und seine Frau, geborene Rabert, spielten Mozarts Klavierkonzerte besonders gut. Er veröffentlichte eine *Anweisung* zu deren Vortrag und hinterließ Kadenzen dazu. — Die „Hymne" ist der einleitende Chor aus *Thamos* (KV 345) mit unterlegten Worten (KV Anh. 121).

ANKÜNDIGUNG DES KONZERTS IN DRESDEN, (21.?) MAI 1796

Die Wittwe des K. K. Kapellmeisters Mozart ist entschlossen einige von ihrem Mann hinterlassene, in Dresden öffentlich noch nicht gehörte Tonstücke aufzuführen. Dem verehrungswürdigen Publikum macht sie daher bekannt, dass sie künftige Woche den 25. May d. J. Abends um 6 Uhr im großen Saale des *Hotel de Pologne* in dieser Absicht eine musikalische Akademie geben wird, und dass Billets dazu in dem Preise von 1 Thlr. im *Hotel de Pologne* und im goldnen Engel zu bekommen sind.

Nottebohm, a. a. O., S. 15. — Das Programm ist nicht bekannt geworden; nach Loewenbergs *Annals of Opera* soll (am 26. Mai) der *Tito* aufgeführt worden sein. — Zum Hotel de Pologne siehe 13. April 1789. — Ein Taler hatte 24 Groschen. — Konstanze blieb mindestens einen Monat in Dresden.

Am 2. Oktober gibt Josepha Duschek im Leipziger Gewandhaus ein Mozart-Konzert.

Dörffel, a. a. O., S. 195. — Ausgenommen eine Sinfonie von Haydn waren alle Nummern von Mozart. — A. E. Müller spielte wieder ein Klavierkonzert; Frau Duschek sang Arien aus *Idomeneo* und *La Clemenza di Tito*, sowie die für sie geschriebene Szene *Bella mia fiamma* (KV 528); auch das Orchester und ein Chor führten Stücke aus dem *Idomeneo* auf.

22. NOVEMBER, S. NACHTRAG, S. 527/528

AUS DER «GRÄTZER ZEITUNG», 28. DEZEMBER 1796

Die Witwe Mozarts gibt sich hiemit die Ehre, den verehrungswürdigen Bewohnern dieser Hauptstadt ihre Ankunft allhier anzuzeigen und entledigt sich vor all anderm dadurch einer ihrer wesentlichsten Pflichten, dass sie für die vor zwey Jahren bey einer zu ihrem Vortheil gegebenen Musik-Akademie erhaltene Unterstützung öffentlich ihren unauslös-lichen Dank abstattet. Da dieselbe von einer langwierigen Reise nach Wien zurückgekehrt: so wird sie während ihres Hierseyns mit hoher Bewilligung im landschaftlichen Schauspiel-hause künftigen Freytag den 30. dieses Monaths ein Concert zu ihrem und ihrer unmün-digen Kinder Besten geben, wovon die erste Abtheilung in der hier noch ganz neu und unbekannten *Opera seria*, betitelt: *Idomeneo*, und die zweyte aus dem ersten Aufzug der so beliebten *Clemenza di Tito* bestehen wird. Mozart schrieb das grosse Werk Idomeneo für den churfürstlichen Hof zu München, und tiefe Musikkenner räumen diesen eine der vorzüglichsten Stellen unter seinen übrigen Arbeiten ein.
Ich darf mit Zuversicht hoffen, dass an einem Orte, wo mein nur zu früh mir entrissener Gatte so ausgezeichnet gekannt, und geschätzt wird, dieses mit der bekannten Oper La Clemenza di Tito so glücklich harmonierende Meisterstück mit desto grösserem Beyfalle und Vergnügen aufgenommen werden wird, je mehr ich durch die gefällige Verwendung und Unterstützung der durch ihre Talente so rühmlich bekannten Herrn Dilettanten, Sängerinnen und Sängern, in Verbindung mit den übrigen Herrn Musikern auf eine precise und glückliche Aufführung rechnen kann. Nehmen Sie, edle, verehrungswürdige Bewohner dieser Hauptstadt hierzu meine gehorsamste Einladung gütigst auf.
Constanze Mozart.

Mitteilungen für die Mozart-Gemeinde in Berlin, März 1901, Heft 11, S. 28 f. (Ferdinand Bischoff). *Mozart und Graz*, Graz 1956, S. 13 f. (Erika Kaufmann). — Vgl. 4. September 1795. — Konstanze erwähnt in der Ankündigung auch Prag als Konzert-Station. Ob unter dem Etcetera-Zeichen Hamburg und Halle gemeint waren, die Niemetschek (S. 42) als weitere Stationen der Konzertreise nennt, bleibt zweifelhaft. Frau Lange dürfte während Konstanzes Berliner Aufenthalt in Hamburg gewesen sein; jedenfalls sang sie dort am 7. Februar den Sesto im *Titus*, nicht aber am 28. Februar in Berlin. Daß Konstanze in Halle gewesen ist, ergibt sich aus Reichardts *Vertrauten Briefen aus Wien*, 21. De-zember 1808, worin von ihrer Erinnerung an Giebichenstein die Rede ist. — Ob Konstanze wirklich bis Ende 1796 unterwegs gewesen war und aus Deutschland erst nach Graz reiste, bevor sie nach Wien zurückkehrte, ist ungewiß.

PROGRAMM DES PRAGER MOZART-KONZERTES, 15. NOVEMBER 1797

Mit hoher und gnädiger Bewilligung

wird die

Wittwe Mozarts

heute Mittwochs den 15. November 1797 im altstädt. Nationaltheater

eine grosse,

musikalische Akademie,

von ihres Mannes nachgelassenen, *hier noch ganz unbekannten Kompositionen* geben.

Erste Abtheilung.

Den Anfang macht eine Sinfonie von Mozart.

1. Singt Mad. Campi eine Bravour-Arie von Mozart.
2. Spielt Hr. Witassek auf dem Pianoforte ein grosses, starkes Konzert von Mozart.
3. Wird von Mad. Mozart, Hrn. Campi und Benedetti ein Terzett gesungen, eines der vorzüglichsten, nachgelassenen Werke Mozarts.
4. Singt Hr. Campi eine Bassarie von Mozart.
5. Wird auf gnädiges Verlangen der kleine eben 6jährige *Wolfgang*, der jüngere hinterlassene Sohn Mozarts, um dem verehrungswürdigsten Publikum Prags, für die hierorts seinem Vater so vielfältig bewiesene Zuneigung, einen kleinen Beweis seines ehrfurchtsvollen Dankes zu geben und zu zeigen, daß er Eifer zu fühlen anfängt dem großen Beispiele seines Vaters nachzustreben, die Arie aus der Zauberflöte: „der Vogelfänger bin ich" bei Begleitung des Pianoforte singen. Man bittet um Nachsicht gegen die ersten Aeusserungen seines zarten Talents.

Zweite Abtheilung.

1. Eine Overture nebst dem damit verbundenen Quartett aus einer unvollendeten Oper von Mozart.
2. Singt Mad. Campi eine Arie von Mozart.
3. Singen Mad. Mozart, H. Benedetti und Zardi, dann H. Campi ein Finalquartett von Mozart.
4. Den Beschluss macht eine teutsche Scene mit einem Schlusschor, auf die freudenvolle Wiederkehr des Friedens. Die Poesie ist eigens dazu von dem berühmten Dichter und Universitäts Professor Hrn. A. Meißner verfertigt.

Die Musik des Recitativs ist vom Hrn. Witassek, und der Chor von Mozart aus der Oper *la Clemenza di Tito*; der darum gewählt wurde, weil man hoffen darf, daß das Publikum bey einer so freudigen Gelegenheit in den Jubelchor einzustimmen wünschen wird.

Der gedruckte Text davon wird bei der Kassa um 7 kr. verkauft und der Ertrag ist dem Armeninstitute gewidmet.

NB. Alle diese Stücke, ausser dem Chor, sind neu und noch nicht aufgeführt.

Die Preise der Plätze sind durchgehends wie bey den italiänischen Opern.
Der Anfang präcise um 7 Uhr.
In Betreff der Logen beliebe man sich an die Wittwe Mozart, im Bertonischen Hause, auf dem welschen Platze, oder an die Frau Logenmeisterinn des Theaters, zu wenden.

Deutsche Staatsbibliothek, Berlin. — Eduard Crass, *W. A. Mozart. Sein Leben in Bildern*, Leipzig 1956, Abbildung 148. — Vgl. Teuber, a. a. O., II. 330, und Procházka, a. a. O., S. 192. — Konstanze hatte ihren zweiten Sohn 1796 nach Prag gebracht, wo er zuerst bei Frau Duschek und dann bei Frau Niemetschek untergebracht wurde. Er dürfte 1797 nach Wien zurückgekommen sein, zugleich mit Karl, der schon 1798 nach Livorno in die Lehre kam. — Die Papageno-Arie soll Wolfgang auf einem Tische stehend gesungen haben, mit unterlegtem Text oder mit einer Zusatz-Strophe. — Antonia Campi, geb. Miklaszewicz aus Polen, war die Primadonna Prags; sie hatte schon 1793 die Gräfin im *Figaro* und die Königin der Nacht in der *Zauberflöte* gesungen. Sie und ihr Gatte, der Bassist Gaetano Campi, der erste Publio im *Tito*, kamen später ans Kärtnertor-Theater. — No. 1 der zweiten Abteilung war offenbar der Beginn der Opera buffa *Lo sposo deluso* (KV 430). Die übrigen Mozart-Nummern lassen sich kaum identifizieren. — Zu Meißner s. 31. (?) Dezember 1791. — Im Oktober 1797 war zwischen Frankreich und Österreich der Friede von Campo Formio geschlossen worden. — Um 1798 soll in einer Akademie der Prager Juristen (vgl. 7. Februar 1794) von ihrem Musikdirektor Anton Thomas Kunz, dem Erfinder eines Orchestrions, die Kantate *Dir, Seele des Weltalls* (KV 429) in seiner Instrumentierung aufgeführt worden sein. (*Der Bär*, Leipzig 1928, S. 106.)

Im Jahre 1797 freundet sich Konstanze mit Georg Nikolaus Nissen an.

Der Legations-Sekretär der dänischen Gesandtschaft war im Februar 1793 nach Wien gekommen und wohnte seit damals in verschiedenen Quartieren, aber weder in der Rauhensteingasse (1792) noch in der Krugerstraße (1794) bei Konstanze. Wenn es wahr ist, daß er seit 1797 ihr Zimmerherr gewesen ist oder sonst mit ihr die Wohnung geteilt hat, so müßten beide 1797/8 im Judengäßchen, Stadt Nr. 535, und 1798/9 auf dem Franziskanerplatz, Nr. 967, gehaust haben, bevor sie endlich auf den Michaelerplatz, Nr. 5, in den obersten Stock zogen. (Diese Adressen Nissens finden sich in den Jahrgängen des Hof- und Staats-Schematismus, wo Konstanze Mozart natürlich nicht vorkommt.) Daß Konstanze und Nissen schon 1797 befreundet waren, ist durch Fredrik Samuel Silverstolpes Aufzeichnungen bezeugt, eines schwedischen Diplomaten, der mit beiden von 1798 an in Wien verkehrte. (Siehe C.-G. Stellan Mörner in *Svensk Tidskrift för Musikforskning*, Stockholm 1948, S. 71, und sein Buch *Johan Wikmanson und die Brüder Silverstolpe*, Stockholm 1952, S. 335.)

Am 22. November 1797 wird im Prager Weinbergamt auf Duscheks Villa Bertramka eine Hypothekarschuld von 3 500 fl, mit 6 Prozent Zinsen zugunsten Konstanzes eingetragen.

Städtisches Archiv, Prag, Weinbergbuch No. II de statu passivo, fol. 161 f. — Nach dem Tode ihres Mannes verkaufte Frau Duschek 1799 die von ihr erworbene Villa; die Schuld für das Darlehen scheint getilgt worden zu sein.

Am 29. März 1798 gibt Frau Josepha Duschek im Jahn'schen Saale in Wien eine Akademie, wobei sie ein Mozartisches *Rondo mit obligatem Bassetthorn* (Anton Stadler) vorträgt, und Beethoven eine eigene Klavier-Violin-Sonate mit Ignaz Schuppanzigh spielt.

Programm bei der Gesellschaft der Musikfreunde, Wien. — Eduard Hanslick, *Geschichte des Concertwesens in Wien*, Wien 1869, S. 105. — Zum Rondo vgl. 26. April 1791; es war vermutlich Nr. 23 aus *Tito*.

GOETHE AN SCHILLER, WEIMAR, 30. DEZEMBER 1797

Ihre Hoffnung, die Sie von der Oper hatten, würden Sie neulich im „Don Juan" auf einen hohen Grad erfüllt gesehen haben; dafür steht aber auch dieses Stück ganz isoliert und durch Mozarts Tod ist alle Aussicht auf etwas Ähnliches vereitelt.

Tenschert, *Mozart*, Amsterdam 1931, S. 215. — *Don Giovanni* wurde seit 30. Januar 1792 in Weimar deutsch aufgeführt; erst am 4. September 1813 italienisch.

Ende März 1798 sucht Konstanze bei der Obersten Hoftheater-Direktion um die Erlaubnis an, am 27. April eine musikalische Akademie geben zu dürfen.

Albert Josef Weltner, *Mozart's Werk und die Wiener Hof-Theater*, Wien 1896, S. 46. — Das Konzert wurde bewilligt, scheint aber nicht stattgefunden zu haben. — Weltner druckt allerdings das Programm einer Akademie im Kärntnertor-Theater am 28. April ab, das kein Stück von Mozart aufweist und auch Konstanze nicht erwähnt. — Nach Silverstolpes Notizen scheint Konstanze im Herbst 1798 — zu einer ungewöhnlichen Jahreszeit — im Augarten ein Konzert veranstaltet zu haben, das aber auch nicht nachzuweisen ist.

Im Sommer 1798 ordnet Abbé Maximilian Stadler mit Nissen den musikalischen Nachlaß Mozarts.

Der Anlaß dazu war offenbar der Brief der Firma Breitkopf & Härtel in Leipzig vom 15. Mai 1798, worin Konstanze gebeten wurde, den Verlag in seinem neuen Unternehmen, den *Oeuvres complettes de W. A. Mozart*, zu unterstützen. (Oskar v. Hase, *Breitkopf & Härtel*, Leipzig 1919, I, 154 f.) Die geplante Gesamtausgabe brachte es zu mehr als 50 Heften (1798—1808) und ist unvollständig geblieben. — Stadler war erst 1796 aus Linz nach Wien übersiedelt.

Aus dem «Allgemeinen litterarischen Anzeiger», Leipzig, 28. August 1798

Suum cuique *).

Da nun schon 3 Werke von meiner Komposition in verschiedenen Musikalienhandlungen unter dem Namen des unvergeßlichen *Mozart* erschienen sind, so sehe ich mich genöthigt, die neuen Herausgeber aller *Mozart*'ischen Werke öffentlich zu warnen, sich nicht durch die falschen Aufschriften der hier unten angezeigten Werke verleiten zu lassen, dieselben unter die vollständige Sammlung der *Mozart*'ischen aufzunehmen; denn obschon es mir allerdings sehr schmeichelhaft sein muß, daß selbst Kenner diese Werke für *Mozart*'ische Produkte zu halten fähig waren, so kann ich doch keineswegs zugeben, daß das musikalische Publikum in dieser Täuschung erhalten werde.

. . . . .

Diese 3 Werke, welche ich schon lange vor meiner Berufung nach St. Petersburg verfasst habe, sind nach *Mozart*'s Tode, während meiner Abwesenheit von Wien, entweder aus Versehen oder aus andern mir unbekannten Beweggründen unter dem Namen dieses berühmten Mannes erschienen. Da mir auf solche Art jeder Nutzen, den diese Werke mir verschaffen konnten, entzogen worden ist; so bleibt mir nichts, als das tröstende Bewußtsein des Beifalls, welchen diese Werke von dem musikalischen Publikum zu erhalten so glücklich waren.

St. Petersburg.   *Anton Eberl.*

*) Wir heben diese Nachricht ... besonders in der Hoffnung aus, daß Mehrere dadurch veranlaßt werden möchten, diesen Diebstählen weiter nachzuspüren, um so mehr, da ... *Mozart*'s Wittwe so wenig Achtung für die Asche ihres Mannes besitzt, daß sie nicht allein zu allen solchen widerrechtlichen Handlungen die Hand willig darbietet, sondern auch selbst in Leipzig einem berühmten Komponisten ähnliche Anträge zu machen sich nicht schämte.   d. Redakt.

No. 136, Spalte 1873—75. — Nachdruck aus der Beilage zu No. 118 des *Hamburger unpartheiischen Correspondenten* vom 15. Juli 1798. — Drei Werke Eberls waren bis dahin unter Mozarts Namen erschienen: KV Anhang 284ᵃ (eine Sonate), 287 und 288 (zwei Variationen-Werke). — Siehe 18. Mai 1805. — Konstanze hat Breitkopf & Härtel am 13. November 1799 davor gewarnt, die beiden Variationen-Werke, Eberls Op. 6 und 5, in Mozarts *Oeuvres* aufzunehmen (*Mozart-Jahrbuch*, Leipzig 1929, Band III, S. 187). Im ersten Falle kam die Warnung zu spät; die Variationen über Umlaufs *„Zu Steffen sprach im Traume"*, die Mozart geschätzt haben soll, wurden aber nicht unter seinen *Oeuvres* abgedruckt. — Eberl lebte von 1796 bis 1800 in Petersburg. — Unter dem *„berühmten Komponisten"* der Fußnote könnte A. E. Müller gemeint sein (vgl. 16.? April 1796).

Am 8. September 1798 wird *La Clemenza di Tito* im Wiener Freihaus-Theater konzertmäßig aufgeführt.

Auf das Programm (Stadtbibliothek Wien) setzte Schikaneder: *„Mozarts Werk ist über jeden Lobspruch erhaben. Man fühlt es bey Anhörung dieser, wie einer jeder seiner Musiken, nur zu sehr, was die Kunst an Ihm verlor."* — Konstanzes Schwester Josepha, seit 1796 verwitwete Hofer und seit 1797 wiederverehelichte Mayer, sang die Servilia, ihr Gatte Friedrich Sebastian Mayer den Publio. (Er gab seit 1793 den Sarastro und seit 1794 den Bassa Selim.)

Am 14. November 1798 spielt Marianne Kirchgeßner in Königsberg u. a. ein „Concertante von Mozart, das er ihr kurz vor seinem Tode für die Harmonika mit Blasinstrumenten begleitet schrieb".

Hermann Güttler, *Königsbergs Musikkultur im 18. Jahrhundert*, Kassel 1925, S. 177. — Vgl. 13. August 1791.

1798 erscheint in Prag die erste Ausgabe von Franz Xaver Niemetscheks Mozart-Biographie, Joseph Haydn gewidmet (siehe 1808).

KONSTANZES ENTWURF ZU EINEM AUFRUF AN DEN BESTELLER DES REQUIEMS (1798?)

Da der edle Anonym, welcher dem sel. Mozart wenige Monate vor seinem Tode den Auftrag gab ein Requiem zu componiren, solches nach Verlauf von mehr als 7 Jahren noch nicht hat öffentlich bekannt werden lassen, so sieht die Witwe dieses Verfahren mit Dankbarkeit für einen Beweis an, daß derselbe ihr noch einen etwaigen Vortheil von der Herausgabe gönnen wolle. Indeß hält sie es zu mehrerer Sicherheit für sich und als eine Folge der Empfindungen, die derselbe ihr eingeflößt hat, für ihre Pflicht, den edlen Mann in den Wiener, Hamburger und Frankfurter Zeitungen aufzufordern, ihr seine Gesinnungen innerhalb drei Monaten gefälligst zu erkennen zu geben, nach welcher Zeit sie es wagen wird, das Requiem in den sämmtlichen Werken ihres Verstorbenen herauszugeben.

Jahn, 1. Auflage, Band IV, S. 698, Anm. 41. — Konstanze scheint diesen Aufruf nicht veröffentlicht zu haben. Sie schickte den Entwurf am 18. Oktober 1799 an Breitkopf & Härtel, nachdem der Verlag im September jenes Jahres in seiner *Allgemeinen musikalischen Zeitung* (Intelligenzblatt No. XIX, Spalte 97 f.) das Requiem angekündigt hatte, *„nach dem uns von Mozart's Wittwe hierzu mitgetheilten Manuscripte“*. Am 30. Januar 1800 meldete sie dem Verlag: *„Sie haben ein Wunderwerk gethan, einen Todten erweckt. Der Eigenthümer und Besteller des Requiems hat sich eingefunden.“* Und am 21. Juli des gleichen Jahres: *„Indeß habe ich nun selbst das wahre Original von dem Anonymus zur Durchsicht erhalten.“* (Nottebohm, *Mozartiana*, S. 130—133.) — Vgl. 14. Dezember 1793 und 9. Februar 1800 (Nachtrag, S. 531).

Am 6. Februar und 11. September 1799 veröffentlicht die *Allgemeine musikalische Zeitung*, Leipzig, *Anekdoten aus Mozarts Leben, von seiner hinterlassenen Gattin mitgetheilt.*

Bd. I, No. 19, Sp. 289, und No. 50, Sp. 854. — Albert Leitzmann, *W. A. Mozart. Berichte der Zeitgenossen und Briefe*, Leipzig 1926, S. 104 ff. — Die von Rochlitz redigierte Zeitschrift erschien bei Breitkopf & Härtel.

Am 25. März 1799 wird im Wiener Freihaus-Theater *La Clemenza di Tito* konzertmäßig wiederholt.

Die achtjährige Josepha Hofer, aus Frau Mayers erster Ehe, spielte im Zwischenakt ein Klavierkonzert von Franz Anton Hoffmeister.

JOSEPH HAYDN AN BREITKOPF & HÄRTEL IN LEIPZIG, 12. JUNI 1799

... Gestern erhielte ich durch Herrn Griesinger das 2te 3te und 4te Heft unseres unsterblichen Mozarts nebst denen Musikalischen Zeitungen.
... Die Herausgabe beyder werke machen Ihnen vorzügliche Ehre ...

Stadtbibliothek, Wien. — Mitgeteilt von H. C. Robbins Landon. — Von Mozart *Oeuvres complettes* waren Cahier I und II 1798, III und IV 1799 erschienen. — Georg August Griesinger, sächsischer Legations-Sekretär in Wien, Haydns Freund und Breitkopfs Vertrauter, berichtete nach Leipzig: *„Er sah die Hefte mehreremal an und sagte: gar schön, gar schön; ich und Mozart schätzten uns sehr, er nannte mich auch seinen Papa.“* (Hermann v. Hase, *Joseph Haydn und Breitkopf & Härtel*, Leipzig 1909, S. 21.)

Im Sommer 1799 wird Mozarts musikalischer Nachlaß noch einmal gesichtet.

Die Arbeit wurde wieder von Abbé Stadler, Konstanzes musikalischem, und Nissen, ihrem geschäft-
lichen Berater, besorgt. Nach Breitkopf & Härtel begann sich nun Johann Anton André, der junge
Musikverleger in Offenbach bei Frankfurt am Main, für Mozarts Nachlaß zu interessieren.

Am 4. August 1799 schickt Marianne v. Berchtold aus St. Gilgen an Breitkopf & Härtel
Leopold Mozarts Liste der frühesten Werke Wolfgangs, ergänzt durch die Jahreszahlen
von ihrer Hand.

Siehe 21. September 1768.

Aus Wielands «Neuem Teutschen Merkur», Weimar, September 1799

Folgendes ist die wörtliche Uebersetzung einer Stelle aus dem Briefe eines Engländers in
Wien: „Der Britte zeigt mit frohem Bewusstseyn, daß er jedes Verdienst zu schätzen wisse,
des teutschen Händel Grabmahl in der Westminsterabtey. *Hier* weiß man nicht die Stelle
anzugeben, wo Mozarts (vielleicht gewaltsam) abgestreifte Hülle am Freythofe begraben
liegt."

Dieser Vorwurf ist kränkend, obgleich nicht neu in der Geschichte unsrer *Worthies.* Sollte
er aber auch gegründet seyn?

Guter Mozart! du errichtetest einem Lieblingsvogel in dem von dir gemietheten Garten
ein Grabmahl, und setztest ihm selbst eine Inschrift. Wann wird man dir thun, was du an
deinem Vogel thatest!

Band 3, 9. Stück, S. 90 f. — Der Name des Engländers ist unbekannt. — Die Parenthese *„vielleicht
gewaltsam"* scheint ein redaktioneller Zusatz gewesen zu sein, nachdem dort schon im Februar 1799
(2. Stück, S. 232 f.) zu einem Gedicht auf Mozarts Tod, von Johann Isaak Freiherrn v. Gerning, folgende Fußnote erschienen war: *„Zur Ehre der Menschheit und der Tonkunst will man hoffen, daß
dieser Orfeus doch eines natürlichen Todes gestorben seeyn möge!"* — Zum „Starl", den Mozart am
4. Juni 1787 in der Vorstadt Landstraße begraben hatte, siehe 27. Mai 1784. — Die Weimarer Notiz wurde 1808 in den Wiener *Vaterländischen Blättern für den österreichischen Kaiserstaat* (S. 211)
nachgedruckt, und diese Mahnung veranlaßte Griesinger, mit Konstanze und Nissen auf den Friedhof von St. Marx zu gehen. Über die Erfolglosigkeit ihrer Suche nach Mozarts Grab berichtete
Griesinger am 23. August 1808 in der gleichen Wiener Zeitschrift (S. 252). — Vgl. Rudolf v. Lewicki
in *Mozarteums-Mitteilungen,* Salzburg, August 1920, Jg. 2, H. 4, S. 97—101.

Am 8. November 1799 wird in Wien zwischen Konstanze Mozart und Johann Anton
André ein Vertrag über den handschriftlichen Nachlaß Mozarts geschlossen.

Siehe Nachtrag, S. 528—531. — Konstanze bekam in einigen Teilzahlungen 3150 Gulden. André
verlegte zwischen 1800 und 1830 etwa 55 Werke von Mozart: 30 mit und 25 ohne Opus-Nummern.
(Vgl. O. E. Deutsch im *Mozart-Jahrbuch 1953,* Salzburg 1954.)

Marianne v. Berchtold an Breitkopf & Härtel

St. Gilgen den 24. November 1799.

Mit Vergnügen übersende ich Ihnen den Aufsatz, so ich aus Briefen, die mein Vater auf
seinen Reisen nach Salzburg schrieb, ausgezogen und auf Verlangen eines Freundes unsers
Hauses ihm überschickt habe, der ihn dann Hr. Prof. Schlichtegroll übermachte ...

Ich übersende Ihnen auch einen Kupferstich, der wie wir in Paris waren gestochen wurde.
Hieraus sehen Sie, daß mein Bruder ein recht hübsches Kind war. Erst nach den Blattern

hatte er sich so verunstaltet, und noch mehr, wie er von Italien zurückgekommen, bekam er die welsche gelbe Farbe, die ihn ganz unkenntlich machte. Er war ein kleines, doch proportionirtes Kind.

Nottebohm, *Mozartiana*, S. 136 f. — Nannerls Erinnerungen von 1792 kamen nun zu Breitkopf. — Der Kupferstich war das Gruppenbildnis von Carmontelle, gestochen von Delafosse (s. 18. November 1763). Vgl. Nannerls Brief an Joseph Sonnleithner vom 2. Juli 1819.

Erinnerungen von Mozarts Schwester
«Allgemeine musikalische Zeitung», Leipzig, 22. Januar 1800

1) *Mozarts* überreiche Phantasie war schon in den Kinderjahren, wo sie in gemeinen Menschen noch schlummert, so wach, so lebhaft, vollendete das, was sie einmal ergriffen hatte, schon so, daß man sich nichts Sonderbareres, und in gewissem Betracht, Rührenderes denken kann, als die schwärmerischen Schöpfungen derselben, welche, da der kleine Mensch noch so gar wenig von der wirklichen Welt wußte, himmelweit von dieser entfernt waren. Um nur Eins anzuführen: Da die Reisen, welche wir (er und ich, seine Schwester) machten, ihn in unterschiedene Länder führten, so sann er sich, während, daß wir von einem Orte in den andern fuhren, für sich selbst ein Königreich aus, welches er das Königreich Rücken nannte — warum gerade so, weiß ich nicht mehr. Dieses Reich und dessen Einwohner wurden nun mit alle dem begabt, was sie zu guten und fröhlichen — Kindern machen konnte. Er war der König von diesem Reiche; und diese Idee haftete so in ihm, wurde von ihm so weit verfolgt, daß unser Bedienter, der ein wenig zeichnen konnte, eine Charte davon machen mußte, wozu er ihm die Namen der Städte, Märkte und Dörfer diktirte.

2) Er hatte eine so zärtliche Liebe zu seinen Eltern, besonders zu seinem Vater, daß er eine Melodie komponirte, die er täglich vor dem Schlafengehen, wozu ihn sein Vater auf einen Sessel stellen musste, vorsang. Der Vater musste allzeit die Sekunde dazu singen, und wenn dann diese Feyerlichkeit vorbey war, welche keinen Tag durfte unterlassen werden, so küßte er den Vater mit innigster Zärtlichkeit, und legte sich dann mit vieler Zufriedenheit und Ruhe zu Bette. Diesen Spaß trieb er bis in sein zehntes Jahr.

3) In London, wo unser Vater bis zum Tode krank lag, durften wir kein Klavier berühren. Um sich also zu beschäftigen, komponierte *Mozart* seine erste Symfonie mit allen Instrumenten — vornehmlich mit Trompeten und Pauken. Ich mußte sie, neben ihm sitzend, abschreiben. Indem er komponirte, und ich abschrieb, sagte er zu mir: Erinnere mich, daß ich dem Waldhorn was Rechts zu thun gebe!

4) In Olmütz [November 1767], wo er die Blattern bekam, die ihn so sehr krank machten, daß er neun Tage nichts sahe, und etliche Wochen nach seiner Genesung die Augen schonen mußte, wurde ihm die Zeit lang. Er suchte also Beschäftigung. Der Hofkaplan des dortigen Bischoffs, Herr *Hay*, nachheriger Bischoff von Königsgrätz, besuchte uns täglich. Dieser war in Kartenkünsten sehr geschickt. Mein Bruder lernte sie mit vieler Behendigkeit von ihm, und da uns auch der dortige Fechtmeister besuchte, so mußte ihn dieser das Fechten lehren. Schon damals hing er mit inniger Zärtlichkeit an allen Künstlern. Jeder Kompositeur, Mahler, Kupferstecher u. dgl., den wir auf unsern Reisen kennen lernten, mußte ihm von seiner Arbeit ein Angedenken geben, und das bewahrte er sich sorgfältig auf.

Jahrgang II, No. 17, Spalte 300 f. — Leitzmann, a. a. O., 1914, S. 32 f.; 1926, S. 41 f. — Vgl. Mariannes Aufzeichnungen von 1793. — Der „Bediente" dürfte Sebastian Winter gewesen sein (s. 9. Juni
1763). — Der sinnlose Text von Wolfgangs Abendlied, einer Variante des „Willem van Nassau" (vgl.
KV 25), war „oragnia figatafa". — Als Leopold Mozart in London erkrankte, zog die Familie nach
Five Fields Row. — Wolfgangs erste Sinfonien, in Es und D (KV 16 und 19), entstanden im Winter
1764/5 in London. — Johann Leopold Hay erwarb sich als Bischof den Ehrentitel eines „österreichischen Fénelon" (Wurzbach, Lexikon, Wien 1862, VIII, 103—106). — Nissen (S. 680 f.) berichtet
eine Anekdote, die Nannerl erzählt habe, aber nicht in der Leipziger Zeitschrift: „Als die Familie
1766 wieder zu Hause war, und Wolfgang sich schon damals berühmt gemacht, obschon er noch nicht
das neunte Jahr erreicht hatte, bekamen sie viele Besuche der großen Herrschaften, worunter denn
auch ein sehr stolzer Herr war, der aber nicht wußte, wie er den kleinen Mozart tituliren sollte. Du zu
ihm zu sagen, schien ihm nicht zuzukommen, Sie oder Ihnen zu viel; und so glaubte dieser am besten
zu thun, wenn er Wir zu ihm spräche. Er begann also: Wir waren also auf Reisen, haben Uns viele
Ehre gemacht u. s. f. Sogleich versetzte der kleine Mozart: Ich habe Sie doch nirgends gesehen oder
getroffen als in Salzburg." — Die Leipziger Zeitschrift betitelte Nannerls Beitrag fälschlich als eine
Art Fortsetzung zu den Mozart-Anekdoten, die dort nach Mitteilungen Konstanzes veröffentlicht
worden waren (s. 6. Februar 1799).

9. FEBRUAR 1800, s. NACHTRAG, S. 531

13. MÄRZ 1800, s. NACHTRAG, S. 532

AUS DER «GRÄTZER ZEITUNG», 28. AUGUST 1800

Die Werke meines seligen Mannes, sowohl die vorher erschienenen, als auch die bisher
noch gar nicht bekannten, kommen jetzt sämtlich in einer geschmackvollen, größtentheils
nach seinen Originalmanuscripten, also vollkommen correcten und authentischen Ausgabe neu heraus. Diese neuen Ausgaben sind sämtlich bey mir zu haben, und werden
es auch in der Folge seyn. So kann ich jetzt anbiethen: 6 grosse Clavierconcerte, 1 detto
für 2 Claviere, unter welchen unbekannte; 1 unbekanntes Rondo für 2 Violine; 4 Quartetten, 5 Quintetten, 1 Sonate mit Begleitung, alles gestochen, 1 unbekanntes Concert, ein
detto Quintett für Harmonica oder Pianoforte, 6 Hefte Claviersonaten mit und ohne
Begleitung zu 2 und 4 Händen, worunter unbekannte, das große Requiem (Mozarts letzte
Arbeit) in Partitur, alles gedruckt. Auch habe ich von Quintetten einige Exemplarien in
geschriebenen Stimmen.

Witwe Mozart, Wien, Michaelerplatz Nr. 5.

Erika Kaufmann in Mozart und Graz, Graz 1956, S. 14. — Konstanze war vor 1800 mit Breitkopf &
Härtel, Leipzig, wegen der Herausgabe der Oeuvres complettes in Fühlung gewesen, hatte aber dann
die Handschriften Mozarts an Johann Anton André, Offenbach am Main, verkauft, der zahlreiche
Werke Mozarts verlegt hat. — Die von Konstanze angeführten Werke dürften folgende gewesen
sein, die — bis auf die letzten drei — bei André erschienen: 6 große Klavier-Konzerte — KV 503,
595, 491, 482, 488, 467; 1 Konzert für zwei Klaviere — KV 365; Rondo für zwei Violinen — KV
373 (?); 4 Streichquartette — KV 499, 575, 589, 590; 5 Streichquintette — KV 174, 406, 593, 614
und ein unechtes; 1 Sonate mit Begleitung — KV 481 oder 526; 1 Konzertstück (für Violine?) —
KV 268; Harmonika-Quintett — KV 617 (Breitkopf & Härtel); 6 Klavier-Sonaten — Heft I, III, IV,
VII und ? VIII der Oeuvres complettes (Breitkopf & Härtel); Requiem — KV 626 (Breitkopf & Härtel). Vgl. O. E. Deutsch, Mozarts Verleger im Mozart-Jahrbuch 1955, Salzburg 1956. — Diese
Anzeige ist damals nicht in der Wiener Zeitung erschienen, wohl aber schon am 19. August in der
ungarischen, in Wien gedruckten Zeitung Magyar Hirmondó.

Am 26. Februar 1801 stirbt Mariannes Gatte, Johann Baptist von Berchtold zu Sonnenburg, in St. Gilgen.

Am 29. Oktober 1801 übersiedelt Marianne nach Salzburg.

Sie wohnte bis zu ihrem Ende im Barisani-Haus in der Kirchgasse (jetzt Sigmund-Haffner-Gasse 12), im dritten Stock. Die Fenster der Rückseite, auf dem Universitätsplatz, schauen auf die Rückseite des Geburtshauses in der Getreidegasse.

1803 erscheint in Erfurt das Büchlein *Mozarts Geist* von Ignaz Ernst Ferdinand Karl Arnold.

Schurig, *Konstanze Mozart*, S. 142 f. — Bemerkenswert ist, daß Arnold (1774—1812), der S. 64 ff. von Mozarts angeblich leichtsinnigem Leben spricht, dazu bemerkt: „*Man braucht hier kein Gift . . . , seine Kräfte waren aufgerieben . . .* ". — Arnolds neun kleine Musiker-Biographien erschienen 1816 gesammelt in zwei Bänden als *Gallerie der berühmtesten Tonkünstler des 18. und 19. Jahrhunderts;* darin ist auch sein 1810 erschienener *Versuch einer Parallele* zwischen Mozart und Haydn aufgenommen worden.

Jean-Baptiste-Antoine Suard, Anecdotes sur Mozart, Paris 1804

Mozart a été un de ces enfans extraordinaires, qui ont étonné par un talent prématuré; mais, fort différent de presque tous ces petits prodiges qui, dans l'âge de la maturité, n'ont été que des hommes médiocres, son talent a grandi avec son corps et il est devenu un homme de génie.

Né d'un père musicien, il fut élevé pour la même profession. La nature l'avoit doué pour la musique. Son instinct devançait les leçons qu'on lui donnait. La rapidité de ses progrès frappa tous ceux qui en furent témoins. Son père lui fit faire le tour de l'Europe, il y a 30 à 35 ans. Il avait 6 à 7 ans. Je l'ai entendu jouer du clavecin au concert spirituel et dans des maisons particulières. Il étonnait tous les amateurs par sa facilité et la précision avec laquelle il exécutait les pièces les plus difficiles. Il accompagnait sur la partition à la première vue. Il préludait sur son instrument, et dans ses capricci improvisés, il laissait échapper les traits de chant les plus heureux, et montrait déjà un sentiment profond de l'harmonie. En Italie, en Angleterre, il excita la même admiration.

Il réalisa les espérances qu'on avait conçues de son talent précoce. A 10 ou 11 ans, il publia des pièces de clavecin qui furent jouées par-tout. Il continua long-tems à composer de la musique instrumentale, et ce ne fut que vers les dernières années de sa vie qu'il travailla pour le théâtre.

On a constamment observé que le développement trop prompt et trop rapide des facultés morales dans les enfans, ne s'opérait qu'aux dépens du physique. Mozart en était une nouvelle preuve. Son corps ne prit pas avec l'âge l'accroissement ordinaire. Il resta toute sa vie faible et d'une santé fragile. Son esprit borné aux idées qui tenaient à la musique, avait des éclairs sur tout ce qui intéressait son talent, mais montrait peu d'aptitude à s'exercer sur d'autres objets. Il était extrêmement irritable; ses affections étaient vives, mais superficielles et de peu de durée. Il était mélancolique et dominé par une imagination active et mobile, qui n'avait dans sa raison qu'un faible contre-poids.

Il aimait l'argent; mais il n'était ni avide, ni intéressé. Il était au contraire généreux et bienfaisant; on en trouve cent exemples dans sa vie. Il donnait souvent sans choix, et dépensait plus souvent encore sans raison. Il avait gagné beaucoup d'argent par ses places, après les bienfaits des princes et par le produit de ses ouvrages; il est mort pauvre, ne laissant à une femme estimable, qu'il aimait beaucoup, d'autre ressource que les copies des compositions qu'il n'avait pas encore publiées.

J'ai dit qu'il aimait beaucoup sa femme; elle le méritait: elle l'encourageait dans ses travaux et le soutenait dans ses accès de mélancolie. Mozart en était tendrement occupé; mais cela ne l'empêchait pas d'avoir des fantaisies pour d'autres femmes, et ses fantaisies avaient un tel empire sur lui, qu'il ne pouvait pas y résister.

J'ai entendu dire qu'il n'avait fait la Flûte Enchantée que pour plaire à une femme de théâtre dont il était devenu amoureux, et qui avait mis ses faveurs à ce prix. On ajoute que son triomphe eut des suites bien cruelles, et qu'il en contracta une maladie incurable dont il mourut peu de tems après. Ce fait me paraît peu vraisemblable; la Flûte Enchantée n'est pas le dernier de ses opéras, et lorsqu'il l'a composée, sa santé était déjà fort altérée.

Mozart fut toute sa vie une espèce d'enfant. Tous ses sentimens avaient plus de violence que de profondeur. Léger et inconséquent dans ses affections, il était bon et compatissant, mais plus par faiblesse que par vertu. Sa plus forte, ou plutôt son unique passion fut pour la musique; il aima aussi quelques femmes avec une vivacité qui avait d'abord l'air de la passion, mais qui s'éteignait promptement.

Il jugeait ses propres ouvrages avec impartialité, et souvent avec une sévérité qu'il n'aurait pas soufferte aisément dans un autre. L'empereur Joseph aimait Mozart, et l'avait fait son maître de chapelle. Il avait la prétention d'être un dilettante. Son voyage en Italie lui avait donné une haute idée de la supériorité de la musique italienne sur toutes les autres, et quelques Italiens qu'il avait à sa cour entretenaient avec soin cette prévention, qui n'était pas sans fondement. Les musiciens étrangers qui étaient à Vienne, parlaient avec plus de jalousie que de justice, des premiers essais de Mozart; et l'empereur était aisément entraîné par les jugemens de ces professeurs. Un jour qu'il venait d'entendre la répétition d'un opéra comique qu'il avait commandé lui-même à Mozart (L'Enlèvement du sérail), il dit au compositeur: Mon cher Mozart, cela est trop beau pour nos oreilles; il y a beaucoup trop de notes là-dedans. — J'en demande pardon à votre majesté, lui répondit Mozart très séchement, il y a précisément autant de notes qu'il en faut. L'empereur parut un peu embarrassé de la réponse; mais lorsque l'opéra fut exécuté, il en fit les plus grands éloges.

Mais Mozart fut ensuite moins content lui-même de son ouvrage; il y fit beaucoup de corrections et de retranchemens. En exécutant depuis, sur le clavecin, un des airs qui avaient été le plus applaudis: Cela est bon dans la chambre, disait il; mais pour le théâtre il y a trop de verbiage. Quand je l'ai composé, je me complaisais dans ce que je faisais et je n'y trouvais rien de trop long.

Il avait été nommé par l'empereur compositeur de la chambre, et il avait pour cette place un traitement de 800 florins par an; mais il ne composa jamais rien en cette qualité. On lui demanda un jour, en vertu d'un ordre général du gouvernement, l'état des traitemens qu'il recevait de la cour. Il écrivit dans un billet cacheté: Trop pour ce que j'ai fait, trop peu pour ce que j'aurais pu faire.

Il était très-inégal dans le travail. Quand il était saisi d'une idée, on ne pouvait pas l'arracher à l'ouvrage. Il composait au milieu de ses amis; il passait des nuits entières au travail. Dans d'autres tems, il ne pouvait quelquefois achever un ouvrage qu'au moment même où il fallait l'exécuter. Il lui arriva même un jour qu'ayant une pièce à faire pour un concert de la cour, il n'eut pas le tems d'écrire la partie qu'il devait exécuter. L'empereur Joseph, jetant par hasard les yeux sur le papier de musique que Mozart avait l'air de

suivre, fut étonné de n'y voir que des lignes sans notes, et lui dit: Où est donc votre partie? Là, répondit Mozart, en mettant la main sur son front.

J'ai dit qu'il aimait tendrement sa femme, quoiqu'il lui fit quelquefois des infidélités. Elle
était d'une très-mauvaise santé. Dans une longue maladie qu'elle eut, il avait coutume
d'aller audevant de ceux qui venaient la voir, en mettant son doigt sur sa bouche et leur
faisant signe de ne faire aucun bruit. Il avait tellement contracté cette habitude, qu'après
la convalescence de sa femme, il abordait les gens de sa connaissance en mettant le doigt
sur sa bouche, en leur faisant le même signe de silence, et en ne leur parlant lui-même
qu'à voix très-basse.

Sa santé, naturellement délicate, s'affaiblissait de jour en jour. L'irritabilité de nerfs qui
tenait à sa constitution, s'augmenta par les excès de travail et de plaisir auxquels il se
livrait alternativement; car il ne savait se modérer ni dans l'un ni dans l'autre. La mélancolie, à laquelle il était sujet, devint habituelle; il pressentit sa fin prochaine, et il la
voyait arriver avec terreur. Un événement assez singulier vint accélérer d'une manière
funeste l'effet de cette triste disposition.

Un jour qu'il était plongé dans ses rêveries mélancoliques, il entendit un carrosse arrêter
à sa porte; on lui annonce un inconnu qui demande à lui parler. On le fait entrer; c'était
un homme d'un certain âge, qui avait toutes les apparences d'une personne de distinction.
«Je suis chargé», dit l'inconnu, «par un homme très-considérable, de venir vous trouver».
— Quel est cet homme, interrompit Mozart? — «Il ne veut pas être connu». — A la bonne
heure; et que désire-t-il? — «Il vient de perdre une personne qui lui était bien chère, et
dont la mémoire lui sera éternellement précieuse. Il veut célébrer tous les ans sa mort
par un service solemnel, et il vous demande de composer un requiem pour ce service.»
Mozart se sentit vivement frappé de ce discours, du ton grave dont il était prononcé, de
l'air mystérieux qui semblait répandu sur toute cette aventure; la disposition de son âme
fortifiait encore ces impressions. Il promit de faire le requiem. L'inconnu continua:
«Mettez à cet ouvrage tout votre génie; vous travaillez pour un connaisseur en musique.» — Tant mieux. — «Combien de tems demandez-vous?» — Quatre semaines. —
«Eh bien, je reviendrai dans quatre semaines. Quel prix mettez-vous a votre travail?» —
Cent ducats. — L'inconnu les compta sur la table et disparut.

Mozart reste plongé quelques momens dans de profondes réflexions; puis tout-à-coup
demande une plume, de l'encre et du papier, et malgré les remontrances de sa femme, il
se met à écrire. Cette fougue de travail continua plusieurs jours; il travailla jour et nuit,
et avec une ardeur qui semblait augmenter en avançant. Mais son corps ne put résister
à cet effort. Il tomba un jour sans connaissance, et fut obligé de suspendre son travail.
Peu de tems après, sa femme cherchant à le distraire des sombres pensées qui l'occupaient,
Mozart lui dit brusquement: «Cela est certain; ce sera pour moi que je ferai ce requiem.
Il servira à mon service mortuaire». Rien ne put le détourner de cette idée; il continua
de travailler à son requiem, comme Raphael travaillait à son tableau de la Transfiguration,
frappé aussi de l'idée de sa mort.

Mozart sentait ses forces diminuer chaque jour, et son travail avançait lentement; les
quatre semaines qu'il avait demandées s'étant écoulées, il vit un jour entrer chez lui
l'inconnu. «Il m'a été impossible, dit Mozart, de tenir ma parole. —— Ne vous gênez
pas, dit l'étranger; quel tems vous faut il encore? — Quatre semaines. L'ouvrage m'a
inspiré plus d'intérêt que je ne le croyais, et je l'ai étendu beaucoup plus que je ne le
voulais. — En ce cas, il est juste d'augmenter les honoraires. Voici cinquante ducats de

plus. — Monsieur, dit Mozart toujours plus étonné, qui êtes-vous donc? — Cela ne fait rien à la chose. Je reviendrai dans quatre semaines. » Mozart envoya sur-le-champ un de ses domestiques pour suivre cet homme extraordinaire, et savoir où il s'arrêterait; mais le domestique vint rapporter qu'il n'avait pu retrouver la trace de l'inconnu.

Le pauvre Mozart se mit dans la tête que cet inconnu n'était pas un être ordinaire, qu'il avait sûrement des relations avec l'autre monde, et qu'il lui était envoyé pour lui annoncer sa fin prochaine. Il n'en travailla qu'avec plus ardeur à son requiem, qu'il regarda comme le monument le plus durable de son talent. Pendant ce travail, il tomba plusieurs fois dans des évanouissemens alarmans. Enfin, l'ouvrage fut achevé avant les quatre semaines. L'inconnu revint au terme convenu. Mozart n'était plus.

Toute l'Allemagne regarde ce requiem comme le chef-d'œuvre de ce compositeur.

S.

Mélanges de Littérature, Paris 1804, V, 337—347. — Suard (1734—1817), ständiger Sekretär der Academie française, war als „*Anonymus von Vaugirard*" für Gluck in Paris eingetreten. — Die Geschichte von der unheilbaren Krankheit hängt mit dem böswilligen Klatsch zusammen, der über Mozarts letztes Jahr in Umlauf gekommen war; vgl. Abert I, 998.

Am 8. April 1805 gibt der 13jährige „Wolfgang Gottlieb Mozart" im Theater an der Wien eine musikalische Akademie.

Konstanze hatte dieses Konzert am 16. März in der *Wiener Zeitung* angekündigt, und auch die gedruckte Einladung ist in ihrem Namen gehalten, mit Angabe der Adresse: „*Michaelerplatz Nro. 5 im 3. Stock*". (Exemplar bei der Gesellschaft der Musikfreunde, faksimiliert in Erich W. Engels *Mozart-Kalender*, Wien 1914, Blatt 177.) Die Anzeige in der *Wiener Zeitung* enthält folgende Sätze: „*Möchten nachsichtsvolle Kenner in den Bemühungen des Sohnes einige Spuren des väterlichen Talents entdecken! Stäts soll es mein eifrigstes Bestreben bleiben, den Namen Mozarts in seinen Nachkommen in ehrenvollem Andenken zu erhalten.*" — Die Akademie enthielt eine vom kleinen Mozart komponierte Kantate zum 73. Geburtstag Joseph Haydns. Aus der Besprechung in Joseph Richters *Eipeldauer Briefen* (1805, 39. Heft, S. 13 f.) ist ersichtlich, daß Wolfgang auf dem Klavier phantasiert hat. — Das noch bestehende Theater an der Wien war 1801 eröffnet worden, als Schikaneder das Theater auf der Wieden aufgeben mußte.

AUS DER «WIENER ZEITUNG», 18. MAI 1805

Erklärung.

So schmeichelhaft es mir von einer Seite seyn muss, dass das Publikum meine frühen Klavierwerke, die man ohne meinem Wissen unter Mozart's Nahmen herausgab, so gütig aufnahm; so sehr glaube ich es doch mir schuldig zu seyn, mein Eigenthum für mich in Anspruch zu nehmen. Nebst einer Sonate aus C moll, Variationen über zu Stephan sprach im Traume, und über Freundin sanfter Herzenstriebe, sind auch wieder bey Hrn. Schott in Mainz, und neulich hier bey Hrn. Artaria und Comp. meine Variationen über: *Marlborough s'en vat en guerre*, unter Mozarts Nahmen als Nr. 22 herausgekommen. Mozart hat aber nie über eines dieser Themen Variationen geschrieben. Die letzteren sind eine meiner früheren Arbeiten, welche ich in die Numern meiner Werke nicht aufgenommen habe. Wien den 4. May 1805.

Anton Eberl, Kompositeur.

Vgl. 28. August 1798. — Seit jenem ersten Protest Eberls waren KV Anh. 290 und 291 unter Mozarts Namen erschienen.

Joseph Haydn an Bonifazio Asioli in Mailand

Mio caro Collega,

Intendo, che Carlo Mozart à l'onore di essere del numero dei suoi scolari. Lo felicito di aver un Maestro quale Ella è, di cui pregio moltissimo e le opere e i talenti.

Mi permetta ch'io Le raccomandi questo giovane, come il figlio di un amico mio già defonto e come l'erede di un nome, che deve essere caro a tutti i conoscitori ed amici dell'arte. Io sono persuaso, che Carlo Mozart si mostrerà degno della bontà e premura, che favorirà di prendere, per formarne un soggetto facendo onore al Maestro ed al padre.

La prego di perdonarmi, se oppresso dalle infirmità dell'età, io mi limito all' onore di segnarmi colla più distinta considerazione

Signore

Suo umilissimo e obbmo Servo,

Giuseppe Haydn.

Vienna li 23 Aprile 1806.

Abschrift in der Biblioteca Musicale, Bologna. — Antonio Coli, *Vita di Bonifazio Asioli da Correggio*, Mailand 1835, S. 50. — Asioli war Komponist, Hofkapellmeister und Studiendirektor des neuen Konservatoriums. Karl Mozart wurde sein Schüler. Nach vier Jahren gab er aber das Studium auf und wurde 1810 österreichischer Staatsbeamter in Mailand.

Aus Schubarts «Ideen zu einer Aesthetik der Tonkunst», Wien 1806

(geschrieben 1784/5)

Sein [Leopold Mozarts] Sohn ist noch berühmter als der Vater geworden. Er gehört unter die frühzeitigen musikalischen Köpfe; denn schon im eilften Jahre setzte er eine *Oper*, die von allen Kennern gut aufgenommen wurde. Auch gehört dieser Sohn unter unsre ersten Clavierspieler. Er spielt mit magischer Fertigkeit, und liest so genau vom Blatt weg, dass er hierin wohl schwerlich seines Gleichen fand.

S. 158, im Abschnitt Salzburg. — Zu Schubart, der kurz vor Mozart gestorben war, vgl. 27. April 1775 und Frühjahr 1788. — Das Buch wurde von seinem Sohne Ludwig herausgegeben.

Aus der «Zeitung für Theater, Musik und Poesie», Wien, 13. April 1808
Wie hört und spricht Haydn den Nahmen Mozart?

Seltsame Frage! wie jeder andere, der ein physiologisch-normales Gehör- und Sprachorgan besitzt (traurige Antwort!). Oder steht er vom Sessel auf, nimmt seinen Hut herab, und macht gar eine Reverenz? — Bewahre Gott! Hier lesen Sie und fühlen hochmächtig die eigenen, mit einem *Thränenausbruche* begleiteten Worte, des unsterblichen Mannes[*]: *Verzeihen Sie mir — ich muß — immer weinen beym — Nahmen meines Mozarts —.*
Rezension zu dieser Rubrik.

Ein sich der Welt immerwährend aufbrüstender und seynwollender größter Anbether Mozarts, exagerirte nicht allein in seinem, vor kurzem erschienenen Buche, mit derley Ueberspannungen; sondern fängt auch an, dieselben auf eine etwas schon lästige Art, mit Beyträgen zu bereichern. Rezensent meint, Haydn weine wie ein jeder andere alte Mann,

[*] Zu einigen Musikfreunden, den 30. Dezember 1807, bey Gelegenheit als sie ihm zum neuen Jahre gratulirten, und sich das Gespräch auf Mozart lenkte.

und wünscht Hr. — 1 möge einmal einen physiologisch-psychologisch-normalen Mozarts-Sinn annehmen! (Die Anti-Kritik versteht sich von selbst.)

Jahrgang 3, Nr. 28, S. 217. — Abert II, 59. — Der „Anbeter" Mozarts kann leider nicht mit Sicherheit identifiziert werden. Die Besucher an jenem Tage waren Konstanze Mozart, Johann Gänsbacher (s. 1844) und ein ungenannter Künstler.

Aus Joseph Langes Erinnerungen, Wien 1808

Nie war Mozart weniger in seinen Gesprächen und Handlungen als ein großer Mann zu erkennen, als wenn er gerade mit einem wichtigen Werke beschäftigt war. Dann sprach er nicht nur verwirrt durcheinander, sondern machte mitunter Späße einer Art, die man an ihm nicht gewohnt war, ja er vernachlässigte sich sogar absichtlich in seinem Betragen. Dabei schien er doch über nichts zu brüten und zu denken. Entweder verbarg er vorsätzlich aus nicht zu enthüllenden Ursachen seine innere Anstrengung unter äußerer Frivolität, oder er gefiel sich darin, die göttlichen Ideen seiner Musik mit den Einfällen platter Alltäglichkeit in scharfen Kontrast zu bringen und durch eine Art von Selbstironie sich zu ergötzen. Ich begreife, daß ein so erhabener Künstler aus tiefer Verehrung für die Kunst seine Individualität gleichsam zum Spotte herabziehen und vernachlässigen könne.

S. 46 der Selbstbiographie von Mozarts Schwager, der seit längerer Zeit von Aloisia Lange getrennt lebte.

Aus Franz Xaver Niemetscheks Mozart-Biographie, Prag 1808

Aus München ward er durch einen Auftrag des Erzbischofs nach Wien berufen; und von dieser Zeit an, das heißt, von seinem 25ten Jahre, lebte er in dieser Kaiserstadt, die eben so sehr durch den entschiedenen Hang des Publikums zur Musik, als auch durch die Menge vortreflicher Tonkünstler für Mozarts Geist wichtig seyn mußte.

Von hier aus verbreiteten sich seine erstaunenswürdigen Kompositionen zu nächst nach Böhmen, und dann in das übrige Deutschland, und gaben dem Geschmacke in der Musik einen großen Schwung, eine neue Richtung, die aber seine zeitherigen Nachahmer verzerren und verderben.

Sein Spiel auf dem Pianoforte fand zuerst Bewunderer und Liebhaber, denn obschon Wien viele große Meister dieses Instrumentes, des Lieblinges des Publikums, zählte, so kam doch keiner unserm Mozart gleich. Eine bewundernswürdige Geschwindigkeit, die man besonders in Rücksicht der linken Hand oder des Basses einzig nennen konnte, Feinheit und Delikatesse, der schönste, redendste Ausdruck und ein Gefühl, das unwiderstehlich zum Herzen drang, sind die Vorzüge seines Spieles gewesen, die gepaart mit seiner Gedankenfülle, mit der tiefen Kenntniß der Komposition, natürlich jeden Hörer hinreißen, und Mozarten zu dem größten Klavierspieler seiner Zeit erheben mußten.

Seine Klavierkompositionen aller Art, Sonaten, Variationen, und Konzerte, wurden bald allgemein bekannt und beliebt. Man ward bey jedem neu erschienenen Werke überrascht durch die Neuheit des Stiles, und der Gedanken — man staunte über die Höhe, zu der sich die Musik durch seine Werke so schnell empor schwang!

In Wien fand Mozart einen Tonkünstler, dessen Genie dem seinigen am ähnlichsten war, ich meine den berühmten Schöpfer der Alzeste und Iphigenie, *Ritter von Gluck,* einen Böhmen von Geburt. Der Umgang mit ihm und das unablässige Studium seiner erhabenen Werke gab Mozarten viel Nahrung und hatte Einfluß auf seine Opernkompositionen. Auch wurde Mozart bald der innigste Verehrer des großen, unvergleichlichen *Joseph Hay-*

den, der schon daßmal der Stolz der Tonkunst war und nun, nachdem Mozart nicht mehr ist, unser einziger Liebling, unsere Wonne bleibt. Mozart nannte ihn oft seinen Lehrer.

Bald nach dem Mozart seinen Aufenthalt in Wien aufgeschlagen hatte, faßte der unvergeßliche Kaiser *Joseph II.* den Gedanken, der eines deutschen Kaisers so würdig war, den Geschmack an italienischen Opern, durch die Unterstützung deutscher Singspiele und Sänger zu verdrängen, und für das Vaterländische mehr zu stimmen. Er versammelte daher die besten Sänger und Sängerinnen, und ließ von Mozart eine deutsche Oper setzen. Für diese Virtuosen schrieb er nun das allgemein bekannte, allgemein beliebte Singspiel, die *Entführung aus dem Serail* in dem Jahre 1782.

Sie machte allgemeines Aufsehen, und die schlauen Italiener sahen bald ein, daß ein solcher Kopf für ihr welsches Geklingel bald gefährlich werden dürfte. Der Neid erwachte nun mit der ganzen Schärfe des italienischen Giftes! Der Monarch der im Grunde von der neuen tiefeindringenden Musik entzückt war, sagte doch zu Mozart: „Gewaltig viel Noten, lieber Mozart!"

„Gerade so viel, Eure Majestät, als nötig ist!" versetzte dieser mit jenem edlen Stolze und der Freimütigkeit, die großen Geistern so gut anstehet. Er sah es ein, daß dieß nicht eigenes Urtheil, sondern nachgesagt war.

Ich darf hier nicht verschweigen, daß Mozart zu der Zeit, als er diese Oper schrieb, *Konstanza Weber*, seine nachmahlige Gemahlinn, die Schwester der berühmten Sängerin *Lang*, liebte und eben Bräutigam war. Den Einfluß, den diese Seelenstimmung auf die Komposition dieser Oper haben mußte, wird jedermann erkennen, der sie gehört hat; denn wer weis es nicht, wie voll süßer Gefühle, voll schmachtender Liebe sie ist?

Ich kann den Beyfall und die Sensation, die sie in Wien erregte, nicht aus eigener Erfahrung beschreiben — aber ich bin Zeuge des Enthusiasmus gewesen, den sie bey ihrer Aufführung in Prag in Kennern und Nichtkennern verursachte! Es war, als wenn das, was man hier bisher gehört und gekannt hatte, keine Musik gewesen wäre! Alles war hingerissen — alles staunte über die neuen Harmonien, über die originellen, bisher ungehörten Sätze der Blasinstrumente. Nun fingen die Böhmen an seine Kompositionen zu suchen; und in eben dem Jahre hörte man schon in allen bessern Musikalischen Akademien, Mozarts Klavierstücke und Sinfonien. Von nun an war die Vorliebe der Böhmen für seine Werke entschieden! Die größten Kenner und Künstler unserer Vaterstadt, waren auch Mozarts größte Bewunderer, die feurigsten Verkündiger seines Ruhmes.

Mozart lebte bisher, ungeachtet seines großen Ruhmes ohne *Anstellung*, also ohne bestimmte Einkünfte. Klavier-Unterricht und abonnierte Konzerte für einen geschlossenen Cirkel des hohen Adels, waren noch die ausgiebigsten Quellen seiner Einkünfte, wobei sich in einer Stadt, wie Wien, sicher nichts ersparen ließ.

In dieser Periode schrieb er die schönsten Sachen für das Klavier: Sonaten mit und ohne Begleitung, und Konzerte, die nun in jedermanns Händen sind.

Im Jahre 1785 gab er 6 meisterhafte Violin-Quartette im Stich heraus, mit einer Dedikation an seinen Freund den Kapellmeister *Joseph Hayden*, die ein schöner Abdruck seiner Hochachtung für diesen großen Mann ist; und so wie dieselbe den Ruhm Haydens, durch die Huldigungen eines Künstlers wie Mozart, vermehrt: eben so sehr gereicht sie diesem zur Ehre, und macht uns das Herz eines Mannes liebenswürdig, dessen Talent Bewunderung heischt.

Gewiß, Mozart hätte mit keinem Werke einen *Joseph Hayden* besser ehren können, als mit diesen Quartetten, die ein Schatz der schönsten Gedanken, und das Muster und eine

Schule der Komposition sind. In den Augen des Kenners ist dies Werk eben so viel werth, als jede Opernkomposition Mozarts. Alles darin ist durchgedacht, und vollendet! — Man sieht es diesen Quartetten an, daß er sich die Mühe gab, *Haydens* Beyfall zu verdienen. Eben zu der Zeit machte das französische Lustspiel von Beaumarchais, *Figaro* sein Glück und kam auf alle Theater. Mozart ward vom Kaiser *Joseph* dazu bestimmt, diesem Lust- spiele, nachdem es in ein Singspiel umgegossen ward, auch auf dem italienischen Opern- theater durch seine Musik Celebrität zu verschaffen. Es wurde in Wien von der italieni- schen Opern Gesellschaft aufgeführt. Wenn es wahr ist, was man allgemein als wahr er- zählt, und was sich bey so vielen glaubwürdigen Zeugen freylich nicht in Zweifel ziehen läßt, daß die Sänger aus Haß, Neid und niedriger Kabale bey der ersten Vorstellung durch vorsetzliche Fehler sich alle Mühe gegeben haben, die Oper zu stürzen: so kann der Leser daraus schließen, wie sehr diese Faktion der italienischen Sänger und Komponisten die Überlegenheit des Genies in Mozart fürchtete, und wie wahr es sey, was ich kurz vorher bey Gelegenheit der *Entführung aus dem Serail* bemerkt habe. Dieser feige Bund verdienst- loser Menschen blieb bis an das frühe Ende des unsterblichen Künstlers in voller Thätig- keit ihn zu hassen, zu verläumden, und seine Kunst herabzusetzen. Welchen Kampf hatte Mozarts Geist zu bestehen, bis er vollkommen triumphirte!
Man erzählt, daß die Sänger durch eine ernste Warnung des seligen Monarchen zu ihrer Pflicht gewiesen werden mußten, da Mozart voll Bestürzung zwischen dem 1ten Akte in die Loge kam und Ihn darauf aufmerksam machte.
So wie jedes seiner Werke in Böhmen nach seinem wahren Werte erkannt und geschätzt wurde: so geschah es auch mit dieser Opera. Sie wurde im Jahre 1787 [1786] von der Bondinischen Gesellschaft in Prag auf das Theater gebracht und gleich bey der ersten Vorstellung mit einem Beyfall aufgenommen, der nur mit demjenigen, welchen die Zau- berflöte nachher erhielt, verglichen werden kann. Es ist die strengste Wahrheit, wenn ich sage, daß diese Oper fast ohne Unterbrechen diesen ganzen Winter gespielt ward, und daß sie den traurigen Umständen des Unternehmers vollkommen aufgeholfen hatte. Der Enthusiasmus, den sie bey dem Publikum erregte, war bisher ohne Beyspiel; man konnte sich nicht genug daran satt hören. Sie wurde bald von einem unserer besten Meister, Herrn Kucharž, in einen guten Klavier-Auszug gebracht, in blasende Parthien, ins Quintett für Kammermusik, in teutsche Tänze verwandelt: kurz Figaros Gesänge widerhallten auf den Gassen, in Gärten, ja selbst der Harfenist bey der Bierbank mußte sein Non piu andrai tönen lassen, wenn er gehört werden wollte. Diese Erscheinung hat freylich größtentheils in der Vortreflichkeit des Werkes ihren Grund; aber nur ein Publikum, welches so viel Sinn für das wahre Schöne in der Tonkunst und so viel gründliche Kenner unter sich be- sitzt, konnte den Werth einer solchen Kunst auf der Stelle empfinden; dazu gehört auch das unvergleichliche Orchester der damaligen Oper, welches die Ideen Mozarts so genau und fleißig auszuführen verstand. Denn auf diese verdienten Männer, die zwar größten- teils keine Konzertisten, aber desto gründlichere Kenner und Orchestersubjekte waren, machte die neue Harmonie und der feurige Gang des Gesanges den ersten und tiefsten Eindruck! Der nunmehr verstorbene rühmlich bekannte Orchester-Direktor Strobach versicherte oft, daß er sammt seinem Personale bey der jedesmaligen Vorstellung so sehr ins Feuer gerathe, daß er trotz der mühsamen Arbeit mit Vergnügen von Vorne wieder an- fangen würde. Die Bewunderung für den Verfasser dieser Arbeit gieng so weit, daß einer unserer edelsten Kavaliere und Kenner der Musik, Graf *Johann Joseph Thun*, der selbst eine vortrefliche Kapelle unterhielt, ihn nach Prag zu kommen einlud, und ihm Wohnung,

Kost und alle Bequemlichkeiten in seinem Hause anbot. Mozart war zu sehr über die Wirkung erfreut, die seine Musik auf die Böhmen machte; zu begierig eine Nation von einem solchen Musikgefühle kennen zu lernen, als daß er die Gelegenheit nicht mit Freuden ergriffen hätte. Er kam im Januar 1787 nach Prag: am Tage seiner Ankunft wurde Figaro gegeben, und Mozart erschien darinn. Alsogleich verbreitete sich der Ruf von seiner Anwesenheit im Parterre, und so wie die Sinfonie zu Ende gieng, klatschte ihm das ganze Publikum Beyfall und Bewillkommen zu.

Er ließ sich dann auf allgemeines Verlangen in einer großen musikalischen Akademie im Operntheater auf dem Pianoforte hören. Nie sah man noch das Theater so voll Menschen, als bey dieser Gelegenheit; nie ein stärkeres einstimmiges Entzücken, als sein göttliches Spiel erweckte. Wir wußten in der That nicht, was wir mehr bewundern sollten, ob die ausserordentliche Komposition oder das ausserordentliche Spiel; beydes zusammen bewirkte einen Totaleindruck auf unsere Seelen, welcher einer süßen Bezauberung glich! Aber dieser Zustand lösete sich dann, als Mozart zu Ende der Akademie allein auf dem Pianoforte mehr als eine halbe Stunde phantasierte und unser Entzücken auf den höchsten Grad gespannt hatte, in laute, überströmende Beyfallsäusserung auf. Und in der That übertraf dieses Phantasieren alles, was man sich vom Klavierspiele vorstellen konnte, da der höchste Grad der Kompositionskunst, mit der vollkommensten Fertigkeit im Spiele vereinigt ward. Gewiß, so wie diese Akademie für die Prager die einzige ihrer Art war, so zählte Mozart diesen Tag zu den schönsten seines Lebens.

Die Sinfonien, die er für diese Gelegenheit setzte, sind wahre Meisterstücke des Instrumentalsatzes, voll überraschender Übergänge und haben einen raschen, feurigen Gang, so, daß sie alsogleich die Seele zur Erwartung irgend etwas Erhabenen stimmen. Dieß gilt besonders von der großen Sinfonie in D-dur und Es, die noch immer ein Lieblingsstück des Prager Publikums sind, obschon sie wohl hundertmal gehört waren.

Der Opernunternehmer Bondini schloß zugleich mit Mozart den Akkord zu einer neuen Oper für die Prager Bühne auf den nächsten Winter, welche dieser gerne übernahm, weil er erfahren hatte, wie gut die Böhmen seine Musik zu schätzen und auszuführen verstanden. Dieß äußerte er oft gegen seine Prager Freunde: er war überhaupt gerne in Prag, wo ihn ein gefühlvolles Publikum und wahre Freunde so zu sagen auf den Händen trugen. — Dem Opernorchester dankte er in einem Briefe an den damaligen Direktor Herrn Strobach sehr verbindlich, und schrieb seiner geschickten Ausführung den größten Theil des Beyfalls zu, den seine Musik in Prag erhalten hatte. Dieser Zug seines Herzens, so unbedeutend er scheint, ist sehr schön; er giebt einen Beweis, daß *Stolz*, *Eigendünkel* oder *Undankbarkeit* seine Fehler nicht waren, wie man es so häufig an viel geringern Virtuosen wahrnimmt.

In dem nemlichen Jahre 1787 gegen den Winter kam Mozart vermög seines Akkords wieder nach Prag, und vollendete da die Krone aller seiner Meisterwerke, die Oper Il dissoluto punito, oder Don Giovanni.

Die Böhmen sind stolz darauf, daß er durch eine so erhabene und aus der Tiefe seines Genies geschöpfte Musik ihren guten Geschmack erkannte und ehrte. „*Don Juan ist für Prag geschrieben*" — mehr braucht man nicht zu sagen, um zu beweisen, welchen hohen Begriff Mozart von dem musikalischen Sinne der Böhmen hatte. Es gelang ihm auch vollkommen diesen Sinn zu treffen und zu rühren; denn keine Oper hat sich hier in einem gleichen Wohlgefallen so lange auf dem Theater erhalten als Don Juan. Es sind nunmehr 21 Jahre, seit sie gegeben wird — und noch immer hört man sie mit Vergnügen, noch

immer lockt sie zahlreiche Versammlung in das Parterre! Kurz *Don Juan* ist die Lieblings-
oper des bessern Publikum in Prag. Als Mozart bey der ersten Vorstellung derselben an
dem Klavier im Orchester erschien, empfing ihn das ganze bis zum Erdrücken volle Theater
mit einem allgemeinen Beyfallklatschen. Überhaupt bekam Mozart in Prag bey jeder Gelegenheit große und unzweydeutige Beweise der Hochachtung und Bewunderung, welche
gewiß ehrenvoll waren, weil nicht Vorurtheil oder Mode, sondern reines Gefühl seiner
Kunst daran theil hatte. Man liebte und bewunderte seine schönen Werke; wie konnte
man gegen die Person ihres großen Schöpfers gleichgültig bleiben?

In dem Jahre 1789 im Monat December schrieb Mozart das italienische komische Singspiel Così fan tutte oder die *Schule der Liebenden;* man wundert sich allgemein, wie der
große Geist sich herablassen konnte, an ein so elendes Machwerk von Text seine himm-
lisch süßen Melodien zu verschwenden. Es stand nicht in seiner Gewalt, den Auftrag ab-
zulehnen, und der Text ward ihm ausdrücklich aufgetragen. — In diese Periode fällt auch
seine Reise über Leipzig und Dresden nach Berlin; er unternahm sie im Frühjahr des
Jahrs 1789. Der große Ruf seines Namens gieng ihm voran, und man fand sich nirgends
in der Erwartung getäuscht, die er überall erregt hatte. Der damalige König von Preußen,
ein freygebiger Kenner und Freund der Tonkunst, ward ganz für ihn eingenommen; und
gab ihm ausgezeichnete Beweise seiner Achtung. Wie wahrhaft und dauernd dieselbe gewesen sey, beweiset die königliche Großmut, mit welcher dieser Monarch später die Wittwe
Mozart in Berlin aufnahm und unterstützte.

Mozart war bis jetzt ohne Anstellung, ohne sichere Einkünfte. So bekannt auch sein Talent war, so sehr man seine Kompositionen suchte: so wenig dachte man daran ihn zu belohnen, und zu unterstützen. Er hatte zwar oft beträchtliche Einnahmen gemacht; aber bey
der Unsicherheit und Unordnung der Einkünfte, bey den häufigen Kindbetten, den langwierigen Krankheiten seiner Gattin in einer Stadt wie Wien, mußte Mozart doch im
eigentlichen Verstande darben. Er beschloß daher die Stadt zu verlassen, wo sich keine
Stelle für einen Kopf wie *Mozart* fand. Sein Plan war nach England zu gehen, wo er ein
besseres Schicksal um so mehr erwarten konnte, als ihm oft von da Einladungen und
lockende Anträge gemacht wurden.

Alles war zur Abreise fertig, als ihm Kaiser *Joseph* den Titel eines kaiserlichen Kammer-
komponisten mit einem Jahrgehalt von 800 Gulden und der Zusicherung ertheilte, daß
auf ihn in der Zukunft Bedacht genommen werden würde. Mozart mochte nicht trotzen; er
nahm es willig an und blieb. Das Anstellungsdekret ist am 7. Dezember 1787 ausgestellt.

Ich überlasse es jedem Leser darüber Beobachtungen anzustellen, um die Ursachen der langen Vernachläßigung eines so großen Künstlers auszuforschen. An ihm lag die Schuld
gewiß nicht; man müßte denn seinen geraden und offenen zum Bücken und Kriechen un-
tauglichen Charakter als Schuld annehmen.

So viele Feinde und Neider auch jeden seiner Vorzüge durch Herabsetzung und Verläum-
dung zu verdunkeln bemüht waren: so vollkommen war dennoch der Triumph seiner Kunst
bei unbefangenen, von dem Roste der Mode unverletzten Seelen. Alle wahren Kenner der
Tonkunst huldigten seinem Genie. Ich will davon ein Beyspiel anführen.

Der als Staatsmann und Gelehrter gleich verehrungswürdige *Baron von Switten,* ein wahrer Kenner der Tonkunst, voll Gefühl für den ernsten Gesang des erhabenen *Händels,*
ließ oft die Werke dieses berühmten Tonkünstlers, die für den tändelnden Modegeschmack
unserer Tage eine zu einfache Kost sind, in Privatkonzerten aufführen. Er bediente sich
dazu der Talente unseres Mozarts, der die großen Ideen *Händels* mit der Wärme seiner

Empfindung zu beleben und durch den Zauber seines Instrumentalsatzes für unser Zeitalter genießbar zu machen verstand. Baron von *Switten* korrespondirte oft über die Angelegenheit mit Mozart und schrieb ihm einst unter andern: [Folgt der Brief vom 21. März 1789.]

Der Türkenkrieg und der dadurch veranlaßte Tod des edelsten *Monarchen*, des unvergeßlichen *Josephs*, raubte auch Mozarten eine große Stütze seiner Hoffnung; er blieb Kapellmeister mit 800 fl. und ohne Wirkungskreis!

Aber auch sein Ende rückte nun heran; er sollte den großen *Monarchen* nicht lange überleben. Das Jahr 1791, furchtbar reich an großen Todten, ward bestimmt auch den Stolz der Tonkunst zu entreissen. Mozart hatte jedoch zuvor der Nachwelt mit vollen Händen aus dem Reichthume seines Geistes ausgespendet. Daher ist dieses Jahr eben so merkwürdig durch die Schöpfung seiner schönsten Werke, als es uns durch seinen unerwarteten Tod schmerzhaft geworden ist. In demselben, ja gewissermassen nahe an dem Ziele seines Lebens schuf er die Musik zu der *Zauberflöte*, zu der ernsthaften Oper, La Clemenza di Tito und das furchtbarerhabene Requiem (Seelenmesse) welches er nicht einmal mehr vollenden konnte. So gewiß es ist, daß diese drey Werke allein ihm den ersten Platz unter den Tonkünstlern seines Zeitalters und unsterblichen Ruhm versichert hätten, so sehr vermehren sie die Sehnsucht nach dem Entrissenen, durch den Gedanken, der sich dem gefühlvollen Zuhörer unter dem Genuße seiner Werke unwiderstehlich aufdringt: „*Ach! wie viel würde der Mann noch geleistet, welche Harmonien geschaffen haben?*"

Die Zauberflöte setzte er für das Theater des bekannten Schikaneders, der sein alter Bekannter war. Die Musik zu der Oper *La Clemenza di Tito* war von den böhmischen Ständen zu der Krönung des Kaisers *Leopold* bestellt. Diese letzte begann er in seinem Reisewagen auf dem Wege von Wien, und vollendete sie in dem kurzen Zeitraume von 18 Tagen in Prag.

Die Geschichte seines letzten Werkes, der erwähnten *Seelenmesse*, ist ebenso geheimnißvoll als merkwürdig.

Kurz vor der Krönungzeit des Kaisers *Leopold*, bevor noch *Mozart* den Auftrag erhielt nach Prag zu reisen, wurde ihm ein Brief ohne Unterschrift von einem unbekannten Bothen übergeben, der nebst mehreren schmeichelhaften Äusserungen die Anfrage enthielt, ob Mozart eine Seelenmesse zu schreiben übernehmen wollte? um welchen Preis und binnen welcher Zeit er sie liefern könnte?

Mozart der ohne Mitwissen seiner Gattin nicht den geringsten Schritt zu thun pflegte, erzählte ihr den sonderbaren Auftrag, und äußerte zugleich sein Verlangen sich in dieser Gattung auch einmal zu versuchen, um so mehr, da der höhere pathetische Stil der Kirchenmusik immer sehr nach seinem Genie war. Sie rieth ihm den Auftrag anzunehmen. Er schrieb also dem unbekannten Besteller zurück, er würde das Requiem für eine gewisse Belohnung verfertigen; die Zeit der Vollendung könne er nicht genau bestimmen; er wünsche jedoch den Ort zu wissen, wohin er das Werk, wenn es fertig seyn würde, zu übergeben habe. In kurzer Zeit erschien derselbe Bothe wieder, brachte nicht nur die bedungene Belohnung mit, sondern noch das Versprechen, da er in dem Preise so billig gewesen sey, bey der Absendung des Werkes eine beträchtliche Zugabe zu erhalten. Er sollte übrigens nach der Stimmung und Laune seines Geistes schreiben, sich aber gar keine Mühe geben, den Besteller zu erfahren, indem es gewiß vergeblich seyn würde.

Mittlerweile bekam Mozart den ehrenvollen und vortheilhaften Antrag für die Prager Krönung des Kaisers *Leopold* die Oper Titus zu schreiben. Nach Prag zu gehen, für seine lieben Böhmen zu schreiben, hatte für ihn zu viel Reiz, als daß er es hätte ausschlagen können!

Eben als Mozart mit seiner Frau in den Reisewagen stieg, stand der Bothe wie ein Geist da, zupfte die Frau an dem Rocke, und fragte: „Wie wird es nun mit dem Requiem aussehen?" —

Mozart entschuldigte sich mit der Nothwendigkeit der Reise und der Unmöglichkeit seinem unbekannten Herrn davon Nachricht geben zu können; übrigens würde es seine erste Arbeit bey der Zurückkunft sein, und es käme nur auf den Unbekannten an, ob er solange warten wolle. Damit war der Bothe gänzlich befriedigt.

Schon in Prag kränkelte und medizinirte Mozart unaufhörlich; seine Farbe war blaß und die Miene traurig, obschon sich sein munterer Humor in der Gesellschaft seiner Freunde doch oft noch in fröhlichen Scherz ergoß. Bey seinem Abschiede von dem Zirkel seiner Freunde war er so wehmüthig, daß er Thränen vergoß. Ein ahnendes Gefühl seines nahen Lebensendes schien die schwermüthige Stimmung hervorgebracht zu haben — denn schon damals trug er den Keim der Krankheit, die ihn bald hinraffte, in sich.

Bey seiner Zurückkunft nach Wien nahm er sogleich seine Seelenmesse vor, und arbeitete mit viel Anstrengung und einem lebhaften Interesse daran: aber seine Unpäßlichkeit nahm sichtbar zu, und stimmte ihn zur düstern Schwermuth. Seine Gattin nahm es mit Betrübniß wahr. Als sie eines Tages mit ihm in den Prater fuhr, um ihm Zerstreuung und Aufmunterung zu verschaffen, und sie da beide einsam saßen, fing Mozart an vom Tode zu sprechen und behauptete, daß er das Requiem für sich setze. Thränen standen dem empfindsamen Manne in den Augen. „Ich fühle mich zu sehr," sagte er weiter, „mit mir dauert es nicht mehr lange: gewiß, man hat mir Gift gegeben! Ich kann mich von diesem Gedanken nicht los winden. —"

Zentnerschwer fiel diese Rede auf das Herz seiner Gattin; sie war kaum im Stande ihn zu trösten, und das Grundlose seiner schwermüthigen Vorstellungen zu beweisen. Da sie der Meynung war, daß wohl eine Krankheit im Anzuge wäre, und das Requiem seine empfindlichen Nerven zu sehr angreife, so rufte sie den Arzt und nahm die Partitur der Komposition weg.

Wirklich besserte sich sein Zustand etwas, und er war während desselben fähig, eine kleine Kantate, die von einer Gesellschaft für ein Fest bestellt wurde, zu verfertigen. Die gute Ausführung derselben und der große Beyfall, mit dem sie aufgenommen ward, gab seinem Geiste neue Schnellkraft. Er wurde nun etwas munterer und verlangte wiederholt sein Requiem fortzusetzen und zu vollenden. Seine Frau fand nun keinen Anstand, ihm seine Noten wieder zu geben.

Doch kurz war dieser hoffnungsvolle Zustand; in wenig Tagen verfiel er in eine Melancholie, ward immer matter und schwächer, bis er endlich ganz auf das Krankenlager hinsank, von dem er ach! nimmer aufstand!

Am Tage seines Todes ließ er sich die Partitur an sein Bette bringen. „Hab ich es nicht vorgesagt, daß ich dieß Requiem für mich schreibe?" so sprach er, und sah noch einmal das Ganze mit nassen Augen aufmerksam durch. Es war der letzte schmerzvolle Blick des Abschiedes von seiner geliebten Kunst — eine Ahndung seiner Unsterblichkeit!

Gleich nach seinem Tode meldete sich der Bothe, verlangte das Werk, so wie es unvollendet war, und erhielt es. Von dem Augenblicke an sah ihn die Wittwe nie mehr, und erfuhr nicht das mindeste, weder von der Seelenmesse, noch von dem Besteller. Jeder

Leser kann sich vorstellen, daß man sich alle Mühe gab, den räthselhaften Bothen auszuforschen, aber alle Mittel und Versuche waren fruchtlos.

Mozart blieb während seiner Krankheit bey vollkommenem Bewußtseyn bis an sein Ende
und starb zwar gelassen, aber doch sehr ungern. Jedermann wird dieß begreiflich finden,
wenn er bedenkt, daß Mozart kurz zuvor das Anstellungsdekret als Kapellmeister in der
St. Stephanskirche mit allen Emolumenten, die von Altersher damit verbunden waren,
bekam, und nun erst die frohe Aussicht hatte, bey hinlänglichen Einkünften ruhig, ohne
Nahrungssorgen leben zu können. Auch erhielt er fast zu gleicher Zeit aus *Ungarn* und
Amsterdam ansehnliche Bestellungen und Akkorde auf periodische Lieferungen gewisser
Kompositionen.

Dieses sonderbare Zusammentreffen so glücklicher Vorbothen eines bessern Schicksales —
seine gegenwärtigen traurigen Vermögensumstände — der Anblick einer trostlosen
Gattin — der Gedanke an zwey unmündige Kinder: alles dieses war nicht geeignet, einem
bewunderten Künstler, der nie Stoiker gewesen ist, in seinem 35ten Jahre die Bitterkeit
des Todes zu versüssen. „Eben jetzt", so klagte er oft in seiner Krankheit, „soll ich fort,
da ich ruhig leben würde! Jetzt meine Kunst verlassen, da ich nicht mehr als Sklave der
Mode, nicht mehr von Spekulanten gefesselt, den Regungen meiner Empfindungen
folgen, frey und unabhängig schreiben könnte, was mein Herz mir eingiebt! Ich soll fort
von meiner Familie, von meinen armen Kindern in dem Augenblicke, da ich im Stande
geworden wäre, für ihr Wohl besser zu sorgen!" Sein Tod erfolgte in der Nacht am
5ten Dezember 1791. Die Ärzte waren in der Bestimmung seiner Krankheit nicht einig.
Man kann sagen, um Mozart floßen unzählbare Thränen, nicht in Wien allein, vielleicht
mehr noch in Prag, wo man ihn liebte und bewunderte. Jeder Kenner, jeder Freund der
Tonkunst hielt seinen Verlust für unersetzlich...

S. 31 ff. der *Lebensbeschreibung* Mozarts von 1808, die eine zweite Ausgabe des *Lebens* von 1798
darstellt, wo der zitierte Teil S. 21 ff. etwas anders gelautet hat; das Lob van Swietens ist gestrichen
worden. (Neudruck der ersten Ausgabe, mit Lesarten der zweiten, herausgegeben von Ernst Rych-
novsky, Prag 1905.) — Die „Sinfonie" zum *Figaro* war natürlich seine Ouvertüre. Niemetschek
benützte Schachtners Erinnerungen (s. 24. April 1792) und Schlichtegrolls Nekrolog von 1793, vielleicht auch Maria Anna v. Berchtolds Erinnerungen vom Frühjahr 1792. — Die Sinfonie in Es, KV 543,
wurde in Mozarts Prager Akademie nicht aufgeführt; sie ist erst 1788 komponiert worden. — Die
Kantate war die *Kleine Freimaurer-Kantate*. — Walsegg, der Besteller des Requiems, ist später mit
Konstanze in Fühlung gekommen. — Die Anstellung als Domkapellmeister hat Mozart nicht erlebt.

AUS PLACIDUS SCHARLS ERINNERUNGEN, ANDECHS 1808

... Und bald hätte ich des jungen Wolfgang Mozarten vergessen, eines wahren Wunders
der Tonkunst. Schon mit dem 6ten Jahre des Alters spielte er die schwersten, von sich
selbst erfundenen Klavierstücke. Die Oktav, welche er mit den kurzen Fingerle noch nicht
zugleich erspannen konnte, erhupfte er mit artiger Geschwindigkeit und wunderbarer
Adkuratesse. Man durfte ihm nur das nächste beste Subjekt zu einer Fuge oder einem
Gedanken geben: er führte ihn durch als Ton mit seltener Abwechslung mit immer neuen
Gängen, so lange man es haben wollte; er fugierte über ein Subjekt stundenweis und das
Fantasieren war seine grösste Passion. Seine Mademoiselle Schwester war eine grosse
Klavierspielerin, aber sie spielte nur Stücke anderer Meister: Wolfgang war Auktor und
Produktor zugleich, extemporierte mit unerschöpflichen Einfällen und in diesen zeigte er
sein schöpferisches Genie, welches sich nachher in Wien, Haag und London mit so grossem
Beyfalle produziert. Aus ihm wurde der grosse Kompositeur, dessen Werke man noch

bewundert: nur schade, daß dieses Genie so geschwind verwelkte. Es ist doch zu bewundern, daß er in seiner kurzen Lebenszeit so viel Opera, Messen, Schlagstück und andere
musikalische Werke verfertigen konnte. Es war alles was er spielte, schreibenswürdig
und er hatte im Setzen eine ungewöhnliche Fertigkeit. Sein Requiem, das er unvollendet
hinterließ und welches erst Joseph Haydn vollendet haben soll, war sein letztes Werk:
er weinte bei der Bearbeitung desselben öfters und sagte, das ist mein Todtgesang...
Ich hatte öfter Gelegenheit, das musikalische Talent des jungen H. Mozarten zu bewundern
und ihm für seine mir gemachte Unterhaltung kleine Verehrungen darzubringen. Er
versprach mir auch für mich besonders etwas zu komponieren. Aber ich halte es ihm
nicht vor Übel, daß er bei seinen Beschäftigungen und bei dem Überlauf, der ihn den
ganzen Tag hindurch belästigte, sein Wort nicht hielt: er wurde zu sehr geplagt, als daß
er jedem dienen könnte.

P. Placidus Scharl, *Meine, eines Mönches merkwürdige Lebensumstände ... von mir im 77. Lebensjahre aufrichtigst beschrieben III* (3. Teil). — Andechs, Klosterarchiv, Handschrift Nr. 83, S. 194 bis
196. — Siehe 6. Januar 1763. — Bauerriß, a. a. O., S. 85 f. — P. Magnus Sattler hat in seiner Biographie Scharls, Regensburg 1868 (S. 157) das *Tagebuch* benützt. Danach Abert I, 30 f.

Am 26. Juni 1809 werden Konstanze und Nissen im Dom zu Preßburg getraut.

Die zweite der Belagerungen Wiens durch Napoleon (1805 und 1809) veranlaßte auch Diplomaten,
die Stadt zeitweilig zu verlassen. So kam es, daß Nissen und Konstanze nach Preßburg gingen und,
in Erwartung ihrer Übersiedlung nach Kopenhagen, dort endlich heirateten. (Vgl. Ernst Weizmann
in der *Arbeiter-Zeitung*, Wien, 1. März 1959.) Seit dem Frühjahr 1808 hatten sie ein Jahr lang in
der Vorstadt Landstraße gewohnt, und als sie Mitte August 1809 aus Preßburg zurückkamen, bezogen
sie eine Wohnung Unter den Tuchlauben, wo sie bis Ende Juli 1810, bis zu ihrer Übersiedlung nach
Kopenhagen, verblieben.

Nikolaus Nissen an Karl Mozart in Mailand
Wien, 13. Juni. 1810

... Sie wissen, dass Ihr großer Vater kein Vermögen, sondern Schulden, und ein unbedeu-
tendes Mobiliar hinterließ, welches letztere bey weitem nicht so viel betrug als Ihrer
Mutter im Heirathscontracte zugesagt war. Indessen wurde es taxirt, und Ihrer Mutter
dagegen überlassen, daß sie nach dessen Verhältniß ihren Kindern eine Summe bestimmte
und deponierte. Diese Summe war für jedes 200. Gulden.
... Ihre Mutter hat durch ihre Reisen, durch die Aufführung von Concerten, so wie durch
den Verkauf der Originalpartituren Ihres seligen Vaters (von dessen Handschrift sie nur
eine Menge schäzbarer Fragmente und Entwürfe hat) das Glück gehabt, nicht nur die
Schulden zu bezahlen, sondern sich auch ein *kleines* Capital zu sammeln. Dieses wird
mit der Hülfe des Himmels nicht geschmälert werden, und die Hälfte erwartet Sie in dem
Zeitpuncte, von dem Sie und ich wünschen, dass er auf das weiteste entfernt seyn möge.
Sie wird fortfahren, davon die Zinsen oder Einkünfte zu beziehen; aber die Papiere für
dieses Vermögen bleiben hier bis weiter deponiert bey dem Kaufmann *Johann Georg von
Scheidlin*.

Rudolf v. Lewicki in *Mozarteums-Mitteilungen*, Salzburg, Mai 1919, Jg. 1, H. 3, S. 23 f. — Scheidlin
war zu Mozarts Zeit Kassier der K. k. privilegierten Niederlags-Deputierten.

Am 27. Juli 1810 übersiedeln Nissen und Konstanze von Wien nach Kopenhagen.

Nissen hatte schon am 13. Februar aus Gesundheits-Gründen sein Amt als Chargé d'affaires in Wien
niedergelegt, und wurde nun Zensor für die politischen Zeitungen in Kopenhagen, wo er in der
Lavendelstraße wohnte. Am 13. Oktober wurde er zum dänischen Etatsrat ernannt. Die Verleihung
des Danebrog-Ordens am 28. Januar 1809 gab ihm keinen Adel, obwohl Konstanze ihn und sich
seit damals „von Nissen" genannt hat. (Erich Valentin im Neuen Mozart-Jahrbuch, Zweiter Jahrgang, Regensburg 1942.)

KONSTANZE NISSEN AN KARL MOZART
COPENHAGEN 29. DEC. 1810

... Alles Geld, was ich, Deine Mutter, mit Mühe und Beharrlichkeit nach Bezahlung der
von Deinem Vater hinterlassenen Schulden erworben habe, und was mein ieziger Mann
hat vermehren helfen, ist in Wien angelegt worden. da der Cours dieses Plazes gegenwärtig
so ungemein niedrig ist, so wäre es unverzeihlich und unvernünftig und nachtheilig, dieses
Capital anzurühren. Sonst könnte ich dir schon izt deine Hälfte (nicht leihen, sondern)
zum Eigenthum überlassen: die Hälfte deines Bruders müßte aber unangerührt bleiben.
Wie die Sachen izt stehen, lassen wir die Zinsen stehen, in der Hoffnung, dass sie einmal
mehr betragen werden als izt, wo ein Ducat mit 54 fl. Papiergeld bezahlt worden ist.

Lewicki, a. a. O., S. 28. — Die Geldentwertung in Österreich führte 1811 zur Einführung der sogenannten Wiener Währung.

1811, S. NACHTRAG, S. 532/533

AUS DER «ALLGEMEINEN MUSIKALISCHEN ZEITUNG», LEIPZIG, 13. Oktober 1813
Bruchstücke aus [Johann Friedrich] Reichardts Autobiographie.

4) Sein erster Aufenthalt in Wien.

... Reichardt sah damals in Wien Così fan tutte, v. Mozart, den Barbier von Sevilla, v.
Paesiello ...
Joseph ... kannte die ersten Stücke von Reichardts Kunstmagazin ...
Der Kaiser und sein Bruder hatten jeder ihre vollständige Harmonie, und da sie hörten,
daß Reichardt davon sehr eingenommen war, verhießen sie ihm, solche eines Morgens
in dem kleinen Redoutensaale vereinigt hören zu lassen. Das geschah denn auch, und
gewährte einen recht entzückenden Genuß. Stimmung, Vortrag, alles war rein und übereinstimmend: einige Sätze von Mozart waren auch wunderschön. Von Haydn kam leider
nichts vor ...

Spalte 665, 666 und 668. — Reichardt weilte im Sommer 1783 einige Wochen lang in Wien. Der
Barbiere kam damals dort zur ersten Aufführung, die Entführung wurde damals nicht gegeben, und
Così fan tutte erst 1790. — Das Musikalische Kunstmagazin erschien von 1782 bis 1791. — Der
Bruder Kaiser Josephs war Erzherzog Maximilian (siehe 15. Oktober 1762 und 23. April 1775).

AUS SULPIZ BOISSERÉES TAGEBUCH, HEIDELBERG, NOVEMBER 1815

Detouche, Kapellmeister vom Fürsten Wallerstein, besucht uns... Er war sieben Jahre
bei Mozart. Dieser war von Statur ein ganz kleiner Mann, sehr capriciös. Alle seine Opern
sind in Wien durchgefallen, außer der Zauberflöte. Idomeneus, seine grösste Oper, hat er
für München componirt. Mit vierzehn Jahren machte er die kleine Oper: der Musik-

direktor, in einem Akt. Die Entführung mit siebzehn Jahren in München, diese machte seinen Ruf in Wien. Da wird er dritter Kapellmeister mit 600 fl. Gehalt. Den Axur hat er nach der Entführung componirt, zur Vermählung Franz des zweiten mit seiner ersten Frau. Mozart pflegte davon zu sagen: es ist eine Schandoper. Nun folgen: *Cosi fan tutte* und *Figaro*. Kaiser Joseph ist in der Probe des Figaro; ihm gefällt die Oper; er fragt, warum er nicht mehr für ihn mache? Mozart antwortet: „Was soll ich mit dem Spital von Menschen da anfangen!" auf das Orchester deutend, „in Prag, da muss man Musik hören!" Natürlich fiel er nun hiefür auch ganz durch, ja wurde ausgepfiffen; die italienischen Musiker cabalirten gegen ihn. Darauf kam Don Juan, für Prag geschrieben; die Zauberflöte; Titus, und zuletzt das Requiem. Detouche war bei ihm, als er es machte; er war ganz melancholisch und kränklich, zog sich von aller Welt zurück, da er sonst der lustigste Mensch war: er soll aqua toffana bekommen haben. Er hatte den Wunsch schon gefasst, ein Requiem zu schreiben, da kam ein Herr, wollte für seinen Freund eines haben, aber ganz allein für ihn, und gab gleich 100 Dukaten. Der Mann wurde nachher nicht mehr gesehen.

Der Kampf gegen die italienischen Musiker, besonders gegen Salieri, dem ersten Kapellmeister, machte Mozart viel Spass, er ging darum nicht von Wien weg, da er doch in England, Spanien etc. gut ankommen konnte. Er wollte ihn noch zu Tod ärgern. So wenn er ein neues Werk geschrieben, sagte er immer: das wird den Salieri viel Geld kosten, wird am Beutel ziehen müssen; er meinte, um ihn auspochen zu lassen. Die Cabalen haben Salieri wohl 20,000 fl. gekostet. Er war reich durch seine Frau, eine Kaufmannstochter. In Gesellschaft von Paesiello, Martini, Salieri und Haydn etc. sagte Mozart zu dem letztern, dem er sehr Freund war: „Dich nehme ich aus, aber alle anderen Compositeurs sind wahre Esel!"

Er war ein leidenschaftlicher Billardspieler und spielte schlecht. Wann ein berühmter Billardspieler in Wien ankam, hat's ihn mehr interessiert, als ein berühmter Musiker. Dieser, meinte er, würde schon zu ihm kommen, aber jenen suchte er auf; er spielte hoch, ganze Nächte durch. Er war sehr leichtsinnig, seine Frau hat's ihm nachgesehen. Sie war eine gute Klavierspielerin; auch hat er sie sehr lieb gehabt. Er hat schneller componirt, als die Abschreiber es schreiben konnten, und das alles ohne zu spielen, zu singen etc., nur dann und wann hat er einen Accord angeschlagen. Den Don Juan hat er in sechs Wochen gemacht. Immer hatte er Geld nothwendig, und daher sind die vielen kleinen Sachen entstanden, die Sonaten und Variationen. Artaria gab für jedes Halbdutzend Variationen 25 Dukaten. Es lag immer Notenpapier für ihn da, ging er vorbei und brauchte Geld, so musste er schreiben. Er wollte einmal die Wiener versuchen, ob sie Kunstliebe hätten; kündigte ein Concert auf morgens fünf Uhr im Augarten an, bekommt eine grosse Subscription — aber es kommen nur wenige.

Mozart schafft sich sechs kleine, polnische Pferdchen an; das machte Geschrei; es zieme nur den Fürsten, mit sechs Pferden zu fahren! Ja, sagte er, wenn's Pferde wären, sind aber nur Pferderln, davon steht nichts in der Ordnung. Joseph Haydn hat ihm gesagt: „Wenn du nichts als den Don Juan gemacht hättest, wäre es genug." Dafür dedicirte ihm Mozart seine schönen Violin-Quartette. Titus hat er für Prag geschrieben; dort war ein Sopran, den er nicht leiden konnte, da richtete er es ein, dass er durchfallen musste, und schrieb die Oper nur für Sextus und Vitellia, die ihn bezahlten, dass er sie allein heben sollte, (?) sonst that er dergleichen nicht. Aber da sagte er: diesmal will ich einmal eine Oper schreiben, dass sie durchfallen muss! —

Sulpiz Boisserée, *Selbstbiographie, Tagebücher und Briefe,* herausgegeben von Mathilde Boisserée, Stuttgart 1862, Band I, S. 292—4. — Schurig, *Mozart* (1923), Band II, S. 484 f. (mangel- und fehlerhaft). — Franz Seraph von Destouches (München 1772—1844), Komponist und Kapellmeister, soll als Schüler Haydns 1787 für ein paar Jahre nach Wien gekommen sein. — *Axur* war eine Oper von Salieri; *„Der Musikdirektor"* soll wohl *Der Schauspieldirektor* sein. — Aqua Tofana ist ein Gifttrank. — Diese Erinnerungen sind, abgesehen von groben Irrtümern im Einzelnen, auch im Ganzen nicht glaubwürdig. — Vgl. das nächste Dokument.

Karl Andreas Göpfert an die fürstlich Oettingen-Wallerstein'sche Musik-Intendanz, 25. Februar 1817

(Angebot seiner Bearbeitungen von Haydns „Schöpfung", Paërs „Sargino", Mozarts „Zauberflöte" und Winters „Unterbrochenem Opferfest" für Harmoniemusik)

... Da ich seit etlichen 20 Jahren Musik mit dem grössten Eifer studiere, auch 1 1/2 Jahr des unsterblichen W. A. Mozarts Unterricht im höheren Wissenschaftl. der Theorie der Musik genoss, fühlte ich immer grosse Vorliebe für Harmoniemusik blasende Instrumente, deswegen mir auch mein grosser Lehrer Mozart seine Partituren sämtlicher Opern übergab, mit dem Auftrag, solche dafür zu setzen ...

Fürstlich Oettingen-Wallerstein'sches Archiv, Wallerstein. — Ludwig Schiedermair, *Die Blütezeit der Oettingen-Wallerstein'schen Hofkapelle*, „Sammelbände der Internationalen Musikgesellschaft", Leipzig, Oktober-Dezember 1907, S. 115 f. — Göpfert (1768—1818) war Klarinetten-Virtuose und Komponist, zuletzt Kammermusiker in Sachsen-Meiningen. Von seinen Beziehungen zu Mozart ist sonst nichts bekannt geworden. — Leiter der Wallerstein'schen Hofkapelle war Destouches (siehe November 1815). Das Angebot wurde abgelehnt.

Norbert Lehmann an Franz Xaver Niemetschek, Prag, 1. Mai 1818

Hier überliefere ich auf hohes Begehren das Mozzartische Thema sammt der Geschichte. Dieser Virtuos beehrte anno 787 in Monate Junij die Stadt Prag mit einem Besuche, um mit den Tonkünstlern dieser Hauptstadt bekannt zu werden und Merkwürdigkeiten zu sehen. Er kam an einem Tage um 3 Uhr nachmittags mit der Frau v. Duschek auch in die Strahöfer Kirche und äusserte sein Verlangen, die Orgel zu hören. Ich als Supplent des Organisten wurde vom gn. H. Prälaten Wentzl Mayer dazu bestimmt, diese Arbeit auf mich zu nehmen. Der Auftrag gefiel mir freylich nicht, mich vor einem so großen Meister und Compositeur hören zu lassen; doch gieng ich, um mich meines Auftrags zu entledigen. Mozart saß in navi ecclesiae nahe beym Predigtstuhl. Ich ließ ihm die ganze Stärke der Orgel wahrnehmen und führte ein Patetisches Thema aus. Als dieses geendiget war, fragte dieser Virtuos, wer da die Orgel geschlagen habe. Einige von den Geistlichen, welche ihn begleiteten, sagten: „ein Geistlicher unseres Stiftes." Nun fragte er: „gibt es auch Organisten unter den Geistlichen?" „Ja", antwortete H. Matthias Ehrlich, dermalen Gymnasial Patri ... [die letzte Silbe unleserlich] auf der Kleinseite. Nun bekam er Lust, die Orgel selbst zu schlagen. Er bestieg den Sitz und machte pleno choro durch beiläufig 4 Minuten meisterhafte Accorde und ließ durch diese ... [unleserliches Wort] jedem Kenner wahrnehmen, daß er mehr als ein gemeiner Organist sey. Nach diesem wollte er das Manual ohne Brust- und Rückpositiv spielen. Alle 4 Zungenwerke waren ihm zu stark. Er wählte nebst dem gewöhnlichen Pedal ohne Mixtur den achtfüßigen Posaunpaß. Nun fieng er ein 4stimmiges Fuga Thema an, welches um so schwerer auszuführen war, weil es und die Verfolgung desselben aus lauter Mordanten bestund, welche auf einer so schwer zu drückenden Orgel außerordentlich hart auszudrücken sind. Allein der 4te und 5te Finger sowohl in der rechten als linken Hand war dem ersten (Daumen), zweyten und dritten an Kraft gleich, worüber schon jeder staunen mußte. Ich heftete meine ganze

Aufmerksamkeit auf die Ausführung des Thema und wäre im Stande gewesen, es bis zu Ende aufzusetzen; allein nun kam der sel. Regens chori P. Lohelius auf das Chor. Dieser hinderte mich mit seinen Fragen so sehr, daß ich den ganzen Faden verloren habe, und zwar da, wo die Aufmerksamkeit am nothwendigsten war. Mozzart hatte sich vom g-moll mit dem Pedal und Organo Baß so hoch hinaufgeschwungen, daß er in H-moll fortsetzen konnte. Nun störte mich der sel. Lohelius, daß ich nicht wußte, wie er so geschwind in Dis-dur hineingekommen. Nun wollte er in diesem Ton endigen und machte ein Tasto. Er hielt B als die Quint im Pedal aus, fuhr mit allen beiden Händen auf die zwey obersten Octaven der Claviatur hinauf, nahm dort so viele Töne und häufte dergestalt Ligaturen und Resolutionen, daß er im H-dur so herrlich spielte, als hätte er im Pedal fis zum Tasto liegen. Alle Finger waren theils wegen den Mordanten, theils wegen den Mittelstimmen in Bewegung, so zwar, daß keiner auch nicht einen Augenblick ruhen konnte. Dieß geschah in der Absicht, daß von den Pedali nichts möchte zu hören sein. Kaum hatte ich die ersten Fragen des sel. Lohelius beantwortet, als itzt eine Menge anderer zu beantworten waren. Er sagte: „Herr Bruder." [Antwort:] „Was denn?" — [Frage:] „Er hält im Pedal B aus. — [Antwort:] „Nu ja." [Frage:] „Er will in Dis ♯ einfallen." — [Antwort:] „freylich." — [Frage:] „Er spielt aber aus H-Dur." — [Antwort:] „Dieß weiß ich." — [Frage:] „Wie kann das klingen?" — [Antwort:] „Es klingt aber!" (weil nämlich so viele Töne in den zwei oberen Oktaven einen so erbärmlichen Lärm machten, daß man auch alle 4 Schnurr-werke nicht würde gehört haben. Die 10 Finger hupften in jenen 2 Octaven so geschäftig herum, als die Ameisen herumlaufen, wenn man ihren Haufen zerstört.) Durch jene so viele Fragen wurde ich um das Beste und Künstlichste gebracht, wodurch Mozzart seine Stärke im Satze verrieth.

Dann führte er das Thema einer Fuga aus dem Brixischen Requiem ex C-moll zwar auf eine ganz andere Art so künstlich auf, daß man wie versteinert dastund. Er gab jeder Stimme, wenn sie das Thema in einem andern Tone widerholte, ihr Recht, welches hauptsächlich beim Tenor zu bewundern war. Wenn der Baß zu tief war und wenn der Tenor mit der linken Hand nicht konnte bestritten werden, so mußte die Rechte mit einigen Tönen und Fingern aushelfen.

Wenn durch diese Wenigkeit Ew. Wohledlgeborn ein Gefallen geschieht, so mache ich mir das größte Vergnügen daraus, mit derselben aufzuwarten.

am 1. Maji

1818.

Aus dem Nachlaß Niemetscheks mitgeteilt von Alfred Ebert in *Die Musik*, Berlin, November 1911, Jahrgang X, Heft 2, S. 106 ff., mit dem Thema, das in Köchel-Einstein unter Nummer 528ᵃ zu fin-den ist. — Mozart war 1787 nicht im Juni, sondern erst im Herbst in Prag. — Das Kloster Strahow in Prag war ein Prämonstratenser-Stift; dazu gehörte die Mariä-Himmelfahrt-Kirche. Ihre Orgel war 1774 von dem Chorherrn und Musikdirektor Johann Lohelius Oelschlägel (1744—88) restau-riert und verbessert worden. — Chorherr Norbert Lehmann (geb. 1750) gehörte dem Stifte seit 1774 an und war ein guter Organist. — Tasto (solo) ist die Begleitung des Continuo ohne Harmonisie-rung, nur mit den notierten Baßtönen. — *„Schnurrwerke"* sind Zungenregister. — Franz Xaver Brixi (Prag 1732—71) war zuletzt Kapellmeister am Dom zu Prag gewesen; er komponierte, scheint es, nur ein Requiem.

AUS JOHANN DEBROIS' «URKUNDE ÜBER DIE VOLLZOGENE KRÖNUNG . . . LEOPOLD DES ZWEITEN . . .", PRAG 1818

. . . Für den Abend dieses festlichen Tages [6. September 1791] war eine grosse *Opera seria* von den Ständen vorbereitet. Schon am 3. September hatte man das Publicum durch eine gedruckte Ankündigung unterrichtet, auf was Art man die Eintrittsbillete vertheilen werde.

Die Vertheilung selbst geschah am 5. und Vormittags am 6. September ... Auch für die Zu- und Abfahrt wurde schon am 3. September eine besondere Ordnung im Drucke herausgegeben. Die Stände hatten das von dem bisher unerreichten italienischen Operndichter, Abbate *Metastasio*, verfaßte Singspiel: *La Clemenza di Tito*, gewählet, und die Musik hiezu von dem Kompositor am k. k. Hofe, *Wolfgang Mozart*, dessen Namen jeder Musikkenner mit Ehrfurcht nennet, verfertigen lassen. Die ersten drei Dekorationen verdankte man der Erfindung des *Peter Travaglia*, welcher bei Seiner fürstlichen Gnaden, dem Herrn Anton Fürsten v. Esterhazy, in Diensten stand, die vierte aber hatte *Preisig* aus Coblenz erfunden. Die Kleidung zeichnete sich durch Neuheit und Reichthum aus, und war von *Cherubin Babbini* aus Mantua angegeben. Um 7 Uhr gieng die Aufführung dieses ernsthaften italienischen Singspiels vor sich. Die gewöhnliche Theaterwache war verdoppelt, eine Division Karabiniers besetzte die angemessenen Posten, und die Feuerlöschanstalten waren vermehrt. Ihre Majestäten der König und die Königinn sammt der k. Familie beehrten das Nationaltheater, das bis zur Vermeidung eines Gedränges ganz angefüllt war, und wo man aus Prag's bekannter Gefälligkeit, den Fremden die ersten Plätze überliess, mit Ihrer Gegenwart, und wurden mit Jubel empfangen. Das Singspiel selbst ward mit dem Beifalle, welchen Verfasser, Kompositor, und die Singstimmen, besonders die rühmlich bekannte *Todi*, aus vollem Grunde verdienten, aufgenommen, und es schien, dass Ihre Majestäten mit Zufriedenheit das Schauspielhaus verlassen haben.

S. 109 f. — Freisauff, a. a. O., S. 123. — Die berühmte Luiza Todi war 1789 in ihre Heimat Portugal zurückgekehrt und hat niemals in Prag gesungen.

Aus Joseph Weigls Selbstbiographie, 1819

... Da ich gar keine Lust zur Medizin fühlte, so erlaubte er [mein Vater] mir die Rechte zu hören. Damals war Studien Präses *Bar. van Swieten*, der zugleich ein grosser Musikkenner war, u. selbst die *Composition* von dem berühmten preussischen Kapellmeister *Kirnberger* erlernt hatte. Alle Sonntage um 12 Uhr Mittags war bei ihm Musik. Nur *Bachische, Haendlische,* u. *Graunische* Compositionen u. jene der ältesten u berühmtesten Meister wurden gemacht. *Mozart* accompagnirte auf dem *Fortepiano. Salieri, Starzer, Teiber* u. der *Baron* sangen.

Diesen Genuss kann sich Niemand vorstellen. Einen Mozart die schwersten *Partituren* mit der ihm eigenen Fertigkeit spielen, zugleich singen u. die Fehler der Andern corrigiren zu hören, musste die grösste Bewunderung erregen. ...

... So accompagnirte ich *Mozart's Figaro, D. Juan, etc.* bei allen Proben zu seiner Zufriedenheit indem ich nach den 3 ersten Vorstellungen an welchen *Mozart* selbst am *Clavier* dirigirte seinen Platz bei allen übrigen Vorstellungen übernehmen musste. ...

Kopie in der Nationalbibliothek, Wien. — *Jahresbericht des Wiener Konservatoriums für Musik,* Neue Folge, Band VII, 1866/7, S. 4 f. — Diese Selbstbiographie, die Weigls Sohn kopierte, war am 23. Mai 1819 abgeschlossen worden. — Weigl war ein Schüler Salieris, der ihn 1785 in das Opern-Orchester einführte. Als Mozart 1787, nach Joseph Starzers Tod (22. April), die Leitung des Orchesters bei van Swieten übernahm, folgte ihm Weigl als Klavierspieler. (Bei den Aufführungen von C. Ph. E. Bachs Kantate *Auferstehung und Himmelfahrt Jesu* am 26. Februar und 4. März 1788 spielte aber Umlauf das Klavier.) — Daß Weigl Mozart als Dirigent beim *Figaro* ablöste, war bekannt; neu ist wohl, daß das auch bei *Don Giovanni* geschah; im Falle von *Così fan tutte* bleibt es zweifelhaft. — Die Gesellschaft der Musikfreunde, Wien, besitzt eine handschriftliche Biographie Weigls von

Eduard v. Lannoy, die auf der Selbstbiographie beruht. Darin heißt es an Stelle unseres zweiten Absatzes: „*Wer Mozart nicht 16 und mehrzeilige Händelsche Partituren mit unübertrefflicher Fertigkeit spielen, selbst dazu singen und zugleich die Fehler der andern Sänger verbessern sah, der kennt Mozart nicht ganz, denn er war darin eben so groß, als in seinen Compositionen. Man hörte stets ein ganzes Orchester.*"

MARIANNE V. BERCHTOLD AN JOSEPH SONNLEITHNER

Euer Wohlgebohren.
Ich habe Euer Wohlgebohren werthes Schreiben vom 23ten Juny den 26ten Juny erhalten, ich mache mir ein Vergnügen daraus, eines von den dreyen Portrais zum abcopieren herzuleihen, da ich aber die Mahlerin Kraft weder persönlich kenne, noch ihre Geschicklichkeit beurtheilen kann, auch mich eines solchen Geschäft wegen schwächlicher Gesundheit und in meinem Alter nicht unterziehen kann, so ersuchte ich den Herrn Hofrath von Droßdick sich ganz dieser Sache anzunehmen. Er schick[t]e die Mahlerin zu mir, um alle die 3 Bildnisse anzusehen, dasjenige so gemalt wurde, wie er von der Italienischen Reise zurückkam ist das älteste, da ware er erst 16 Jahr alt, aber da er von einer sehr schweren Krankheit aufstand, so sieht das Bild kränklich und sehr gelb aus, das Bild in dem Familie[n]gemälte da er 22 Jahre alt war ist sehr gut, und das Miniaturgemälte, wo er 26 Jahr ware, ist das jüngste so ich habe, ich zeigte also dieses der Mahlerin zum ersten; es schien mir aus ihrem Stillschweigen zu bemerken, das es nicht so leicht wäre, solches zu vergrößern, ich mußte ihr also auch das Familiengemählte und das andere zeigen, da sie das Miniaturgemählte gegen dem in Familienbild hielt, und betrachtete, so sagte sie, beide wären ganz ähnlich, nur daß das Kleine etwas älter aussieht, und weil dieß im profil gemahlen, sonst sind die Liniamente, und die Farbe ganz gleich, sie will also die copie von dem Familiengemaehlte nehmen und nur die Linien von dem kleinen Bild hineinbringen, wodurch er etwas älter aussieht als im großen Bild.
Die Mahlerin ist gleich von mir weg zum Herrn Hofrath von Droßdick gegangen, um es ihm zu sagen, Sie werden also von ihm vielleicht mit der nehmlichen Post einen Brief, mit der ich diesen Brief aufgebe erhalten. Was mir bey dieser [Sache] gar nicht angenehm ist, daß die Mahlerin das Bild von dem Familiengemählte bey mir nicht copiren kann, sondern es muß ihr gebracht werden, es ist sehr schwer wegzubringen, daß nichts daran verdorben wird besonders über die engen Stiegen, sie will mir dafür gutstehen. — — Sie müssen schon dem Herrn Hofrath von Droßdick das Maß von der Höche und Breit schikken, Sie müssn es vergessen haben es in [den] Brief zu legen, denn ich fande es nicht. Mich erfreut wirklich sehr, daß Euer Wohlgebohren meinen Bruder persönlich gekannt haben und er Ihnen frohe Stunden gemacht hat...
Vergebn Sie auch mir diesen langen Brief und mein fehlerhaftes Schreiben, da ich so gewohnt bin geschwind zu schreiben und da bleiben Worte aus.
Euer Wohlgebohren gehorsamste Dienerin

Maria Anna Freyfrau von Berchtold zu Sonnenburg
Raths und Pflegerswittbe v. St. Gilgen

Salzburg den 25 July 1819
[Adresse:]
An dem Kaiserlich Königlichen Hofagenten und / Niederösterreich. Regierungs Rath Herrn Joseph / von Sonnleithner

Wienn

wohnhaft
am Graben No. 1200

Autographen-Sammlung des verstorbenen Herrn Karl Geigy-Hagenbach, Basel. — O. E. Deutsch im *Bergland*, Innsbruck, August 1936, 18. Jg., H. 8, S. 2—5, mit farbiger Reproduktion des Mozart-Bildnisses von Barbara Krafft auf dem Titelblatt. — Der Brief, der bis dahin nur zum Teil bekannt gewesen ist, wurde als vom 25. Juli 1819 an Leopold (später von) Sonnleithner, Josephs Neffen, gerichtet zitiert. — Joseph Sonnleithner besaß eine Sammlung von Ölbildnissen bekannter Komponisten, die an die Wiener Gesellschaft der Musikfreunde überging. Das Mozart-Bild der hervorragenden Malerin, die damals in Salzburg lebte, ist in neuerer Zeit sehr bekannt geworden. Obwohl es nicht nach der Natur gemalt ist, gilt es jetzt als eines der wenigen getreuen Bildnisse Mozarts. — Das „*Familiengemälde*" ist das von Johann Nepomuk della Croce, das „*Miniaturgemälde*" wahrscheinlich die verschollene kleine Fassung des Bildnisses von Joseph Lange, und das „älteste", das Marianne besaß, vielleicht die Miniatur auf Elfenbein, die Martin Knoller 1773 in Mailand gemalt haben soll. (Dieses und das Gruppenbild sind im Mozart-Museum, Salzburg.)

AUS CHARLES BURNEYS MOZART-ARTIKEL IN ABRAHAM REES' «CYCLOPEDIA», LONDON 1819

During his residence in London we had frequent opportunities of witnessing his extraordinary talents and profound knowledge in every branch of music at eight years old, when he was able to play at sight in all clefs, to perform extempore, to modulate, and play fugues on subjects given in a way that there were very few masters then in London able to do.

Percy A. Scholes, *The Great Burney*, London 1948, I. 123. — Burneys Beiträge zu *The Cyclopedia; or, Universal Dictionary of Art, Science, and Literature* erschienen erst nach seinem 1814 erfolgten Tode.

Im Herbst 1820 übersiedeln Nissen und Konstanze von Kopenhagen nach Salzburg.

Das Ehepaar verweilte zuerst in Gastein, wo Nissen zum erstenmal die Kur gebrauchte. Sie zogen dann ins Haus des Salzburger Bürgermeisters Anton Heffter am Marktplatz (jetzt Alter Markt 5).

AUS JOHANN PETER ECKERMANNS «GESPRÄCHEN MIT GOETHE», 23. APRIL 1823

Abends mit Goethe allein ... Wir sprachen ... über den Text der „Zauberflöte", wovon Goethe die Fortsetzung gemacht, aber noch keinen Komponisten gefunden hat, um den Gegenstand gehörig zu behandeln. Er giebt zu, dass der bekannte erste Theil voller Unwahrscheinlichkeiten und Spässe sei, die nicht jeder zurechtlegen und zu würdigen wisse; aber man müsse doch auf alle Fälle dem Autor zugestehen, dass er im hohen Grade die Kunst verstanden habe, durch *Kontraste* zu wirken und grosse theatralische Effekte herbeizuführen.

Goethe, der 1797 in seinem epischen Gedichte *Hermann und Dorothea* die *Zauberflöte* erwähnte, hatte schon 1795 einen zweiten Teil dazu begonnen und 1796 mit Paul Wranitzky, dem „Orchesterdirektor" (Konzertmeister) der Wiener Hofoper, über die Vertonung korrespondiert. Sein Textbuch ist aber unvollendet geblieben.

Von 1823 bis 27 erscheinen Da Pontes *Memorie*, vier Bände, in New York (s. 1829/30).

Dr. Eduard Guldener v. Lobes an Giuseppe Carpani, Wien, 10. Juni 1824

LETTERA DEL SIG. I. R. CONSIGLIERE GULDNER, PROTOMEDICO DELL'AUSTRIA.

Con piacere comunico a vostra signoria illustrissima tutto ciò che mi è noto della malattia e sulla morte di Mozart. Egli si ammalò nell'autunno già inoltrato di una febbre reumatico-infiammatoria, che in quell'epoca essendo quasi generale fra noi, assaliva molte persone. Lo seppi soltanto dopo alcuni giorni quando il di lui stato si era già assai peggiorato. Non lo visitai per qualche riguardo, ma mi informai di lui presso al sig. dottor *Closset*, col quale io mi trovava quasi tutti i giorni insieme. Questi riteneva pericolosa la malattia di Mozart e ne temeva fino dal principio un cattivo esito, cioè un deposito alla testa. Un dì incontrò egli il dott. Sallaba e gli disse positivamente: Mozart è perduto, non è più possibile di rattenere il deposito. Sallaba mi comunicò all'istante questa notizia, ed infatti Mozart morì alcuni giorni dopo con i soliti sintomi di un deposito alla testa. La di lui morte destò un generale interesse, ma a nessuno è venuto in mente di presumere il benchè più lontano sospetto di un avvelenamento. Lo videro tante persone durante la malattia, tante s'informavano di lui, la sua famiglia lo ha assistito con tanta premura, il suo medico altamente considerato da tutti, l'ingegnoso e sperimentato Closset, lo ha trattato con tutta l'attenzione di un medico scrupoloso, e coll' l'interessamento di un amico da molti anni, cosicchè non gli sarebbe certamente sfuggito qualora si fosse fatta sporgere la benchè più lieve traccia di un avvelenamento. La malattia ebbe il suo solito corso, e la sua ordinaria durata; *Closset* l'aveva osservata e conosciuta con tanta giustezza, che ne ha predetto l'esito quasi sull'ora. La malattia assalì contemporaneamente parecchi abitanti di Vienna, ed ebbe per non pochi tra essi il medesimo esito mortale e coi medesimi sintomi come per Mozart. L'esatta visita del cadavere non ha offerto essa pure alcuna cosa d'insolito.

Ecco tutto ciò ch'io mi trovo in grado d'indicare sulla morte di Mozart. Avrò sommo piacere se ciò può contribuire ad ismentire l'orribile calunnia dell'eccellente Salieri. Non mi resta che di chiedere a vostra signoria illustrissima scusa se non prima d'ora le rassegno queste poche righe. Sempre nuovi affari ed una continua indisposizione che calmò alquanto solo dopo un salasso, hanno sempre opposto nuovi ostacoli alla mia migliore volontà.

Son col maggior rispetto

Dobling, il 10 giugno 1824.

Suo servitore dev.

Guldner.

Biblioteca Italiana, Mailand, Juli bis September 1824, Jg. IX, Heft XXXV, S. 275. — Nissen, S. 575 f. Jahn, II, 702. — Carpani, einer der ersten Biographen Joseph Haydns, lebte in Wien und veröffentlichte in der italienischen Vierteljahrsschrift eine Verteidigung des geistesumnachteten Salieri gegen das wiederauflebende Gerücht, daß er Mozart vergiftet habe. (Vgl. O. E. Deutsch in der *Schweizerischen Musikzeitung*, Zürich, Januar 1957.) Eine der Beilagen seines Artikels war dieser Brief Guldeners, den Nissen unvollständig und unvollkommen ins Deutsche rückübersetzte und den Jahn danach zitiert hat. Guldener, der des Sommers im Wiener Vorort Döbling wohnte, müßte um 1791 eine bisher nicht festgestellte Funktion als Amtsarzt bekleidet haben; erst 1797 wurde er zweiter, etwas später erster Stadtphysikus und 1814 niederösterreichischer Landesprotomedikus. — Siehe 25. Mai 1825. Zu Closset und Sallaba vgl. 28. November 1791.

Sophie Haibel an Nissen, als Beitrag zu seiner Mozart-Biographie

D. [Diakovar] den 7ten April 1825.

... Nun zur letzten Lebenszeit Mozarts. M:t bekam unsere selige Mutter immer lieber und selbe ihn auch, daher M. öffters auf die Wieden (wo unsere Mutter u. ich beym goldenen Pflug logirten) in einer Eile gelaufen kam, ein Säckgen unter dem Arme trug, worinnen Cofée und Zucker war, überreichte es unserer guten Mutter und sagte: Hier, liebe Mama, haben Sie eine kleine Jause. Dies freute sie denn wie ein Kind. Dies geschah sehr oft. Kurz, M. kam nie leer zu uns.

Nun, als M. erkrankte, machten wir beyde ihm die Nacht-Leibel, welche er vorwärts anziehen konnte, weil er sich vermög Geschwulst nicht drehen konnte; und weil wir nicht wussten, wie schwer krank er seye, machten wir ihm auch einen wattirten Schlafrock (wozu uns zwar zu allem das Zeug seine gute Frau, meine liebste Schwester, gab), dass, wenn er aufstehete, er gut versorgt sein möchte, und so besuchten wir ihn fleissig; er zeigte auch, eine herzliche Freude an dem Schlafrock zu haben. Ich ging alle Täge in die Stadt, ihn zu besuchen, und als ich einmahl an einem Sonnabend hineinkam, sagte M. zu mir: Nun, liebe Sophie, sagen Sie der Mama, dass es mir recht sehr gut gehet, und dass ich ihr noch in der Octave zu ihrem Namensfeste kommen werde, ihr zu gratuliren. Wer hatte eine grössere Freude als ich, meiner Mutter eine so frohe Nachricht bringen zu können, nachdeme selbe die Nachricht immer kaum erwarten konnte; ich eilte dahero nach Hause, sie zu beruhigen, nachdem er mir wirklich auch selbsten sehr heiter und gut zu sein schien. Den andern Tag war also Sonntag; ich war noch jung und, gestehe es, auch eitel -- und putzte mich gerne, möchte aber aufgeputzt nie gerne zu Fuss aus der Vorstadt in die Stadt gehen, und fahren war mir ums Geld zu thun; ich sagte dahero zu unserer guten Mutter: Liebe Mama, heute gehe ich nicht zu Mozart — er war ja gestern so gut, so wird ihm wohl heute noch besser sein, und ein Tag auf oder ob, das wird wohl nichts machen. Sie sagte darauf: Weisst du was, mache mir eine Schale Cofée, und nachdeme werde ich dir schon sagen, was du thun sollst. Sie war ziemlich gestimmt, mich zu Hause zu lassen, denn die Schwester weiss, wie sehr ich immer bey ihr bleiben musste. Ich ging also in die Küche. Kein Feuer war mehr da; ich musste ein Licht anzünden und Feuer machen. Mozart ging mir denn doch nicht aus dem Sinne. Mein Cofée war fertig, und mein Licht brannte noch. Nun sah ich, wie verschwenderisch ich mit dem Licht gewesen, so viel verbrannt zu haben. Das Licht brannte noch hoch auf, jetzt sah ich starr in mein Licht und dachte, ich möchte doch gerne wissen, was Mozart macht, und wie ich dies dachte und ins Licht sehe, löschte das Licht aus, und so aus, als ob es nie gebrannt hätte. Kein Fünkgen blieb an dem grossen Dochten, keine Luft war nicht, dies kann ich beschwören; ein Schauer überfiel mich, ich lief zu unserer Mutter und erzählte es ihr. Sie sagte: Genug, ziehe dich geschwinde, aus [an?] und gehe hinein, und bringe mir aber gleich Nachricht, wie es ihm gehet. Halte dich aber nicht lange auf. Ich eilte, so geschwinde ich nur konnte. Ach Gott, wie erschrak ich nicht, als mir meine halb verzweifelnde, und doch sich moderiren wollende Schwester entgegen kam, und sagte: Gott Lob, liebe Sophie, dass du da bist; heute Nacht ist er so schlecht gewesen, daß ich schon dachte, er erlebt diesen Tag nicht mehr. Bleibe doch nur heute bey mir, denn wenn er heute wieder so wird, so stirbt er auch diese Nacht. Gehe doch ein wenig zu ihm, was er macht. Ich suchte mich zu fassen und ging an sein Bette, wo er mir gleich zuruffte: Ach gut, liebe Sophie, dass Sie da sind. Sie müssen heute Nacht da bleiben, Sie müssen mich sterben sehen. Ich suchte, mich stark zu machen und ihm es auszureden, allein er erwiederte mir auf alles: Ich habe ja schon den Todten-Geschmack auf der Zunge, und: Wer wird denn meiner liebsten Constance beystehen, wenn Sie nicht hier blieben. Ja, lieber M., ich muss nur noch zu unserer Mutter gehen, und ihr sagen, dass Sie mich heute gerne bey sich hätten, sonst gedenkt sie, es seie ein Unglück geschehen. Ja, das tun Sie, aber kommen Sie ja bald wieder. — Gott, wie war mir da zu Muthe. Die arme Schwester ging mir nach und bat mich um Gottes willen, zu denen Geistlichen bey St. Peter zu gehen, und [einen] Geistlichen zu bitten, er möchte kommen, so wie von ungefähr. Das tat ich auch, allein selbe weigerten sich lange, und ich hatte viele Mühe, einen solchen geistlichen Unmenschen dazu zu bewegen. — - Nun lief ich zu der mich angstvoll erwartenden Mutter; es war schon finster. Wie erschrak die Arme. Ich beredete selbe, zu der ältesten Tochter, der seligen Hofer, über Nacht zu gehen, welches auch geschah, und ich lief wieder, was ich konnte, zu meiner trostlosen Schwester. Da war der Sissmaier bei M. am Bette; dann lag auf der Decke das bekannte Requiem, und Mozart explicirte ihm, wie seine Meinung seie, dass er es nach seinem Todte vollenden sollte. Ferner trug er seiner Frau auf, seinen Todt geheim zu halten, bis sie nicht vor Tag Albregtsberger davon benachrichtigt hätte; denn diesem gehört der Dienst vor Gott und der Welt. Glosett, der Doktor, wurde lange gesucht, auch im Theater gefunden; allein er musste das Ende der Piece abwarten — dann kam er und verordnete ihm noch *kalte* Umschläge über seinen glühenden Kopfe, welche ihm auch so erschütterten, dass er nicht mehr zu sich kam, bis er nicht verschieden. Sein Letztes war noch, wie er mit dem Munde die Pauken in seinem Requiem ausdrücken wollte, das höre ich noch jetzt. Nun kam gleich Müller aus dem Kunst Cabinett und drückte sein bleiches erstorbenes Gesicht in Gips ab. Wie grenzenlos elend seine treue Gattin sich auf die Knie warf und den Allmächtigen um seinen Beystand anrufte, ist mir, lieber Bruder, unmöglich zu beschreiben. Sie konnte sich nicht von ihm trennen, so sehr ich sie auch bat; wenn ihr Schmerz noch zu vermehren gewesen wäre, so müsste er dadurch vermehrt worden sein, dass den Tag auf die schauervolle Nacht die Menschen scharenweis vorbey gingen, und laut um ihn weinten und schrien. Ich habe M. in meinem Leben nicht aufbrausend, viel weniger zornig gesehen.

…Lieber, vergebe mir, wenn ich weitläufig in meinem Brief gewesen; allein ich weiss mich nicht zu erinnern, ob ich meiner Schwester die mir so auffallende Begebenheit mit dem *Licht* gesagt habe, indem ich immer sorgfältig vermiede, ihre Wunden zu erneuren. O, wie war M-t besorget, wenn seinem lieben Weibgen etwas fehlte. So war es einmal, als sie schwer krank war und ich bei ihr durch 8 volle Monate Kranken wartete. Eben sass ich an ihrem Bette, Mozart auch. Er componirte an ihrer Seite; ich beobachtete ihren nach so langer Zeit gehabten süssen Schlummer. Stille hielten wir alles wie in einem Grabe, um sie nicht zu stören. Plötzlich kam ein roher Dienstbote in das Zimmer. Moz. erschrak aus Furcht, seine liebe Frau würde in ihrem sanften Schlummer gestöret, wollte stille zu sein winken, ruckte den Sessel rückwärts hinter sich weg, hatte gerade das Feder-Messer offen in der Hand. Dieses spiesste sich zwischen dem Sessel und seinem Schenkel, so dass es ihm bis an die Heft in das dicke Fleisch hinein ging. Moz., der sonst wehleidig, machte aber keine Bewegung und verbiss seinen Schmerz, winkte mir nur, ihm hinaus zu folgen. Wir gingen in ein Zimmer, in welchem unsere Mutter verborgen lebte, weil wir der guten Mozart nicht wollten merken lassen, wie schlecht sie seie, und die Mutter doch gleich zur Hilfe da seie. Die Mutter verband ihn und legte Coubey in die sehr tiefe Wunde; mit dem Johannes-Oel gelang es ihr, ihn wieder herzustellen, und obschon er etwas krumm vor Schmerzen ging, machte er doch, dass es verborgen blieb und seine liebe Frau es nicht erfuhr. Schreibe mir, ob du [das] alles schon wusstest.

Original bei der Gesellschaft der Musikfreunde, Wien. - - Nissen, S. 573—575, 687 f. — *Mozarteums-Mitteilungen*, Salzburg, November 1918 (Jg. I, H. 1), S. 21—23. — Die Schreibung wurde hier nicht ganz beibehalten; der Salzburger Abdruck aber ist diplomatisch getreu. — Sophie, die jüngste der vier Weber-Töchter, lebte in Slavonien, wo Jakob Haibel als Chordirektor am Dom von Diakovár wirkte, bevor sie nach Nissens Tod (1826) zu ihrer Schwester in Salzburg zog. — Um 1791 wohnte sie mit ihrer Mutter in der Hauptstraße der Vorstadt Wieden (heute No. 23), ihre Schwester Josefa aber, wie viele Mitglieder der Truppe Schikaneders, auch er selbst, im Freihaus. — „Jause" = Nachmittags-Kaffee. — „Leibel" = Leibchen. — Sonnabend war der 3. Dezember 1791. — „Oktav" = die Woche nach dem Feste. — Frau Maria Cäcilia Cordula Weber feierte ihren Namenstag am 22. November. — Die Peterskirche, beim Graben, war nahe dem „Auge Gottes", wo die Webers um 1780 gewohnt hatten. Die Geistlichen sollen gezögert haben, zur letzten Ölung zu kommen, weil der Kranke sie nicht selbst rufen ließ (Nissen, S. 575). Mozart bekam die letzte Ölung, wurde aber nicht versehen. (Nissens Kollektaneen im Mozarteum, Salzburg, z. T. veröffentlicht von Rudolf v. Lewicki in den Mozarteums-Mitteilungen, November 1919, S. 28.) Mozarts „Dienst" war seine Stellung bei St. Stephan als Assistent und Nachfolger des Domkapellmeisters. — Graf Joseph Deym, genannt Müller (s. 26. März 1791), nahm Mozarts Totenmaske ab, die Konstanze später durch Ungeschick zerbrach. — „Couby" = Kubeben- (Schwanzpfeffer-) Öl. — In Nissens Mozart-Biographie sind Seite 575 und 627 noch andere Erinnerungen Sophie Haibels abgedruckt. Davon werden die zweiten unter 1828 zitiert, die ersten aber, die mit dem Briefe zusammenhängen und in indirekter Rede gehalten sind, hier: „Die Schwägerin meynt, Mozart sey in seiner Krankheit nicht zweckmäßig genug behandelt worden, denn statt daß man auf andere Weise das Friesel noch mehr heraustreiben sollte, hätte man ihm zur Ader gelassen und kalte Umschläge auf den Kopf gemacht, worauf die Kräfte zusehens geschwunden und er in Bewußtlosigkeit gefallen sey, aus der er nicht wieder zu sich kam. Selbst in seiner schweren Krankheit sey er nie ungeduldig geworden, und zuletzt sey sein feines Gehör und Gefühl nur noch gegen den Gesang seines Lieblings, eines Kanarienvogels, der sogar aus dem Nebenzimmer entfernt werden mußte, weil er ihn zu stark angriff, empfindlich gewesen."

AUS DER «ALLGEMEINEN MUSIKALISCHEN ZEITUNG», LEIPZIG, 25. MAI 1825

Wien. Musikalisches Tagebuch von Monat April.

Unser würdiger Salieri kann — nach dem Volksausdrucke — halt nicht sterben. Der Körper leidet alle Schmerzen der Altersgebrechen, und der Geist ist entflohen. In seiner Phantasiezerrüttung soll er sich wirklich zuweilen selbst als Mitschuldigen an Mozarts frühem Tode anklagen: ein Irrwahn, dem wahrlich niemand Glauben beymisst, als der arme, sinnverwirrte Greis. Mozarts Zeitgenossen ist es leider nur allzu bekannt, dass nur angestrengtes Arbeiten und Geschwindleben in übelgewählter Gesellschaft seine kostbaren Tage verkürzte!

Band 27, No. 27, Spalte 349 f. — Vgl. 10. Juni 1824. — Carpanis Verteidigungs-Artikel für Salieri war auch ein Attest der beiden Wärter beigegeben, die Tag und Nacht abwechselnd um ihn waren: keiner von beiden hatte jemals solch eine Selbstanklage gehört. — Carpani war schon am 22. Januar, Salieri am 7. Mai 1825 gestorben.

AUS JOHANN NEPOMUK HUMMELS ENTWURF ZU EINER MOZART-BIOGRAPHIE

(um 1825)

... Er war klein von Gestalt, etwas blasser Gesichtsfarbe; seine Physiognomie hatte viel angenehmes und freundliches, mit etwas melancholischem Ernst verbunden; sein grosses blaues Auge strahlte hell. Im Zirkel guter Freunde konnte er auch recht heiter, munter, witzig, ja zuweilen sogar über manche Dinge satyrisch werden! ...

Karl Benyovszky, J. N. Hummel, Pressburg 1934, S. 32 und 186. — Vgl. 20. und 21. Mai 1789, ferner 1873 und 1880.

Aus den handschriftlichen Biographien des Johann Georg Roser von
Reiter und seines Sohnes Franz de Paula (nach dessen Erinnerungen),
Wien, um 1825

...Eine recht artige Begebenheit mit Mozart verdient hier angemerkt zu werden. Als
eben [Johann Georg] Roser seine erste Funkzion mit einer von ihm komponirten Messe
mit Doppelchor in der [Linzer] Domkirche hielt, kam Mozart nach dem *Gloria* auf den
Chor, und ersuchte Roser, ob es ihm nicht vergönnt sey, den Platz an der Orgel einnehmen
zu dürfen. Roser, der Mozart nie persönlich kannte, frug ihn, ob er aber auch die Orgel
gut spielen könnte, da in dieser Messe mehrere Fugen vorkämen. Mozart verbürgte sich,
und nun ging es ans *Credo.* Als dieses beendigt war, wo das *et vitam venturi* eine große
Fuge war, ging Roser zu dem Orgelhelden, und sagte ihm, er könnte nur Mozart seyn;
Mozart's Antwort war: *mehr* sey er auch nicht. Roser hatte das Glück, Mozart mit seinem
Vater durch 11 Tage in seiner Wohnung bewirthen zu können. Eben zu dieser Zeit vollendete Roser das von ihm erfundene Pianoforte, welches er *Harmonie pour la parfait* [richtig:
l'harmonie parfaite] nannte. ... Mozart hat während seines Aufenthaltes bey ihm 2 kleine
Piecen für dieß Instrument geschrieben; leider aber ist dessen Manuskript bey dem
Brande in Linz 1799 ein Opfer der Flamme geworden.
... Auf Mozart's Anrathen kam er [Franz de Paula Roser] 1789 nach Wien, um nebst den
lateinischen Studien Mozart's Unterricht benützen zu können; da aber Mozart öfters
reisen mußte, später durch kränkliche Umstände keinen Unterricht mehr ertheilen konnte,
so erhielt er nur 32 Lectionen.

Manuskripte im Archiv der Gesellschaft der Musikfreunde, Wien. Benützt von Aloys Fuchs in der
Wiener allgemeinen Musikzeitung, 8. September 1842, und von Constant von Wurzbach in seinem
Lexikon, Band 27, S. 38 ff., Wien 1874. — Leider sind die Angaben mit den Tatsachen kaum zu
vereinen. Vater Roser, der von Leopold Mozart dort empfohlen worden war, wurde um 1785 der
erste Domkapellmeister in Linz, also nach dem letzten Besuche Wolfgangs dort (November 1783,
mit Konstanze, beim Grafen Thun). Das erste sechsmanualige Pianoforte, nach der Erfindung Vater
Rosers, wurde 1785 in Brüssel gebaut. Der Sohn hinterließ neben einer Beschreibung des Instrumentes die Niederschrift eines Rondos aus den beiden Kompositionen, die Mozart dafür geschrieben
haben soll. — Es ist unglaubwürdig, daß Vater Roser 1791 Mozart auf dem Krankenbette das erste
Papageno-Lied vorgesungen habe und unter den Trauergästen bei seinem Begräbnis gewesen wäre
(laut einem 1857 erschienenen journalistischen Artikel von H-n über die *Zauberflöte).* — Johann
Georg Roser (1740—1797) war nie Theater-Kapellmeister, wohl aber sein Sohn Franz de Paula
Roser (1779—1830), ein vielseitiger Komponist. Er war erst zehn Jahre alt, als er nach Wien kam,
und ungefähr sechs, als Mozart angeblich bei seinem Vater in Linz gewohnt hat. (Vgl. 20. November
1791 und Köchel-Einstein, S. 736.) — Bemerkenswert ist hier noch, daß Franz de Paula Roser in
diesen Erinnerungen einen Ludwig Gall, der 1796 das zweite, in Wien erbaute Instrument seines
Vaters gesehen habe, als Schüler Mozart nennt, weil ihn auch Aloys Fuchs in seiner Widmung eines
Mozart-Autographs so anspricht. (Vgl. Köchel-Einstein, S. 832.) Wir wissen von Gall nur, daß er um
1825 Staatsbeamter war und mehrere Werke Mozarts für zwei Klaviere bearbeitet hat.

Am 24. März 1826 stirbt Nissen in Salzburg.

Konstanze ließ ihn auf dem St.-Sebastian-Friedhof im Grabe Leopold Mozarts beisetzen, wie vordem ihre Tante Genoveva Weber.

Aus Maximilian Stadlers „Vertheidigung der Echtheit des Mozartischen Requiem", Wien 1826

... Ich [habe] mit Mozart selbst einen freundschaftlichen Umgang gepflogen, nach seinem Tod aber seiner Witwe rücksichtlich der hinterlassenen Handschriften ihres Gemahls einige Dienste geleistet. Diese nähmlich ersuchte mich, jene Schriften in Ordnung zu bringen. Sie wollte mir selbe in meine Wohnung schicken. Ich verbath es mir, und versprach, so oft die Zeit es mir erlauben würde, sie zu besuchen, und, in Gegenwart des neben ihr wohnenden Herrn von Nyssen, den ganzen musikalischen Nachlaß des Verewigten durchzugehen, zu ordnen, und einen Catalog darüber zu verfertigen. Dieß geschah in kurzer Zeit, indem ich Alles angab, Herr von Nyssen Alles genau aufschrieb, und den Catalog bald zu Stande brachte. Es ist bekannt, daß späterhin Herr André in Offenbach den ganzen Nachlaß käuflich an sich gebracht habe ...

S. 9 f. — Stadler war erst 1796 nach Wien übersiedelt und nahm mit Nissen die erste Sichtung des Nachlasses 1798 vor, eine zweite, kleinere 1799, kurz bevor Johann Anton André ihn erwarb. Nissen, der 1793 nach Wien gekommen war, wohnte 1798/9 am Franziskaner-Platz in der Inneren Stadt, und es scheint, daß Konstanze schon seit 1797 seine Nachbarin und Haushälterin gewesen ist. Im Anhang seiner 1828 erschienenen Mozart-Biographie ist der von Stadler erwähnte Katalog abgedruckt, als *„Verzeichnis der in Mozarts Verlassenschaft gefundenen musicalischen Fragmente und Entwürfe, wie es grösstenteils von Abbé Maximilian Stadler verfaßt worden"*, sowie als *„Verzeichnis derjenigen Compositionen, welche Mozart ausser den hier angeführten noch vollendet hinterlassen hat"*. Die angeführten Werke waren die in Leopold Mozarts Liste der Jugendarbeiten seines Sohnes und die in Mozarts eigenem Verzeichnis aufgezählten Arbeiten von 1784 bis 1791. Vgl. Köchel-Einstein, S. XXVII.

Aus Michael Kellys «Reminiscences», London 1826

... I went one evening to a concert of the celebrated Kozeluch's, a great composer for the piano-forte, as well as a fine performer on that instrument. I saw there the composers Vanhall and Baron Dittersdorf; and, what was to me one of the greatest gratifications of my musical life, was there introduced to that prodigy of genius — Mozart. He favoured the company by performing fantasias and capriccios on the piano-forte. His feeling, the rapidity of his fingers, the great execution and strength of his left hand particularly, and the apparent inspiration of his modulations, astounded me. After his splendid performance we sat down to supper, and I had the pleasure to be placed at table between him and his wife, Madame Constance Weber, a German lady, of whom he was passionately fond, and by whom he had three children. He conversed with me a good deal about Thomas Linley, the first Mrs. Sheridan's brother, with whom he was intimate at Florence, and spoke of him whith great affection. He said that Linley was a true genius; and he felt that, had he lived, he would have been one of the greatest ornaments of the musical world. After supper the young branches of our host had a dance, and Mozart joined them. Madame Mozart told me, that great as his genius was, he was an enthusiast in dancing, and often said that his taste lay in that art, rather than in music.
He was a remarkable small man, very thin and pale, with a profusion of fine fair hair, of which he was rather vain. He gave me a cordial invitation to his house, of which I availed myself, and passed a great part of my time there. He always received me with kindness and hospitality.—He was remarkably fond of punch, of which beverage I have seen him take copious draughts. He was also fond of billiards, and had an excellent billiard table in his house. Many and many a game have I played with him, but always came off second

best. He gave Sunday concerts, at which I never was missing. He was kind-hearted, and always ready to oblige; but so very particular, when he played, that if the slightest noise were made, he instantly left off. He one day made me sit to the piano, and gave credit to my first master, who had taught me to place my hand well on the instrument.—He conferred on me what I considered a high compliment. I had composed a little melody to Metastasio's canzonetta, "Grazie agl' inganni tuoi", which was a great favourite wherever I sang it. It was very simple, but had the good fortune to please Mozart. He took it and composed variations upon it, which were truly beautiful; and had the further kindness and condescension to play them wherever he had an opportunity. Thinking that the air thus rendered remarkable might be acceptable to some of my musical readers, I have subjoined it.

Encouraged by his flattering approbation, I attempted several little airs, which I shewed him, and which he kindly approved of; so much indeed, that I determined to devote myself to the study of counterpoint, and consulted him, by whom I ought to be instructed. — He said, "My good lad, you ask my advice, and I will give it you candidly; had you studied composition when you were at Naples, and when your mind was not devoted to other pursuits, you would perhaps have done wisely; but now that your profession of the stage must, and ought, to occupy all your attention, it would be an unwise measure to enter into a dry study. You may take my word for it, Nature has made you a melodist, and you would only disturb and perplex yourself. Reflect, *a little knowledge is a dangerous thing*; —should there be errors in what you write, you will find hundreds of musicians, in all parts of the world, capable of correcting them; therefore do not disturb your natural gift."

"Melody is the essence of music," continued he; "I compare a good melodist to a fine racer, and counterpointists to hack post-horses; therefore be advised, let *well alone*, and remember the old Italian proverb — 'Chi sa più, meno sa — Who knows most, knows least'." The opinion of this great man made on me a lasting impression.

My friend Attwood (a worthy man, and an ornament to the musical world) was Mozart's favourite scholar, and it gives me great pleasure to record what Mozart said to me about him; his words were, "Attwood is a young man for whom I have a sincere affection and esteem; he conducts himself with great propriety, and I feel much pleasure in telling you, that he partakes more of my style than any scholar I ever had; and I predict, that he will prove a sound musician." Mozart was very liberal in giving praise to those who deserved it; but felt a thorough contempt for insolent mediocrity. He was a member of the Philharmonic Society of Bologna and Verona; and when at Rome, the Pope conferred on him the Cross and Brevet of Knight of Lo Sprone d'Ora [Speron d'oro] . . .

. . . Just at the same period, the celebrated Paesiello arrived at Vienna, on his way to Naples, from Petersburg, where he had been some years, and amassed very great wealth. I had the pleasure of seeing him introduced to Mozart; it was gratifying to witness the satisfaction which they appeared to feel by becoming acquainted; the esteem which they had for each other was well known. The meeting took place at Mozart's house; I dined with them, and often afterwards enjoyed their society together. . . .

. . . Storace gave a quartet party to his friends. The players were tolerable; not one of them excelled on the instrument he played, but there was a little science among them, which I dare say will be acknowledged when I name them:

The First Violin	. . . .	*Haydn.*
„ Second Violin	. . . .	Baron *Dittersdorf.*
„ Violoncello	. . . .	*Vanhall.*
„ Tenor	. . . .	*Mozart.*

The poet Casti and Paesiello formed part of the audience. I was there, and a greater treat, or a more remarkable one, cannot be imagined.

On the particular evening to which I am now specially referring, after the musical feast was over, we sat down to an excellent supper, and became joyous and lively in the extreme. . . .

. . . I had the pleasure, about this time, to be introduced to Monsieur Martini. He was a very old man. His sister, nearly his own age, kept his house for him. She was reckoned a deep blue, and very well versed in all the arts and sciences. The great poet Metastasio had lived *sixty years* in her brother's house, upon the most friendly terms, and died in it. The colleges of Bologna and Pavia gave her the title of Dottoressa; and deputations came from both those places, with her diploma. When I was admitted to her conversaziones and musical parties, she was in the vale of years, yet still possessed the gaiety and vivacity of a girl, and was polite and affable to all. Mozart was an almost constant attendant at her parties, and I have heard him play duets on the piano-forte with her, of his own composition. She was a great favourite of his. . . .

. . . There was a very excellent company of German singers at the Canatore [Kärntnertor] Theatre; it was more spacious than the Imperial Court Theatre. The first female singer was Madam Langé, wife to the excellent comedian of that name, and sister to Madame Mozart. She was a wonderful favourite, and deservedly so; she had a greater extent of high notes than any other singer I ever heard. The songs which Mozart composed for her in "L'Enlèvement du Sérail," shew what a compass of voice she had; her execution was most brilliant. . . .

. . . Paesiello's Barbiere di Siviglia, which he composed in Russia, and brought with him to Vienna, was got up; Signor Mandini and I played the part of Count Almaviva alternately; Storace was the Rosina. There were three operas now on the tapis, one by Regini [Righini], another by Salieri (the Grotta of Trophonius), and one by Mozart, by special command of the Emperor. Mozart chose to have Beaumarchais' French comedy, "Le Mariage de Figaro", made into an Italian opera, which was done with great ability, by Da Ponte. These three pieces were nearly ready for representation at the same time, and each composer claimed the right of producing his opera for the first. The contest raised much discord, and parties were formed. The characters of the three men were all very different. Mozart was as touchy as gunpowder, and swore he would put the score of his opera into the fire, if it was not produced first; his claim was backed by a strong party: on the contrary, Regini was working like a mole in the dark to get precedence.

The third candidate was Maestro di Cappella to the Court, a clever shrewd man, possessed of what Bacon called, crooked wisdom; and his claims were backed by three of the principal performers, who formed a cabal not easily put down. Every one of the opera company took part in the contest. I alone was a stickler for Mozart, and naturally enough, for he had a claim on my warmest wishes, from my adoration of his powerful genius, and the debt of gratitude I owed him, for many personal favours.

The mighty contest was put an end to by His Majesty issuing a mandate for Mozart's "Nozze di Figaro," to be instantly put into rehearsal; and none more than Michael O'Kelly, enjoyed the little great man's triumph over his rivals.

Of all the performers in this opera at that time, but one survives,—myself. It was allowed that never was opera stronger cast. I have seen it performed at different periods in other countries, and well too, but no more to compare with its original performance than light is to darkness. All the original performers had the advantage of the instruction of the composer, who transfused into their minds his inspired meaning. I never shall forget his little animated countenance, when lighted up with the glowing rays of genius;—it is as impossible to describe it, as it would be to paint sunbeams.

I called on him one evening; he said to me, "I have just finished a little duet for my opera, you shall hear it." He sat down to the piano, and we sang it. I was delighted with it, and the musical world will give me credit for being so, when I mention the duet, sung by Count Almaviva and Susan, "Crudel perchè finora farmi languire così." A more delicious morceau never was penned by man; and it has often been a source of pleasure to me, to have been the first who heard it, and to have sung it with its greatly-gifted composer. I remember at the first rehearsal of the full band, Mozart was on the stage with his crimson pelisse and gold-laced cocked hat, giving the time of the music to the orchestra. Figaro's song, "Non più andrai, farfallone amoroso", Bennuci gave, with the greatest animation and power of voice.

I was standing close to Mozart, who, *sotto voce*, was repeating, Bravo! Bravo! Bennuci; and when Bennuci came to the fine passage, "Cherubino, alla vittoria, alla gloria militar," which he gave out with Stentorian lungs, the effect was electricity itself, for the whole of the performers on the stage, and those in the orchestra, as if actuated by one feeling of delight, vociferated Bravo! Bravo! Maestro. Viva, viva, grande Mozart. Those in the orchestra I thought would never have ceased applauding, by beating the bows of their violins against the music desks. The little man acknowledged, by repeated obeisances, his thanks for the distinguished mark of enthusiastic applause bestowed upon him.

The same meed of approbation was given to the finale at the end of the first act; that piece of music alone, in my humble opinion, if he had never composed any thing else good, would have stamped him as the greatest master of his art. In the sestetto, in the second act, (which was Mozart's favourite piece of the whole opera,) I had a very conspicuous part, as the Stuttering Judge. All through the piece I was to stutter; but in the sestetto, Mozart requested I would not, for if I did, I should spoil his music. I told him, that although it might appear very presumptuous in a lad like me to differ with him on this point, I did; and was sure, the way in which I intended to introduce the stuttering, would not interfere with the other parts, but produce an effect; besides, it certainly was not in nature, that I should stutter all through the part, and when I came to the sestetto, speak plain; and after that piece of music was over, return to stuttering; and, I added, (apologising at the same time, for my apparent want of deference and respect in placing my opinion in opposition to that of the great Mozart,) that unless I was allowed to perform the part as I wished, I would not perform it at all.

Mozart at last consented that I should have my own way, but doubted the success of the experiment. Crowded houses proved that nothing ever on the stage produced a more powerful effect; the audience were convulsed with laughter, in which Mozart himself joined. The Emperor repeatedly cried out Bravo! and the piece was loudly applauded and encored.

When the opera was over, Mozart came on the stage to me, and shaking me by both hands, said, "Bravo! young man, I feel obliged to you; and acknowledge you to have been in the right, and myself in the wrong". There was certainly a risk run, but I felt within myself I could give the effect I wished, and the event proved that I was not mistaken.

I have seen the opera in London, and elsewhere, and never saw the Judge portrayed as a stutterer, and the scene was often totally omitted. I played it as a stupid old man, though at the time I was a beardless stripling. At the end of the opera, I thought the audience would never have done applauding and calling for Mozart; almost every piece was encored, which prolonged it nearly to the length of two operas, and induced the Emperor to issue an order, on the second representation, that no piece of music should be encored. Never was any thing more complete than the triumph of Mozart, and his "Nozze di Figaro," to which numerous overflowing audiences bore witness.

One morning, while we were rehearsing in the grand saloon of the palace, His Majesty, accompanied by Prince Rosenberg, entered the saloon, and addressing himself to Storace, Mandini, and Bennuci, said, "I dare say, you are all pleased, that I have desired there shall be no more encores; to have your songs so often repeated, must be a great fatigue, and very distressing to you." Storace replied, "It is indeed, Sire, very distressing, very much so;" the other two bowed, as if they were of the same opinion. I was close to His Majesty, and said boldly to him, "Do not believe them, Sire, they all like to be encored, at least I am sure I always do." His Majesty laughed, and I believe he thought there was more truth in my assertion, than in theirs. I am sure there was....

...I went to take leave of the immortal Mozart, and his charming wife and family; he gave me a letter to his father, Leopold Mozart, who was at the Court of Saltzbourg. I could hardly tear myself away from him; and, at parting, we both shed tears. Indeed, the memory of the many happy days which I passed at Vienna will never be effaced from my mind.

In the first week of February 1787, I quitted it with a heart full of grief and gratitude. Storace, her mother, her brother, Attwood, and myself, not forgetting Signora Storace's lap-dog, filled the travelling carriage, and with four horses we started for England Ho!

Were I to recount the *désagrémens* of a German journey, my task would be endless. I shall therefore content myself with mentioning the different places at which we stopped: the first, worthy of observation, was Saltzbourg, which would be celebrated, if for nothing else, as the birth-place of Mozart, who was born there in the year 1756. As I viewed its lofty spires from a distance, I felt a kind of reverential awe. The morning after our arrival, escorted by a *lacquais de place*, I waited upon Mozart's father, and delivered his son's letter. I found him a pleasing, intelligent little man; he called upon Signora Storace, and offered to be our guide to every thing worth noticing; he was, as I have before mentioned, in the service of the reigning Sovereign, the Archbishop, who was passionately fond of music, and a distinguished amateur; he had also in his service Michael Haydn, brother of the celebrated Haydn, who was by many competent judges reckoned even superior to his brother in the composition of church music....

...The Archbishop sent one of his attendants to invite Signora Storace and her party to hear a concert at his palace; we felt ourselves highly honoured, and, of course, went. The Archbishop was a very fine looking man, particularly galant and attentive to the ladies, of whom there was a splendid show; it was conceived that he was very partial to the

English, and English manners. The music was chiefly instrumental, admirably performed; the band numerous and excellent....

Band I, S. 222—225, 234 f., 237 f.,249, 250, 253—259, 273—275, 275 f. — Kelly, als Ire manchmal O'Kelly genannt, war als Michele Ochelli von 1783 bis 86 an der Italienischen Oper in Wien engagiert gewesen und hatte in *Le nozze di Figaro* den Basilio und den Don Curzio gesungen. — Seine *Erinnerungen* sind von Theodor Hook geschrieben worden und vielfach unglaubwürdig. — Albert Leitzmann hat die Mozart-Stellen daraus übersetzt (1914, S. 64 ff.; 1926, S. 72 ff.). — Zu Linley s. 4. April 1770. Seine älteste Schwester, Eliza Ann, heiratete den Dichter Richard Brinsley Sheridan. — Kellys Melodie zu Metastasios Canzonetta *La Libertà a Nice* ist am Ende des zweiten Absatzes im Original zitiert, für zwei Sopranstimmen mit Klavierbegleitung; Mozarts Variationen sind nicht bekannt geworden (vgl. Köchel-Einstein, S. 682). — Zu Attwood s. 23. August 1785. — Zu Paisiello s. 23. August 1784; über die Begegnung Paisiellos mit Mozart vgl. dessen Brief an den Vater vom 9. bis 12. Juni 1784. — Über Stephen Storace s. 26. September 1785 und später. — *„Tenor"* = Viola. — Statt Martini sollte es Martinez heißen; über Marianne Martinez (eigentlich Martines) s. 14. Oktober 1762. Nicolò Martines (1689—1764), Zeremonien-Meister bei der apostolischen Nuntiatur in Wien, hatte zwei Töchter und mehrere Söhne. Marianne war 1744 geboren, also um 1785 nur etwa vierzig Jahre alt. Ihr ältester Bruder, Joseph, Direktor der Hofbibliothek, war 1729 geboren und wohnte mit einem anderen Bruder in der Herrengasse. Metastasio lebte im großen Michaeler-Haus am Kohlmarkt, wo Fräulein Martines wohnte, von 1730 bis 1782. Von einem Verkehr Mozarts in diesem Hause ist um diese Zeit nichts bekannt. — Paisiellos *Barbiere* wurde in Wien seit 1783 gegeben, 1784 in Anwesenheit des Komponisten. — Salieris *La Grotta di Trofonio* war schon 1785 aufgeführt worden. Righinis *Il Demogorgone* kam 1786 nach dem *Figaro* ins Burgtheater.

Aus einem Nachruf für Benedikt Schack, 1827

... Nachdem er sich bey einigen Provinzialtheatern in den österreichischen Staaten versucht, kam er zu Schikaneder nach Wien, ward da Mozart's, des Unvergeßlichen, Freund, Vertrauter, Hausgenosse und wusste von ihm eine Menge Züge, Anekdoten, die desselben Kunst- und häusliches Leben schildern und die gutmüthige Seele enthüllen. Für ihn ward Tamino geschrieben, er konnte angeben, wie und auf welche Veranlassung, zu welcher Zeit, in welcher Lage jedes Stück der *Zauberflöte* entworfen, geändert, endlich ausgeführt worden. Die Composition des *Requiem* war ihm nicht fremd, er war immer um den Meister, während derselbe sich mit dieser Arbeit beschäftigte. Sein Umgang war deswegen unterhaltend und belehrend. Man erfuhr, welche Wege und Irrwege auch das grösste Talent in der rauhen Wirklichkeit des Lebens zu durchwandern hat...
Und nun auch ein Wort über das Mozart'sche *Requiem*.
Die Sage über die mystische Bestellung desselben, und dass der Meister seine Arbeit nicht vollendet, war in München sogleich nach Mozart's Tode bekannt. Man wusste, daß die Composition des Sanctus und des Agnus Dei Hrn. Süssmayr angehöre, der auch manches andere unvollendet gelassene mochte arrangirt und instrumentiret haben. Aber, dass Mozart, der ehrliche, redliche Mozart, zwar das Honorar angenommen, aber die Arbeit selbst theils aus früheren Jugendversuchen, überhaupt ohne Fleiss, ohne Antheil, ohne Liebe zur Sache bloss nothdürftig zusammengestoppelt habe — diese seltsame Äußerung würde Niemand unter uns haben aussprechen wollen, wäre sie ihm auch in den Sinn gekommen. Und bloss in Beziehung auf dieselbe führen wir an, was der brave wahrheitliebende Schack, bey so mancher Veranlassung, lange vor dem Erscheinen der Cäcilia uns mittheilte. Mozart, so erzählte er unter vielem Andern, was nicht hieher gehört, erhielt für die Composition des *Requiem* funfzig Dukaten, die Hälfte davon vorausbezahlt. Da ihm keine Eile in der Arbeit anbefohlen war, so reiste er in der Zwischenzeit noch nach Frankfurt. Den grössten Theil seines *Requiem* schrieb er auf der Laimgrube in dem Trattnerschen Garten.

Sobald er eine Nummer vollendet hatte, liess er sie sogleich singen und spielte dazu die Instrumentation auf seinem Piano. Selbst an dem Vorabende seines Todes liess er sich die Partitur des *Requiem* noch zum Bette hinbringen und sang (es war zwey Uhr Nachmittags) selbst noch die Altstimme; Schack, der Hausfreund, sang, wie er es denn vorher immer pflegte, die Sopranpartie, Hofer, Mozart's Schwager, den Tenor, Gerle, später Bassist beym Mannheimertheater, den Bass. Sie waren bey den ersten Takten des Lacrimosa, als Mozart heftig zu weinen anfing, die Partitur bey Seite legte, und eilf Stunden später um ein Uhr Nachts, verschied (5ten Dec. 1791, wie bekannt).

Allgemeine musikalische Zeitung, Leipzig, 25. Juli 1827 (29. Jg., No. 30), S. 519—521. — Anonymer Bericht aus München, wo Schack am 11. Dezember 1826 gestorben war. — In der bei Schott in Mainz erschienenen Zeitschrift *Cäcilia* hatte sich Gottfried Weber 1825 gegen die Echtheit des Requiems ausgesprochen. — Nicht nach Frankfurt, sondern nach Prag reiste Mozart 1791. — Trattners Garten lag nicht in der Vorstadt Laimgrube, sondern in Alt-Lerchenfeld. — Novello gab 1831 in London den Klavierauszug einer Messe von Schack heraus, die Zusätze von Mozart enthalten sollte. — Zu Schack s. Nachtrag, S. 532/533.

Aus Sophie Haibls Erinnerungen, 1828

Er war immer guter Laune, aber selbst in der besten sehr nachdenkend, einem dabey scharf ins Auge blickend, auf Alles, es mochte heiter oder traurig seyn, überlegt antwortend, und doch schien er dabey an ganz etwas Anderm tiefdenkend zu arbeiten. Selbst wenn er sich in der Frühe die Hände wusch, ging er dabey im Zimmer auf und ab, blieb nie ruhig stehen, schlug dabey eine Ferse an die andere und war immer nachdenkend. Bey Tische nahm er oft eine Ecke seiner Serviette, drehte sie fest zusammen, fuhr sich damit unter der Nase herum und schien in seinem Nachdenken Nichts davon zu wissen, und öfters machte er dabey noch eine Grimasse mit dem Munde. In seinen Unterhaltungen war er für eine jede neue sehr passionirt, wie für's Reiten und auch für Billard. Um ihn vom Umgange misslicher Art abzuhalten, versuchte seine Frau geduldig Alles mit ihm. Auch sonst war er immer in Bewegung mit Händen und Füssen, spielte immer mit Etwas, z. B. mit seinem Chapeau, Taschen, Uhrband, Tischen, Stühlen gleichsam Clavier.

Nissen (1828 erschienen), S. 627 f. — Vgl. 7. April 1825.

Aus den Reise-Tagebüchern von Vincent und Mary Novello, Salzburg, 14.—17. Juli 1829

(Besuch bei Konstanze Nissen und Wolfgang Mozart Sohn)

July 14th.

Question. Whether he [Mozart] was in the habit of playing and singing much, and what particular pieces he most frequently performed, or whether he generally played *extempore* when alone—any particularities in his mode of performance.

Vincent. He did not play much in private, but would occasionally extemporise when he was sitting alone with her, and would often play over the songs which he wished her to learn; nor did he like playing to strangers, except he know them to be *good judges*, when he would exert himself to the outmost for their gratification.

Mary. He seldom played on the Pianoforte, scarcely in company unless he found someone who could appreciate him, but he would sometimes extemporise when alone with her.

Question. In composing, whether he sat at the instrument and tried over different passages as they occured to him, or whether he deferred writing down any piece until he had completely constructed and finished it in his own mind, and then *scored* it at once? —

Whether it was necessary for him to be alone when he wrote, or if he could abstract himself so as to compose with many persons present?

Vincent. He seldom went to the Instrument when he composed . . . In composing, he would get up and walk about the Room quite abstracted from everything that was going on about him. He would then come and sit down by her, tell her to give him his inkstand and paper and say 'Ma chère femme, ayez la bonté de me dire de quoi on a parlé'; then went on writing by her side while she talked to him, without the conversation at all impeding his occupation.

Mary. When some grand conception was working in his brain he was purely abstracted, walked about the apartment and knew not what was passing around, but when once arranged in his mind, he needed no Piano Forte but would take music paper and whilst he wrote would say to her, 'Now, my dear wife, have the goodness to repeat what has been talked of', and her conversation never interrupted him, he wrote on, 'which is more', she added, 'than I can do with the commonest letter'.

Question. How many portraits, busts, engravings, etc., have been made of him and which does Mme. von Nissen consider the *best* likeness of him?

Vincent. By far the best likeness of him in [Madame] Nissen's opinion the painting in oils by the Husband of Madame Lange (the eldest sister of Mrs. Nissen) from which the portrait of Mozart contained in her Biography — is *unfinished* but admirably done . . . in a wooden case as if it had travelling. — Some good Likeness done in Wax, by an Artist at Berlin.

Question. Whether his general disposition was lively and playful — or melancholy — whether he could draw, or paint well — or possessed any particular talent for any other art or pursuit than his own science?

Vincent. She said 'Il etoit toujours si gai'. — Was fond of Painting — Sculpture — and could draw himself. 'Indeed' she added — he had 'superior talents for all the Arts'.

Mary. She told us that he drew a little and was very fond of the arts, that he had indeed a talent for all the arts — that he was always in good humour, rarely melancholy but of a very gay humour, indeed he was an angel she exclaimed, and is one now — there was no affectation about this, but said quite simply.

Vincent. The King of Prussia (Frederick II) offered Mozart 16 hundred zechins a year to come [and] live at his Court, but Mozart was so much attached to the Emperor (Joseph II) that he preferred remaining with the latter from whom, however, Mozart received no salary whatever.

July 15th.

Question. Who were his most intimate and cordial friends amongst his brother professors, etc., and which seemed most completely to appreciate his incomparable genius?

Mary. Haydn he [Wolfgang] thinks his father's greatest admirer, and said he never saw him [Haydn] as a child but he wept.

Vincent. Spoke highly of Haydn — never saw him but he wept . . . Haydn told him that if he (Mozart) went to England first (as Salomon at one time wished) it would be of no use for him (Haydn) to go there as 'nothing would do after Mozart's compositions'. Haydn often visited them and repeatedly declared that Mozart was the greatest musical genius that ever existed.

Mary. She told us that Mozart when he finished an opera brought it to her and begged she would study it, after which he would play it over and sing with her, so that not only the songs but the words she knew by heart, but one air in the 'Idomeneo' he preferred to hear her sing and on that account she prefers it also, 'se il Padre perdei' . . . The most happy time of his life was whilst in Munich during which he wrote Idomeneo which may account for the affection he entertained towards the work.

Vincent. The widow seemed pleased when I mentioned so many pieces out of his operas—'Oh, I see you know them all by heart as I do'—she knows all the words by memory as well as the music . . . told me that 'Non so più' in 'Figaro' was a great favourite with Mozart also 'Riconosci a questo amplesso'.

Question. Whether he was fond of reading, and what kind of literature he preferred— Poetry, prose, fiction or history?

Mary. Mozart was fond of reading and well acquainted with Shakespeare in the trans- lation. One of his favourite authors is at present in her possession, and which she most frequently peruses, it is in 9 volumes but being a forbidden fruit in the Austrian states she did not name it—I suspect some of the French revolutionary works.

Question. Was he a great performer on any other Instrument than the Piano Forte?— Whether he occasionally attended to play the organ, or accompany any of his own Masses, and if so, at what churches?

Vincent. Widow told me that Mozart's favourite Instrument was the Organ—upon which she said he played with the most incomparable skill.

Mary. He played upon several of the organs both at Salzburg and Vienna, the Cathedrals of both—the organ was his favourite instrument.

Question. Which were his favourite amusements, when he wished to relax from his severe studies, and intense application to composition and his other professional avocations?— Whether he was an early riser, and if he generally composed late at night or early in the morning?

Mary. It is quite evident that Mozart killed himself with over-exertion. He could never entirely abstract himself from his musical thoughts. Billiards he was very fond of, but he composed whilst he played, if he conversed with his friends, he always was at work in his mind. Necessity and the duties of his situation induced this habit, which evidently wore out the system and would have produced death had he not been attacked with the fever which killed him suddenly . . .—Madame confirmed the truth of her sitting up all night with him whilst he wrote the overture to 'Don Giovanni'. He frequently sat up composing until 2 and rose at 4, an exertion which assisted to destroy him.

Question. On what occasion was the 'Davidde Penitente' written, and which of the move- ments were originally composed as a Mass?

Vincent. The 'Davidde Penitente' originally a grand Mass which he wrote in consequence of a vow that he had made to do so, on her safe recovery after the birth of their first child—relative to whom he had been particularly anxious. This Mass was performed in the Cathedral at Salzburg and Madame Mozart herself sang all the principal solos. Mozart thought so highly of this production that he afterwards made several additions and adapted new words to make it a complete Cantata, or rather Oratorio, for the former is too modest a title for so elevated, elaborate and masterly a work.

462

Mary. She said his death was at last sudden, but a few moments before he had spoken so gaily, and in a few moments after he was dead—she could not believe it, but threw herself on the bed and sought to catch the fever of which he died, but it was not to be. There were moments, she declared, when she not only prayed sincerely to die but that she did not love her children, every thing was hateful to her in the world, yet here I am still, and have gone through all this suffering . . .

The Emperor asked him why he did not marry a rich wife—he said he hoped he should be able always to gain sufficient by his genius to maintain the woman he loved. He repeatedly told her he should not have known what to do with a rich wife—she would have expected his undivided attention and he must have neglected his compositions. He frequently compared the two Haydns, Joseph and Michael 'But no one is so happy as I am in a wife' he would exclaim.

July 17 th.

Question. Whether he was well acquainted with the works of the English composer Purcell, and the oratorios of Handel?—Whether he ever began or finished any oratorios like Handel's, and if so, what is become of them?

Vincent. Mozart [was a] great admirer of Handel, well acquainted with his works especially his oratorios.

Mary. He contemplated writing oratorios in the style of Handel and it seems as if fate had determined the latter should remain single in that department by removing the one who could best have outshone him.

Question. What kind of *speaking* voice, whether high or low, loud or soft, and his singing voice, whether contralto, tenor or bass—powerful or delicate?

Mary. His singing voice was a tenor, his speaking voice gentle, unless he was directing, then he was energetic and would occasionally stamp with his feet, and once he was so loud in the Cathedral that Madame heard him at an immense distance.

Vincent. His voice was a Tenor, rather soft in speaking and delicate in singing, but when anything excited him, or it became necessary to exert it, it was both powerful and energetic. His usual exclamation was 'Saperlotte', and occasionally [he] would stamp with his foot when impatient, or things did not go correctly in the orchestra. With him at the opera 'Il Seraglio' when they took the time of one of the Movements too fast—he became quite impatient and called out to the Orchestra without seeming to fear or to be aware of the presence of the audience.

A Mozart Pilgrimage. Being the Travel Diaries of Vincent & Mary Novello in the year 1829, herausgegeben von Rosemarie Hughes, London (1955), Novello and Company Ltd., S. 77—82, 92, 94—98, 112—113. Mit freundlicher Bewilligung des Verlages zitiert. — Auszugsweise schon veröffentlicht von Mrs. Mary Novello in *The Musical World*, London, August-September 1837. — Konstanzes jüngerer Sohn, Wolfgang, weilte im Sommer 1829 auf Besuch in Salzburg. — Sie sprach mit dem Ehepaar Novello meist französisch, weil ihr Englisch nicht gut genug war. — Die Mozart-Biographie Nissens war 1828 von Konstanze herausgegeben worden. — Das Wachsrelief war das von Posch, der zuletzt in Berlin lebte. — Der König von Preußen, der Mozart protegierte, war Friedrich Wilhelm II. — Joseph II. hatte Mozart 1787 eine Sinekure mit 800 Gulden jährlich gewährt. — Konstanze hatte Joseph Haydn wohl öfters als er sie besucht. — *Idomeneo* war vor Mozarts Heirat entstanden und aufgeführt worden; die Arie daraus ist die Ilias aus dem 2. Akt. — Aus *Figaro* ist die Arie des Cherubino im 1. Akt und das Sextett im 3. Akt erwähnt. — Die Shakespeare-Übersetzung, in Prosa, war die von Wieland, die 1763—66 in acht Bänden in Zürich erschienen war. — Die c-moll Messe, die in der Kirche des St. Peter-Stiftes in Salzburg aufgeführt wurde, hängt mit einem Gelöbnis Mozarts zusammen, das aber schon vor seiner Hochzeit gemacht worden war. — Die Ehen der beiden Brüder Haydn waren nicht glücklich. — Henry Purcell war im 18. Jahrhundert auf dem Kontinent so gut wie unbekannt. — Welche Kathedrale das zweite Mal gemeint ist, der Dom in Wien oder in Salzburg, ist unbekannt. — *Il Seraglio* ist der in England geläufige Titel für die *Entführung aus dem Serail*.

Aus Ludwig Bergers Aufsatz über Muzio Clementi, 1829

... Ich glaube meinen Zweck zunächst zu erreichen, wenn ich über die im Jahre 1781 vor dem Kaiser Joseph II. statt gehabte Concurrenz der beiden Künstler, Clementis eigene Äußerungen, so viel ich mich deren erinnere, hier einfach wiedergebe:

„Kaum einige Tage in Wien anwesend, erhielt ich von Seiten des Kaisers eine Einladung, mich vor ihm auf dem Fortepiano hören zu lassen.

In dessen Musiksaal eintretend, fand ich daselbst jemand, den ich, seines eleganten Äußern wegen für einen kaiserlichen Kammerherrn hielt; allein kaum hatten wir eine Unterhaltung angeknüpft, als diese sofort auf musikalische Gegenstände überging, und wir uns bald als Kunstgenossen — als Mozart und Clementi — erkannten und freundlichst begrüßten."

Aus dem Fortgange der Erzählung Clementi's (ganz übereinstimmend mit der Mozartschen Angabe) ging hervor, wie sehr ihn die Kunstleistungen des Letztern ergriffen und entzückten.

„Ich hatte bis dahin niemand so geist- und anmuthvoll vortragen gehört. Vorzugsweise überraschten mich ein Adagio und mehrere seiner extemporirten Variationen, wozu der Kaiser das Thema wählte, das wir, wechselseitig einander akkompagnirend, variiren mußten." Auf meine Frage, ob er damals schon in seinem jetzigen Style (es war im Jahre 1806) das Instrument behandelt hätte, *verneinte* er dies, hinzusetzend:

„Daß er in jener früheren Zeit sich vorzugsweise noch in grosser brillirender Fertigkeit und besonders in denen vor ihm nicht gebräuchlich gewesenen Doppelgriff-Passagen und extemporirten Ausführungen gefallen, und erst später den gesangvollern, edlern Styl im Vortrage, durch aufmerksames Hören damaliger berühmter Sänger, dann auch durch die allmählige Vervollkommnung besonders der *englischen* Flügel-Fortepiano's, deren frühere mangelhafte Construktion ein gesangvolleres, gebundeneres Spiel fast gänzlich ausgeschlossen, sich angeeignet habe.

So, scheint mir, erklärt sich Mozarts Urtheil, das Jenen als *„geschmack- und empfindungslos"* bezeichnet, und deshalb nur zu Missdeutungen zum Nachtheile Mozarts veranlassen dürfte, doch einigermassen — natürlich.

Wenigstens kann man, bei des Letztern allbekannter Redlichkeit und seinem Geradsinne, nicht wohl annehmen, dass irgendeine Nebenabsicht jenem Urtheile die Richtung gegeben habe.

Es trifft oder verletzt auch nicht im mindesten den *nachherigen und jetzt allgemein anerkannten Schöpfer und Ausbilder des schönen Styl's auf dem Fortepiano.*

Bemerkenswerth ist hier noch Clementi's Eigenthümlichkeit auf den Fermaten seiner Sonaten längere und höchst interessante, thematisch ausgeführte Zwischenspiele und Cadenzen zu extemporiren, was ihn auch bei jener Concurrenz zur Wahl einer Sonate veranlaßte, die zu dem Zwecke zwar geeignet, aber in anderer Hinsicht doch hinter manchen seiner früheren Compositionen dieser Gattung zurück stand. Es war folgende (Œuvres de Clementi, Cahier VI, Son. II, Allegro con brio)

und wir haben diesem Thema vielleicht das geniale, in seiner Art unübertroffene Allegro der Ouvertüre zur Zauberflöte zu danken. —

Cäcilia, Mainz, Juli 1829, Band X, No. 40, S. 238—240. — Berger, der Berliner Komponist, war 1804 mit Clementi nach Petersburg gegangen und weilte mit ihm auch um 1814 in London. — Zum Wettspiel zwischen Clementi und Mozart vgl. 24. Dezember 1781.

Am 29. Oktober 1829 stirbt Marianne von Berchtold zu Sonnenburg in Salzburg.
Sie war seit 1825 erblindet.

AUS MAXIMILIAN STADLERS SELBSTBIOGRAPHIE, WIEN, VOR 1830

Da ich öftern Umgang mit *Mozart und Joseph Haydn* hatte, so könnte ich Vieles von Ihnen erzählen. Da aber das Wichtigste ohnehin von Ihnen bekannt ist, so halt ich es für überflüssig unbedeutende Dinge anzuführen.

Ich hörte Mozart schon in seinem 8ten Jahre auf der Orgel bey einer Vesper im Stifte Melk so spielen, wie man es von einem tüchtigsten Organisten erwarten kann. Als er nach Wien kam und seine 6 Sonaten für Clavier und Violin bey Artaria stechen und der Auernhammer widmen liess, nahm er mich zur Probe, Artaria brachte den ersten Abdruck mit, die Auernhammer spielte das F. P. — Mozart begleitete es statt der Violine auf einem 2ten nebenstehenden Fortepiano, und ich war ganz entzückt über das Spiel des Meisters und der Schülerin, und habe es niemal mehr in meinem Leben so unvergleichlich vortragen gehört.

Mozart hatte in der freyen Fantasie Kunst Keinen seines gleichen. Er fantasierte so ordentlich, als wenn er es geschrieben vor sich liegen gehabt hätte. Dieß brachte Mehrere auf den Gedanken, daß, wenn er öffentlich mit einer Fantasie auftrat, er sich vorher alles genau ausgedacht, und vorbereitet haben musste. Albrechtsberger dachte ebenso. Einst aber kamen Beyde abends bey einer musikalischen Unterhaltung zusamm; Mozart war in guder Laune, und begehrte von Albrechtsberger ein Thema. Dieser spielte ihm ein gemeines altes deutsches Lied vor. — Mozart setzte sich, und führte dieses Thema über eine Stunde so durch, dass er alle musikalischen Künste durch Variationen, den Fugen ohne vom Thema abzuweichen, zur allgemeinen Bewunderung ganz in seiner Macht zu haben zeigte. Albrechtsberger ward so entzückt, dass er nun vollends überzeugt war, Mozart habe es nicht nöthig, sich zu einem freyen Spiel aus dem Stegreif vorzubereiten.

Original bei der Gesellschaft der Musikfreunde, Wien. — *Jahresbericht des Conservatoriums*, Wien 1864/5. Robert Haas im *Mozart-Jahrbuch* für 1957, Salzburg 1958, S. 83 (ungenau). — Wolfgang war elf Jahre alt, als er in Melk spielte. Der genannte Artaria war offenbar Pasquale Artaria, ein Wiener Freimaurer. — Zu Stadlers Erinnerungen s. auch 1826.

Aus Lorenzo Da Pontes Erinnerungen, New York 1829/30

... Non andò guari che varj compositori ricorsero a me per libretti. Ma non ve n'erano in Vienna che due, i quali meritassero la mia stima. Martini il Compositore allor favorito di Giuseppe, e V. Mozzart, cui in quel medesimo tempo ebbi occasione di conoscere in casa del Baron Vetzlar suo grande ammiratore ed amico, e il quale, sebbene dotato di talenti superiori forse a quelli d'alcun altro Compositore del mondo passato, presente, o futuro, non avea mai potuto, in grazia delle cabale de' suoi nemici, esercitare il divino suo genio in Vienna, e rimanea sconosciuto ed oscuro, a guisa di gemma preziosa, che sepolta nelle viscere della terra nasconda il pregio brillante del suo splendore. Io non posso mai ricordarmi senza esultanza e compiacimento, che la mia sola perseveranza e fermezza, fu quella in gran parte a cui deve l'Europa, ed il mondo tutto le squisite vocali composizioni di questo ammirabile Genio. ...

... Dopo dunque la buona riuscita del Burbero, andai dal suddetto Mozzart e narrategli le cose accadutemi sì con Casti e Rosemberg che col Sovrano, gli domandai se gli piacerebbe di porre in musica un dramma da me scritto per lui. Lo farei volontierissimo rispos' egli immediatamente, ma son sicuro che non ne avrò la permissione. Questo, soggiunsi, sarà mia cura. ...

... ond'io mi misi serenamente a pensar a drammi che doveva fare pe' miei due cari amici Mozzart e Martini. Quanto al primo io concepii facilmente che la immensità del suo genio domandava un soggetto esteso, multiforme, sublime. Conversando un giorno con lui su questa materia, mi chiese se potrei facilmente ridurre a dramma la comedia di Beaumarchais, intitolata Le Nozze di Figaro. Mi piacque assai la proposizione, e glie la promisi. Ma v'era una difficoltà grandissima da superare.

Vietato avea pochi di prima l'Imperadore alla compagnia del teatro tedesco di rappresentare quella comedia, che scritta era, diceva egli, troppo liberamente per un costumato uditorio: or come proporgliela per un dramma? Il baron Vetzlar offriva con bella generosità di darmi un prezzo assai ragionevole per le parole, e far poi rappresentare quell'opera a Londra, od in Francia, se non si poteva a Vienna: ma io rifiutai le sue offerte e proposi di scriver le parole, e la musica secretamente, e d'aspettar un'opportunità favorevole da esibirla a' direttori teatrali, o all'Imperadore, del che coraggiosamente osai incaricarmi. Martini fu il solo che seppe da me il bell'arcano, ed egli assai liberalmente per la stima ch'avea di Mozzart, consentì, che io ritardassi a scriver per lui, finchè avessi terminato il dramma di Figaro.

Mi misi dunque all'impresa, e di mano in mano ch'io scrivea le parole, ei ne faceva la musica. In sei settimane tutto era all'ordine. La buona fortuna di Mozzart volle che mancassero spartiti al teatro. Colta però l'occasione, andai senza parlare con chi che sia, ad offrir il Figaro all'Imperadore medesimo. Come diss' egli? sapete che Mozzart, bravissimo per l'istrumentale, non ha mai scritto che un dramma vocale, e questo non era gran cosa! Nemmen io, replicai sommessamente, senza la clemenza della Maestà vostra, non avrei scritto che un dramma a Vienna. E vero, replicò egli; ma queste nozze di Figaro io le ho proibite alla truppa tedesca. Sì, soggiunsi io: ma avendo composto un dramma per musica, o non una Commedia, ho dovuto commettere molte scene, e assai più raccorciarne, ed ho commesso e raccorciato quello che poteva offendere la delicatezza e decenza d'uno spettacolo, a cui la Maestà sovrana presiede. Quanto alla musica poi, per quanto io posso giudicare, parmi d'una bellezza maravigliosa. Bene: quand'è così, mi fido del vostro gusto quanto alla musica, e della vostra prudenza quanto al costume. Fate dar lo spartito al Copista.

Corsi subito da Mozzart, ma non aveva ancora finito di dargli la buona nuova, che uno staffiere dell' Imperadore venne da lui e gli portò un biglietto ove ordinavagli d' andar subito alla Reggia collo Spartito. Ubbidì al comando reale; gli fece udire diverse pezzi che piacquergli maravigliosamente, e senza esagerazione alcuna, lo stordirono. Era egli d' un gusto squisito in fatto di musica, come lo era veracemente in tutte le belle arti. Il gran successo ch' ebbe per tutto il mondo questa teatrale rappresentazione mostrò chiaramente che non s' era ingannato nel suo giudizio. Non piacque questa novella agli altri compositori di Vienna; non piacque a Rosemberg che non amava quel genere di musica; ma sopra tutto non piacque a Casti, che dopo il Burbero non osava più dire il Da Ponte non sa far drammi e cominciava a sentire, che non era impossibile ch' io alfine ne facessi uno che piacesse quanto il Teodoro.

Il Conte frattanto dopo avere tentato in vano ogni mezzo surretticcio, osò chieder apertamente il posto di poeta cesareo pel suo novello Petronio. E come la maniera è molto bizzarra, così m' imagino che farà piacere a chi legge, l' udirla. Aveva l' Imperadore data alle dame di Vienna una bellissima festa nel Palazzo di Schoenbrun, nel cui teatrino il Direttore degli Spettacoli aveva fatto introdurre una comediola tedesca, e un dramma italiano, le parole del quale erano per suo consiglio, state fatte da Casti. Portava per titolo Le Parole dopo la musica. Per assicurarsi ch' era un vero pasticcio, senza sale, senza condotta, senza caratteri, basterà sapere, che nessuno, tranne il Conte, ebbe ardir di lodarlo. Per assicurar meglio la riuscita de' loro intrighi si pensò di far una galante Satiretta dell' attuale poeta teatrale, e si può ben credere che il Signor Casti non fu sì galante con me come lo fu Apelle con Antigono. Ma se si tragga il vestito mio, e il modo con cui io portava i capelli, il rimanente era più ritratto di Casti che mio. Parlava tra l' altre cose de' miei amori colle donne teatrali, e il bello si era che delle due donne che cantavano in quella farsa egli medesimo n' era il Protettore, ed il Vagheggino. Il giorno dopo la festa il Conte, come gran Ciambellano di Giuseppe, ebbe ordine da quel Sovrano nel presentargli la camicia, di segnare sopra un foglietto i nomi de' Cantanti e degli attori, e di affissar a ogni nome, a misura del merito, un certo numero di Zecchini, in segno dell' aggradimento sovrano. — Mentre dunque l' Imperadore vestivasi, il Conte scriveva: finita che fu la lista glie la presentò. Cesare le diè un' occhiata, sorrise, e pigliando in mano la penna aggiunse un Zero alle varie summe del Conte, sicchè un dieci diveniva cento, un 15 cento cinquanta, e così in seguito. Restituendogli poi quella lista, non è il Conte Rosemberg, disse, che diè la festa, è l'Imperadore....

... Torniamo a Rosemberg. Non aveva ancora avuto tempo di riaversi dalla mortificazione e sorpresa cagionatagli da questo zero. L'Imperadore che s' era già allontanato da lui, gli si accostò nuovamente per domandargli, perchè il nome di Casti non eravi in quella lista. Casti, soggiunse il Conte, ed io con lui, speriamo che la Maesta vostrà si degnerà di onorlarlo del titolo prezioso di poeta cesareo. Conte caro, replicò Cesare, per me non ho bisogno di poeti, e pel teatro basta da Ponte. Seppi un sì bell' aneddoto il giorno stesso dal Maestro Salieri, a cui il Sovrano lo disse, e qualche dì dopo dal Sovrano medesimo. Questa repulsa frattanto non fece che accrescere l' odio loro contra di me. Non eravamo perciò senza un giusto timore tanto Mozzart, che io, di non dover soffrir delle nuove cabale da questi due nostri buoni amici. Non hanno potuto far molto, ma pur hanno fatto quel ch' han potuto. Un certo Bussani inspector del vestiario, e della scena, e che sapea fare tutti i mestieri fuori che quello del galantuomo, avendo udito ch' io aveva intrecciato un ballo nel Figaro, corse subitamente dal Conte e in tuono di disapprovazione, e di maraviglia gli disse — eccellenza, il signor Poeta ha introdotto un ballo nella sua opera.

Il Conte mandò immediatamente per me, e tutto accigliato, cominciò questo dialoghetto, che val ben quello dell' eccellenza Barnabotica. *Conte*. Dunque il Signor Poeta ha introdotto un ballo nel Figaro. *Da Ponte*. Eccellenza sì. *Conte*. Il Signor Poeta non sa che l'Imperadore non vuol balli nel suo teatro? *Da P*. Eccellenza no. *C*. Ebben Signor Poeta, ora glie lo dich'io. *D.P*. Eccellenza si. *C*. e le dico di più che bisogna cavarlo, Signor Poeta. (Questo Signor Poeta era ripetuto in un tuono espressivo, che parea voler significare, Signor Ciuco, o qualche cosa di simile. Ma anche il mio eccellenza aveva il dovuto significato.) *Da P*. Eccellenza no. *C*. Ha ella il libretto con sè? *D.P*. Eccellenza sì. *C*. Dov' è la scena del ballo? *D.P*.eccola quì, eccellenza. *C*. ecco come si fa? Dicendo questo, levò due foglietti del dramma, gittolli gentilmente sul foco, mi rimise il libretto, dicendo, veda, Signor Poeta ch' io posso tutto; e m' onorò d' un secondo, Vade. Andai sul fatto da Mozzart, il quale all'udire tal novelluccia da me, n'era disperato. Voleva andar dal Conte — strapazzar Bussani, ricorrer a Cesare, ripigliar lo spartito, — ebbi in verità a durar gran fatica a calmarlo. Lo pregai alfine di darmi due soli giorni di tempo, e di lasciar fare a me. Si doveva quel giorno stesso far la prova generale dell'opera. Andai personalmente a dirlo al Sovrano, il quale mi disse che interverebbe all' ora prefissa. Di fatti vi venne, e con lui mezza la nobiltà di Vienna. V' intervenne altresì il Signor abate con lui. Si recitò il primo atto tra gli applausi universali. Alle fine di quello havvi un'azione muta tra il Conte e Susanna, durante la quale la orchestra suona, e s'eseguisce la danza. Ma come sua eccellenza Può tutto cavò quella scena, non si vedea che il conte e Susanna gesticolare, e l'orchestra tacendo, pareva proprio una scena di Burrattini. Che è questo, disse l'Imperadore a Casti, che sedeva dietro di lui? Bisogna domandarlo al Poeta, rispose il Signor Abate, con un sorrisetto maligno. Fui dunque chiamato, ma in vece di rispondere alla questione che mi fece, gli presentai il mio manoscritto in cui aveva rimessa la scena. Il Sovrano la lesse, e domandommi perchè non v' era la danza. Il mio silenzio gli fece intender che vi doveva esser qualche imbroglietto. Si volse al Conte, gli chiese conto della cosa, ed ei mezzo borbottante, disse che mancava la danza, perchè il teatro dell'opera non avea ballerini. Ve ne sono diss' egli, negli altri teatri? Gli dissero che ve n' erano. Ebbene, n'abbia il Da Ponte quanti glie ne occorrono.

In men di mezz' ora giunsero 24 ballerini, ossia figuranti: al fine del secondo atto si ripetè la scena ch' era cavata — e l' Imperadore gridò, Così va bene. . . .

. . . Si rappresentò frattanto l'opera di Mozzart che ad onta de' sentiremo e de' vedremo di tutti gli altri Maestri e de' lor Partigiani, ad onta del Conte, di Casti, e di cento diavoli, piacque generalmente e fu dal Sovrano, e da' veri Intendenti, come cosa sublime e quasi divina tenuta. Anche il libretto si trovò bello: e il mio castissimo Comentatore fu il primo a farne rimarcar le bellezze. Ma quali erano queste bellezze? „E vero che non è che una traduzione della Commedia di Beaumarchais; ma vi sono de' bei versi, e qualche bella aria. Ecco per esempio due versi leggiadrissimi!"

> „Non più andrai farfallone amoroso,
> Notte e giorno d' intorno girando."

Tutta la lode dunque di quest' opera consisteva, secondo lui, in qualche bel verso, o al più al più in qualche bell' aria. . . .

. . . Pensai però che tempo fosse di rianimare la vena poetica, che mi parea secca del tutto quando scrissi per Reghini, e Peticchio. Me ne prensentarono l' occasione i tre prelodati Maestri, Martini, Mozzart, e Salieri, che vennero tutti tre in una volta a chiedermi un dramma. Io gli amava, e stimava tutti tre, e da tutti tre sperava un riparo alle passate cadute e qualche incremento alla mi gloriuccia teatrale. Pensai se non fosse possibile di contentarli tutti tre, e di far tre opere a un tratto. Salieri non mi domandava un dramma originale. Aveva scritto a Parigi la Musica all'opera del Tarar, volea ridurla al carattere di dramma e musica italiana, e me ne domandava quindi una libera traduzione: Mozart e Martini lasciavano a me interemente la scelta. Scelsi per lui il Don Giovanni, soggetto che infintamente gli piacque, e l'arbore di Diana pel Martini, a cui dar voleva un argomento gentile, adattabile a quelle sue dolcissime melodie, che si senton nell' anima, ma che pochissimi sanno imitare. Trovati questi tre soggetti, andai dall' imperadore, gli esposi il mio pensiero e l' informai che mia intenzione era di far queste tre opere contemporaneamente. Non ci riuscirete, mi rispose egli! Forse che no, replicai: ma mi proverò. Scriverò la notte per Mozart e farò conto di legger l'inferno di Dante — Scriverò la Mattina per Martini, e mi parrà di studiar il Petrarca. La sera per Salieri, e sarà il mio Tasso. Trovò assai bello il mio paralello e appena tornato a casa mi posi a scrivere. Andai al tavolino e vi rimasi dodici ore continue. Una botiglietta di Toccai a destra, il calamajo nel mezzo, e una scatola di tabacco di Siviglia a sinistra. Una bella giovinetta di sedici anni, ch'io avrei voluto non amare che come figlia, ma ... stava in casa mia con sua Madre, ch'aveva la cura della famiglia, e venia nella mia camera a suono di campanello, che per verità io suonava assai spesso, e singolarmente quando mi pareva che l' estro cominciasse a raffreddarsi: ....

... La prima giornata frattanto tra il toccai, il tabacco di Siviglia, il caffè, il campanello, e la giovine Musa, ho scritte le due prime scene del Don Giovanni, altre due dell'Arbore di Diana, e più d metà del primo atto del Tarar, titolo da me cambiato in Assur. Portai la mattina queste scene a tre Compositori, che appena volevan credere che fosse possibile, quello che cogli occhi proprj leggevano; e in 63 giorni le due prime opere erano finite del tutto, e quasi due terzi dell' ultima. L'arbore di Diana fu la prima a rappresentarsi. Ebbe un incontro felicissimo, e pari almeno a quello della Cosa Rara. ...

... Non s' era fatta che la prima rappresentazione di questo spettacolo, quando fui obbligato di partire per Praga, dove doveasi rappresentar per la prima volta il D. Giovanni di Mozart, per l'arrivo della principessa di Toscana in quella Città. Mi vi fermai otto giorni per dirigere gli attori che doveano rappresentarlo, ma prima che andasse in scena, fui obbligato di tornar a Vienna, per una lettera di foco che ricevei dal Salieri, in cui, fosse vero o no, informavami che l'Assur doveva rappresentarsi immediatamente per le nozze di Francesco e che l'Imperadore gli aveva ordinato di richiamarmi. ...

... Io non avea veduto a Praga la rappresentazione del D. Giovanni, ma Mozart m'informò subito del suo incontro maraviglioso, e Guardassoni mi scrisse queste parole. Evviva Da Ponte, evviva Mozart. Tutti gli Impresarj, tutti i virtuosi devono benedirli. Finchè essi vivranno non si saprà mai che sìa miseria teatrale. L'Imperadore mi fece chiamare, e caricandomi di graziose espressioni di lode mi fece dono d'altri cento zecchini, e mi disse che bramava molto di vedere il Don Giovanni. Mozart tornò, diede subito lo Spartito al Copista, che si affrettò a cavare le parti, perchè Giuseppe doveva partire. Andò in scene, ... e deggio dirlo? *IL DON GIOVANNI NON PIACQUE!* Tutti, salvo Mozart, credettero che vi mancasse qualche cosa. Vi si fecero delle aggiunte, vi si cangiarono delle arie, si espose di nuovo sulle scene — E il D. Giovanni non piacque. E che ne disse l'Imperadore? L'opera è divina: è forse forse più bella del Figaro, ma non è cibo pei denti de' miei Viennesi. Raccontai la cosa a Mozart, il quale rispose senza turbarsi. — Lasciam loro tempo da masticarlo. Non s'ingannò. Procurai, per suo avviso, che l'opera si ripetesse sovente: ad ogni rappresentazione l'applauso cresceva e a poco a poco anche i Signori Viennesi da' mali denti ne gustaron il sapore e ne intesero la bellezza, e posero il Don Giovanni tra le più belle opere che su alcun teatro drammatico si rappresentassero. ...

... Scrissi per lei Il Pastor Fido, e la Cifra con musica di Salieri, due drammi che non formaron epoca nelle glorie musicali di quello, sebbene in varie parti bellissime; e la scola egli amanti con musica di Mozzart, dramma che tiene il terzo loco tra le tre Sorelle nate da quel celeberrimo Padre dell' armonia ...

... Io aveva già scritto a Martini che avevanmi negato il congedo, e che quindi non avrei potuto andar a Pietroburgo per molti mesi. Dubitando quindi che avessero gia scritto in Itali: per altro poeta, m'accontai con Mozzart, e procurai persuaderlo di andar meco a Londra. Ma egli che avea poco prima ricevuta una pensione in vita dall' Imperadore Giuseppe in premio delle sue divine opere e che stava allora mettendo in musica un' opera tedesca (Il flauto incantato) da cui sperava novelle glorie, chiese sei mesi di tempo a risolvere, ed io intanto soggiacqui a vicende che mi fecero prendere quasi per forza un cammino tutto diverso. ...

... Arrivato a Praga, mi vi fermai alcuni giorni, colla speranza, che fu poi vana, di ricevere novelle dal Padre abbate. Ebbi frattanto l'opportunità d' andar a vedere la rappresentazione delle tre opere scritte da me per Mozzart, e non è facile dipingere l'entusiasimo de' Boemmi per quella musica. I pezzi che meno di tutti si ammirano negli altri paesi, si tengono da que' popoli per cose divine; e quello ch' è più mirabile si è, che quelle grandi bellezze che sol dopo molte e molte rappresentazioni nella musica di quel raro genio dall' altre nazioni scoprironsi, da' soli Boemmi alla prima rappresentazione perfettamente s'intesero. ...

Aus der zweiten, korrigierten und erweiterten Ausgabe (die erste, vierbändige, war 1823 bis 1827 erschienen) der *Memorie* in drei Bänden. — Band I, S. 68, 69, 70—74, 81—83, 84 f., 99 f., 101, 103 f., 105 f., 111, 124; Band II. S. 5 f. — Die beste kritische Ausgabe ist die von Gustav Gugitz, Dresden 1924, wo die hier zitierten Stellen an folgenden Orten zu finden sind: Band I, S. 227 f., 229 f., 231 bis 237, 249—253, 254 f., 278—280, 281 f., 286, 288 f., 299; Band II, S. 26 f., 95. — „Martini" ist Martin y Soler. — *Il burbero di buon cuore* von Martin, Text nach Goldoni von Da Ponte, war am 4. Januar 1786 zuerst gegeben worden. — Giovanni Battista Casti war ein anderer Librettist der Hofoper. — Mozarts erste Oper in Wien war die *Entführung* gewesen. — Paisiellos *Il rè Teodoro in Venezia*, Text nach Voltaire von Casti, war zuerst 1784 in Wien gegeben worden. — Die für das Schönbrunner Fest 1786 geschriebene Oper hieß richtig: *Prima la musica, poi le parole*; die Musik war von Salieri, die Sängerinnen Coltellini und Storace. — Antigonos, der Einäugige, war ein Feldherr Alexander des Großen. — Francesco Antonio Piticchios Oper *Il Bertoldo*, Text von Da Ponte, wurde am 22. Juni 1787 aufgeführt, Martins *L'arbore di Diana* am 1. Oktober 1787 und Salieris *Axur, Re d'Ormus* am 8. Januar 1788; dazwischen lag die Uraufführung des *Don Giovanni* in Prag, am 29. Oktober 1787, der in Wien am 7. Mai 1788 gegeben wurde. Salieris *Il pastor fido* folgte am 11. Februar, und *La cifra* am 11. Dezember 1789, Mozarts *Così fan tutte ossia La scuola degli amanti* am 26. Januar 1790. — Martin wurde 1788 an die Italienische Oper in Petersburg berufen. — Zu Rosenberg, Salieri und Casti vgl. Frühjahr 1786.

Aus J. P. Eckermanns Gesprächen mit Goethe, 3. Februar 1830

Bei Goethe zu Tische. Wir sprachen über Mozart. „Ich habe ihn als siebenjährigen Knaben gesehen," sagte Goethe, „wo er auf einer Durchreise ein Concert gab. Ich selber war etwa vierzehn Jahr alt, und ich erinnere mich des kleinen Mannes in seiner Frisur und Degen noch ganz deutlich."

Vgl. 18. August 1763.

Für das Theater auf der Wieden ... komponierte ich drei Opern ... In dem selben Jahre
[1791] und auf der selben Bühne brachte *Mozart* seine, in ewig frischer Jugend blühende
Zauberflöte auf die Szene. Freundlich führt die Erinnerung meinen Sinn in jene schöne
Zeit zurück, wo *Salieri, Haydn* und *Mozart* neben einander in tätigster Wirksamkeit wan-
delten. Wohlwollend gestattete mir der heitere Mozart den Eintritt in sein Haus. Ich er-
spähte so manche Künste seiner Meisterhand, wenn er am Klavier sass. So erfindungsreich
und glänzend seine Fantasien ertönten, so ermangelten sie doch niemals der höchsten Klarheit in der vollkommensten kontrapunktischen Reinheit. Dieser ausserordentliche Mann
hatte kaum sein 35stes Lebensjahr überschritten, als ihn der Tod überraschte. Hätte Mozart ein höheres Alter erreicht, wahrlich, er würde unbezweifelt das höchste Ziel seiner
Kunst errungen haben. Wie in einer stillen Sommernacht die Sterne schimmern und plötzlich der Mond sein volles, klares Licht verbreitet, so stünde Mozart vor allen seinen Kunst-
verwandten, allein und einzig, in höchster Glorie. So tief, so klar, so allumfassend, so
erfindungsreich war sein hoher Geist.

Stift Göttweig, Nachlaß Aloys Fuchs, für den Schenk diese autobiographische Skizze geschrieben
hat (die Beethoven-Stelle daraus ist bekannt). — *Studien zur Musikwissenschaft*, Wien 1924, Heft
11, S. 80 ff. — Jahn (1859, IV. 593, Anm. 3) und danach Abert (II, 752, Anm. 2) berichten angeblich aus der selben Quelle, daß Schenk *„bei der ersten Aufführung (der Zauberflöte) einen Platz im
Orchester hatte, und nach der Ouvertüre außer sich vor Entzücken bis an den Dirigentenstuhl kroch,
Mozarts Hand ergriff und sie küßte, der mit der Rechten forttaktierend ihn freundlich ansah und
ihm die Wange streichelte."* Diese Stelle ist in der Handschrift nicht enthalten. Schenk gehörte übrigens dem Orchester des Freihaus-Theaters nicht an.

Mit innigsten Dank stelle ich das anvertraute Manuscript zurück, welches mir ein großes,
gewissermassen verjüngendes Vergnügen gewährte, u: jedem Kunstfreunde ein historisches Interesse bereiten muß. — Ihrem Wunsche gemäß erlaube ich mir noch folgende
Bemerkungen, welche ich notorisch zu verbürgen im Stande bin. — *Schikaneders* persönliche Bekanntschaft mit *Mozart*, so wie auch jene spätere mit *Zitterbarth*, — datirt sich
aus einer Freymaurer Loge her, — freylich nicht jene hochberühmte *Born*'sche, welche
Wien's erste Dignitäten, u: die Elite der damaligen literarischen Kaste unter ihre Mitglieder erzählt haben soll, — sondern schlechtweg eine sogenannte Winkel- oder Freß-
Loge, woselbst man sich in den wöchentlichen Abendzusammenkünften mit Spiel, Musik,
u: den vielen Freuden einer wohlbesetzten Tafel beschäftigte, wie *Gieseke* mir oftmals
erzählte, der auch *Sch: Wieland's Dschinnistan* mittheilte, woraus derselbe den Stoff zu
mehreren seiner Opern entlehnte. Sehr wahrscheinlich begann die Composition der *Zauberflöte* erst im Frühjahr 791, weil M: nie lange an dem nehmlichen Werke, u: überhaupt
schnell arbeitete. Meistens schrieb er in *Gerl's* Wohnung, oder in *Sch:s* Garten, nur wenige
Schritte am Theater; ich selbst war oft Gast an demselben Tische, u: hielt viele Proben
im nehmlichen Salon, oder auf deutsch: Holzhütte. Der Souffleur *Haselbeck* mußte *Sch's*
prosaische Entwürfe versifiziren; manches möchte auch wohl aus eigener Fabrik her-
stammen, wie solche Reime: „schön Mädchen jung u: fein — viel weißer noch als Kreide,"
zum vorhergehenden: „Aha! hier seh ich Leute, — gewagt, ich geh' hinein!" — Das Textbuch war bis zum ersten Finale vollendet, als in der Leopoldstadt: *„Die Zauberzither"*,
oder: *„Kaspar der Fagottist"* erschien. *Perinet* hatte ebenfalls dasselbe *Wieland*'sche Märchen benützt, war aber, den lokalen Zuschnitt abgerechnet, dem Originale treu gefolgt.

Das genirte wohl etwas weniges unsern Emanuel; doch wußte er bald Rath dafür, durch Herumdrehen des ganzen Plan; zum Heil u: Glück des Ganzen, weil uns sonst M: schwerlich in seinem dramatischen Schwanengesang ein also wunderherrliches, poetisch romantisches Vorbild hätte hinterlassen können. — Die Frankfurter Krönung besuchte M: auf eigene Speculation, um durch Concerte ein Löchlein in den zerrütteten Finanzen zu stopfen; als er, der Einladung der böhmischen Stände entsprechend, die Prager Reise antrat, waren bereits alle Ensemblestücke, bis zum letzten Finale, der Zauberflöte fertig, versteht sich: Singstimmen, Grundbaß, nebst angemerkten Hauptmotiven; aus welchen Particello mein Gevatter *Henneberg* inzwischen fleissig einstudirte. Nach *Mozart's* Rückkunft — 10ᵗ oder 12ᵗ Sept: — gieng es rasch zum instrumentiren, u: nachholen der fehlenden kleineren Piecen; am 28ᵗᵉⁿ entfloß erst, wie der eigenhändige themat: Katalog ausweißt, der Priestermarsch u: die Ouverture seiner Feder; letztere kam sogar noch in nassen Auflagparten zur Generalprobe .... Am Abend des 4ten Dec: lag M: schon in Fantasien, u: wähnte im Wiednertheater der Zauberflöte beizuwohnen; fast die letzten, seiner Frau zugeflüsterten Worte waren: „Still! still! jetzt nimmt die *Hofer* das hohe F; — jetzt singt die Schwägerinn ihre zweyte Arie: ‚Der Hölle Rache'; wie kräftig sie das B anschlagt, u: aushält: ‚Hört! hört! hört! der Mutter Schwur!'—".

Mozarteum, Salzburg: Schluß mit Datum fehlt. — Paul Nettl, *Mozart und die königliche Kunst*, Berlin 1932, S. 93 ff. — Seyfried (1776—1841) soll ein Klavierschüler Mozarts gewesen sein. Er kam erst 1799 als zweiter Kapellmeister an das Freihaus-Theater Emanuel Schikaneders, später ans Theater an der Wien. Johann Baptist Henneberg war der Kapellmeister zu Mozarts Zeit. Treitschke, der Textbearbeiter des *Fidelio* von 1814, veröffentlichte 1841 im Wiener Taschenbuch *Orpheus* einen Aufsatz über die *Zauberflöte*, dessen Manuskript er offenbar Seyfried zur Durchsicht geschickt hatte. — Der Kaufmann Bartholomäus Zitterbarth wurde erst 1799 Schikaneders Kompagnon. Borns Loge war die „Zur wahren Eintracht" (bis 1785). Zitterbarth gehörte vor 1786 der Loge „Zu den drei Feuern" an; Schikaneder aber keiner Wiener Loge. Gieseke gehörte zur „Neugekrönten Hoffnung". — Franz Xaver Gerl, der erste Sarastro, wohnte unweit dem Theater. Das Gartenhaus aus einem Hofe des Freihauses steht jetzt hinter dem Mozarteum in Salzburg. Joseph Anton Haselbeck war einer der Hausdichter; der Souffleur hieß Biedermann. — Die Zitate aus dem Textbuch der *Zauberflöte* sind aus dem 12. Auftritt des ersten Aktes und dem 9. des zweiten. Josepha Hofer, Mozarts Schwägerin, war die erste Königin der Nacht. Perinets Singspiel *Der Fagottist oder Die Zauberzyther*, Musik von Wenzel Müller, war am 8. Juni 1791 im Theater in der Leopoldstadt zum ersten Male aufgeführt worden; es beruht auf dem Märchen *Lulu oder Die Zauberflöte* aus Wielands Sammlung *Dschinnistan*. — Nach Prag war Mozart eingeladen worden, um *La Clemenza di Tito* zu schreiben und zu dirigieren. Seine Reise nach Frankfurt fiel ins Jahr 1790.

Am 6. März 1842 stirbt Konstanze Nissen in Salzburg.

Aus Karoline Pichlers Erinnerungen, Wien 1843—44

Als ich einst am Flügel sass, und das *Non più andrai* aus „Figaro" spielte, trat *Mozart*, der sich gerade bei uns befand, hinter mich, und ich mußte es ihm wohl Recht machen, denn er brummte die Melodie mit und schlug den Tact auf meine Schultern; plötzlich aber rückte er sich einen Stuhl heran, setzte sich, hieß mich im Basse fortspielen und begann so wunderschön aus dem Stegreife zu variiren, daß Alles mit angehaltenem Atem den Tönen des deutschen Orpheus lauschte. Auf einmal aber ward ihm das Ding zuwider, er fuhr auf und begann in seiner närrischen Laune, wie er es öfters machte, über Tisch und Sessel zu springen, wie eine Katze zu miauen, und wie ein ausgelassener Junge Purzelbäume zu schlagen....

Mozart und Haydn, die ich wohl kannte, waren Menschen, in deren persönlichem Umgange sich durchaus keine andere hervorragende Geisteskraft und beinahe keinerlei Art von Geistesbildung, von wissenschaftlicher oder höherer Richtung zeigte. Alltägliche Sinnesart, platte Scherze, und bei dem ersten ein leichtsinniges Leben, war alles, wodurch sie sich im Umgange kundgaben, und welche Tiefen, welche Welten von Fantasie, Harmonie, Melodie und Gefühl lagen doch in dieser unscheinbaren Hülle verborgen! Durch welche innere Offenbarungen kam ihnen das Verständnis, wie sie es angreifen müssten, um so gewaltige Effecte hervorzubringen, und Gefühle, Gedanken, Leidenschaften in Tönen auszudrücken, dass jeder Zuhörer dasselbe mit ihnen zu fühlen gezwungen, und auch in ihm das Gemüth aufs tiefste angesprochen wird?
... Ich hörte in meiner Jugend Händels Oratorium Acis und Galathea aufführen, als Baron van Swieten im Verein mit Fürst Dietrichstein und Schwarzenberg mehrere Compositionen dieses grossen Meisters unter Mozarts Direction, der die Blasinstrumente zu diesen, so höchst einfachen Compositionen hinzugefügt hatte, dem Publikum zu geniessen gab ...
... Musik wurde in unserm Hause, nach dem Wunsche meines Vaters, viel getrieben, der grosse Mozart, obwohl nicht mein Lehrmeister, schenkte mir manche Stunde, ich hatte oft Gelegenheit, ihn spielen zu hören und mich nach seiner Anweisung zu vervollkommnen.

Erster Absatz — *Allgemeine Theaterzeitung*, Wien, 15. Juli 1843, S. 750: *Ein Abend bei Karoline Pichler* von Anton Langer. Der Rest erschien in Pichlers *Denkwürdigkeiten aus meinem Leben*, Wien 1844; Neuausgabe von Emil Karl Blümml, München 1914, I, 293 f., II, 184 und 401 f. — Karoline Pichler, die fruchtbare Schriftstellerin (1769—1843), war die Tochter des Hofrats Franz Sales v. Greiner, der im Haus *Zur Mehlgrube* am Neuen Markt wohnte. — Zu Swietens Kavaliers-Gesellschaft und Mozarts *Acis*-Bearbeitung (KV 566) vgl. November 1788.

Am 29. Juli 1844 stirbt Franz Xaver Wolfgang Mozart in Karlsbad.

Er war Klavier-Virtuose und Komponist, machte Konzertreisen in Europa und lebte dreißig Jahre lang in Lemberg als Musiklehrer.

AUS JOHANN BAPTIST GÄNSBACHERS «DENKWÜRDIGKEITEN AUS MEINEM LEBEN», WIEN 1844

... Schon bevor ich mit der *casa* Firmian nach Prag zog [1804], besuchte ich sehr oft die Witwe Mozart; lernte da den alten Bar. van Swieten kennen, der sich viel mit ihrem Sohne [Wolfgang] abgab. Dieser spielte schon vortrefflich Clavier, unter andern Bach'sche Fugen auf der Stelle in einen andern Ton transponirt; *Neukom* war damals sein Lehrer. Über seine Claviercompositionen wurde ich öfters um meine Meinung gefragt, die ich ihm immer offen mittheilte. Am Vorabend des neuen Jahres 1808 machte ich mit der Witwe Mozart und noch einem Künstler Jos. Haydn in seiner Wohnung in Gumpendorf einen Besuch. Wir fanden ihn sehr nett angezogen mit einer ganz neu frisirten Perrücke an einem Tischchen sitzend, worauf sein dreieckiger Hut und Stock lag, als hätte er die Absicht sogleich auszufahren. Im ganzen Zimmer hingen kleine Täfelchen mit schwarzen Rahmen herum. Als Haydn bemerkte, dass wir darauf aufmerksam wurden, und sie näher betrachten wollten, versicherte er: dieß wären seine Kupferstiche; es waren nämlich lauter geschriebene Canons und einzelne Gesänge von seiner Composition. Schmerzlich bedauerte er dass er zu schwach war, um noch zu componiren, obgleich es ihm nicht an Ideen fehle. Von Mozart sprach er mit grosser Verehrung ...

Allgemeine Wiener Musik-Zeitung, 19. September 1844, S. 449 (die Selbstbiographie veröffentlicht von Karl Magnus Groß, pseudonym Athanasius). — Siehe 13. April 1808. — Gänsbacher (1778—1844) war Domorganist und Kirchenkomponist; zuerst in Diensten der gräflichen Familie Firmian in Wien und in Prag. — Sigismund v. Neukomm war Haydns Lieblingsschüler. — Die Kanons, in Reinschriften fremder Hand, kamen aus Haydns Nachlaß ins Schloß Esterháza, sind aber nicht mehr vorhanden.

AUS DER ANONYMEN BIOGRAPHIE DES ADALBERT GYROWETZ, WIEN 1848

Allda [in Wien, etwa 1785] angekommen, wurde er im Hause des Herrn Hofraths v. Käß aufgeführt, welcher als der erste Musikfreund und Dilettant in Wien anerkannt war, und wöchentlich zweimal in seinem Hause Gesellschafts-Concerte gab, wo die ersten Virtuosen, die sich damals in Wien befanden, und die ersten Compositeurs, als: Joseph Haydn, Mozart, Dittersdorf, Hoffmeister, Albrechtsberger, Giarnovichi etc. etc. versammelt waren; dort wurden Haydn's Symphonien aufgeführt. — Mozart pflegte meistens sich auf dem Fortepiano hören zu lassen, und Giarnovichi, damals der berühmteste Virtuos auf der Violine, spielte gewöhnlich ein Conzert; die Frau vom Hause sang. Eines Abends geschah es, dass Mozart nicht gleich Anfangs im Conzerte erschien, und man auf ihn schon lange wartete, weil er ein neues Lied für die Frau vom Hause mitzubringen versprochen. Man schickte mehrere Bediente, um ihn zu suchen; endlich fand ihn einer im Gasthause, und bat ihn, alsogleich zu kommen, weil schon Alles seiner harrte, und man sich auf das neue Lied freute. Nun erinnerte sich Mozart, daß er das Lied noch nicht componirt hätte; er bat sogleich den Bedienten, ihm ein Stück Notenpapier zu bringen — nachdem dies geschehen war, fing *Mozart* im Gastzimmer an, das Lied zu componiren, und als er es fertig hatte, ging er damit in das Konzert, wo schon Alles in der gespanntesten Erwartung harrte. Dort wurde er nach einigen zarten Vorwürfen über sein langes Ausbleiben auf das freudigste empfangen; und als er sich endlich zum Clavier setzte, sang die Frau vom Hause das neue Lied mit einer zwar zitternden Stimme, allein es wurde dennoch enthusiastisch aufgenommen und beklatscht. In dieser Versammlung hatte nun Gyrowetz das Glück, Wiens berühmteste Meister kennen zu lernen, von denen er dann auch auf das freundlichste und leutseligste empfangen und behandelt wurde.

Der gutmütigste unter ihnen schien Mozart zu seyn; er betrachtete den noch sehr jungen Gyrowetz mit einer so antheilnehmenden Miene, als wollte er sagen: „Armer, junger Mensch, du betrittst zum erstenmal den Pfad der großen Welt, und erwartest mit Bangigkeit von deinem Schicksal die Ergebnisse der künftigen Zeit!" — Dieser sein Anblick machte einen sehr großen Eindruck auf das Gemüth des jungen Gyrowetz, und sein Herz war ihm seit jenem Augenblick gänzlich zugethan .... Er besuchte ... Mozart, von welchem er auf das freundlichste empfangen wurde; aufgemuntert durch dessen Leutseligkeit und Gutmüthigkeit, bat er ihn, einen Blick auf seine jugendlichen Arbeiten, welche in sechs Symphonien bestanden, zu werfen, und ihm darüber sein Urtheil zu sagen. Mozart als wahrer Menschenfreund willfahrte seiner Bitte, durchsah die Arbeiten, belobte sie, und versprach dem jungen Künstler, eine dieser Symphonien in seinem Conzerte im Saale zur Mehlgrube, wo Mozart sechs Conzerte auf Pränumeration gab, aufführen zu lassen, welches dann auch an einem Donnerstag erfolgte. Die Symphonie wurde im Conzert-Saale auf der Mehlgrube durch das vollständige Theater-Orchester aufgeführt, und erhielt allgemeinen Beifall. Mozart nahm, mit seiner angebornen Herzensgüte, den jungen Künstler bei der Hand, und stellte ihn als den Autor der Symphonie dem Publikum vor....

[Gyrowetz fuhr sodann nach Italien als Sekretär des Fürsten Ruspoli.]

... Einen Tag vor seiner Abreise begegnete er zufällig dem guten und hochherzigen Mozart, welchem er sich noch einmal bestens empfahl, und als selber hörte, dass Gyrowetz wirklich nach Italien reise, so sagte er zu ihm: *„Sie glücklicher Mann! ach könnte ich mit Ihnen reisen, wie froh wäre ich! — Sehen Sie, da muss ich itzt noch eine Stunde geben, damit ich mir etwas verdiene!"* — Das waren Mozarts letzte Worte, die er zu Gyrowetz gesprochen. — Mit Thränen in den Augen und einem Händedruck erfolgte die Trennung.

S. 9 f., 11 und 13. — Gyrowetz, 1763 in Budweis (Böhmen) geboren, studierte Musik in Wien, Neapel und London; von 1805 bis 1831 war er Kapellmeister der Hofoper. Er war ein fruchtbarer Komponist und starb 1850 in Wien. — Das Buch gilt als Autobiographie. — Zu Keeß s. 24. Februar 1787; er wohnte im Kölnerhof in der Unteren Bäckerstraße (jetzt Sonnenfelsgasse) und stand Haydn nahe. Seine Frau war Ernestine, geb. von Albrechtsburg. — Giovanni Mane Giornovichi, genannt Jarnowick, lebte um 1785 in Wien. — Die Konzerte im Saal *Zur Mehlgrube*, deren Programme nicht erhalten sind, fanden an Freitagen statt.

Aus Julius Cornet's Buch «Die Oper in Deutschland», Hamburg 1849

Original-deutsche Opernbücher waren ... die ächtdeutsche *„Zauberflöte"* von *Schikaneder* und seinem Choristen *Gieseke*, der ihm den Plan der Handlung, Szenen-Eintheilung und die bekannten naiven Reime machte. Dieser Gieseke — ein relegierter Student von Halle (geboren in Braunschweig) — war Verfasser mehrerer Zauberopern, auch der Zauberflöte (nach Wielands Lulu), woran Schikaneder nur änderte, strich und zusetzte und sich den Autorennamen vindizierte. Der arme Gieseke fand bei Schikaneders Bühne ... als Chorist und für kleine Rollen eine kümmerliche Existenz. Nach einiger Zeit verschwand er; niemand wusste wohin. Im Sommer des Jahres 1818 zu Wien setzte sich einst ein feiner alter Herr in blauem Frack und weissen Halstuch, mit einem Orden geziert, zu uns an den Wirtstisch, an welchem sich Ignaz von Seyfried, Korntheuer, Julius Laroche, Küstner, Gned und ich täglich zu Mittag versammelten. Der ehrwürdige schneeweisse Kopf, die gewählte Art zu sprechen, das ganze Benehmen machte einen angenehmen Eindruck auf uns alle. Es war der ehemalige Chorist *Gieseke*, der jetzt als Professor an der Universität Dublin, mit einer naturhistorischen Sammlung aus dem Pflanzen-, Mineral- und Tierreich direkt von Island und Lappland nach Wien kam, um dieselbe dem kaiserlichen Naturalkabinett einzuverleiben. *Seyfried* war der Einzige, der ihn erkannte. Die Freude des alten Herrn über Wien und seine Anerkennung vom Kaiser Franz (der ihn mit einer von Solitären strotzenden, wirklich kostbaren Golddose voll der neuesten Kremnitzer beschenkte) war der Lohn vieljähriger Entbehrungen und Leiden. Bei dieser Gelegenheit erfuhren wir denn so vieles aus der alten Zeit; unter andern lernten wir auch in Ihm (der zu dem damals hochverpönten Orden der Freimaurer gehörte), den eigentlichen Verfasser der „Zauberflöte" kennen (wovon Seyfried allerdings eine Ahnung hatte). Ich erzähle dies nach seiner eigenen Aussage, welche zu bezweifeln wir keine Ursache hatten. Er erklärte sich hierüber gegen uns bei der Gelegenheit, als ich die eingelegte Kavatine aus „Der Spiegel von Arkadien" sang. Viele meinten, der Souffleur *Helmböck* sei Schikaneders Mitarbeiter gewesen. Aber auch hierüber enttäuschte uns Gieseke, nur die Figur des Papageno und seiner Frau gestand Gieseke dem Schikaneder zu.

O. E. Deutsch in *Die Musikforschung*, V, 1952, S. 152 ff. — Die Angaben über Gieseke sind fast alle unrichtig. — Wieland war nicht der Verfasser des Märchens *Lulu oder Die Zauberflöte*, das in seiner Sammlung Dschinistan erschien, sondern A. J. Liebeskind. — Cornets Zeugen waren alle vom Theater an der Wien, dem er selbst 1817/8 angehört hatte. — Christoph Helmböck war Theatermeister, nicht Souffleur bei Schikaneder gewesen. — Vgl. Seyfrieds Brief an Treitschke, 1840.

Aus den Denkwürdigkeiten des Arztes Joseph Frank, Januar 1852

Ich fand den Mozart, einen kleinen Mann mit dickem Kopf und fleischigen Händen (des mains potelées), welcher mich ziemlich kalt aufnahm. „Nun", sagte er, „spielen Sie mir was vor!" Ich spielte ihm eine Phantasie von seiner Composition. „Nicht übel", sagte er zu meinem grossen Erstaunen, „ich werde sie Ihnen jetzt hören lassen." Welch Wunder! Unter seinen Fingern wurde das Clavier ein ganz anderes Instrument. Er hatte es durch ein zweites Clavier verstärkt, welches ihm als Pedal diente. Mozart machte alsdann einige Bemerkungen über die Art, wie ich seine Phantasie ausführen sollte. Ich hatte das Glück ihn zu verstehen und ihn zu befriedigen. — „Spielen Sie noch andere Stücke von meiner Composition?" — „Ja, mein Herr", erwiederte ich. „Ihre Variationen über das Thema: *Unser dummer Pöbel meint*, und eine Sonate mit der Begleitung einer Violine und des Violoncello." „Gut, ich werde Ihnen dies Stück vorspielen; Sie werden mehr Nutzen haben, wenn Sie mich hören, als wenn Sie selbst spielen." — Ich wurde bald mit Mozart vertraut. Da ich ihn immer beschäftigt fand, die Partituren französischer Opern zu studiren, so hatte ich die Dreistigkeit, ihn zu fragen, ob er nicht besser thäte, sich auf die italienischen Partituren zu legen? „Was die Melodie anlangt, ja, aber was den *dramatischen Effect* anlangt, nein. Uebrigens sind die Partituren, welche Sie hier sehen, ausser denen Gretry's, von Gluck, Piccini, Salieri, und haben nichts Französisches, als die Worte. Als wir einst von Instrumenten sprachen, sagte Mozart, dass er die Flöte und die Harfe verabscheue. Dies ist so ziemlich alles, was ich mich erinnere, von diesem grossen Componisten, gehört zu haben. Die zwölf Stunden, welche ich bei ihm gehabt habe, reichen nicht aus, mich seinen Schüler zu nennen.

Deutsches Museum, herausgegeben von Robert Prutz und Wilhelm Wolfsohn, Leipzig, Januar 1852, II/1, S. 27 f.: *Aus den ungedruckten Denkwürdigkeiten der Aerzte Peter und Joseph Frank*, mitgeteilt von G. E. Guhrauer. — Johann Peter Frank war ein berühmter Arzt; sein Sohn Joseph heiratete 1798 Christine Gerardi, die in Haydns *Schöpfung* den Erzengel Gabriel gesungen hatte. Das Ehepaar verkehrte auch mit Beethoven. Sie war eine hervorragende Amateur-Sängerin, er ein bescheidener Amateur-Komponist. — Zum Pedal-Klavier vgl. 10. März 1785. — Die Variationen, auf ein Thema von Gluck, sind KV 455. — Trotz seiner „*Abneigung*" gegen diese Instrumente hatte Mozart 1778 in Paris ein Konzert für Flöte und Harfe (KV 299) geschrieben (in Mannheim auch zwei Konzerte und ein Andante für Flöte, KV 313—315), allerdings auf Bestellung.

Aus Ludwig Tiecks Erinnerungen, Leipzig 1855

... Wie oft hörte er [Tieck] nicht musikalische Aufführungen, Gespräche über Musik, Urtheile über Werth oder Unwerth einzelner Compositionen! Gewann er auch jetzt keine Neigung, selbst ausführend theilzunehmen, so fing er doch an, in den klassischen Werken die Geheimnisse der Musik zu ahnen. Auch hier hatte er, durch Eingebung geleitet, im Gegensatz zum Modegeschmack sich zu Mozart's großen Tondichtungen hingewandt, ohne sich durch die Tageskritiken, und selbst so gewichtige Stimmen wie Reichardt's, irre machen zu lassen. Mozart's siegreicher Gegner war Dittersdorf, dessen komische Opern auch in Berlin unter großem Andrange des Publicums gegeben wurden. Man zog den „Doctor und Apotheker" dem „Figaro" und „Don Juan" vor, und „Die Liebe im Narrenhause" konnte in öffentlichen Anzeigen als das erste musikalische Kunstwerk angepriesen werden.

In überraschender Weise sollte Ludwig's Anerkennung Mozart's belohnt werden. Als er eines Abends, es war im Jahre 1789, seiner Gewohnheit nach lange vor dem Anfange der Vorstellung die halbdunkeln, noch leeren Räume des Theaters betrat, erblickte er im

Orchester einen ihm unbekannten Mann. Er war klein, rasch, beweglich und blöden Auges, eine unansehnliche Figur in grauem Überrock. Er ging von einem Notenpult zum andern, und schien die aufgelegten Musikalien eifrig durchzusehen. Ludwig begann sogleich ein Gespräch anzuknüpfen. Man unterhielt sich vom Orchester, vom Theater, der Oper, dem Geschmacke des Publicums. Unbefangen sprach er seine Ansichten aus, aber mit der höchsten Bewunderung von den Opern Mozarts. „Sie hören also Mozarts Opern oft und lieben sie?" fragte der Unbekannte, „Das ist ja recht schön von Ihnen, junger Mann." Man setzte die Unterhaltung noch eine Zeit lang fort, der Zuschauerraum füllte sich allmählig, endlich wurde der Fremde von der Bühne her abgerufen. Seine Reden hatten Ludwig eigenthümlich berührt, er forschte nach. Es war Mozart selbst gewesen, der große Meister, der mit ihm gesprochen, ihm seine Anerkennung ausgedrückt hatte.

Rudolf Köpke, *Ludwig Tieck, Erinnerungen aus dem Leben des Dichters nach dessen mündlichen und schriftlichen Mittheilungen*, Band I, S. 86 f. — Tieck war 1773 in Berlin geboren worden und dort 1853 gestorben. — *Doctor und Apotheker* war zuerst 1786 in Wien gegeben worden und 1787 in Berlin; *Die Liebe im Narrenhaus* 1787 in Wien und (16. Mai) 1791 in Berlin. — Tiecks Begegnung mit Mozart dürfte am 19. Mai 1789, vor der *Entführung* in Berlin, stattgefunden haben.

Aus Joseph Deiners (?) Erinnerungen, Wien 1856

Es war an einem kalten und unfreundlichen Novembertage des Jahres 1791, als Mozart in das Bierhaus zur „silbernen Schlange" in Wien eintrat, das er häufig zu besuchen pflegte. Dieses Bierhaus befand sich in der Kärnthnerstraße und trug damals die Nummer 1112, jetzt ist es das Haus Nr. 1074. Dort pflegten sich auch Schauspieler, Sänger und Musiker einzufinden. An dem erwähnten Tage fand Mozart in dem ersten Extrazimmer mehrere fremde Gäste; er begab sich daher sogleich in das nächste, kleinere Zimmer, wo nur drei Tische standen. Dieses kleine Zimmer war an den Wänden mit Bäumen bemalt, welche Ausschmückung sich auch noch später erhielt, als der Eigenthümer des Hauses diesen Raum in ein kleines Gewölbe umwandelte.

Dieses Gewölbe hat gegenwärtig der Optiker Herr Josef *Rospini* in seinem Besitze. Als Mozart in dieses Zimmerchen gekommen war, warf er sich müde auf einen Sessel und ließ den Kopf in die vorgestützte rechte Hand sinken. So saß er ziemlich lange, worauf er dem Kellner befahl, ihm Wein zu bringen, während er sonst Bier zu trinken pflegte. Als der Kellner den Wein vor ihm hinstellte, blieb Mozart regungslos sitzen, ohne auch nur von dem Getränke zu kosten. — Da trat der Hausmeister Josef *Deiner* durch eine Thüre, welche in den kleinen Hofraum führte, in das Extrazimmer. Dieser war Mozart gut bekannt und wurde von ihm stets mit viel Vertrauen behandelt. Als Deiner des Tonmeisters ansichtig wurde, blieb er stehen und betrachtete ihn lange aufmerksam. Mozart sah ungewöhnlich blaß aus, sein gepudertes blondes Haar befand sich in Unordnung und der kleine Zopf war nachlässig gebunden. Plötzlich sah er empor und bemerkte den Hausmeister. „Nun, Josef, wie gehts?" fragte er. — „Das sollte ich wohl Sie fragen", entgegnete Deiner, „denn Sie sehen ganz krank und miserabel aus, Herr Musikmeister! Wie ich hörte, waren Sie in Prag und die böhmische Luft hat Ihnen nicht gut gethan. Man sieht es Ihnen an. Sie trinken jetzt Wein, das ist recht; vermuthlich haben Sie in Böhmen viel Bier getrunken und sich damit den Magen verdorben. Das wird keine Folgen haben, Herr Musikmeister!"

„Mein Magen ist besser, als Du meinst", sagte Mozart, „ich habe schon Mancherlei verdäuen gelernt!" Ein Seufzer begleitete diese Worte.

„Das ist ein Glück", erwiderte Deiner, „denn alle Krankheiten stammen vom Magen her, sagte mein Feldherr Laudon, als wir bei Belgrad standen und der Erzherzog Franz auch einige Tage unwohl war. Aber heute dürfte ich Ihnen wohl nichts von der türkischen Musik erzählen, über die Sie schon oft gelacht haben!"

„Nein", antwortete Mozart, „ich fühle, daß es bald ausmusizirt sein wird. Mich befällt eine Kälte, die ich mir nicht erklären kann. Deiner, trinken Sie meinen Wein aus und nehmen Sie diesen Siebzehner (17 kr.). Morgen früh kommen Sie zu mir. Es wird Winter und wir brauchen Holz. Meine Frau wird mitgehen eines zu kaufen; ich lasse mir heute noch einheizen."

Jetzt rief Mozart den Kellner, drückte ihm ein Silberstück in die Hand und dann entfernte er sich. — Der Hausmeister Deiner setzte sich mit Mozart's Wein in das erste Exrtazimmer und sagte zu sich selbst: „So ein junger Mann denkt an's Sterben! Nun, damit hat's wohl noch Zeit! Aber auf's Holz darf ich nicht vergessen, denn der November ist schon sehr kalt." — Jetzt kam eine Menge italienischer Sänger zur „silbernen Schlange", die Deiner haßte, weil sie immer auf seinen „lieben Musikmeister" loszogen, weshalb er auch fortging.

Den andern Morgen um 7 Uhr begab sich Deiner in die Rauhensteingasse, in das Haus Nr. 970, das „kleine Kaiserhaus" genannt, an dessen Stelle der jetzige Mozarthof Nr. 934 steht. Als er im ersten Stock an der Thüre zu Mozart's Wohnung klopfte, öffnete ihm die Magd, die ihn kannte und ihn daher eintreten ließ. Diese erzählte ihm, daß sie in der Nacht habe den Doktor holen müssen, da der Herr Kapellmeister sehr krank sei. Dessenungeacht wurde Deiner von Mozart's Frau ins Zimmer gerufen. Mozart lag in einem weiß überzogenen Bette, das in einer Ecke des Zimmers stand. Als er Deiner reden hörte, schlug er die Augen auf und sagte kaum hörbar: „Josef, heute ist nichts; wir haben heute zu thun mit Doktors und Apotheken."

Josef *Deiner* verließ das Haus. Er erinnerte sich, daß er ein Jahr früher zu derselben Zeit ebenfalls wegen Holz bei Mozart gewesen sei. Damals hatte er Mozart mit seiner Gattin in seinem Arbeitszimmer getroffen, das zwei Fenster in die Rauhensteingasse und ein Fenster gegen die Himmelpfortgasse zu hatte. Mozart und seine Frau tanzten damals tüchtig im Zimmer herum. Als Deiner fragte, ob Mozart seine Frau tanzen lehre, lachte Mozart und sagte: „Wir machen uns nur warm, weil uns friert und wir uns kein Holz kaufen können." Deiner lief sogleich fort und brachte von seinem eigenen Holze. Mozart nahm es an und versprach es gut zu bezahlen, wenn er Geld haben werde.

Am 28. November hielten die Ärzte über Mozart's Zustand ein Konsilium. Der damals renommirte Dr. Elossek [Closset] und Dr. Sallaba, Primararzt des allgemeinen Krankenhauses, waren zugegen.

Während der Krankheit Mozart's wurde keine seiner Opern aufgeführt; man harrte mit ängstlicher Spannung, welchen Verlauf der Zustand des großen Meisters nehmen werde. Am schmerzlichsten berührte der Zustand Mozart's das Fräulein Anna *Gottlieb*, geboren zu Wien, den 29. April 1774. Diese kam in ihrer frühesten Jugend in das k. k. Hofoperntheater und blieb daselbst bis in ihr sechzehntes Jahr. In diesem Alter wurde sie von Baron Braun für das Theater im Freihause auf der Wieden engagiert und war später die erste Darstellerin der Pamina in Mozarts „Zauberflöte"; 1792 kam Fräulein Gottlieb in's Leopoldstädter Theater, wo sie als „Donauweibchen" excellirte und in der komischen Oper sehr bedeutendes leistete. Diese Dame lebt (wie wir bereits erzählt) noch gegenwärtig in Wien.

Da Mozarts Krankheit mit jeder Minute einen bedenklicheren Charakter annahm, ließ seine Gattin am 5. Dezember 1791 abermals den Dr. *Sallaba* holen. Er kam und bald darauf auch der Kapellmeister *Süßmeyer*, welchem *Sallaba* im Stillen vertraute, daß Mozart diese Nacht nicht überleben werde. Dr. *Sallaba* verschrieb jetzt auch Mozarts Gattin eine Medizin, da sich dieselbe ebenfalls unwohl fühlte, und nachdem er noch einen Blick auf Mozart gerichtet hatte, empfahl er sich.

Süßmeyer blieb an der Seite des sterbenden Tondichters. Um 12 Uhr Nachts richtete sich Mozart im Bette empor, seine Augen waren starr, dann neigte er sich mit dem Kopfe gegen die Mauer und schien wieder einzuschlummern. Um 4 Uhr morgens war er eine Leiche. Um 5 Uhr früh wurde an dem Hausthor „zur silbernen Schlange" mit Heftigkeit geläutet. *Deiner* öffnete. Mozarts Magd, Elise, stand vor dem Thore und schluchzte. Der Hausmeister fragte, was sie wünsche. — „Herr Deiner", sagte die Magd, „Sie möchten kommen, und unsern Herrn anziehen!" — „Zum Spazierengehen?" — „Nein, er ist ja todt; er ist vor einer Stunde gestorben, machen Sie nur geschwindt!"

Deiner fand Mozarts Gattin in Thränen aufgelöst und so schwach, daß sie sich nicht auf den Füßen erhalten konnte. Er hat Mozart die Dienste, die man den Verstorbenen zu erweisen pflegt, geleistet. Am Morgen wurde Mozart auf die Bahre gelegt und mit einem Todten-Bruderschaftsgewandte von schwarzem Tuche bekleidet, was damals Sitte war, und welcher Gebrauch sich bis ins Jahr 1818 erhielt. Die Leiche wurde in das Arbeitszimmer gebracht und in der Nähe seines Klaviers aufgestellt.

Die Leiche Mozarts wurde am 7. Dezember um 3 Uhr Nachmittags bei St. Stefan eingesegnet, aber nicht im Innern der Kirche, sondern an der Nordseite derselben, in der Kreuzkapelle, an der sich die Capistrans-Kanzel befindet. Die Beerdigung fand mit dem Kondukt dritter Klasse statt, wofür 8 fl. 36 kr. bezahlt wurden. Außerdem kostete der Todtenwagen 3 fl.

Die Todesnacht Mozarts war finster und stürmisch, auch bei seiner Einsegnung fing es an zu stürmen und zu wettern. Regen und Schnee fielen zugleich, als wollte die Natur mit den Zeitgenossen des großen Tondichters grollen, die sich nur höchst spärlich zu dessen Beerdigung eingefunden hatten. Nur wenige Freunde und drei Frauen begleiteten die Leiche. Mozarts Gattin war nicht zugegen. Diese wenigen Personen standen mit Regenschirmen um die Bahre, welche sodann durch die große Schullerstraße nach dem St. Marxer Friedhofe geführt wurde. Da das Unwetter immer heftiger wurde, entschlossen sich auch die wenigen Freunde, beim Stubenthore umzukehren und begaben sich zur „silbernen Schlange". Der Hausmeister *Deiner* war auch bei der Einsegnung zugegen. Er begab sich hierauf zu Mozarts Gattin und fragte sie, ob sie dem Verstorbenen kein Kreuz setzen lassen wolle? Sie erwiederte: „Er bekommt so Eins!" — Als im Jahre 1832 der König Ludwig von Baiern die Witwe Mozarts in Salzburg besuchte, welche eine Pension von ihm bezog, fragte er sie, wie es gekommen sei, daß sie ihrem Gatten keinen Denkstein setzen ließ. Sie erwiederte dem Könige: „Ich habe oft Friedhöfe besucht, sowohl auf dem Lande als auch in großen Städten und überall, besonders in Wien, habe ich auf den Friedhöfen sehr viele Kreuze gesehen. Ich war daher der Meinung, die Pfarre, wo die Einsegnung stattfindet, besorge sich selbst die Kreuze."

Dieser Irrthum ist die Ursache, daß wir heut zu Tage nicht genau die Stätte bestimmen können, wo die Asche des großen Tondichters ruht.

Morgen-Post, Wien, 28. Januar 1856, S. 2. — Diese zum hundertsten Geburtstag Mozarts aufgezeichneten Erinnerungen waren die redaktionelle Fassung eines Berichts von einem „*Manne aus dem Volke*", der mit Mozart „*in persönliche Berührung*" gekommen war, vielleicht — nach Jahn — von

Deiner selbst. Ihre Wirkung war stark und hält noch nach weiteren hundert Jahren an. — Das Haus in der Kärntnerstraße Nr. 12, das 1856 die Nummer 1074 der Inneren Stadt hatte, entsprach 1791 nicht der Nummer 1112, sondern den Nummern 1083 und 1084; das Schild von Nr. 1083 war „zur goldenen", nicht „zur silbernen Schlange". Der Wirt des Bierhauses hieß Joseph Preisinger. Die Häuser 1083 und 1084 wurden 1797 in eines umgebaut. — Unter den kleinen österreichischen Silber-Münzen gab es Stücke zu 5, 7, 10, 17 und 20 Kreuzern, von denen die zu 7 und 17 kr. später nur mehr 6 und 15 kr. wert waren. (Ein Gulden hatte 60 Kreuzer.) — Fräulein Gottlieb starb wenige Tage später, am 4. Februar 1856. — Peter v. Braun war von 1794 bis 1806 Pächter der beiden Hoftheater und hatte nichts mit dem Theater auf der Wieden zu tun. — Die Einsegnung fand am 6., nicht am 7. Dezember statt. — Die Vorhalle ober der Falltür, die zu den Katakomben führt, heißt Kruzifix-, nicht Kreuz-Kapelle. — Das Wetter war am 6. (wie am 5.) Dezember schön; vgl. Zinzendorfs Tagebuch. — Die Große Schulerstraße, wo Mozart 1784 bis 87 gewohnt hatte, heißt jetzt Schuler-straße. — Der Kondukt kostete 8 Gulden 56 (nicht 36) Kreuzer.

Aus der Selbstbiographie Ambros Rieders, Wien 1856

... Als Jüngling bewunderte ich manch' ausgezeichneten Virtuosen sowohl auf der Violine als dem Flügel; aber wer kann sich mein Erstaunen vorstellen, als ich so glücklich war, den unsterblichen, großen W. A. *Mozart* bei einer zahlreich versammelten und ansehn-lichen Gesellschaft auf dem Pianoforte nicht nur variiren, sondern auch fantasiren zu hören! Dieß war für mich eine neue Schöpfung mit ganz anderem Wesen, als ich bisher zu hören und zu sehen gewohnt war. Den kühnen Flug seiner Fantasie bis zu den höchsten Regionen und wieder in die Tiefen des Abgrundes konnte auch der erfahrenste Meister in der Musik nicht genug bewundern und anstaunen. Noch jetzt, ein Greis, höre ich diese himmlischen unvergeßlichen Harmonien in mir ertönen und gehe mit der vollsten Über-zeugung zu Grabe, daß es nur *Einen Mozart* gegeben habe.

Neue Wiener Musik-Zeitung, 29. Mai 1856, S. 97 f. Der anonyme Nachruf war auf Grund der Selbstbiographie geschrieben worden, die Rieder 1826 für Joseph Sonnleithner verfaßt hatte (Ge-sellschaft der Musikfreunde, Wien). — Ambros Rieder (1771—1855) war von 1802 an Chordirigent der Pfarrkirche von Perchtoldsdorf, Niederösterreich, und ein fleißiger Kirchenkomponist. Er und seine beiden Söhne waren mit Schubert befreundet.

30. September 1856, s. Nachtrag S. 533
11. März 1857, s. Nachtrag, S. 533

Am 13. Oktober 1858 stirbt Karl Thomas Mozart in Mailand.

Der ältere Sohn Mozarts, wie sein Bruder unvermählt geblieben, war Beamter der Staats-Buch-haltung in der österreichischen Lombardei geworden.

Aus Ignaz Franz Castellis «Memoiren meines Lebens», Wien 1861

Der verstorbene Bassist Sebastian *Meyer* hat mir erzählt, daß *Mozart* das Duett, als sich Papageno und Papagena zum ersten Male erblicken, anfangs ganz anders componirt hatte, als wir es gegenwärtig hören. Beide riefen nämlich ein paar mal staunend aus: Papageno! Papagena! Als aber *Schikaneder* dieses hörte, rief er in's Orchester hinab: „Du, Mozart! Das ist nichts, da muß die Musik mehr Staunen ausdrücken. Beide müssen sich erst stumm anblicken, dann muß Papageno zu stottern anfangen: Pa-papapa-pa-pa; Papagena muß dies wiederholen, bis endlich Beide den ganzen Namen aussprechen." *Mozart* folgte diesem Rath und das Duett musste so immer wiederholt werden.
Ferner als im zweiten Acte die Priester sich versammeln, geschah dies bei der General-probe ohne Musikbegleitung, *Schikaneder* aber verlangte, daß ein pathetischer Marsch dazu componirt werde. Da soll Mozart zu den Musikern gesagt haben: „Gebt her Eure

Kaszetteln!" und in die Stimmen sogleich diesen prächtigen Marsch hineingeschrieben haben.

Band I, S. 232 f. — Friedrich Sebastian Mayer, oder Meyer, heiratete 1797 Josepha Hofer, geborene Weber, Mozarts Schwägerin. Er war seit 1793 bei Schikaneder engagiert, also noch nicht zur Zeit der Entstehung der *Zauberflöte*. Das Duett wird erst bei der zweiten Begegnung zwischen Papageno und Papagena gesungen. (Das „*Pa Pa Pa*"-Briefchen in der Wiener Stadtbibliothek, angeblich am 5. September 1790 von Schikaneder an Wolfgang geschrieben, ist eine Fälschung.) Der Priestermarsch und die Ouvertüre wurden tatsächlich erst am 28. September 1791 komponiert, aber gewiss auch jener nicht während der Generalprobe.

Aus Doris Stocks Erinnerungen, 1871

. . . Mozart selbst, bei seinem kurzen Aufenthalte in Dresden, verkehrte fast täglich im Körnerschen Hause. Für die reizende und geistvolle Doris stand er in hellen Flammen, und sagte ihr mit süddeutscher Lebhaftigkeit die naivsten Schmeicheleien. Gewöhnlich kam er kurz vor Tische, und setzte sich, nachdem er sich in galanten Redensarten ergossen, an das Klavier, um zu phantasieren. Im Nebenzimmer wurde inzwischen der Tisch gedeckt, die Suppe aufgetragen, und der Bediente meldete, daß angerichtet sei. Aber wer mochte sich entfernen, wenn Mozart phantasierte! Man ließ die Suppe kalt werden und den Braten verbrennen, um nur immerfort den Zauberklängen zuzuhören, die der Meister, völlig in sich versunken und unempfindlich für die Außenwelt, dem Instrumente entlockte. Doch wird man auch des höchsten Genusses am Ende überdrüssig, wenn der Magen seine Forderungen geltend macht. Nachdem einige Male die Suppe über Mozarts Spiel kalt geworden war, machte man kurzen Prozeß mit ihm. Mozart, sagte Doris, indem sie ihren schneeweißen Arm sanft auf seine Schulter legte, Mozart, wir gehn zu Tische, wollen Sie mit uns essen? Küß die Hand, meine Gnädige, werde gleich kommen! Aber, wer nicht kam, war Mozart; er spielte ungestört fort. So hatten wir denn oft, schloß Doris ihre Erzählung, bei unserm Essen die ausgesuchteste Mozartsche Tafelmusik, und fanden ihn nach Tische noch am Instrumente sitzen.

Gustav Parthey, *Jugenderinnerungen*, Berlin 1871, Band II, S. 51. — Zu Körner und Stock s. 16. April 1789. Doris (Dora, Dorothea) Stock, die Tochter eines Leipziger Kupferstechers, lebte von 1760 bis 1832. Daß Mozart fast täglich zu Körners gekommen sei, ist wohl eine Übertreibung. Das Haus stand in der später so benannten Körnergasse (Nr. 7), und das Theodor-Körner-Museum wurde dort eingerichtet, wo der Dichter am 23. September 1791 geboren worden war.

Johannes Hummel über seinen Sohn Johann Nepomuk (1873)

(Der kleine Hummel wird 1787 Mozarts Schüler.)

Mozart war mitten in der Arbeit, als wir eintraten, trotzdem empfing er mich mit den freundlichen Worten: „Ah, sieh da, mein lieber Hummel; wo kommen S' her, wie geht's? Seien S' mir schön willkommen. Setzen S' sich, und Du, Kleiner, such Dir halt auch an Stuhl!" — Ich mußte mich neben das kleine Mannel aufs Kanapee setzen. — „Was bringen S'", frug er mich nun weiter. Ich rückte ein bissl beklommen mit meinem Anliegen heraus. Er hörte mich geduldig an, machte aber am Ende eine bedenkliche Miene und sagte: „Wissen S', lieber Freund, ich befass mich halt nit gern mit Unterrichten; 's nimmt mir zu viel von meiner Zeit und stört mich in meinen Arbeiten. Aber lassen S' mal schaun und hören, was mit dem Bub ist, ob sich's mit ihm lohnen mag. — Na, setz Dich hin ans Klavier und zeig, was Du kannst", — sprach er zum Nepomuk. Der holte aus seinem Vorrat einige Bachsche kleine Sachen hervor, die er gut eingeübt hatte, und legte sie auf. Mozart liess ihn gewähren und er begann. Der Wolfgang hatte sich wieder zu mir gesetzt und hörte mit untergeschlagenen Armen zu. Er wurde still und immer stiller, seine Miene gespannter; seine Augen glänzten heller und freudig. Während des Spiels stiess er mich ein paarmal mit dem Arme leise an und nickte mir mit dem Kopf beifällig zu. Als mein Bub mit dem Bach fertig war, legte ihm Mozart noch eine nicht ganz leichte Komposition von sich vor, um zu sehen, wie's mit dem Vomblattspielen ausschaue. Es ging recht gut. Des Wolfgang Aufmerksamkeit wuchs von Minute zu Minute. Plötzlich legte er mit einem funkelnden, vor Freude strahlenden Blick seine Hand mir aufs Knie, das er sanft drückte, und flüsterte mir zu: „Den Bub müssen S' mir da lassen: den lass ich nicht aus; aus dem kann was werden!" — Den Satz hatte mein Nepomuk ziemlich zu Ende gebracht, da stieg der Mozart auf, ging rasch zu ihm hin, legte ihm die Hand auf den Kopf und sagte: „Bravo, bravo; Du bist a prächtiger Bub. Fahr nur so fort und's wird mit Dir schon gehn!" — Er ergriff ihn nun bei der Hand, führte ihn hin zum Sopha, nahm ihn auf seinen Schoss, streichelte ihn einmal über das andere. Und zu mir sagte er: „'s bleibt dabei, den Bub unterrichte ich, aber er muss bei mir wohnen, dass ich ihn immer unter Augen habe. Er soll alles frei haben, Lehre, Logis, Kost. Sie sollen halt gar nicht für ihn zu sorgen haben. Wollen S'?" — Ich drückte dem lieben Menschen mit vor Freude feuchten Augen die Hände und dankte ihm aus überströmendem Herzen. Denn nun wusste ich, dass aus meinem Kinde wirklich etwas werden würde, wie der Mozart sich ausdrückte. Kurz darauf siedelte mein Nepomuk in Mozarts Haus über, wo er wie ein Kind vom Hause gehalten wurde. Er hatte alles so bequem und gut, wie's halt möglich war; der Wolfgang nahm sich seiner wie ein Vater an und die Konstanze sorgte für ihn wie eine Mutter.

Moritz Müller, *Ein alter Musikmeister*, „Europa", Leipzig 1873, No. 37. (Die Zeitschrift war in Leipzig, Berlin und Wien nicht zu finden, noch auch bei Frau Margarete Hummel in Florenz.) — Benyovszky, a. a. O., S. 27—29. — Hummel dürfte 1787 und 1788 Mozarts Schüler gewesen sein. Sein Vater starb vor ihm (vor 1837). — Siehe 20. und 21. Mai 1789. — Vgl. die folgende Erinnerung.

Aus Ferdinand Hillers «Künstlerleben», Köln 1880

... Zu einer anderen Gebäulichkeit führte mich Hummel [1827 in Wien] — vielleicht weiss man hier noch, zu welcher — ich habe es aufzuschreiben versäumt, weil mich die Bedeutung derselben allzusehr in Anspruch nahm — es war nämlich das Haus, in welchem er als achtjähriger Knabe bei Mozart gewohnt und dessen Unterricht empfangen hatte. Der Meister ging ganz auf in seinen Erinnerungen. Indem er mich durch die verschiedenen Zimmer führte, die keine Veränderungen erlitten zu haben schienen, beschrieb er mir ihre frühere Einrichtung. „Hier", sagte er, „stand Mozarts Flügel, an welchem ich Unterricht erhielt, — hier das Schreibpult, an dem er componirte — hier in dieser Stube stand mein Clavier und dort in der Mitte des Zimmers ein Billard. Eines Tages versuchte ich mit der Queue zu hantieren und stiess ein Loch ins Tuch. Die Strafe (er versinnlichte sie pantomimisch) blieb nicht aus."

Seite 52. — Hillers Erinnerungen gehen auf einen Vortrag zurück, den er am 22. Dezember 1879 in Wien gehalten hatte. — Das Haus war das in der Schulerstraße, das Mozart allerdings schon im Frühjahr 1787 verlassen hatte. — Was Edward Holmes in seiner Mozart-Biographie, London 1845, S. 258 ff., über den kleinen Hummel bei Mozart erzählt, ist hier übergangen worden.

1891, s. Nachtrag, S. 533/534

ANHANG

I

<small>Liste der Subskribenten der drei Privat-Konzerte Mozarts im Trattner-hof, Wien, am 17., 24. und 31. März 1784</small>

Aichelburg, Frau v. („Eichelbourg"): Regine Josepha, geb. Wetzlar (spätere Freiin Wetzlar von Plankenstern), Frau des Maria Ferdinand Freiherrn von und zu Aichelburg, Rait-offizier des ersten Departements der Stiftungs- und Städtischen Buchhalterei.

Althann, Gräfin, geb. Komtesse Batthyányi („Althan" — „Batiany"): Eleonore, später Obersthofmeisterin; Frau des Michael Max Grafen Althann?

Apponyi, Gräfin („Apumoni"): geb. Nogarolla, Frau des Anton Georg Grafen Apponyi?

(Arenfeld = ? Ehrenfeld.)

Arnstein, v. („Arensteiner"): Nathan Adam Ritter (später Freiherr) von Arnstein, Gross-händler und Bankier, Generalkonsul.

Auersperg, Fürst Karl: Offizier, schliesslich Feldmarschall-Leutnant, Ritter des Maria-Theresien-Ordens.

Auersperg, Fürstin: Marie Josepha, geb. Komtesse Trautson.

Auersperg, Fürst Adam: Reichsfürst Johann Adam.

Auersperg, Graf Karl: Kämmerer.

Auersperg, Graf Wilhelm: später Fürst Wilhelm.

Bánffy, Graf („Banffi"): Georg Graf Bánffy, Freiherr von Losontz, zweiter Vizekanzler der Ungarisch-Siebenbürgischen Hofkanzlei, Kommandeur des St. Stefans-Ordens, wirklicher Dienstkämmerer.

Batthyány, Graf Anton („Batiany"): Kämmerer?

Bedekovich: Anton Bedekovich von Kumur, Ritter des St. Stefans-Ordens.

Beöthy, Hofrat („Bötti"): Joseph Beöthy von Bessenyö, Hofkonzipist der Ungarisch-Sieben-bürgischen Hofkanzlei.

Beöthy, Frau („Bötty"): dessen Frau.

(Bergen = Pergen.)

Binnenfeld, Joh. Ad. („Bienenfeld"): Johann Adam Binnenfeld, Grosshändler.

(Bötti, Bötty = Beöthy.)

Born, v.: Ignaz Edler von Born, Mineraloge, Hofrat der Hofkammer für Münz- und Bergwesen.

(Brandau = Prandau.)

Braun, Baron v.: Karl Adolf Reichsfreiherr von Braun, Reichshofrat.

Braun, v.: Johann Gottlieb von Braun, Hofrat der Hofrechnungskammer und der Steuer-Regulierungs-Hofkommission; oder Johann Nepomuk von Braun, Raitoffizier der Kameral-Hauptbuchhalterei; oder Ferdinand Augustin von Braun, kurpfälzischer Hof-rat und Reichshofrats-Agent.

Burkhardt, Baron („Burkardt"): ?
Burkhardt, Frau („Burkart"): dessen Frau.

Chotek („Gotek"): Johann Rudolf Reichsgraf Chotek, zweiter Kanzler der Böhmisch-Oesterreichischen Hofkanzlei?
Czernin, Graf: Johann Rudolf Graf Czernin zu Chudenitz, Kanzler, Ritter des Ordens vom Goldenen Vliess, später Oberstkämmerer und Oberster Hoftheater-Direktor, Neffe des Erzbischofs Hieronymus von Salzburg (Grafen Colloredo).

Dalberg, Baron: Johann Friedrich Hugo Freiherr von Dalberg, Amateur-Komponist?
Deglmann („Töglman"): Bernhard Freiherr von Deglmann, Hofrat der Böhmisch-Österreichischen Hofkanzlei.
Dietrichstein [Graf], Joseph.
Ditmar, Baron: Gottfried Rudolf Reichsfreiherr von Ditmar, Reichshofrat.
Droßdick, v. („Drostik"): Johann Baptist v. Droßdick, Ungarisch-Siebenbürgischer Hof-agent.
Dzierzanowschy [Dzierzanowsky], Graf Michael?

Edlenbach v.: Benedikt Schlossgängl von Edlenbach, Hofagent.
Ehrenfeld („Arenfeld"): Joseph Frech von Ehrenfeld, Konzipist der Staatsratskanzlei; oder Ignaz Frech von Ehrenfeld, Akzessist der Registratur des Exhibiten-Protokolls der Vereinigten Hofstelle.
(Eichelbourg = Aichelburg.)
Engelsperg, Frau v. (? „Engelsbourg"): Frau des Joachim Mechtel von Engelsperg, Truchsess.
Engeström, Baron („Engelstrom"): Lars v. Engeström, schwedischer Chargé d'affaires.
Erdödy, Graf Ladislaus („Ertödy").
Esterházy, Graf Johann: Niederösterreichischer Regierungsrat.
Esterházy, Graf Franz: Esterházy von Galántha, Ungarisch-Siebenbürgischer Hofkanzler.
Esterházy, Gräfin: Maria; oder Nicolette Franziska, geb. Richard de la Potréau, verwitwete Baronesse Durville, Frau des Grafen Franz Esterházy.

Fechenbach, Herr v.: ?
Fichtl, v., Agent: Johann Baptist, Reichshofrats-Agent, hochfürstlich salzburgischer Domkapitels-Agent.
Finta, Baron („Findak"): Joseph von Finta, Oberstleutnant der adeligen ungarischen Leibgarde.
Fries, Graf: Johann Reichsgraf Fries, Niederlags-Verwandter, Industrieller und Bankier?

Galitsin, Fürst („Gallizin"): Demetrius [Dimitrij Mikailovich] Fürst Galitsin, russischer ausserordentlicher bevollmächtigter Gesandter, Geheimrat und Kanzler.
Gebsattel, Baron: ?
Gleichen, Baron: ?
Gontard, Baron („Gondar"): Johann Jakob Freiherr von Gontard, später Gesellschafter des Grafen Moritz [I.] Fries.
(Gotek = Chotek.)
Graneri („Grenieri"): Peter Joseph Graf Graneri, sardinischer Kanzler, ausserordentlicher Gesandter Sardiniens.
Greiner, Rat: Franz Sales von Greiner, Hofrat der Böhmisch-Österreichischen Hofkanzlei, Rat der Studien-Hofkommission.

(Grenieri = Graneri.)

Grezmüller, v., d. ä.: Erasmus, Reichshofrats-Agent.

Grezmüller, v., d. j.: Johann Nepomuk, Raitrat des Salzerzeugungs-Departements.

Häring, v. („Härring"): Johann Baptist von Häring (s. 9. April 1790).

Hall, Ritter v.: Theodor Freiherr von Hallberg, kurfürstlicher Geheimrat der bayrischen Pfalz und bevollmächtigter Minister?

Harrach, Graf, d. ä.: Johann Nepomuk Ernst oder Leonhard Graf Harrach.

Harrach, Graf Ernst: Ernst Christoph Graf Harrach.

Hartenstein, v.: Franz Zacharias von Hartenstein, Oberst-Hof-Postamts-Verwalter-Adjunkt.

Hatzfeld, Gräfin („Hazfeld"): Maria Anna Hortensia, geb. Komtesse Zierotin, Frau des Clemens August Johann Nepomuk Grafen Hatzfeld, kurfürstlich kölnischer Geheimrat und Generalleutnant.

Henikstein, v. („Hönikstein"): Adam Adalbert Hönig, Edler von Henikstein, Grosshändler, später Regierungsrat und Salzdirektor in Wieliczka.

Hentschell, v. („Hentschl"): Leonhard Edler von Hentschell, Hofsekretär in der Böhmisch-Österreichischen Hofkanzlei.

Herberstein, Graf: Joseph Franz Stanislaus Graf Herberstein?

Herberstein, Graf, Bischof: Johann Karl Graf Herberstein, Bischof von Laibach.

Herberstein, Graf Joseph: Joseph Reichsgraf Herberstein, Oberster Landrichter des Nieder-österreichischen Landrechts, Erbkämmerer und Erbtruchsess von Kärnten, Geheimrat und Kämmerer.

Herberstein, Graf Nepomuk: Johann Nepomuk Thaddäus Graf Herberstein?

Hess, Frau, geb. v. Kannegiesser: Frau des Joachim Albert von Hess, Reichshofrat; Tochter des Hermann Joseph Freiherrn von Kannegiesser, Staatsrat?

Hess, Frau, geb. Leporini: Maria Theresia, geb. von Leporini, Frau des Franz Joseph Reichs-ritter von Hess, Rat der Niederösterreichischen Regierung. [Eltern des Feldmarschalls Heinrich Freiherrn von Hess.]

Hochstätter (Hochstätten), Baron: ?

(Hönikstein = Henikstein.)

Hoyos, Leopold: Johann Leopold Innozenz Graf Hoyos?

Hugart, Graf: Johann Wenzel Graf Ugarte, Hofrat bei der Obersten Justizstelle?

Izdenczy: Joseph Izdenczy-Monostor, Ungarisch-Siebenbürgischer Hofrat, Ritter und Schatzmeister des St. Stefans-Ordens.

Jacobi, v.: Konstantin Philipp Wilhelm Jacobi (später Freiherr von Klöst), Geheimer Legationsrat, preussischer Resident, später Gesandter.

Jacomini (v.): ?

Jahn, Herr v.: Ignaz Jahn, Hoflieferant ?

Jungwirth, Baron: Franz Joseph Freiherr v. Jungwirth, niederösterreichischer Regierungsrat.

(Käs = Keess.)

Kaunitz, Dominik: Dominik Andreas [III.] Fürst von Kaunitz-Rietberg-Questenberg, Di-plomat, später Vize-Oberstallmeister, Ritter des Ordens vom Goldenen Vliess ?

Keess, Herr v. (Käs): Franz Bernhard, Edler von Keess, Rat des Appellationsgerichts und des Landrechts in Niederösterreich, Musikfreund.

Keglevich, Graf („Keglowitz"): Joseph Graf Keglevich von Buzin, Kommandeur des St. Stefans-Ordens; oder Karl Graf Keglevich von Buzin, Geheimrat, früher Direktor des Burg- und des Kärntnertor-Theaters.

Khevenmüller, Gräfin („Kevenhüller"): Frau des Joseph Reichsgrafen Khevenhüller-Metsch, Generalfeldwachtmeister, Kommandeur des St. Stefans-Ordens; oder Frau des Johann Joseph Franz Quirin Grafen Khevenhüller-Metsch, Feldmarschall-Leutnant.

Kluschofsky, Graf (? Kluszewsky): ?

Knecht, v.: Johann Anton Knecht, Geheimer Hofsekretär; oder Karl Knecht, Geheimrat des Kabinetts.

Koller, Graf: Franz Xaver Graf Koller de Nágy-Mánya, Kommandeur des St. Stefans-Ordens.

Kollonitz, Graf („Kollnitsch"): Karl Joseph Graf Kollonitz, Generalmajor.

Kuefstein, Graf („Kuffstein"): Johann Ferdinand [III.] Graf Kuefstein, Wirklicher Hofrat, später Stadthauptmann von Wien, Niederösterreichischer Regierungsrat, provisorischer Vize-Präsident der Niederösterreichischen Regierung, Hofmusikgraf.

Lamezan, Herr v.: Joseph Graf Salins v. Lamezan, später Generalmajor.

Lewenau: Joseph Arnold Ritter von Lewenau, Wirtschaftsrat des Fürsten Alois Liechtenstein.

Lichnowsky, Fürstin („Lignowsky"): Christine, geb. Komtesse Thun, Frau des Fürsten Karl Lichnowsky.

Liechtenstein, Fürst Louis („Lichtenstein"): Alois Joseph Fürst Liechtenstein, Ritter des Ordens vom Goldenen Vliess?

(Lignowsky = Lichnowsky.)

Lobkowitz, Fürst Joseph: Generalfeldmarschall, Wirklicher Kämmerer, Ritter des Ordens vom Goldenen Vliess.

Luerewald, v.: Ferdinand Edler v. Lüerwald, Hofrat beim Hofkriegsrat.

Lutz, v.: Johann Lutz, Niederlags-Verwandter.

Madruzzi, v.: („Madruce"): Joseph Freiherr von Madruzzi, Landrat des Niederösterreichischen Landrechts.

Mandelslohe, Baron („Mandelsloh"): ... Lünikshausen v. Mandelslohe.

(Marchal = Marschall.)

Margelick, Frau v. („Margelique"): Frau des Joseph Wenzel von Margelick, Ritter des St. Stefans-Ordens, Hofrat der Böhmisch-Oesterreichischen Hofkanzlei, der Hofkammer und der Ministerial-Banko-Deputation, Dr. juris.

Marschall, Graf („Marchal"): Graf Marschall von Bieberstein.

Martini, Baron: Karl Anton Reichsfreiherr von Martini, Ritter des St. Stefans-Ordens, Staatsrat im Ministerium des Inneren.

Mayenberg, v. („Meyenberg"): Anton Joseph Edler von Mayenberg, Ständischer Verordneter der Niederösterreichischen Regierung, Rat des Niederösterreichischen Appellationsgerichtes, Truchsess.

Mecklenburg, Herzog von („Meklenbourg"): Georg August zu Mecklenburg-Strelitz, Generalfeldwachtmeister.

(Meyenberg = Mayenberg.)

Montecuculi, Graf: Ludwig Franz Markgraf Montecuculi.

Morton, Mylord: George [Douglas], Earl of Morton, später Baron Douglas von Lochleven?

Müller, Hofrat: Johann Christian Müller von und zu Mülleg, Niederösterreichischer Regierungsrat, Hofagent (u. a. von Salzburg).

Nádasdy, Graf, General („Nadasty"): Franz Leopold, Graf Nádasdy-Fogáras. Feldmarschall und Banus von Kroatien.

Neipperg, Graf („Neiperg"): Leopold Johann Nepomuk Graf Neipperg, später Reichshofrat.

Neuhold, Frau v.: Frau des Johann Baptist Neuhold von Sövényháza, Ritter des St. Stefans-Ordens, Ungarisch-Siebenbürgischer Hofrat.

Nevery („Nèvery"): Alexius Leopoldus von Nevery, Hofkonzipist des Ungarisch-Siebenbürgischen Hofrats.

Nimptsch, Graf: Ferdinand Graf Nimptsch, Offizier; oder Joseph Graf Nimptsch, Freiherr von Fürst und Kupferberg, Major, später General der Kavallerie und Ritter des Maria-Theresia-Ordens.

Nimptsch, Gräfin: dessen Frau.

Nostitz, Graf („Nostiz"): Joseph Wilhelm oder Franz Anton Graf von Nostitz und Rieneck (der erste Kammerherr, der zweite Oberstburggraf, beide in Prag lebend).

Nostitz, General: Friedrich Moritz Reichsgraf von Nostitz und Rieneck, Dienstkämmerer, General der Kavallerie, Hauptmann der Leibgarde zu Fuss.

Oettingen, Graf („Ötting"): Philipp Karl Graf Oettingen-Wallerstein, Ritter des Ordens vom Goldenen Vliess, später Reichshofrat, Präsident des Reichshofrates.

Oeynhausen, Graf: ... später portugiesischer Gesandter und bevollmächtigter Minister.

Ott, v.: Joseph Anton Ott, Legationsrat des Fränkischen Kreises.

Paar, Fürst: Wenzel Johann Joseph Fürst Paar, Oberster Reichs-, Hof- und General-Erbland-Postmeister.

Paar, Graf: Wenzel Graf Paar, Kämmerer.

Pálffy, Joseph („Palfy"): Joseph Franz Fürst Pálffy, Hofrat der Ungarisch-Siebenbürgischen Hofkanzlei, später Erb-Obergespan des Komitats Pressburg.

Palm, Fürst: Karl Joseph [II.] Fürst von Palm-Gundelfingen.

Palm, Fürstin: Maria Josepha, geb. Freiin von und zu Gumpenberg, geschiedene Gräfin Törring-Jettenbach.

Passowitz, Gräfin: ?

Passthory („Paszthory"): Alexander von Passthory, Ungarisch-Siebenbürgischer Hofrat.

Penzenstein („Pentzenstein"): Johann Penzeneter von Penzenstein, Generalmajor, später Feldmarschall-Leutnant, 1784—1785 Artillerie-Kommandeur in den Niederlanden.

Pergen, Graf („Bergen"): Johann Anton Reichsgraf Pergen, Grosskreuz des St. Stefans-Ordens, Geheimrat, Kämmerer, Staatsminister des Inneren, Obrist-Landmarschall von Niederösterreich, später Präsident der Niederösterreichischen Regierung und Polizeiminister.

Ployer, Agent: Gottfried Ignaz Edler von Ployer, hochfürstlicher Hofrat von Salzburg, Hofagent (u. a. von Salzburg), Hofkammeragent in Münz- und Bergwerkssachen.

Podstatzky, Graf Joseph („Potztazky"): Josef Podstatzky-Liechtenstein.

Poncet, Frau v.: ?

(Potztatzky = Podstatzky.)

Prandau, Baron („Brandau"): Franz Freiherr von Prandau, Ausschussrat der Niederöster-reichischen Stände, später Geheimrat.
Prandau, Baron v.: Joseph Ignaz, Freiherr von Prandau, Industrieller?
Pufendorf, Anna v. („Puffendorf"): geb. Baronin Posch, Frau des Konrad Friedrich von Pufendorf, Reichshofrat.
Puthon, v.: Johann Baptist Ritter [später Freiherr und Reichsfreiherr] von Puthon, Gross-händler, später Industrieller, Direktor der Nationalbank.

Raab: Ignaz, Hof- und Gerichts-Advokat, Dr. juris [Vater der Hausfrau Leopold Mozarts in Salzburg].
Rosty, v.: Ignaz, Oberst, Distrikts-Kommandant des Oberzeugamts.
Rottenhan, Graf: Heinrich Graf Rottenhan, Wirklicher Kämmerer, Hofrat der Böhmisch-Oesterreichischen Hofkanzlei.

Salburg, Graf („Sallabourg"): Christoph Graf Salburg; oder Rudolf Graf Salburg, General-feldwachtmeister.
Sauer, Graf: Wenzel Ferdinand Kajetan Graf Sauer, Hofrat der Böhmisch-Oesterrei-chischen Hofkanzlei, später Gouverneur und Bezirkshauptmann von Tirol; oder Kajetan Graf Sauer von und zu Ankerstein, Kämmerer, Geheimrat, Vizepräsident in pleno des Innerösterreichischen Guberniums.
Sauer, Gräfin: Frau des Wenzel Ferdinand Kajetan Grafen Sauer.
Sauer, Gräfin: Frau des Kajetan, Grafen Sauer von und zu Ankerstein.
Schaffgotsch, Gräfin, geb. Komtesse Kollonitz („Schafgotsch" — „Kollnitsch"): Maria Anna Gräfin Schaffgotsch, Frau des Anton Gotthard Grafen Schaffgotsch, Ritter des Ordens vom Goldenen Vliess.
Schleinitz, v: ?
Schwab, P. J.: Philipp Schwab, Rat der Niederösterreichischen Regierung, und Ignaz [später Edler von] Schwab, beide Grosshändler.
Schwarzenberg, Fürst: Johann Nepomuk Fürst Schwarzenberg, Ritter des Ordens vom Goldenen Vliess ?
Seilern, Graf August: Karl August Graf Seilern; oder Christian August Graf Seilern, Präsident der Obersten Justizstelle und Geheimrat.
Seilern, Graf Joseph: Kämmerer, Reichshofrat.
Smitmer, v.: Jakob oder Valentin Edler von Smitmer [Gebrüder Smitmer], Grosshändler; oder Matthias Joseph von Smitmer; oder Andreas Benedikt Edler von Smitmer, Hofkon-zipist der Böhmisch-Oesterreichischen Hofkanzlei; oder Joseph Stanislaus Edler von Smitmer, Hofkonzipist des Exhibiten-Protokolls der Vereinigten Hofstelle; oder Franz Ritter von Smitmer, Domherr.
Soltyk, Graf („Soldyk"): August? (1794 als „Jacobiner" verdächtigt).
Sonnfeld, v. („Sonnenfeld"): Leopold Kleinhans von Sonnfeld, Amtsrat des Militär-Haupt-Verpflegsamtes.
Sonnenfels, v.: Joseph von Sonnenfels, Hofrat der Böhmisch-Österreichischen Hofkanzlei, Rat der Studien-Hofkommission.
(Spanischer Botschafter = Yriarte.)
Starhemberg, Gräfin, geb. Komtesse Neipperg („Staremberg" — „Neiperg"): Wilhelmine Josephine Therese Gräfin Starhemberg.

Sternberg, Graf: Franz [Christian] Philipp Graf Sternberg, Ritter des Ordens vom Goldenen Vliess, Geheimrat, Kämmerer, zweiter Obersthofmeister.

Sternberg, Graf Adam: +

Sternberg, Graf Gundacker: Reichsgraf, Kämmerer, Reichshofrat.

Stockmayer, Baron: Jakob Friedrich Reichsritter von Stockmayer, markgräflich badischer Resident.

Stöckel, Frau v. („Stökel"): Frau des Joseph Adrian Stöckel, Magistratsrat; oder des Kunsthändlers Franz Xaver Zacharias Stöckel.

Stopford, Lord: James George Stopford, Earl of Courtown, auch Baron Salterford, Offizier?

Streeruwitz („Sturrewitz"): Johann Nepomuk von Streeruwitz, Hofrat der Böhmisch-Oesterreichischen Hofkanzlei.

Swieten, Baron van („Suiten"): Gottfried van Swieten, Präfekt der Hofbibliothek, Präsident der Studien-Hofkommission.

Thun, Gräfin, geb. [Komtesse] Ulfeld [Uhlefeldt]: Wilhelmine Gräfin Thun.

(Tögelman = Deglmann.)

Trattner, Frau v.: Therese Edle von Trattner(n), Frau des Buchdruckers Johann Thomas Edlen von Trattner(n), Hausherrn des Gebäudes, wo die Konzerte abgehalten wurden.

Türkheim, Frau: Frau des Ludwig [später Freiherrn] von Türkheim, Hofrat im Hofkriegsrat [ca. 1795 Mitglied der geheimen Untersuchungskommission].

(Ugarte = ? Hugart.)

Urmenyi („Ürmeny"): Joseph von Urmenyi, Ritter des St. Stefans-Ordens.

Vasseg (? „Waseige"): Edmund Maria Graf von Arzt und Vasseg, Reichsgraf, Domprobst zu Wien?

Vockel, Baron: Friedrich Wilhelm Freiherr von Vockel, Legationsrat und Resident des Herzogs von Braunschweig-Lüneburg-Wolfenbüttel und des Prinzen von Oranien-Nassau (Erbstatthalters der Vereinigten Niederlande).

Waldstätten, Baronin („Bar."): Martha Elisabeth, Frau des Hugo Baron Waldstätten, Landrat, Truchsess und Rat der Niederösterreichischen Landrechte.

Waldstein, Graf: Franz de Paula oder Ferdinand Graf Waldstein.

Waldstein, Graf Georg: Georg Christian Graf Waldstein.

Waldstein, Gräfin, geb. [Komtesse] Ulfeld [Uhlefeldt]: Marie Elisabeth Gräfin Waldstein, Frau des Georg Christian Grafen Waldstein.

(Waseige = ? Vasseg).

Weinbrenner, Joseph v. („Weinbremes"): Niederlags-Verwandter.

Wetzlar, Baron, Vater: Karl Abraham Wetzlar, Reichsfreiherr von Plankenstein, Grosshändler und Bankier.

Wetzlar, Baron Raimund („Raymond"): dessen Sohn.

Wilczek, Graf („Wolschek"): Franz Joseph Graf Wilczek, Geheimrat und Kämmerer; oder Johann Joseph Graf Wilczek, bevollmächtigter Minister in der österreichischen Lombardei?

Winkler, Baron: Joseph Johann Winkler von Mohrenfels, Schriftsteller?

Wölkern, v., Reichshof[rat]: Lazarus Karl von Wölkern.

(Wolschek = ? Wilczek.)

Wrbna, Graf („Würm"): Joseph Reichsgraf zu Wrbna und Freudenthal, Kämmerer und Reichshofrat; oder Rudolf Reichsgraf zu Wrbna, etc., Staatsmann, später Oberstkämmerer und Oberster Direktor der Hoftheater.

Wrbna, Graf E.: Eugen Wenzel Joseph Reichsgraf zu Wrbna, etc., Staatsmann, Ritter des Ordens vom Goldenen Vliess, später Geheimrat, Obersthofmarschall.

Wrbna, Graf Louis („Würben"): ?

Württemberg, Prinz („Würtemberg"): Ferdinand Prinz von Württemberg?

Yriarte, Don Domingo („der Botschafter Spaniens"): Sekretär und chargé d'affaires der spanischen Botschaft.

Zichy, Graf Karl („Zitchi"): Karl Graf Zichy von Vásonykö, Kämmerer, Ungarisch-Siebenbürgischer Hofrat, Obergespan des Komitats Raab.

Zichy, Graf Stefan: Kämmerer, später Mitglied der Theater-Unternehmungs-Gesellschaft.

Zinzendorf, Graf: Karl Zinzendorf, Geheimrat und Kämmerer, Präsident der Hofrechnungskammer und der Steuer-Regulierungs-Hofkommission.

(Zitchi = Zichy.)

Zois von Edelstein, Baron: Joseph Freiherr von Zois?

Original in der Nationalbibliothek, Wien. Beilage eines Briefes Mozarts aus Wien an seinen Vater in Salzburg, geschrieben am 20. März 1784. — In der ursprünglichen, ungeordneten Fassung wiederholt gedruckt, mehr oder weniger getreu, mit einigen Verlesungen der von Mozart oft eigenwillig geschriebenen Namen (Schiedermair II, 246—248, Anderson III, 1297—1300, Müller v. Asow III, 224 f.). — Alphabetisch geordnet, mit möglichster Bestimmung der Personen, von O. E. Deutsch in *Music & Letters*, London, Juli 1941 (z. T. übersetzt); hier etwas verbessert wieder abgedruckt. — Zum Trattner-Saal und Mozarts Mittwoch-Konzerten siehe 17. März 1784. — Das Abonnement kostete sechs Gulden für die Person; die Einnahmen überstiegen tausend Gulden, d. i. für mehr als 167 Personen. Die Liste enthält die Namen von 176 Subskribenten. — Das Plus-Zeichen nach einem Namen deutet an, daß die Person identifiziert worden, aber nichts Näheres über sie bekannt ist. — Mozarts *„von"* bezeichnet nicht immer ein Adelsprädikat, sondern nach altem österreichischen Brauch nur Wohlgeboren, also eine Person von Stand.

II

DIE AKTEN DES NACHLASSES MOZARTS

SPERRS-RELATION.

Toden-Fall.

In der Stadt.

Namen des Verstorbenen Hr. Wolfgang Amadeus Mozart
Condition K: K: Kapellmeister, und Kammer Kompositor
Stand verheurathet, Alter 36 Jahre
Wohnung No 970. in der Rauchensteingasse im kleinen Kaiserhause
Sterb-Tag der 5te Xbr: 791.
Nachgelassener Ehegatt Konstanzia
Nachgelassene Kinder. Großjährige, und wo selbe sich befinden. —
Minderjährige, und wo dieselbe sich befinden. 2 Bübl: als: Karl 7. Jahr, und Wolfgang
5. Monat als beide zu Hauß.
Ob ein Testament vorhanden: keines, doch ein Heuraths Brief Act = 3 = Aug: 782.
Wo dasselbe befindlich. in Handen der Frauen Wittwe.
Nächste Anverwandte. einen Gerhaben wird die Fr: Wittwe ehestens in Vorschlag bringen.
NB. Gerhab Michael Puchberg K: K: priv. Niederlags Verwandter am hohen Markt im
Gräfl. Walsegg: Hs.
Das = Vermögen wird in Rücksicht der m: Kinder-Intestaterben grichtl: zu inventiren
seyn, worüber man aber vorläufig die Löbl: Raths Verordnung erwarthet. Übrigens ist
die Sperr sogleich angethann worden.

Dominic: Crammer Mag.
Sperrs Kommißär.

Josef Odilo Goldhann / als erbettener Zeüg, jedoch / ohne mir zu Schaden oder / Nachtheil

Constance Mozart
née Weber

[Rubrum:]
Magistrat
der k. k. Haupt- und Residenz-
Stadt Wien.
Sperrs-RELATION.
      Hr. Wolfgang Amadeus Mozart seel. betr.

fol: 3305
d. 7t Dbris 791

42059.
       4

Cramer

Die Witwe auf den 12 Jäner fürzufodern, wobey selbe einen Gerhaben in Vorschlag zu
bringen hat, übrigens sollte die Inventur alsogleich errichtet, und dessen der Sp. Kom. ex
offo rthschl [ratschlägig] erinnert werden.

expd.	Ex cons: mag: *Vien.*
den 15Xbr 791	den 9*ten* Dbr 791
. . . . .	Hofmann

. . . . .

Zst: der Madam Mozard selbst den 20 Xber 791 Vorforderung d. 16t do

der Mozartin selbst zugestellt

2144.

. . . .

Die Witwe auf den 19ten ds nochmal mit dem Beysaz vorzufodern, daß sie sogewis erscheinen und einen Gerhaben in Vorschlag bringen solle, wie in widrigem ohne weitern ein Poänfahl von 3 Rhsthlr ohne Nachricht eingehoben werden würde.

Ex cons: mg: *Vien.*

den 12ten Janu: $\overline{792}$

Hofmann

Zstl der Frauen Mozardt selbst

d. 17t ds Koch

$\dfrac{3703}{791}$ F. 2.

Aufzubehalten, und Abschrift zu ertheilen, übrigens solle an den vorgeschlagenen Hr: Gerhaben dann an den zum Vertreter der m Kinder aufgestellten Hr: D^{or} Ramor das Dekret ex offo ausgefertiget werden.

G: et C: D. exp:

30. Jänner 792.

Led.   Ex cons: mag: Vien.

cop: exp: den 10t Fbr. $\overline{792}$ den 19t Janu: $\overline{792}$

Sch.   Hofmann

*

Inventarium und Schätzung.

Über Hⁿ Wolfgang Amadeus Mozart Kais: Königl: Kapellmeisters und Kammer Kompositeur im kleinen Kaißerhauße N° 970 in der Rauchensteingasse ab intestato pers: Verlassenschaft; so in Folge der Auflage A:, im Beyseyn der Frⁿ Wittwe Maria Konstanzia, durch Unterzeichneten vorgenommen worden, als:

	fl.	kr.

an baaren Gelde
Hätte sich nach dessen Absterben vorgefunden — — — — —   „   60 : — .
wovon die Leich = und andern Kösten bestritten worden wären.

an Schulden herein!
Der Besoldungs Rückstand beträgt von Jährln 800 f. — — — —   „   133 : 20 .

an verlohrn seyn sollenden deto!
1 Recognition Act^o 23t Aug: 786. von H: Franz Gilowsky an Hⁿ Erblasser über eine empfangene Landschafts Obligation ausgestelt
pr — — — — — — — — — — — — —   „ — 300 f. —.

Hn Anton Stadler K. K. Hof = Musikus
wäre ohne obligo schuldig bey — — — — —   „ — 500 „ —.

Summa   „ — 800 f. —.

Latus   „ — 193 : 20 „

In Silber!	fl.	kr.
3 geringe Löffl pr. — — — — — — — — — — — — — — „ — 7 „ —.		

In Kleidungsstüken, und Wäsche!

	fl.	kr.
1 weis Tüchener Rock mit manschester Schilleweste — — — — „ — 6 „ —.		
1 blaulichter deto — — — — — — — — — — — — — „ — 2 „ —		
1 roth Tüchener deto — — — — — — — — — — — „ — 1 „ 30		
1 deto von Nangim — — — — — — — — — — — „ — — „ 45		
1 braun atlassener deto samt Hosen, mit seide gestickt — — — „ — 3 „ —		
1 schwarz Tüchen ganzes Kleid — — — — — — — — — „ — 1 „ 30		
1 mausfarber Kaput — — — — — — — — — — — „ — 4 „ —		
1 zeuchener deto — — — — — — — — — — — — „ — 1 „ 15		
1 blau Tüchener Belz Rock — — — — — — — — — „ — 2 „ —		
1 deto Kiria mit Belz ausgeschlagen — — — — — — — „ — 3 „ —		
4 versch: Westen, 9 deto Hosen — — — — — — — „ — 8 „ —		
2 glatte Hüth, 3 paar Stifl, 3 paar Schuch — — — — — „ — 3 „ —		
9 paar seidene Strümpf — — — — — — — — — „ — 4 „ 30		
9 Hemmeter — — — — — — — — — — — — „ — 4 „ 30		
4 weisse Halsbinden, 1 Schlafhauben, 18 Sacktüchl — — — — „ — 6 „ —		
8 Gardehosen, 2 Bettleibl, 5 paar Unterstrümpf — — — — „ — 2 „ 30		

an Lein- und Bethgewand!

5 Tischtücher, 16 Servieten, 16 Handtücher — — — — — „ — 6 „ —		
10 Leintücher — — — — — — — — — — — „ — 8 „ —		
Latus — „ — 76 „ —		

ds. Ehe, und 1. Kinderbeth zur Nachricht.	fl.	kr.
1 ord: Dienstbothen Beth — — — — — — — — — „ — 3 „ —		

an Haußgeräthe, in Ersten Zimmer!

2 harte Schubladkasten — — — — — — — — — „ — 11 „ —		
1 Sopha mit Kanefas Überzuch, 6 deto Sessl, 2 Stockerl — — — „ — 8 „ —		
1 weicher Eckkasten, 1 Nachtkastl — — — — — — — „ — 1 „ —		
1 Roletten, 2 Fürhänge — — — — — — — — — „ — 1 „ —		

In zweiten Zimmer.

3 Harte Tische — — — — — — — — — — — „ — 2 „ 30		
2 Diwan mit gradlen Überzuch, 6 do Sessl — — — — — „ — 50 „ —		
2 lagirte Thürlkastl — — — — — — — — — „ — 3 „ —		
1 Spiegl in vergoldtem Rahmen — — — — — — — „ — 12 „ —		
1 ord: mitterer Lüster — — — — — — — — — „ — 6 „ —		
die papierene Spallier alda — — — — — — — — „ — 4 „ —		
3 Figuren von Porzellain, 1 deto Dose — — — — — — „ — 5 „ —		

In dritten Zimmer!

1 harter Tisch — — — — — — — — — — — — — — — „ — 1 „ —
1 grünn Tüchenes Pillard mit 5 Baln, und 12 Tacko, einer Latern,
und 4 Leichter — — — — — — — — — — — — — — „ — 60 „ —
1 eiserner Ofen mit Röhrn — — — — — — — — — — — „ — 3 „ —

Latus — „ —170 „ 30

In Vierten Zimmer! fl. kr.

1 hartes Tischl, 1 Kanape von alten Damast, 6 do Sessl — — — — „ — 8 „ —
1 Rollschreibkasten — — — — — — — — — — — — — — „ — 8 „ —
1 Uhr, ein Gehwerk in vergold. Kasten — — — — — — — „ — 5 „ —
1 Forte = Biano mit Pedal — — — — — — — — — „ — 80 „ —
1 Pratschen in Futeral — — — — — — — — — — — — „ — 4 „ —
1 lagirter Schriftenkasten — — — — — — — — — — — „ — 1 „ 8 .
2 weiche Bücher Stelle — — — — — — — — — — — „ — 2 „ —

60 Stk: versch: Porzellain — — — — — — — — — — „ — 12 „ —
1 messinges Merserl, 3 do Leichter — — — — — — — — „ — 2 „ 30
2 Koffemühle, 2 Glaßleichter, 1 blechener Theekanl, 1 lagirte Tazen, einig
ord: Gläßer — — — — — — — — — — — — — „ — 3 „ —
In Vorhauß, und Kuchl!
2 weiche Tische, 1 alter deto Garderobkasten, 1 Spanischewand — — — „ — 1 „ 30
2 weiche Bethstätte, 1 Thürlkastl, und ds übrig wenige Kuchlgeschirr — „ — 1 „ 30
an Büchern, und Musicalien!
Diese betragen lauth der Verzeichnis B. B. — — — — — — — „ — 23 „ 41

Latus — „ —152 „ 19

Suma des gesamt angegebenen Vermögens *fünf Hundert, Neunzig und zwey Gulden*, 9 kr.
592 f. — 9 kr.
Und bestehet in folgendem als:
an baaren Gelde — — — — — — — — — — — — „ — 60 „ —
an Schulden herein — — — — — — — — — — — — „ —133 „ 20
an Verlohrn seyn sollenden deto — „ 800 f. —
an Silber — — — — — — — — — — — — — — „ — 7 „ —
an Kleidungsstücken, und Wäsche — — — — — — — „ — 55 „ —
an Leinen, und Bethgewand — — — — — — — — „ — 17 „ —
an Haußgeräthe — — — — — — — — — — — „ —296 „ —8
an Büchern, und Musicalien — — — — — — — — „ — 23 „ 41

Summa wie oben — „ —592 „ —9

Actum Wienn den 9n Dbr. 797: [1791]

Joseph Schlipfinger	*Dominic: Crammer* Magistratis
als Zeigg	Sperrs, und *Inventurs* Komißär
Johan Georg Graseller	Johann Pfeiffer geschwor. Mobilien
als Zeig	Schäz Meister
	Balthasar Müller
	geschw. *Mobilien* Schäzmeister

496

[Rubrum:]

Inventarium- und Schätzung!
Über Hn Wolfgang Amadeus Mozart K:K: Kapelmeister, und Kaṁer Kompositeurs alhier
ab intestato seel.n Verlassenschaft.

A:
Pr: k. k. Stadt Wiener Buchhalterey.
Revid. und dem Calculo gemäß richtig
befunden worden.
Wien den 19t Xbr 791
Vidi Czernich

Plank

750.

*

Verzeichniß und Schätzung der Bücher des verstorbenen Tl. Herrn W. A.
Mozart Kays: Kapellmeister.

In Quarto

Nro

Nro		Schätzung fl. kr.		Verkauf fl. kr.	
1.	Maskows Einleitung zu den Geschten des Deutschen Reichs. Leipzig. 763 — — — — — — — —		7.		
	In 8⁰ et 12⁰				
2.	Almanach musikalischer für Deutschland 1782–1783 . 1784 —		9.		
3.	Percy a Tragedy. London. 778 — — — — — — —		6.		
4.	Forestier illuminato della Citta di Venezia c. fig. Venez. 765 —		7.		
5.	Faustin. 783. — — — — — — — — — —		8.		
6.	Der Gesellschafter, oder Sammlung unbekannter Anecdoten. Magdeburg. 783 — — — — — — — — — —		10.		
7.	Magazin der Musick von Cramer. 7 Bände. Hamburg 783 — —	12			
8.	Friedrichs II., Königs in Preußen hinterlassene Werke. 4 Bände. 788. — — — — — — — — — —		24.		
9.	Weißens lyrische Gedichte, 3 Thl. Leipz. 772 — — — — —		21		
10.	Atlas des Enfans, avec fig. illum. Amst. 760 — — — — —		10		
		Latus	1.	54	

Nro		Schätzung fl. kr.		Verkauf fl. kr.	
	In Octavo et 12⁰				
		Transl.	1.	54	
11.	Ovids Trauerlieder übersezt von Lory — — — — — — —		4.		
12.	Moliers Lustspiele. 3ter Thl. m. K. 753 — — — — — —		6.		
13.	Geßners Schriften 1. und 2t Thl. Zürich 762. — — — — —		15.		

		Schätzung fl. kr.		Verkauf fl. kr.	

14. Reisebuch geographisch und topographisches, durch alle Staaten der oesterreichischen Monarchie, nebst der Reiseroute nach Petersburg durch Pohlen. Wien 789. — — — — — — 20.

15. Skizen aus den Charakter und Handlungen Joseph II. 2 Thl. Halle 783. — — — — — — — — — — 7.

16. Sonnenfels gesamelte Schriften. 1. 2. 3. 4. Band Wien 783. — — 20

17. Smiths philosophische Fragmente über die practische Musick. Wien 787. — — — — — — — — — 3.

18. Punktierkunst. Leipzig 754. — — — — — — — 7.

19. Eberts Vernunftlehre. 774. — — — — — — — 3.

20. Blumen auf dem Altar der Grazien. Leipzig 787. — — — 15

21. Osterwalds Erdbeschreibung. Strasburg 777. — — — — 12.

22. Eberts Naturlehre, m. K. Leipz. 775. — — — — — 7.

23. Nebentheater. Leipzig 786. 6 Bände — — — — — — 1. 30.

24. Kinderbibliothek, kleine, 1. 2. 4. 5. Band Hamburg 783. — — 12.

	Latus 5. 35

		Schätzung fl. kr.		Verkauf fl. kr.	

In Octavo et 12⁰

Nro

	Transl. 5. 35

25. Kleists Werke, 2 Thl. Wien 765. — — — — — — — 7.

26. Automathes or the Capacity of the human Understanding. Lond. 761. — — — — — — — — — — — — 12.

27. Diogenes von Sinope. Carlsr. 777 — — — — — — 7.

28. Wielands Oberon. Reutl. 781. — — — — — — — 7.

29. L'Arcadia in Brenta. Cöln 674. — — — — — — 3.

30. Brauns Götterlehre. Augsb. 776. — — — — — — 6.

31. Die Metaphysick in der Connexion mit der Chemie, von J. Ortinger, Schw. Halle — — — — — — — — 10

32. Spenglers Rechenkunst und Algebra. 779. — — — — 5.

33. Blumauers Gedichte. Wien 784. — — — — — — 15.

34. Biblia Sacra: Colonio 679. — — — — — — — 17.

35. Phädon von Mendelsohn. Berlin 776. — — — — — 15.

36. Krebels europäische Reisen 2. 3. 4. Theil — — — — 6.

37. Collection of some Lettres, Anecdotes, Remarks etc. by W. Streit. 774 — — — — — — — — — — 7.

38. Schönbergs Geschäfte des Menschen, Zierde der Jugend, und lehrreiche Gedanken in Begebenheiten. 3 Thl. — — — — 9.

39. Opere del Sig. Metastasio. Tomo 1. 2. 4. 5. Venez. 781 — — — 30.

40. Sechs Komedien Bände — — — — — — — — 36

	Latus 8. 47

		Schätzung fl. kr.	Verkauf fl. kr.

In Octavo et 12⁰

Nro

	Transl.	8 47	
41.	Der lustige Tag, Die Begebenheiten auf der Jagd. Die Entführung aus dem Serail. — — — — — — — — —	6.	
	Musikalien		
42.	L'Endimione Serenata dal S. Mich. Hayden. 2 vol. Mspt. —	— 40.	
43.	Prologus del S. M. Hayden. fol. — — — — — — —	— 24.	
44.	Litania de Venerabili Sacramento di S. Hayden — — —	— 24.	
45.	Sei fughi Preludie per Organo dal S. Albrechtsberger. fol. —	— 15.	
46.	Jesus der sterbende. Ein Oratorium von Rosetti. fol. Wien. —	1. —.	
47.	Die Dorfdeputierten in Musick von Schubaur. fol. Mannheim. —	17.	
48.	Simphonie grande periodique en plusieurs Instrumens par Mozart. fol. Vienna — — — — — — — — — —	24.	
49.	Concerti a Quatro di S. Leo — — — — — — — —	— 12	
50.	Le Barnvelt francais Comedie en Music. — — — — —	17	
51.	Concerte pour le Clavecin en piano forte par Hofmeister — —	12	
		Latus 12. 58	

		Schätzung fl. kr.	Verkauf fl. kr.

In Octavo et 12⁰

Nro

	Transl.	12. 58	
52.	VIII Fughe per l'Organo dal Pasterwiz. — — — — —	— 12.	
53.	Motetten und Arien, vierstimige in Partitur von Hiller 1 Thl. Leipzig 776. — — — — — — — — — — —	6.	
54.	Bachs S. Clavierübungen: 2ter Thl. Mspt. — — — — —	12.	
55.	Poloneso con Variazione del Cl. Wohanka — — — — —	7.	
56.	Ariette avec variations pour le Clavecin par Mozart Nr. 2. u. Nro 9 — — — — — — — — — — — —	12.	
57.	Grand Concert pour le Clavecin par Mozart. — — — —	20.	
58.	Terzetto del S. Gasman Mspt. — — — — — — —	10.	
59.	Labyrinth, klein harmonisches von Bach — — — — —	10.	
60.	Quintette del Figaro. Mspt. — — — — — — — —	15	
61.	Winterlieder für Kinder und Kinderfreunde. Wien 791. — —	20	
62.	Zemire et Azor. Comedie Ballet. Mspt. Moz. — — — —	17	
63.	Arianna a Naxos Cantata par G. Hayden — — — — —	20.	
64.	Sonates II pour le forte piano, par Duschek — — — —	15.	
		Latus 15. 54	

	Schätzung fl. kr.	Verkauf fl. kr.

In Octavo et 12⁰ → *In Octavo et 12^0*

Nro

	Transl. 15. 54
65. Partition du Diable a Quatre par Chev. Gluck. Mspt. — — — 17.	
66. ───── des Airs de l'Arbre enchanté Opera comique par Chev Gluck. Mspt. — — — — — — — — —15.	
67. Musickpränumeration Hofmeisterische 22 Hefte. — — — 4. 30.	
68. Lieder fürs Klavier von K. Friberth 3te Samlung. Wien 780. — 10	
69. Sonati sei a violino, solo col Basso composte di Fr. Ostad. — — 20	
70. Kantate über Gellerts Lieder, ich komme vor dein Angesicht, von Doles. Leipzig 780. — — — — — — — — — — 12	
71. Fantasie et Sonate, pour le Forte piano par Mozart — — — — 12	
72. Verschiedene einzelne Musikalien — — — — — — — 1. 30	

Latus 23. 20

	Schätzung fl. kr.	Verkauf fl. kr.

Musicalien

Nro

Transl. 23. 20

73. Blätter, dramaturgische, von Knigge, 2 Theile, Hannover 789 — 6.

Verschiedene Miscellanea — — — — — — — — — 15

Summa 23. 41

Joh: Georg Binz

Bücherschatzmradj.

*

Verzeichniß

───

792.

Deren nach Absterben meines Ehegattens Wolfgang A. Mozart für ihn bezahlten Konti als

No.	fl.	kr.
1. Dem Hr: Georg Dümmer bürgerl: Schneidermeister seinen Konto No 1. mit—	282.	7
2. Dem Anton Reiz Tapezierer laut Konto No 2. — — — — — — —	208.	3.
3. In die k:k: Hof-Apothek vermög Konto No 3. — — — — — —	139.	30.
4. Dem Hr: Johann Heydegger Kaufmann Zeugs Konto No 4. — — —	87.	22.
5. Dem Hr: Friedrich Purker bürgl: Handelsmann sein Kont. Nro 5. —	59.	—
6. Der Frau Regina Haselin Apothekerin zum Mohren laut Konto No 6. —	40.	53.
7. Mehr derselben auf ihren Konto pr: 74 f 53 Kr. vermög Nro 7. — —	34.	—.
8. Dem Michael Anhamer Schustermeister laut Nota No 8. — — —	31.	46
9. Dem H: Georg Mayer bürgl. Schneidermeister seine Nota Nro 9. — —	13.	41.

	fl.	kr.
10. Dem Kaufmann Reuter vermög Nota Nro 10. — — — — — — —	12.	54.
11. Dem Hr: Andre Igl bürgerl. Chyrurgo laut seiner Quittung No 11. — —	9.	—

Summa 918. 16

Konstanzia Mozart Wittib.

*

Convocationsedikt

Von dem Magistrate der K. K. Haupt- und Residenzstadt Wien, wird durch gegenwärtiges Edikt

hiemit bekannt gemacht: Es seye über Absterben des Hr: Wolfgang Andre Mozart K. K. Kapellmeisters und Kammer Kompositeurs um mit der Verlassenschafts Abhandlung sicher vorgehen zu können, für nöthig befunden worden, alle jene vorzuruffen, welche an gedachte Verlassenschaft Ansprüche und Forderungen zu haben vermeinen. Diese haben demnach *den 19.t März* früh um zehn vor diesem Magistrat entweder persönlich, oder durch hinlänglich Bevollmächtigte so gewiß zu erscheinen, und ihre Forderungen rechtsbeständig zu erweisen, wie im widrigen die Verlassenschafts Abhandlung ohne weiteren gepflogen und der Fr. Wittwe überlassen werden würde. Wien den 17 Feb. 792

Joseph Georg Hörl wirkl: k: k: Franz Edler v. Koffler, Magstsrath
Rath, und Bürgermeister

L. E. v. Moßbach wirkl:k:k:R:u. Vbgmstr.   Joh. Nep. E v. Reser, Magstsrath

*

[Gläubiger-Einberufungs-Edikt]

Es seye über Absterben des Hr: Wolfgang Andre Mozart k:k: Kapellmeisters, und Kammer Kompositors um mit der Verlassenschaft Abh: sicher vorgehen zu können, für nöthig befunden worden, all jene vorzuruffen, welche an gedachter Verlassenschaft Ansprüche, und Forderungen zu haben vermeinen. Diese haben demnach den 19ten März früh um 9 Uhr vor diesem Magistrat oder persönlich, oder durch hinlänglich Bevollmächtigte so gewis zu erscheinen, und ihre Forderungen rechtsbeständig zu erweisen, wie in widrigem die Verlassensch: Abhandlung ohne weiteren gepflogen, und der Fr: Witwe überlassen werden würde.

Wienn den 17ten Febr: 792

*

[Bericht über Einberufungs-Edikt]

Löbl. Magistrat der Kön: Hpt: und Resid: Stadt Wienn.

Bey dem den 19ten ds exspirirt W. Andre Mozartischen Einberuffungs-Edikt hat Hr Dor Ramor als Substit: Hr: D Rößler noe der Witwe Anna Konstanzia an Heyraths Sprüchen vermög Heyraths Kontrakt ddo 3ten aug. 782: 1500 fl, dann auf ein Verzeichniß über verschiedene Auslagen 918 fl 16 Kr angemeldet.

Welches hiemit relazionirt.

Wienn den 29ten März 792   Fried: Hofmann

*   Sekr:

Einantwortung

Löbl: Stadtmagistrat!

Zufolge meiner untern 17ten Dezember 792. gerichtl: abgegebenen Erklärung will ich für jedes meiner zwei m. Kindern, benamtlich: Karl, und Wolfgang Mozart zum väterlichen Erbtheil 200 fl mittelst anschlüssiger sub Nro 9234. auf mich Konstanzia Mozart lautend 4 prctigen Stadt-Oberkammer-Amts-Obligation A ddo 7ten Hornung 793. pr: 400 fl = gerichtl. depositiren, und bitten

Ein löbl: Magistrat geruhe diesen meinen Erlag zu acceptiren, und protokolliren zu lassen.

Konstanzia Mozart
Wittwe

[Rubrum:]

Stadtmagistrat!   ps. 11ten Hornung 793

Konstanzia *Mozart*, verwittibte k: k: Kapellmeisterin

Um Acceptir- und Protocollirung invermeldten Erlags pr: 400 fl für ihre 2 m Kinder.

Franz Anton Weiß soll:

E. v. Rösler Dr.   *als*

     5390   *Deponent*

Fürzuhalten, und die Oberkamer A Obligaz. N. 9234 ddo 7t Hornung 793 auf Konstanzia Mozart lautd. à 4 pcto pr Vierhundert Gulden bei dem Depositenamte aufzubehalten.

Ex Cons: Mag: Vien:
d: 11t Febr: 793
v. Passel

Inberührte O: K: A: Obl: Nro 9234 pr 400 fl ist zum magistrat. Depos: Amt richtig erleget worden.

Wien d. 11t Febr. 793
Johann Nep. Haderolt
Kommissär.
Anton Jos. Hörl
Kontrolor
Niklas Hilger
U Kontrolor

3703
791
F: 2 s   *

Vermögensausweisung

Uiber Austerben des Hr: Wolfgang Amadäus Mozart k:k: Kapellmeisters und Kamerkompositeurs seel:

Aktivstand   f: k:

Nach Innhalt der gerichtlichen Inventur A: besteht die Hinterlassenschaft
in Folgendem; als:

	f:	k:
In baaren Gelde —	„ 60	—.
Schulden herein —	„ 133.	20.
Silber —	„ 7.	—.
Kleidungsstücken, und Wäsche —	„ 55.	—.

	fl.	kr.
Lein, und Bethgewand — — — — — —	— „ 17.	—.
Haußgeräthe — — — — — —	— „ 296.	8.
Büchern und Musikalien — — — — —	— „ 23.	11.
Summatim in — — — — — —	— fl 592.	9.

Passivstand

Hievon komen abzuziehen die von der Frau Wittwe bestrittenen Krankheits, und anderen
Unkösten laut Verzeichnis B: pr: 918. 16.
Vermög Heurathskontrakt C: hätte die Frau Wittwe zwar 500 f: zu fordern; nachdem
selbe aber die richtige Zuzählung des Heurathsguts nicht erwiesen hat; so können auch
ihre Heurathssprüche nicht in Abzug gebracht werden. Ausser dießen zwei hier berührten
von der Frau Wittwe bei der laut Edikt D: fürgewesten Einberuffungs Tagsatzung angemel-
deten Kosten hat sich laut Relazion E: sonst kein Gläubiger gemeldet.

                                                    Summa per
                                                    [unausgefüllt]
           Wenn nun mit dem Passivstande pr: 918 f: 16 K:
           der Vermögensstand pr: —   —   592 „   9 „

zusamgehalten wird; so zeigt sich, daß die von der Frau Wittwe Konstanzia Mozart
bestrittenen Unkösten das Verlassenschaftsvermögen um   —   —   „ 326 „ 7 „
übersteigen; folglichen die Hinterlassenschaft derselben gegen Berichtigung der Kuratels-
unkösten zu überlassen und einzuantworten kome; woran um so weniger ein Anstand
genomen werden dürfte, als die Frau Wittwe zu Folge Erledigung F: und Fürzuhalten G:
für die m. 2 Kinder Karl, und Wolfgang Mozart zum väterlichen Erbgut 400 f: bereits zu
Gerichts Handen erlegt hat.

           Urkund dessen meine Fertigung. Wien den 1n März 793:
                     Nicklas Ramor Dr
                     als gerichtlich aufgestellter
                     Kurator der 2. m. Wolfgang
                     Mozartischen Kinder

                     *

Erbsteuer-Berechnung

           Uiber die Hinterlassenschaft des H: Wolfgang Amadeus
           Mozart k: k: Kapellmeisters und Kamerkompositeurs seel:

Aktivstand

Nach Innhalt der gerichtlichen Inventur besteht die Hinterlassenschaft in
Folgendem; als: f: Kr.

An baaren Gelde — — — — — — —	— 60	—
„ Schulden herein — — — — —	— 133	20
„ Silber — — — — — —	— 7	—

							fl.	kr.
„ Kleidungsstücken, und Wäsche —	—	—	—	—	—	—	55	—
„ Lein und Bethgewand —	—	—	—	—	—	—	17	—
„ Haußgeräthe —	—	—	—	—	—	—	296	8
„ Büchern, und Musikalien	—	—	—	—	—	—	23	41
Summatim in —	—	—	—	—	—	—	fl. 592	9.

Passivstand

Hievon komen abzuziehen die von der Frau Wittwe bestrittenen Krankheits und andere Unkösten zu: — — — — — — — 918 16

Die Erbsteuer freye Leibskleidung, und Wäsche pr: — — — — 55 —

Das auf Uiberleben stipulirte Heurathgut pr: — — — — 500 —

Summatim mit — — — — — — — fl. 1473 16

Wenn also mit dem Passivstande pr: — — — 1413 f. 16 Kr.
Den Vermögensstand pr: — — — — — 592 „ 9 „

zusamgehalten wird; so zeigt sich, daß die wittiblichen Forderungen das Vermögen um — — — — — — — — — 881 7 übersteigen, folglichen die Frau Wittwe von der Widerlage pr. pr: 1000 fl, da sie selbe aus der Verlassenschaft ihres seel. Ehegatten gezeigtermassen nicht erhält, keine Erbsteuer zu entrichten habe. Urkund dessen unsere Fertigung. Wien den 1ⁿ März 793.

> Nicklas Ramor Dr
> Als Kurator der 2. m.
> Wolfgang Mozartischen
> Kinder

*

[Erbserklärung]
Löbl: Magistrat der K:K: Haupt, und Residenzstadt
Wien!

liegen dem Gesuche um Abhandlung bei.

A: Unterzeichneten als durch Dekret A gerichtlich aufgestellten Kurator der m. Kinder Karl und Wolfgang Mozart als einzigen

B: Intestaterben ihres laut Sperrsrelazion B: verstorbenen Vaters Hr: Wolfgang Amadäus Mozart k:k: Kapellmeisters, und Kamerkompositeurs hat sich hiemit im Namen dießer seinen Kuranden zu desselben Verlassenschaft *cum beneficio legis et inventarii* erbserklären wollen, mit der gehorsamsten Bitte

ein löbl: Magistrat geruhe dieße Erb-
erklärung anzunehmen, und zu protokolliren. Wien den 2n März 793
Nicklas Ramor Dr
als gerichtlich aufge-
stellter Kurator der
m. 2. Wolfgang Mozarti-
schen Kinder.

[Rubrum:]
166

$$\frac{3703}{791}$$

F. 2 s.

Aufzubehalten,   Stadtmagistrat

und Abschriften zu ertheilen.   Niklas Ramor Dr
                                                      als gerichtlich aufgestellter Kurator der m:
Ex cons: mag: Vien.   Kinder Karl und Wolfgang als einzigen
                                                      Intestaterben ihres verstorbenen Vaters Hn:
                                                      Wolfgang Amadäus Mozart k:k: Kapell-
den 4ten Merz 793   meisters und Kam̄erkompositeurs seel:

Hofmann   Uiberreicht inberührte cum benef: leg:
                                                      et invent: beschehene Erberklärung, mit der
                                                      gehorsamsten Bitte, dieselbe anzunehmen,
350   und zu protokolliren.
                                                      Ramor Dr   P den 2ten Merz 793.
                                                      8087

*

[Gesuch um Einantwortung]
Löbl: Magistrat der K:K: Haupt, und Residenzstadt
Wien!
A: Unterzeichneter als durch Dekret A: ge-
            richtlich aufgestellter Kurator der m: Kin-
            der Karl, und Wolfgang Mozart als Inte-
B: staterben ihres laut Sperrsrelation B: ver-
            storbenen Vaters Hr: Wolfgang Amadäus
            Mozart k:k: Kapellmeisters, und Kam̄er-
            kompositeurs seel: hat sich eben unter heu-
            tigem *Dato* im Namen dieser seiner Kuran-
            den zu dießer Verlassenschaft *cum benef:*
C: *leg: et inventarii* in C: erberkläret, und
            überreichet hiemit die Abhandlungsakten,
D: und *respect:* beigebogene Ausweisungen D
E: et E mit der gehorsamsten Bitte:

Ein löbl: Magistrat geruhe dieselbe zu
ratifizieren, und sohin die Verlassenschaft
der Frau Wittwe Konstanzia Mozart auf
Abschlag ihrer Forderungen und gegen Berichtigung der Abhandlungsunkösten einzuantworten.

Niklas Ramor D^{or} als Kurator der m̲:
Kinder und Intestaterben des verstorbenen Hr: Wolfgang Amadäus Mozart

[Rubrum:]
Stadtmagistrat
Niklas Ramor D^r als gerichtlich aufgestellter Kurator der m̲: Kinder und Intestaterben des
verstorbenen Hr: Wolfgang Amadäus Mozart k: k: Kapellmeisters, und Kam̅erkompo-
siteurs seel:

Fol: 3305.   *Vid. v. Geer*   *vidit* Buchhalterei
                                                                                      Seelaus
                                                                                      Withalm

                          Uiberreicht die Abhandlungsakten
                          und *respec:* inberührte Ausweisungen,
                          mit der Bitte, hierüber abzuhandeln,
Ramor Dr.   und die Verlassenschaft der Frau
                          Wittwe einzuantworten.
                  No. 58728
            10193   den 16^t Merz 793.
                          Ex cons: mag: *Vien.*
                          den 4ten Merz 793
                                  Hofmann
Die Abschrift der Erbserklärung
beyzulegen.
Tax 3 x
Ist beschehen
Dieß Anbringen samt der Vermögens, und Erbsteuerausweisung dem Unköstenverzeichniß
und dem Original Heurathsvertrag aufzubehalten, und Abschriften zu ertheilen; Uibri-
gens will der Magistrat die in 592 f. 9 Kr. bestehende Verlassenschaft des Wolfgang
Amadeus Mozart k:k: Kapellmeisters, Hof und Cammer-Compositeurs der rückgelassenen
Wittwe Konstanzia Mozart ex Conto der von ihr mit 918 f. 16 Kr. bestrittenen Krankheits, und Leich kösten, dann übrigen bezahlten Passiven gegen vorläufige Befriedigung
des Hr: Kurators, und Bezahlung der allenfalls fürgemerkten Abhandlungsgebühren
überlassen, und ohne Weiterem einzuantworten verordnet haben.

          Absch: 15. April 793.   *Ex cons. mag vien*
          expd: Eber: den 2. April 793
                  Cs   E. v. Kayserstein

3703
───
791
F: 2 s

*

Anhang II

[Abhandlungs Veranlassung in Pleno]
vom 2ᵗ April 793

Kurator der zwey m̲: Kinder und Intestaterben des Wolfgang Amadäus Mozart K: K: Kapellmstr und Hofkammer Kompositors, worzu er sich *cum benef.* erbserklärt hat

um Abhandlung der Verlassenschaft.

Laut Gerichts Inventur bestehet das Vermögen in — —592 fl 9 dargegen hat die Witwe laut dem mit Quittungen belegtem Verzeichnis für Krankh. und Leich Kösten, dann andrer berichtigte Schulden 918 fl. 16 Kr folglich um 326 fl 7 Kr mehr, als die Verlassenschaft betragt, bezahlet auch für jedes der zwey Kinder zwey hundert Gulden erleget, hiemit ist kein Anstand ihr die Verlassenschaft gegen Bezahlung der etwann fürgemerkten Abhandlung Gebühren, und Befriedigung des Kurators zu überlassen.

Veranlassung

Dieß Anbringen samz der Vermögens, und Erbsteuer Ausweißung, dem Unkösten Verzeichnus, und dem Orig Heyrats Vertrag aufzubehalten, auch von ein sondere Abschrift zu ertheilen. Ubrigens will der Magistrat die in 592 fl 9 Kr bestehende Verlassenschaft des Wolfgang Amadäus Mozart K: K: Kapellmstrs, und Hofkam̅er Kompositors der rückgelassenen Witwe Konstanzia Mozart a Conto der von ihr mit 918 fl 16 Kr bestrittenen Krankh und Leichkösten, dann übrigen bezahlten Schulden gegen vorläufiger Befriedigung des Hr. Kurators, und Bezahlung der allenfals fürgemerkten Abhandlungs Gebühren überlassen, und ohneweitern einzuantworten verordnet haben.   Kanjowitz

*

[Zweites Gesuch um Einantwortung]
Löbl. Magistrat der K: K: Haupt, und Residenzstadt
Wien!

Nachdem die Frau Wittwe Konstanzia Mozart als Uibernehmerin der Verlassenschaft ihres Ehegatten Hr: Wolfgang Amadäus Mozart k: k: Kapellmeisters, und Kam̅erkompositeurs seel: meine Kuratels Expensen sichergestellet hat, keine Abhandlungsgebühren sich ohne fürgemerkt oder ausständig befinden, weil sonst das löbl: Taxamt dieselben auf der Abhandlungsveranlassung A: aufgerechnet haben müßte; folglichen die berührte Abhandlungsveranlassung A: bereits in allem befolget worden ist; so bitte ich nunmehr Ein löbl: Magistrat geruhe in die Einantwortung der Verlassenschaft zu gewilligen, und wegen Abnehmung der Jurisdikzionssperr die Auflag an den betreffenden Hr: Sperrskommissär zu erlassen.

Niklas Ramor D̲r̲ als Kurator der m.
Wolfgang Amadäus Mozartischen
Kinder, und Intestaterben.

*

[Einantwortung]
Löblr. Magistrat!

A:

Unterzeichneter hat in Folge der Auflage
A: die bey Hr: Wolfgang Amadäus Mozart
K: K: Kapellmeisters, und Kamerkompo-
siteurs seel. Verlassenschaft angelegte
Sperr widerum abgethan,
und sothane Verlassen-
schaft der Wittwe Frauen
Konstanzia Mozart der
Ordnung nach überantwor-
thet

Dominic: Crammer
Sperrkommißär

[Rubrum:]
33 b

3703
791
F. 2 s.

Inventur fehlt
Hiller
Aufzubehalten, und Abschriften
zu ertheillen.
Ex Cons: Mag: Vin.
den 23. August 1793
Seznagl
Absch exp Ort *den* 29t̲ Aug 793
Coll.
Absch epd Jans [?]
1245

M a g i s t r a t !
Relazion
Domini   Crammer
Sperrkommissär
Die abgenohmene Sperr, und Einantwor-
thung des H: Wolfgang Amadeus Mozart
K: K: Kapellmeisters, und Kamer-
kompositeurs

Verlassenschaft
29687   P den 22t̲e̲n̲ Aug 793.

Archiv der Stadt Wien (Kopie im Mozarteum, Salzburg). — *Deutsche Musik-Zeitung,* Wien, 9. September 1861, S. 284—286, Johann Ev. Engl im *Jahresbericht des Mozarteums,* 14. Bd., Salzburg 1894, S. 31—39; Friedrich Kerst, *Mozart-Brevier,* Berlin 1905, S. 284—286; Arthur Schurig, *Konstanze Mozart,* Dresden 1922, S. 151—154; derselbe, *W. A. Mozart,* 2. Auflage, Leipzig 1923, II, 453—459; Albert Leitzmann, *W. A. Mozart,* Leipzig 1926, S. 489—493. — Der Abdruck hier ist vollständig, einschließlich der Inhalts-Angaben und Amts-Vermerke auf den Rubra, d. i. den Rückseiten oder letzten Seiten der Aktenstücke. — Die im folgenden gebotene Identifizierung der hinterlassenen Bücher und Musikalien geht über den Versuch in Schurigs Mozart-Biographie hinaus und berichtigt ihn stellenweise. — Bei der Lesung der Handschriften haben die Herren Dr. Rudolf Geyer und Dr. Hanns Jäger-Sunstenau, vom Wiener Stadtarchiv, dem Herausgeber dankenswert geholfen.

S p e r r s - R e l a t i o n : Über das Vermögen jedes Verstorbenen wurde die amtliche „*Sperre*" ver-hängt, in Wien vom Magistrat, dessen „*Sperr-Kommissär*" die „*Sperrs-Relation*" anlegte und schließlich die Sperre aufhob. Die Relation wurde auf einem vorgedruckten Formular geschrieben. — Konstanze, die dreimal vorgeladen wurde, nannte endlich Puchberg als „*Gerhab*", ihren Vertreter in der Sperr-Angelegenheit. Er meldete seine Forderungen auf etwa 1000 Gulden nicht an, während er 1785 und 1787 Anton Stadler für 1 400 Gulden hatte pfänden lassen und 1799 dessen Frau Elisabeth für 150 Gulden pfänden ließ. Puchberg, der als Gerhab am 23. Februar 1792 durch Franz Xaver Flamm ersetzt wurde, starb selbst in Armut. Laut Nissens Angabe (S. 686 der Biographie) verlangte er das Mozart geliehene Geld erst mehrere Jahre nach 1791 von der Witwe und erhielt es auch. — Nicht Puchberg, sondern der Hof- und Gerichts-Advokat Dr. Niklas Ramor, Weihburggasse, Stadt No. 941, wurde der gesetzliche Vormund der beiden Knaben. (Mit Flamm, seiner Frau Thekla, geborenen Spangler, und seiner Tochter Antonie, einer Sängerin, verkehrte Mozart 1791.)

I n v e n t a r i u m   u n d   S c h ä t z u n g : Die Hinterbliebenen hatten ein Interesse daran, daß das Vermögen des Verstorbenen so niedrig wie möglich eingeschätzt wurde, auch wegen der Erbschafts-Steuer, und die Sachverständigen nahmen darauf, besonders bei bedürftigen Familien, entsprechende Rücksicht. (Damit ist die sentimentale Auslegung der niedrigen Wertschätzung des Mozartischen Nachlasses zu beantworten, mit dem Zusatz, daß Handschriften keinen Marktwert hatten.) — Der *„Besoldungs-Rückstand"* des Kammer-Kompositeurs war für zwei Monate berechnet (ein Gulden hatte 60 Kreuzer). — Franz Anton Gilowsky war und blieb verschollen (s. 2. Mai 1787). — Zu Anton Stadler siehe die Bemerkung bei Puchberg oben. — Herr Lackenbacher (s. 1. Oktober 1790) erscheint nicht unter Mozarts Gläubigern, weil die Schuld an ihn offenbar beglichen war. — *„Latus"* = Übertrag. — *„Schilleweste"* = Gilet. *„Nangim"* = Nanking. *„Kaput"* = langer Überrock. *„Zeuchener"* = aus Zeug (Gewebe) gemacht. *„Belz"* = Pelz. *„Kiria"* = Kireh = Pelzmantel. *„Hemeter"* = Hemden. *„Gardehosen"*, recte *„Gatjehosen"* = Unterhosen. — *„ord."* = ordinäres, gewöhnliches. *„Schubladkasten"* = Kommode. *„Kanefas"* = Kanevas. *„Überzuch"* = Überzug. *„Stockerl"* = Sessel ohne Lehne. *„Roletten"* = Rouleaus. *„Gradlen"* = aus *„Gradl"*, fester Leinwand, gemacht. *„Spallier"* = Wandschirm. *„Pillard"* = Billard, *„Baln"* = Ballen, *„Tacko"* = Dako = Queue. *„Leichter"* = Leuchter. *„Pratschen"* = Bratsche. *„Lagirter"* = lackierter. *„Merserl"* = kleiner Mörser. *„Tazen"* = Servierbrett. — *„Zeig(g)"* = Zeuge. — *„Calculo"* = Kalkulation.

V e r z e i c h n i s . . . d e r   B ü c h e r :

1. Johann Jakob Mascow, *Einleitung zu den Geschichten des römisch-deutschen Reichs, bis zum Absterben Kaiser Karls VI. in 10 Büchern,* Leipzig 1747, neue Ausgaben 1752 und 1763.
2. *Musikalischer Almanach für Deutschland,* herausgegeben von Johann Nikolaus Forkel, Leipzig 1782—84 (mit Erwähnungen Mozarts). Vgl. S. 176, 187, 195.
3. Hannah More, *Percy, A Tragedy in 5 acts in verses,* London 1778 (with Prologue and Epilogue by David Garrick).
4. Giambattista Abbrizzi, *Forestiero illuminato . . . della città di Venezia,* Venezia 1765 (anonym erschienen, 1770 von Leopold Mozart gekauft).
5. Johann Pezzl, *Faustin oder Das aufgeklärte philosophische Jahrhundert,* ohne Druckort 1783 anonym erschienen (1788 in Zürich).
6. *Der Gesellschafter, oder Samlung größtenteils unbekannter Anekdoten,* 6 Teile, Magdeburg 1783—88.
7. *Magazin der Musik,* herausgegeben von Karl Friedrich Cramer, Hamburg 1783—89 (mit Erwähnungen Mozarts). Vgl. S. 188—190, 194, 203, 246, 255, 260, 306.
8. *Friedrich II. Hinterlassene Werke,* 15 Teile, Berlin 1788 (auch französisch erschienen).
9. Christian Felix Weiße, *Kleine lyrische Gedichte,* 3 Teile, Leipzig 1772 (s. KV 472, 473, 474 und 518).
10. *Atlas des enfans, ou méthode nouvelle, courte, facile et démonstrative, pour apprendre la géographie . . .* Amsterdam 1760 (Exemplar in der Library of Congress, Washington).
11. *Ovids Trauerlieder [Tristia] aus dem Lateinischen in deutsche Verse gebracht von Michael Lori,* Augsburg 1758 und 1762.
12. J.-B. P. Molière, *Sämtliche Lustspiele,* übersetzt von Friedrich Samuel Bierling, 4 Teile, Hamburg 1752 (Geschenk Fridolin Webers, Mannheim 1778). Vgl. S. 156.
13. Salomon Geßner, *Schriften,* 4 Teile, Zürich 1762 (Geschenk des Verfassers, Zürich 1766). Vgl. S. 58.
14. *Geographisches und topographisches Reisebuch durch alle Staaten der österreichischen Monarchie nebst der Reiseroute nach Petersburg durch Polen,* Wien 1789.
15. *Skizzen aus dem Charakter und den Handlungen Josephs II.,* 2 Teile, Halle 1783.
16. Joseph von Sonnenfels, *Gesammelte kleine Schriften,* 10 Bände, Wien 1783—86.
17. Amand Wilhelm Smith, *Philosophische Fragmente über die praktische Musik,* Wien 1787 (anonym erschienen, mit Erwähnung Mozarts). Vgl. S. 315.
18. *Punktierkunst,* Leipzig 1754 (aus absichtslos hingeworfenen Punkten, die zu Figuren vereinigt werden, Orakel zu geben, mit Hilfe von *„Punktierbüchern"*, wohl arabischen Ursprungs).
19. Johann Jakob Ebert, *Unterweisung in den Anfangsgründen der Vernunftslehre,* Leipzig 1774 (2. Auflage 1775).

20. Georg Schatz, *Blumen auf dem Altar der Grazien*, Leipzig 1787 (anonym erschienene Epigramme).
21. F. Osterwald, *Historische Erdbeschreibung zum Nutzen der Jugend*, Straßburg 1777 (und 1791).
22. Johann Jakob Ebert, *Naturlehre für die Jugend*, 3 Bände, Leipzig 1776—78.
23. Johann Gottfried Dyk, *Nebentheater*, 6 Bände, Leipzig 1786—88.
24. *Kleine Kinderbibliothek*, herausgegeben von Joachim Heinrich Campe, 12 Bände, Hamburg 1779—84.
25. Ewald Christian v. Kleist, *Sämtliche Werke*, 2 Teile, Wien 1765 (Nachdruck der Berliner Ausgabe von 1760).
26. John Kirkby, *Authomates or the Capacity of the human Understanding*, London 1761 (eine Robinsonade). Vgl. S. 498.
27. Christoph Martin Wieland, *Die Dialogen des Diogenes von Sinope*, Leipzig 1770 (nicht 1777).
28. Wieland, *Oberon. Ein Gedicht*, Reutlingen 1781 (Nachdruck der Weimarer Ausgabe von 1780).
29. Carlo Goldoni, *L'Arcadia in Brenta*, Köln 1757 (nicht 1674; Libretto der Oper von Baldassare Galuppi, zuerst in Venedig aufgeführt).
30. Heinrich Braun, *Kurze Götterlehre*, Augsburg 1776.
31. Friedrich Christoph Oetinger (nicht J. Ortinger), *Die Metaphysik in der Konnexion mit der Chemie*, Schwäbisch-Hall 1770.
32. Joseph Spengler, *Anfangsgründe der Rechenkunst und Algebra*, Augsburg 1772 (und 1789, nicht 1779).
33. Alois Blumauer, *Gedichte*, Wien 1784 (2. Auflage des 1782 erschienenen Buches). Vgl. S. 229.
34. *Biblia Sacra*, Köln 1679.
35. Moses Mendelssohn, *Phädon, oder über die Unsterblichkeit der Seele*, Berlin 1767 (4. Auflage 1776).
36. Gottlob Friedrich Krebel, *Die vornehmsten europäischen Reisen*, 3. Auflage in 4 Teilen, Hamburg 1783 — 85 (der 1. Teil enthielt Prag, Dresden, Leipzig und Berlin).
37. W. Streit, *Collection of some Letters, Anecdotes, Remarks, etc.*, (London?) 1774.
38. Matthias v. Schönberg, *Das Geschäfte des Menschen, Die Zierde der Jugend und Lehrreiche Gedanken in kleinen Begebenheiten*, 3 Teile, München 1773 und 75 (Wiener Nachdruck 1777—79).
39. Pietro Metastasio, *Opere*, 7 Bände, Venedig 1782—84. Vgl. S. 100.
40. Sechs Bände mit Komödien (vielleicht Wiener „Logenschließer"-Texte).
41. P. A. C. de Beaumarchais, *Der lustige Tag oder Die Hochzeit des Figaro* (eine von zwei 1785 anonym erschienenen Übersetzungen: in Kehl bei Müller und in München bei Strobl verlegt); Anselm von Edling, *Die Begebenheiten auf der Jagd oder Über die Unschuld hält die ewige Vorsicht den Schild*, komische Oper in 3 Aufzügen, Klagenfurt 1789; Gottlieb Stephanie d. J., nach C. F. Bretzner, *Die Entführung aus dem Serail*, Wien 1782.

Musikalien (zum Teil in Abschriften):

42. Michael Haydn, *Endimione*, Serenade.
43. Michael Haydn, *Prologus* (vermutlich die Einleitung zu einer lateinischen Komödie, für die Universität Salzburg geschrieben).
44. Michael Haydn, *Litaniae de venerabili [altaris] Sacramento* (wahrscheinlich das Werk, aus dem Mozart das *Pignus futurae gloriae* selbst abgeschrieben hat. KV Anh. 239, KE Anh. 109 IV).
45. Johann Georg Albrechtsberger, *Sei fughe e preludie per l'organo*, Wien 1787.
46. Francesco Antonio Rosetti (eigentlich Rößler), *Der sterbende Jesus*, Oratorium, Wien 1786.
47. Johann Lukas Schubaur, *Die Dorfdeputierten*, Singspiel, Mannheim 1783 (Erstaufführung in München 1783).
48. Mozart, Sinfonie in B (KV 319) oder in D, die *Haffner-Sinfonie* (KV 385), wahrscheinlich beide, Wien 1785.
49. Leonardo Leo, *Concerti a Quattro*, wahrscheinlich in Abschrift.
50. *Le Barnevelt françois*? (Johan van Barnevelt war ein holländischer Nationalheld.)
51. Franz Anton Hoffmeister, *Concerto pour le Clavecin ou Pianoforte* (wahrscheinlich das in C, Opus 8, Wien 1784).
52. Georg Pasterwitz, *VIII Fughe secondo l'ordine de Toni Ecclesiastici per l'organo o clavicembalo*, Opera I, Wien 1789.
53. *Vierstimmige Motetten und Arien in Partitur, von verschiedenen Componisten, zum Gebrauch der Schulen, gesammelt und herausgegeben von Johann Adam Hiller*, Erster Teil, Leipzig 1776.

54. Johann Sebastian Bach, *Zweyter Theil der Clavier-Übung* (1735 erschienen, in Abschrift).
55. Cl. Wohanka, *Polonaise con Variazione* (?).
56. M o z a r t , *Ariette avec Variations pour le Clavecin*, No. 2 und 9: 12 Variationen über *La belle Françoise* (KV 353) und Konzert-Rondo (KV 382) arrangiert für Klavier (KV Anh. 209), Wien, Artaria & Co., 1786 und 1787.
57. M o z a r t , *Klavierkonzert in F* (KV 413), Wien, Artaria & Co., 1785.
58. Florian Leopold Gaßmann, *Terzetto* (in Abschrift).
59. J. S. Bach, *Kleines harmonisches Labyrinth*, für Orgel, zweifelhaftes Werk (BWV 591).
60. M o z a r t , *Le Nozze di Figaro*, wahrscheinlich arrangiert für Streichquintett, Handschrift. Vgl. S. 259.
61. *Liedersammlung für Kinder und Kinderfreunde am Clavier*, herausgegeben von Placidus Partsch, Abteilung *Winterlieder*, Wien 1791. (Mozarts drei Kinderlieder, KV 596—598, erschienen in der Abteilung *Frühlingslieder*.)
62. A. E. M. Grétry, *Zémire et Azor*, Comédie Ballet (Fontainebleau 1771, Schönbrunn 1775), Kopie eines Klavierauszuges (?) von Mozarts Hand (?).
63. Joseph Haydn, *Arianna a Naxos*, Kantate für eine Singstimme mit Klavier-Begleitung, Wien 1790.
64. Franz Duschek, *II Sonates pour le Forte Piano* (?).
65. *Le Diable à quatre, ou La double métamorphose*, Oper in 3 Akten von F. A. Philidor (Paris 1756), mit Arien von C. W. Gluck (Laxenburg 1759), Partitur in Abschrift.
66. C. W. Gluck, *L'Arbre enchanté, ou Le Tuteur dupé*, Oper in 1 Akt (Schönbrunn 1759, zweite Fassung Versailles 1775), Partitur in Abschrift.
67. *Prénumeration pour le Forte Piano ou Clavecin*, eine Serie von Klavierstücken verschiedener Komponisten, Wien, F. A. Hoffmeister, 1785—87. Darin KV 511, 521, 526 etc.
68. Karl Friberth, *Lieder für das Klavier*, 3. Abteilung der *Sammlung deutscher Lieder für das Klavier*, Wien 1780 (s. 6. Januar 1790).
69. Fr. Ostad, *Sei Sonate a Violino solo col Basso* (?).
70. Johann Friedrich Doles, Kantate *Ich komme vor Dein Angesicht* (C. F. Gellert), Leipzig 1790 (nicht 1780, Mozart und Naumann gewidmet. Vgl. S. 335.
71. M o z a r t , *Fantaisie et Sonate pour le Forte-Piano*, Opus XI (KV 475 und 457), Wien, Artaria & Co., 1785. (Mozart besaß zuletzt nur vier von etwa 70 Original-Ausgaben seiner Werke.)
72. Verschiedene einzelne Musikalien.
73. *Dramaturgische Blätter*, herausgegeben von Adolph Freiherr v. Knigge, Hannover 1789 (2 Teile). Vgl. S. 287, 292, 301.

Verschiedene Miscellanea. (Autographe Mozarts sind nicht verzeichnet.) — Binz, der Bücherschätzmeister-Adjunkt, war ein angesehener Antiquar.

B e z a h l t e K o n t i : Von den zwei Schneidern hatte Herr Mayer wohl nur Reparaturen gemacht; von den beiden Apotheken war die in der Stallburg offenbar die teurere.
K o n v o k a t i o n s - E d i k t : Die zwei Zeilen nach der Überschrift sind vorgedruckt. Formular in Querformat.
G l ä u b i g e r - E i n b e r u f u n g s - E d i k t : Erschien fast wörtlich so in der *Wiener Zeitung* am 7. März 1792. Vgl. S. 389. — Es meldete sich niemand.
B e r i c h t d a r ü b e r : Konstanzes Heiratsgut und Mozarts Widerlage machten zusammen 1 500 Gulden aus.
E i n a n t w o r t u n g : Weiß war ein Solizitator. Haderolt war der Verwalter, Hörl der „*Gegenhandler*" und Hilger der Kassier des Depositen- und Taxamts der Stadt Wien.
V e r m ö g e n s a u s w e i s u n g : Der Heiratskontrakt ist jetzt in der Sammlung Stefan Zweig, London (deponiert im British Museum). Vgl. S. 180 f.
E r b s t e u e r - B e r e c h n u n g : Dieses Aktenstück ist in zwei Exemplaren vorhanden.
E r b s e r k l ä r u n g : Die Überschriften in eckiger Klammer sind spätere Zusätze.
E i n a n t w o r t u n g : Die Taxe (Gebühr) betrug 3 Kreuzer.
A b h a n d l u n g s - V e r a n l a s s u n g : Ignaz Kanjowitz war ein Magistratsrat der Stadt Wien.
E i n a n t w o r t u n g : Die Sperre wurde nach fast zwei Jahren aufgehoben.
E i n a n t w o r t u n g s - A n s u c h e n : Der Sperr-Kommissär Dominikus Crammer wurde am 20. August 1793 vom Magistrat beauftragt, den Nachlaß freizugeben.

III

<small>ORIGINALER WORTLAUT DER HOLLÄNDISCHEN, DÄNISCHEN UND UNGARISCHEN DOKUMENTE</small>

A. Holländisch

Zu Seite 41/42:

<small>AUS DEM «OPRECHTE SATURDAGSE HAERLEMSE COURANT», 16. FEBRUAR 1765</small>

Groot Britannien (London, 8. Februar)

Ook is alhier aangekomen een Componist en Muzyk-Meester van omtrent 8 Jaaren, die in der daad een Wonder is en nooit voor dezen zyns gelyken gehad heeft.

Deze Jongen is een Hoogduytser. Wolfgang Mozart genaamd:

Hy speeld niet alleen op de Clavecimbal met eene ongelooffelyke nauwkeurigheid, de Concerten en Sonaten van verscheidene Meesters, maar ook op eene wonderbaare wyze, de allermoeyelykste Fantasyen, waardig om van den grootsten Meester gespeeld te worden, uyt het Hoofd. Laat men hem een Stuk voorleggen, hy zal hetzelve varieeren, en zelfs uit eenen anderen Toon spelen. Laat men hem eene Aria te zingen geven, hy zal ze zingen en tegelyk accompagneren, zonder dezelve ooit te vooren gezien te hebben. Laat men hem eene Piece zonder Bas voorleggen, hij zal dezelve zonder moeite afspeelen, den Bas en den Tusschen-Partyen daarby voegende.

Wanneer hem in tegedeel eene simple Bas-Party gegeeven word, zal hy dezelve speelende de vereischte Melody daarby voegen. Als men hem verzoekt zig op den Orgel te laten hooren, zal hy 'er eene aangename Fougue, of wel een ander der allerzwaarste Muzyk-Stukken op speelen; en op welke Proef men hem ook stelle, zal hy altoos en een ygelyk van zijn verheeven en ten eenemaal onbegrypelyk Talent overtuygen. Voor het overige schryft hy zyne Compositien zonder het Clavecimbal aan te roeren.

Hy heeft tot drie verscheidene maalen de Eer gehad voor hunne Majesteiten den Koning en de Koningin te speelen, en de Permissie verkregen 6 sonaten voor het Clavecimbal, met het accompagnement van eene Viool en Violoncel, te componeeren, om dezelve aan haare Majesteit de Koningin te presenteeren; die ze niet alleen heeft gelieven te accepteeren, maar ook, na dat haare Majesteit ze van den jongen Componist zelve had hooren excecuteeren, met haare Koninklyke Goedkeuring heeft begunstigd. Dit musicalis Wonder geeft zig stoutmoedig aan het Oordeel van alle de Muzyk-Meesters over, en verwacht van de rechtgeaardheid hunner Harten, dat zy hem recht zullen laten toekomen; dat de geheele Waereld daarin zal overeenstemmen, dat hy een Voorbeeld zonder Exempel is, en dat men hem moet zien en hooren, om volstrekt en na den eisch van zyne verbaazende Force in de Muzyk overtuygd te worden.

Zu Seite 48:

<small>AUS DEM «LEYDSE COURANT», 20. SEPTEMBER 1765</small>

Tegenwoordig bevind zig alhier de beroemde Musicant J. G. Wolfgang Mozart van Saltzburg, dewelke maar agt Jaaren oud is en op eene wonderbaare wijze de moejelijkste Concerten en solo's van de beroemdste meesters, zooals ook verscheide van zijne eige compositie executeerd. Deze jonge Musicant heeft zijne zoo uitmuntende Gaaven aan het Stadhouderlijke Hof etc. laaten hooren en de Verwondering en Goedkeuring van een ieder weggedragen.

Zu Seite 49:
AUS DEM «'s GRAVENHAEGSE VRIJDAGSE COURANT», 27. September 1765

Met permissie zal de Heer MOZART, Muziek-Meester van den Prins Bisschop van Saltzburg, de eer hebben op Maendag den 30 September 1765, in de zael van den Ouden Doelen in 's Hage een GROOT CONCERT te geeven, in het welke zijn Zoon, oud maar 8 Jaeren en 8 Maenden, beneevens zijn Dogter, oud 14 Jaeren, Concerten op het Clavecimbael zullen executeeren. Alle die Ouvertures zullen zijn van de Compositie van dien jonge Componist die nooyt zijnweerga gevonden hebbende, de goedkeuring van de Hoven van Weenen, Versailles en Londen heeft weggedragen. De Liefhebbers kunnen na hun plaisier hem Muziek voorleggen, hij zal het zelve alles voor de vuyst speelen. Ieder billet voor een Person is 3 Guldens, en voor een Heer en Dame f. 5.50. De Entree-Billetten worden uyt-gegeven bij den Heer Mozart, Logeerende op den Hoek van de Burgwal, alwaar de Stad Parijs uithangt, als meede in den Ouden Doelen.

Zu Seite 49:
AUS DEM «'s GRAVENHAEGSE VRIJDAGSE COURANT», 17. JANUAR 1766

Met Permissie zal de Heer Mozart, Capel-Meester van het Muziek van den Prins Aerts-Bisschop van Saltzburg, de eere hebben op Woensdag den 22sten Januarij 1766, een Groot Concert te geeven in den Oude Doelen in 's Hage, waerin zijn zoontje oud 8 Jaeren en 11 Maenden, en deszelfs Dogter, oud 14 Jaeren, Concerten op het Clavecimbael staen te executeeren. Alle de Ouvertures zullen van de Compositie van deese jonge Componist zijn, die nooyt zijn weederga gevonden, en de verwondering weggedragen heeft van de Hoven van Weenen, Versailles en Londen. De prijs der Entrée is voor ieder Persoon 3 Guldens, en een Ducaet voor een Heer mit een Dame. De billetjes worden uytgegeeven bij de Heer Mozart, logeerende ten Huyze van Monsr. Eskes, Meester Horlogiemaker, woonende op het Hof-Spuy in 's Hage, alwaer het Hof van Utrecht uythangt.

Zu Seite 49:
AUS DEM «'s GRAVENHAEGSE MAENDAGSE COURANT», 20. JANUAR 1766

Met Permissie, zullen de twee Kinderen van den Heer Mozart, de eere hebben op Woens-dag den 22sten January 1766, een Groot Concert te geeven in den Oude Doele in 's Hage
...

Zu Seite 51:
AUS DEM «'s GRAVENHAEGSE VRIJDAGSE COURANT», 7. MÄRZ 1766

By de Muziekverkopers J. J. Hummel, 't Amsterdam op den Vygendam, en B. Hummel, in 's Hage in de Spuystraet, is morgen te bekomen: 1. Eeen Nederduyts AIR, op de Installatie van Syn Doorl. Hoogheyd Willem den Vden, Prins van Oranje & & &. Door C. E. *Graaf* in Muziek gebragt, en door den beroemden jonge Compositeur J. G. W. *Mozart*, oud 9 Jaeren, met 8 konstige Variatien vermeerderd, à 12 stuyv. 2. De woorden van de *Cantate* van C. E. *Graaf*, welke den 8 Maert in 's Hage by geleegenheyd der gemelde installatie van Hoogstgemelde Syn Doorl. Hoogheyd, in 't Italiaens gezongen word, met de Fransche en Nederduytsche Vertaling, à 6 stuyv. En 3. Het bekende Airtje *Wilhelmus van Nassau* & c., gevarieerd voor 't Clavier, door gemelden jongen *Mozart*, à 6 stuyvers.

Zu Seite 52:

Aus dem «Haerlemse Courant», 13. Mai 1766

... de naam van Mozart en zyne twee kinderen met name zijn zoontje van 9 Jaaren, dat Musicaal-Wonder, zyn genoeg bekend.

Zu Seite 52:

Aus dem «'s Gravenhaegse Woensdagse Courant», 16. April 1766

By B. Hummel, in de Spuystraet in 's Hage, en J. J. Hummel, op den Vygendam te Amsterdam, word heeden uytgegeeven: Zes Nieuwe Sonaten voor 't Clavier, met accomp. van een Viool, zijnde Opera 4, gecomponeerd door den beroemden jongen Compositeur J. G. Wolfgang Mozart, oud neegen Jaeren; de prijs is f 3.—;—.

Zu Seite 52:

Aus dem Protokoll des Collegium Musicum Ultrajectinum (Utrecht)

18 April [1766]

Monsr. Mozart, Virtuozo, het college verzogt hebbende om 't gebruik van het orkest en instrumenten, is zulks naa deliberatie hem op den ouden voet en conditien geaccordeert.

Zu Seite 53:

Aus dem «Utrechtsche Courant», 18. April 1766

Sieur *Mozart*, Capelmeester van zijne Hoogheid den Heer Aerdsbisschop en Prins van Saltzburg, zal de eer hebben, aenstaende Maendag namiddag den 21 April in de Muziekzaal op 't Vreeburg te Utrecht een groot *Concert* te geven, waarin zijn zoontje, oud 9 jaren, en zijn Dochter oud 14 jaren, Sonaten en Concerten op de Clavicembael executeeren zullen. Alle de Symphoniën zullen van de compositie van dien kleinen Componist zijn, die de verwondering der Hoven van Weenen, Vrankrijk, Engeland en Holland heeft weggedragen. De Prijs voor een Heer met een dame is 3 en voor een enkel Persoon 2 guldens. De Biljetten zijn te bekomen bij bovengemelden Sieur *Mozart*, gelogeert bij Sieur *Mos* in de Plaets-Royal te Utrecht.

B. Dänisch

Zu Seite 284:

Aus Joachim Daniel Preislers «Journal over en Rejse igiennen Frankerige og Tydskland i Aaret 1788», Kopenhagen 1789

Onsdagen den 20 August. Imellem 10 og 11 hentede Skuespilleren Hr. *Lange* os, for at see hans Samling af Malerier, alle forfærdigede af ham selv, og for at höre hans Kone synge. — Et melancholsk Sværmerie læser man strax i hendes Öine. Hun var höist frugtsommelig, og kunde ikke spille i den Tilstand. Desværre for os! thi, skiönt *Tydsk*, var hun dog den *Förste Sangerinde* i den *Italienske Opera*. Den bekiendte *Mozardt* er hendes Svoger, og har informeret hende saa vel, at hun accompagnerer efter et Partitur, og spiller Mellem-Spil, som en Kapelmester. Saaledes sang og spillede hun en Stor *Bravour-Arie*, en *Scene af Païsello*, og en *Rondo af Operen Creso* for os. Ualmindelig er Stemmen! dog (som Musik Elsker, ikke som *Dansk* talt) langt fra saa god, som vores *Müllers*; men en Höide, en Delicatesse, en Færdighed, en Smag, en theoretisk Kundskab fandt jeg hos hende, som maatte beundres af enhver upartisk Konstdommer. Ellers har hun her *Samme Skiebne*, som saamange gode Sujets friste blandt andre Nationer. — Der *Fremmede skal* agtes, hvad enten det saa er mesterlig Godt, eller mesterlig Modsadt. Ikke halv saa godt lönnet er hun, som *Italienerne*, og baade maae og kan hun dog udföre de störste, de sværeste Partier usigelig bedre, end de Nærværende, af den *Wiener Adel* tilbedte Sangerinder. I Dag sik den *Italienske Opera* sin Afskeed, og skulde ikke vedblive at spille længere, end til *Fasten*. — Nu længes jeg efter *Keiserens Dom*, om denne herlige *Madame Lange* ogsaa skal bukke under Skiebnen for de Andres Skyld? — Vi saae endnu adsklillige fortreffelige Malerier; især de Fleeste af Skuespiller-Selskabet i *Theater-Galleriet* i *Miniature*, og *Lange* fortiener den Berömmelse, at mange af hans *Copier* ere bedre end *Originalerne*. Egentlig har en eller anden *Beaanding* forfört ham til, at forlade Maleriet, hvortil han, ikke efter mit, men *Schmutzers* og der Heele *Academiets* Sigende, havde et overordentligt *Talent*. — Om Aftenen besögte vi *Opera Buffa*, og hörte en god Musik af *Anfossi*. Saa meget meere var denne Forestilling sovnig, som vi allerede om Formidd gen havde hört noget fortrinlig godt. De gode *Nummere* i Musikken kiendte jeg nöie fra Concerterne i Kiöbenhavn, og *Tenoristen* allene, sang taalelig. De övrige kunde ikke engang deres Roller. Ellers tillod disse Virtuoser sig Friheder paa Scenen, som Keiseren burde straffe *mit der Schandbühne*. *Tenoristen* bilsede f. E. en god Ven i Parterret meget fortroelig. — Skade at han ikke böd ham en *Prise Tobak!* — og *Bassisten*, som sad under et Bord, for ikke at sees af hans Fiender, *grimasserede* med dem, ligesom han vilde sige: *„I maae dog lade vare at see mig, indtil den rette Takt i Musiken kommer."* Beviis paa, at *Illusion* er et ukiendt Ord blandt disse *vel betalte* Stympere!

Zu Seite 285:
Aus Preislers «Journal», Kopenhagen 1789

Søndagen den 24. August [1788] . . . Om Eftermiddagen hentede *Jünger, Lange* og *Werner* os, for at gaae til Kapellmester *Mozardt*. Her havde jeg den gladeste Time, Musikken nogentid har skienket mig. Denne lille Mand og stoere Mester *phantaseerte* To Gange paa et *Pedal-Clavecin*, saaledes! saaledes! at jeg ikke vidste hvor jeg var. De sværeste Ting, og de behageligste *Themata* imellem hinanden. — Konen skar Penne til Nodeskriveren; en Eleve componeerte, en lille Dreng paa Fiire Aar gik omkring i Haven og sang Recitativer; kort sagt: Alting has denne fortreffelige Mand var *musikalsk!* — Med Glæde erindrede jeg mig hans *Entführung aus dem Serail*, som jeg havde hört i *Hamburg* i Aaret 1787, og som jeg næsten kan uden ad; men denne *Operette* kaldte han „*Kleinigkeit*", og det er ingen Roes for en Mand som *Mozardt*, at berömmes i sin Nærværelse, af Folk som ikke selv ere Noget; altsaa taug jeg. I *Wien* opförer Han Kirke-Musiker, og da *Operetten* er gaaet ind, saa har han Intet med Theatret at bestille. —

Zu Seite 286:
Aus Michael Rosings Tagebuch, 24. August 1788

Kl.: 4 kom Jünger, Lange og Doctor Werner derud, og fulgdte os hen til Capelmester Mozart, som fantaserede således for os, at jeg gjerne selv vilde have været saadan fantast; især gjorde hans pedal i den anden fantasie en allerkiereste Virkning. Glade og underlige til Moede over at have hørdt Mozart, gik vi til Byen . . .

C. *Ungarisch*

Zu Seite 241:

Aus Franz Kazinczys Selbstbiographie

[Wien, Mai 1786]

Storazzi, a szép énekesné szememet, fülemet, lelkemet elbájolta. — Mozart az orchestert igazgatá, fortepianoját vervén. De az oly annyira nem testi örömök felöl, melyet a muzsika ád, nem szabad szólani. Hol az a szó, mely azt fesse?

Zu Seite 370/371:

Aus «Hadi és Más Nevezetes Történetek», Wien, 9. Dezember 1791

Ezen Hónap ötödik napjára virradóra végezte rövid, úgy mint csak 35 esztendökre terjedö életét amaz egész Európában nevezetes Mozárt Farkas; a Ts. a K. udvar Kompozitora (Musikaszerzöje). Csudálták a legföbb mesterek is ezen nagy muzsikusnak igen ritka tehetségeit. Mit hagyott ez a gazdag tálentomú ember maga után? örökös nevet: de azonban egy gyámoltalan özvegyet két árvákkal; és sok adósságot. Már az árvákat felfogta a nagylelkü B. Svieten. Egyik ezen árva gyermecskék közül, ámbár igen kicsin: mégis úgy veri már a klavikordiumot, hogy mindenek csudálkozással hallgatják.

Zu Seite 409:

Aus «Magyar Hirmondó», Wien, 4. Januar 1793

A muzsikában halhatatlan nevet érdemlett Mozart, szegénységben hagyta a maga Özvegyét két árvákkal. Sok nemes lelkü jóltevök segitettek tehát ezen a szerentsétlenen; segitett tegnapelött B. Swieten is, mert közönséges helyen szomoru musikát és éneklést tartatott a Mozart emlékezetére, mellyböl szaporább jövedelme lett az Özvegynek 3 száz aranynál.

Zu Seite 418:

Aus «Magyar Hirmondó», Wien, 11. März 1796

A Ts. K. Udvar néhai nevezetes Kapellmeisterének (Muzsikai nóták készitöjének) Mozart-nak szerentsétlen Özvegye sok kegyelmeivel él Bétsben a Fels. Udvarnak: most Berlinbe menvénn egy idöre, ott is nagy jóltévöjét tatálta a királyban, ugymint akitöl több rendbeli más jótéteményeken kivül azt is kinyerte, hogy a nagy Opera-házban maga hasznára nem tsak el-jádzattathassa a Clemenza di Tito (Titus kegyelmessége) nevezetü Énekes játékot; hanem az udvari Muzsikusokat is ki rendelte az Özvegynek ebbéli szolgálatjára, egy kegyelmes Irásában, mellyben igy fejezte ki magát a többek között: 'Valóságos gyönyörüségére szolgál Ö Felségének Mozart özvegye kivánságának teljesitése által megmutatni azt: melly igen betsülte az ö meg hólt Férjének tálentomát, és fájlalta hogy a mostoha környülállások meggátolták Azt, a maga szép munkái gyümöltseinek bé-szed-hetésében'.

NACHTRAG

Zu Seite 3:

AUS DEM TRAUUNGSBUCH DER PFARREI ST. GEORG IN AUGSBURG, 16. MAI 1718

Die 16.ta huius P. Ignatius Seefelder praemissis solitis denuntiationibus interrogavit perhonestum viduum *Joanne[m] Georgium Mozarth* bibliopegam et pudicam ac virtuosam Virginem *Annam Mariam Sulzerin* augustanos, et habito utriusque mutuo consensu per verba de praesenti, eosdem nullo obstante impedimento can[oni]co in Domino copulavit: praesentibus testibus Adm. Rvendo Praenobili ac Clarissimo Domino Josepho de Schilling Canonico Capitulari ad S. Mauritium, et Adm. Rvendo ac Clarissimo Dno Joanne Georgio Grabherr Can[oni]co Capitulari ad Divum Petrum.

Liber Parochialis, S. 257. — Mitgeteilt von Dr. Ernst Fritz Schmid. — St. Moritz und St. Peter waren Augsburger Stifte.

Zu Seite 57:

HANS CONRAD OTT, AKTUAR DES MUSIKKOLLEGIUMS IN ZÜRICH, VERSCHICKT EIN PROTOKOLL ALS WERBEZIRKULAR, 30. SEPTEMBER 1766

Da vor ein paar Tagen der an den vornehmsten Höfen in Europa zu seinem Ruhm bekannt gewordene, und in verschiedenen Zeitungen und Journalen zur Verwunderung angepriesene junge Hr. Mozart, ein 9.jähriger Virtuos in der Composition und auf dem Clavier, — desgleichen seine 14.jährige Jfr. Schwester, so auch das Clavier spielt, beyde mit ihrem Herren Vater, dem Herren Cappelmeister Mozart von Salzburg hier angekommen, so ist Ihnen auf Ihr Begehren und mitgebrachte gar gute Recomendationen hin von Einem Lobl. Collegio auf dem Music-Saal erlaubt worden, könfftigen Dienstag den 7.t und Donnstag den 9.t Octobris sich auf dem gedachten Music-Saal offentlich hören zulassen. Ein Lobl. Collegium hat darbey der Anständigkeit und seiner Schuldigkeit gemäß zuseyn erachtet, diejenigen von Meinen Hochgeachteten und Hochgeehrten Herren, so etwan vormalen demselben als Gönnere und Liebhabere der Music bekannt gewesen, davon zubenachrichtigen, und Hochdenenselben überlassende, beliebigen Fahls das Collegium mit dero Gegenwart zubeehren. Weßnahen Herren Stubenverwalter Meister aufgetragen ist, diese schriftliche Invitation Hoch-Ehrengedachten Herren Liebhaberen der Music aus Ungnherren in geziemender Ehrerbiethung zu praesentieren.

Actum Dienstags den 30. 7bris 1766. Prtbs. Herren Zunftsmeister Werdmüller und übrigen Herren Collegianten auf dem Music-Saal. Actuarius Ott.

Caflisch und Fehr, a. a. O., S. 9, mit Faksimile. — Hans Jakob Meister, ein Musiker, war „Stubenverwalter" (Hauswart) des Kollegiums; Hans Caspar Werdmüller war Quästor, später Präsident des Kollegiums. — „Weßnahen" = Weshalb; „Ungnherren" = aus Unseren Gnädigen Herren, d. h. aus den Reihen unserer oberster Behörden; „Prtbs" = Praesentibus. — Das Programm der Konzerte ist nicht bekannt.

Nachtrag

Zu Seite 58:

AUS DEN « DONNSTAGS-NACHRICHTEN », ZÜRICH, 9. OKTOBER 1766

Bey Herrn Orell, Geßner und Compagnie, unter der Schuhmacher-Zunft, sind zu haben:
Ein Kupferstich, worinn die dermalen sich hier befindende berühmte Familie des Herrn
Mozart vorgestellt ist. Herr Mozart, der Vater, steht an den Stuhl gelähnt, auf dem sein
9.jähriger Sohn beym Clavier sizt; neben ihm steht Mademoiselle Mozart, seine Schwester.
Diese wolgeordnete Vorstellung ist von eben dem Künstler gezeichnet, der die Zeichnung
von der Familie Calas gemacht hat. Gegen baare Bezahlung 30. kr."

Caflisch und Fehr, a. a. O., S. 11 f., mit Faksimile. — Der Stich ist der in Paris 1764 entstandene
von Delafosse nach Carmontelle, den Vater Mozart auf dieser Reise überall verkaufte. — Carmontelle hatte auch die Hugenottenfamilie Calas porträtiert, deren Vater, der dem religiösen Fanatismus
zum Opfer gefallene Jean Calas, erst 1765 durch Voltaire rehabilitiert worden war. — Der Stich
kostete in Zürich 30 Kreuzer.

Zu Seite 62:

AUS DER ZEITSCHRIFT « ARISTIDE OU LE CITOYEN », LAUSANNE, 18. OKTOBER 1766

Lorsque je vois le jeune Mozard, créer en badinant ces symphonies tendres & sublimes,
qu'on prendoit pour le langage des immortels, toutes les cordes de mon organisation réson-
nent, pour ainsi dire, l'immortalité, comme toutes les puissances de mon esprit la defirent.
Emporté par une délicieuse illusion, audelá de cette sphére étroite qui borne mes sens, peu
s'en faut, que je ne prenne cet enfant chéri du ciel, pour un de ces génies purs qui habitent
l'heureux sejour qui m'est destiné.

Discours XVII, S. 201. — *Revue Musicale*, Paris, Januar 1938, S. 13. — Vgl. 16. Oktober 1766. —
Auch diese Zeilen wurden, vielleicht mit mehr Berechtigung, dem Prinzen Ludwig Eugen von
Württemberg (1731—1795) zugeschrieben.

Zu Seite 95:

ANDERE FASSUNG DES GEDICHTES VON WEISER (ZUM JANUAR 1770)

Wenn Herzen, Sterne selbst, ein Knab durch Töne zwingt,
Und Orpheus Höll' und Wald — sprich, welcher besser singt.

Zog Orpheus Wald und Stein, zog er die Höll' nach sich:
So reiß'st du, Knab, nun Herz und Himmel selbst an dich.

Die Höll' und den Wald bezwang der Thrazier:
Auch Salzburgs Wunderkind thut dies und noch weit mehr.

Wenn ein gekräuselt Lied auf Orpheus' Zither schallt,
So wird selbst Pluto zahm und tanzt der frohe Wald.
Schlägt Mozart das Klavier, so wollen Herzen schmelzen:
Die Sterne wünschen, sich zu ihm herabzuwälzen.

Wenn Pluto günstig lacht und Bäume tanzen müssen,
Da Quart und Quint und Sept aus Orpheus' Saiten fliessen,
So wird, wenn Salzburgs Knab B, Kreuz und Triller schlägt,
Der Menschen Herz entzückt, der Himmel selbst bewegt.

520

Sei von den Kretern einst, von Jubal, von Merkur,
Apoll, Pythagoras der Tonkunst Reiz erfunden,
Das gilt mir alles gleich, denn ich behaupte nur,
Sie sind izt alle weit von Mozart überwunden.

Selbst Orpheus wirft seine Leier izt nieder,
Mit der er die Strenge Plutonens eh' brach,
Vergißt gar Euridicen, schämt sich der Lieder,
Schleicht taumelnd dem Zauber von Mozartens nach.

Das Leben, das Orpheus in Steine gesungen,
Da sie seine Zither zu tanzen gezwungen,
Stiehlt Mozartens Söhnchen izt durch sein Klavier
Sich selber vergessenden Zuhörern schier.

Von dem Kaufmann Weisser in Salzburg.

Abschrift in Nissens Kollektaneen, Mozarteum, Salzburg.

Zu Seite 140:

Aus dem Protokollbuch des Collegium Musicum der Reichsstadt Memmingen, 15. Februar 1776

Tit. Herr Senator von Heuß auf Trunkelsberg legte eine Sinfonie vom jungen Mozart, auf, die Beifall und Bewunderung erhielt: jenen verdiente sie in Ansehung der schönen Komposition, diese in Betracht, daß Mozart, als er sie verfertiget, noch kaum 12 Jahre alt gewesen sein mag.

Stadtarchiv Memmingen. — E. F. Schmid, *Ein schwäbisches Mozart-Buch*, Lorch-Stuttgart 1948, S. 170 und 428. — Tobias von Heuß gehörte dem Collegium seit 1760 an. — Die Sinfonie ist nicht identifiziert worden.

Zu Seite 160:

Anfang November 1778 erscheinen bei Jean Georges Sieber in Paris als *Oeuvre Premier* die sechs Klavier-Violin-Sonaten KV 301—306 (KE, S. 361).

Zu Seite 166:

Vater und Sohn Mozart bestellen je ein Exemplar der *„Sammlung Vermischter Clavierstücke für geübte und ungeübte Spieler . . . von Georg Benda. Erster Theil. Gotha, beym Verfasser und in Commission bey C. W. Ettinger. 1780."*

Gefunden von Ernst Fritz Schmid. Exemplare im British Museum, London, und im Mährischen Landesmuseum, Brünn. — Im Verzeichnis der Pränumeranten heißt es: „Salzburg 2 Exempl. Hr. Capellm. Mozart. Hr. Tonk. Mozart." — Von diesem Werk erschienen bis 1795 noch fünf weitere Teile, auf die Leopold und Wolfgang Mozart auch subskribiert haben dürften. — Zu Benda vgl. 23. Januar 1778.

Zu Seite 217:

Dekret des Erzbischofs Hieronymus an die Hofkammer in Salzburg, 1. Mai 1785

Wir haben Unserem Vice Kapelmeister Leopold Mozart au[f] sein gehorsamstes Anlangen die Verwilligung ertheilet sich [auf] 6 Wochen nacher Wienn verfügen zu dörfen;

Da nun derselbe ohne Erholung einer Verlängerten [Er]laubniß seinen Auffenthalt in Wienn noch immer fortsezet als befehlen Wir, daß, wann derselbe bis Hälfte dieses Mon[ats] hier nicht eintreffen solte, an ihne biß auf weitere Anschaff[ung] keine Besoldung mehr verabfolget werde, und verordnen [zu]gleich, daß diese unsere Geßinnung bey all jenen für die Zukunft pünktlich angewendet werden solle, welche über die [von] Uns bewilligte zeit zu Verrichtung ihrer Dienste nicht ers[cheinen] werden.

Hieronymus.   Salzburg den 1ten May 1785.

Salzburger Landesarchiv. — Mitgeteilt von Dr. Herbert Klein. — Die eingeklammerten Stellen sind ergänzt. Das Wort *„Hälfte"* ist vom Erzbischof erst später eingefügt worden.

Zu Seite 217:

Aus einem Prospekt Torricellas (Wien 1785)

Neueste Fantasie-Variationen Vom Hrn. Kappelmeister A. W. Mozart. Die Begierde, mit der man aller Orts nach den Arbeiten dieses berühmten Meisters vorzüglich sich sehnt, und die auszeichnend durch Kunst und Annehmlichkeit die Achtung des Kenners erringen, und die Seite unsers Herzen so sanft melodisch berühren, bewog mich diese sehr schönen Variationen mir eigen, und bey den schäzbaresten Musikliebhabern dadurch ein neues Verdienst zu machen, da ich ihnen eine Arbeit erbiete, die dem Verfasser neuerdings Ehre macht.

Diese Variationen sind berits schön gestochen für 36 kr. in meiner benannten Kunsthandlung zu haben.

So ich mich nach und nach bestreben werde, allen übrigen Variaten dieses vortreflichen Meisters dem hochachtbaren Publikum gestochener in die Hände zu liefern.

                                                                                              C. T.

Deutsche Staatsbibliothek, Berlin, Kasten 4 der *Mozartischen Correspondenz*, verlagert in der Universitäts-Bibliothek, Tübingen. — Gefunden von Dr. Ernst Fritz Schmid. — Einblattdruck, auf dessen Vorderseite ein 1785 bei Torricella erschienenes Werk von Silvere Müller angezeigt ist, mit Bleistift datiert 1785. — Torricella verlegte von Mozarts Variationen, die er nicht in der *Wiener Zeitung* ankündigte, KV 265 (*„Ah! vous dirais-je maman"*) ohne Verlagsnummer, wahrscheinlich KV 398 (*„Salve tu Domine"*) mit der Verlagsnummer 28 und KV 455 (*„Unser dummer Pöbel meint"*) ohne Verlagsnummer; alle drei um 1785 erschienen oder doch gestochen und bald darauf von Artaria aufgelegt, nach schon gestochenen Platten. Da sich bisher kein Druck Torricellas von KV 398 und 455 gefunden hat, muß es unentschieden bleiben, welches von den drei Heften in diesem Prospekt gemeint war. Prof. Dr. Kurt v. Fischer glaubt, daß nur KV 398 gemeint sein kann. Es ist aber zu beachten, daß Artaria & Co. 1786 auch KV 352, 353, 359 und 360 verlegt haben, die vielleicht schon von Torricella erworben worden waren.

Zu Seite 231:

Aus dem Protocollum Aulicum in Ceremonialibus de Anno 1786

Dienstag den 7.t Hornung. Da seine Majestät der Kaiser wegen Anwesenheit der durchläuchtigsten General Gouverneurs der Österreichischen Niederlanden der Erzherzogin Marie-Christine, und des Herzogs Albert zu Sachsen-Teschen königl: Hoheiten in dem Orangerie Hause zu Schönbrunn ein Fest nach dem Beyspiel des vorigen Jahres, auf dem heutigen Tage zu geben entschlossen hatte, und hierzu eine von 41. Cavaliers und so vielen Dames zu bestimmen, und solche darzu eigends einladen zu lassen geruheten;
So hatten sich diese nach 2. Uhr Nachmittags, theils mit ihren Pierutschen, theils mit 4, und 6spänigen Wägen auf dem Burgplatze nächst der schwarzen Adler Seite eingefunden, und

bis zur Abfahrt in denen Zimmern im ersten Stocke des Amalischen Hofes versammelt, alwo die Ziehung zur Ordnung der Ausfahrt geschahe, welche um $^1/_2$4. Uhr in folgender Ordnung von der Burg nach Schönbrunn vor sich gienge, nämlich in Pierutsch, vor jedem deren zwey Reitknechte ritten . . .

Sodann folgten in 6. spänigen Wägen . . .

Gleich bey der um 4. Uhr erfolgten Ankunft in dem Orangerie Hause wurde die in dessen Mitte auf 82. Couverts zubereitete Tafel serviret, wobey die kais: königl: Leiblackey bedienten.

Während der Tafel liesse Sich in dessen Nähe die kais: königl: Kammermusik mit blasenden Instrumenten hören.

Nach geendigter Tafel, und Mittlerweile, als Seine Majestät mit den sämmtlichen Gästen Sich zu einem der Seitwärts am Ende des Orangerie Hauses errichteten Theatre begaben, wurde die ganze Tafel aufgehoben, und aus dem Hause hinweggebracht, und sogleich die ganze Länge des Parterre beederseits herrlich beleuchtet, worauf Seine Majestät mit den Gästen zu dem an dem Anderen Ende dieses Orangerie Hauses errichteten Theater sich erhuben, alwo ein teutsches Schauspiel mit untermengten Arien aufgeführet wurde.

Nach dessen Ende begab sich die ganze Gesellschaft hinab zu dem an dem anderen Ende angebrachten Theater, alwo sofort ein Italienisches Singspiel aufgeführet wurde.

Wonach um 9. Uhr die sämtliche Herrschaften in der Ordnung, wie sie angekommen in Pierutsch, und Wägen, jeder unter Vorreittung zweyer Reitknechten mit Windlichtern nach der Stadt zurückfuhren.

Staatsarchiv Wien. Blatt 7 bis 10 des Zeremonialprotokolls von 1786. — Gefunden von Frau Erna Felmayer.

Zu Seite 321:

Am 19. April 1790 singt Genoveva Weber in Meiningen die Constanze in der *Entführung*.

Sie sang den selben Part am 16. Juni 1794 in Weimar. Am 13. März 1798 starb sie in Salzburg, wo sie auf dem Sebastian-Friedhof beigesetzt wurde, im Grabe Leopold Mozarts, das 1826 auch Nissen aufnehmen mußte. Vgl. 20. August 1785 und 8. Januar 1787.

Zu Seite 339:

ABRAHAM NICLAS EDELCRANTZ AN KÖNIG GUSTAV III. VON SCHWEDEN

Copenhague le 25 Janvier 1791.

. . . Dans les provinces de la France on trouve deja les talens, le ton et l'ensemble des Théatres fort inferieurs à ceux de Paris; mais lorsqu'on s'avance à Manheim, Hannover, Hambourg et Copenhague on se trouve par des nuances successives plongé dans les ténebres et le mauvais gout de la barbarie du 14:e Siecle . . . Mais ce jugement seroit encore trop flatteur pour celui de Hambourg. Jamais je n'ai senti l'ennui à un degré aussi parfait. On a beaucup parlé de l'idéal du beau; s'il étoit question de l'idéal du mauvais, s'est ici qu'on pourroit adresser les amateurs de ce genre. *Le Festin de pierre* de Moliere, mis en Opera, est une piece favorite des Habitans de Hambourg, qui paroissent avoir moins de tact dans les drames, que dans les lettres de change. L'auteur de la piece Allemande a trouvé que la Francoise a trop de vraisemblance. C'est pourquoi il a voulu rencherir sur l'original, et dans le premier Acte on voit le Comandeur en bonnet de nuit, robe de chambre et pantoufles qui se bat à l'épée ave Dom Juan. La mort du premier finit l'acte. La Décoration du Second represente un bois fort épais, dans lequel la Statue équestre du commandeur tué deux minutes auparavant, se trouve exposé aux regards des Spectateurs étonnés de l'activité du Sculpteur. La piece se traine ensuite par cinq actes mortels, ou les Scenes comiques de l'original se trouvent toujours remplacées par des episodes étrangers au sujet. Enfin dans la derniere Scene, Dom Juan se trouve environné de Diables armés de torches, dont ils le poursuivent en les sécouant; mais par malheur les flammes s'etant éteintes, ces torches par la poudre qu'elles repandoient faissoient l'effet des houpes de coëffeurs, et Dom Juan dans l'enfer paroissoit poursuivi d'un essaim de garçon perruquiers, quoique par le reste de leur accoutrement ils ressembloient encore plus aux ramoneurs de cheminées.

Bref rörande teatern under Gustav III. 1788—1792. Herausgegeben von Eugène Lewenhaupt. Upsala 1894. — Edelcrantz hieß ursprünglich Clewberg und war 1789 geadelt worden; er war einer der Direktoren des Königlichen Theaters in Stockholm. Hinweis auf diese Stelle, die von Cari Johansson ausgezogen wurde, bei Maxim Stempel, *Mozart in Schweden*, Vortrag gehalten beim Prager Mozart-Kongreß, 1956; im gedruckten Bericht, S. 190. — Die Oper war seit 27. Oktober 1789 in Hamburg deutsch gegeben worden, übersetzt von Friedrich Ludwig Schröder.

Zu Seite 354:

AUS DER «PRAGER OBERPOSTAMTSZEITUNG», 6. SEPTEMBER 1791

Prag den 4. September.

Vorgestern ... beehrten die allerhöchsten Herrschaften das altstädter Nazionaltheater mit Ihrer Gegenwart, wo die italiänische Oper *Il dissoluto punito* aufgeführt wurde. Das geräumige Theater, welches doch einige tausend Menschen fassen kann, war vollgepropft, und der Weg, welchen Allerhöchstdieselben nahmen, ganz voll Menschen angefüllt.

Stadtarchiv Prag. — Gefunden von Christopher Raeburn. — *„Einige tausend"* bedeutet mehr als tausend.

Zu Seite 355:

AUS DEM «KRÖNUNGSJOURNAL FÜR PRAG», HERAUSGEGEBEN VON ALBRECHT, PRAG 1791

Festivitäten der Herren Stände

Am 6ten als am Krönungstage gaben die Herren Stände, um diesen Tag Sr. Majestät zu verherrlichen, eine ganz neu komponirte Oper, deren Text zwar nach dem Italiänischen des Metastasio, von Hrn. Mazzola aber, Theaterdichter in Dresden, verändert worden. Die Komposition ist von dem berühmten Mozart, und macht demselben Ehre, ob er gleich nicht viel Zeit dazu gehabt und ihn noch dazu eine Krankheit überfiel, in welcher er den lezten Theil derselben verfertigen mußte.
An die Aufführung derselben hatten die Herren Stände alles gewandt, sie hatten den Entrepreneur nach Italien gesandt, der eine *prima donna* und einen ersten Sänger mit sich gebracht. Der Titel der Oper selbst war: *la Clemenza di Tito.* Der Eintritt war frey, und viele Billets waren ausgetheilt. Das Haus fasset eine große Anzahl Menschen, dennoch aber kann man sich denken, daß bei einer solchen Gelegenheit der Zulauf nach den Billets so groß ist, daß sie endlich ein Ende nehmen, daher auch manche Einheimische und Fremde, selbst Personen vom Stande wieder weggehen mußten, weil sie sich nicht mit Billets versehen hatten.

Se. Majestät erschienen um halb acht Uhr, und wurden mit lautem Zujauchzen der Anwesenden empfangen. Der Herren Stände Mitglieder nahmen selbst die Billets ein, und sahen auf die gehörige Ordnung, damit niemand auf sein Billet zurückgewiesen werden, und keiner ohne Billett eindrängen sich mögte.

Von den Schauspielen

Der Hof ist einmal in dem Nazionaltheater gewesen, und hat die Oper *Don Juan oder der bestrafte Verschwender* aufführen sehen, dessen Text von *da Ponte*, und die Musik von *Mozart* ist. Man muß gestehen, daß die Gesellschaft des Herrn Guardasoni dieses Stück vortrefflich aufführt, und daß viele Individuen sich besonders auszeichnen ...
Indessen sind die Schauspiele nicht sehr besetzt. Sind die übrigen Ergözlichkeiten daran schuld, oder ist es der hohe Preis, der die Liebhaber abschrekt. Weder die zum zweitenmal aufgeführte Oper der Herren Stände, noch das Haus auf der kleinen Seite hatten viel Zuschauer.

Universitäts-Bibliothek, Prag. — Gefunden von Christopher Raeburn. — Das in Buchform erschienene *Krönungsjournal* war von Johann Friedrich Ernst Albrecht oder, wahrscheinlicher, von Sophie Albrecht herausgegeben worden, die als Schauspielerin am Prager Theater engagiert war. — Die Primadonna war wohl Maria Marchetti-Fantozzi, die erste Vitellia in *Tito*, der primo uomo der Kastrat Domenico Bedini, der erste Sesto. Bei der Mittagstafel des Kaisers aber hatte am Krönungstage *„die berühmte italiänische"* Sängerin Anchulina (Carolina) Perini, der erste Annio, und ein Herr Anton Attenberg gesungen. — *Tito* war am 7. oder 8. September zum zweiten Mal gegeben worden. — In der Vorstadt Kleinseite spielte eine deutsche und eine böhmische Truppe im ehemaligen Hiberner Kloster, wo eben Haydns Oper *Der Ritter Roland (Orlando Palatino)* einstudiert wurde.

Zu Seite 355:

AUS DER «PRAGER OBERPOSTAMTSZEITUNG», 10. SEPTEMBER 1791

Prag den 8. September.

Vorgestern Abends war freye Opera im altstädter Nazionaltheater, welches größtentheils von dem hier gegenwärtig sehr zahlreichen hohen Adel besezt war. Die allerhöchsten Herrschaften fanden sich um 8 Uhr gleich falls ein, und wurden im Hin- und Zurückfahren von vielen tausend frohlockenden Menschen begleitet.

Stadtarchiv Prag. — Gefunden von Christopher Raeburn.

Zu Seite 382:

DER OBERSTHOFMEISTER AN DEN HOFMUSIKGRAFEN, 2. JANUAR 1792

Intimation An den k k Hof Musick-Grafen. Wien den 2t. Jänner 792.

Der Bericht samt Bittschrift befindet sich beym Vortrag dd 12 März 1792 Num 289

Wiewohl man dieses Orths allerdings geneigt ist, die unterm 30t des abgewichenen Monats Decemb: anempfohlene Bittschrift der ganz mittellos rückgelassenen Kammer Musick Kompositors Wittwe Konstantia Mozart um Erlangung einer jährl: Gnadens Pension Sr. Maitt: vorzulegen; So siehet man sich dermal noch ausser Stande gesezt, um darüber von hieraus die Wohlmeinung der k k Hof Kammer einzuhohlen, weil nach der bestehenden höchsten Anordnung derley Gesuche mit dem Abhandlung Verlaß, oder einer sonstigen gerichtl: Urkunde behörig belegt werden müßen, wo man zugleich die Aeusserung gewärtiget, ob ersagte Wittwe etwa aus dem Hof Musick Societäts Fond eine Pension anzuhoffen habe?

Welches dem pl: T: Herrn Grafen von Ugarte hiemit nachrichtlich erinnert, und zu solchem Ende vorberührte Bittschrift zur weiteren Veranlassung hierneben angebogen wird.
Pr k kOHMstr Amt.
Wien den 2t. Jäner 1792.

Konzept im Staatsarchiv Wien. — Vgl. 11. Dezember 1791 (5. Januar 1792), 30. Dezember 1791 und 25. Februar 1792.

Zu Seite 385:

Aus der «Zeitung für Damen und andere Frauenzimmer», Graz, 18. Januar 1792

Mozart erhielt einige Monate vor seinem Tode, ein Schreiben ohne Unterschrift, mit dem Belang, ein Requiem zu schreiben, und zu begehren, was er wollte. Da diese Arbeit ihm gar nicht anstand, so dachte er, ich will so viel begehren, daß der Liebhaber mich gewiß wird gehen lassen. Den andern Tag kam ein Bedienter, um die Antwort abzuholen. Mozart schrieb dem Unbekannten, daß er es nicht anders als um 60 Dukaten schreiben könnte, und dieß vor 2 oder 3 Monaten nicht. Der Bediente kam wieder, brachte gleich 30 Dukaten, sagte, er würde in 3 Monaten wieder nachfragen, und wenn die Messe fertig wäre, die andere Hälfte des Geldes sogleich abtragen. Nun mußte Mozart schreiben, welches er oft mit thränendem Auge that, und immer sagte: Ich fürchte, daß ich für mich ein Requiem schreibe; er machte es einige Tage vor seinem Tode fertig. Als sein Tod bekannt war, kam der Bediente wieder, und brachte die anderen 30 Dukaten, begehrte *kein* Requiem, und seit der Zeit war keine Nachfrage mehr. Es wird auch wirklich, wenn es abgeschrieben ist, in der St. Michaelskirche zu seinem Gedächtniß aufgeführt.

Nr. 3, S. 49. — Diese frühe Nachricht über das *Requiem* entspricht im einzelnen nicht der Wahrheit, ist aber sonst historisch interessant.

Zu Seite 415:

Aus dem «Journal des Luxus und der Moden», Weimar, July 1795

ANKÜNDIGUNG

einer Oper von Mozart.

Die Nachwelt ist gegen die Verdienste und das Genie Mozarts gerecht; überall, auf öffentlichen Bühnen und in den Zimmern der Musikfreunde ertönen seine himmlischen Harmonien. Fast alle seine größern und kleinern Werke sind schon entweder durch den Stich oder Druck oder durch Copierung bekannt, und in Jedermanns Händen. Selbst die Oper *Clemenza di Tito* ist im Clavierauszuge von Hamburg aus angekündigt worden; aber minder bekannt ist die ernsthafte Oper *Idomeneo*, die Mozart für den churfürstl. Bayerischen Hof in München geschrieben hat. — Die Unterzeichnete macht es sich zu einer Pflicht der Dankbarkeit gegen die Nachwelt Mozarts, die seinem großen Genie auf eine so würdige Art huldigt, diese ausser München noch wenig *bekannte Oper in einer Clavierübersetzung* heraus zu geben. Die Liebhaber und Kenner der Mozartischen Musik werden darin alle die Schönheiten und Vorzüge seiner Kunst, welche jedes Werk Mozarts vor allen andern auszeichnet, vielleicht in noch höherm Grade beysammen finden, weil der Stoff heroisch ist, und Mozarts Geist im Großen und Erhabenen am herrlichsten glänzte
Die Übersetzung ins Clavier besorgt der geschickte Organist der Prager Metropolitankirche, Herr Wenzel, welcher sich durch seine Übersetzung der Zauberflöte und anderer Werke

Mozarts so rühmlich auch im Auslande bekannt gemacht hat. Er hat dabey die vorzügliche Rücksicht genommen, damit sie für Künstler und bloße Liebhaber gleich *nützlich*, also *leicht*, aber doch nicht mangelhaft oder harmonieleer sey, wie es, leider! bey den meisten Übersetzungen, die öffentlich herauskommen, der Fall ist.

Sie wird auf schönem großen Papier, in Querfolio deutlich und nett in Kupfer gestochen. Da das Werk große Auslagen nothwendig macht, so ist, zur Sicherheit derselben, der Weg der Pränumeration eingeschlagen worden. Die Pränumeration bleibt bis Ende des August d. J. offen; man pränumerirt für die ganze Oper mit einem *halben* Souveraind'or, oder 6 Gulden 40 Kr. rheinisch; ausser der Pränumeration kann sie dann nicht anders als um 2 käiserl. Ducaten, oder 9fl. rheinisch gelassen werden. Die Oper wird *ganz* und *vollständig*, sammt den nöthigen instrumentirten Recitativen geliefert, weil sie aus der vom sel. Mozart selbst geschriebenen Original-Partitur übersetzt wird. Sie besteht aus 34 Nummern, ist also stärker als alle seine übrigen Opern.

Übrigens will die Unterzeichnete nicht zu viel versprechen, sondern lieber mehr leisten; sie hofft von dem teutschen Publikum, welches Mozarts Geist so würdig zu schätzen weiß, reichliche Unterstützung; denn es ist ein Meisterstück seines Genies, und das einzige von den größern Werken, deren Benutzung widrige Umstände ihr und ihren Waisen noch nicht entzogen haben.

In Prag pränumerirt man by Fr. Duschek, auf dem welschen Platze, im fürstl. Lichtensteinischen Hause; beym Hrn. Organisten Wenzel, auf dem Roßmarkte, beym goldenen Lamm; beym Hrn. Buchhändler Kalve, in der Jesuitengasse. In Wien, bey der unterzeichneten Wittwe Mozarts, in der Krugerstraße, beym blauen Säbel, Nr. 174; und in Hamburg auf dem Addreß-Comtoir. Im Auslande werden alle ansehnlichen Musikhandlungen die Pränumeration annehmen. Wer zehn Exemplare abnimmt, erhält das 11te gratis. Die Oper wird im November d. J. fertig.

Den 1sten May, 1795. *Constanze Mozart.*

Band 10, S. 314—316. — Der Klavierauszug des *Tito* erschien bei J. A. Böhme, arrangiert von A. E. Müller. — Johann Wenzel arrangierte auch die Linzer Sinfonie (KV 425) und die in Es (KV 543) für Klavier; der Klavierauszug der *Zauberflöte* scheint aber nur handschriftlich erschienen zu sein; der des *Idomeneo* erschien, gestochen von Johann Berka, 1796/97 bei Schmid & Rauh in Leipzig. — Statt *„Kalve"* sollte es Calve heißen, und statt 174 der Inneren Stadt 1074.

Zu Seite 420:

Programm eines Konzertes im Linzer Theater, 22. November [1796]

Grosses Concert. / Einladung an alle edlen Menschenfreunde und Gönner der Tonkunst / zu einem grossen / Vocal und Instrumental / Concert / welches / heute Dienstag den 22ten November als am Musikfesttage im hiesigen / Landständischen Schauspielhause zur bessern Gründung des neueinzurichtenden / Musikfonds in zwo Abtheilungen gegeben wird; / wobei / Madame Mozart, Wittwe des grossen unvergeßlichen / Künstlers sich wird hören lassen.

Erste Abtheilung.

1. Ouverture aus der Oper: La Clemenza di / Tito vom weiland Hr. Mozart.
2. Duett für 2 Soprani.
3. Soprano Arie.

5. Terzett für 2 Soprani und Basso.
6. Tenor Arie
7. Quintetto für 3 Soprani, Tenore e Basso.

Nachtrag

Zwote Abtheilung.

1. Neue Sinfonie vom Hr. Mozart.
2. Duett für Soprano und Tenore.
3. Soprano Arie.
4. Duett für 2 Tenori.

5. Marche.
. . .
7. Terzett für Soprano, Tenore, ê Basso.
8. Chor.

Alle Singstücke sind aus der berühmten Opera: La Clemenza di Titto.

. . . .

Der Anfang ist um halb 7 Uhr.

Exemplar im Dorotheum, Wien, am 14. Mai 1959 versteigert. — Das Konzert war am 18. November 1796 in der *Linzer Zeitung* angekündigt worden (laut freundlicher Mitteilung des Herrn Universitäts-Dozenten Dr. Othmar Wessely, der den Aufenthalt Konstanzes in Linz früher ins Jahr 1795 verlegt hatte). — Wieder, wie an anderen Orten nach 1793, hat Konstanze die Oper konzertmäßig aufführen lassen, wenn auch hier nur unvollständig. Der Marsch scheint ebenfalls aus dem *Tito* genommen worden zu sein. Die Sinfonie ist nicht zu bestimmen; es könnte die „Linzer" (KV 425) gewesen sein. Das Orchester bestand zum Teil aus Dilettanten. Die Sänger (außer Konstanze) sind nicht genannt. — Über diesen Besuch Konstanzes in Linz ist sonst nichts bekannt geworden. — Der „Musikfesttag" war der Tag der heiligen Cäcilia; der „Musikfond" war, nach Wessely, die 1798 gegründete „Tonkünstler-Gesellschaft" von Linz, ein Wohltätigkeitsverein.

Zu Seite 425:

Vertrag über Mozarts Nachlass zwischen Konstanze Mozart und Johann Anton André, Wien, 8. November 1799

Zwischen Endesunterzeichneten, der Frau Witwe *Mozart* und dem Herrn *Johann André* aus *Offenbach* am Mayn ist heute folgender *Contract* für sie und ihre Erben geschlossen worden, daß nämlich

1. Die Frau Witwe *Mozart* die Werke ihres seligen Mannes, die in ihrer Verwahrung mit meinem, *André's*, Siegel versehen sind und in 15. Päkken bestehen, nebst den *sub littera A.* in der Beylage specificirten Musicalien dem Herrn *André* um den Preis von Drey Tausend Ein Hundert und Fünfzig Gulden Wiener Courant zu seinem Eigenthum überläßt.

2. Verbindet sich der Herr *André* von obiger Summe zu Anfang des Monats Februar 1800. die Hälfte, und den Rest in 6. Wochen später hier in *Wien* baar bezahlen zu lassen; wogegen die erwähnten versiegelten Musicalien vor dem 9. Januar 1800. dem Herrn *Paul Wranizky* allhier gegen seinen, *Wranizky's*, Empfangschein und gegen die Ablieferung eines von mir, *André*, ausgestellten verbindlichen Zahlungsscheins nach obigem Inhalt und in der Form, wie die Beylage *sub Lit. B.* ausgestellt ist, einzuhändigen sind.

3. Verspricht die Frau Witwe *Mozart*, sämtliche Partituren ihres Mannes, deren Anschaffung von ihr abhängt, ohne ihr Kosten zu machen, einzig und allein dem Herrn *André*, als eine Folge dieses *Contracts*, unentgeldlich, aber auf seine Kosten, nachzuliefern.

4. Verspricht Herr *André* der Frau Wirwe *Mozart* oder ihren Erben von jedem dieser Werke, so bald es in seiner Handlung erscheint, Vier Exemplare franco *Wien, Berlin*

oder *Hamburg* unentgeldlich zu liefern; sollte aber der Herr *André* ein oder das andere Werk irgend einem andern Musicalienverleger zur Herausgabe überlassen, so ist er gehalten von diesen in fremdem Verlag herauskommenden Mozartschen Werken der Frau Witwe Zwey Exemplare unentgeldlich franco wie oben zu verschaffen.

5. Doch stehet es der Frau Witwe *Mozart* frey, von den im Vorhergehenden verabredeten Puncten spätestens bis zum 9. Januar 1800. noch abzugehen, aber mit der ausdrüklichen Verpflichtung, daß sie spätestens am gedachten 9ᵗ Januar ein Schreiben an mich, *André*, über Festhaltung oder Nichtfesthaltung dieses *Contracts* von ihrer Seite dem Herrn *Paul Wranizky* gegen dessen Schein, zur Beförderung, einhändigen solle; im Unterlassungsfalle dieser ihrer Erklärung wird der Contract auf ihrer Seite für genehmigt gehalten.

6. So viel hingegen insbesondere die *sub lit. A.* specificirten Musicalien anbelangt, ist auf den Fall, daß die sämtlichen übrigen dem Herrn *André* von der Witwe *Mozart* nicht überlassen werden sollten, verabredet worden, wie folgt:

7. Sämtliche in *lit. A.* verzeichneten Musicalien überläßt von heute an die Frau Witwe *Mozart* dem Herrn *André* um den Preis von Sechs Hundert Gulden Wiener Courant, wovon die Hälfte sogleich bey der Auswechselung dieses Contracts und der Rest in 6. Wochen von heute an hier in *Wien* an sie oder ihre Erben bezahlt wird.

8. In dem Fall, daß nur dieser lezter Punct zwischen den beyden Contrahenten verhandelt werden sollte, ist der Herr *André* verbunden, die *sub lit. A.* verzeichneten geschriebenen Musicalien vor dem 1ˢᵗ September 1800. der Frau Witwe *Mozart* auf seine Kosten franco *Wien, Berlin* oder *Hamburg* zurückzuliefern; bis zu welcher Zeit er jeden Gebrauch davon machen darf.

9. Auch verspricht der Herr ANDRÉ von diesen lezten *sub lit. A.* verzeichneten Musicalien gleich bey ihrer öffentlichen Erscheinung der Frau Witwe *Mozart* oder ihren Erben fünf Exemplare von jedem Werke frey nach *Wien, Berlin* oder *Hamburg* zu liefern.

10. Sollte der Herr *André* ausser Stand gesezt seyn, die *sub lit. A.* verzeichneten Originalmanuscripte zum 1ˢᵗ September 1800. der Frau Witwe *Mozart* oder ihren Erben zurückliefern zu können, welcher Termin auch allenfals bis in die Mitte des Septembers erstrekt werden kann, so verspricht er als eine verabredete Vergütung derselben Sechs Hundert Gulden Wiener Courant sogleich zu bezahlen.

Dessen zu Urkund sind von vorstehendem *Contract* zwey gleichlautende Exemplare von beyden Theilen in Gegenwart der hiezu erbetenen Herrn Zeugen unterschrieben und besiegelt worden.

So geschehen Wien den 8ᵗᵉⁿ November 1799.

Constance Mozart

Joh: André.
DHG von Pilgram,
K. R. Raths Agent
als Zeuge

Nissen
königl. Dänischer Gesandtschaftssecretär, als Zeuge

Nachtrag

Beylage zum *Contract* zwischen der Frau Witwe
Mozart und dem Herrn *Johann André* vom
8 Nov. 1799.
Litt. A.
Originalmanuscripte.

Clavierconcert N. 3. *A dur.*

_____ für 2. Claviere N. 21. *Es dur.*

_____ N. 5. *Es dur.*

_____ N. 2. *C mol.*

_____ N. 6. *C dur.*

_____ N. 29. *C. dur.*

_____ N. 17. *b dur.*

Violin *Rondeau* N. 44. *C dur.*

QUINTETT N. 24. *C. mol*

_____ N. 27. *Es dur.*

_____ N. 26. *D dur.*

_____ N. 25. *C dur.*

QUARTETT N. 6. *D mol.* nebst beygebundenem *Quintett b dur.*

_____ N. 36. *b dur.*

_____ N. 35. *F dur.*

_____ N. 34. *D dur*

_____ N. 17. *C. dur*

_____ N. 33. *C dur.*

_____ N. 32. *A dur.*

_____ N. 31. *Es dur.*

_____ N. 30. *b dur.*

_____ N. 29. *D mol.*

_____ N. 28. *G dur.*

_____ N. 37. *D dur.*

_____ N. 38. *C mol.*

Claviersonate (nicht ganz original) *C dur.*

Ferner 211, gestochene Exemplare des *Mozartschen* Clavierconcerts N. 1. aus *C. Dur,*
welche von *Breitkopf* und *Härtel* zu beziehen sind.   *Verte*

Nachtrag

Lit. B.

Formular des contractmäßigen Zahlungsscheins

Gegen Ablieferung der von mir in 15. Pakken versiegelten *Mozartischen* Musicalien an Herrn *Paul Wranizky*, welcher den Empfang zu bescheinigen hat, verbinde ich mich an die Frau Witwe *Mozart* oder ihre Erben Zwey Tausend Fünf Hundert Fünfzig Gulden Wiener Währung dergestalt zu bezahlen, daß daran zu Anfang Februar 1800. die Summe von Ein Tausend Fünf Hundert Gulden, der Rest aber in der Mitte des Monat Märzs 1800. baar hier in *Wien* abgeführt werden sollen.

Eines der beiden Originale bei Frau Friederike André in Offenbach am Main. Das Exemplar Konstanzes scheint verloren zu sein. — Die Beilage A, deren Rückseite nicht in der Photographie bei der Deutschen Mozart-Gesellschaft, Augsburg, vorliegt, enthält Werke, die André später verlegt hat (vgl. O. E. Deutsch und C. B. Oldman in der *Zeitschrift für Musikwissenschaft*, Leipzig, April 1932, S. 348 ff.); die hier genannten Nummern beziehen sich auf die Zählung der Autographe in Andrés 15 Paketen. — Der Zeuge David Heinrich Gottfried von Pilgramm (ca. 1743—1829) war damals kaiserlicher Reichshofagent; vor 1786 war er Sekretär der Loge „Zur wahren Eintracht".

Zu Seite 427:

KONSTANZE MOZART AN JOHANN ANTON ANDRÉ

[Wien, 9. Februar 1800]

Lieber Herr André,

es wäre möglich, daß ich izt die Originalpartitur des berühmten Requiems meines Mannes durch den Anonymen, der es bestellte, erhalten könnte: sein Commissionär hat mir aber von funfzig Ducaten gesprochen. Wollen Sie diese daran wenden? Oder welches ist der *höchste* Preis, den Sie daran wenden wollen? Ich hatte bisher geglaubt, daß meine Copie gut wäre; aber ein Kenner hat mich versichert, daß sie bei weitem nicht an die Vollkommenheit des Originals reicht. Ich kann es izt nicht beurtheilen, aber wäre dieses wahr, so verlohnte sichs freilich der Mühe, das Original zu kaufen. Da mein Mann das Werk nicht gänzlich geendigt hat, weil er darüber wegstarb, als es bald fertig war, so kann ich nicht ganz gewiß wissen, wie viel von seiner eigenen Hand geschrieben ist. Indessen sey es mehr oder weniger, so ist offenbar dieses Exemplar, wovon die Rede ist, das aller authentischste. Ich habe die Ehre mit vieler Hochachtung zu seyn ihre ergebenste Dienerin

Constanze Mozart

Manskopfsches Museum, deponiert in der Stadt- und Universitäts-Bibliothek, Frankfurt am Main. — Mitgeteilt von Dr. Wolfgang Schmieder. — Der Brief ist von Nissen geschrieben und von Konstanze gezeichnet. Das Datum stammt von André. — Der Kommissionär des Grafen Walsegg war sein Wiener Advokat Dr. Johann Nepomuk Sortschan, der von Konstanze Aufklärung und Entschuldigung verlangte. Bei ihm konnte Konstanze mit dem „*Kenner*", Abbé Maximilian Stadler, das Autograph einsehen und mit ihrer Abschrift vergleichen, wie sie am 21. Juli 1800 Breitkopf & Härtel und am 26. November 1800 André meldete. Dann aber ging das Autograph an den Grafen zurück, der also nicht die Hälfte des bezahlten Honorars wieder bekam. (Für 50 Dukaten hat aber 1839 die Wiener Hofbibliothek das Autograph gekauft.) Die Wiener Uraufführung (2. Januar 1793) und Breitkopfs Erstdruck (1800) erfolgten nach der Abschrift. Vgl. Ende 1798. — Fredrik Samuel Silverstolpe war bei Stadlers Vergleich des *Requiems* (Original mit der Abschrift) anwesend; vgl. Graf C.-G. Stellan Mörner in *Festschrift für Alfred Orel*, Wien (1960), S. 116 f.

Nachtrag

Zu Seite 427:

Konstanze Mozarts Erklärung über Mozarts Nachlass, 13. März 1800

Erklärung

über Mozarts musicalischen Nachlaß

Nachdem ich den Herren Breitkopf und Härtel zu Leipzig einige Manuscripte meines seligen Mannes, welche einzig in Liedern, Canons, Fugen, einem Harmonicaquintett, einem Marsch für das Clavier, ein Paar Sonaten und *einem* Clavierconcert bestanden haben, (ausser 6. Sonaten und *dem Requiem in Copie)* zum Behuf ihrer Ausgabe für ein Honorar im Original mitgetheilt und die Platten zu dem von mir herausgegebenen Clavierconcert verkauft hatte, bot ich ihnen von freyen Stükken meinen ganzen großen Vorrath zum Kauf auf ein Mal an. Erwähnte Herren, die denselben in der Entfernung nicht schäzen zu können glaubten, benuzten meinen Antrag nicht. Herr André, der durch seinen hiesigen Aufenthalt in den Stand gesezt ward, den Werth und den Reichthum dieses Nachlasses zu beurtheilen, hat mir ihn seitdem abgekauft, und ist dadurch der höchstrechtmäßige Eigenthümer, nicht eines Rests, sondern einer fast vollständigen Sammlung, vollkommen correcter und vollkommen authentischer Werke im Originalmanuscript von der ersten Jugend Mozarts bis zu seinem Tode, geworden.
Herr André hat diese Erklärung von mir gefordert: er hat ein Recht darauf: sie ist der strengsten Wahrheit gemäß: ich gebe sie ihm hiermit.

Wien den 13 März 1800

Constance Mozart

Stadtarchiv Offenbach am Main. — Mitgeteilt durch die Familie André. — Handschrift Nissens, signiert von Konstanze. — Dieses ist die zweite Fassung der Erklärung Konstanzes. Die erste war vom 12. März datiert und ist im Manskopf-Museum, Frankfurt am Main, erhalten. — Die endgültige Form erschien am 4. April im *Frankfurter Staats-Ristretto.* Dort war am 10. Februar eine Anzeige Andrés erschienen, die Breitkopf & Härtel im März in ihrer Zeitschrift erwiderten; nach dem Erscheinen der Erklärung Konstanzes kam es noch im April zu einer Entgegnung in der *Allgemeinen musikalischen Zeitung* und damit die Kontroverse zu einem Ende. — Vgl. 8. November 1799 im Nachtrag, S. 528—531, und *Mozarts Nachlaß* von O. E. Deutsch im *Mozart-Jahrbuch 1953,* Salzburg 1954.

Zu Seite 442:

Aus Felix Joseph Lipowskys «Baierischem Musik-Lexikon», München 1811

In Wien komponirte Schack folgende Opern: a) Una cosa rara, zweiter Theil; b) Stein der Weisen; c) die Wiener Zeitung.
Diese Opernmusiken erwarben ihm die unschätzbare Bekanntschaft des unsterblichen Mozart, und erneuerten das ehemalige Wohlwollen des großen Joseph Hayden.
Öfters kam Mozart zum Schack, um ihn zu einem Spaziergang abzuholen, und während sich derselbe ankleidete, setzte sich Kapellmeister Mozart an dessen Schreibtisch und komponirte hier und da ein Stück in desselben Opern, daher in des Schack Opern mehrere Stellen von Mozarts eigener Hand und Genie vorkommen, auch war dieser große Tonsetzer so gefällig und freundschaftlich gegen Schack, daß er ihm mehrere Bücher über Musik zum lesen, dann Partituren eines Händel, Emanuel und Sebastian Bach etc. zum studiren gab.
Den Tamino in der Zauberflöte schrieb Mozart eigends für Schack, der diese Rolle in Wien

116 Mal sang und spielte. Dieses großen Künstlers Freundschaft genoss Schack bis zu dessen Tode.

S. 300 f. — Von den drei genannten Opern ist die Musik zur ersten ganz von Schack (Freihaustheater, 10. Mai 1790), die der zweiten von Schack, Johann Baptist Henneberg und (KV 625) Mozart (11. September 1790), die der dritten von Schack und Gerl (12. Januar 1791). — Das „*sang und spielte*" bezieht sich wohl nicht auf das Flötenspiel Taminos, sondern nur auf Singen und Agieren. — Vgl. S. 459 f.

Zu Seite 480:

AUS DEN «BLÄTTERN FÜR MUSIK, THEATER UND KUNST», HERAUSGEGEBEN VON L. A. ZELLNER, WIEN, 30. SEPTEMBER 1856

Unter den Gästen [der Salzburger Säcularfeier zu Ehren Mozarts] war der vorzüglichste Gegenstand der allgemeinen Neugier und Theilnahme Carl Mozart, der Sohn des grossen Tondichters. Von den beiden Söhnen Mozarts ist Carl der ältere, der jüngere... starb bekanntlich vor einigen Jahren in Karlsbad. Carl Mozart, ein kleiner schmächtiger Mann mit schwarzen Augen und wenig gebleichtem Haar, schlicht und höchst bescheiden in seinem Benehmen, war erst sieben Jahre alt, als er seinen Vater verlor. Trotzdem versicherte er auf meine Frage, dass er sich seines Vaters sehr lebhaft erinnere, und hauptsächlich zwei Umstände dabei im Gedächtnis bewahre. Erstens habe Vater Mozart ihn viel spazieren führen müssen, da Mutter Constanze damals lange kränkelte und das Haus hütete. Sodann sei er von seinem Vater häufig ins Theater geführt worden, ein Vergnügen, das er wunderlicher Weise später nie wieder aufgesucht...

Rudolf v. Lewicki in den *Mozarteums-Mitteilungen* Salzburg Nov. 1919, II/1, S. 16. — Mozart führte Karl am 13. Oktober 1791 in die *Zauberflöte*.

Zu Seite 480:

AUS DEN ERINNERUNGEN DES VIOLASPIELERS FRANZ XAVER SEMLER (VERÖFFENTLICHT 11. MÄRZ 1857)

[Mozart in Potsdam 1789]

Einstmals wurde er dort aufgefordert zu phantasieren. Wie er immer bereitwillig war, so auch hier. Er setzte sich ans Klavier; von den anwesenden Musikverständigen hatte er sich zwei Themata geben lassen. Die Sängerin trat neben seinen Stuhl, um ihn auch spielen zu sehen. Mozart, der gern mit ihr scherzte, sah zu ihr hinauf und sagte: Nun? habens auch a Themerl aufm Gewissen? Sie sang ihm eins. Er begann nun das reizendste Spiel, bald mit diesem, bald mit jenem Thema und zum Schluß brachte er sie alle drei zusammen, zum höchsten Genuß und Erstaunen der Anwesenden.

Vossische Zeitung, Berlin, 11. März 1857, Beilage, S. 7. — Abert II. 631. — Die Sängerin war Semlers Schwester, Sophie Niclas.

Zu Seite 482:

AUS JOHANNA V. BISCHOFFS «JUGENDERINNERUNGEN», WIEN 1891

Wir bewohnten im Sommer 1825 einen Teil der Bertramka bei Prag; die andere Hälfte hatte der Hausbesitzer Herr *Dussek*, der Erbe von Mozarts Freundin Frau *Dussek*, inne, welche mit letzterem zugleich hier gewohnt hatte. *Dussek* zeigte Frau von *Pichler* in meinem

Zimmer die Stelle, wo Mozarts Spinett gestanden und erzählte ihr, wie vom Orchester aus Wien, als man in nächster Zeit zu Kaiser Leopolds Empfang den Titus aufführen sollte, zu welchem die Ouverture noch fehlte, Boten um Boten danach ausgesandt wurden. Mozart ging im Zimmer auf und ab; als aber seine Freundin, die stets ihn mahnende Dussek, unter den den Hügel herauf Keuchenden, auch den ersten Violinisten des Orchesters erblickte, und Mozart auf die erneuerte Mahnung ruhig antwortete: „Mir fallt halt nix ein", da schrie sie ihn an: „So fang in's Teufelsnamen mit dem Reitermarsch an!" Er flog ans Spinett und nach den ersten zwei Takten des Reitermarsches, mit welchem auch wirklich die Ouverture beginnt, rauschten die Melodien dahin, die Ouverture war vollendet, ward rasch instrumentiert und mit den noch nassen Blättern enteilten die Boten.

4. Heft, Zweite Abteilung, S. 6. — Mitgeteilt von Dr. Franz Glück. — Frau Bischoff, geb. Kuh (1798—1891), war seit 1818 in Prag mit dem Arzt Prof. Ignaz Bischoff v. Altenstern verheiratet und übersiedelte mit ihm im gleichen Jahre 1825 nach Wien. — Ihre Erinnerungen sind durchaus glaubhaft, und auch durch Karoline Pichlers *Denkwürdigkeiten* (s. 1843—44) bezeugt. (Neuausgabe von 1914, II. 203 f.) Nur der Name des Besitzers der Bertramka um 1825 scheint fraglich: Frau Josepha Duschek hatte nämlich das Haus 1799, nach dem Tode ihres Gatten, verkauft, nicht vererbt. — Das Orchester, das bei der Uraufführung der Oper *La clemenza di Tito* im September 1791 spielte, war das Prager.

LITERATUR-VERZEICHNIS

Diese Liste gibt keine kritische Auswahl der Mozart-Literatur, sondern nur die Titel der in dem vorliegenden Buch wiederholt genannten Schriften und einiger anderer biographisch wichtiger Arbeiten.

HERMANN ABERT, siehe JAHN und *Mozart-Jahrbuch.*

Acta Mozartiana, herausgegeben von ERICH VALENTIN, bisher 7 Jg., Augsburg 1954—1960.

EMILY ANDERSON: *The Letters of Mozart & His Family,* 3 Bde., London 1938.

Augsburger Mozartbuch, Zeitschrift des Historischen Vereins für Schwaben, 55. und 56. Bd., herausgegeben von *Heinz Friedrich Deininger.* Augsburg (1943).

Neues Augsburger Mozartbuch, ebenso, in Vorbereitung.

GUGLIELMO BARBLAN, siehe *Mozart in Italia.*

EMIL KARL BLÜMML, *Aus Mozarts Freundes- und Familien-Kreis,* Wien 1923.

ROBERT BORY, *Wolfgang Amadeus Mozart. Sein Leben und seine Werke in Bildern* (auch französisch und englisch erschienen), Genf (1948).

ADOLF BUFF, *Mozarts Augsburger Vorfahren,* Zeitschrift des Historischen Vereins für Schwaben und Neuburg, Jg. 18, Augsburg 1891.

L. CAFLISCH — M. FEHR: *Der junge Mozart in Zürich,* CXL. Neujahrsblatt der Allgemeinen Musikgesellschaft Zürich, Zürich 1952.

ANDREA DELLA CORTE, siehe *Mozart in Italia.*

HEINZ FRIEDRICH DEININGER, *Wolfgang Amadeus Mozarts Augsburger Ahnen,* Zeitschrift Schwabenland, Jg. 9, Mozart-Heft, Augsburg 1942; siehe auch *Augsburger Mozartbuch.*

HERMANN DEITERS, siehe JAHN.

OTTO ERICH DEUTSCH, *Mozart und die Wiener Logen,* Wien 1932.

OTTO ERICH DEUTSCH — BERNHARD PAUMGARTNER, *Leopold Mozarts Briefe an seine Tochter,* Salzburg 1936.

ALFRED EINSTEIN, siehe KÖCHEL.

ERICH W. ENGEL, *Wolfgang Amade Mozart,* Abreiß-Kalender, Wien 1914.

HENRY GEORGE FARMER — HERBERT SMITH: *New Mozartiana,* Glasgow 1935.

MAX FEHR, *Die Familie Mozart in Zürich,* Zürich 1942; siehe auch L. CAFLISCH.

RUDOLF VON FREISAUFF, *Mozart's Don Juan 1787—1887,* Salzburg 1887.

RICHARD GENÉE, siehe *Mitteilungen.*

FRANZ HADAMOWSKY, siehe *Mozart-Ausstellungen, Wien.*

A. J. HAMMERLE, *Mozart und einige Zeitgenossen,* Salzburg 1877.

WALTER HUMMEL, *W. A. Mozarts Söhne,* Kassel 1956.

— *Nannerl Mozarts Tagebuchblätter mit Eintragungen ihres Bruders Wolfgang Amadeus,* Salzburg (1958).

OTTO JAHN, *W. A. Mozart,* 4 Bde., Leipzig 1856—1859; 2. Auflage, 2 Bde., 1867; 3. Auflage, bearbeitet von HERMANN DEITERS, 2 Bde., 1889—1891 (in diesem Buch zitiert); 4. Auflage, 2 Bde., ebenso, 1905—1907; 5. Auflage, bearbeitet von HERMANN ABERT, 2 Bde., Leipzig 1919—1921 (hier unter ABERT zitiert).

A. HYATT KING, *Mozart in Retrospect,* London 1955.

LUDWIG RITTER VON KÖCHEL, *Chronologisch-thematisches Verzeichnis sämtlicher Tonwerke Wolfgang Amade Mozarts,* Leipzig 1862; 2. Auflage, bearbeitet von PAUL GRAF VON WALDERSEE, Leipzig 1905; 3. Auflage, bearbeitet von ALFRED EINSTEIN, Leipzig 1937. (Abkürzungen: KV = Köchel-Verzeichnis, KE = Köchel-Einstein.)

Literatur-Verzeichnis

RUDOLF VON LEWICKI, siehe *Mozarteums-Mitteilungen.*

Mitteilungen für die Mozart-Gemeinde in Berlin, herausgegeben von RICHARD GENÉE und (nach 1912) von FRITZ RÜCKWARD, 43 Hefte in 4 Bänden, Berlin 1895—1925.

Mozart in Italia, herausgegeben von GUGLIELMO BARBLAN und ANDREA DELLA CORTE, Milano 1956.

Mozart-Ausstellungen 1956 (Kataloge)
    London: Mozart in the British Museum.
    Milano: Mozart in Italia (GUGLIELMO BARBLAN u. a.).
    München: Mozart in München (ALFONS OTT und HANS REUTHER).
    Paris: Mozart en France.
    Wien: Mozart. Werk und Zeit (FRANZ HADAMOWSKY und LEOPOLD NOWAK).

Mozart-Jahrbuch, herausgegeben von HERMANN ABERT, 3 Jg., Leipzig 1923—1929.

Neues Mozart-Jahrbuch, herausgegeben von ERICH VALENTIN, 3 Jg., Regensburg 1941—1943.

Mozart-Jahrbuch, herausgegeben von der Internationalen Stiftung Mozarteum (Schriftleiter seit 1955 GÉZA RECH), bisher 10 Jg., Salzburg 1950—1959.

Mozarteums-Mitteilungen, herausgegeben von RUDOLF VON LEWICKI, 3 Jg., Salzburg 1918—1921.

ERICH H. MÜLLER VON ASOW, *Gesamtausgabe der Briefe und Aufzeichnungen der Familie Mozart,* 3 Bde., Berlin 1942. (Die Faksimiles sind als 1. Bd. dieser Ausgabe gezählt, die beiden Teile der unvollständigen Briefsammlung als 2. und 3. — hier so zitiert —, in einer besonderen Auflage als 1. und 2. Bd.)

PAUL NETTL, *Mozart in Böhmen,* Prag (1938).

FRANZ NIEMETSCHEK, *Leben des K. K. Kapellmeisters Wolfgang Gottlieb Mozart,* Prag 1798; 2. Auflage, Prag 1808.

GEORG NIKOLAUS VON NISSEN, *Biographie W. A. Mozarts, herausgegeben von Constanze, Witwe von Nissen, früher Witwe Mozart,* Leipzig 1828.

GUSTAV NOTTERBOHM, *Mozartiana,* Leipzig 1880.

LEOPOLD NOWAK, siehe *Mozart-Ausstellungen, Wien.*

ANDREA OSTOJA, *Mozart e l'Italia,* Bologna 1955.

ALFONS OTT, siehe *Mozart-Ausstellungen, München.*

BERNHARD PAUMGARTNER, siehe DEUTSCH.

C. F. POHL, *Mozart in London,* Wien 1867.

RUDOLF FREIHERR VON PROCHÁZKA, *Mozart in Prag,* Prag 1892.

GÉZA RECH, siehe *Mozart-Jahrbuch.*

HANS REUTHER, siehe *Mozart-Ausstellungen, München.*

FRITZ RÜCKWARD, siehe *Mitteilungen für die Mozart-Gemeinde in Berlin.*

ERICH SCHENK, *Mozarts mütterliche Familie,* Bericht über die musikwissenschaftliche Tagung, Salzburg 1931, Leipzig 1932.
— *Wolfgang Amadeus Mozart,* Wien 1955.

LUDWIG SCHIEDERMAIR, *Die Briefe W. A. Mozarts und seiner Familie,* 4 Bde. München und Leipzig 1914.
— *Mozart-Ikonographie* (als 5. Bd. erschienen), München und Leipzig 1914.

ERNST FRITZ SCHMID, *Ein schwäbisches Mozart-Buch,* Lorch-Stuttgart 1948.

ARTHUR SCHURIG, *Wolfgang Amade Mozart,* 2 Bde., Leipzig 1913; 2. Auflage, 1923.
— *Leopold Mozarts Reise-Aufzeichnungen 1763—1771,* Dresden 1920.
— *Konstanze Mozart,* Dresden 1922.

HERBERT SMITH, siehe FARMER.

ERICH VALENTIN, siehe *Acta Mozartiana* und *Neues Mozart-Jahrbuch.*

PAUL GRAF WALDERSEE, siehe KÖCHEL.

KONSTANTIN VON WURZBACH, *Mozart-Buch,* Wien 1869.

Faksimiles von Dokumenten im Bildband

LISTE DER IM BAND « MOZART UND SEINE WELT IN ZEITGENÖSSISCHEN BILDERN »
(NEUE MOZART-AUSGABE X/32) FAKSIMILIERTEN DOKUMENTE

Faksimiles von Dokumenten im Bildband

REGISTER

A

VERZEICHNIS DER IN DEM VORLIEGENDEN BAND ERWÄHNTEN WERKE MOZARTS

1. NACH KÖCHEL- UND EINSTEIN-NUMMERN

Das folgende Werkverzeichnis bringt in fortlaufender Zählung neben den alten Köchel-Nummern (KV) auch die von Alfred Einstein in der von ihm bearbeiteten dritten Auflage des Köchel-Verzeichnisses, Leipzig 1937, für zahlreiche Werke zusätzlich eingeführten neuen Nummern (KE). Zu den KE-Nummern der Zahlenkolumne werden die entsprechenden alten KV-Nummern gegeben, z. B. „KE 386ᵃ = KV 414". Unter den KV-Nummern (im gegebenen Beispiel also unter „KV 414") sind dann alle einschlägigen Angaben über die betreffenden Werke zu finden. Im Text des Bandes selbst sind nur die alten Köchel-Nummern (KV) zitiert, ausgenommen die Fälle, wo die neuen Einstein-Nummern unentbehrlich waren.

KV 1	Menuett und Trio für Klavier in G-dur 15	KV 16	Sinfonie in Es-dur 427
KV 6	Sonate für Klavier und Violine in C-dur 30, 42, 47, 176	KV 19	Sinfonie in D-dur 427
		KE 19ᵃ	= KV Anh. 223
KV 7	Sonate für Klavier und Violine in D-dur 30, 39, 42, 47, 176	KE 19ᵈ	Sonate für Klavier zu vier Händen in C-dur 309, 316
KV 8	Sonate für Klavier und Violine in B-dur 33, 39, 42, 47, 176	KV 20	Motette „God is our refuge" 45, 537
KV 9	Sonate für Klavier und Violine in G-dur 33, 42, 47, 176	KV 22	Sinfonie in B-dur 50
		KV 24	Acht Variationen für Klavier in G-dur über ein holländisches Lied von Christian Ernst Graaf 51
KV 10	Sonate für Klavier und Violine (oder Flöte) und Violoncello in B-dur 39, 40, 47, 176	KV 25	Sieben Variationen für Klavier in D-dur über *Willem van Nassau* 51, 427
KV 11	Sonate für Klavier und Violine (oder Flöte) und Violoncello in G-dur 39, 40, 47, 176	KV 26	Sonate für Klavier und Violine in Es-dur 52, 70, 73, 176
		KV 27	Sonate für Klavier und Violine in G-dur 52, 70, 73, 176
KV 12	Sonate für Klavier und Violine (oder Flöte) und Violoncello in A-dur 39, 40, 47, 176	KV 28	Sonate für Klavier und Violine in C-dur 52, 70, 73, 176
KV 13	Sonate für Klavier und Violine (oder Flöte) und Violoncello in F-dur 39, 40, 47, 176	KV 29	Sonate für Klavier und Violine in D-dur 52, 70, 73, 176
		KV 30	Sonate für Klavier und Violine in F-dur 52, 70, 73, 176
KV 14	Sonate für Klavier und Violine (oder Flöte) und Violoncello in C-dur 39, 40, 47, 176	KV 31	Sonate für Klavier und Violine in B-dur 52, 70, 73, 176
KV 15	Sonate für Klavier und Violine (oder Flöte) und Violoncello in B-dur 39, 40, 47, 176	KV 32	*Galimathias musicum*, Quodlibet 51, 62, 400
		KV 32ᵃ	Das dritte Skizzenbuch (die sogen. *Capricci*) 51

KV 33 c   *Stabat mater* 62
KE 33 i   = KV 36
KV 35   *Die Schuldigkeit des ersten Gebots,* *Geistliches Singspiel in drei Teilen* (erster Teil von Mozart) 68, 91, 537
KE 35 a   = KV 42
KV 36   Rezitativ und Arie (Licenza) für Tenor *„Or che il dover — Tali e cotanti sono"* (KE 33 i) 67
KV 38   *Apollo et Hyacinthus seu Hyacinthi Metamorphosis,* Lateinische Komödie 70, 71
KV 42   *Grabmusik* (Passions-Kantate) (KE 35 a) 70, 91
KE 43 b   = KV 53
KE 45 a   = KV Anh. 221
KE 46 a   = KV 51
KE 46 b   = KV 50
KE 46 c   = KV 52
KV 47 a   Missa (solemnis) 78
KV 47 b   Offertorium 78
KV 47 c   Konzert für Trompete 78
KV 50   *Bastien und Bastienne,* Singspiel in einem Akt (KE 46 b) 78, 143, 537
KV 51   *La finta semplice,* Opera buffa in tre atti (KE 46 a) 77, 82, 165, 225, 401
KV 52   *„Daphne, deine Rosenwangen",* Lied für eine Singstimme mit Klavierbegleitung (KE 46 c) 79
KV 53   *„An die Freude",* Lied für eine Singstimme mit Klavierbegleitung (KE 43 b) 79
KE 61 a   = KV 65
KE 61 c   = KV 70
KE 62 a   = KV 100
KV 63   Serenade (Final-Musik) in G-dur 83
KV 65   Missa brevis in d-moll (KE 61 a) 79
KV 66   Missa in C-dur *(Dominicus-Messe)* 85, 131
KE 66 c   = KV Anh. 215
KE 66 d   = KV Anh. 217
KE 66 e   = KV Anh. 218
KV 70   Rezitativ und Arie (Licenza) für Sopran *„A Berenice — Sol nascente"* (KE 61 c) 67
KV 72 a   Allegro für Klavier in G-dur 93
KE 73 b   = KV 78
KE 73 c   = KV 88
KE 73 d   = KV 79
KE 73 e   = KV 77
KE 73 v   = KV 86
KE 74 a   = KV 87
KE 74 c   = KV 118
KV 77   Rezitativ und Arie für Sopran *„Misero me — Misero pargoletto"* (KE 73 e) 100

KV 78   Arie für Sopran *„Per pietà, bell'idol mio"* (KE 73 b) 100
KV 79   Arie für Sopran *„O temerario Arbace — Per quel paterno amplesso"* (KE 73 d) 100
KV 86   Antiphone *„Quaerite primum regnum Dei"* (KE 73 v) 114
KV 87   *Mitridate, Rè di Ponto,* Opera seria in tre atti (KE 74 a) 116, 403, 537
KV 88   Arie für Sopran *„Fra cento affanni"* (KE 73 c) 100
KV 100   Serenade (Final-Musik) in D-dur (KE 62 a) 83
KV 106   Ouverture und drei Kontretänze für Orchester (KE 588 a) 384
KV 111   *Ascanio in Alba,* Serenata teatrale in due atti 122, 123, 403, 537
KV 113   Divertimento in Es-dur 123
KV 118   *Betulia liberata,* Azione sacra in due parti (KE 74 c) 119, 138, 237, 403
KE 123 a   = KV 381
KV 125   *Litaniae de venerabili altaris sacramento* 135
KV 126   *Il sogno di Scipione,* Serenata drammatica 127, 404
KV 135   *Lucio Silla,* Dramma per musica in tre atti 119, 122, 128, 129, 154, 155, 189, 404, 537
KE 135 a   = KV Anh. 109
KE 158 a   = KV 165
KE 159 c   = KV 187
KE 162 b   = KV 181
KV 165   Motette für Sopran *„Exultate, jubilate"* (KE 198 a) 129
KE 166 a   = KV 184
KE 167 a   = KV 185
KV 168   Streichquartett in F-dur 220, 222
KV 169   Streichquartett in A-dur 220, 222
KV 170   Streichquartett in C-dur 220, 222
KV 171   Streichquartett in Es-dur 220, 222
KV 172   Streichquartett in B-dur 220, 222
KV 173   Streichquartett in d-moll 220, 222
KE 173 a   = KV 205
KE 173 c   = KV 180
KV 174   Streichquintett in B-dur 427
KV 175   Konzert für Klavier in D-dur 176, 189
KV 179   Zwölf Variationen für Klavier in C-dur über ein Menuett von Johann Christian Fischer (KE 189 a) 149, 151, 196, 214
KV 180   Sechs Variationen für Klavier in G-dur über *„Mio caro Adone"* aus *La fiera di Venezia* von A. Salieri (KE 173 c) 196, 223

KV 181 Sinfonie in D-dur (KE 162 b) 407
KV 184 Sinfonie (Ouverture) in Es-dur (KE 166 a) 165
KV 185 Serenade (Final-Musik) in D-dur (KE 167 a) 130, 139
KE 186 c = KV 358
KE 186 f = KV 192
KE 186 h = KV 194
KV 187 Divertimento in C-dur (KE 159 c) 130
KE 189 a = KV 179
KE 189 d = KV 279
KE 189 e = KV 280
KE 189 f = KV 281
KE 189 g = KV 282
KE 189 h = KV 283
KV 192 Missa brevis in F-dur (KE 186 f) 136
KV 194 Missa brevis in D-dur (KE 186 h) 12, 136
KV 196 *La finta giardiniera*, Opera buffa in tre atti 134, 135, 138, 177, 206, 293, 298, 337, 404
KV 204 Serenade in D-dur (KE 213 a) 139
KV 205 Divertimento in D-dur (KE 173 a) 131
KE 205 a = KV 222
KE 205 b = KV 284
KV 207 Konzert für Violine in B-dur 145, 159
KV 208 *Il Rè pastore*, Dramma per musica in due atti 137, 155, 156, 404
KV 211 Konzert für Violine in D-dur 159
KE 213 a = KV 204
KV 216 Konzert für Violine in G-dur 149, 159
KV 218 Konzert für Violine in D-dur 159
KV 219 Konzert für Violine in A-dur 159
KV 222 Offertorium de tempore „Misericordias Domini" (KE 205 a) 136
KV 228 Erster Doppelkanon „Ah, zu kurz ist unsers Lebens Lauf" (KE 515 b I—II) 256
KV 238 Konzert für Klavier in B-dur 147, 149, 155
KV 242 Konzert für drei Klaviere in F-dur (Lodron) 149, 156, 407
KV 243 *Litaniae de venerabili altaris sacramento* 140, 157, 165, 190
KV 246 Konzert für Klavier in C-dur (Lützow) 147, 156
KE 246 a = KV 262
KV 247 Divertimento in F-dur 141, 147, 219, 221, 407
KE 248 b = KV 250
KV 250 Serenade in D-dur (Haffner) (KE 248 b) 141, 147, 165

KV 251 Divertimento (Septett) in D-dur 139, 147, 159, 161
KV 254 Divertimento (Trio) für Klavier, Violine und Violoncello in B-dur 147, 152, 188, 221
KV 257 Missa in C-dur (Credo-Messe) 407
KV 258 Missa brevis in C-dur (Spaur-Messe) 407
KV 259 Missa brevis in C-dur (Orgelsolo-Messe) 157, 407
KV 262 Missa (longa) in C-dur (KE 246 a) 140
KV 264 Neun Variationen für Klavier in C-dur über die Ariette „Lison dormait" aus dem Singspiel *Julie* von N. Dezède (KE 315 d) 214, 229, 244, 245, 258, 303
KV 265 Zwölf Variationen für Klavier in C-dur über „Ah, vous dirai-je, Maman" (KE 300 e) 522
KV 268 Konzert für Violine in Es-dur (KE 365 b) 427
KV 271 Konzert für Klavier in Es-dur (Jeunehomme) 147
KV 271 a Konzert für Violine in D-dur (KE 271 i) 144, 407
KE 271 b = KV 287
KE 271 h = KV 288
KE 271 i = KV 271 a
KE 272 b = KV 275
KV 275 Missa brevis in B-dur (KE 272 b) 151, 349
KV 279 Sonate für Klavier in C-dur (KE 189 d) 151
KV 280 Sonate für Klavier in F-dur (KE 189 e) 151
KV 281 Sonate für Klavier in B-dur (KE 189 f) 151
KV 282 Sonate für Klavier in Es-dur (KE 189 g) 151
KV 283 Sonate für Klavier in G-dur (KE 189 h) 148, 151
KV 284 Sonate für Klavier in D-dur (Dürnitz) (KE 205 b) 149, 151, 200, 234, 245, 252
KE 284 b = KV 309
KE 284 c = KV 311
KE 285 b = KV Anh. 171
KE 285 c = KV 313
KE 285 d = KV 314
KE 285 e = KV 315
KV 287 Divertimento in B-dur (KE 271 b) 143, 147, 157, 159, 407
KV 288 Divertimento in F-dur (KE 271 h) 143
KE 293 a = KV 301

KE 293 b = KV 302
KE 293 c = KV 303
KE 293 d = KV 305
KV 294 Rezitativ und Arie für Sopran „Alcandro, lo confesso — Non so d'onde viene" 156, 189
KV 296 Sonate für Klavier und Violine in C-dur 176, 177, 190, 223, 258, 537
KV 297 Sinfonie in D-dur *(Pariser)* (KE 300 a) 158, 160, 164, 189, 329, 411
KE 297 a = KV Anh. 1
KE 297 b = KV Anh. 9
KE 297 c = KV 299
KV 298 Quartett in A-dur für Flöte, Violine, Viola und Violoncello 265
KV 299 Konzert für Flöte und Harfe in C-dur (KE 297 c) 476
KE 299 a = KV 354
KE 299 b = KV Anh. 10
KE 300 a = KV 297
KE 300 c = KV 304
KE 300 d = KV 310
KE 300 e = KV 265
KE 300 f = KV 353
KE 300 h = KV 330
KE 300 i = KV 331
KE 300 k = KV 332
KE 300 l = KV 306
KV 301 Sonate für Klavier und Violine in G-dur (KE 293 a) 162, 174, 176, 521
KV 302 Sonate für Klavier und Violine in Es-dur (KE 293 b) 162, 174, 176, 521
KV 303 Sonate für Klavier und Violine in C-dur (KE 293 c) 162, 174, 176, 521
KV 304 Sonate für Klavier und Violine in e-moll (KE 300 c) 162, 174, 176, 521
KV 305 Sonate für Klavier und Violine in A-dur (KE 293 d) 162, 174, 176, 521
KV 306 Sonate für Klavier und Violine in D-dur (KE 300 l) 162, 174, 176, 521
KV 309 Sonate für Klavier in C-dur (KE 284 b) 151, 188
KV 310 Sonate für Klavier in a-moll (KE 300 d) 188
KV 311 Sonate für Klavier in D-dur (KE 284 c) 188
KE 311 a = KV Anh. 8
KV 313 Konzert für Flöte in G-dur (KE 285 c) 476
KV 314 Konzert für Flöte (Oboe ?) in D-dur (KE 285 d) 144, 155, 476
KV 315 Andante für Flöte in C-dur (KE 285 e) 476
KE 315 c = KV 333
KE 315 d = KV 264
KE 315 e = KV Anh. 11
KE 316 a = KV 365

KV 317 Missa in C-dur *(Krönungs-Messe)* 323, 407
KE 317 d = KV 378
KV 319 Sinfonie in B-dur 210, 258, 290, 329, 499, 510
KV 320 Serenade in D-dur 165, 189
KE 320 a = KV 335
KV 330 Sonate für Klavier in C-dur (KE 300 h) 202, 258
KV 331 Sonate für Klavier in A-dur (KE 300 i) 202, 214, 258, 338
KV 332 Sonate für Klavier in F-dur (KE 300 k) 202, 258
KV 333 Sonate für Klavier in B-dur (KE 315 c) 200, 234, 245
KV 335 Zwei Märsche in D-dur für Orchester (KE 320 a) 165
KE 336 a = KV 345
KE 336 b = KV 344
KV 337 Missa solemnis in C-dur 407
KV 338 Sinfonie in C-dur 173, 178, 210
KV 344 *Zaide*, Singspiel in zwei Akten (KE 336 b) 398
KV 345 Chöre und Zwischenaktmusiken zu dem heroischen Drama *Thamos, König in Ägypten* (KE 336 a) 130, 131, 133, 134, 139, 165, 419, 537
KV 350 *Wiegenlied*, Lied für eine Singstimme mit Klavierbegleitung von B. Flies (KE Anh. 284 f) 392
KV 352 Acht Variationen für Klavier in F-dur über das Chorstück „Dieu d'amour" aus *Les Mariages samnites* von A. E. M. Grétry (KE 374 c) 214, 244, 245, 258, 522
KV 353 Zwölf Variationen für Klavier in Es-dur über „La belle Françoise" (KE 300 f) 214, 244, 245, 258, 300, 499, 511, 522
KV 354 Zwölf Variationen für Klavier in Es-dur über die Romanze „Je suis Lindor" aus *Le Barbier de Séville* von A.-L. Baudron (KE 299 a) 173, 196, 214, 300, 305
KV 358 Sonate für Klavier zu vier Händen in B-dur (KE 186 c) 191, 258
KV 359 Zwölf Variationen für Klavier und Violine in G-dur über „La Bergère Célimène" (KE 374 a) 219, 221, 244, 245, 258, 522
KV 360 Sechs Variationen für Klavier und Violine in g-moll über ein Andantino „Hélas, j'ai perdu mon amant" (KE 374 b) 219, 244, 245, 258, 283, 522
KV 361 Serenade *(Gran Partita)* in B-dur (KE 370 a) 198, 207

KV 365 Konzert für zwei Klaviere in Es-dur (KE 316 a) 175, 178, 201, 407, 427

KE 365 a = KV Anh. 11 a

KE 365 b = KV 268

KV 366 *Idomeneo, Rè di Creta, ossia: Ilia ed Idamante*, Opera seria in tre atti 168—170, 174, 176, 189, 234, 236, 398, 404, 406, 419, 420, 462, 463, 526, 527, 537

KV 369 Szene und Arie für Sopran *„Misera, dove son! — Ah! non son'io che parlo"* 189

KE 370 a = KV 361

KV 371 Konzert-Rondo (Finale) für Horn in Es-dur 173

KV 373 Rondo für Violine in C-dur 173, 427

KE 373 a = KV 379

KV 374 Rezitativ und Arie für Sopran *„Ah questo seno deh vieni — Or che il cielo a me ti rende"* 173

KE 374 a = KV 359

KE 374 b = KV 360

KE 374 c = KV 352

KE 374 d = KV 376

KE 374 e = KV 377

KE 374 f = KV 380

KV 375 Serenade in Es-dur 175, 198, 407

KE 375 a = KV 448

KV 376 Sonate für Klavier und Violine in F-dur (KE 374 d) 176, 177, 190, 223, 258, 537

KV 377 Sonate für Klavier und Violine in F-dur (KE 374 e) 176, 177, 190, 223, 258, 537

KV 378 Sonate für Klavier und Violine in B-dur (KE 317 d) 176, 177, 190, 258, 537

KV 379 Sonate für Klavier und Violine in G-dur (KE 373 a) 173, 176, 177, 190, 258, 537

KV 380 Sonate für Klavier und Violine in Es-dur (KE 374 f) 176, 177, 190, 223, 258, 537

KV 381 Sonate für Klavier zu vier Händen in D-dur (KE 123 a) 191, 244, 258

KV 382 Konzert-Rondo für Klavier in D-dur 176, 189, 214, 499, 511

KE 383 f = KV 409

KV 384 *Die Entführung aus dem Serail*, Komisches Singspiel in drei Akten 154, 174, 178—180, 182, 183, 185—187, 189—191, 193, 194—196, 199, 201 bis 207, 211, 214—217, 219, 221, 223, 225, 243, 245—247, 255, 256, 259, 261, 268, 272—275, 278, 280, 285, 310, 323, 324, 328, 337—339, 342, 418, 429, 434, 435, 442, 443, 456, 463, 464, 470, 477, 515, 537, 538

KE 384 a = KV 388

KV 385 Sinfonie in D-dur *(Haffner)* 180, 189, 198, 210, 217, 258, 290, 385, 499, 510

KE 385 b = KV 393

KE 386 a = KV 414

KE 386 c = KV 407

KV 387 Streichquartett in G-dur 209, 220, 229, 258, 290

KE 387 a = KV 413

KE 387 b = KV 415

KV 388 Serenade *(Nacht-Musique)* in c-moll (KE 384 a) 198, 407

KV 393 Solfeggien für eine Singstimme (KE 385 b) 282

KV 398 Sechs Variationen für Klavier in F-dur über *„Salve tu, Domine"* aus der Oper *I filosofi immaginarii* von G. Paisiello (KE 416 e) 189, 208, 244, 245, 258, 522

KV 406 Streichquintett in c-moll (KE 516 b) 275, 427

KV 407 Hornquintett in Es-dur (KE 386 c) 407

KV 409 Sinfonie-Menuett in C-dur (KE 383 f) 178

KV 413 Konzert für Klavier in F-dur (KE 387 a) 188, 194, 201, 207, 211, 213, 221, 258

KV 414 Konzert für Klavier in A-dur (KE 386 a) 188, 194, 201, 207, 211, 213, 221, 258

KV 415 Konzert für Klavier in C-dur (KE 387 b) 188, 189, 194, 201, 207, 211, 213, 258, 537

KV 416 Szene und Rondo für Sopran *„Mia speranza adorata — Ah, non sai, qual pena"* 187, 416

KE 416 b = KV 435

KE 416 c = KV 433

KE 416 d = KV 446

KE 416 e = KV 398

KE 417 a = KV 427

KE 417 b = KV 421

KV 418 Arie für Sopran *„Vorrei spiegarvi, oh Dio — Ah conte, partite"* 193

KV 419 Arie für Sopran *„No, no, che non sei capace"* 193, 345, 416

KV 420 Arie für Tenor *„Per pietà, non ricercate"* 193

KE 420 a = KV 429

KV 421 Streichquartett in d-moll (KE 417 b) 209, 220, 258

KE 421 b = KV 428

KV 423 Duo für Violine und Viola in G-dur 280, 407

KV 424 Duo für Violine und Viola in B-dur 280, 407

2. NACH GATTUNGEN

In dem folgenden Werkverzeichnis nach Gattungen, das mit einigen Abweichungen der Anordnung der *Neuen Mozart-Ausgabe* entspricht, sind die Einstein-Nummern in Klammern hinter die alten KV-Nummern gesetzt worden, z. B. „KV 414 (386 ª)".

Das Gattungsverzeichnis ist in den Abteilungen I, 3 und 4, II und III alphabetisch angelegt, in den übrigen Abteilungen nach KV-Nummern.

I. GEISTLICHE GESANGSWERKE

1. Messen und Requiem

a) Messen

Missa (solemnis) KV 47 ª 78

Missa brevis in d-moll KV 65 (61 ª) 79

Missa in C-dur *(Dominicus-Messe)* KV 66, 85, 131

Missa brevis in F-dur KV 192 (186 ᶠ) 136

Missa brevis in D-dur KV 194 (186 ʰ) 12, 136

Missa in C-dur *(Credo-Messe)* KV 257 407

Missa brevis in C-dur *(Spaur-Messe)* KV 258 407

Missa brevis in C-dur *(Orgelsolo-Messe)* KV 259 157, 407

Missa (longa) in C-dur KV 262 (246 ª) 140

Missa brevis in B-dur KV 275 (272 ᵇ) 151, 349

Missa in C-dur *(Krönungs-Messe)* KV 317 323, 407

Missa solemnis in C-dur KV 337 407

Missa in c-moll KV 427 (417 ª) 194, 212, 270, 407, 462

b) Requiem

Requiem KV 626 275, 363, 374, 375, 380, 409, 410, 418, 419, 424, 427, 430, 431, 438—441, 443, 451, 454, 459, 460, 531, 532, 538

2. Litaneien

Litaniae de venerabili altaris sacramento KV 125 135

Litaniae de venerabili altaris sacramento KV 243 140, 157, 165, 190

3. Kleinere Kirchenwerke (Motetten, Offertorien, Antiphone)

„Ave, verum corpus", Motette KV 618 348

„Exultate, jubilate", Motette für Sopran KV 165 (158 ª) 129

„God is our refuge", Motette KV 20 45, 537

„Misericordias Domini", Offertorium de tempore KV 222 (205 ª) 136

Offertorium KV 47 ᵇ 78

„Quaerite primum regnum Dei", Antiphone KV 86 (73 ᵛ) 114

Stabat mater KV 33 ᶜ 62

4. Oratorien, geistliche Singspiele und Kantaten

Betulia liberata, Azione sacra in due parti KV 118 (74 ᶜ) 119, 138, 237, 403

Davidde penitente, Kantate KV 469 194, 209, 212, 462

„Dir, Seele des Weltalls", Kantate KV 429 (420 ª) 421

Eine kleine Freimaurer-Kantate KV 623 272, 361, 386, 407, 440, 538

Grabmusik (Passions-Kantate) KV 42 (35 ª) 70, 91

Maurerfreude, Die, Kantate für Tenor und Männerchor KV 471 216, 218, 226, 337, 355, 537

Schuldigkeit des ersten Gebots, Die, Geistliches Singspiel in drei Teilen (erster Teil von Mozart) KV 35 68, 91, 537

II. BÜHNENWERKE

1. Opern und Singspiele

Apollo et Hyacinthus seu Hyacinthi Metamorphosis, Lateinische Komödie KV 38 70, 71

Ascanio in Alba, Serenata teatrale in due atti KV 111 122, 123, 403, 537

Bastien und Bastienne, Singspiel in einem Akt KV 50 (46 ᵇ) 78, 143, 537

Clemenza di Tito, La (Titus), Opera seria in due atti KV 621 345, 349, 351, 354, 355, 377, 380, 381, 411, 412, 414—424, 438, 443, 446, 472, 516, 524—528, 534, 538

Così fan tutte, Opera buffa in due atti KV 588 129, 187, 270, 316—321, 323, 346, 348, 349, 357, 437, 442, 443, 446, 470, 538

Don Giovanni (Don Juan), Dramma giocoso in due atti KV 527 199, 264—267, 270, 275 bis 278, 280, 282, 290, 293, 294, 297, 299, 305, 309—314, 316, 320, 324, 328, 334, 335, 337—339, 342, 343, 345, 349, 350, 352, 353, 357, 359, 380, 381, 409, 422, 436, 437, 443, 446, 462, 469, 470, 476, 524, 525, 538

Entführung aus dem Serail, Die, Komisches Singspiel in drei Akten KV 384 154, 174, 178—180, 182, 183, 185—187, 189—191, 193, 194—196, 199, 201—207, 211, 214—217, 219, 221, 223, 225, 243, 245—247, 255, 256, 259, 261, 268, 272—275, 278, 280, 285, 310, 323, 324, 328, 337—339, 342, 418, 429, 434, 435, 442 f., 456, 463 f., 470, 477, 515, 537 f.

„Non più, tutto ascoltai — Non temer, amato bene", Scena mit Rondo für Sopran KV 490 234

„Non so d'onde viene" KV 294 und KV 512 s. „Alcandro, lo confesso" KV 294 und KV 512

„Non temer, amato bene" KV 490 s. „Non più, tutto ascoltai"

„Non temer, amato bene" KV 505 s. „Ch'io mi scordi di te"

„Nun, liebes Weibchen, ziehst mit mir", Komisches Duett für Sopran und Baß KV 625 (592 a) 326, 533

„Or che il cielo a me ti rende" s. „Ah questo seno deh vieni"

„Or che il dover — Tali e cotanti sono", Rezitativ und Arie (Licenza) für Tenor KV 36 (33 i) 67

„O temerario Arbace — Per quel paterno amplesso", Arie für Sopran KV 79 (73 d) 100

„Per quel paterno amplesso" s. „O temerario Arbace"

„Per pietà, bell'idol mio", Arie für Sopran KV 78 (73 b) 100

„Per pietà, non ricercate", Arie für Tenor KV 420 193

„Resta, o cara" s. „Bella mia fiamma"

„Rivolgete a lui lo sguardo", Arie für Baß KV 584 129

„Schon klopfet mein liebender Busen" s. „Un moto di gioia mi sento"

„Sol nascente" s. „A Berenice"

„Spiegarti non poss'io", Duett für Sopran und Tenor KV 489 234

„Tali e cotanti sono" s. „Or che il dover"

„Un bacio di mano", Ariette für Baß KV 541 278, 282

„Un moto di gioia mi sento" („Schon klopfet mein liebender Busen"), Arie für Sopran KV 579 308

„Vado, ma dove? — oh Dei!", Arie für Sopran KV 583 314, 345

„Vorrei spiegarvi, oh Dio — Ah conte, partite", Arie für Sopran KV 418 193

„Warum, o Liebe, treibst du jenen grausamen Kurzweil — Zittre, töricht Herz, und leide!", Rezitativ und Arie für Die zwei schlaflosen Nächte nach C. Gozzi KV Anh. 11 a (365 a) 168, 223

„Zittre, töricht Herz, und leide!" s. „Warum, o Liebe, treibst du jenen grausamen Kurzweil"

III. LIEDER, GESÄNGE, KANONS UND SOLFEGGIEN

1. Lieder mit Klavier

Abendempfindung, Lied für eine Singstimme mit Klavierbegleitung KV 523 295

Als Luise die Briefe ihres ungetreuen Liebhabers verbrannte, Lied für eine Singstimme mit Klavierbegleitung KV 520 341

Alte, Die, Lied für eine Singstimme mit Klavierbegleitung KV 517 252

An Chloe, Lied für eine Singstimme mit Klavierbegleitung KV 524 295

An die Freude, Lied für eine Singstimme mit Klavierbegleitung KV 53 (43 b) 79

Beim Auszug in das Feld, Lied für eine Singstimme mit Klavierbegleitung KV 552 252, 272, 286, 289

Betrogene Welt, Die, Lied für eine Singstimme mit Klavierbegleitung KV 474 252, 538

„Daphne, deine Rosenwangen", Lied für eine Singstimme mit Klavierbegleitung KV 52 (46 c) 79

Gesellenreise, Lied für eine Singstimme mit Klavierbegleitung KV 468 229

Im Frühlingsanfang, Lied für eine Singstimme mit Klavierbegleitung KV 597 342, 538

Kinderspiel, Das, Lied für eine Singstimme mit Klavierbegleitung KV 598 342

Kleine Spinnerin, Die, Lied für eine Singstimme mit Klavierbegleitung KV 531 252, 289

Kleinen Friedrichs Geburtstag, Des, Lied für eine Singstimme mit Klavierbegleitung KV 529 252

Lied der Freiheit, Lied für eine Singstimme mit Klavierbegleitung KV 506 229, 307, 538

Lied der Trennung, Das, Lied für eine Singstimme mit Klavierbegleitung KV 519 308, 317

Sehnsucht nach dem Frühlinge, Lied für eine Singstimme mit Klavierbegleitung KV 596 342, 538

Traumbild, Das, Lied für eine Singstimme mit Klavierbegleitung KV 530 341

Veilchen, Das, Lied für eine Singstimme mit Klavierbegleitung KV 476 308, 317

Verschweigung, Die, Lied für eine Singstimme mit Klavierbegleitung KV 518 252, 538

Zauberer, Der, Lied für eine Singstimme mit Klavierbegleitung KV 472 252, 538

Zufriedenheit, Die, Lied für eine Singstimme mit Klavierbegleitung KV 473 538

2. Mehrstimmige Gesänge

Bandel, Das, Scherzhaftes Terzett für Sopran, Tenor und Baß KV 441 250

„Ihr, unsre neuen Leiter", dreistimmiger Chorgesang mit Orgelbegleitung KV 484 229

„Zerfließet heut', geliebte Brüder", Lied mit dreistimmigem Chor und Orgelbegleitung KV 483 229

VI. Kammermusik

1. Streichquintette und Quintette mit einem Blasinstrument

a) Streichquintette

Streichquintett in B-dur KV 174   427
Streichquintett in c-moll KV 406 (516b)   275, 427
Streichquintett in C-dur KV 515   275, 307, 321
Streichquintett in g-moll KV 516   275, 307, 326
Streichquintett in D-dur KV 593   372, 427
Streichquintett in Es-dur KV 614   372, 427

b) Quintette mit einem Blasinstrument

Hornquintett in Es-dur KV 407 (386c)   407
Klarinettenquintett in A-dur *(Stadler)* KV 581   315, 321

2. Streichquartette und Quartette mit einem Blasinstrument

a) Streichquartette

Streichquartett in F-dur KV 168   220, 222
Streichquartett in A-dur KV 169   220, 222
Streichquartett in C-dur KV 170   220, 222
Streichquartett in Es-dur KV 171   220, 222
Streichquartett in B-dur KV 172   220, 222
Streichquartett in d-moll KV 173   220, 222
Streichquartett in G-dur KV 387   209, 220, 229, 258, 290
Streichquartett in d-moll KV 421 (417b)   209, 220, 258
Streichquartett in Es-dur KV 428 (421b)   209, 220, 258
Streichquartett in B-dur *(Jagd-Quartett)* KV 458   209, 220, 258
Streichquartett in A-dur KV 464   209, 220, 258
Streichquartett in C-dur KV 465   209, 220, 258
Streichquartett in D-dur KV 499   362, 427
Streichquartett in D-dur KV 575   304, 322, 376, 383, 407, 427 — Arrangement als Trio für Klavier, Violine und Violoncello KV Anh. 148   407
Streichquartett in B-dur KV 589   304, 322, 376, 383, 427
Streichquartett in F-dur KV 590   304, 322, 376, 383, 427
Adagio und Fuge für zwei Violinen, Viola, Violoncello (und Kontrabaß) in c-moll KV 546   270

b) Quartette mit einem Blasinstrument

Quartett in A-dur für Flöte, Violine, Viola, und Violoncello KV 298   265
Quartett für Flöte, Violine, Viola und Violoncello in C-dur KV Anh. 171 (285b)   282

3. Trios und Duos für Streicher

a) Trios

Divertimento für Violine, Viola und Violoncello in Es-dur KV 563   297, 321

b) Duos

Duo für Violine und Viola in G-dur KV 423   280, 407
Duo für Violine und Viola in B-dur KV 424   280, 407

4. Quintette, Quartette und Trios mit Klavier (Glasharmonika)

a) Quintette

Quintett für Klavier, Oboe, Klarinette, Horn und Fagott in Es-dur KV 452   198, 200
Adagio in c-moll und Rondo in C-dur für Glasharmonika, Flöte, Oboe, Viola und Violoncello KV 617   351, 427

b) Quartette

Quartett für Klavier, Violine, Viola und Violoncello in g-moll KV 478   235, 278, 280, 290
Quartett für Klavier, Violine, Viola und Violoncello in Es-dur KV 493   250, 260, 271, 280, 290, 362

c) Trios

Divertimento (Trio) für Klavier, Violine und Violoncello B-dur KV 254   147, 152, 188, 221
Trio für Klavier, Klarinette und Viola in Es-dur *(Kegelstatt-Trio)* KV 498   286, 290
Trio für Klavier, Violine und Violoncello in B-dur KV 502   289, 308
Trio für Klavier, Violine und Violoncello in E-dur KV 542   289, 308
Trio für Klavier, Violine und Violoncello in C-dur KV 548   289, 308
Trio für Klavier, Violine und Violoncello in G-dur KV 564   330, 538

5. Sonaten und Variationen für Klavier und Violine

a) Sonaten

Sonate für Klavier und Violine in C-dur KV 6   30, 42, 47, 176
Sonate für Klavier und Violine in D-dur KV 7   30, 39, 42, 47, 176
Sonate für Klavier und Violine in B-dur KV 8   33, 39, 42, 47, 176
Sonate für Klavier und Violine in G-dur KV 9   33, 42, 47, 176
Sonate für Klavier und Violine (oder Flöte) und Violoncello in B-dur KV 10   39, 40, 47, 176
Sonate für Klavier und Violine (oder Flöte) und Violoncello in G-dur KV 11   39, 40, 47, 176
Sonate für Klavier und Violine (oder Flöte) und Violoncello in A-dur KV 12   39, 40, 47, 176

Sonate für Klavier und Violine (oder Flöte) und
  Violoncello in F-dur KV 13   39, 40, 47, 176
Sonate für Klavier und Violine (oder Flöte) und
  Violoncello in C-dur KV 14   39, 40, 47, 176
Sonate für Klavier und Violine (oder Flöte) und
  Violoncello in B-dur KV 15   39, 40, 47, 176
Sonate für Klavier und Violine in Es-dur KV 26
  52, 70, 73, 176
Sonate für Klavier und Violine in G-dur KV 27
  52, 70, 73, 176
Sonate für Klavier und Violine in C-dur KV 28
  52, 70, 73, 176
Sonate für Klavier und Violine in D-dur KV 29
  52, 70, 73, 176
Sonate für Klavier und Violine in F-dur KV 30
  52, 70, 73, 176
Sonate für Klavier und Violine in B-dur KV 31
  52, 70, 73, 176
Sonate für Klavier und Violine in C-dur KV 296
  176, 177, 190, 223, 258, 537
Sonate für Klavier und Violine in G-dur KV
  301 (293 a)   162, 174, 176, 521
Sonate für Klavier und Violine in Es-dur KV
  302 (293 b)   162, 174, 176, 521
Sonate für Klavier und Violine in C-dur KV
  303 (293 c)   162, 174, 176, 521
Sonate für Klavier und Violine in e-moll KV
  304 (300c)   162, 174, 176, 521
Sonate für Klavier und Violine in A-dur KV
  305 (293 d)   162, 174, 176, 521
Sonate für Klavier und Violine in D-dur KV
  306 (300l)   162, 174, 176, 521
Sonate für Klavier und Violine in F-dur KV
  376 (374d)   176, 177, 190, 223, 258, 537
Sonate für Klavier und Violine in F-dur KV
  377 (374e)   176, 177, 190, 223, 258, 537
Sonate für Klavier und Violine in B-dur KV
  378 (317d)   176, 177, 190, 258, 537
Sonate für Klavier und Violine in G-dur KV
  379 (373a)   173, 176, 177, 190, 258, 537
Sonate für Klavier und Violine in Es-dur KV
  380 (374f)   176, 177, 190, 223, 258, 537
Sonate für Klavier und Violine in B-dur KV 454
  199, 200, 234, 245
Sonate für Klavier und Violine in Es-dur KV
  481   283, 427
Sonate für Klavier und Violine in A-dur KV 526
  330, 427, 511

b) Variationen

Zwölf Variationen für Klavier und Violine in
  G-dur über „*La Bergère Célimène*" KV 359
  (374a)   219, 221, 244, 245, 258, 522
Sechs Variationen für Klavier und Violine in
  g-moll über ein Andantino „*Hélas, j'ai perdu
  mon amant*" KV 360 (374b)   219, 244, 245,
  258, 283, 522

VII. Klaviermusik

1. Werke für zwei Klaviere und für Klavier
zu vier Händen

a) Für zwei Klaviere

Fuge für zwei Klaviere in c-moll KV 426   270
Sonate für zwei Klaviere in D-dur KV 448
  (375 a)   175, 200, 307, 407

b) Für Klavier zu vier Händen

Sonate für Klavier zu vier Händen in C-dur
  KE 19 d   309, 316
Sonate für Klavier zu vier Händen in B-dur
  KV 358 (186 c)   191, 258
Sonate für Klavier zu vier Händen in D-dur
  KV 381 (123 a)   191, 244, 258
Sonate für Klavier zu vier Händen in F-dur
  KV 497   271, 323, 330
Sonate für Klavier zu vier Händen in C-dur
  KV 521   316, 511

2. Sonaten, Fantasien und Rondos für Klavier

a) Sonaten

Sonate für Klavier in C-dur KV 279 (189 d)
  151
Sonate für Klavier in F-dur KV 280 (189 e)
  151
Sonate für Klavier in B-dur KV 281 (189 f)
  151
Sonate für Klavier in Es-dur KV 282 (189 g)
  151
Sonate für Klavier in G-dur KV 283 (189 h)
  148, 151
Sonate für Klavier in D-dur *(Dürnitz)* KV 284
  (205 b)   149, 151, 200, 234, 245, 252
Sonate für Klavier in C-dur KV 309 (284 b)
  151, 188
Sonate für Klavier in a-moll KV 310 (300 d)
  188
Sonate für Klavier in D-dur KV 311 (284 c)   188
Sonate für Klavier in C-dur KV 330 (300 h)
  202, 258
Sonate für Klavier in A-dur KV 331 (300 i)
  202, 214, 258, 238
Sonate für Klavier in B-dur KV 333 (315 c)
  200, 234, 245
Sonate für Klavier in c-moll KV 457   225, 238,
  258, 500, 511, 538
Sonate für Klavier in C-dur, KV 545   407
Sonate für Klavier in B-dur KV 570   407
Sonate für Klavier in D-dur KV 576   407

b) Fantasien

Fantasie für Klavier in c-moll KV 475   225,
  238, 258, 300, 500, 511, 538

c) Rondos

Rondo für Klavier in F-dur KV 494   270
Rondo für Klavier in a-moll KV 511   511

B
GENERAL-REGISTER (PERSONEN, SACHEN, ORTE)

Corrigenda

Seite 17, 10. Oktober 1762, Zeile 2: statt „geb. Hardegg" lies „geb. Komtesse Hardegg"

Seite 20, (19. November 1762), Zeile 2 von oben: statt „Kaiserinmutter" lies „verstorbenen Kaiserinmutter"

— 25. Dezember 1762, Zeile 2 des Gedichts: statt „den grösten Spieler" lies „doch grösten Spieler"

Seite 38, 6. August 1764, Zeile 1: statt Doppelpunkt nach „6" lies Punkt

Seite 53, (18. April 1766), Zeile 2 von oben: statt „Plaets-Royael" lies „Plaets-Royal"

Seite 56, (18. Juli 1766), Kommentar, Zeile 2: statt „Joseph von Bourbon, Prinz von Condé" lies „Joseph de Bourbon, Prinz de Condé"

Seite 77, 21. September 1768, Kommentar, Zeile 11: statt „Degenfeld" lies „Friedrich Christoph Graf Degenfeld"

Seite 83, 8. August 1769, Kommentar, Zeile 1: statt „Divertimento" lies „Serenade"

Seite 91/92, 28. November 1769, letzte und erste Zeile: statt „Benjamin ben Jona gab 1543 in Konstantinopel sein Reisebuch *Massaoth schel Rabbi Binjamin* heraus." lies „Benjamin ben Jonas Reisebuch *Massaoth schel Rabbi Binjamin* erschien 1543 in Konstantinopel."

Seite 97, (16. Januar 1770), Kommentar, Zeile 11: statt „Ambreville" lies „Leonora Ambreville"

Seite 100, 2. Februar 1770, Zeile 2: statt *„Cesaro in Egitto"* lies *„Cesare in Egitto"*

Seite 111, 10. Juni 1770, Zeile 3: statt „Herculanum" lies „Herculaneum"

Seite 119, 12./13. März 1771, Kommentar, Zeile 1: statt „Maestro Ferrandini al Santo" lies „Maestro Giovanni Ferrandini in der Kirche del Santo"

Seite 122, 17. Oktober 1771, Kommentar, Zeile 6: statt „Girelli-Auguilar" lies „Girelli-Aguilar"

Seite 139, 9. August 1775, Kommentar, Zeile 7: statt „1. August 1774" lies „31. Juli/ 1. August 1773"

— 23. August 1775, Kommentar, Zeile 1: statt „Sylvester Barisani" lies „Silvester Barisani"

— 23. August 1775, Kommentar, Zeile 2: statt „Johann Baptist" lies „Johann Baptist Anton"

Seite 142, 1. Februar 1777, Zeile 5: statt „Robing" lies „Robinig"

Seite 144, 25. Juli 1777, Kommentar, letzte Zeile: nach „bei Mozarts gleich zwei" ergänze „,bei Barisani gar drei."

Seite 168, Zeile 2 von oben: statt „(.....1782)" lies „(Seite 187)"

Seite 169, 29. Januar 1781, Zeile 11: statt „Andreas Schachtner" lies „Andrea Schachtner"

Seite 173, 3. April 1781, Kommentar, Zeile 3 von unten: statt *„Barbier de Seville"* lies *„Barbier de Séville"*

— 1./2. Mai 1781, Zeile 1: statt „Deutschen-Ritter-Ordens-Haus" lies „Deutsch-Ritter-Ordens-Haus"

Seite 175, 31. Oktober 1781, Zeile 1: statt „Maria" lies „Martha"

Seite 180, 29. Juli 1782, Zeile 1 des Textes und Zeile 2 des Kommentars: statt „Innbachhausen" lies „Imbachhausen" und statt „Innbach" lies „Imbach"

Seite 186, letzte Zeile: statt „Weisse" lies „Weiße"

Seite 190, 3. April 1783, Zeile 1: statt „Johann Anton" lies „Johann Baptist Anton"

Seite 232, 21. Februar 1786, Anmerkung, Zeile 2: statt „Niederlandden" lies „Niederlanden"

Seite 258, 28. Mai 1787, Kommentar, Zeile 3: statt „Joseph von Barisani" lies „Joseph Barisani"

Seite 266, 30. Oktober 1787, Kommentar, Zeile 8: statt „Strahov" lies „Strahow"

Seite 297, 12. April 1789, Zeile 1/2, und 13. April 1789: statt „Hotel de la Pologne" lies „Hotel de Pologne"

Seite 314, 30. November 1789: streiche die Anmerkung

Seite 315, 22. Dezember 1789, Kommentar, Zeile 4 von unten: statt „Mozarts" lies „Mozart"

Seite 321, 14. April 1790, Kommentar, Zeile 3: statt „KE 535ª" lies „KV 535ª"

Seite 333, 24. November 1790, Kommentar, Zeile 3: statt „Obermarchthal" lies „Obermarchtal"

Seite 348, 22. Juni 1791, Kommentar, Zeile 1: statt „KE 535a" lies „KV 535ª"

Seite 358, 13. Oktober 1791, Kommentar, Zeile 3—5: statt „Es gab einen ‚*Musikdirektor im Redoutensaal*', der so hieß. Da aber die Cavalieri, die Tochter des Schulmeisters Joachim Cavalier, Salieris Freundin war . . ." lies „Es gab einen ‚*Musikdirektor im Redoutensaal*', der so hieß; er war identisch mit dem Vater der Cavalieri, dem früheren Schulmeister Joseph Cavalier, der aber schon 1787 gestorben war. Da die Cavalieri Salieris Freundin war . . ."

Seite 368, 6. Dezember 1791, Kommentar, letzte Zeile: vor „November" ergänze „Salzburg"

Seite 377, 28. Dezember 1791: das Datum sollte „28. Dezember 1797" lauten; Dokument und Kommentar wären daher auf Seite 422 nach dem 22. November 1797 einzuordnen

Seite 405, Frühjahr 1792, Kommentar, Zeile 1/2: statt „mit Ergänzungen von Nissen (besonders das hier kursiv gesetzte), der die" lies „mit Ergänzungen von fremder Hand (besonders das hier kursiv gesetzte), die die"

Seite 422, Dokument und Kommentar „30. Dezember 1797" sind vor dem 29. März 1798 einzuordnen

Seite 492, letzte Zeile vor dem Kommentar: statt „Zois von Edelstein, Baron: Joseph Freiherr von Zois?" lies „Zois, Baron: Joseph Freiherr Zois von Edelstein?"

Seite 508, Zeile 18 von oben, rechte Spalte: lies statt „Domini" „Domini[c]"

Seite 512, zu Seite 41/42, 3. Absatz, vorletzte Zeile: statt „eenemal" lies „eenmal"

Seite 564, linke Spalte: statt „Cavalier, Joachim" lies „Cavalier, Joseph"